1 MONTH OF
FREE
READING

at

www.ForgottenBooks.com

ISBN 978-0-428-51346-7
PIBN 11240507

Archiv

für

österreichische Geschichte.

———

Herausgegeben

von der

zur Pflege vaterländischer Geschichte aufgestellten Commission

der

kaiserlichen Akademie der Wissenschaften.

Siebenundachtzigster Band.

Erste Hälfte.

Wien, 1899.

In Commission bei Carl Gerold's Sohn

Buchhändler der kais. Akademie der Wissenschaften.

Druck von Adolf Holzhausen,
k. und k. Hof- und Universitäts-Buchdrucker in Wien.

Inhalt des siebenundachtzigsten Bandes.

Erste Hälfte.

———

DIE
KÄRNTEN-KRAINER FRAGE

UND

DIE TERRITORIALPOLITIK

DER

ERSTEN HABSBURGER

IN ÖSTERREICH.

VON

DR ALFONS DOPSCH,

PROFESSOR AN DER WIENER UNIVERSITÄT

Archiv. LXXXVII. Band. I. Hälfte.

Unter den grossen politischen Problemen, welche die Wahl Rudolfs von Habsburg zum deutschen König aufwarf, musste dem Neugewählten selbst die Regelung der südostdeutschen Herrschaftsverhältnisse als besonders vital sich darstellen. Denn zu derselben Zeit, als Rudolf zum deutschen König ausgerufen wurde, stand Otakar von Böhmen auf dem Höhepunkte seiner Macht (1273). Er war auch der Einzige, welcher Rudolf als König nicht anerkannte, ja gegen dessen Wahl förmlich Protest erhob. Die gewaltige Territorialherrschaft, die er im Angesichte einer ohnmächtigen Reichsgewalt über den Südosten Deutschlands hin auf Kosten des Reiches zu Unrecht aufgerichtet hatte, war mit dem neuen, allgemein anerkannten deutschen Königthum schlechterdings unvereinbar. Sollte dasselbe denn dauernd zur Machtlosigkeit eingeschränkt bleiben? Nur wenn durch Rückgewinnung der dem Reiche entfremdeten Länder die Eindämmung jener seiner gefährlichsten Gegenmacht gelang, war Rudolfs Reichsgewalt eine Zukunft beschieden. Diese Ueberzeugung musste sich ihm unmittelbar aufdrängen. Eine Auseinandersetzung war absolut nothwendig. Aber sie konnte selbst nur der erste Schritt zur Lösung des Gesammtproblems sein. Aus der Erledigung eines so bedeutenden Länderbesitzes resultirte die vielleicht noch schwierigere Frage, wer diese Länder in Zukunft dauernd und zu Recht besitzen sollte. Ihre Lösung musste für die ganze nachfolgende Entwicklung von der weittragendsten Bedeutung werden. Neben der specifisch österreichischen Frage erhob sich eine solche auch hinsichtlich Kärnten-Krains. Die Lösung der politischen Frage war gegeben, sobald man die Rechtsfrage aufwarf. In negativer Beziehung mindestens. Denn hatte Otakar Oesterreich und die Steiermark in einer rechtlich nicht unanfechtbaren Weise in Besitz genommen, so war er bei der Erwerbung Kärnten-Krains geradezu gewaltthätig vorgegangen.

1*

Naturgemäss konnte bei der definitiven Regelung dieser Verhältnisse, die ob ihrer Schwierigkeit grossartige politische Transactionen erforderte, nicht die Rechtsfrage allein in Betracht kommen. Es wirkten dabei selbstverständlich auch politische Erwägungen und Rücksichten persönlicher Art mit, in dem Masse, als der gesicherte Besitz dieser Länder ein constituirendes Element für die Gestaltung der Machtfrage in Deutschland bildete.

Der Kärnten-Krainer Frage ist bis jetzt keine zusammenhängende Untersuchung zu Theil geworden.[1] Man hat lediglich einen Punkt derselben, die Belehnung der Habsburger mit Kärnten, besonders behandelt, das Uebrige aber nur insofern, als die literarische Polemik, welche über die sogenannte Kärntner Belehnungsfrage entstand, zu näherem Eingehen auf die Kärntner Verhältnisse um jene Zeit führte. Auf die bedeutsame Rolle, die Krain dabei gespielt hat, ist man nicht eigentlich aufmerksam geworden.

Indem ich nun versuche, den ganzen Complex dieser Fragen im Zusammenhange darzustellen,[2] ist es nothwendig, eingangs etwas weiter auszugreifen.

Die Kärnten-Krainer Frage reicht weiter zurück, als man gemeinhin annehmen möchte; sie wird erst recht verständlich, wenn man die weite Verzweigung ihrer Details auf die Wurzel zurückverfolgt. Entsprechend der Vielgestaltigkeit und grossen Verschiedenheit der Besitz- und Herrschaftsverhältnisse in diesen Ländern ist eine Vielheit von Einflüssen und Motiven dabei

---

[1] In jüngster Zeit haben darüber gehandelt: E. Katz, Der Gang der Erwerbung Kärntens durch die Habsburger und die sagenhaften Heereszüge der Margaretha Maultasch. Programm des Gymnasiums zu St. Paul 1897 und 1898, und F. G. Hann, Wie Kärnten an das Haus Habsburg kam. Carinthia I, 88 (1898), 161 ff. Beide Darstellungen sind, da sie weder auf die Quellen selbst zurückgehen, noch etwas Neues bieten, im Folgenden unberücksichtigt geblieben.

[2] Es sei mir an dieser Stelle verstattet, der freundlichen Unterstützung auch zu gedenken, die mir bei dieser Arbeit zu Theil wurde. Vor Allem fühle ich mich Herrn Prof. Dr. Oswald Redlich, dem besten Kenner dieser Zeiten, zu grossem Danke verpflichtet; er hat mir auch seine handschriftlichen Materialien zur Verfügung gestellt; ferner Herrn A. Ritter v. Jaksch, Landesarchivar von Kärnten, und Herrn A. Anthony v. Siegenfeld im k. u. k. Haus-, Hof- und Staatsarchiv in Wien, die beide meine archivalischen Forschungen wesentlich gefördert haben.

wirksam geworden, welche die Entwicklung dieser Frage wesentlich bestimmten. Wie die Landkarte Kärnten-Krains von
damals, bieten diese historischen Einzelzüge ein buntes Mosaik
dar, dessen Gesammtwirkung überrascht. Sie sind charakteristisch für die territorialgeschichtliche Entwicklung überhaupt
ebenso wie die Rechtsfragen, die sich erhoben, in der Begründung sowohl als in ihrer Lösung nicht uninteressant erscheinen
mögen für die Geschichte des deutschen Territorial-Staatsrechtes.
Die Neugestaltung dieser Länder in staatsrechtlicher Beziehung,
mit der diese Entwicklung abschliesst, verdient besondere Beachtung. Auch die Kärntner Belehnungsfrage selbst erfährt
eben in diesem Zusammenhange eine eigenartige Beleuchtung.

Im Hintergrunde dieses farbenreichen Bildes aber wird
die Persönlichkeit Rudolfs deutlich, der mit ungemeinem politischen Geschick diese schwierigen, vielgestaltigen und überaus
verwickelten Verhältnisse zur glücklichen Lösung brachte und
damit sein ausserordentliches staatsmännisches Talent auch hier
grossartig bethätigte.

Anders als in Oesterreich und Steiermark lagen die Verhältnisse in Kärnten und Krain, als mit der Rückforderung
dieser Länder an das Reich die Besitzrechte Otakars ange-
fochten wurden und die Frage sich erhob, wer in Zukunft
dieselben zu Recht besitzen sollte. Dort war das legitime
Herzogsgeschlecht der Babenberger im Mannsstamme thatsächlich erloschen, den überlebenden weiblichen Seitenverwandten
aber stand bei dem Mangel der Collateralerbfolge ein Suc-
cessionsrecht nicht zu. Otakar hatte das Land über Einladung
eines Theiles der Landesgrossen (1251) in Besitz genommen
und nachher (1252) durch seine Vermählung mit Margaretha,
der Schwester des letzten Babenbergers, die immerhin von der
öffentlichen Meinung im Lande als ‚wahrer Erbe‘ angesehen
wurde, sowie durch die allerdings nicht verfassungsmässig vollzogene Belehnung König Richards (1262) da wenigstens den
Schein des Rechtes zu wahren gesucht.

In Kärnten-Krain dagegen lebte noch ein männlicher
echter Sprössling des alten Herzogsgeschlechtes der Sponheimer:
Philipp, der Bruder des letzten Herzogs Ulrich III., der 1269

kinderlos gestorben war. Er durfte durchaus als erbberechtigt
gelten. Denn er war 1249 nicht nur zugleich mit seinem
Bruder von König Wilhelm zu gesammter Hand mit diesen
Ländern belehnt, sondern gleichzeitig damit auch bevorrechtet
worden, dass er dieselben unbeschadet seiner geistlichen Würde
besitzen solle, falls sein Bruder ohne entsprechende Nachkommenschaft sterbe.[1] Otakar konnte seine Ansprüche nur auf
eine testamentarische Verfügung stützen, zu der er Ulrich kurz
vor dessen Tod vermocht hatte.[2] Eine Uebertragung von Seiten
des Reiches aber hatte nicht stattgefunden. Sicherlich konnte
jenem Testamente Ulrichs, durch das er Otakar zum Erben
seiner Länder einsetzte, der rechtlichen Natur jenes Besitzes
nach nur eine beschränkte Rechtswirksamkeit zukommen. Allein
in jener Zeit, da die Reichsgewalt des deutschen Königs blos
auf dem Papiere stand, mochte dasselbe praktisch nicht ohne
Werth sein. Konnte auch Ulrich ein Verfügungsrecht über
die Reichslehen, welche er innehatte, das heisst also auch das
Herzogthum selbst ‚überhaupt nicht in Anspruch nehmen, so
waren dieselben auch für den factischen Besitz jener Länder
damals sicherlich nicht mehr die Hauptsache. Man wird für
die richtige Beurtheilung dieser Verhältnisse und insbesonders
der Besitzfrage das Gewicht richtig abschätzen müssen, mit dem
die einzelnen Herrschaftscomponenten in die Wagschale fielen.
Die territoriale Entwicklung von Kärnten und Krain, die
Besitz- und Herrschaftsverhältnisse in diesen Ländern sich zu
vergegenwärtigen,[3] scheint mir hier besonders geboten, da
damit am besten jene Abschätzung ermöglicht wird. Vor Allem
ist festzuhalten, dass sowohl der territoriale Zusammenschluss
nach aussen, als die Consolidirung der Herrschaftsgewalt nach
innen keineswegs so weit gediehen war als etwa in Oesterreich
und der Steiermark. Die historische Vergangenheit hier und
dort war eine grundverschiedene. Dort hatte die Thatsache,
dass ein und dasselbe Geschlecht sich — zunächst ohne Erb-

---

[1] Vgl. die Urkunde König Wilhelms vom 21. März 1249 (Böhmer, Acta
imp. 297), über deren Echtheit J. Ficker, Reichsfürstenstand 1, 255 f., und
in desselben Beiträge zur Urkundenlehre 1, 218, gehandelt hat.
[2] Gedruckt bei Schumi, Archiv für Heimatkunde 1, 79.
[3] Vgl. darüber im Allgemeinen v. Krones, Die deutsche Besiedelung der
östlichen Alpenländer, insbesondere Steiermarks, Kärntens und Krains,
nach ihren geschichtlichen und örtlichen Verhältnissen. Stuttgart 1889.

recht — nicht nur fortlaufend im Besitz der Markgrafschaft zu
halten verstand, sondern auch durch zweiundeinhalb Jahrhunderte stets über eine kräftige Nachkommenschaft verfügte,
an sich ein stetiges Anwachsen der Macht desselben zur Folge
gehabt, durch fortgesetzte Erwerbung von Grundbesitz sowohl,
als durch Festigung der Amtsgewalt. Hier musste der häufige
Wechsel der Herzoge, der zum Theil aus persönlichen Rücksichten nothwendig ward, und das wiederholte Erlöschen des
herzoglichen Hauses einer so geradlinig aufsteigenden Entwicklung von vornherein hemmend entgegenstehen.

Und wenn auch der Umstand, dass in Kärnten die herzogliche Gewalt bereits viel länger als dort bestand, den Inhabern derselben ursprünglich eine grössere Fülle von Rechten
sicherte, so will das gegenüber den Vortheilen, welche die in
Oesterreich bestehende Markverfassung in sich schloss, wenig
bedeuten, umsomehr, als dieselben auch nach der Erhebung
Oesterreichs zum Herzogthum fortdauernd nachwirkten (Mark-
herzogthum).[1] Das Interesse, welches die Reichsgewalt aus
politischen Rücksichten (die Bedeutung der Mark als Grenz-
bollwerk) an der Erstarkung einer concentrirten Amtsgewalt
dort hatte, sicherte die Inhaber derselben nicht nur vor dem
bestehenden Leibezwang der Grafschaftsrechte innerhalb ihres
Bezirkes, es legte zugleich dem Königthum eine gewisse Zurückhaltung in der Ertheilung von Immunitätsrechten daselbst auf.
Und während so die Bildung reichsunmittelbarer Grafschaften
dort verhindert ward, vermochte auch die Immunität, da nach
der Erhebung Oesterreichs zum Herzogthume die Inhaber desselben das Exemtionsrecht für sich in Anspruch nahmen,
nicht jene zersetzenden Wirkungen auf die Zersplitterung in
territorialer Beziehung zu äussern als anderswo. Die also exi-
mirten Kirchen und deren Besitz blieben landsässig und damit
von der Gewalt des Landesherrn bis zu einem gewissen Grade
abhängig.

In Kärnten dagegen, dem Herzogthume selbst — die dazu
ursprünglich gehörenden Marken wurden allmälig abgegliedert
— war, da es vermöge seiner Verfassung jener Vortheile nicht

---

[1] Vgl. über dies und das Folgende H. Brunner, Das gerichtliche Exemtionsrecht der Babenberger, in den Sitzungsber. der Wiener Akad. 47,
301 f.

theilhaftig ward, nicht nur die Möglichkeit zur Entstehung reichsunmittelbarer Grafschaften innerhalb seiner Grenzen gegeben,
es hatte auch die Immunität hier eine ganz andere, der Ausbildung einer geschlossenen Territorialgewalt abträgliche Bedeutung.

Zunächst hat das Erlöschen des Kärntner Herzogshauses
der Eppensteiner (1122) durch Vererbung weit ausgedehnter
Eigengüter desselben an die traungauischen Otakare nicht nur
zur Verselbständigung der Kärntner Mark und zur späteren
Entstehung des steirischen Herzogthums den Anlass gegeben,[1]
es wurde damit zugleich auch der Grund gelegt zur nachmaligen Erwerbung von Eigengütern in Kärnten seitens der
österreichischen Herzoge. Sie, die Babenberger, haben mit
dem Erlöschen des steirischen Herzogsgeschlechtes als dessen
Erben auch die Besitzungen jener in Kärnten überkommen
(1192).[2]

Neben den Sponheimern, den Nachfolgern der Eppensteiner im Kärntner Herzogthume, treten so allmälig im 13. Jahrhundert eine Reihe von an sich reichsunmittelbaren Geschlechtern hervor, die beträchtlichen Eigenbesitz in Kärnten innehatten. Nicht nur die österreichischen Babenberger. Vor Allem
waren dort auch die Görzer Grafen reich begütert, im Pusterthal, das damals noch zu Kärnten gerechnet wurde, ebensowohl
wie im oberen Drauthal, im Jaun-, Gail- und im Möllthal.[3]
Ferner kamen besonders noch die Grafen von Ortenburg in
Betracht. Ihre Besitzungen[4] lagen hauptsächlich im oberen
Drauthal.

Auch die Grafen von Sternberg waren damals noch
in weniger abhängiger Stellung, da sie erst im 14. Jahrhundert
ihren Besitz den Kärntner Herzogen zu Lehen auftrugen.[5]

---

[1] Vgl. Zahn in der Festschrift zur Erinnerung an die vor 700 Jahren stattgefundene Erhebung der Steiermark zum Herzogthume (1180), S. 11 ff.

[2] Vgl. Genealogia machion. de Stire, Mon. Germ. SS. 24, 72, und dazu A.
v. Jaksch in Carinthia 1895, S. 15.

[3] Vgl. K. Tangl, Handbuch der Geschichte des Herzogthums Kärnten IV,
1, 73 und Czörnig, Görz, S. 613.

[4] Vgl. K. Tangl, Die Grafen von Ortenburg in Kärnten, Archiv für österr.
Gesch. 36, 1 ff., insbesondere S. 15 ff.

[5] Ebenda 160.

Geringere Bedeutung mochten die Besitzungen der Grafen von Tirol[1] und jene der bairischen Grafen von Bogen[2] gehabt haben. Sie giengen übrigens im Verlaufe des 13. Jahrhunderts nach dem Erlöschen dieser Häuser durch Erbschaft an die Görzer, beziehungsweise andere Geschlechter über, soweit sie nicht von den Grafen von Bogen selbst noch zu frommen Zwecken waren vergeben worden.[3]

Gleichfalls ansehnlich begütert waren endlich auch noch die jedenfalls landsässigen Grafen von Heunburg[4] und Pfannberg,[5] sie beide im Besitze der Güter, welche einst die Grafen von Zeltschach innegehabt (im Gurk-, Trixner- und Glödnitz-, sowie Lavantthal).

War durch diese Eigenbesitzungen zahlreicher Grafen- und Adelsgeschlechter bereits eine weitgehende Gliederung des Kärntner Territoriums bedingt, so gewinnt dieselbe geradezu den Charakter einer vielgestaltigen Zersplitterung, wenn wir dazu noch die Stellung der Kirche in Betracht ziehen. Mehr als anderswo hat das Kirchengut in Kärnten bei der territorialen Entwicklung eine Rolle gespielt, indem das Land von demselben förmlich durchsetzt war. Bamberg vor Allem, aber auch Salzburg und Aquileia hatten einen ausgedehnten Besitz daselbst inne, und auch das Landesbisthum Gurk, die Suffragane Salzburgs, war da ebenso wie Brixen und Freising begütert. Die reichen Güter der genannten Hochstifter stellten exterritoriale Bezirke dar, die vermöge der ihnen von der Reichsgewalt zugesicherten Immunitätsrechte für das Landesherzogthum ebenso eine Einschränkung seiner Gewalt bedeuteten, wie jener ausgedehnte Eigenbesitz der vorgenannten Adelsgeschlechter. Uebrigens verdient noch hervorgehoben zu werden, dass auch die Landesbisthümer Gurk und Lavant zu

---

[1] Vgl. Acta Tirolensia 1, 172, und Mon. hist. Ducat. Karinth. 1, 162, Nr. 201, Vorbemerkung.

[2] Vgl. die Urkunde des Grafen Albert von Bogen für Victring vom Jahre 1171. Notizbl. der Wiener Akad. 2 (1852), 211 und dazu Jaksch, Mon. hist. Ducat. Karinth. 1, Nr. 150.

[3] Vgl. Braunmüller, Die ... Grafen von Bogen, in Verhandl. des hist. Ver. für Niederbaiern 19, 63.

[4] Vgl. K. Tangl, Die Grafen von Heunburg, Archiv für österr. Gesch. 19, 49 ff.; 25, 157 ff.

[5] Vgl. K. Tangl, Die Grafen von Pfannberg, ebenda 17, 209 ff.; 18, 115 ff.

Folge ihrer Unterordnung unter die Obergewalt Salzburgs dem Herzogthume gegenüber eine unabhängige Stellung einnahmen, indem sie sich derselben Rechte erfreuten wie jenes.[1] So war die Einflusssphäre der Kärntner Herzoge, da sich ihre (auch im Exemtionsrecht zum Ausdruck gelangende) Obergewalt nur auf die wenigen und nicht sehr begüterten Landesklöster erstreckte, der grossen Masse des Kirchengutes gegenüber auf die Erwerbung der von demselben ausgethanen Kirchenlehen und der Vogteirechte an jenem beschränkt.

Im Ganzen betrachtet ergibt sich somit, dass die Stellung der Kärntner Landesherren keineswegs eine so überragende war als jene der Herzoge in Oesterreich oder Steiermark. Gegenüber der von der Reichsgewalt geförderten Concentration dort tritt uns hier ein Herzogthum entgegen, dessen Macht, an sich lockerer gefügt, durch die Eigenart der historischen Entwicklung noch mannigfach eingeengt und beschränkt war.

Aehnlich wie Kärnten wies auch Krain im 13. Jahrhundert hinsichtlich seiner Besitz- und Herrschaftsverhältnisse eine solche Zersetzung auf, dass man zunächst da überhaupt nicht von einem einheitlichen Territorium sprechen kann. Neben grossen geistlichen Immunitätsbezirken, den Besitzungen von Aquileia, Brixen und Freising, auch hier zahlreiche Herrschaftsgebiete weltlicher Adelsgeschlechter (Andechs-Meranier, Sponheimer, Babenberger, die Grafen von Bogen, Görz, Ortenburg, Heunburg und Sternberg).[2] Ein Unterschied bestand höchstens insofern, als die Kirchengüter hier geschlossener auftraten, indem jene von Brixen und Freising sich hauptsächlich im nördlichen Theile des Landes concentrirten, Aquileia aber in Unterkrain und der Mark dominirend war. Eine einheitliche Landesherrschaft hat es hier zunächst wenigstens überhaupt nicht gegeben, wenn auch Aquileia Ende des 11. Jahrhunderts die Markgrafschaft Krain übertragen ward.[3]

---

[1] Vgl. J. Hirn, Kirchen- und reichsrechtliche Verhältnisse des salzburgischen Suffraganbisthums Gurk, Programm des Gymnasiums in Krems 1872, S. 10 ff., und A. v. Jaksch in der Einleitung zu Mon. Ducat. Karinth. I, 9 ff.

[2] Vgl. darüber die Zusammenstellungen bei A. Mell, Die historische und territoriale Entwicklung Krains vom 10. bis ins 13. Jahrhundert, S. 130 ff.

[3] Neben Mell handeln darüber Huber in den Mitth. des Instituts für österr. Geschichtsforschung 6, 388 ff. und 10, 145 ff., und neuestens

Allmälig, erst im Verlaufe des 13. Jahrhunderts, haben sich nach einander[1] einzelne der daselbst am meisten begüterten Geschlechter zu förmlichen Landesherren von Krain aufgeschwungen. Zunächst erscheinen die Meranier als domini terre. Nachdem sie ausgestorben, hat dann von den Babenbergern, welchen es bereits 1229 durch Ankauf Freising'scher Lehensgüter gelungen war, in Krain festen Fuss zu fassen, Friedrich II. 1232 auch den Titel ‚dominus Carniole' förmlich angenommen. Seine Vermählung mit Agnes von Meran, durch die er in den Besitz der reichen Eigengüter dieses Hauses gelangte, bot dazu die Begründung. Erst nach dem Aussterben der Babenberger hat dann der Sponheimer Ulrich, Herzog von Kärnten, der wohl auch sonst seine Abstammung von den Babenbergern (mütterlicherseits) betonte,[2] sich denselben Titel beigelegt.

V. Hasenöhrl, Deutschlands südöstliche Marken im 10., 11. und 12. Jahrhundert, Archiv für österr. Gesch. 82, 518 ff.

[1] Die Unrichtigkeit der Annahme Mell's von einem Nebeneinander verschiedener ‚Dominia Carniole' hat, nachdem Luschin (Oesterreichische Reichsgeschichte 94, Anm.) bereits darauf hingedeutet, ein Schüler desselben, W. Levec, Die krainischen Landhandfesten (Mitth. des Instituts für österr. Geschichtsforschung 19, 250 f.), mit meines Erachtens zutreffenden Gründen dargelegt.

[2] Sehr bezeichnend dafür sind, was bis jetzt nicht beachtet wurde, die Wappen, deren er sich bediente. Als Mitregent seines Vaters hat er nicht den Kärntner Panther, sondern in gespaltenem Schild vorn das Stammwappen der Babenberger (Löwen), im hinteren Part aber das alte Bannerbild der Herzoge von Oesterreich (ein weisser Balken in Roth) geführt. Nach dem Tode seines Vaters aber († 1255) nahm er als Herzog zwar den Pantherschild seines Hauses an, führte jedoch zu diesem das Kleinod von Oesterreich (Pfauenstoss auf gekröntem Topfhelm). Vgl. darüber A. Anthony v. Siegenfeld's Ausführungen in der von Zahn veranstalteten Herausgabe des ‚steiermärkischen Wappenbuches von Zacharias Bartsch 1567', Anhang, S. 51 ff. — Ueber die Entstehung des ersteren Wappens Ulrichs aber berichtet Johann von Victring: Fridericus [dux Austrie] . . . Ulricum ducem captivavit. Qui dum sicut ab antiquo ad eum devenerat, panthere figura in signis militaribus uteretur, conformis in hoc principatui Styriensi, Fridericus dux Australis hoc ferre non valens, clyppei et armorum Australium dimidiacione sibi indulta, priori abolita eum dimisit. Cui ex origine stirpis, ut dicitur, de qua pater suus ex materno sanguine processerat, texuit reliquam partem scilicet trium leoniculorum et sic clippeum et armorum suorum effigiem integravit. Böhmer, Font. 1, 281. Die Mutter von Ulrichs Vater, Herzog

Eben dieser Letztere hat es dann auch verstanden, nicht
nur seinen Eigenbesitz durch geschickte Heiratsverbindungen
gewaltig auszudehnen, sondern insbesonders auch gegenüber
Aquileia einen bedeutsamen Erfolg davonzutragen. Indem er
sich in erster Ehe (1248) mit Agnes, der Witwe des Babenbergers Friedrich II., vermählte, brachte ihm diese den reichen
Besitz der Andechs-Meranier zu. Zugleich mochte Ulrich hoffen,
dass er durch diese Verbindung auch Ansprüche auf den habsburgischen Besitz in Krain werde begründen können. Diese
seine Ansprüche wurden dann noch verstärkt, als es ihm gelang, nach dem Tode seiner ersten Gemahlin (1262) in zweiter
Ehe die jugendliche Tochter Gertruds (der Nichte Friedrichs II.)
und des Markgrafen Hermann von Baden († 1251) sich zu
vermählen.[1] Diese zweite Gemahlin Ulrichs, die gleichfalls
Agnes hiess, hat nachmals als einzig überlebender Spross des
babenbergischen Geschlechtes thatsächlich Ansprüche auf jenen
Besitz ihres Grossoheims erhoben (1276).[2]

Anderseits aber waren die letzten Sponheimer Herzoge,
auch Bernhard, der Vater Ulrichs, bereits emsig an der Arbeit,
nicht nur den ihnen von den Hochstiften übertragenen Besitz an
Kirchenlehen in Kärnten und Krain zu erweitern, sondern womöglich auch darüber hinaus kirchliche Eigengüter in ihre Gewalt
zu bekommen. Hatte schon Herzog Bernhard geistliches Gut, vor
Allem auch die Freisinger Kirchenlehen, welche Friedrich II.
von Babenberg in Krain innegehabt, gewaltsam in Besitz genommen, so zog sein Sohn Ulrich gegen den Kirchenbesitz
planmässig zu Felde. Die in diesen südostdeutschen Gebieten
auf Seiten der Laienaristokratie ganz allgemein hervortretende
Tendenz, die politischen Gegensätze (Kaiser-Papst) und Verwicklungen zur Bereicherung am Kirchengute auszunützen,[3]

Bernhard, Agnes, war die Tochter Heinrichs II. „Jasomirgott‘ und eine
Schwester Herzog Heinrichs von Mödling.

[1] Die Bedeutung dieser zweiten Heirat Ulrichs für die Ausbildung der
Sponheimer Herrschaft in Krain finde ich nirgends hervorgehoben. Auch
Mell, a. a. O., S. 96 ff. (Krain unter Ulrich von Sponheim) hat das nicht
beachtet.

[2] Vgl. den Eingang des Vertrages, welchen diese Agnes (als Gemahlin des
Grafen Ulrich von Heunburg) im Jahre 1279 mit König Rudolf abschloss.
Beil. Nr. II.

[3] Vgl. darüber O. Lorenz, Deutsche Gesch. 1, 73 ff.

kam nicht nur in Krain den Bestrebungen der mächtigen Herr-
schaftsgeschlechter zur Ausbildung der Landeshoheit wirksam
zu statten.

Mit Salzburg sowohl als mit Aquileia hat Ulrich lang-
währende Streitigkeiten gehabt. Wie einst sein Vater ward
auch er ob seiner zahlreichen Uebergriffe auf das Kirchengut
mit dem Kirchenbanne bedroht.[1] Und da er schliesslich mit
Salzburg Frieden schloss[2] und mit Aquileia einen Ausgleich
traf,[3] hat er in beiden Fällen trotz scheinbaren Nachgebens
einen nachhaltigen Erfolg davongetragen. Indem er auf seine
Ansprüche verzichtete und zum Schadenersatz für die verübten
Bedrückungen des Kirchengutes sogar einen Theil seiner Eigengüter den beiden Hochstiften zu Lehen auftrug, wusste er doch
gleichzeitig für die von ihm gemachten Concessionen die Uebertragung weiterer Lehensgüter und wichtiger Hoheitsrechte
seitens dieser Kirchen durchzusetzen. Man darf ob des äusseren
Wortlautes dieser Verträge die tiefere Bedeutung ihrer Bestimmungen nur nicht übersehen. Mit der gesteigerten Feuda-
lisirung des kirchlichen Besitzes ward die thatsächliche Entfremdung desselben ja sicher vorbereitet.

Für Krain insbesonders hat diese zielbewusste Politik
Ulrichs vor Allem die Ausbildung einer einheitlichen Landesherrschaft ungemein gefördert. Gestützt auf den grossen Eigenbesitz, den er in seiner Hand vereinigte, hat er durch den
Vertrag mit Aquileia vom Jahre 1261, da ihm die gesammte
Jurisdiction der Marchia Carniole übertragen wurde, der Sponheimischen Herrschaft politisch das Uebergewicht in Krain verschafft und mit der Festigung ihres Zusammenhanges die alte
Abhängigkeit Krains vom Kärntner Herzogthum neu begründet.

Die Eigenart dieser territorialen Entwicklung Kärntens
und Krains wird man sich vor Augen halten müssen, wenn man
das Testament Herzog Ulrichs von 1268, durch das er König
Otakar zu seinem Erben bestellte, seiner politischen Bedeutung

---

[1] Vgl. darüber A. Mell, a. a. O., S. 96 ff.
[2] 1268, Juli 13. Reg. in (Kleimayrn's) Juvavia, S. 368 n. c (zu 16. Juli).
Zur Ergänzung dieses Auszuges muss doch bemerkt werden, dass Ulrich
damals zugleich das Castrum Linth mit Zugehör (50 Mark Einkünfte)
neu hinzuverliehen wurde. Orig. Wiener Staatsarchiv.
[3] Urkunde vom 24. November 1261 bei Schumi, Urkunden- und Regestenbuch des Herzogthums Krain 2, 223, Nr. 290.

nach recht verstehen will. Gewiss, Ulrich konnte über das Herzogthum eine Verfügung überhaupt nicht treffen. Aber er that es eigentlich auch nicht, da von dem Herzogthume selbst in jenem Testament überhaupt nicht die Rede ist. Der Wortlaut jener Bestimmungen erscheint uns nach den früheren Ausführungen nun in einem anderen Licht. Wenn auch Ulrich keinesfalls ‚seine Länder, Eigenbesitzungen sowohl als Leben‘, Otakar schlankweg vermachen konnte, für den factischen Besitz dieser Länder war bei der Eigenart ihrer Herrschaftsverhältnisse die Bedeutung eines solchen Testamentes nicht zu unterschätzen.

Wir werden, meine ich, kaum fehlgehen, wenn wir im Anschluss an die früheren Ausführungen annehmen, dass der Besitz Herzog Ulrichs an Reichslehen keinesfalls sehr bedeutend war. Das ursprünglich ausgedehnte Reichsgut in diesen Ländern war längst durch Schenkung an geistliche und weltliche Grosse übergegangen, und zudem hatte sich nachweisbar auch vielfach der Unterschied zwischen Reichslehen und Eigengut, vermuthlich in Folge lang dauernder Inhaberschaft, bereits verwischt. [1]

Nicht so sehr das Herzogthum und die Reichslehen, sondern vielmehr die Eigengüter und Kirchenlehen mussten unter solchen Umständen für den thatsächlichen Besitz dieser Länder entscheidend sein. Hinsichtlich der Eigengüter nun konnte Ulrich jedenfalls ein Verfügungsrecht in Anspruch nehmen. Allein demselben war damals (1268) bereits insofern präjudicirt, als Ulrich mit seinem Bruder Philipp nach dem Tode ihres Vaters Bernhard († 1255) über das väterliche Erbe einen besonderen Vertrag geschlossen hatte. Indem eine Theilung der

---

[1] Im Jahre 1270 weigerte sich Otakar, da er mit dem Erzstift Salzburg einen Vertrag über die ihm zu übertragenden Kirchenlehen abschloss, die früher seitens Ulrichs erfolgte Lehensauftragung gewisser Besitzungen in Kärnten zu Handen des Erzstiftes (vgl. oben S. 13) anzuerkennen mit der Motivirung: ‚Quodsi ipsa castra ... ad principatum Karinthie pertineant tali modo, quod non potuerit ipsa alienare permutare vendere vel donare in preindicium principatus Karinthie dux predictus.‘ Wiener Jahrb. d. Lit. 108, 184. Im Testamente Philipps aber von 1279 wird hinsichtlich einzelner Besitzungen (Sicherberg und Gretschin), die Philipp vergabte, doch ein Zweifel bezüglich ihrer Zugehörigkeit zum Ausdruck gebracht: ‚Utrum hoc ad imperium pertineat an non, nescimus.‘ Klun's Archiv für die Landesgesch. des Herzogthums Krain 1, 235.

Besitzungen in Kärnten und Krain vorgenommen wurde, ward zugleich bestimmt, dass nach dem Ableben Ulrichs und seiner Erben dessen Güter insgesammt an Philipp übergehen sollten. [1] Was aber die reichen Kirchenlehen, die Ulrich von den verschiedenen Hochstiften innehatte, betrifft, so konnte derselbe darüber ebensowenig frei verfügen als über die Reichslehen. Wie diese fielen vielmehr auch jene, falls nicht vertragsmässig besondere Bestimmungen vereinbart worden waren, nach dem Erlöschen der directen männlichen Descendenz als erledigt an die betreffende Kirche zurück. Thatsächlich war denn auch in dem Vertrage Ulrichs mit Aquileia (1261) seinem Bruder Philipp für eine Reihe von Besitzungen, die Ulrich dem Patriarchate damals zu Lehen auftrug, ein Erbrecht zugesichert worden. [2]

So besass denn Philipp in dreifacher Beziehung, sowohl hinsichtlich des Herzogthums und der Reichslehen (kraft der Urkunde König Wilhelms von 1249), als auch bezüglich der Eigengüter und gewisser Kirchenlehen wohlbegründete Erbrechte. Er durfte sich mit Recht als Erben von Kärnten und Krain betrachten. Und er hat dieses sein Recht auch bereits zu Lebzeiten seines Bruders Ulrich zum Ausdruck gebracht, indem er sich in der Umschrift seines Siegels ,heres Karinthie et Carniole‘ nannte (1263) [3] und neben seinem Bruder geradezu den Titel ,dominus Karinthie et Carniole‘ annahm. [4]

Allein Otakar hatte umsichtig bereits Alles vorbereitet, um jenen Ansprüchen Philipps erfolgreich zu begegnen. Indem

---

[1] Et si, quod absit, nos heredesque nostros contingeret solvere iura carnis, omnia bona nostra ad fratrem nostrum iure hereditario devolventur. Urkunde vom 4. April 1256 (Lichtenwald) bei Schumi, Archiv für Heimatkunde, 1, 77.

[2] Bezüglich Laibachs und fünf dazugehöriger Burgen (Görtschach, Hartenberg, Falkenberg, Igg und Auersberg) ward bestimmt: ,Quod dictus d. dux et heredes sui legitime ab ipso descendentes et dictus d. Philippus frater eius et heredes sui legitimi ... debeant hereditarie resignare ea in feudo ab ipso d. patriarcha ...‘ Schumi, Urkundenbuch 2, 224.

[3] Vgl. die Urkunde Ulrichs für das Johanniterordenshaus Mailberg vom 18. Jänner 1263 im Archiv für österr. Gesch. 76, 401 und die Bemerkungen von Jaksch, ebenda, 402, Note.

[4] Vgl. die beiden Urkunden Philipps vom 18. und 28. Juli 1267 in den Wiener Jahrb. d. Lit. 108, 179 und 180.

er Ulrich in Podiebrad (December 1268) zu jener testamentarischen Bestimmung vermochte, schien mindestens die Möglichkeit geboten, auf Grund dieser letztwilligen Verfügung die
Giltigkeit der früher (1256) zu Gunsten Philipps erfolgten Vereinbarungen anzufechten. Kurz vor dem Tode Ulrichs hat
denn Otakar noch eifrig sich bemüht, im Vereine mit diesem
die Wahl Philipps zum Patriarchen von Aquileia durchzusetzen,
was auch thatsächlich gelang (September 1269). Damit aber
war dem Bestreben Otakars, Philipp in Kärnten und Krain
unmöglich zu machen, am wirksamsten vorgearbeitet. Nicht
nur weil dies ein neuer Grund sein konnte — wie seinerzeit
wegen der Wahl zum Erzbischof von Salzburg — Schwierigkeiten gegen die Nachfolge Philipps in Kärnten zu erheben,
es ward insbesondere dadurch dessen Actionsfreiheit behindert,
da er in neue Verwicklungen hineingezogen werden musste.
Denn es war vorauszusehen, dass der Papst seine Wahl nicht
bestätigen werde, anderseits aber der Conflict noch nicht beigelegt, der zwischen dem Patriarchat und dem mächtigen Grafen
Albert von Görz entstanden war.[1]

So waren die Aussichten Otakars, als einen Monat später
(27. October 1269) Herzog Ulrich von Kärnten starb, die denkbar günstigsten. Die einflussreichsten Machthaber in Kärnten
und Krain standen auf seiner Seite. Vor Allem waren die
Bischöfe Berthold von Bamberg und Konrad von Freising entschiedene Parteigänger desselben, Bischof Dietrich von Gurk
ihm treu ergeben, und auch der Lavanter Bischof Herbord
bekundete eine freundliche Haltung. Aber auch auf die weltlichen Grossen in jenen Gebieten durfte Otakar zählen. Graf
Albert von Görz, von früher her ein Gegner Philipps, trat sofort
auf seine Seite, was umsomehr in Betracht kam, als er auch
die Vogtei der Kirchen von Aquileia und Brixen innehatte.
Die Grafen von Ortenburg waren damit als Schwäger Alberts
zugleich auch gewonnen.[2] Ueberdies scheint Otakar wie seinerzeit bei der Erwerbung Oesterreichs auch jetzt rechtzeitig mit
dem Adel dieses Landes in Verbindung getreten zu sein. Am
Beginn des neuen Jahres 1270 finden wir bereits auch die

[1] Vgl. O. Lorenz, Deutsche Gesch. 1, 282 ff.
[2] K. Tangl, Gesch. Kärntens IV, 1, 28, und dazu die Urkunde vom 11. November 1269 in den Font. rer. Austr. II. 1, 100.

Grafen von Sternberg, Heunburg und Pfannberg an seinem
Hofe in Wien.[1] Damals jedenfalls, im Verlaufe des Monates
Jänner, sind die entscheidenden Abmachungen hier in Wien
bereits getroffen worden. Kärnten und Krain waren von Ota-
kar bereits gewonnen, noch ehe er auch nur einen Mann ins
Feld rücken liess, diese Länder selbst in Besitz zu nehmen.
Am 2. Februar 1270 übertrug Bischof Konrad von Freising in
Wien alle Lehen seiner Kirche, die durch den Tod Ulrichs,
Herzogs von Kärnten und Herrn von Krain, freigeworden waren,
an Otakar. Und wie ihn zugleich Konrad officiell als dux Ka-
rinthie und dominus Carniole et Marchie anerkannte, so nahm
Otakar selbst damals bereits diesen Titel an.[2]

Philipp seinerseits war allerdings nicht gewillt, die Rechte,
welche er auf diese Länder erworben, freiwillig aufzugeben.
Auch er hat den Titel eines Herzogs von Kärnten und Herrn
von Krain angenommen,[3] doch hat er nur die Ministerialen
auf seinen Eigengütern (Laibach, Auersberg und Hertenberg),
sowie jene, die ihm als Patriarchen von Aquileia lehenrechtlich
verpflichtet waren, zur Anerkennung seiner Rechte vermocht.[4]

Mit deren Hilfe vermuthlich ist es ihm denn auch gelungen, mehrere Burgen und feste Plätze in Krain und Kärnten
in Besitz zu nehmen.[5] Während er nun in Friaul gegen einige
Vasallen des Patriarchates von Aquileia zu Felde zog und

---

[1] Vgl. die Zeugenreihen in den beiden Urkunden vom 2. Februar 1270.
Font. rer. Austr. II. 31, 309 und 310.

[2] Ebenda.

[3] Vgl. Bianchi, Documenta hist. Forojul. s. XIII im Archiv für österr. Gesch.
22, 386 ff. und dazu unten S. 21, Note 2.

[4] Vgl. die beiden Erklärungen der Ministerialen vom 2. November 1270
(Tangl, a. a. O. IV. 1, 4) und Archiv für österr. Gesch. 22, 386, Nr. 345.
Die unmittelbare Abhängigkeit dieser Ministerialen von Philipp hat Levec
(a. a. O. 252 f.) übersehen, wenn er in diesen Erklärungen die Inanspruch-
nahme eines förmlichen Optionsrechtes seitens der Krainer Ministerialen
sehen will. Wie wenig sie politisch überhaupt und speciell ein ‚Selbst-
bestimmungsrecht‘ bedeuteten, lehrt am besten die Thatsache, dass wir
einzelne dieser Ministerialen bereits einen Monat später im Lager Otakars finden. Levec, a. a. O., 253.

[6] Vgl. den Brief Otakars an Philipp vom 1. April (1271) bei Mone, Zeitschrift für Gesch. des Oberrheins 11, 288 (zu 1270). Da in diesem
Briefe bereits auf eine Verbindung Philipps mit den Feinden Otakars
angespielt wird, ist das Jahr 1270 wohl nicht wahrscheinlich. Nach dem
Itinerar Otakars 1271 ebensogut möglich.

vorübergehend auch einzelne Erfolge dort errang,[1] eröffnete sich ihm von Osten her eine grossartige Aussicht.

König Stefan V. von Ungarn, der eben damals nach dem Tode seines Vaters Bela IV. († 3. Mai 1270) auf den Thron gelangte, schien keineswegs gewillt, diese neuerliche Ausbreitung der Macht Otakars ruhig hinzunehmen. Da sich gleichzeitig eine persönliche Veranlassung zum Bruche mit Otakar ergab,[2] liess er an diesen die Kriegserklärung ergehen. Und er hatte allen Grund dazu, die Besitzergreifung Kärnten-Krains durch Otakar zu verhindern.

Nachdem Ungarn, der langjährige Rivale Otakars, die Erwerbung Oesterreichs nicht zu verhindern vermocht (1251), ja nachher auch seinen Beuteantheil an dem babenbergischen Länderbesitz, die Steiermark, hatte herausgeben müssen (1260), besass es gerade an Kärnten-Krain ein besonderes Interesse. Nicht nur, weil Otakars Macht damit eine neue, erhebliche Kräftigung erfuhr, es wurde damit seine Einflusssphäre bis ans Meer vorgeschoben, Ungarn aber mit einer solchen Frontalausdehnung des otakarischen Reiches geradezu umklammert und an jeder Ausbreitung nach dem Westen hin gehindert. Man darf übrigens auch nicht übersehen, dass Ungarn seinerzeit bereits einen Rechtstitel auf den Besitz Krains speciell erworben hatte, da die ehemalige Herzogin von Kärnten, Agnes, die Meranerin, welche mit Bela IV. verschwägert war,[3] diesem ihr Erbgut übertragen hatte. Nach ihrem Tode († 1262) hat Bela IV. dasselbe denn auch thatsächlich in Anspruch genommen, speciell aber auch das ‚dominium Karniole‘.[4]

Indem Stefan V. nun Otakar in den Weg trat und sich mit Philipp verband, scheint er doch selbst auch Ansprüche auf Kärnten-Krain erhoben zu haben.[5] Allein es kam zunächst nicht zu einem ernsten Waffengange, man suchte vielmehr

---

[1] Tangl, a. a. O., S. 15 ff.

[2] Vgl. darüber Huber, Oesterr. Gesch. 1, 556 ff.

[3] Vgl. Mell, a. a. O., 106. Agnes' Vater, Otto VII. von Andechs-Meran, war ein Bruder Gertruds, die Andreas II., der Vater Belas IV., in erster Ehe geheiratet hatte. Vgl. Oefele, Gesch. der Grafen von Andechs.

[4] Urkunde Bela IV. vom 7. Jänner 1263. Fejér, Cod. dipl. Hung. IV, 3, 100 f.

[5] Darauf deuten die Bestimmungen des Friedensvertrages vom Juli 1271. Siehe S. 20, Anm. 1.

beiderseits die Entscheidung hinauszuschieben, indem ein Waffenstillstand geschlossen wurde. Noch ward Philipp in demselben aufgenommen; allein schon Ende Juli schloss ihn Stefan davon aus. Philipp nahm nunmehr (im August) eine Reise nach Ungarn in Aussicht,[1] augenscheinlich um Stefan für seine Sache und su energischem Handeln zu bewegen. Doch dieser liess ihn fallen[2] und willigte (im October) in eine weitere Verlängerung des Waffenstillstandes auf zwei Jahre. Ein schwerer Fehler in der Politik Stefans, der sich auch durch den Einfall desselben in Oesterreich, welchen er unbeschadet der Waffenruhe dann unternahm, nicht wieder gutmachen liess. Denn unterdessen hatte Otakar durch einen Zug nach Krain und Kärnten (November 1270) diese Länder selbst erobert und zugleich auch Agnes, die Witwe Ulrichs von Kärnten, welche vermöge ihrer Abstammung und der Ausstattung durch ihren verstorbenen Gemahl gewisse Ansprüche erheben konnte,[3] unschädlich gemacht. Indem er sie unter ihrem Stande mit Ulrich von Heunburg, einem Vasallen des Kärntner Herzogthums, verheiratete, wurde sie zugleich genöthigt, gegen eine Abfindungssumme auf ihre Rechte zu verzichten.[4] Ihr Gemahl Ulrich aber wurde zum Hauptmann in Kärnten eingesetzt.[5]

Um dieselbe Zeit war es Otakar bereits auch gelungen, die Uebertragung der reichen Kirchenlehen Salzburgs, welche einst die Herzoge Bernhard und Ulrich von Kärnten innegehabt, durchzusetzen (December 1270).[6]

So war die Herrschaft Otakars in Kärnten und Krain bereits gesichert, als Stefan den Waffenstillstand brach und ihn mit Krieg überzog. In raschem Vordringen konnte Otakar nun Erfolge erringen, die ihm einen guten Frieden sicherten.

---

[1] Vgl. die beiden Urkunden vom 9. und 10. August 1270 bei Tangl, a. a. O., S. 22 und 23.
[2] Stefan erkannte Otakar doch schon bei dieser zweiten Verlängerung des Waffenstillstandes im October 1270 als dux Karinthie und dominus Carniole an. Urkunde bei Erben-Emler, Reg. Boh. 2, 279, Nr. 722.
[3] Vgl. oben S. 12.
[4] S. den Auszug der Urkunde Agnes' vom 22. October 1279, Beilage Nr. II.
[5] Tangl, a. a. O., S. 81, Anm. 2.
[6] Vgl. die Urkunden Otakars vom 12. December 1270. Wiener Jahrb. d. Lit. 103; 106. Anm.

In demselben (Juli 1271) verzichtete denn auch Stefan unter Anderem feierlich auf alle Ansprüche, die er bezüglich Kärntens, Krains und der Mark erhoben hatte.[1]

Nun wurde auch die Stellung Philipps, der sich unterdessen mit wechselndem Erfolge in Friaul herumgeschlagen hatte,[2] immer mehr unhaltbar. Wohl wurde ein Waffenstillstand zwischen ihm und den Grafen von Görz-Tirol, Albert und Meinhard, vermittelt,[3] welche, wie es scheint, auch einige Salzburger Lehensgüter, die einst Herzog Ulrich innegehabt, in Besitz genommen hatten.[4] Noch tritt dabei König Stefan von Ungarn als Schiedsrichter hervor (2. April 1271).

Allein im nächsten Frühjahr (1272) hat dann Ulrich von Dürrenholz, der Landeshauptmann Otakars in Kärnten, Krain und der Mark, auch Friaul erobert und die Anerkennung Otakars als ‚Generalcapitän‘ dortselbst für die Dauer der Erledigung des Patriarchates von Aquileia durchgesetzt.[5]

Philipp blieb nichts übrig, als sich Otakar zu unterwerfen, was gelegentlich einer Reise desselben an Otakars Hof,[6] vermuthlich noch Ende dieses Jahres 1272, geschah. Indem auch er genöthigt ward, auf alle seine Ansprüche zu verzichten, liess ihm Otakar die Würde eines ‚beständigen Statthalters des Herzogthums Kärnten‘ zutheil werden.[7] Jedoch lassen sich nur

---

[1] Urkunde (Otakars) vom 14. Juli 1271 bei Theiner, Mon. hist. Hung. 1, 298: ‚Insuper dominus Stephanus rex Hungariae renuntiavit omni iuri et actioni, quod et que sibi videbantur competere, seu etiam competebant in ducatibus Styrie, Karinthie et dominiis Carniole, Marchie nullam de cetero suo vel heredum suorum nomine contra nos et heredes nostros super illis moturus materiam questionis.‘

[2] Darüber Tangl, a. a. O., S. 54 ff. und 96 ff.

[3] Vgl. die beiden (identischen) Urkundenregesten bei Tangl, S. 55, Nr. 1, und S. 56, Nr. 1 (2. April).

[4] In dem Vertrage Alberts von Görz mit seinem Bruder Meinhard von Tirol vom 4. März 1271 verpflichtet sich dieser, die Uebertragung des ‚castrum Linte cum suis pertinenciis‘ an Albert bei dem Erzbischof von Salzburg durchzusetzen. Font. rer. Austr. II. 1, 132. Vgl. dazu oben S. 13, Anm. 2.

[5] Tangl, a. a. O., S. 100 ff.

[6] Von derselben hören wir in dem Antwortschreiben des Patriarchen Raimund von Aquileia (vom 8. August 1274) auf die Propositionen Otakars. Siehe unten S. 22, Anm. 1.

[7] Vgl. die beiden Urkunden aus dem Jahre 1273, die Tangl, a. a. O., S. 124 und 126, bietet; davon datirt die erste (des Julian von Seeburg) vom

wenig Spuren einer wirklichen Bethätigung Philipps in dieser Stellung nachweisen. Es dürfte nicht viel mehr als ein schöner Titel gewesen sein, da neben ihm besondere Landeshauptleute in jenen Gebieten die eigentliche Verwaltung führten.[1] In seinem Siegel hat er wohl auch nachher noch den Titel ,heres Karinthie et Carniole' geführt.[2]

So hatte sich Otakar der Länder Ulrichs von Kärnten-Krain ganz und voll bemächtigt und war schliesslich in denselben auch von den in Betracht kommenden Factoren anerkannt worden.

Nur Aquileia fehlte noch. Als nun Ende December 1273 in Raimund de la Torre nach längerer Sedisvacanz dort ein neuer Patriarch bestellt worden war und dieser im Frühsommer des folgenden Jahres (1274) die Regierung daselbst antrat, bewarb sich Otakar sofort bei demselben um die Verleihung der umfangreichen Kirchenlehen des Patriarchates. Allein sein Ansuchen, ihm alle Lehen zu übertragen, welche die Herzoge von Oesterreich, der Steiermark und Kärnten innegehabt hatten, wurde im Wesentlichen abschlägig beschieden. Nur jene davon wurden ihm vielmehr zuerkannt, die einst die Babenberger Leopold und Friedrich in der Steiermark besassen und mit welchen Otakar auch bereits früher von dem Patriarchen Gregor war belehnt worden. Die Lehen aber, welche Herzog Ulrich in Kärnten, Krain und der Mark innegehabt hatte, seien — so ward ihm geantwortet — da derselbe ohne legitime Erben

---

25. Mai. Ueber eine Abfindung mit Persenbeug und der Mauth und Gericht von Krems (Steir. Reimchronik, Mon. Germ. 1, 141) s. unten S. 27, Anm. 1.

[1] Es ist bis jetzt nur eine Urkunde (vom 1. Juni 1274) bekannt geworden, welche von der Ausübung einer gewissen Amtsgewalt Philipps Zeugniss gibt. In derselben beurkundet er die Beilegung eines Streites zwischen dem Kloster St. Georgen und einem Privaten (Dietmar von Hafnerburg) um Grundbesitz in Kärnten. Tangl, S. 146, Anm. 1. Demgegenüber treten die Landeshauptleute, welche nach dem Tode Ulrichs von Dürrenholz († 1272) für Kärnten einerseits (Ulrich von Taufers) und für Krain und die Mark anderseits (Ulrich von Hausbach) von Otakar besonders bestellt worden waren, kräftiger hervor. Vgl. die Urkunden bei Tangl, S. 132 ff.

[2] Erhalten in drei Exemplaren, und zwar der Urkunde Philipps vom 1. Juni 1274 (Tangl S. 146, Anm. 1) und den beiden oben S. 20, Anm. 7 citirten Urkunden, die Philipp mitbesiegelte.

gestorben, als erledigt zu betrachten und könnten Niemand
ohne besondere Ermächtigung seitens des Papstes verliehen
werden. Im Uebrigen berief man sich auf den (1261) mit
Herzog Ulrich abgeschlossenen Vertrag und nahm demzufolge die damals von diesem zu Lehen aufgetragenen Eigengüter in Anspruch, da auch Philipp die ihm für die Zeit seines
Lebens zugesicherten Rechte der Kirche von Aquileia schen-
kungsweise übertragen habe. Gleichzeitig wurde an Otakar
die Aufforderung gerichtet, alle Besitzungen Aquileias, welche er
in Kärnten, Krain und der Mark occupirt hatte, gemäss dem
vom Papst an ihn bereits ergangenen Mandat zurückzustellen. [1]

Man sieht, die Folgen der Königswahl Rudolfs machten
sich in dieser Haltung Aquileias bereits bemerkbar. Mit der
allgemeinen Anerkennung Rudolfs im Reiche musste auch die
Frage nach dem rechtlichen Besitze Kärntens und Krains acut
werden. Die Rechtsprüche, welche auf dem Reichstage von
Nürnberg (November 1274) über Rudolfs Initiative von dem
Fürstengerichte gefällt wurden, waren auch für diese Länder
entscheidend. [2] Sie nahmen allerdings insofern eine besondere
Stellung ein, als Otakar mit ihnen niemals vom Reiche aus belehnt worden war, sondern sie nur gewaltsam in Besitz genommen hatte. Daher kam für Kärnten-Krain nur der erste
jener Rechtssprüche in Betracht. Indem Rudolf durch denselben ermächtigt ward, alle seit den Tagen Kaiser Friedrichs II.
dem Reiche gewaltsam entrissenen Reichsgüter einzuziehen und
im Falle der Widersetzlichkeit mit Gewalt vorzugehen, um dem
Reiche zu seinem Rechte zu verhelfen, war die Rechtsfrage
bezüglich Kärnten-Krains, soweit sie Otakar betraf, bereits entschieden, da die Instruirung eines besonderen Lehensprocesses
hier entfiel.

Anderseits aber kamen die Ansprüche Philipps da noch
in Betracht. Sie mussten keineswegs unanfechtbar erscheinen.
Sicherlich haben rechtliche und politische Motive dabei zu-
sammengewirkt, Rudolf zur unmittelbaren Anerkennung der-

---

[1] Vgl. die Antwort des Patriarchen Raimund von Aquileia auf das Ansuchen Otakars vom 7./8. August 1274. Font. rer. Austr. II, 40, 9.
[2] Vgl. darüber die Ausführungen v. Zeissberg's im Archiv für österr. Gesch.
69, 1 ff.: Ueber das Rechtsverfahren Rudolfs von Habsburg gegen Ottokar von Böhmen.

selben zu veranlassen. Wie der König bestrebt war, bei der Regelung all' jener Fragen ,die strengsten Formen des Rechtes zu beobachten', so wusste er sich zugleich mit ,geschicktem Schachzug' der Person Philipps zu bedienen, um den sponheimischen Anhang in jenen Ländern für sich zu gewinnen und den Gegnern Otakars daselbst einen Krystallisationspunkt zu verschaffen. Das hat v. Zeissberg sehr treffend ausgeführt.[1] Indem Rudolf sich zur Anerkennung der Rechte Philipps entschloss, belehnte er ihn nach dem Reichstag von Würzburg (23. Jänner 1275) mit Kärnten, Krain und der Mark[2] und erliess am 27. Februar darauf ein Obödienzmandat ,an alle Grafen, Barone, Edlen, Dienstmannen und Vasallen' in diesen Ländern mit der Aufforderung, Philipp zur Vertheidigung seiner Rechte wirksamen Beistand zu leisten.[3]

Philipp, der sich an den Hof Rudolfs begeben hatte, erscheint nunmehr als Zeuge mit dem Titel ,dux Karinthie' in den Urkunden des Königs;[4] zu seiner vollen Titulatur, die er selbst verwendete, gehört auch das ,dominus Carniole et Marchie'.[5]

Allein der Versuch Philipps, aus dieser rechtlichen Anerkennung seiner Ansprüche die entsprechenden Consequenzen hinsichtlich der Länder Kärnten und Krain zu ziehen,[6] blieb ohne praktischen Erfolg. Otakars Herrschaft daselbst bestand bis zur Eröffnung des Reichskrieges wider ihn, im Herbste 1276,

---

[1] A. a. O., S. 46 ff.

[2] Vgl. Osw. Redlich, Die Anfänge König Rudolfs I., in den Mitth. des Instituts für österr. Geschichtsforschung 10, 393. Derselbe hat auch die Bedenken beseitigt, welche v. Zeissberg zu der Annahme veranlasst hatten, als sei Philipp nur mit den Reichslehen, nicht aber auch mit dem Herzogthume belehnt worden. Auch ich halte eine solche Unterscheidung für nicht wahrscheinlich.

[3] Böhmer-Ficker, Acta Imp. sel. 323, Nr. 408.

[4] Vgl. in der Neuausgabe der Regesten König Rudolfs (nach J. Böhmer) von Osw. Redlich die Nr. 384 und 385 (17. Juni) und 440, 442 (21. October 1275).

[5] Vgl. die Urkunde Philipps für seinen Notar Rudolf vom 1. Juli 1275 in dem Wiener Jahrb. d. Lit. 52, 241. Ueber das Datum Tangl, a. a. O., S. 180 f.

[6] Philipp verleiht am 1. Juli 1275 zwei genannte Höfe aus seinem Eigenbesitz, die von seinem Vater Bernhard zu Lehen ausgethan worden waren, da sie ihm (durch Mannfall) ledig wurden, an seinen Notar Rudolf. Urkunde Wiener Jahrb. d. Lit. 52, 241.

aufrecht, Philipp selbst vermochte dort unterdessen nicht festen Fuss zu fassen. Wir finden ihn durch das ganze Jahr 1275 und auch am Beginn des folgenden Jahres im Gefolge König Rudolfs,[1] nach Kärnten-Krain scheint er nicht gekommen zu sein. Man muss doch auch beachten: Otakar konnte sich ihm gegenüber immerhin auf den Verzicht stützen, der bezüglich dieser Länder seinerzeit zu seinen Gunsten von Seiten Philipps erfolgt war. Die Giltigkeit desselben aufzuheben, schien jedenfalls im Interesse Philipps geboten. Auf sein Ansuchen ist denn auch am 22. Jänner 1276 zu Nürnberg die förmliche Nichtigkeitserklärung jener Verträge und Abmachungen durch König Rudolf erfolgt, nachdem sie durch einen Rechtspruch des Fürstengerichtes ob ihrer zwangweisen Erpressung als nicht rechtsverbindlich erklärt worden waren.[2]

Doch auch jetzt hat Philipp sicherlich wenig Anklang in Kärnten-Krain gefunden; er hat vor Allem bei der Eroberung dieser Länder und dem Zusammenbruch der Herrschaft Otakars dortselbst gar keine Rolle gespielt. Es waren vielmehr Graf Meinhard von Tirol und sein Bruder Albert von Görz, die nunmehr entscheidend auf den Plan traten. Letzterer hatte Otakars Partei definitiv verlassen, vermuthlich auch aus Rücksichten auf seinen Bruder, der König Rudolf bereits durch Familienbeziehungen verbunden war. Während Meinhard von Tirol aus in Kärnten eindrang, hatte Albert gleichzeitig, wahrscheinlich mit Unterstützung Aquileias, Krain und die Mark in Besitz genommen.[3] Sie beide mussten Rudolf vor Allen geeignet erscheinen, die Occupation dieser Länder durchzuführen, nicht nur wegen Meinhards nahen Beziehungen zu seinem Hause, und weil sie Anrainer dieser Gebiete, ihre nächsten Nachbarn waren, sondern noch mehr vielleicht ob ihres Eigenbesitzes in denselben, ihrer werthvollen persönlichen Verbindungen an Ort und Stelle, sowie als Inhaber der Vogtei von Aquileia und Brixen. Ohne Schwierigkeiten ward denn auch diese Occupation alsbald vollzogen, mit ihr aber und dem Uebertritt

---

[1] Er erscheint als Zeuge in zwei Urkunden König Rudolfs vom 21. October 1275 ddo. Lausanne. Redlich, Reg. Rudolfs, Nr. 440 und 442. Vgl. dazu ebenda Nr. 503 und Mitth. des Instituts für österr. Geschichtsforschung 10, 393.

[2] Böhmer, Acta 326.

[3] Vgl. Redlich, Reg. Rudolfs, Nr. 588 b.

der steirischen und Kärntner Ministerialen auf Seite Rudolfs, der gleichzeitig (19. September) erfolgte, die Herrschaft Otakars thatsächlich beseitigt.

König Rudolf nun hat sofort nach der Unterwerfung dieser Länder von Neuem an die Kärntner und Krainer ein Obödienzmandat zu Gunsten Philipps erlassen (24. September). Indem er alle Grafen, Edlen, Ministerialen und Vasallen von Kärnten und Krain auffordert, Philipp, dem Herzog von Kärnten, zu gehorchen, darf die Wiederholung dieser bereits am Beginn des Vorjahres (1275) an dieselbe Adresse erlassenen Mahnung an sich bezeichnend erscheinen. Noch deutlicher aber spricht der Schlusssatz, welcher in diesem zweiten Mandat gegenüber jenem ersten neu erscheint. Rudolf verkündet zugleich eine allgemeine Amnestie im Namen Philipps für alle jene, die sich dessen Gunst jemals verscherzt hätten, sofern sie sich diesem unterwerfen.[1] Man sieht: Philipp war offenbar bis dahin in Kärnten-Krain nicht nur nicht anerkannt worden, wir hören geradezu von einer Partei, die ihm — scheint es — feindlich entgegengetreten war. Und das werden wir nach Philipps Vergangenheit auch vollauf erklärlich finden. Die kirchliche Partei, hier besonders ausschlaggebend, mochte sich jetzt ebensowenig für ihn erwärmt haben als zuvor, da Otakar seine Herrschaft dort begründet hatte. Alte Gegensätze auch von früher her haben da vermuthlich noch nachgewirkt. Und der mächtige Laienadel auf der anderen Seite hatte jetzt erst recht keinen Grund, sich für Philipp zu erklären. Vielmehr mussten nunmehr die Familienbeziehungen, über welche Meinhard von Tirol und sein Bruder Albert von Görz durch ihre Verschwägerung mit dem mächtigen Grafen von Ortenburg und Pfannberg verfügten,[2] da entscheidend einwirken. Es ist doch bezeichnend, dass in der Erklärung des Kärntner und steirischen Adels, durch welche dessen Uebertritt auf König Rudolfs Seite zu rechtsverbindlichem Ausdruck gelangte, die Persönlichkeit

---

[1] Ceterum nosse vos volumus, quod omnes qui a predicti ducis gracia aliquando seclusi fuerint, ad pristine gracie sinum per ipsum ducem favorabiliter sunt recepti, dummodo tamen iidem per debite subieccionis reverenciam prefati domini beneplacitis sint conformes. v. Zeissberg, a. a. O., S. 48, Anm. 1.

[2] Vgl. Tangl, a. a. O., S. 376 ff.; Mon. hist. duc. Karinth. 2, 106, und Archiv für österr. Gesch. 36, 25 f.

Philipps gar nicht beachtet erscheint, obwohl derselbe doch von
König Rudolf als Herzog von Kärnten förmlich anerkannt worden
war. An der Spitze dieses Obödienzreverses aber zu Gunsten
Rudolfs erscheinen die Grafen von Heunburg und Pfannberg.[1]

Meinhard von Tirol und Albert von Görz hatten Kärnten
und Krain für König Rudolf erobert und die Macht daselbst
thatsächlich in den Händen. Es war nur natürlich, dass Meinhard vom Könige, vermuthlich unmittelbar nach der Occupation
dieser Länder, die Hauptmannschaft über dieselben übertragen
wurde.[2] Rudolf konnte die grossen Verdienste Meinhards um
seine Sache nicht unberücksichtigt lassen. Er war auch der
einzig richtige Mann für diese Stellung. Was hätte der alters-
schwache und kränkelnde Philipp dazu getaugt? Seine an
Misserfolgen reiche Vergangenheit war dafür sicherlich kein
guter Empfehlungsbrief.

So hat er denn trotz der formellen Anerkennung durch
König Rudolf die Herrschaft in Kärnten und Krain thatsächlich nicht angetreten. Keine einzige Urkunde von ihm ist uns
aus dieser Zeit (nach 1276) bekannt, die von einer weiteren
Beziehung zu diesen Ländern Zeugniss geben würde. Ausser
Landes, zu Krems in Oesterreich, hat er seine letzten Lebensjahre zugebracht. Dort ist er auch drei Jahre darauf, 1279,
gestorben.[3] König Rudolf, der ihn in klug berechneter Politik
Otakar gegenüber ausgespielt hatte, sah sich angesichts der geänderten Sachlage nunmehr genöthigt, ihn fallen zu lassen. Es
war auch keine Aussicht vorhanden, dass er sich in Kärnten
und Krain würde halten können. Anscheinend ward noch Ende
1276 ein Abkommen mit ihm getroffen, nach welchem er thatsächlich zurücktrat, aber im Besitz seiner Würde und Eigengüter belassen wurde.[4] Als Entschädigung für seinen Verzicht

---

[1] Schwind und Dopsch, Ausgewählte Urkunden zur Verfassungsgeschichte
der deutsch-österreichischen Erblande im Mittelalter 105, Nr. 51.

[2] Das ergibt sich aus dem Schreiben des Erzbischofs Friedrich von Salzburg an König Rudolf vom Anfang October 1276. Redlich, Reg. Rudolfs,
Nr. 605.

[3] Vgl. unten S. 33, Anm. 3.

[4] Das beweist sein Testament, durch welches er als ‚dux Karinthie dominus Carniole‘ über seine Eigengüter in Kärnten und Krain letztwillige
Verfügungen traf. Es ist in zwei gleichlautenden (besiegelten) Originalen noch im Wiener Staatsarchiv (aus dem Salzburger Capitelsarchiv)
erhalten. Gedruckt in Klun's Archiv für die Landesgesch. Krains 1, 233 ff.

hat ihm König Rudolf eine Rente verliehen, die ihm jährlich von der Mauth in Stein verabfolgt wurde.[1]

II.

Die Ansprüche Philipps von Sponheim auf Kärnten und Krain waren damit beseitigt. Die Kärnten-Krainer Frage trat nunmehr in ein neues Stadium. Allerdings, die nächste Zeit weist insofern noch keine volle Klärung auf, als die Thatsache von Philipps ursprünglicher Anerkennung durch König Rudolf doch auch jetzt noch nachwirkte. Das wird deutlich, wenn wir die staatsrechtliche Stellung näher betrachten, in der sich die Länder Kärnten und Krain in diesen Jahren (Ende 1276 bis 1279) befanden. Zunächst können wir verfolgen, dass Rudolf sich durchaus als Herrn dieser Länder betrachtete, und zwar nicht nur im Sinne der ihm als König zukommenden Reichsobergewalt. Er hat nicht nur die Privilegien früherer Könige[2] für Kirchen und Klöster in diesen Ländern bestätigt, sondern auch solche früherer Landesfürsten.[3] Er hat in gleicher Weise Verfügungen über Dienstleute (Ministerialen und Ritter) der Landesfürsten von Kärnten und Krain getroffen, wobei die Zugehörigkeit derselben zum Lande ausdrücklich hervorgehoben

[1] Das ergibt sich aus einem neuentdeckten Briefe Philipps an den Burggrafen Friedrich von Nürnberg in der Wiener Briefsammlung. Mitth. aus dem vaticanischen Archiv 2, 138. Durch ihn gewinnt die bisher unverdächtige Nachricht (vgl. Huber in Mitth. des Instituts für österr. Geschichtsforschung 4, 67) des steirischen Reimchronisten an Glaubwürdigkeit, der irrthümlich zum Jahre 1270 (der Eroberung Kärnten-Krains durch Otakar) meldet:

> Her Philippe muoste tuon
> ûf diu lant verziht.
> daz Kremse das geriht
> und die müte man im liez,
> unde swaz er het genies
> der burg datz Persenbiuge.
> er muost sich mit der smiuge
> betragen uns an sînen tôt.

Mon. Germ., Deutsche Chron. V, 1, 141.

[2] Vgl. unter Anderem die Urkunden Rudolfs für Gurk vom 16. April 1277 (Redlich, Reg. Rudolfs, Nr. 742) und 17. Jänner 1278 (ebenda, Nr. 917).

[3] Urkunde Rudolfs für Victring vom 30. August 1277 (Redlich, Reg. Rudolfs Nr. 863) und für Oberburg (das damals zur Mark gehörte) vom 14. März 1277 (Redlich, Reg. Rudolfs, Nr. 716).

wird.[1] Ja er hat geradezu wiederholt auch die Executive selbst
gehandhabt; sei es, dass er — wie 1277 zu Gunsten Victrings
— im Anschlusse an ein dem Kloster verliehenes Zollprivileg
durch ein Specialmandat an die betreffenden Verwaltungsorgane
die Beobachtung der verliehenen Freiheiten einschärfte,[2] sei es
auch, dass er im Falle der Rechtsverweigerung die landesfürstliche Schutzgewalt zu Gunsten des Klägers ausübte.[3]

In diesem Zusammenhange verdienen auch zwei weitere
Thatsachen noch entsprechende Beachtung. Einmal, dass der
Landfriede, den Rudolf am 3. December 1276 verkündete, auch
für Kärnten und Krain erlassen ward,[4] dann aber die Einleitung der Landfrage in Kärnten am Beginne des Jahres 1279.
Könnte erstere Erscheinung durch die Stellung Rudolfs als
König genügend erklärt werden, wiewohl es sich nicht um einen
Reichslandfrieden handelte, so übt Rudolf hier durchaus landesfürstliche Rechte aus. Nach Allem, was wir über dieses Straf-
verfahren gegen schädliche Leute wissen, ist es durchaus der
Landesfürst, der unter Beirath der Landherren dasselbe an-
ordnet, mindestens soweit darunter wie hier eine ausserordent-
liche Massregel zu verstehen ist, die von Zeit zu Zeit besonders
beschlossen und im ganzen Lande durchgeführt wurde.[5]

In beiden Fällen hat Rudolf wie ein Landesfürst unter
Beiziehung und nach Rath der Landesgrossen[6] Verfügungen

---

[1] Vgl. die Urkunde Rudolfs vom 18. Mai 1277 über die Theilung der
Kinder aus der Ehe landesfürstlicher (Krain) und freising'scher Ministerialen. Font. rer. Austr. II. 31, 351, und dazu die Urkunde für Gurk
vom 22. August 1279 in gleicher Angelegenheit. Diese ist allerdings
bereits einen Monat nach dem Tode Philipps ausgestellt. Beil. Nr. I.

[2] Redlich, Reg. Rudolfs, Nr. 854.

[3] So hat er 1278 den Bischof von Bamberg (in Abwesenheit Meinhards)
mit der rechtlichen Entscheidung der Streitigkeiten betraut, die zwischen
dem Propst von Wörth und einigen dessen Kirche bedrückenden Laien
bestanden (Redlich, Reg. Rudolfs, Nr. 913); so hat er 1279, als die Colonen
des Klosters St. Peter von Salzburg zu Wieting in Kärnten einen Strike
veranstalteten, ein Verbot erlassen, sie zu unterstützen (Redlich, Reg.
Rudolfs, Nr. 1086).

[4] Vgl. Schwind und Dopsch, Ausgewählte Urkunden zur Verfassungsgeschichte der deutsch-österreichischen Erblande im Mittelalter 106, Nr. 52.

[5] Vgl. O. v. Zallinger, Das Verfahren gegen die landschädlichen Leute in
Süddeutschland, S. 85 ff., insbesondere S. 95 und 97.

[6] Der oben citirte Landfriede wurde erlassen: ad consilium principum tam
ecclesiasticorum quam secularium comitum baronum ministerialium Austrie

getroffen, die für das ganze Land rechtsverbindliche Geltung hatten.

Als Hauptmann in Kärnten, Krain und der Mark war, wie bereits bemerkt, Graf Meinhard von Tirol vom Könige bestellt worden.[1] Er stand als solcher an der Spitze der Verwaltung und war das oberste Executivorgan des Königs, dessen Weisungen vor Allem an ihn gerichtet sind.[2] Zum Zwecke der Verwaltung setzte er wohl auch selbst Beamte (Richter und sonstige Amtleute) ein, die an seiner Statt dieselbe führten.[3] Festzuhalten ist jedoch, dass er seine Gewalt nicht zu eigenem Rechte ausübt, sondern im Namen des Königs und über dessen Auftrag.[4]

Styrie et Karinthie et Carniole ac Marchie, und in der Urkunde über die Landfrage in Kärnten heisst es: ‚Nos de statu terre ... cum principibus et fidelibus nostris ac specialiter quibusdam ministerialibus terre predicte ad hoc etiam advocatis tractatum habuimus.‘ Hormayr's Archiv 1828, S. 783.

[1] Vgl. oben S. 26 und dazu die Urkunde des Hermann Schenk zu Osterwitz (bei Tangl, S. 355), sowie den Vertrag Rudolfs mit Gurk über die Kirchenlehen vom Jahre 1280 (Redlich, Reg. Rudolfs, Nr. 1174), wo es von Meinhard mit Bezug auf diese frühere Zeit (s. unten S. 39) heisst: ‚tunc capitanei Karinthie, Carniole ac Marchie.‘ Die Annahme Tangl's (S. 254), dass Meinhard auch ‚Reichsverweser der Steiermark‘ gewesen sei, ist unrichtig.

[2] Vgl. die Mandate König Rudolfs vom 4. und 15. Februar 1277, Redlich, Reg. Rudolfs, Nr. 682 und 689, sowie die in Anm. 3 citirten Urkunden. Zu beachten ist auch, dass König Rudolf, da er einmal den Bischof von Bamberg im Delegationswege mit der Entscheidung von Kärntner Rechtsstreitigkeiten betraut, in der betreffenden Urkunde ausdrücklich hervorhebt, dass Meinhard damals abwesend war. Vgl. oben S. 28, Anm. 3.

[3] Vgl. das Mandat Meinhards vom 22. Februar 1277 zu Gunsten Victrings (Tangl, S. 254): ‚universis iudicibus suis per Carinthiam et Carniolam constitutis‘, und die Urkunde Rudolfs vom 5. Jänner 1278, Font. rer. Austr. II. 34, 377: ‚cum propter dilecti nobis Meinhardi comitis Tyrolensis affinis nostri karissimi absentiam et etiam propter suorum procuratorum et officialium inpotenciam seu desidiam, quos loco sui regimini terre Karinthie prefecit ...‘

[4] Als Meinhard in dem oben (unter Anm. 3) citirten Mandat den Richtern in Kärnten die Beobachtung der Freiheiten des Klosters Victring einschärfte, sagt er von diesem (nach dem Originale im Archiv des Kärntner Geschichtsvereines): ‚Cuius possessiones et homines in serenissimi domini nostri regis Romanorum et nostram protectionem specialiter duximus assumendam.‘ Die Schutzgewalt Meinhards ist also nur eine stellvertretende, keine eigene (landesherrliche).

Fassen wir nun alle diese Beobachtungen zusammen, so
ergibt sich, dass König Rudolf in den Jahren 1276 (Ende) bis
1279 thatsächlich mindestens in Kärnten[1] wie ein Landesfürst
schaltete und waltete, Meinhard aber als Verweser und Hauptmann daselbst zu betrachten ist. Gleichwohl ist aber nicht anzunehmen, dass der König Kärnten und Krain als erledigte
Reichslehen betrachtet habe. Denn es muss auffallen, dass
König Rudolf in der bekannten Urkunde über das Reichsvicariat
des Pfalzgrafen Ludwig von Baiern vom Jahre 1276[2] diesen
für den Fall seines Todes als Reichsverweser nur in den Ländern Oesterreich und Steier, nicht aber auch Kärnten und Krain
bestellte. Es war das offenbar eine Rücksichtnahme auf die
Person des noch lebenden Philipp, der, von Rudolf förmlich
anerkannt, bis zu seinem Tode den Titel dux Karinthie dominus Carniole führte.

Diesen Verhältnissen nun, wie wir sie hier entwickelt
haben, entsprach auch das Vorgehen König Rudolfs in Sachen
der Kärnten-Krainer Kirchenlehen. Welch' grosse Bedeutung ihnen gerade in diesen Ländern zukam, ist eingangs bei
der Betrachtung der Herrschaftsverhältnisse von Kärnten und
Krain auseinandergesetzt worden. Wir sahen auch, dass Otakar, als er nach dem Tode Ulrichs von Sponheim daran gieng,
die Herrschaft über diese Länder an sich zu reissen, vor Allem
auf die Erwerbung der Kirchenlehen Bedacht nahm. Die Uebertragung derselben seitens der geistlichen Hochstifter hatte ihm
thatsächlich einen wichtigen Vorsprung Philipp gegenüber gesichert.

König Rudolf seinerseits hat denn auch die Bedeutung
eines solchen Vorgehens sofort richtig erkannt. Die Action,
welche er deshalb einleitete, ist in ihrem vollen Umfang noch
nicht recht gewürdigt worden. Er hat nämlich nach dem
definitiven Verzicht Otakars auf Oesterreich, Steier, Kärnten,
Krain und die Mark dann die förmliche Erklärung veranlasst, dass die Kirchenlehen, welche die Fürsten dieser Länder

---

[1] Die hier beigebrachten Belege beziehen sich doch vorwiegend auf Kärnten. Vgl. dazu den Excurs.

[2] Bernheim und Altmann, Ausgewählte Urkunden zur Erläuterung der
Verfassungsgeschichte Deutschlands im Mittelalter, 2. Aufl., S. 27. Vgl.
dazu Tangl, S. 224 f. Ueber die Datirung Osw. Redlich in Mitth. des Instituts für österr. Geschichtsforschung, Erg.-Bd. 4, 135, Anm. 1.

innegehabt hatten, als erledigt zu betrachten seien.[1] Die Absicht, welche Rudolf dabei leitete, ist klar. Indem er jene Erklärung nicht auf Otakar allein bezog, ward mit dieser allgemeinen Fassung zugleich hinsichtlich der von den Sponheimern einst innegehabten Lehen Klarheit geschaffen und insbesondere auch jedes Hinderniss beseitigt, welches die Person Philipps eventuell noch bereiten konnte.[2]

Nunmehr, so schien es, war die Bahn frei, um die vorbereitenden Schritte zur definitiven Regelung der südostdeutschen Frage zu thun. Rudolf hat nun alsbald, am Beginn des neuen Jahres (1277), mit den geistlichen Lehensherren Verhandlungen angeknüpft, um dieselben zur Uebertragung jener Lehensgüter an seine Söhne zu bewegen. Seine Bemühungen waren von Erfolg begleitet. Allerdings sah er sich dabei einzelnen dieser Hochstifter gegenüber zu nicht unwichtigen Concessionen genöthigt.[3] So haben denn noch im Verlaufe desselben Jahres (1277) Regensburg, Salzburg, Freising, Passau

---

[1] Man beachte die bis jetzt nicht verwertete Stelle in der Verleihungsurkunde des Bischofs Peter von Passau vom 24. November 1277 (Schwind und Dopsch, a. a. O., S. 117): ‚Sane cum post remotionem illustris principis Ottakari Boemorum regis et ipsius voluntariam cessionem de terris Austrie, Styrie, Karinthie, Carniole et Marchie fuerit declaratum, quod feuda que principes predictarum terrarum a nobis et a Pataviensi ecclesia possidebant, vacarent nobis et ecclesie Pataviensi . . .‘ Dieselbe darf, wiewohl sie in den übrigen Verleihungsurkunden nicht auch aufgenommen ist, doch eine allgemeine Geltung beanspruchen, da die Fassung jener dem vollkommen entspricht. S. unten S. 32, Anm. 1.

[2] Vgl. oben S. 15, Anm. 2.

[3] So insbesondere bei Passau. Vgl. dazu im Allgemeinen O. Lorenz, Deutsche Gesch. 2, 168. Man muss doch beachten, dass damals ein Theil der bisherigen Lehensgüter der Passauer Kirche als Dominicalgut überlassen wurde. Vgl. die Urkunde vom 24. November 1277, Schwind und Dopsch, a. a. O., 117. Ferner möchte die stattliche Reihe von Gunstbriefen König Rudolfs für den Freisinger Bischof eben um jene Zeit (vgl. Font. rer. Austr. II. 31, 348 ff.) nicht zufällig sein. Dem Salzburger Erzbischof aber schenkte Rudolf für die grosse Mühe, welche er gehabt, und seine Auslagen, sowie die erlittenen Schäden 300 Mark Silber Einkünfte, die vor der Uebertragung der Salzburger Kirchenlehen an seine Söhne davon abgezogen werden sollten. Vgl. die Urkunde Rudolfs vom 21. Juli 1277, Juvavia, 384 (c). Ebenso erhielt auch Bischof Dietrich von Gurk für seine entgegenkommende Haltung bei der Uebertragung der Kirchenlehen 100 Mark Einkünfte. Vgl. die S. 32, Anm. 1 citirte Urkunde für Gurk.

und auch Gurk ,alle jene Lehen ihrer Kirche, welche einst die
Fürsten von Oesterreich, Steier, Kärnten, Krain und der Mark
innehatten', an die Söhne Rudolfs übertragen.[1] Wir wissen,
was diese allgemeine Fassung der Lehensbriefe zu bedeuten
hatte. Sie wird übrigens durch die Urkunde des Erzbischofs
von Salzburg noch besonders erklärt mit der ausdrücklichen
Bemerkung, dass in diese Uebertragung auch jene Güter eingeschlossen sein sollten, welche einst Herzog Ulrich von Kärnten von seinem Eigenbesitze der Kirche von Salzburg zu Lehen
aufgetragen hatte. [2]

Man hat nach dem Wortlaut jener Lehenbriefe mit Recht
auf die Absicht Rudolfs geschlossen, seinen Söhnen nicht nur
Oesterreich und Steiermark, sondern auch Kärnten und Krain
zuzuwenden. Als auffallend muss die Thatsache bezeichnet
werden, dass gerade das in Kärnten am meisten begüterte
Bisthum Bamberg in jener Reihe fehlt, dass die Uebertragung der Kirchenlehen von Seite dieses Hochstiftes an
die Söhne Rudolfs erst zwei Jahre später, 1279, erfolgte. Man
wird sich mit der einfachen Constatirung dieses Factums kaum
mehr zufrieden geben können. Da anzunehmen ist, dass Rudolf
sich zu derselben Zeit wie an die anderen geistlichen Lehensherren auch an den Bamberger Bischof gewendet haben dürfte,[3]
muss diese so lang währende Verzögerung einen bedeutsamen
Grund gehabt haben. Sie ist weder durch eine Sedisvacanz
des Bamberger Stuhles um jene Zeit, noch durch eine feindliche Haltung des damaligen Bischofs zu erklären. Sie er-

---

[1] Vgl. ausser den bereits S. 31, Anm. 3 citirten Urkunden für Passau,
Freising und Salzburg jene von Regensburg vom 16. Juni bei Lichnowsky,
Geschichte des Hauses Habsburg 1, CLXII, Nr. V, und die Urkunde
Rudolfs vom 23. März 1280 für Gurk (Marian, Austria sacra 5, 499), aus
der sich ergibt, dass schon Bischof Dietrich von Gurk († 1278) jene Ver-
leihung vorgenommen hatte.

[2] Wiener Jahrb. d. Lit. 109, 255.

[3] Die Erklärung Tangl's (S. 326), dass Rudolf ,in Würdigung der bedrängten Lage des Bisthums' ,bis 1279 zugewartet und erst in diesem
Jahre den Bischof um die Verleihung seiner Lehen ersucht haben
mochte', ist unzutreffend. Denn König Rudolf hätte sonst auch bei Salzburg und Gurk ein Gleiches thun müssen, da auch sie, wie es in den
betreffenden Urkunden (s. oben Anm. 1) ganz ähnlich heisst, in gleicher
Weise viel Schaden erlitten und Auslagen in seinem Interesse gehabt
hatten.

scheint aber behoben kurz nach dem Tode Philipps von Sponheim.[1] Dieses Zusammentreffen dürfte kaum zufällig sein. Ich
meine, dass eben damit der Schlüssel zur Erklärung jener auffallenden Erscheinung gegeben sei. Als Substrat dafür aber
kann der Inhalt des Bamberger Lehensvertrages selbst[2] dienen.
Wie der Passauer in Oesterreich, so wusste der Bamberger
Bischof in Kärnten die Neuverleihung der erledigten Kirchenlehen geschickt dazu zu benützen, gegenüber dem neuen Lehensträger günstigere Bedingungen als bisher zu erwirken. Die
Concessionen, zu welchen sich Rudolf im Namen seiner Söhne
verstand, machen einen Grosstheil der Vertragsurkunde aus.
Unter Anderem aber verzichtete er auch im Namen des künftigen Herrn von Kärnten auf Rechte (an Vogtei und Grundbesitz daselbst), die bisher dem Herzog dieses Landes als
solches zustanden. Da wird meines Erachtens begreiflich, dass
Rudolf einen solchen Vertrag, der dauernde Rechtsveräusse-
rungen zum Nachtheile des Kärntner Herzogs involvirte, erst
abschloss, als der von ihm selbst als dux Karinthie anerkannte
Sponheimer Philipp bereits verstorben war.

Man sieht, Philipps Persönlichkeit legte König Rudolf auch
in dieser Beziehung gewisse Rücksichten auf, die ihn hinderten,
Kärnten ganz und gar als erledigtes Reichslehen zu betrachten.

Diese Rücksichtnahme, welche die zur Erledigung der
Kärnten-Krainer Frage nothwendigen Schritte lähmend beein-
flusste, entfiel nun mit dem Tode Philipps (Ende Juli 1279).[3]
Kärnten und Krain waren nunmehr endgiltig erledigt. König
Rudolf aber hatte damit freie Hand bekommen. Er traf denn
auch sofort alle Anstalten, jene Frage ihrer Lösung näher zu
bringen. In Wien noch wurden, vermuthlich im August, die
Vereinbarungen mit dem Bamberger Bischof wegen Uebertragung der Kirchenlehen an seine Söhne getroffen.[4] Im September aber unternahm Rudolf eine Reise nach Steiermark.

[1] S. unten Anm. 4.

[2] Urkundenbuch des Landes ob der Enns 3, 502 ff.

[3] Er starb am 21. oder 22. Juli. Vgl. Chron. Magni presb. Contin., Mon.
Germ. SS. 17, 534, und dazu die Eintragung des Salzburger Necrolo-
giums (zum 21. Juli), Mon. Germ. Necrol. 2, 152.

[4] Das Datum der zu Bamberg ausgestellten Verleihungsurkunde (17. September) entspricht der späteren Beurkundung, die Zeugen der zu Wien
früher erfolgten Handlung. Vgl. Redlich, Reg. Rudolfs, Nr. 1128.

Schon in Graz hatten sich Ende dieses Monates eine Reihe
Kärntner und Krainer Adeliger eingefunden, die Bischöfe von
Lavant und Gurk weilten dort bei ihm.[1] Mitte October aber
berief der König die Grossen beider Länder nach Judenburg
zu einer förmlichen Versammlung ein:

> Dâ besant der kunic mære
> die von Krein und die Kernære.
> die kômen alle zuo im dar
> und nâmen flîziclichen war
> sîns gebots und sînes willen.
> ir dheiner liez sich bevillen,
> ir tæte gern daz beste
> an swiu sô er weste
> dem kunic wol gevallen.[2]

Er war, wie die am 17. September ausgestellte Verleihungsurkunde des Bamberger Bischofs zeigt, auch jetzt noch entschlossen, Kärnten und Krain seinen Söhnen zuzuwenden.[3] Auf
der Judenburger Tagung wird sich Gelegenheit geboten haben,
dafür unter dem Adel und Clerus Stimmung zu machen. Vor
Allem war der König bestrebt, die Rechtsfrage zu ordnen,
indem er die Ansprüche befriedigte, die hinsichtlich dieser
Länder privatrechtlich noch erhoben werden konnten. Agnes,
die Gemahlin des Grafen von Heunburg, nämlich hatte nach
dem Zusammenbruch von Otakars Herrschaft die Anerkennung
ihrer von Otakar vorenthaltenen Rechte bei Rudolf durchzusetzen gesucht,[4] jener sowohl, die ihr als Erbin des letzten
Babenbergers zukamen,[5] wie auch der ihr von ihrem ersten
Gemahl, Herzog Ulrich von Kärnten, als Ausstattung später
verliehenen. Sie war von den Amtleuten (Officiales) Rudolfs
jedoch abgewiesen worden mit dem Hinweis auf den ihrerseits
geleisteten Verzicht zu Gunsten Otakars, dessen Rechte nunmehr auf König Rudolf übergegangen wären.

---

[1] Vgl. die Zeugenreihen der beiden von König Rudolf am 29. September
in Graz ausgestellten Urkunden. Redlich, Reg. Rudolfs, Nr. 1129 und
1130.

[2] Steirische Reimchronik, Mon. Germ., Deutsche Chron. V, 1, 249.

[3] Vgl. dazu Lorenz, Deutsche Gesch. 2, 262.

[4] Vgl. für das Folgende den Eingang der Urkunde Graf Ulrichs von Heunburg und seiner Gemahlin Agnes vom 22. October. Beilage Nr. II.

[5] S. oben S. 12.

Agnes nun, welche die Rechtsgiltigkeit jenes Verzichtes nicht anerkennen wollte, da er ihr abgenöthigt worden sei, wendete sich jetzt neuerdings an Rudolf.

Es ist begreiflich, dass dieser, ganz abgesehen von dem Rechtsstandpunkt, gerade um jene Zeit zu einem Ausgleich sich bereit zeigte. Bei seinen Plänen hinsichtlich dieser Länder hatte er ja ein Interesse daran, sich dortselbst keine Feinde zu schaffen. So ward denn jener Verzicht zu Gunsten Otakars thatsächlich als ungiltig erklärt und Agnes für die Uebertragung ihrer Ansprüche auf Rudolf, welche unter Uebergabe einer Abschrift der sie verbriefenden Urkunden erfolgte, eine Ablösungssumme von 6000 Mark Silber zugesichert. Als Pfand für dieselbe aber wurden ihr von Rudolf, da er über kein Baargeld verfügte, eine Reihe von Besitzungen in Untersteiermark übergeben. Dieser Vertrag mit Agnes und ihrem Gemahl, Ulrich von Heunburg, wurde am 22. October noch in Judenburg ausgefertigt. Drei Tage darauf hat Rudolf (in Rottenmann) die Gegenurkunde über den Lehensvertrag mit Bamberg ausgestellt.[1] Alles schien auf das Beste geordnet.

Da trat eine Wendung ein, unerwartet und überraschend. Sie war geeignet, Rudolfs so wohl eingeleiteten Plan völlig zu durchkreuzen. Mit neuen Ansprüchen auf Kärnten und Krain trat ein Mann hervor, dessen Persönlichkeit und weitwurzelnde Stellung in diesen Ländern ihnen politisches Vollgewicht verlieh: Graf Meinhard von Tirol. Die bei Johann von Victring[2] überlieferte Nachricht, dass er sich um jene Zeit an Rudolf mit der Bitte gewendet habe, ihm einen Theil der neuerworbenen Länder zu überlassen, birgt aller Wahrscheinlichkeit nach einen echten historischen Kern in sich. Es ist auch bereits dargelegt worden, wie sehr ein solches Begehren Meinhards von seinem Standpunkte aus begreiflich und begründet erscheinen musste.[3] Nicht nur wegen der damit verbundenen Herzogswürde und des Fürstenstandes; eine zugkräftige Territorialpolitik kam darin selbstredend zum Ausdruck. Man betrachte nur die Landkarte. Kärnten bildete zwischen den beiden grossen Complexen der Besitzungen seines Hauses das so wichtige Verbindungsglied.

[1] Urkundenbuch des Landes ob der Enns 3, 505.
[2] Mon. rer. Germ. 1, 313.
[3] Mittheilungen des Instituts für österr. Geschichtsforschung, Erg.-Bd. 4, 1893. —

Mit diesem Land und Krain dehnte sich die Herrschaft der
Görzer von Tirol über das Pusterthal bis zu den östlichen
Görzer Besitzungen, die Adria in mächtigem Bogen umspannend.
Und das wollte in dem vorliegenden Falle doppelt viel besagen.
Wir kennen die kräftig ausholende Kirchenpolitik Meinhards
und seines Bruders Albert von Görz. Sie beide eifrig bestrebt, ihre Machtsphäre auf Kosten der benachbarten Hoch-
stifte (Trient, Brixen und Aquileia), deren Vogtei sie innehatten, zu erweitern. Das Vorgehen Meinhards in Tirol, Trient
gegenüber, findet sein Pendant in dem Verhältniss Alberts zu
Aquileia. Eben damals, als Ulrich von Kärnten starb, haben
die Görzer mit Aquileia lang fortwährende Verwicklungen gehabt. Und Meinhard scheint seinem Bruder in der äusseren
Politik verbunden gewesen zu sein.[1]

So wird man die Bedeutung gerade Kärntens und Krains
für die Görzer auch nach dieser Richtung hin in Erwägung
ziehen müssen. Mit dieser Erwerbung ward der kräftig inau-
gurirten Politik derselben gegenüber Aquileia die Erfüllung
verheissen. Von dem eisernen Ring der Görzer Macht umklammert, musste der Patriarchenstaat an der Adria früher oder
später das Schicksal Trient-Brixens theilen.

Grossartige Aussichten und von einer Tragweite, dass sie
Meinhards Begehr an Rudolf wohl verständlich erscheinen lassen.
Den König aber mahnte mehr als eine Erwägung, dieselbe
ernsthaft zu berücksichtigen: die alte Freundschaft mit Meinhard, dessen Verschwägerung mit dem königlichen Hause, vor
Allem aber die grossen Verdienste, welche derselbe sich bei
der Begründung der Habsburgerherrschaft in Oesterreich zuletzt
noch erworben. Und auch in anderer, negativer Beziehung.
Rudolf durfte Meinhard nicht zu seinem Feinde werden lassen,
schon aus Rücksicht auf die im Reiche sich allmälig bildende

---

[1] In dem Vertrage Meinhards und Alberts vom 4. März 1271, durch den
sie die Besitzungen ihres Hauses unter sich theilten, wird Meinhard
nicht nur verpflichtet, seinem Bruder während des Krieges mit Aquileia
bewaffnete Hilfe zu leisten, er soll auch bei Abschluss des Friedens persönlich mitwirken. In ähnlicher Weise wird ebendaselbst die Unterstützung Meinhards Albert auch in seinen Ansprüchen gegenüber dem
Salzburger Erzbischof zugesichert. Font. rer. Austr. II, 1, 122. Vgl. auch
das Regest bei Tangl 55 (zum Jahre 1271).

Opposition.[1] Noch mehr aber vielleicht angesichts der Stellung, über die Meinhard in Kärnten und Krain selbst verfügte. Das ist bis jetzt nicht berücksichtigt worden. Die Görzer hatten, wie eingangs dargelegt wurde,[2] nicht nur einen stattlichen Besitz an Eigengütern in diesen Ländern, sie verfügten auch in Folge Verschwägerung mit den daselbst mächtigen Ortenburgern und Pfannbergern über wichtige Verbindungen unter dem Hochadel. Die Erbvogtei über die Brixener und Aquileier Kirche musste ihren Einfluss dort verstärken. Dazu kommt noch, dass sie — ihre ausgezeichnete Finanzverwaltung ist bekannt[3] — aber reiche Geldmittel geboten, die sie bei der Geldnoth, in der sich das Königthum damals ob seiner grossen Ausgaben stets befand, wirksam zu verwerthen wussten. So hat Rudolf 1277 einige Besitzungen in Krain (Schloss Meichau und Markt Tschernembl) um 600 Mark an Albert von Görz verpfändet[4] und auch die bekannte Verpfändung des ganzen Landes Krain an Meinhard (für 20.000 Mark) ist ein sprechendes Zeugniss dafür.[5]

Hatte Meinhard damals also Krain bereits als Pfandbesitz und auch Kärnten als Landeshauptmann thatsächlich inne, so wäre es unter den geschilderten Umständen keinesfalls leicht gewesen, die Herausgabe dieser Länder zu erwirken. Er selbst schien daran auch gar nicht zu denken, sondern vielmehr gewillt zu sein, seine Macht im Lande noch mehr zu festigen. Besonders der Kirche gegenüber, indem er, ohne Rücksicht auf die bestehenden Privilegien, willkürlich gegen dieselbe vorging und sie in ihrem Besitz beeinträchtigte. Für die Freisingschen Besitzungen in Krain lässt sich das sicher nachweisen. Nachdem König Rudolf Meinhard bereits Anfang des Jahres 1277 ausdrücklich gemahnt hatte, die Freiheiten der Freisinger Kirche in der Gerichtsbarkeit auf dessen Krainer Besitzungen (insbesondere Lack) zu respectiren,[6] sah er sich drei Jahre später, 1280, neuerdings genöthigt, zu Gunsten des Freisinger

[1] Redlich in den Mitth. des Instituts für österr. Geschichtsforschung, Erg.-Bd. 4, 167.

[2] Vgl. oben S. 3.

[3] Lorenz, Deutsche Gesch. 1, 366.

[4] Redlich, Reg. Rudolfs, Nr. 675; vgl. auch Nr. 872.

[5] Vgl. den Exeurs.

[6] Font. rer. Austr. II, 31, 346.

Bischofs zu interveniren.[1] Meinhard hatte, ohne jenes Mandat des Königs zu achten und entgegen den von Rudolf selbst anerkannten Rechten Freisings, das Landgericht Lack in seine Gewalt gebracht.

Nicht unerwähnt möchten in diesem Zusammenhange auch die Reibungen und Gegensätze bleiben, welche 1277 auf 1278 in Kärnten zwischen Bamberg und Albert von Görz bestanden.[2]

König Rudolf seinerseits beobachtete dem Begehren Meinhards gegenüber zunächst jene Haltung, die der gegebenen Sachlage nach einzig möglich war, eine dilatorische. Eine Erledigung kurzer Hand wäre verfassungsmässig ja auch gar nicht zulässig gewesen. So verwies er Meinhard ob des nöthigen Consenses der Kurfürsten auf den nächsten Reichstag.[3] Die Annahme, dass die Verpfändung Krains an Meinhard ‚als Abschlagszahlung für das kaum abzuweisende Begehren‘ Meinhards erfolgt sei,[4] dürfte kaum stichhältig sein. Denn diese ward bereits früher und zu einer Zeit vorgenommen, da Rudolf noch durchaus seine Söhne als künftige Landesherren von Kärnten und Krain ansah.[5] Vielleicht haben gerade die Verträge mit Bamberg und Agnes von Heunburg, die Rudolfs Absichten deutlich enthüllten, Meinhard veranlasst, mit seinen Ansprüchen hervorzutreten. Der König nun mochte alsbald einsehen, dass er ihnen werde Rechnung tragen müssen. So ist denn sehr bald, früher als man bisher annahm,[6] die entscheidende Wandlung in Rudolfs Haltung gegenüber der Kärnten-Krainer Frage erfolgt.

Meinhard, der bei der Judenburger Tagung nicht zugegen war, erscheint Anfang November zu Linz wieder in der Um-

---

[1] Vgl. das Mandat König Rudolfs an Meinhard (vom 20. Mai 1280), Font. rer. Austr. II, 31. 391.

[2] Vgl. den Schiedspruch über die Beilegung dieser Streitigkeiten vom 17. März 1278, Font. rer. Austr. II, 1, 196.

[3] So Johann von Victring. Böhmer, Font. rer. Austr. 1, 313.

[4] Redlich in Mitth. des Instituts für österr. Geschichtsforschung, Erg.-Bd. 4, 146.

[5] Vgl. den Excurs.

[6] Nach Redlich (Mitth. des Instituts für österr. Geschichtsforschung, Erg.-Bd. 4, 148) wäre Rudolf ‚um die Wende von 1281 und 1282 so gut wie entschlossen‘ gewesen, ‚Kärnten dem Grafen Meinhard zu verleihen‘. Huber (Gesch. Oesterreichs 2, 7, N. 1) setzt diesen Zeitpunkt doch schon ein Jahr früher an.

gebung des Königs. Dort stellte bemerkenswerther Weise auch
er Rudolf einen Willebrief für die römische Kirche aus.[1] Und
eben am Anfang des nächsten Jahres lassen die Verhältnisse
in Kärnten eine wesentliche Aenderung erkennen. Ich möchte
annehmen, dass sie bereits in der Urkunde vom 23. März 1280[2]
zum Ausdruck kommt, durch die König Rudolf die Rechts-
ansprüche von Gurk einer definitiven Regelung zuführte. Wir
gewinnen da insofern einen näheren Einblick, als diese Urkunde
auch über die frühere Zeit (vor 1279) sich verbreitet. Aehnlich wie den anderen Hochstiften hatte König Rudolf auch Gurk
für die ihm während des Krieges mit Otakar geleisteten Dienste
sowie die Willfährigkeit bei der Verleihung der Kirchenlehen
an seine Söhne eine Summe Geldes zugestanden, die von jenen
Lehen in Abzug gebracht werden sollte. Um die Auszahlung
derselben, welche in Folge vorzeitigen Todes des Gurker
Bischofs Dietrich († 12. November 1278) unterblieb, bewarb sich
nun dessen Nachfolger Johann. Indem König Rudolf darüber
hier bestimmte Vereinbarungen trifft, ist die Stellung beachtenswerth, in der Graf Meinhard beidemale erscheint. Seinerzeit,
unter Bischof Dietrich, habe Rudolf an ihn als ‚tunc capitaneo
nostro in Karinthia, Carniola et Marchia‘ den Auftrag ertheilt,
die Gurk zugesicherte Summe anzuweisen. Das neue Abkommen aber wird, wie ausdrücklich hervorgehoben erscheint,
‚de consilio comitis prenotati‘ getroffen.[3]

---

[1] Redlich, Reg. Rudolfs, Nr. 1161. Unter den dazu Berufenen war Meinhard der einzige, welcher nicht dem Fürstenstande angehörte. Vgl.
Kaltenbrunner, Mitth. des Instituts für österr. Geschichtsforschung, Erg.-
Bd. 1, 385. Sollte das vielleicht gar bereits ein Wechsel auf die Zukunft
sein? Vgl. auch den Excurs.

[2] Mucar, Austria sacra, 5, 499 ff.

[3] Indem nunmehr die Schuldsumme König Rudolfs nicht mehr von den
Kirchenlehen in Abzug gebracht, sondern zum Theil auf genannte
Güter in der Mark, zum Theil aber in Kärnten angewiesen wird,
hebt der König nicht nur bei diesen beiden Bestimmungen Meinhards
Zustimmung (consilium) hervor, sondern betont auch am Schlusse noch
insbesondere, dass diese Aenderung gegenüber den früheren Vereinbarungen ‚de consilio comitis‘ erfolgt sei. Wird die Erwähnung Meinhards im ersteren Theile deshalb wenig besagen, weil die Einholung
seiner Zustimmung ob der Verpfändung der Mark an ihn erforderlich
sein mochte, so ist dieselbe im zweiten Theile doch um so bezeichnender.
Nicht nur weil es sich um eine Anweisung in Kärnten handelt, sondern
auch wegen der Eventualbestimmung, dass der König dem Bischof die

Die Verschiedenheit in der Bezeichnungsweise Meinhards könnte an sich in Folge der Hervorkehrung des ‚tunc‘ im ersteren Falle auf eine unterdes erfolgte Veränderung schliessen lassen. Noch mehr aber spricht dafür die damit correspondirende Thatsache, dass dort Meinhards nur im Sinne eines Executivorganes des Königs gedacht wird, welchem die Ausführung der vom König selbständig getroffenen Vereinbarung zukommt, während er hier von vornherein neben dem König als eine Persönlichkeit erscheint, deren Zustimmung zum Abschluss des Vertrages eingeholt und besonders hervorgehoben wird. Die Bedeutung dieser auffallenden Erscheinung wird noch deutlicher durch das, was wir über die Ausführung jenes Vertrages wissen. Es kam nämlich zu der in demselben vorgesehenen Eventualität, dass die dem · Gurker Bischof in Kärnten angewiesene Summe nicht zur Auszahlung gelangte. Dem zufolge hatte nunmehr, als Compensation dafür, die Uebertragung der Blutgerichtsbarkeit an Gurk zu erfolgen. Der König, von dem die Verleihung ausgeht, hebt auch in der Intimation derselben (die Verleihungsurkunde ist uns nicht mehr erhalten) an die Verwaltungsorgane unter ausdrücklichem Hinweis auf eine Urkunde Meinhards hervor,[1] dass er sie ‚accedente beneplacito et consensu spectabilis viri ac comitis Tyrolensis‘ vorgenommen habe. Die förmliche Uebertragung selbst führte Meinhard ‚ex speciali mandato serenissimi domini nostri Rudolfi Romanorum regis‘ durch.[2]

Man sieht: der König, der das Verfügungsrecht über die den Kärntner Herzogen zukommenden Hoheitsrechte damals in Ermangelung eines Herzogs ausübte,[3] hat in Fällen, wo mit der

bis dahin von den Kärntner Herzogen ausgeübte Blutgerichtsbarkeit auf dessen Gütern verleihen wolle, im Falle Meinhard diese Anweisung innerhalb des bestimmten Termines nicht vollziehe.

[1] Archiv für österr. Gesch. 14, 23.

[2] Vgl. die Urkunde Meinhards vom 11. December 1280, Beilage Nr. III.

[3] An demselben Tage, an welchem jener Vertrag mit Gurk abgeschlossen ward, bestätigte König Rudolf dem Bischof von Gurk ein landesfürstliches Privileg über die Vogtei des Herzogs auf den Stiftsgütern (Winkelmann, Acta Imp. 2, 101, Nr. 122; vgl. Ankershofen, Archiv für österr. Gesch. 8, 367, Nr. 396), und vier Tage nach jener Intimation wegen Uebertragung der Blutgerichtsbarkeit an Gurk (vgl. Anm. 1) hat Rudolf mit demselben Bischofe ein Abkommen über die Nachkommenschaft aus Eben landesfürstlicher Dienstleute und solchen der Gurker Kirche getroffen (Redlich,

Veräusserung solcher eine Schmälerung der landesherrlichen
Rechte sich ergeben musste, der Zustimmung Meinhards sich
versichert. Offenbar hatte Rudolf seinen Ansprüchen damals
bereits eine weitgehende Berücksichtigung zutheil werden lassen.
Er war unter Verzicht auf seine früheren Pläne im Frühjahre
1280 schon geneigt, in ihm den künftigen Landesherrn von
Kärnten zu sehen. Zur Illustrirung der Sachlage von damals
kann eine überaus bezeichnende Bemerkung dienen, die sich
in einer (noch im Original erhaltenen) Privaturkunde vom
14. Februar 1280 über Meinhard findet: ‚Qui de consensu domini Rudolphi Romanorum regis dominum Karinthie tunc se
gessit.'[1]

Möglicherweise ist in diesem Sinne auch noch eine andere
Stelle aufzufassen, die sich allerdings nur in einer Briefformel
erhalten hat.[2] Indem König Rudolf Meinhard ersucht, zwei
Bürgern von St. Veit seinen Schutz angedeihen zu lassen, heisst
es von diesen: ‚Sub districtus tui dominio tenentibus mansio-
nem.' Sollte der Charakter dieser Quelle eine prägnante Auffassung dieses Ausdruckes verstatten, so würde dominium vom
Standpunkte des Königs kaum für die Amtsgewalt eines Landeshauptmannes die adäquate Bezeichnungsweise sein.

Die Thatsache, dass König Rudolf seine einstigen Absichten zu Gunsten seiner Söhne bereits aufgegeben und sich
dareingefunden hatte, in Meinhard den künftigen Landesherrn
von Kärnten zu erblicken, kam dann auch im folgenden Frühjahr (1281) zum Ausdruck, als er nach mehrjährigem Aufenthalt Oesterreich verliess. Indem er damals, im Mai 1281, seinen
Sohn Albrecht zum Reichsverweser in den erledigten Herzogthümern einsetzte, wurde derselbe doch nur für Oesterreich und
Steiermark bestellt.[3] Kärnten und Krain blieben nach wie vor
in der Hand Meinhards.

Reg. Rudolfs, Nr. 1244). Vgl. auch noch die Urkunden Rudolfs bei Redlich, Reg. Rudolfs, Nr. 1269, 1295, 1430.

[2] Tangl, S. 349; vgl. dazu Redlich, Mitth. des Instituts für österr. Geschichtsforschung, Erg.-Bd. 4, 145, Anm. 2.

[3] Bodmann, Cod. Epist. Rudolfi regis 160. Vgl. dazu Redlich, Reg. Rudolfs,
Nr. 1318.

[4] Die Annahme Tangl's (S. 372), dass Albrecht auch zum Reichsverweser
von Krain und der Mark bestellt worden sei, erscheint durch die bekannte Erklärung Albrechts selbst in dem Niederlagsprivileg für Wien

Wenn gleichzeitig damit die Städte und die Ritterschaft
in Oesterreich sich verpflichteten, den Ende des Jahres ab-
laufenden Landfrieden König Rudolfs von 1276 durch weitere
zehn Jahre zu beobachten,[1] so ist vielleicht bemerkenswerth,
dass eine gleiche Erklärung aus Kärnten und Krain nicht vorliegt, obwohl, wie wir sahen, jener Landfriede auch für diese
Länder erlassen wurde. Jedoch kann dieser Erscheinung deshalb eine grössere Bedeutung nicht zuerkannt werden,[2] weil
derselbe Mangel auch für die Steiermark besteht.

Es ist nur natürlich, dass König Rudolf damals, als er
Oesterreich verliess, Meinhard gegenüber eine entgegenkommende Haltung eingenommen hat. Vermuthlich sind vor seiner
Abreise noch entsprechende Verabredungen getroffen worden.
Meinhard war damals in Wien. Im Mai noch wurde ein Abkommen zwischen ihm und dem König wegen der Verheiratung
eines Sohnes Meinhards mit einer Nichte der Königin vereinbart.
Rudolf selbst scheint das Heiratsgut für die Braut ausgesetzt
zu haben.[3] Ein neues Band, das die Familienbeziehungen noch
mehrte.

Auch das Verhalten Meinhards in der nächstfolgenden
Zeit spricht für die frühere Annahme. Das rein äussere Moment der Urkundenstatistik kann vielleicht da einen Fingerzeig
gewähren. Es ist nämlich für die Zeit von Rudolfs Abzug bis
zum Ende des folgenden Jahres 1282, für rund einundeinhalb
Jahre, keine Urkunde Meinhards für Kärnten-Krain bekannt
geworden. Auch des Königs nicht. Aber dies mag thatsächlich in dessen Entfernung, zum Theile wenigstens, begründet
sein. Umsomehr jedoch fällt da jener Mangel an urkundlichen
Zeugnissen für die Wirksamkeit des eigentlichen Herrn von
Kärnten auf, zumal derselbe, wie aus einzelnen Urkunden Privater hervorgeht,[4] im Lande weilte.

---

vom 24. Juli (Schwind und Dopsch, a. a. O., 126), sowie den Titel desselben:
per Austriam et Stiriam vicarius generalis (vgl. die Urkunden im Ur-
kundenbuche des Landes ob der Enns 3, 532, 546, 548 u. A.) widerlegt.

[1] Schwind und Dopsch, S. 125; vgl. dazu Redlich, Reg. Rudolfs, Nr. 1289.

[2] Dazu scheint Tangl, S. 374, geneigt.

[3] Vgl. die Urkunde Meinhards vom 19. Mai. Redlich, Reg. Rudolfs, Nr. 1291;
dazu Tangl, S. 370 f.

[4] Vgl. die Urkunde des Grafen Friedrich von Ortenburg vom 3. Juni 1281
bei Tangl, S. 376 ff.

Wenn er sich auch als Herrn von Kärnten gab, so ist
Meinhard damals — scheint es — nicht besonders hervorgetreten. Nur indirect hören wir, dass er unausgesetzt an der
Erweiterung und Festigung seiner Macht arbeitete. Auf der
Provinzialsynode zu Salzburg im November 1281 wurden Klagen
über ihn laut.[1] Die Beschlüsse derselben[2] gegen die Uebergriffe und Bedrückungen von Laien kehren sich deutlich auch
gegen ihn. Nicht in Tirol allein dürfte er seine Säcularisations-
politik betrieben haben.

Das Vorhaben König Rudolfs nun, Kärnten an Meinhard
zu verleihen, mochte alsbald bekannt geworden sein. Denn
noch im Jahre 1281 haben sich Schwierigkeiten erhoben, welche
gegen die mit der Verleihung des Herzogthums verbundene
Erhebung Meinhards in den Reichsfürstenstand gerichtet waren.
Man suchte diese, wie es scheint, zu vereiteln, indem man ein-
wendete, dass Meinhards Grafschaft zum Herzogthume Baiern
oder Schwaben gehöre.[3] Nach den Grundsätzen des deutschen
Lehensrechtes konnte bekanntlich eines Laienfürsten Vasall
nicht dessen Genosse im Reichsfürstenstande werden.

Die Annahme Fickers,[4] dass dieser Widerstand auf Ansprüche Baierns zurückzuführen sei, hat alle Wahrscheinlichkeit
für sich. Denn wenn auch der Pfalzgraf Ludwig damals mit
Meinhard gute Beziehungen unterhielt,[5] so befand sich dessen
ehrgeiziger Bruder, Heinrich von Niederbaiern, gerade um jene
Zeit in der schärfsten Opposition gegen den König.[6]

[1] Vgl. das Schreiben des Erzbischofs Friedrich von Salzburg vom 15. März
1283. Juvavia, S. 235, N. e. Da der Trienter Bischof bei der Synode
nicht zugegen war, können diese Beschwerden im Hinblick auf das oben
geschilderte Vorgehen Meinhards gegenüber Freising (vgl. S. 37 f.) sehr
wohl auch auf Kärnten-Krain bezogen werden.

[2] Hansiz, Germania sacra 2, 391.

[3] Vgl. die Erklärung des Bischofs Konrad von Chur vom 20. Jänner 1282
(über das Datum Kopp, Reichsgesch. 1, 513, Anm. 1). Mohr, Cod. dipl.
Rhaetiae 2, 9.

[4] Ueber die Entstehungszeit des Schwabenspiegels Sitzungsber. der Wiener
Akad. 77, 856 f.

[5] Das hat Redlich dagegen geltend gemacht. Mitth. des Instituts für österr.
Geschichtsforschung, Erg.-Bd. 4, 148. Lausch, Die kärntenische Beleh-
nungsfrage, S. 59, beachtet bei seinen Bemerkungen über Heinrichs
Stellung den Zeitpunkt nicht, um den es sich hier handelt.

[6] Redlich, a. a. O., 141 f.

Am 20. Jänner 1282 erschienen mit der Erklärung des
Bischofs von Chur über die lehensrechtliche Stellung Meinhards
jene Schwierigkeiten behoben. Meinhard war um jene Zeit
augenscheinlich bestrebt, alle Hindernisse, die sich seiner Erhebung in den Weg stellen könnten, zu beseitigen. So ward
vier Monate darauf, am 25. Mai, vom König auf Bitte Meinhards der Rechtspruch beurkundet, dass dieser mit zwei Edlen
aus dem Land im Gebirge den Nachweis seiner landrechtlichen
Stellung erbringen könne.[1]

König Rudolf aber unternahm nunmehr die letzten Schritte,
die noch zu thun waren, um die definitive Verleihung der südostdeutschen Herzogthümer ins Werk zu setzen: die Einholung
der kurfürstlichen Willebriefe. Sie wurden im Sommer 1282
successive ausgestellt. Der erste davon, jener des Kölner Erzbischofs vom 27. Juli, fällt durch seine ganz allgemeine Fassung
auf, da er, ohne jede Beschränkung ertheilt, dem Könige völlig
freie Hand liess; er konnte darnach seinen Söhnen welches
Fürstenthum er wollte verleihen und wann er es wollte.[2] Eine
Unsicherheit der Lage drückt sich darin aus, wenn wir damit
die gleichlautend bestimmte Fassung der übrigen Willebriefe
zusammenhalten. Jene der beiden sächsischen Kurherren, Johanns und Albrechts, sowie des Markgrafen Otto von Brandenburg, sie alle vom 22. August datirt, und endlich die letzten
des Mainzers, Heinrichs von Trier und des Pfalzgrafen Ludwig (diese vom 22. September).[3] Sie lauteten insgesammt nicht
nur auf Oesterreich und Steier, sondern auch auf Kärnten,
Krain und die Mark.

Man merkt, dass sich unterdes eine entscheidende Wendung vollzogen hatte, dass Rudolf nunmehr gewillt war, auch
Kärnten und Krain seinen Söhnen zu verleihen. In dem Briefe
an den König von England vom 1. December hat er es direct

---

[1] Mohr, Cod. dipl. 2, 25. So ist wohl, wenn man den Wortlaut recht beachtet, zu übersetzen: ‚quod ad instantiam spectabilis viri Meinhardi
comitis Tyrolensis … coram nobis per sententiam est obtentum, quod
idem comes cum duobus principibus vel nobilibus de terra Montium
probare possit et legitime obtinere, cui terre attinere debeat vel
cuius terre iure gaudere.‘

[2] Lichnowsky, Gesch. des Hauses Habsburg 1, CLXVIII, Nr. X.

[3] Vgl. Redlich, Reg. Rudolfs, Nr. 1711.

ausgesprochen.[1] Bald darauf, zwischen dem 16. und 22. dieses Monats, fand auf dem Reichstag zu Augsburg, wie bekannt, die feierliche Belehnung der Söhne Rudolfs statt. Sie bildet einen Markstein auch in der Geschichte der Kärnten-Krainer Frage.

III.

Albrecht und Rudolf, die Söhne des Königs, wurden zu Augsburg mit den Herzogthümern Oesterreich und Steier, sowie mit Krain und der windischen Mark belehnt. Das ist unumstösslich sicher, das sagt uns die Belehnungsurkunde selbst[2] in klaren, deutlichen Worten. Mit grösseren Schwierigkeiten ist dagegen die Entscheidung der Frage verbunden, ob dieselben auch mit dem Herzogthume Kärnten belehnt worden seien. Sie hat lange Zeit den Gegenstand einer lebhaften wissenschaftlichen Controverse gebildet. Heute darf sie als abgeschlossen gelten. Denn die Urkunde König Rudolfs über die Belehnung Meinhards mit Kärnten vom 1. Februar 1286 und der mit ihr übereinstimmende Willebrief, den Herzog Albrecht von Sachsen dazu ertheilte (28. März 1285), sind für die Thatsache jener Belehnung ein historisches Zeugniss, gegen das sich, da ihre Echtheit unzweifelhaft feststeht, ein begründeter Einspruch nicht mehr erheben lässt. Mit Recht durfte Oswald Redlich, als er diese Streitfrage zuletzt zusammenfassend behandelte, jene Belehnung der Habsburger auch mit Kärnten als eine Thatsache bezeichnen, ,so gut bezeugt wie nur irgend eine der mittelalterlichen Geschichte'.[3]

Es ist allerdings wahr: mit der sicheren Feststellung jener Thatsache allein ist nicht auch eine volle Klärung der mit ihr in Verbindung stehenden politischen Vorgänge gegeben. Im Gegentheile. Eben damit verdichten sich die vorhandenen Schwierigkeiten zu einem förmlichen Problem.

---

[1] Ebenda, Nr. 1731. Krain wird in dem Schreiben allerdings nicht genannt. Vgl. unten S. 68, Anm. 2.

[2] Schirmer in den Blättern des Vereines für Landeskunde von Niederösterreich 16, 346 ff.

[3] Mitth. des Instituts für österr. Geschichtsforschung, Erg.-Bd. 4, 144 ff. Hier auch die näheren Literaturnachweise.

Erwägen wir nur die Sachlage: die Söhne Rudolfs haben
in der folgenden Zeit bis 1286, da sie auf Kärnten verzichteten
und dies Herzogthum an Meinhard definitiv übertragen wurde,
in Kärnten keine Herrschaftsrechte ausgeübt. Nicht eine Urkunde von ihnen, die auf dieses Land Bezug hätte, ist uns aus
dieser Zeit bekannt geworden. Ja sie haben nicht einmal den
Titel eines Herzogs von Kärnten angenommen. Und ebensowenig wurden durch jene Belehnung Verpflichtungen der Unterthanen dort begründet. Es fehlt jede Spur davon selbst dort,
wo man sie geradezu erwarten müsste. Im Gegensatz zu
Oesterreich und Steier erging nach erfolgter Belehnung kein
Obödienzmandat von Seiten des Königs an die Kärntner. Sie
hatten auch bei Acten von hervorragender staatsrechtlicher Bedeutung, wie z. B. bei der Abänderung der 1282 begründeten
Herrschaftsverhältnisse durch Erlassung der Rheinfeldener Con-
stitution vom 1. Juni 1283, keinen Antheil. Nur die österreichischen und steirischen Landesgrossen wurden damals als landschaftliche Vertretungskörper zur Mitwirkung berufen.[1]

Ja noch mehr. Es fehlt nicht nur jedes materielle Zeugniss dafür, dass jene Belehnung praktisch rechtswirksam geworden sei, es wissen von ihr weder die Belehnungsurkunde
der Söhne des Königs selbst, noch auch die überwiegende Mehrzahl der gleichzeitigen Geschichtsquellen etwas zu berichten.[2]

All' diese Umstände nun haben in ihrem Zusammenschluss
die Folgerung begründet, dass es sich bei jenem historisch beglaubigten Vorgang, der thatsächlich erfolgten Belehnung auch
mit Kärnten, nur um eine Scheinbelehnung gehandelt haben
könne, dass die Söhne Rudolfs von vornherein mit bestimmter
Absicht darauf verzichtet haben müssen, in den materiellen
Genuss der ihnen damals verliehenen Rechte einzutreten.[3]

Dieser Vorgang muss jedenfalls höchst auffallend erscheinen, wenn wir uns vergegenwärtigen, dass König Rudolf längst

---

[1] Vgl. das feierliche Recognitionsdiplom derselben zu jener vom 11. Juli
1283, Schwind und Dopsch, Ausgewählte Urkunden, S. 136, und dazu
Blätter des Vereines für Landeskunde von Niederösterr. 27, 245.
Vgl. Stögmann, Ueber die Vereinigung Kärntens mit Oesterreich, Sitzungs-
berichte der Wiener Akad. 19, 190, und Lausch, Die kärntenische
Belehnungsfrage (Göttinger Diss. 1877), S. 20 ff.

[3] So möchte ich mit Rücksicht auf meine späteren Darlegungen die bisherige Ansicht präciser formuliren.

bereit war, die wohlbegründeten Ansprüche Meinhards durch die Verleihung Kärntens zu befriedigen. Er scheint um so räthselhafter, als die frühere Annahme, dass darin ein feindseliges Vorgehen des Königs gegen Meinhard zu erblicken sei,[1] als haltlos nachgewiesen wurde. Meinhard erscheint nach wie vor in freundschaftlichem Verkehr mit Rudolf und dessen Söhnen, er war auch bei der Belehnung dieser selbst zugegen; ja er hat die Belehnungsurkunde selbst mit als Zeuge unterschrieben. Sie ist also mit seiner Zustimmung erfolgt, er war offenbar auch darüber wohlunterrichtet, was auf der Tagesordnung des Augsburger Reichstages stehe. Wenn dort aus Kärnten überhaupt keine Abordnung der Landesgrossen erschien,[2] so deutet das meines Erachtens darauf hin, dass dies alles mit Meinhard vorher vereinbart sein mochte.

Zur Erklärung dieser complicirten Verhältnisse nun hat v. Zeissberg zuerst jene Nachrichten herangezogen,[3] nach welchen, wie wir sahen, sich der Erhebung Meinhards in den Reichsfürstenstand formelle Schwierigkeiten in den Weg stellten. Da die Beseitigung derselben sich verzögerte, Rudolf aber mit der Verfügung über die erledigten Herzogthümer nicht länger zuwarten wollte, habe er zu jenem Ausweg seine Zuflucht genommen. Indem er auch Kärnten an seine Söhne verlieh, sei dies ohne Veränderung der Verhältnisse im Lande in der Absicht erfolgt, dieses an Meinhard, den eigentlichen Herrn desselben, zu übertragen, sobald jene Hindernisse behoben wären, oder falls dies unausführbar war, seinem eigenen Hause zu erhalten'.

Mit dieser Annahme v. Zeissberg's schien thatsächlich der Schlüssel zur Lösung jener vielumstrittenen Belehnungsfrage gefunden, und es ist sehr begreiflich, dass sich ihr in der Folge alle Forscher, die sich mit derselben beschäftigten,[4] gleich-

---

[1] So Wagmann, a. a. O., S. 194 f., und Chmel, Das Recht des Hauses Habsburg auf Kärnten, Sitzungsber. der Wiener Akad. 20, 171.

[2] Nach dem ausführlichen Berichte des steirischen Reimchronisten, Mon. Germ., Deutsche Chron. V. 1, 262. Vgl. gegen die irrige Auffassung von Lorenz, Deutsche Gesch. 2, 274: Redlich, a. a. O., 150.

[3] Rudolf von Habsburg und der österreichische Staatsgedanke, Blätter des Vereines für Landeskunde von Niederösterr. 16, 333.

[4] So Huber, Oesterr. Gesch. 2, 7. Lindner, Deutsche Gesch. unter den Habsburgern und Luxemburgern 1, 52 ff., und Redlich, a. a. O., 149 f.

mässig anschlossen. In scharfsinniger Weise waren damit die
scheinbaren Widersprüche und Schwierigkeiten behoben, welche
die Forschung bis dahin aufgeworfen hatte.

In jüngster Zeit erst hat A. Bachmann eine durchaus andere
Auffassung zum Ausdruck gebracht. Er hat geradezu die Thatsache der Belehnung von Rudolfs Söhnen auch mit Kärnten
neuerdings in Zweifel gezogen. Indem er von deren Belehnung
mit Oesterreich, Steiermark, Krain und der Mark spricht, meint
er: ‚Dass auch die Belehnung mit Kärnten in Aussicht genommen
war, zeigen die Willebriefe der Kurfürsten, doch weiss der
Lehenbrief (vom 27. December) von einer Belehnung mit
Kärnten nichts. Offenbar liess Rudolf Kärnten nur einstweilen
in der Hand des Tiroler Grafen, so lange, bis er ihm anderweitig Belohnung für seine wichtigen Dienste verschafft. Dann
sollte auch Kärnten dem Hause Habsburg werden. Als aber
dies bis 1286 nicht gelang, erhielt Meinhard Kärnten selbst,
und zwar direct vom Reiche.‘[1]

Wir können von dieser singulären Annahme zunächst
wenigstens absehen, zumal Bachmann die Gründe, die ihn dazu
veranlassten, noch nicht vorgebracht hat. Aber die frühere,
allgemein acceptirte Ansicht. Ob ihr Aufbau wohl näherer Betrachtung Stich hält? Sie hat recht bedenkliche points délicats,
die gerade bei der zusammenfassenden Behandlung der ganzen
Frage deutlich sichtbar werden. Als einzigen greifbaren Grund,
weshalb Rudolf seine deutliche Absicht, Kärnten an Meinhard
zu verleihen, nicht habe ausführen können, wird jenes Hinderniss bezeichnet, das die lehenrechtliche Stellung Meinhards bereitete. Allein dasselbe war thatsächlich bereits beseitigt, als
Rudolf daran ging, jene Verleihung vorzunehmen. Das muss
besonders betont werden. Denn schon im Jänner 1282 war
die Hauptschwierigkeit gelöst mit der Erklärung des Bischofs
von Chur, dass Meinhard keines Laienfürsten Vasall sei. Und
wenn anderseits dessen Bitte, seine landrechtliche Zugehörigkeit
mit zwei Edlen seines Territoriums zu erweisen, im Mai bereits
stattgegeben wurde, so kann man sicherlich annehmen, dass er
diesen Nachweis alsbald erbracht haben werde. Es ist doch
ganz unwahrscheinlich, dass er nicht zwei tirolische Edle gefunden haben sollte, die dazu bereit und auch in der Lage

---

[1] Lehrbuch der österr. Reichsgesch. (1895), S. 68, Anm.

waren, denselben zu liefern. Das hat Lausch[1] schon hervorgehoben. Erwägt man dazu, dass der Rechtsspruch, den Rudolf
am 25. Mai beurkundete, nicht, wie man bisher annahm, eine
Aufforderung an Meinhard, sondern vielmehr eine Ermächtigung
für ihn enthielt, jenen Nachweis zu erbringen,[2] so erfährt, da
dieselbe auf seine Bitte hin ertheilt wurde, der ganze Vorgang
eine wesentlich andere Beleuchtung. Man darf annehmen, dass
Meinhard mit dieser Bitte erst hervorgetreten sein wird, als
er auch in der Lage war, von jener Ermächtigung wirklich
Gebrauch zu machen.

Dass jene formellen Schwierigkeiten noch vor dem Reichstag von Augsburg thatsächlich beseitigt waren, bezeugt endlich
auch noch ein wichtiges ‚testimonium a silentio‘: Es ist in der
ganzen Folgezeit nicht wieder darüber verhandelt worden.[3]
Man müsste aber, da dies der einzige greifbare Grund der
Verhinderung von Meinhards Belehnung gewesen sein soll,
erwarten, dass sich später noch die Spuren wenigstens einer
Nachwirkung zeigten.

Entbehrt somit die bisherige Ansicht, weshalb König Rudolf Meinhard entgegen seinen deutlich bekundeten Absichten
1282 mit Kärnten nicht belehnte, meines Erachtens der zurei-
chenden Begründung, so möchte mir auch der andere Theil jener
Erklärung nicht überzeugend erscheinen: die Beantwortung
nämlich der Frage, warum denn Rudolf, wenn schon Meinhard
damals nicht mit Kärnten belehnt werden konnte, dieses seinen
Söhnen verliehen habe. Sie ist verschieden gegeben worden:
weil Rudolf nicht auch die Belehnung seiner Söhne verzögert
sehen wollte und es wohl unthunlich schien, Kärnten auch
weiterhin noch unvergeben zu lassen;[4] oder: weil Rudolf sich
Meinhard noch mehr zu verpflichten gedachte, indem dieser
Kärnten nicht den Kurfürsten, sondern ganz allein ihm und
seinen Söhnen verdanken sollte;[5] endlich: weil Rudolf damit
Kärnten, im Falle die Uebertragung an Meinhard sich als unausführbar erweisen sollte, seinem eigenen Hause erhalten wollte.[6]

[1] A. a. O., S. 59.
[2] Vgl. oben S. 44, Anm. 1.
[3] Vgl. dazu Lausch, a. a. O., S. 59.
[4] So Rödlich, a. a. O., S. 149.
[5] Lindner, a. a. O., S. 53.
[6] v. Zeissberg, a. a. O., S. 333 f.

Man sieht: so viele Hypothesen als Aeusserungen überhaupt. Es scheint, dass Niemand von den bereits versuchten
Erklärungen sich sehr befriedigt fühlte. Doch sehen wir näher
zu. Da dürfte nach der oben gegebenen Vorgeschichte der
ganzen Frage jener zuerst angeführte Erklärungsversuch kaum
wahrscheinlich sein. Die Kärntner Angelegenheit war durchaus eine Sache für sich und brauchte die Belehnung der Söhne
Rudolfs mit Oesterreich und Steiermark mit nichten zu verzögern. Kärnten konnte um so leichter zunächst noch unvergeben bleiben, als dasselbe erst drei Jahre nach jenen beiden
Ländern (1279, mit dem Tode Philipps) dem Reiche ledig wurde.
Aber auch die Annahme Lindner's hat, bevor er sie selbst
formulirte, bereits gewichtige Anfechtung erfahren. Huber
hatte nämlich schon 1878[1] die in diesem Punkt analoge Auffassung von Lausch mit der Motivirung verworfen, dass Meinhard ,doch nicht erst aus dem Lehenbrief zu erfahren brauchte,
wem und welchen Motiven er den Besitz von Kärnten verdanke'. Uebrigens wurde zu der factischen Belehnung Meinhards im Jahre 1286 doch auch die Zustimmung der Kurfürsten
von Rudolf eingeholt,[2] so dass Meinhard Kärnten thatsächlich nicht ,ganz allein' ihm und seinen Söhnen verdankte.
Konnte doch Bachmann, wie wir sahen, in jüngster Zeit gerade
das Gegentheil davon behaupten.[3]

Am ehesten konnte meines Erachtens unter solchen Umständen die von v. Zeissberg vorgetragene Ansicht bestechen.
Vergegenwärtigen wir uns aber die eingangs geschilderten
Territorialverhältnisse Kärntens, sowie die Entwicklung der
Kärnten-Krainer Frage bis zu jenem Zeitpunkt, so dürfte eines
klar geworden sein: Wäre es nicht möglich gewesen, Kärnten
an Meinhard zu übertragen, so konnte bei dem Charakter
der Herrschafts- und Besitzverhältnisse im Lande ausser ihm
niemand Anderer in Betracht kommen als eben die Söhne
Rudolfs, die sich bereits im Besitze der wichtigsten Kirchenlehen befanden. Es ist denn auch, so viel wir wissen, von
keiner anderen Seite her ein Anspruch auf Kärnten damals
erhoben worden.

[1] Lit. Centralbl. von Friedrich Zarncke, S. 324.
[2] Vgl. den Willebrief Herzogs Albrecht von Sachsen vom 29. März 1285
(Sitzungsber. der Wiener Akad. 19, 251).
[3] S. oben S. 48.

Zum Schlusse noch ein Wort zur Kritik der Ansicht Bachmann's. Ich sehe davon ab, auf die neuerdings aufgeworfenen Zweifel hinsichtlich der Belohnung selbst einzugehen. Das betrachte ich, wie bemerkt, als abgeschlossen. Gegenüber der Erklärung selbst ist man in der misslichen Lage, die Gründe nicht zu kennen, welche den Autor dazu bestimmten. So mögen meine Zweifel an der Richtigkeit derselben zunächst nur in einigen Fragen ihren Ausdruck finden. Rudolf soll beabsichtigt haben, Meinhard, in dessen Hand Kärnten nur ,einstweilen' belassen wurde, ,anderweitig Belohnung' zu verschaffen, um dann, sobald diese erfolgt wäre, auch dieses Land seinem Hause zuzuwenden. Man fragt sich unwillkürlich, wie sich denn wohl Bachmann jene ,anderweitige Belohnung' vorgestellt haben mag? Sollte es eine Geldentschädigung sein? Daran ist bei der schlechten Finanzlage Rudolfs um jene Zeit gar nicht zu denken. Gerade Meinhard schuldete der König bereits so stattliche Summen, dass er sich zur Verpfändung Krains genöthigt sah.

Oder sollte es — ein Drittes ist schwer möglich — ein anderes Fürstenthum sein? Aber welches? Darf man gespannt sein, darauf überhaupt eine haltbare Antwort zu bekommen, so hat eine solche Combination von vornherein Alles gegen sich. Wir wissen ja, weshalb Meinhard gerade Kärnten zu gewinnen suchte. Eben mit der Erwerbung dieses Landes ward seinen Interessen am meisten gedient, kein anderes konnte ihm damals gleichwerthig erscheinen. Und vor Allem auch: In keinem anderen war seine Stellung so gesichert als eben dort.

Uebrigens hätte die dauernde Uebertragung auch Kärntens an die Söhne Rudolfs im Reiche nur böses Blut gemacht.[1]

Schliesslich spricht auch die weitere Entwicklung der Kärnten-Krainer Frage gegen die Ansicht Bachmann's. Ihre Lösung vollzieht sich allmälig, in einer Reihe von gleich gerichteten und zusammenhängenden Vorgängen, wie bereits Redlich dargelegt hat.[2] Das schliesst eine Umkehr Rudolfs auf halbem Wege, das Aufgeben des ursprünglichen Planes aus.

Die Thatsache, dass Meinhard Kärnten 1286 ,direct vom Reiche' erhielt, besagt gar nichts. War denn bei Verleihung eines Herzogthums ein anderer Vorgang überhaupt möglich?

---

[1] Vgl. Redlich, a. a. O., S. 141 f.
[2] Ebenda, S. 150.

52

Ueberblicken wir nunmehr den Stand der Frage, so
werden sich, meine ich, aus der Besprechung und Kritik der
bisherigen Ansichten einzelne sichere Anhaltspunkte gewinnen
lassen. Man wird annehmen dürfen, dass die formellen Schwierigkeiten, die sich der Erhebung Meinhards entgegenstellten,
thatsächlich zur rechten Zeit bereits bereinigt waren. Es lag
somit ein äusseres Hinderniss kaum mehr vor, das Rudolf
hätte abhalten können, auf dem Reichstag zu Augsburg Kärnten
an Meinhard zu verleihen. Schaltete dieser seit Jahr und Tag
— schon 1280 — ganz offen wie ein Herr in diesem Lande,
so war Rudolf gerade damals, nachdem er einen so vollständigen Sieg über die Opposition der Fürsten im Reiche davongetragen hatte,[1] eher denn je in der Lage, seine längst deutlich bekundeten Absichten zu Gunsten Meinhards auch durchzusetzen.

Er hat es gleichwohl nicht gethan. Er wollte es also damals offenbar gar nicht thun. Wenn er vielmehr seine Söhne
auch mit Kärnten belehnte, so ist anzunehmen, dass er daran
ein ganz bestimmtes Interesse gehabt habe. Und da dasselbe
weder auf den materiellen Genuss der verliehenen Herrschaftsrechte, noch auf den dauernden Besitz des Landes gerichtet
war — das sahen wir früher — so kann es sich nur auf die
Belehnung selbst, den staatsrechtlichen Act bezogen haben, der
mit ihr als Thatsache gegeben war.

Anderseits lässt sich aus der Vorgeschichte dieser ganzen
Frage nach der früheren Darstellung noch insbesonders Eines
ableiten: Direct betheiligt an der Sache, um die es sich damals handelte, konnten nur Meinhard und die Söhne Rudolfs
sein, da sie allein und niemand Anderer für den Besitz Kärntens damals in Frage kamen. Somit muss sich jenes Interesse
der Söhne Rudolfs an der Belehnung auf Meinhard bezogen
haben, es kann das Substrat desselben nur in dem Verhältniss
des Letzteren zu ihnen gesucht, die Erklärung aber demzufolge
nur aus der Betrachtung ihrer Beziehungen gewonnen werden.

So ziehen die Vorgänge von der Belehnung der Söhne
Rudolfs (December 1282) bis zu jener Meinhards (1. Februar
1286) unser Interesse auf sich. Die Zustände im Lande selbst
rücken in den Vordergrund. Man hat ihnen in der Literatur

[1] Redlich, a. a. O., S. 143.

über die Kärntner Belehnungsfrage mindestens seit Lausch zu wenig Beachtung geschenkt. Es ist ja wahr: mit unserer Kenntniss davon ist es recht schlecht bestellt. Nur spärlich stehen uns Quellen dafür zu Gebote. Aber wir werden uns gerade hier auch erinnern müssen, dass das Kärnten von damals nicht isolirt betrachtet werden, dass man Krain daneben nicht aus dem Auge verlieren dürfe, da es zuvor seit Längerem die Geschicke Kärntens getheilt hatte.

In Kärnten selbst wurde — so nahm man übereinstimmend an — durch die Belehnung der Söhne Rudolfs keine Veränderung geschaffen, es blieb nach wie vor in der Hand Meinhards, der daselbst die Verwaltung führte. Wir konnten früher verfolgen,[1] dass er, seit Ende des Jahres 1276 capitaneus Karinthie Carniole ac Marchie, nicht lange nach dem Tode Philipps von Kärnten, etwa vom Beginn des Jahres 1280 an, doch schon in eine selbständigere Stellung vorgerückt war; wie Rudolf selbst seine Ansprüche auf Kärnten, die er vermuthlich bald nach dem Tode Philipps geltend machte, soweit schon berücksichtigte, dass er als Herr im Lande erscheinen konnte. Er hat nunmehr wahrscheinlich auch nicht den Titel capitaneus mehr geführt. Allerdings trat er zuletzt, wenn wir den Mangel jedweder Urkunde seinerseits für Kärnten so deuten dürfen, nur wenig hervor.

Das ändert sich nun merklich seit 1283. Es ist uns eine Urkunde Meinhards vom 28. Juni dieses Jahres erhalten,[2] durch die er die Beilegung eines längeren Streites zwischen dem Propst von Wörthsee und einem Kärntner Edlen (Konrad von Pettelach) um liegendes Gut in Kärnten beurkundete. Sie ist in Klagenfurt ausgestellt und liegt noch im Originale vor. Da fällt nun der Titel, den Meinhard sich hier selbst beigelegt, vor Allem auf: ,herte des herzentûmes ze Chernden, ze Chrayn unde der Windischen March'. Es ist auch bemerkenswerth, dass er von Seifried von Seeburg als ,unserem viztûm von Chernden' spricht.

Man hat diese Urkunde früher vielfach commentirt und sie insbesondere auch zur Entscheidung der Frage zu verwerthen gesucht, ob die Habsburger 1282 mit Kärnten belehnt worden seien oder nicht. Man hat geradezu ,eine unerhörte Anmassung'

---

[1] Vgl. oben S. 39 ff.
[2] Font. rer. Austr. II, 1, 213.

Meinhards darin sehen[1] oder aus ihr mindestens auf die ‚oppo-
sitionelle Stellung Meinhards gegen Rudolf' schliessen wollen.[2]

In der jüngeren Literatur über die Kärntner Belehnungsfrage blieb dieselbe merkwürdiger Weise ganz unberücksichtigt.
Lausch, der sich zuletzt mit ihr beschäftigte, hat ihr allerdings
jede Bedeutung absprechen wollen. Da sie ‚das einzige Beispiel für die Anwendung der erwähnten Bezeichnung von Seiten
Meinhards' sei und ‚daher eine ganz exceptionelle Stellung'
einnehme, meinte er sie aus Meinhards Eigenschaft als Reichsverweser genügend erklären zu können, zumal sie ‚aus Klagenfurt datirt', ‚eine rein locale, interne kärnthenische Landes-
angelegenheit' behandle.

Die Urkunde verdient jedenfalls an sich Beachtung. Sie
gewinnt aber doppelte Bedeutung, da sich auch noch eine
zweite, bisher nicht verwerthete Urkunde[3] Meinhards nachweisen lässt, die ihr vollauf zur Seite tritt. Meinhard hat nämlich im folgenden Jahre, 1284, dem Kloster Heiligenkreuz in
Oesterreich alle Rechte bestätigt, die dasselbe einstens von den
Kärntner Herzogen Bernhard und Ulrich innegehabt hatte,
insbesonders Zollfreiheit innerhalb seines Gebietes.

Und auch hier — die Urkunde ist ebenfalls noch im
Original erhalten — die gleiche Erscheinung.

Meinhard tritt mit dem Titel auf: ‚ducatus Karinthie et
Karniole dominus'.

Zwei Belege also aufs Beste beglaubigt, die sich gegenseitig unterstützen. Die letztere Urkunde aber gestattet einen
näheren Einblick in die Verhältnisse von damals. Dass Meinhard als ‚Herr des Herzogthums Kärnten und zu Krain' Privilegien früherer Kärntner Herzoge bestätigt, ist von vornherein
bedeutungsvoll. Diese Bestätigung aber bezieht sich auf eine
Rechtsveräusserung von einem Regal (Zoll), einem Hoheitsrechte
also, als dessen Inhaber der Landesfürst (Herzog) sonst erscheint. Indem Meinhard sie ausdrücklich anerkennt (recogno-
scimus), spricht er bei Ertheilung der Bestätigung unter directer
Bezugnahme auf bestimmte frühere Kärntner Herzoge doch

---

[1] Lausch, a. a. O., S. 30.
[2] Stögmann, a. a. O., S. 197.
[3] Font. rer. Austr. II, 11, 238.

von seinen Beamten und seinem Territorium.[1] Tritt er somit im Ganzen als Rechtsnachfolger der Herzoge von Kärnten hier auf, so können diese letzteren Ausdrücke sich eben auch nur auf dieses Land beziehen.

Als Empfänger dieser Urkunde nun erscheint ein österreichisches Kloster. Da die Ausstellung derselben aber, wie naturgemäss anzunehmen ist, auf eine Bitte des Empfängers hin erfolgte, so erhellt daraus, dass Meinhard um jene Zeit thatsächlich als Herr und Rechtsnachfolger der Herzoge von Kärnten weithin anerkannt war. Man hätte sich sonst nicht von Oesterreich aus an ihn gewendet, die Bestätigung von Privilegien und Rechtsvergabungen der früheren Herzoge jenes Landes zu erlangen.

Endlich aber hat Meinhard diese Urkunde in Wien ausgestellt. In der Residenz des österreichischen Herzogs also, gewissermassen unter den Augen Albrechts, des Sohnes Rudolfs. Es ist klar, dass dieser Schritt somit nicht in Opposition gegen diesen geschehen sein kann; man wird darin unmöglich ein eigenmächtiges oder widerrechtliches Vorgehen Meinhards erblicken können.

Er war demnach, das ist die nächste Folgerung, damals auch von den Söhnen Rudolfs als ‚Herr des Herzogthums Kärnten‘ anerkannt. Früher schon (seit 1280) im thatsächlichen Besitze der Macht wie ein Herr im Lande schaltend, trat er nunmehr officiell als Landesherr daselbst auf und übte in verschiedener Beziehung dessen Rechte aus. Das illustriren jene beiden Urkunden in zureichender Weise. Denn auch die erstere erhält ein ganz anderes Relief, wenn man die Vorgeschichte der durch sie verbrieften Rechtsentscheidung hinzu hält.[2] Mein-

---

[1] Mandamus singulis et universis iudicibus, mutariis et officiatis nostris, qui nunc sunt vel qui pro tempore fuerint, ut dicto monasterio et fratribus eiusdem oleum et alia quaeque victualia, si qua per districtus nostros et loca mutaria ad usus suos deduxerint, sine omni vexatione et impedimento ac etiam sine exactione mute vel pedaii cuiuslibet sinant libere pertransire.

[2] Schon seit Langem war die Kirche von Wörthsee in Streitigkeiten mit einzelnen Laien verwickelt und von diesen bedrängt worden. König Rudolf hatte, wie früher bereits erwähnt wurde, am Beginn des Jahres 1273 den Bischof von Bamberg im Delegationswege mit der Untersuchung derselben betraut. Ueber den Process gegen einen von jenen Laien (Otto von Finkenstein) sind wir noch des Näheren unterrichtet. König

hard erscheint auch hier in durchaus selbständiger Stellung; von der Obergewalt, die Rudolf früher (1278) in der gleichen Rechtssache übte, ist hier nicht mehr die Rede.[1]

Für das neue Verhältniss ist auch der Titel Meinhards bezeichnend: berre des herzentûmes ze Chernden (dominus ducatus Karinthie). Schon Stögmann hat erklärt,[2] dass ‚herre des Landes‘ jedenfalls mehr bezeichnen müsse als die Würde eines Reichsverwesers. Aber Meinhard nennt sich nicht ‚Herr von Kärnten‘, sondern — der feine Unterschied ist zu beachten — ausdrücklich ‚Herr des Herzogthums Kärnten‘. Eben diese Titulatur nun entspricht um jene Zeit einer ganz bestimmten staatsrechtlichen Stellung. Sie trat in Verwendung, wenn der Besitz eines Fürstenthums bereits zur Thatsache geworden war, dem Inhaber desselben aber noch die formelle, staatsrechtlich wirksame Anerkennung fehlte.[3]

So hat sich Otakar von Böhmen in der Zeit nach dem Tode seines Vaters († 1253) bis zur Krönung (1261) dominus

Rudolf hat dann auch die Entscheidung selbst förmlich bestätigt (vgl. Font. rer. Austr. II, 31, 377 ff.). Gegen die anderen Beklagten sollte der Bamberger nach dem Wortlaut des königlichen Auftrages in gleicher Weise vorgehen, speciell auch gegen die von Paradeis. Die Beilegung dieser Streitigkeiten aber verzögerte sich. Die Umstände nun, unter welchen sie schliesslich erfolgte, lassen eine bedeutsame Veränderung der Sachlage erkennen. Meinhard ist es, der zwei ‚seiner getreuen Diener‘, darunter den Vizthum von Kärnten, als Schiedleute bestellt mit dem Auftrag, ‚an seiner Statt‘ jenen Streit zur Entscheidung zu bringen. Er selbst beurkundet auch — in dem vorliegenden Stücke — den definitiven Schiedspruch.

[1] Die von Stögmann (a. a. O., S. 255) verwerthete Urkunde Meinhards von Zenzleinsdorf über die Auftragung einer vom Landesherrn lehenrührigen Mauth an König Rudolf kann deshalb hier nicht in Betracht kommen, weil sie (undatirt) jedenfalls in die Zeit vor Juli 1282 gehört. Denn damals ist Graf Heinrich von Pfannberg, der in ihr noch am Leben erscheint, bereits gestorben. Vgl. Tangl, Archiv für österr. Gesch. 18, 161. Keine Bedeutung möchte ich der Bezeichnung Meinhards als ‚dominus noster‘ in Urkunden von Kärntner Landesinsassen um jene Zeit beilegen. (Vgl. jene des Meinhard von Zenzleinsdorf bei Stögmann, a. a. O., 256, Nr. IX und jene des Abtes von Ossiach aus dem Jahre 1285, Beilage Nr. V.) Auch König Rudolf — und vielleicht noch mancher Andere — würden von ihnen so genannt worden sein.

[2] A. a. O., 197.

[3] Vgl. Ficker, Vom Reichsfürstenstand, S. 256.

regni Bohemiae genannt,[1] so auch dessen Sohn Wenzel II. vor seiner Belehnung dominus et heres regni Bohemiae (1284).[2] Philipp von Kärnten hat sich doch nur als heres oder dominus Karinthie bezeichnet, solange sein Bruder Ulrich das Herzogthum selbst noch innehatte.[3]

Die Thatsache, dass Meinhard nach der Belehnung der Söhne Rudolfs mit Kärnten — anders als früher — gerade mit einem solchen Titel auftritt, und zwar nicht nur in Kärnten, sondern auch in Oesterreich selbst, legt die Vermuthung nahe, dass damals bestimmte Abmachungen getroffen wurden. Die Haltung Meinhards um jene Zeit den Habsburgern gegenüber spricht ganz dafür. Wenn er am Augsburger Tage persönlich erschien und in der Belehnungsurkunde der Söhne Rudolfs selbst als Zeuge auftritt, so kann die Verleihung auch Kärntens an diese, die gleichzeitig statthatte, nur erfolgt sein, nachdem ihm zuvor bestimmte Zusagen gegeben und die Frage nach dem Besitze des Landes vollauf klargestellt war. Er war von da ab bereits thatsächlich ‚Herr des Herzogthums Kärnten‘. Auch für die Söhne Rudolfs; es wird begreiflich, dass sie, wie wir wissen, sich jeder Herrschaftsübung dortselbst enthielten. War das eine Folge jener bei der Belehnung getroffenen Vereinbarungen, so mochte es ebenso einer Rücksicht auf Meinhard entspringen, dass Kärnten nicht in die Belehnungsurkunde selbst mit aufgenommen wurde.[4]

Was den Besitz des Landes selbst betrifft, so war, scheint es, eine weitere Auseinandersetzung materieller Art kaum mehr erforderlich. Die Gründe, weshalb gleichwohl die formelle Uebertragung damals noch nicht erfolgte, müssen somit in einer anderen Richtung gelegen sein. Wir haben bis jetzt aber gar nicht beachtet: Meinhard nennt sich in jenen beiden Originalurkunden aus den Jahren 1283 und 1284 auch ‚Herr zu Krain‘ (dominus Carniole). Gerade das schien geeignet, jener Annahme von einer anmassenden Opposition Meinhards wider die Ansprüche der Söhne Rudolfs besondere Begründung zu verleihen.

---

[1] Vgl. Boček, Cod. dipl. Morav. 3, 176 ff.

[2] Kimula 4, 280 ff.

[3] Vgl. oben S. 15.

[4] Vgl. dazu auch Redlich, a. a. O., 160: ‚Als dauernder Zustand war aber Kärnten in Meinhards Hand beabsichtigt und gedacht, also liess man es in der Urkunde für Rudolfs Söhne aus.‘

Wissen wir doch, dass nach dem Wortlaut der Belehnungsurkunde Krain und die (windische) Mark diesen ausdrücklich
dauernd verliehen wurde.[1]

Lausch suchte die Annahme dieses Titels durch die Thatsache zu erklären, dass Meinhard Krain und die Mark damals
im Pfandbesitz hatte.[2] Allein diese scheinbar bestechende Ansicht erweist sich sofort als unhaltbar, wenn wir sehen, dass
weder Meinhard noch seine Söhne später (nach 1286) jemals
wieder diesen Titel in ihren Urkunden geführt haben, obwohl
jener Pfandbesitz nach wie vor andauerte. Doch auch die
Auffassung Stögmann's ist nicht zutreffend. Die Annahme des
Titels ,Herr zu Krain‘ verstiess an sich nicht gegen die Rechte
der Habsburger, sie schlossen sich mindestens nicht gegenseitig
aus. Bei der Eigenart der Herrschaftsverhältnisse in Krain
und der Mark konnte dieser Titel im Sinne einer grundherr-
lichen Begüterung in Krain wohl neben dem von den Habsburgern geführten Titel eines Herrn von Krain bestehen, der
den Anspruch auf die Herrschaft über das Land überhaupt,
die Landesherrschaft schlechthin, involvirte.[3] So hat doch
auch Agnes von Meran, als nach dem Tode ihres Gemahls
Friedrichs II., des letzten Babenbergers, Ulrich von Sponheim
1247 den Titel dominus Carniole annahm, noch vor ihrer Verheiratung mit diesem den Titel geführt: ducissa quondam
Austrie et Stirie, Carniole domina.[4] Sie hat ihn auch, nachdem ihre Ehe mit Ulrich bereits gelöst war, beibehalten (1258).[5]
Uebrigens nahm auch der Patriarch von Aquileia den Titel
marchio Carniole vorübergehend in Anspruch.[6]

So konnte Meinhard diesen Titel neben den Herzogen
von Oesterreich, die seit ihrer Belehnung im Jahre 1282 ständig

---

[1] Stögmann, a. a. O., S. 197.

[2] A. a. O., S. 32 f. Ebenso auch v. Krones, Handbuch der Gesch. Oesterreichs, 2, 4.

[3] Vgl. unten S. 64 und auch Tangl, a. a. O., S. 407.

[4] Das wird durch eine Originalurkunde vom 16. April 1248 bezeugt (Font.
rer. Austr. II, 1, 9), während die päpstliche Dispens zur Eingehung ihrer
Ehe mit Ulrich erst am 16. November 1248 ertheilt wird. Vgl. Schumi,
Urkunden- und Regestenbuch 2, 122.

[5] Vgl. die von ihr als palatina Burgundie im Jahre 1258 ausgestellte Urkunde (Original) für Michelstetten. Font. rer. Austr. II, 1, 46.

[6] Vgl. die Urkundenregesten bei Bianchi im Archiv für österr. Gesch. 24,
440, Nr. 451 und 441, Nr. 454 (1279).

als ‚Herren von Krain' erscheinen, annehmen; er bedeutete thatsächlich keinen directen Eingriff in die Rechtssphäre jener. Aber er bezeugt etwas Anderes: Dass **Meinhard, der ‚Herr des Herzogthums Kärnten', sich als Rechtsnachfolger der Kärntner Herzoge auch in deren ausgedehntem Eigenbesitz in Krain betrachtete; dass er gewillt war, die Stellung, welche die letzten Sponheimer innehatten, ihrem ganzen Umfang nach festzuhalten.** Man hat diese so wichtige Thatsache bisher gar nicht beachtet, obwohl sich bei näherem Zusehen dafür eine Reihe weiterer und gewichtiger Anhaltspunkte finden lässt, wenn man die Nachrichten über Meinhards Verhalten in jener Zeit recht zusammenhält. Man muss sein Vorgehen im Ganzen betrachten, in Kärnten und Krain.

Erinnern wir uns nur. Mehr als anderswo kam es hier bei der weitgehenden territorialen Zersplitterung auf den Besitz reicher Eigengüter und jenen der ausgedehnten Kirchenlehen an. Deshalb hatte auch Rudolf sich sofort bemüht, letztere seinen Söhnen zu sichern. Ward von ihnen damit ein wichtiger Vorsprung für die Erwerbung der Landesherrschaft gewonnen, so bedeutete der Besitz der Kirchenlehen in ihrer Hand eine wesentliche Beschränkung jener, im Falle nicht sie dazu gelangten.

Meinhard erscheint nun eifrig bemüht, seine Stellung in jenen Ländern auf Kosten der Kirche zu festigen. Welche Erfolge durch eine zielbewusste Politik da zu erreichen waren, hatte er bereits in Tirol gezeigt. Wir wissen, dass auf der Provinzialsynode in Salzburg im Jahre 1281 bereits Klagen gegen ihn vorgebracht wurden. Im März 1283 ergeht an ihn und seinen Bruder Albert von Görz unter Berufung auf jene Beschwerden eine förmliche Mahnung des Erzbischofs Friedrich von Salzburg, von der widerrechtlichen Bedrückung der Kirche abzulassen.[1] Derselbe Kirchenfürst hat, vermuthlich gleichzeitig damit, auch ein Rundschreiben an sämmtliche Kirchenvorstände seiner Diöcese erlassen, durch das er dieselben anweist, gegen jede Bedrückung und widerrechtliche Güterentziehung seitens der Laiengewalten energisch vorzugehen. Mit specieller Bezugnahme auf die Bedrängniss des Kärntner Klosters Victring ist dieser Schritt geschehen. Im Jahre 1285

[1] Juvavia, S. 285, Anm. e, vgl. dazu oben S. 43.

wird von dem Nachfolger Friedrichs, Rudolf von Salzburg,
r Erlass von Neuem eingeschärft. Dieser datirt aus Friesach,
r salzburgischen Besitzung in Kärnten.[1] Sie waren beide
bar auch gegen Meinhard gerichtet.

Wie Salzburg so hatte auch Freising unter dem Vorgehen
hards viel zu leiden. Schon früher, 1277 und 1280, musste
ig Rudolf wiederholt zu Gunsten des Bisthums interveniren.[2]
in die Uebergriffe Meinhards und seiner Beamten hörten
jener Mahnungen Rudolfs nicht auf. Sein Bruder Albert
Görz war dabei mit im Bunde. Wir sind allerdings nur
tig darüber unterrichtet. Wir hören, dass der Freisinger
hof im Jahre 1283 einige Dienstmannen Meinhards und
es Bruders gefangen genommen hatte; Meinhard und Albert
Görz vermitteln nun im Juni zu Geiselmannsdorf bei Laibach
n Vergleich.[3] Es ist aber bezeichnend, wenn Meinhard
st in einer darüber ausgestellten Urkunde sich verpflichtet:
der bischof von Vreysingen, sein gůt und seine leute, swa
esezen sint, von mir und von allen meinen leuten und
eren . . . immer sicher sein‘ solle. Man kann aus diesen
heidenen Bruchstücken der Ueberlieferung nur annähernd
Ziele ermessen, auf die Meinhards Politik gerichtet war.

Deutlicher heben sie sich aus den Nachrichten ab, die uns
: sein Verhältniss zu Aquileia zu Gebote stehen. Die weiten
henlehen des Patriarchates waren ja für den Besitz Krains
Allem wichtig, zumal sie nach dem Vertrage mit dem
en Sponheimer, Ulrich, noch an Ausdehnung gewonnen
en.[4] Man hatte dieselben Otakar verweigert, als er nach
'Tode Ulrichs († 1269), dann im Jahre 1274 sich darum

Tangl, a. a. O., S. 421. Da Erzbischof Friedrich bereits am 7. April 1284
starb, dürfte sein Erlass noch in das Jahr 1283 gehören.
Vgl. oben S. 37 f.
Vgl. die Urkunde Alberts von Görz vom 13. Juni 1283, zu Geiselmannsdorf bei Laibach ausgestellt (Font. rer. Austr. II, 31, 397) und jene Meinhards vom 15. Juni (ebenda 398). Letztere allerdings ohne Ausstellungsort, doch lässt die innere Beziehung zwischen beiden und die Urkunde
des Bischofs Emicho von Freising für Meinhard vom 21. Juni (zu Tasen
bei Laibach ausgestellt, ebenda 399) die Anwesenheit auch Meinhards
ebendort vermuthen. Am 28. Juni urkundet er zu Klagenfurt (Font. rer.
Austr. II, 1, 213), am 26. August in Laibach (Sitzungsber. der Wiener
Akad. 19, 257; vgl. dazu unten S. 65, Anm. 1).
Vgl. oben S. 13.

bewarb.[1] Es lässt sich nun erweisen, dass Meinhard sie bald nach dem Zusammenbruch von Otakars Herrschaft gewaltsam in Besitz nahm.

Der Umfang aber, bis zu welchem er seine Ansprüche damals ausdehnte, will beachtet sein. Er hat nämlich nicht nur jene Besitzungen occupirt, die einst Herzog Ulrich dem Patriarchate zu Lehen aufgetragen hatte (so insbesonders Laibach mit den dazu gehörigen Burgen), sondern geradezu auch Eigengüter von Aquileia in Kärnten und Krain. Ueberdies aber zog er noch Besitzungen an sich, die früher den Sponheimern zu Eigen gehörten und von diesen an Aquileia waren verpfändet worden (die Burg Nassenfuss in Krain).[2]

Meinhard hat zwar später, als er nach der Belehnung mit dem Herzogthum Kärnten von Aquileia zur Herausgabe jener Besitzungen aufgefordert wurde, erklärt, dass er einzelne derselben nur im Namen des Königs innehabe. Allein diese nachträgliche Entschuldigung entspricht sicher nicht den ursprünglichen Absichten Meinhards bei der Besitzergreifung, sondern ist durch die geänderte Sachlage von damals deutlich beeinflusst.[3] Was er ursprünglich anstrebte, geht vielmehr noch deutlich aus einer Bemerkung hervor, die er gelegentlich jener späteren Erklärung dem Patriarchen gegenüber machte.[4] Die Stellung der früheren Kärntner Herzoge und speciell Ulrichs

---

[1] Vgl. oben S. 21 f.

[2] Vgl. das Actenstück vom 14. Februar 1288 über die Forderungen des Patriarchen von Aquileia an Meinhard. Font. rer. Austr. II, 40, 19. Dass jene Besitzergreifung bereits vor dem Jahre 1280 erfolgte, beweist der Vertrag König Rudolfs mit Gurk vom 23. März dieses Jahres (Marian, Austria sacra 5, 501), der dieselbe (mindestens bezüglich der Burg Nassenfuss) bereits voraussetzt. Vermuthlich erfolgte sie bereits im Herbst 1276, als Meinhard und Albert von Görz Kärnten und Krain für Rudolf eroberten. Die Rückforderung selbst muss übrigens auch vor dem Jahre 1288 geschehen sein, da unter dem gleichen Datum (14. Februar 1288) bereits auch die erst nach längerem Ueberlegen später erfolgte Antwort Meinhards registrirt erscheint. Ebenda, S. 21.

[3] Vgl. unten S. 81 f.

[4] Nach der bereits citirten Aufzeichnung über die Antwort Meinhards soll dieser bezüglich der Rückgabe von Nassenfuss erklärt haben, er würde mit dem grössten Vergnügen (libentissime) das Vierfache der dafür verlangten Summe geben: si dominus patriarcha faceret, quod dominus dux esset heres prefati quondam domini Ulrici ducis Karinthie. Vgl. dazu auch S. 81 f.

nach dieser Richtung hin in ihrem vollen Umfange festzuhalten, deren Erbe gewissermassen auf der ganzen Linie anzutreten, war sein reger Wunsch.

Im Zusammenhange mit diesen überaus werthvollen Zeugnissen aus Aquileia gewinnt nun auch ein anderer Vorgang wichtige Bedeutung. Eine bisher ganz irrig und ungenügend verwerthete Urkunde gibt darüber Aufschluss. Offo von Lanstrost, Gerlochus, Herrn Ottos Sohn, Nicolaus von Sichirberk und Gerlochus, Castellan von Sichirberk, geloben feierlich, dass sie ihrem Herrn, dem Grafen Meinhard, mit der Burg Sichirberk zu dienen bereit seien ‚de omnibus iuribus que ab antiquo tempore apud ducem Karinthie usque hic sunt devoluta‘.[1] Die Urkunde, noch im Original erhalten, ist undatirt. Sie kann aber nach den früheren Ausführungen über Meinhards Verhalten erst nach dem Tode des letzten dux Karinthie Philipp († 1279) ausgestellt sein.

Stögmann hat in ihr eine Erklärung ‚kärntnerischer Herren‘ sehen wollen; er wurde damit auf eine ganz falsche Bahn geleitet.[2] Wir haben thatsächlich Krainer (Landstrass, Sichelburg) vor uns, wie Dimitz bereits bemerkte.[3] Man muss sich aber zur richtigen Beurtheilung auch gegenwärtig halten, dass Sichelburg nach Ausweis des Testamentes Philipps zu den Eigengütern der Sponheimer in Krain gehörte.[4] Eben damit gewinnt nun jener Dienstrevers eine wichtige politische Bedeutung. Auf Verlangen Meinhards ist er ja offenbar ausgestellt worden zu einer Zeit, da sich dieser mit Zustimmung König Rudolfs bereits als Herr von Kärnten gerirte. Er hat, indem er die Dienstmannen auf Sponheim'schen Eigengütern in Krain also in Pflicht nahm, sich auch all' der Rechte versichern wollen, welche die Herzoge von Kärnten hier einst besassen. Das wird durch diesen Obödienzrevers in klaren Worten unzweideutig bewiesen.

Eine überraschende Perspective von mächtiger politischer Tragweite eröffnet sich uns. Meinhards ganze Kirchenpolitik in Kärnten und Krain um jene Zeit, sein Vorgehen insbeson-

---

[1] Sitzungsber. der Wiener Akad. 19, 254, Nr. V.
[2] A. a. O., 195 f.
[3] Gesch. Krains 1, 209, Anm. 1.
[4] Vgl. Klun's Archiv 1, 235.

ders gegen Freising und Aquileia, die Verpflichtung von Dienstmannen auf Krainer Eigengütern der früheren Kärntner Herzoge, endlich aber die förmliche Annahme des Titels ‚Herr zu
Krain‘ (dominus Carniole) — das Alles sind Glieder einer Kette,
Zeugnisse, die sich zu einem Beweise kräftig vereinigen. Meinhard hat nicht nur Ansprüche auf Kärnten, sondern
auch auf den sponheimischen Besitz in Krain erhoben
und er hatte, wie jene Urkunden aus den Jahren 1283
und 1284 zeigen, dieselben noch keineswegs aufgegeben, als die Söhne Rudolfs mit Krain und der Mark
in Augsburg (December 1282) feierlich belehnt wurden.
So tritt hier ein Gegensatz von Bestrebungen zu Tage,
aus dem sich naturgemäss Schwierigkeiten ergeben mussten.
Nicht als ob — wie man früher annahm[1] — in jenen Vorgängen eine direct feindselige Haltung Meinhards den Habsburgern gegenüber zu erblicken wäre. Der Titel ‚Herr zu
Krain‘ verstiess ja nicht an sich gegen deren Rechte. Meinhard
bleibt fortgesetzt in freundschaftlichen Beziehungen zu König
Rudolf und dessen Haus. Im Jahre 1283 hat er, als zwischen
Albrecht und dem Herzog von Baiern ein Krieg auszubrechen
drohte, den Frieden vermittelt. In Wien selbst hat er eine
Urkunde als dominus Carniole ausgestellt (1284). Unbehindert
von Rudolfs Söhnen, den damaligen Lehensträgern Kärntens,
hat Meinhard mit neuen Erwerbungen damals seine Stellung in
diesem Lande noch mehr gefestigt. Bei dem Ankauf der Moos-
burgischen Güter stand Pfalzgraf Ludwig, König Rudolfs getreuer Schwiegersohn, ihm hilfreich zur Seite.[2] Kleinere Besitz-
erwerbungen gingen nebenher.[3] Eben damals, schon 1283,
wurden auch bereits Schritte bei den geistlichen Lehensherren
gemacht, welche die Rückübertragung der Kirchenlehen an
Meinhard zum Zwecke hatten. Am 17. December dieses Jahres
gab der Bischof von Bamberg die feierliche Erklärung ab, dass
er alle Güter im Herzogthum Kärnten, welche die Söhne Rudolfs

---

[1] So Stügmann, a. a. O., S. 195. Vgl. dazu Lausch, a. a. O., S. 33 f.

[2] Vgl. die Urkunde des Pfalzgrafen Ludwig vom 30. December 1282 (bei
Stügmann, S. 255, Nr. VII). Ueber das Datum Redlich, Reg., Nr. 1752.

[3] So kaufte er 1283 von Meinhard von Zenzleinsdorf dessen Hof zu Reif-
nitz am Wörthersee (Urkunde bei Stügmann, S. 256, Nr. IX), 1285 aber
vom Kloster Ossiach neun Mansen bei der Burg Lewenburg. (Beilage
Nr. V.)

von ihm zu Lehen hätten, an Meinhard übertragen werde, sobald jene darauf verzichteten.[1] Das ist allerdings zunächst nur
eine Verpflichtung zu Gunsten des Tiroler Grafen. Gewiss.
Aber dieser Schritt ist, wie bei den nahen Beziehungen des
Bambergers zu den Habsburgern[2] anzunehmen ist, offenbar
unter Vorwissen Letzterer erfolgt. Sie scheinen also damals
kaum mehr abgeneigt gewesen zu sein, jenen Verzicht zur Thatsache werden zu lassen.

Anderseits aber waren die Söhne Rudolfs fest entschlossen,
Krain und die Mark ganz für sich in Anspruch zu nehmen.
Während Kärnten in der Belehnungsurkunde selbst, ebenso
wie in dem Rheinfeldener Hausgesetz vom 1. Juni 1283 fehlt,
erscheint Krain und die Mark in beiden aufgenommen. Die
Habsburger haben denn auch, obwohl diese Gebiete an Meinhard verpfändet waren, sofort nach der Belehnung den Titel
,dominus Carniole et Marchie' angenommen, was sie hinsichtlich
Kärntens nicht thaten. Allerdings hat Meinhard, wie man einwenden kann, dies auch gethan. Aber gerade da wird bei
näherem Zusehen doch ein wichtiger Unterschied Meinhard
gegenüber bemerkbar. Der unbestimmte lateinische Titel dominus Carniole et Marchie wurde von beiden Seiten, wie die
klarere Ausdrucksweise der deutschen Originalurkunden aus
jener Zeit beweist, doch wesentlich verschieden gefasst. Während
Meinhard sich ,Herre ... z e Chrayn unde der Windischen
March' nennt,[3] hat Albrecht sich als ,herre v o n Kraien vnt v o n
der March' bezeichnet.[4] Kann jener Titel im Sinne von grund-
herrschaftlichen Rechten in Krain und der Mark gedeutet
werden, so bringt dieser unzweifelhaft weitergehende Ansprüche
zum Ausdruck, indem die Herrschaft hier auf das Land schlechthin, das heisst auf das ganze Land bezogen erscheint. Ist somit
die von Meinhard gewählte Form seinen blos auf die Sponheimer Eigengüter in Krain gerichteten Ansprüchen adäquat,
so scheint eine Berücksichtigung der habsburgischen Rechte auf

---

[1] Urkunde bei Stögmann, a. a. O., S. 254, Nr. IV.

[2] Bischof Berthold nennt die Söhne Rudolfs in der Urkunde selbst ,con-
sanguinei nostri dilecti'. Er war auch kurz zuvor in Wien. Vgl. Urkundenbuch des Landes ob der Enns 4, 12 (10. October).

[3] Font. rer. Austr. II, 1, 214.

[4] Vgl. die Urkunde Albrechts vom 23. November 1284. Font. rer. Austr.
II, 31, 420.

das Land Krain seinerseits auch darin gelegen, dass er in Urkunden, zu deren Ausstellung er als Pfandbesitzer von Krain
berufen war, sich jenes Titels überhaupt enthielt.[1]

Die Habsburger waren aber nicht gewillt, auf jene Ansprüche Meinhards einzugehen. Sie betrachteten vielmehr Krain,
trotzdem es jener pfandweise thatsächlich besass, als ihr Land
und übten dortselbst, mindestens über ihre Lehensleute und
Dienstmannschaften, sowie als Inhaber der Kirchenlehen eine
gewisse Oberherrlichkeit aus.[2]

So bestanden zwischen den Söhnen Rudolfs und Meinhard
Schwierigkeiten, die zwar nicht den Charakter einer acuten
Spannung annahmen, aber ein latentes Hindernis für einen
definitiven Ausgleich beiderseits bildeten. Sie weisen einen
directen Zusammenhang mit der Frage nach dem Kärntner
Herzogthum auf, da sie ja aus der verschiedenen Auffassung
von dem Umfang der damit verbundenen Rechte, vor Allem
auch in Krain, entstanden waren. Unwillkürlich lenkt sich so
der Blick auf die vielumstrittene Belehnungsfrage selbst zurück.
Sollte damit etwa der richtige Schlüssel zu ihrer Erklärung
gegeben sein?

Die bisherigen Lösungsversuche haben meines Erachtens
noch eine recht schwache Seite, die ich bisher noch gar nicht
hervorgehoben habe. Wenn wirklich nur formelle Schwierigkeiten im Jahre 1282 das Hindernis bildeten, Kärnten definitiv
an Meinhard zu übertragen, bleibt es denn nicht höchst merkwürdig, dass zu deren Bereinigung nachher noch mehr als drei
Jahre nöthig waren? Wenn wir sehen, dass bereits ein Jahr
später (1283) die Rückübertragung der Kirchenlehen in Aussicht genommen erscheint, warum wurden dann ernstliche
Schritte zur definitiven Lösung erst im Jahre 1285 eingeleitet?
Damals erst wurden die Willebriefe der Kurfürsten zur

[1] Vgl. die Urkunde Meinhards für das Kloster Michelstetten in Krain vom
28. August 1283. Sitzungsber. der Wiener Akad. 19, 257 (mit verlesener
Datirungszeile. Im Originale: IIII die exeunte augusto indictione un-
decima). Dasselbe ist auch in den Urkunden Meinhards für Tirol zu
verfolgen. — Vgl. dazu auch die unten S. 83, Anm. 1 citirten Urkunden.
[2] Vgl. den Obödienzrevers Wilhelms von Schärfenberg vom 8. Mai 1284
(Beilage Nr. IV) und dazu die Urkunde Albrechts vom 23. November
1284 (Font. rer. Austr. II, 81, 420), durch die er den Vergleich desselben
mit Freising beurkundet.

Belehnung Meinhards mit dem Herzogthume Kärnten eingeholt.[1]

Gesteben wir es uns nur: Die einzelnen Etappen in der
weiteren Entwicklung jener Frage weisen zeitliche Spatien auf,
für die nach den bisherigen Hypothesen eine befriedigende
Erklärung nicht zu finden ist.

Sonderbar kann erscheinen, dass in der Literatur über
die Kärntner Belehnungsfrage den Ereignissen, die der thatsächlichen Lösung jener Schwierigkeiten unmittelbar vorangingen, nicht mehr Beachtung zutheil ward. Auffallen muss
da der Vertrag vom 23. Jänner 1286, der zwischen Herzog
Albrecht von Oesterreich und Meinhard geschlossen, von dem
Könige selbst beurkundet wird.[2] Er enthält die Bedingungen,
unter welchen das Herzogthum Kärnten an Meinhard verliehen
werde sollte. Eine genaue Abgrenzung der Rechte zwischen
ihm als künftigem Herzog dieses Landes und Herzog Albrecht
hat er zum Zwecke. An allererster Stelle aber finden
wir die Bestimmung, dass Meinhard auf Grund der
Uebertragung des Herzogthums oder der Landesherrschaft von Kärnten durchaus kein Recht in den Ländern Krain und der Mark erwachsen, sondern diese vielmehr mit allem Zugehör dem Sohne Rudolfs verbleiben
sollten. Ganz besonders wird letzterem der Besitz vorbehalten,
den einst die Herzoge von Kärnten in Krain und der Mark innehatten; auf ihn sollte Meinhard keinen Rechtsanspruch haben.[3]

---

[1] Es ist uns allerdings nur ein solcher (jener Herzog Albrechts von
Sachsen) erhalten. Er datirt vom 29. März 1285. Stögmann, a. a. O.,
S. 251.

[2] Ebenda, S. 252.

[3] Die in Betracht kommende Stelle, bei Stögmann recht fehlerhaft wiedergegeben, lautet: ,Quod ex collacione ducatus sive principatus
terre Karinthie, quo dicti comitis titulum ampliare disponimus, eidem
in terris Carniole et Marchie Sclavice que vulgo Windischmarich
dicitur, nullum ius penitus acquiratur, quam pocius dicte terre cum
ministerialibus, castris, civitatibus, bonis, hominibus, advocaciis et ceteris
suis pertinenciis universis libere apud filium nostrum predictum permaneant cum omni iuris plenitudine, sicut eundem iam pridem apud Augustam sceptro nostro regio investivisse recolimus de eisdem; salvis per
omnia filio nostro predicto castris, civitatibus, ministerialibus ac ceteris
bonis et iuribus quocunque nomine censeantur, si qua in terris predictis,
scilicet Carniole et Marchie ab olim principes sive duces Karinthie quocunque iure vel titulo possederunt, ad que dictus comes pretextu

Man sieht, was bei diesem Vertrage die Hauptsache war.
Meinhard sollte das Herzogthum Kärnten erhalten. Aber nur
unter ganz bestimmten Bedingungen und Reservaten. Ausdrücklich wird denn auch im zweiten, positiven Theil des Vertrages, der die Zusicherung an Meinhard enthält, nochmals
hervorgehoben, dass derselbe das Herzogthum im Allgemeinen
zwar mit all' den Rechten und Ehren besitzen solle wie einst
die Herzoge Bernhard und Ulrich zu Zeiten der Herzoge
Leopold und Friedrich von Oesterreich-Steier, jedoch mit einer
Ausnahme: der Besitz jener Herzoge in Krain und der Mark
sollte Albrecht verbleiben und von der Herrschaft über diese
seine Länder selbst nicht abgeschieden werden (et ab ipso terrarum suarum dominio nullatenus sequestrentur).

Diese Beschränkung der mit dem Herzogthum Kärnten
bisher verbundenen Rechte muss umsomehr auffallen, als eine
Reciprocität auf Seiten der Herzoge von Oesterreich hinsichtlich des Besitzes ihrer Vorgänger in Kärnten nicht platzzu-
greifen hatte. Es werden vielmehr alle Rechte, welche einst
die Herzoge Leopold und Friedrich von Oesterreich-Steier in
Kärnten besassen, auch Albrecht wiederum zugesichert.

Der Umstand, dass der Belehnung Meinhards mit Kärnten
ein solcher Vertrag vorangeht, ist hochbedeutsam. Noch mehr
aber, dass die Stipulationen desselben auch in die Belehnungsurkunde selbst mit aufgenommen wurden. Der innere Zusammenhang tritt so auch äusserlich zu Tage. Die Begründung
nun, mit der jene Vertragsbedingungen hier aufgenommen
werden, ist bezeichnend: ‚Ne ex infeodacione predicta inter
prefatum Albertum filium nostrum suosque successores in ducatibus sive dominiis supradictis ex una et iam dictum Meinhardum ducem suosque successores in ducatu Karinthie ex parte
altera ulla in posterum dissensionis materia valeat sub-
oriri.‘ Man muss dazu aber auch noch den Motivenbericht in
jenem Vertrag selbst hinzuhalten: ‚Perpetue pacis et ami-
icicie federa inter illustrem Albertum ducem Austrie et Stirie
dominum Carniole, Marchie et Portusnaonis principem filium
nostrum dilectum ex una et spectabilem virum Meinhardum
comitem Tyrolensem socerum suum ex parte altera vigore per-

collacionis seu infeodacionis ducatus Karinthie nullum um-
quam iuris aut facti respectum habebit.

petuo affectantes tam filio nostro predicto quam ipsi comiti in futurum taliter providemus.'

Kann man eine deutlichere Sprache da noch verlangen? Ich glaube, der Einblick, den wir also gewinnen, ist voll und klar: Es hat damals thatsächlich nicht die Aussicht auf eine perpetua pax et amicitia zwischen Herzog Albrecht, dem ‚dominus Carniole‘, und Meinhard bestanden, und die ‚dissensionis materia‘, welche für die Zukunft aus der Welt geschafft werden sollte, ist in dem Inhalt des Vertrages vom 23. Jänner zu finden, das heisst in der staatsrechtlichen Stellung, die Krain fürder einnehmen sollte. So wird unsere Auffassung von den Vorgängen der Jahre 1283—1286 und speciell auch die Annahme von Meinhards Ansprüchen auf Krain hier auf das Glänzendste bestätigt. Gleich nach der Beilegung jener Differenzen zwischen Herzog Albrecht und Meinhard ist die Belehnung des Letzteren mit dem Herzogthum Kärnten erfolgt auf Bitten der Söhne Rudolfs, die darauf freiwillig (in die Hand des Königs) verzichtet hatten.[1] Offenbar ist damit die Belehnungsfrage erst flott geworden, oder mit anderen Worten, es waren eben dies die Schwierigkeiten, welche die Belehnung selbst bis dahin verzögert hatten.[2]

Wir wissen nun, weshalb Meinhard 1282 nicht mit dem Herzogthum Kärnten belehnt wurde. Es wird aber auch begreiflich, warum dasselbe damals vielmehr an Rudolfs Söhne verliehen ward. Wollte der König ihnen das Land Krain in seinem ganzen Umfange zuwenden, so war vor Allem nöthig, dasselbe aus dem Verbande zu lösen, in dem es zuletzt mit dem Herzogthum Kärnten gestanden hatte. Denn es war naturgemäss vorauszusehen, dass der neue Inhaber dieses letzteren auf Grund jener früheren Verbindung Ansprüche darauf geltend machen werde. Die Sonderstellung und Verselbständigung des Landes Krain in staatsrechtlicher Beziehung ward aber dem-

---

[1] Vgl. die Belehnungsurkunde für Meinhard vom 1. Februar 1286. Schwind und Dopsch, Ausgewählte Urkunden, S. 139.

[2] Vielleicht darf man im Hinblick darauf auch der Thatsache eine tiefere Bedeutung zumessen, dass König Rudolf in dem Briefe vom 1. December 1282, durch welchen er dem König von England die bevorstehende Belehnung seiner Söhne mittheilt (vgl. oben S. 45, Anm. 1), unter den Ländern, die er diesen verleihen wollte, neben Oesterreich und Steiermark wohl Kärnten, nicht aber auch Krain anführte.

gegenüber in rechtsgiltiger Form vollzogen, wenn den zukünftigen Landesherren auch das Herzogthum Kärnten selbst wenigstens formell übertragen wurde, der neue Herzog aber, in dessen Hand Kärnten dauernd gedacht war, dasselbe erst auf Grund eines Verzichtes jener in der neugeplanten und vertragsmässig festgestellten Form erhielt. So wird zugleich auch die frühere Beobachtung erklärt, dass es sich bei der Belehnung der Söhne Rudolfs auch mit Kärnten lediglich um einen formellen Act gehandelt habe, ohne dass dieselben in den materiellen Genuss der ihnen verliehenen Rechte eintreten wollten. König Rudolf hat ein solches Vorgehen beobachtet nicht um sich Meinhard noch mehr zu verpflichten, sondern um die beabsichtigte Veränderung des staatsrechtlichen Gefüges von Krain und Kärnten in einer rechtlich unanfechtbaren Form sicherzustellen.[1] Deshalb hat er auch die 1282 vollzogene Belehnung seiner Söhne in der Belehnungsurkunde Meinhards ausdrücklich hervorgehoben, während sie in dem Lehenbrief vom 27. December 1282 fehlt.

Lassen sich bei dieser Auffassung alle Schwierigkeiten, die gegen die bisher gegebene Erklärung der Kärntner Belehnungsfrage geltend gemacht werden konnten, lösen, so wird meines Erachtens nur ein Punkt noch der Aufklärung bedürfen. Man wird mit Recht die Frage aufwerfen, was denn wohl Meinhard gerade damals zum Verzicht auf seine Ansprüche hinsichtlich Krains vermocht habe, nachdem er sie zuvor so lange hartnäckig aufrecht erhalten hatte. Der Einwand darf um so begründeter erscheinen, als der Vertrag vom 23. Jänner 1286 thatsächlich eine völlige Capitulation Meinhards vor den habsburgischen Forderungen bedeutet und nicht, wie man etwa erwarten könnte, einen Compromiss zwischen den beiderseitigen Ansprüchen darstellt.

---

[1] Vgl. dazu Lindner, a. a. O., S. 53. Als Analogon könnte man vielleicht die bekannten Vorgänge bei der Erhebung Oesterreichs zum Herzogthum herbeiziehen, da es sich dort gleichfalls um die Verselbständigung eines bis dahin in einer gewissen Verbindung mit dem benachbarten Herzogthum (Baiern) befindlichen Territoriums (der Mark Oesterreich) gehandelt hat. Nach dem Verzicht Heinrichs Jasomirgott auf das Herzogthum Baiern und der Uebertragung desselben an Heinrich den Löwen wird die damit verbundene Mark Oesterreich unter besonderen Formalitäten jenem zurückgegeben und dann erst zum Herzogthum erhoben. Vgl. Schwind und Dopsch, Ausgewählte Urkunden, S. 8.

Noch am Ausgang des Jahres 1284 sehen wir Meinhard auf seinen Ansprüchen fest beharren.[1] So muss der Umschlag sich im Laufe des Jahres 1285 vollzogen haben. Er bleibt um so merkwürdiger, als Meinhard in jenen Jahren (seit 1283), wie wir früher sahen,[2] mit grossem Geschick an der Befestigung seiner Stellung in Kärnten und Krain gearbeitet hatte. Nicht unerwähnt möchte in dieser Beziehung auch das Heiratsproject bleiben, das im Jahre 1283 zwischen Meinhards Bruder, Albert von Görz, und Graf Ulrich von Heunburg vereinbart wurde. Dem gleichnamigen Sohne des Ersteren, Albert, wurde damals eine der Töchter des Heunburgers versprochen.[3] Wir erinnern uns, dass die Heunburger Grafen in Kärnten und Krain reich begütert waren; wir wissen, welche Rolle Ulrich bereits in der Kärnten-Krainer Frage gespielt hatte. So wurden neue Familienbeziehungen angeknüpft, deren Bedeutung bei dem Charakter der territorialen Verhältnisse von Kärnten und Krain keineswegs zu unterschätzen war.[4]

Alles zusammengenommen wird Eines, glaube ich, klar. Es muss ein bedeutendes Motiv gewesen sein, das Meinhard zum Aufgeben seiner langgehegten Wünsche und Forderungen bewogen hat. Nur unter einem Hochdruck von aussen kann sich Meinhard zum Abschlusse des Vertrages vom 23. Jänner 1286 herbeigelassen haben.

Ich glaube nun nicht irrezugehen, wenn ich als einzig mögliche Erklärung dafür die Nachrichten heranziehe, die uns über die Ansprüche König Wenzels von Böhmen auf Kärnten überliefert sind. Erst in jüngster Zeit hat Oswald Redlich jene bedeutsame politische Action ins rechte Licht gerückt.[5] König Wenzel, Otakars Sohn, hatte eben um jene Zeit den Plan gefasst, die Länder, welche einst sein Vater besessen, womöglich

---

[1] Die oben S. 54 besprochene Urkunde Meinhards für Heiligenkreuz ist am 8. December ausgestellt.

[2] Vgl. S. 59 f.

[3] Original Staatsarchiv Wien. Ein Auszug bei Tangl, S. 401 f.

[4] Vgl. oben S. 9 ff. Beachtet man überdies auch die Namen der Bürgen, die der Heunburger dem Grafen Albrecht zur Sicherung dieses Heiratsprojectes stellte — es sind: Graf Friedrich von Ortenburg, Ulrich von Schärfenberg, Otto von Emmerberg und Otto von Weisseneck — so enthüllt sich uns ein förmliches Gewebe von persönlichen Beziehungen unter dem Adel jener Länder.

[5] A. a. O., S. 150 ff.

zurückzugewinnen. Zunächst Kärnten. Sicher bereits im Jahre 1286 hat er sich an König Rudolf selbst gewendet mit der Forderung, seine angeblichen Rechte auf dieses Land anzuerkennen. Ja er ging alsbald noch weiter. Indem er unter Ignorirung der Belehnung Meinhards Kärnten als sein Land betrachtete, legte er im März 1287 auf die Nachricht, dass Meinhard sich um die Bamberger Kirchenlehen bewerbe, dagegen bei dem Bischof dieses Hochstiftes förmlichen Protest ein.[1] Wie auf das Land Kärnten selbst, so hat er insbesondere auch auf diese Kirchenlehen Erbansprüche geltend gemacht. ‚Ob schon vor der Belehnung Meinhards,‘ sagt Redlich, ‚wissen wir nicht, jedenfalls aber nicht lange darnach.‘ Da nun Wenzel selbst in jenem Schreiben an den Bamberger Bischof erklärte, dass er bereits einige Male (aliquociens) an König Rudolf mit jenem Ansinnen herangetreten sei, anderseits aber als eigentliche Seele jener Revindicationspolitik des Böhmenkönigs dessen Stiefvater, Zawisch von Falkenstein, zu betrachten ist, der den König bereits seit dem Jahre 1284 durchaus beherrschte,[2] so steht der Annahme nichts im Wege, dass jene Ansprüche thatsächlich bereits vor der Belehnung Meinhards erhoben wurden.

Damit wird die plötzliche Veränderung in der Haltung Meinhards verständlich. Er sah sich so unerwartet vor eine politische Constellation gestellt, der gegenüber es für ihn kein Bedenken mehr geben konnte. So hat er, da seine Herrschaft in Kärnten selbst neuerdings bedroht erschien, in der Krainer Frage nachgegeben, um sich die Geneigtheit der Habsburger und speciell des Königs auch zu sichern. Der Vertrag vom 23. Jänner und die eine Woche später erfolgte Belehnung Meinhards mit dem Herzogthum Kärnten sprechen eine deutliche Sprache.

Der Böhme aber gab auch in der Folge nicht nach. Ja es scheint, dass eben sein König Rudolf höchst unbequemes Beharren auf jenen Ansprüchen geradezu der Grund gewesen ist für die Spannung, die zwischen ihnen beiden im Frühjahr 1287 merklich wird.[3] Aus demselben Grunde offenbar ist denn

---

[1] Vgl. den Brief Wenzels an Bischof Arnold von Bamberg vom 17. März (1287) bei Redlich, a. a. O., 161. In demselben bezeichnet er Meinhard nur als ‚comes de Thyrol‘, Kärnten aber als ‚terra nostra‘.

[2] Vgl. Redlich, a. a. O., S. 150.

[3] Ebenda S. 154 und dazu desselben Reg. Rudolfs, Nr. 2089.

auch Meinhard seinerseits später nie wieder auf seine früheren
Forderungen zurückgekommen, sondern vielmehr Herzog
Albrecht in dauernder Freundschaft verbunden geblieben. Die
Gemeinsamkeit der Bedrohung von Seiten Böhmens war das
sicherste Unterpfand dafür. Nicht auf Kärnten allein beschränkten sich ja die Ansprüche des Böhmen, auch auf Oesterreich und Steier richtete sein Ehrgeiz begehrlich die Augen.[1]
Fortlaufend ist dieses Leitmotiv der böhmischen Politik dann
zu Ungunsten des Hauses Habsburg wirksam geworden: 1290
sind König Rudolfs Bemühungen, die deutschen Fürsten auf
dem Erfurter Tage zur Ordnung der Nachfolge (Wahl Albrechts)
zu gewinnen, an dem Widerstande Wenzels gescheitert.[2] Er
ist es auch gewesen, der nach dem Tode Rudolfs 1292 die
Wahl Albrechts zum deutschen König vereitelt hat.[3] Ja, er
hat nicht nur den neuen König Adolf von Nassau gleich nach
dessen Wahl zu dem Versprechen bewogen, seine Ansprüche
auf Oesterreich, Steiermark, Kärnten und Zugehör unterstützen
zu wollen,[4] einen förmlichen Fürstenbund hat er damals im
Jahre 1292, zu bilden gesucht zu dem Zwecke, Herzog
Albrecht die Steiermark und Kärnten Meinhard zu entreissen.[5]

Durch diese von ihrem Standpunkte aus gewiss grossartige Politik Böhmens war die Haltung der Habsburger hinsichtlich Kärntens ebenso vorgeschrieben, wie der endgiltige
Verzicht Meinhards auf seine einstigen Forderungen in Krain
bedingt. Die Kärnten-Krainer Frage ist, da jene Aspirationen
thatsächlich keinen praktischen Erfolg zeitigten, dadurch in der
Folge nicht mehr tangirt worden. Sie war im Wesentlichen
bereits am Beginne des Jahres 1286 thatsächlich gelöst.

Das königliche Diplom über die Belehnung Meinhards mit
dem Herzogthum Kärnten vom 1. Februar 1286 darf so eine
eminente politische Bedeutung für sich in Anspruch nehmen.
Noch grössere Wichtigkeit aber kommt demselben in staats-

---

[1] Redlich, a. a. O., S. 152 ff.
[2] Preger, Albrecht von Oesterreich und Adolf von Nassau, 2. Aufl., S. 7 ff.
[3] Busson, Beitr. zur Kritik der steirischen Reimchronik und zur Reichsgeschichte im 13. und 14. Jahrhundert (II. Die Wahl Adolfs von Nassau),
Sitzungsber. der Wiener Akad. 114, 36.
[4] Preger, a. a. O., S. 30 und 50.
[5] Vgl. darüber meinen Aufsatz: ‚Ein antihabsburgischer Fürstenbund im
Jahre 1292.' Mitth. des Instituts für österr. Geschichtsforschung, 21. Bd.

rechtlicher Beziehung zu hinsichtlich Kärntens selbst sowohl, als insbesondere für Krain. Nicht mit Unrecht hat es ein älterer Forscher in diesem Sinne geradezu als ‚ein wahres Staatsgrundgesetz‘ bezeichnet.[1] Krain nimmt von da ab thatsächlich eine andere, selbständige Stellung ein. Die frühere Verbindung mit Kärnten war förmlich und in staatsrechtlich giltiger Weise aufgehoben. Zugleich aber ward durch die Vereinigung des ehemals habenbergischen und sponheimischen Besitzes daselbst die Einheitlichkeit dieses Territoriums begründet. Die allmälige Säcularisirung des reichen Kirchengutes im Lande konnte für die also gefestete Stellung der landesfürstlichen Gewalt nur mehr eine Frage der Zeit sein. Sie ist denn auch bereits unter Albrecht I. wirksam in Angriff genommen worden.[2]

IV.

Die Schwierigkeiten, welche die Krainer Verhältnisse der definitiven Regelung der Kärntner Frage bereitet hatten, waren so rechtlich durchaus bereinigt. Allerdings blieben Krain und die Mark zunächst thatsächlich in der Hand Meinhards, dem sie König Rudolf verpfändet hatte. So ist es nothwendig, zum Schlusse noch die Geschichte dieser Verpfändung näher zu untersuchen, um über die rechtliche Natur und politische Bedeutung derselben ein sicheres Urtheil zu gewinnen. Das erscheint hier umsomehr geboten, als Luschin in jüngster Zeit darüber eine Ansicht geäussert hat, die nicht unbesprochen bleiben kann, da sie an einer bedeutungsvollen Stelle[3] vorgetragen und thatsächlich bereits auch von einem Schüler Luschin's weiter verbreitet wurde.[4]

Es wird nothwendig und zugleich am einfachsten sein, dieselbe hier wörtlich wiederzugeben. Seit 1261 (dem Vertrage Ulrichs von Sponheim mit Aquileia), meint er, ‚theilten Ober- und Unterkrain die Schicksale von Kärnten und gingen namentlich 1286 auch an Herzog Meinhard über, obgleich die Be-

---

[1] Tangl, a. a. O., 431. Vgl. dazu Dimitz, Gesch. Krains 1, 206.
[2] Vgl. unten S. 89 f.
[3] Oesterreichische Reichsgesch., ein Lehrbuch, S. 94.
[4] W. Levec, Die krainischen Landhandvesten, Mitth. des Instituts für österr. Geschichtsforschung 19, 256.

lehnung der Habsburger mit Krain vom Jahre 1282 in Kraft blieb. Die Erkenntniss, dass dies wichtige und bedrohte Grenzland zu seiner Behauptung der militärischen Anlehnung an Kärnten bedürfe, die Besorgniss, dass Meinhard den Sponheimischen Besitz als Zugehör seines Herzogthums einfordern könnte, endlich die Erwägung, dass die Grafen von Görz schon von früher her (1248) als Erben der Meranier in der Mark reich begütert waren, mögen die Herzoge von Oesterreich zu einstweiligem Verzicht auf Krain bestimmt haben, wobei sie die Form der Verpfändung wählten, um ihre Ansprüche nicht ganz aufgeben zu müssen. Mit dem Anfalle von Kärnten im Jahre 1335 gelangte auch Krain in den Besitz der Habsburger, die sich Herren von Krain und der windischen Mark nannten.'

Diese weittragende und bedeutungsvolle Annahme ist, glaube ich, bereits durch die früheren Ausführungen in allen einzelnen Punkten widerlegt. Sie basirt vor Allem auf der ganz irrigen Voraussetzung, dass Krain erst damals, 1286, an Meinhard verpfändet worden sei. War aber diese Verpfändung, wie man früher bereits annahm und auch als urkundlich mehrfach beglaubigt erwiesen werden kann,[1] wahrscheinlich bereits im Jahre 1276 eine vollzogene Thatsache, so kann es unmöglich ein politisches Auskunftsmittel gewesen sein, zu dem König Rudolf erst 1286 gegriffen habe. Selbst wenn ursprünglich (1276) ähnliche Erwägungen, wie sie Luschin vermuthet, den König zum Theile mit zu jener Verpfändung bestimmt hätten,[2] so waren dieselben bereits durch die Ereignisse der nächsten Folgezeit überholt worden. Der Herzog von Oesterreich, Albrecht — seit 1283 war nur mehr einer — hat sich keineswegs auch nur zu einstweiligem Verzicht auf Krain bestimmen lassen, sondern vielmehr seine Ansprüche ihrem vollen Umfange nach erfolgreich durchgesetzt. Meinhard aber, der thatsächlich, wie wir sahen, den Sponheimischen Besitz als Zugehör von Kärnten eingefordert hatte, sah sich genöthigt, nicht nur auf denselben feierlich zu verzichten, sondern geradezu die Rechte Albrechts auch darauf förmlich anzuerkennen.

Das kam überdies darin zu bedeutungsvollem Ausdruck, dass Meinhard, der sich 1283 und 1284 den Titel ‚dominus

---

[1] Vgl. den Excurs.
[2] Ebenda S. 98.

Carniole' beigelegt hatte, denselben vom Jahre 1286 ab nie wieder führte, ebensowenig als seine Söhne, die Krain gleichfalls in Pfandbesitz hatten.[1] Dagegen haben Albrecht und dessen Nachfolger im österreichischen Herzogthum von der Belehnung im Jahre 1282 ab diesen Titel ständig geführt, er erscheint auch in die Umschrift ihrer Siegel aufgenommen,[2] ein staatsrechtlich nicht unwichtiges Moment, das dort gleichfalls fehlt.[3]

Gegen die Richtigkeit der Annahme Luschin's sprechen ferner auch die Nachrichten, welche über die Belehnung Meinhards mit Kärnten (1286) vorliegen. Gerade aus ihnen hat man früher allein die Thatsache der Verpfändung Krains entnommen. Es wird ihrer nämlich in dem Vertrage vom 23. Jänner, welcher der Belehnung vorausging, gedacht.

---

[1] Gegenüber der grossen Masse von Urkunden, in denen er übereinstimmend fehlt, kann die eine Ausnahme vom Jahre 1303 nichts besagen, wo eine Schenkung eines Kärntner Ministerialen durch einen ‚dux Karinthie et Carniole‘ (!) — der Name fehlt — bestätigt wird. Tangl, a. a. O., 779. Die uns vorliegende Form des Stückes (nach freundlicher Mittheilung A. v. Jaksch' nur in Copie s. XV und XVI erhalten) kann nicht als authentisch betrachtet werden. Die in der Beilage Nr. VII abgedruckte Urkunde aus dem Jahre 1293 aber, in welcher Meinhard als ‚dominus Carniole‘ bezeichnet wird, ist nicht von diesem selbst, sondern von Herzog Albrecht von Oesterreich ausgestellt.

[2] Vgl. Sava, Die Siegel der österr. Regenten bis zu Kaiser Max I. Wenn auch unter Albrecht I. noch nicht die volle Titulatur in die Siegellegende aufgenommen erscheint (nur dux Austrie et Styrie) [ebenda S. 100], so hat doch die Gemahlin Albrechts I., Elisabeth, bereits als Herzogin auch den Titel ‚domina Carniole, Marchie ac Portusnaonis‘ in der Siegelumschrift geführt. Vgl. Sava, Die Siegel der österr. Fürstinnen im Mittelalter S. 9.

[3] Nicht unerwähnt möchte ich hier auch lassen, dass Meinhard und sein Sohn Otto nachher zu dem Wappen von Kärnten wohl, so wie einst Ulrich von Sponheim (s. oben S. 11, Anm. 2), den Pfauenstoss von Oesterreich übernahmen, nicht aber auch die Krone wie jener. (Vgl. Anthony v. Siegenfeld, a. a. O., S. 52.) Offenbar ward ihnen dies von Rudolf und den Habsburgern nicht mehr gestattet. Dieser Unterschied gegenüber dem letzten Sponheimer ist um so beachtenswerther, als das neue Herzogshaus von Kärnten auch sonst hinsichtlich des Wappens denselben Brauch befolgte wie Ulrich. Die Beschreibung des Wappenschildes, das Herzog Heinrich in der Schlacht bei Göllheim führte (Hirzelin, Böhmer, Font. 2, 483), stimmt genau zu jenem, dessen sich Ulrich von Sponheim als Mitregent seines Vaters bediente. (S. oben S. 11, Anm. 2.)

Die Art und Weise nun, wie dies geschieht, will doch beachtet sein. Nur in Form einer Salvirungsclausel zu der Bestimmung, dass Meinhard auf die Besitzungen der früheren Kärntner Herzoge in Krain und der Mark keinen Rechtsanspruch haben solle.[1] Eben hier lag also ein directer Anlass vor, Meinhard eine Sicherung zu ertheilen für die Schuldforderung, wegen der ihm König Rudolf seinerzeit (iam dudum) eben jene Länder verpfändet hatte. Beschränkt sich die Erwähnung jener Verpfändung hier schon auf diesen rechtlich gebotenen Vorbehalt und wird ob der näheren Details hier bereits auf Urkunden Rudolfs und Albrechts verwiesen, die Meinhard darüber besonders ausgestellt worden waren, so fehlt diese Stelle in der Belehnungsurkunde Meinhards überhaupt. Und das ist um so auffallender, als die anderen Bestimmungen dieses Vertrages in jene wörtlich übernommen wurden. Man sieht, die Verpfändung Krains und der Mark hatte mit den wichtigen politischen Transactionen von damals gar nichts zu schaffen und war keineswegs dauernd gedacht. Meinhards Besitz war unabhängig davon, und zwar früher bereits begründet und durch die rechtliche Natur des Besitztitels an sich limitirt. Er wurde durch die staatsrechtlich so wichtigen Vorgänge des Jahres 1286 überhaupt nicht berührt. Sobald die Schuldforderung beglichen wurde, hatten auch jene Länder an Albrecht oder dessen Erben zurückzufallen.

Dieser unseren Auffassung entspricht denn auch das, was wir über die weitere Geschichte jener Verpfändung wissen. In negativer und positiver Beziehung. Als nach dem Tode Meinhards († 1295) dessen drei Söhne dann von dem neuen deutschen König Albrecht im Jahre 1299 mit dem Herzogthum Kärnten belehnt wurden, geschah dabei der Verpfändung Krains ebensowenig Erwähnung wie im Jahre 1286. König Albrecht belehnte vielmehr die Söhne Meinhards mit dem Herzogthum

---

[1] Bei Stögmann, a. a. O., 263: ‚salvo tamen eo dumtaxat comiti memorato, quod ipse comes sepedictas terras Carniolam et Marchiam Sclavicam, quas pro quadam summa pecunie seu argenti sibi iam dudum assignavimus obligatas, tam diu quiete possideat, quousque dicta summa pecunie, que nostris ac filii nostri predilecti literis sibi desuper traditis est expressa, eidem plenarie fuerit persoluta. Qua solucione completa dicte terre ad filium nostrum Albertum vel suos heredes cum omnibus pertinenciis suis et iuribus, sicut superius expressum, libere revertentur.

Kärnten in demselben Umfange — so lautet die Urkunde selbst[1] — wie dies einst König Rudolf an Meinhard verliehen hatte.

Anderseits aber ist wichtig und verdient besonders hervorgehoben zu werden, dass bei den späteren Belehnungen der Habsburger auch Krain und die Mark stets unter den ihnen vom Reiche verliehenen Ländern erscheinen, ohne dass dabei des fortdauernden Pfandbesitzes der Kärntner Herzoge auch nur mit einem Worte gedacht würde. So 1292 (König Adolf),[2] — über die Belehnung Meinhards durch König Adolf besitzen wir keine urkundliche Nachricht — so 1298 (König Albrecht),[3] so 1309 (König Heinrich VII.),[4] so endlich auch 1331 (Kaiser Ludwig).[5] Dadurch schon wird die Annahme jener politischen Bedeutung dieses Pfandbesitzes widerlegt. Noch mehr aber wohl durch die Vorgänge nach dem Erlöschen des Kärntner Herzogshauses im Jahre 1335. Als nunmehr auch das Herzogthum Kärnten an die Habsburger übertragen wurde, Krain und die Mark aber gleichzeitig ihnen definitiv zufielen, nahm Kaiser Ludwig keine neue Belehnung mit letzteren Ländern vor, und auch in der Urkunde über die Belehnung mit Kärnten[6] geschieht derselben keinerlei Erwähnung. Wohl

---

[1] Kopp, Gesch. der eidgenöss. Bünde 3. 2, 407, Nr. 3: ‚ipsos de ducatu Karinthie, et quemlibet eorum in solidum, de quo clare recordacionis dominus Rudolfus Romanorum rex predecessor et genitor noster karissimus, recolende memorie quondam Meinhardum ducem Karinthie, patrem ipsorum similiter investivit, cum omnibus suis iuribus iurisdictionibus possessionibus et pertinenciis quibuscumque et generaliter de omnibus feodis et bonis feodalibus, que iidem duces et comites habere tenere et possidere a nobis et imperio dinoscuntur, ceptro nostro regio investivimus.'

[2] Ueber diese liegen keine Urkunden vor. Jedoch sagt Albrecht in seinem späteren Rechtfertigungsschreiben an den Papst (vom Jahre 1302) mit Bezug auf die der Wahl Adolfs von Nassau folgende Zeit ausdrücklich: ‚nos ab ipso rege [sc. Adolfo] ducatum nostrum Austrie et Styrie necnon dominia Carniole, Marchie, Portusnaonis in feodum recepimus.' Kopp, Reichsgesch. 3[b], 469. Vgl. über die December 1292 (zu Hagenau) erfolgte Belehnung Albrechts Christian Kuchimeister's ‚Nüwe Casus Mon. s. Galli' c. 62 (ed. Meyer von Knonau, St. Galler Geschichtsquellen 5, 247) und Johann von Victring (Böhmer, Font. 1, 331); dazu Ann. Sindelfing. Mon. Germ. SS. 17, 307.

[3] Vgl. Schwind und Dopsch, Ausgewählte Urkunden zur Verfassungsgeschichte, 156.

[4] Schrötter, Abhandl. aus dem österr. Staatsrecht 2, 250.

[5] Steyerer, Comment. pro hist. Alberti II. ducis Austr., 32.

[6] Schwind und Dopsch, a. a. O., 169.

aber hat im folgenden Jahre (1336) König Johann von
Böhmen, da er im Frieden von Enns für sich, seinen
gleichnamigen Sohn, sowie die beiden überlebenden
Töchter des letzten Kärntner Herzogs zu Gunsten der
Habsburger auf Kärnten definitiv verzichtete, in dem Renun-
ciationsinstrument zugleich auch den Verzicht auf alle Rechte
in den Ländern Krain und der Mark zum Ausdruck gebracht. [1]

Der Unterschied tritt klar hervor. War eine neuerliche
Uebertragung von Krain und der Mark an die Habsburger
deshalb nicht nothwendig, weil sie als eigentliche Besitzer dieser
Länder (zu Lehenrecht) von der Reichsgewalt bereits anerkannt worden waren (1331), so musste auf der Gegenseite, von
den thatsächlichen (Pfand-) Inhabern jener Länder, ein förmlicher Verzicht erfolgen, da es sich hier um Forderungsrechte
handelte, die vermöge ihrer privatrechtlichen Geltung auch auf
die weiblichen Nachkommen des letzten Pfandinhabers übergingen.

Dem entspricht denn auch durchaus die Auffassung, welche
die österreichischen Herzoge selbst damals, und zwar noch vor
ihrer Belehnung mit Kärnten, bekundeten. In der Antwort
Albrechts II. an Abt Johann von Victring, der von den Hinter-
bliebenen Herzog Heinrichs abgesandt war, um ihre Ansprüche
bei jenem zu vertreten, kommt das Rechtsverhältniss klar zum
Ausdruck: Carniola ad nos pertinet, sicut constat, quamvis
vadis nomine pater eius a nostro patre pro tempore tenuerit,
quam nunc apprehendere curamus tamquam ad nos per dilap-
sionem temporum devolutam. Karinthia nobis liberalitate imperii est collata. [2]

Für die Erkenntniss des Charakters jener Verpfändung
lassen sich auch noch weitere qualitative Momente nachweisen. Zunächst, dass die Pfandsumme, der Satz an dem
Pfandobject, in der Folge einmal erhöht, [3] später jedoch um

[1] Steyerer, a. a. O., 97.
[2] A. Fournier, Abt Johann von Victring und sein liber certarum historia-
rum, S. 114. Die gleiche Antwort erhielten auch die Gesandten des
Böhmenkönigs von Albrecht II.: sibi Karinthiam liberalitate imperii
condonatam, Carniolam vadimonium avunculi morte ad se iuste et
legitime reversatam. Ebenda.
[3] Das geschah 1298 durch Albrecht von Oesterreich, als es sich darum
handelte, seinen Schwager Herzog Heinrich von Kärnten für die Bei-

herabgemindert wurde;[1] eine Erscheinung also, die variablen Stand privater Schuldforderungen, nicht aber einer besonderen politischen Qualität jenes Pfandvertrages entspricht.

Dann aber, dass die Rücklösung des Pfandobjectes (Krain und der Mark) nachher thatsächlich, lange bevor das Kärntner Herzogshaus erlosch, nicht nur in Aussicht genommen, sondern geradezu bereits eingeleitet worden ist, zu einer Zeit, als es den Habsburgern gelungen war, ihrerseits eine namhafte Schuldforderung gegenüber den Kärntner Herzogen zu begründen.

Als nämlich nach dem Tode des böhmischen Königs Rudolf aus dem Hause Habsburg († 1307) Heinrich von Kärnten mit Umgehung der österreichischen Brüder Rudolfs zum König von Böhmen gewählt wurde, gelang es den Herzogen von Oesterreich, in dem zur Wahrung ihrer Rechte geführten Kriege wider Heinrich unter Anderem auch beträchtliche Gebietstheile von Kärnten und Krain zu erobern. Dieselben blieben auch nach den Bestimmungen des Znaimer Friedens (14. August 1308),[2] in welchem Herzog Friedrich von Oesterreich unter Zusicherung der Rückgabe jener auf seine Ansprüche auf Böhmen und Mähren gegen eine Entschädigungssumme von 45.000 Mark Prager Groschen verzichtete, als Pfand für letztere im Besitz des Herzogs von Oesterreich. Es ist nun bisher nicht beachtet worden, dass damals zugleich auch zur theilweisen Tilgung dieser Schuldsumme die Rückantwortung von Krain und der Mark an die Herzoge von Oesterreich in Combination gezogen wurde.[3] In dem Frieden aber, den Königin

---

stellung von Hilfstruppen in dem Feldzuge gegen König Adolf zu entschädigen. Vgl. Joh. von Victring (Böhmer, Font. 1, 336): Albertus Heinricum ducem Karinthie cum adiectione amplioris summe ad Carniolam prius obligatam stipendiat.

[1] Im Jahre 1311 (auf 6000 Mark Silber). Siehe unten S. 80.

[2] Gedruckt bei Lichnowsky, Gesch. des Hauses Habsburg 3, DLXXXI.

[3] dat aber, das wier [Heinrich von Kärnten] mit unsers brueder willen und gunst das lant so Chrayn und di Windischen March, das wier inne haben, gentzlich ledich machen und dem vorgenanten hertzogen [Friedrich von Oesterreich] ledichlich antwuerten, so sullen di vorgenanten pfant so Mähern ... uns ledich sein fuer das guet, darumb wier ledich lassen Chrayn und di Windischen March. Ebenda, DLXXXII.

Elisabeth, die Mutter Herzogs Friedrich von Oesterreich und
Schwester Heinrichs von Kärnten, nach Vertreibung des Letzteren aus Böhmen zwischen ihnen beiden im Jahre 1311 vermittelte, kam man darauf von Neuem zurück. Für die Herausgabe der Eroberungen in Kärnten und den Verzicht auf die
von jenen 45.000 Mark noch übrige Schuldforderung wurde
damals Herzog Friedrich von Oesterreich nicht nur eine Herab-
minderung des Satzes auf Krain und die Mark (auf 6000 Mark)
zugestanden, sondern zugleich auch das Gebiet um Feistritz
und das Sannthal aus demselben gelöst und ihm überantwortet.[1] Beide Gebiete hatten bisher zur Mark gehört.[2] Ueberdies war gleichzeitig damit die Einlösung von Krain und der
windischen Mark beabsichtigt.[3] Es hatte sich nicht nur Heinrich von Kärnten, wie eine bisher ungedruckte Urkunde von

---

[1] Dass beide zur alten Krainer Pfandschaft gehörten und das Sannthal
nicht von Kärnten abgetrennt wurde, wie Luschin (Oesterr. Reichsgesch.
118) meint, ergibt sich aus dem Wortlaut der Urkunde Elisabeths vom
14. Juli 1311 aus Salzburg (Kurz, Oesterreich unter König Friedrich dem
Schönen, 428): ,und sprechen aber schiedlich von dem gewalt den si
baide uns gegeben habent, das Feustritz und das Säuntal mit alle dem
das von alter darzu gehört hat enhalb und dishalb der Sawe, unserm
vorgenantem sun hertzog Fridrichen und seinen brüdern ledig sol sein
von dem satze den unser vorgenanter bruder darouf het von
unserr sune vodern, chunig Rudolfen und chunig Albrechten von Rom
sälligen mit brifen oder swi er si gehabt hat. Wir sprechen ouch, das
der sats, den unser vorgenant bruder het ouf den landen ze Chrayn und
ouf der Windischen Marich gäntzlich ab sol sein unts an sechstausent
markh silber Wienner gewichtes' (vgl. dazu auch Krones, Die Freien
von Saneck, S. 48), sowie insbesonders aus der darauf Bezug nehmenden
Erklärung derselben Königin vom folgenden Tage (15. Juli), ihrem
Bruder Heinrich 2000 Mark Silbers geben zu wollen: ,für das gut, das
wir in abgeschaiden haben an den landen ze Chrayn und zu der Windischen Marich di im ze phande stant.' Kurz, a. a. O., 433.
[2] Das beweist für Feistritz die in Font. rer. Austr. II. 39, 168 registrirte
Urkunde vom Jahre 1279, für das Sannthal vgl. Krones, a. a. O., S. 38,
und Tangl, a. a. O., S. 141.
[3] Wir sprechen ouch, das wir den spruch von der losunge der
lande ze Chrayn und der Windischen Marich uns behalten und
behebt haben, das wir nu zemal ze Salzburg daruber niht sprechen
wellen, und wellen denselben spruch versiehen unts das di vorgenanten
unser bruder oder sun selber oder mit irer gewizzer botschaft und briefen
es an uns vodernt. Und swenne wir von in beiden oder von ir ainem
also gemant werden, so sullen wir nah der manung in einem manod
daruber sprechen. Bei Kurz, a. a. O., 430.

ihm beweist,[1] dazu schon bereit erklärt, auch Königin Elisabeth betrachtete sie bereits als bevorstehend.[2]

Wenn es nun zu dieser Einlösung dann thatsächlich auch nicht gekommen ist, so bleiben nichtsdestoweniger jene Vorgänge für uns von grosser Wichtigkeit. Sie zeigen, dass die Verpfändung Krains und der Mark keineswegs eine unfreiwillige Concession politischer Art seitens der Habsburger an Meinhard und dessen Nachkommen in sich schloss, sondern einer echten Schuldforderung letzterer entsprach, mit deren Befriedigung jene zu cessiren hatte. Es war sicherlich nicht blos eine andere Form der Uebertragung jener Länder an Meinhard. Das bezeugt auch die Auffassung, welche er selbst darüber um jene Zeit bekundete. Wir können es aus seinem eigenen Munde hören. Man muss nur die Antwort beachten, die er zwei Jahre nach seiner Belehnung, 1288, dem Patriarchen von Aquileia ertheilte, als dieser eine Reihe von Krainer Besitzungen von ihm zurückforderte.[3] Er habe, heisst es da von Laibach, das einst Philipp von Kärnten an Aquileia vermacht hatte, dasselbe nur im Namen König Rudolfs inne und sei jederzeit bereit, das zu thun, was jener darüber verfügen werde.[4] Noch bezeichnender aber äussert er sich gleich-

---

[1] Vom 12. Juli 1311. Ein kurzes Regest bei Lichnowsky, 8, CCCXXXVII, Nr. 180, und in den Mitth. des hist. Vereines für Krain (1862) 17, 46. Vgl. Beilage Nr. VIII.

[2] Die 3000 Mark Silber, welche Elisabeth ihrem Bruder für die Abscheidung jener Gebiete von Krain versprochen hatte (siehe S. 80, Anm. 1), sollten ausgezahlt werden: ‚swanne es chumpt ze der losunge der vorgenanten zwaier lande' (Kurz, a. a. O., 433). Es kann also diese, da jene 3000 Mark die Entschädigung für eine bereits erfolgte Abtretung sein sollten, kaum für einen viel späteren oder gar unbestimmten Zeitpunkt gedacht gewesen sein.

[3] Vgl. oben S. 61.

[4] Font. rer. Austr. II. 40, 21: ‚super Laybacho ... respondit, quod illa tenebat nomine serenissimi domini Rudolfi incliti Romanorum regis et paratus erat nuncium suum unacum nunciis dicti domini patriarche ad ipsum dominum regem super hiis mittere et de ipsis facere, sicut dominus rex duxerit ordinandum, sive de restituendo, sive de aliud faciendo.' Vgl. auch ebenda, 333: ‚tum per contentacionem et contencionem factas per magnificum Meynardum ducem Karintie reverendissimo domino Raymundo patriarche, quod penitus nullum ius habebat in dicta Marchia Carniole, sed eam nomine imperatoris tenebat et secundum eius mandatum de ea facere intendebat.'

zeitig über die Rückstellung der einst Sponheimischen Besitzung Nassenfuss, sowie eine von Herzog Ulrich an Aquileia
versprochene Entschädigungssumme. ‚Wenn der Patriarch be-
wirken könnte, dass er (Meinhard) das Erbe Herzog Ulrichs
von Kärnten überkomme, so würde er ihm nicht nur die beanspruchte Summe von 1000 Mark, sondern sehr gern das
Vierfache davon geben.‘[1]

Aus dieser Antwort klingt, meine ich, deutlich ebensowohl
der Wunsch hervor, jenes Erbe der Sponheimer zu gewinnen,
als auch die Ueberzeugung von der vollen Aussichtslosigkeit
solcher Hoffnungen. Nicht als einen Besitz zu eigenem Recht
und dauernder Geltung hat Meinhard selbst jene Pfandschaft
betrachtet, sondern nur als ein durch die rechtliche Natur des
sie begründenden Vertrages beschränktes Recht an fremder
Sache.

Ueberdies ist in diesem Zusammenhange auch wichtig zu
beobachten, dass in den Augen von Zeitgenossen Krain und
die Mark trotz jener Verpfändung an Meinhard doch als Herzog
Albrecht von Oesterreich zugehörend galten.[2]

Wir besitzen leider das Vertragsinstrument nicht mehr,
durch welches jene Verpfändung beurkundet wurde. Auch die
Recognitionsurkunde Albrechts[3] ist verloren. So entziehen sich
die näheren Bestimmungen jenes Vertrages unserer Kenntnissnahme. Die Verpfändung sicherte als solche dem Pfandinhaber
den materiellen Genuss des Pfandobjectes zu, des Landes also
als solchen und der zu demselben gehörigen nutzbaren Rechte.[4]

---

[1] Ebenda, 22: ‚Super facto Nassenvúz respondit, quod si dominus patriarcha faceret, quod dominus dux esset heres prefati quondam domini
Ulrici ducis Karinthie, ipse non solum mille marchas, verum et quatuor
milia libentissime sibi daret.‘

[2] In dem Obödienzrevers, welchen Wilhelm von Schärfenberg am 8. Mai
1284 dem Herzog von Oesterreich ausstellte, wird auch Krain unter den
letzterem gehörigen Ländern angeführt. Vgl. Beilage Nr. IV.

[3] Diese wird nicht nur in dem Vertrage vom 23. Jänner 1286 von König
Rudolf erwähnt (s. oben S. 76, Anm. 1), sondern ebenso auch in der
Urkunde der Königin Elisabeth vom 14. Juli 1311 (Kurz, Friedrich der
Schöne, S. 428), durch die der Ausgleich zwischen Friedrich dem Schönen
und Heinrich von Kärnten beurkundet ward.

[4] Vgl. als Analogie dazu die Verpfändung steirischer Gebiete an Ulrich
und Agnes von Heunburg durch König Rudolf, die am 22. October 1279
beurkundet wurde (Beilage Nr. II). Da wird dies ausdrücklich hervor-

Dementsprechend sehen wir denn auch Meinhard und
seine Nachfolger während der Zeit jener Verpfändung ganz
im Sinne von Landesherren schalten und walten. Sie bestätigen
und ertheilen Privilegien, nehmen Schenkungen und Verpfändungen vor und haben auch ledig gewordene Lehensgüter aufs
Neue ausgethan.[1] Doch ist, wie bereits bemerkt, wohl zu beachten, dass sie sich dabei niemals des Titels ‚dominus Car-
niolae‘ bedienen, sondern in den darüber ausgestellten Urkunden
vielmehr ohne jeden auf Krain bezüglichen Titel auftreten.

Entsprechen diese Beobachtungen im Allgemeinen dem,
was sich auch sonst bei anderen Pfandverhältnissen dieser Art
verfolgen lässt, so ist eine gewisse Einschränkung dabei gleichwohl unverkennbar. Die Habsburger haben sich auch während
der Dauer dieser Verpfändung keineswegs jeder Ingerenz in
diesen Ländern begeben. Sie nahmen nicht nur Verpfändungen
daselbst vor — so Herzog Albrecht 1286 (Schloss Siebenegg)[2]
— sie haben auch hinsichtlich der Vogtei gewisse, dem Landesherrn vorbehaltene Rechte nach wie vor ausgeübt.

Das veranschaulichen die Nachrichten über das Kloster
Oberburg im Sannthal,[3] welches damals noch zur Mark gehörte.[4]

gehörten! ‚praedictas autem possessiones et praedia nobis obligavit, prout
praedia et bona ipsa instructa et instaurata sunt, cum colonis mancipiis
et caeteris appendiciis eorundem iudiciis iurisdictionibus advocatiis districtibus cum utilitate et fructu piscationibus venationibus et omni
causa et simpliciter, sicuti principes terrarum ipsarum . . . eadem
bona et praedia possederunt.‘

[1] Vgl. Font. rer. Austr. II. 1, 229; ibid. 35, 162. 191; 39, 186. 199; 40, 35.
36. Schumi's Archiv für Heimatkunde 2, 248. Tangl IV, S. 721. Klun's
Archiv für die Landesgesch. Krains 1, 19. Mitth. des hist. Vereines für
Krain 17, 46.

[2] Vgl. die in den ‚Festgaben zu Ehren Max Büdinger's‘ (Innsbruck 1898)
S. 223 gedruckte Urkunde des Grafen Ulrich von Heunburg vom 25. Juli
1286 und dazu die Verpfändung Meichaus und Tschernembls an Albert
von Görz (1277), Redlich, Reg. König Rudolfs, Nr. 675.

[3] Ergibt sich aus der Urkunde des Grafen Ulrich von Heunburg vom Juni
1286 (Marian, Austria sacra 7, 265), dass dem Landesherrn als solchem
die Obergewalt in Sachen der Vogtei von Oberburg zukam, so ist die
durch die Urkunde Friedrichs von Pettau vom 27. Mai 1288 (Beilage
Nr. VI) bezeugte Thatsache ihrer Auftragung an Herzog Albrecht von
Oesterreich ebenso bemerkenswerth wie deren Neuverleihung durch diesen.

[4] Vgl. oben S. 80, Anm. 2.

Sicherlich wird man bei Beurtheilung dieser Vorgänge[1] nicht ausser Acht lassen dürfen, inwieweit dabei etwa der Eigenbesitz an hegendem Gut oder aber specifische Dienstverhältnisse mitwirkten. Eine gewisse Latitude wird man so offen lassen müssen. Aber man wird auch die Möglichkeit in Betracht ziehen dürfen, dass die Habsburger bei jener Verpfändung sich bestimmte Rechte vorbehalten haben. Ich möchte da auf eine bis jetzt nicht beachtete, bedeutungsvolle Analogie aus derselben Zeit hinweisen, über die klare Angaben vorliegen. König Rudolf hatte, wie wir früher sahen, im Jahre 1279 eine Reihe von Besitzungen und Gütern in Untersteiermark an Agnes und Ulrich von Heunburg verpfändet zur Sicherung einer Geldsumme, die denselben als Entschädigung für den Verzicht auf ihre privatrechtlichen Ansprüche an Kärnten und Krain war zuerkannt worden. In diesem Pfandvertrage nun hat König Rudolf sich ausdrücklich vorbehalten, dass die innerhalb des verpfändeten Gebietes wohnhaften Edlen und ritterlichen Dienstmannen nicht in die Verpfändung einbezogen sein sollten. Ohne hindern zu wollen, dass sie sich dem Pfandinhaber gegenüber dienstbar und ergeben beweisen, hat Rudolf gleichwohl das Verfügungsrecht über dieselben seinem Gutdünken vorbehalten.[2]

Es ist klar, was das zu bedeuten hatte. Eine sichere Beherrschung des verpfändeten Gebietes in militärischer Beziehung sich zu wahren und jederzeit die Möglichkeit zu haben, die dortselbst vorhandenen Dienstmannschaften aufzubieten, war der tiefere Sinn jener Bestimmung. Hält man sich dies vor Augen, so gewinnen in solcher Beleuchtung nunmehr auch einige Vorgänge ausdrucksvolle Bedeutung, deren innerer Zusammenhang sonst leicht verborgen bleiben könnte.

Als Herzog Albrecht 1286 die Burg Siebenegg in Unterkrain mit dazugehörigem Besitz an Graf Ulrich von Heunburg verpfändete, liess er sich einen hesonderen Revers von diesem

---

[1] Vgl. dazu auch die oben S. 65, Anm. 2 erwähnten Beobachtungen für das Jahr 1284.

[2] Caeterum viri militares et nobiles, qui in districtibus praedicti pignoris habitant, in hanc obligationem non veniunt, sed eosdem praedictus dominus noster ad sua beneplacita reservabit, qui tamen plene permittit eisdem, ut se nobis serviles exhibeant et devotos. (Beilage Nr. II.)

ausstellen,[1] dass er die Burg selbst mit ihren Befestigungen ihm (Albrecht) zurückstellen wolle, wann immer er es von ihm verlangen würde.

Um was es sich dabei handelte, zeigt der Umstand, dass dieser Vorbehalt nicht auch gemacht wird für die zur Burg gehörigen Besitzungen, sowie die anderen Pfandgüter. Diese sollen vielmehr, das wird neuerlich zugesichert, nach wie vor dem Pfandinhaber verbleiben.[2]

Ein sprechendes Gegenstück dazu stellt ein Vorgang aus dem Jahre 1318 dar. Heinrich von Kärnten hat damals die Burgen Ober- und Niederauersberg an zwei seiner Ministerialen (Volker und Herword von Auersberg) verliehen und ihnen die Erlaubniss ertheilt, diese beiden Festen wieder aufzubauen. In der darüber ausgestellten Urkunde aber hebt er ausdrücklich hervor,[3] dass dies ‚mit Wille und Gunst‘ nicht nur des römischen Königs Friedrich, sondern auch der Herzoge von Oesterreich, Otto und Albrecht, der Brüder jenes, geschehe. Erwägt man, dass das Recht des Burgenbaues ursprünglich den Charakter der Regalität an sich trug, nachher aber an die Erlaubniss des Landesherrn gebunden war,[4] so erscheint damit wenn nicht geradezu die Obergewalt der Habsburger, so doch mindestens die Thatsache bezeugt, dass sie hinsichtlich der Befestigungen im Lande (Krain) sich bestimmte Rechte vorbehalten hatten.

Wird dadurch auf Seite der Habsburger das Bestreben deutlich, ihre militärischen Interessen an den verpfändeten Ländern Krain und der Mark zu wahren, so lassen sich geradezu Anhaltspunkte dafür nachweisen, dass König Rudolf bei deren Verpfändung an Meinhard einen ähnlichen Vorbehalt

---

[1] Abgedruckt in den ‚Festgaben zu Ehren Max Büdinger's‘ (Innsbruck 1898), S. 223.

[2] Inter dominum nostrum serenissimum ducem Austrie et Styrie ex parte una et nos ex altera super castro in Sybenekke est taliter diffinitum, quod quandocumque per eum a nobis dictum castrum fuerit repetitum, sibi ipsum restituere debeamus, sicut muri ambitu est conclusum. Possessiones vero ad ipsum castrum pertinentes cum aliis bonis per eundem nobis obligatis aput nos titulo pignoris remanebunt servatis tamen condicionibus, que in litteris patentibus antedicti domini nostri nobis super hoc concessis plenius continentur. Ebenda.

[3] Hormayr, Sämmtl. Werke 2, CXIX.

[4] R Schröder, Deutsche Rechtsgesch.³ S. 584 f.

gemacht haben dürfte wie in dem Vertrage mit Agnes von
Heunburg (22. October 1279). Schon der Urfehdebrief Wilhelms von Scherfenberg auf Herzog Albrecht vom 8. Mai 1284
verdient da einige Beachtung. Man bedenke doch nur: Einer der
hervorragenderen Krainer Ministerialen verpflichtet sich hier
dem Habsburger eidlich, nicht nur dessen Länder Steiermark,
Krain und die Mark fortan unbehelligt zu lassen, sondern auch
bezüglich seines Aufenthaltes in denselben Albrechts Befehlen
nachzukommen. [1]

Dann aber noch ein weiterer Beleg. Im Jahre 1308 hat
ein anderer, gleichfalls innerhalb des verpfändeten Gebietes, im
Sannthal, ansässiger Edler, Ulrich von Saneck, seinen Besitz
dem Herzog von Oesterreich, Friedrich, zu Lehen aufgetragen.
Zwei Burgen, Scheineck und Liebenstein, befanden sich
darunter. [2] Allerdings fällt dieses Ereigniss in die Zeit kriegerischer Verwicklungen zwischen den Habsburgern und dem
Kärntner Herzog, so dass Schlussfolgerungen daraus nur mit
Vorsicht gezogen werden können. Allein Ulrich von Saneck
konnte einen solchen Schritt mit Aussicht auf eine dauernde
Geltung doch nur unternehmen, wenn er dem Kärntner Herzog
gegenüber, der das Sannthal vorher und nachher im Pfandbesitz
innehatte, Actionsfreiheit hesass. [3]

Im Ganzen betrachtet lassen sich diese Beobachtungen
dahin zusammenfassen, dass die Habsburger als rechte Oberherren in Krain und der Mark unbeschadet ihrer Verpfändung
eine bestimmte Einflusssphäre sich vorbehalten und
mit deutlicher Politik es vor Allem verstanden haben,
sich dieser Gebiete fortlaufend militärisch zu versichern. Das militärische Talent, das insbesonders der erste
habsburgische Herzog von Oesterreich, Albrecht, auch sonst
bekundete, [4] tritt hier wirksam in die Erscheinung.

Diese Haltung der Habsburger spricht nun entschieden
gegen jene Annahme, als ob die Verpfändung Krains nur eine

---

[1] Vgl. Beilage Nr. IV.

[2] Vgl. die Urkunde Ulrichs von Saneck vom 22. April 1308 bei Krones,
Die Freien von Saneck, S. 118, Nr. 4.

[3] So fasst doch auch v. Krones (allerdings in anderem Zusammenhange)
diesen Vorgang auf. A. a. O., S. 47.

[4] Vgl. darüber Huber, Gesch. Oesterreichs 2, 9 f., und die daselbst citirte
Literatur (Anm. 1).

andere Form für den thatsächlichen Verzicht derselben auf dieses Land gewesen sei. Sie ist aber durchaus der Stellung adäquat, in welcher sie nach dem Wortlaut ihrer Belehnungsbriefe fortlaufend erscheinen. Wie dort treten sie auch hier als die eigentlichen Besitzer dieser Reichslehen uns entgegen, während Meinhard und seine Nachkommen blos Pfandinhaber an diesem ihren Besitze sind.

Nach Luschin, dem Vertreter jener Ansicht, wurden die Herzoge von Oesterreich ,zu einstweiligem Verzicht auf Krain' auch durch die Erkenntniss bestimmt, ,dass dies wichtige und bedrohte Grenzland zu seiner Behauptung der militärischen Anlehnung an Kärnten bedürfe'. Ich will die Frage hier gar nicht erörtern, von welchem Lande aus Krain und die Mark leichter und dauernder behauptet werden konnten: von dem geographisch in sich abgeschlossenen Kärnten mit seinem mächtigen Grenzwall gegen Krain, den Karawanken, oder von Steiermark, aus dessen nach Süden geöffneten Grenzen mindestens ebenso bequeme Uebergänge hinüberführen.[1] Eines aber scheint mir unzweifelhaft: Gerade vom militärischen Standpunkte aus mussten die Habsburger, einmal im Besitze der Steiermark, alles daran setzen, auch Krain und die Mark für sich zu gewinnen. Nicht nur wegen der gegen Süden offenen Grenze. Mit diesen Gebieten ward ihr Machtbereich bis nahezu ans Meer vorgeschoben und damit zugleich auch Ungarns Machtgelüsten dauernd ein Riegel vorgeschoben.

Das konnte damals bereits nicht mehr unwichtig erscheinen. Gerade die Vorgeschichte der Kärnten-Krainer Frage wies nachdrücklich darauf hin. Zweimal bereits hatte Ungarn den Versuch gemacht, in Krain festen Fuss zu fassen. Unter Bela IV., der sich von der ihm verschwägerten Meranerin Agnes deren Eigengüter übertragen liess und nach ihrem Tode

---

[1] Einen leicht passirbaren Zugang von Kärnten nach Krain bietet nur die Strasse von Tarvis nach Weissenfels, während sowohl der Uebergang am Loibl (1370 M.), wie jener am Seeberg (Eisenkappel-Kankerthal, 1218 M.) Passagen darstellen, die für militärische Operationen mittelalterlichen Stiles — besonders im Winter — kaum geeignet erscheinen. Dagegen eröffnen sich von Untersteiermark aus mindestens zwei natürliche Zugangslinien dahin, beide ohne bedeutende Terrainschwierigkeiten; die eine von Cilli durch das Sanntthal nach Trojana-Laibach, die andere der Sotla entlang (Windisch-Feistritz, Landsberg, Rann, Landstrass).

thatsächlich auch das ‚dominium Karniole' in Anspruch nahm (1263),[1] anderseits aber nach dem Tode Ulrichs von Sponheim, als Stefan V. gegen Otakar von Böhmen sich mit Philipp von Kärnten verbündete. Im Frieden mit Otakar vom Jahre 1271 hat Stefan förmlich auf seine Ansprüche auf Steiermark, Kärnten, Krain und die Mark verzichtet.[2]

In diesem Zusammenhange muss doch auch auf die Bestrebungen hingewiesen werden, die das Haupt der ungarischen Magnatenpartei, Joachim Pectari, gegenüber König Rudolf selbst noch bekundete. Anfang des Jahres 1274 hat er, der damalige spiritus rector der ungarischen Politik, die Uebertragung einzelner Gebietstheile in Steiermark von ihm gefordert.[3] Und wenn auch die Anschuldigung König Otakars von Böhmen, als ob jener geradezu eine der von ihm innegehabten Provinzen verlangt hätte,[4] den Thatsachen nicht entsprach, so erhellt daraus doch, wie sehr die alten Ambitionen Ungarns nach einer Ausbreitung im Westen noch fortwirkten. Das musste für die Habsburger ein deutlicher Fingerzeig sein.

Aber nicht nur Rücksichten der Präventivpolitik drängten auf die Erwerbung Krains hin. Sie war finanziell ob der reichen Erträgnisse des Landes werthvoll[5] und eröffnete auch weiterhin verlockende Aussichten. In handelspolitischer Beziehung, da so der Zugang zum Meere wesentlich erleichtert ward und Italien auch von hier aus erreichbar wurde. Gerade die Zeit der ersten Habsburger lässt eine mit grossem Geschick unternommene und zielbewusste Handelspolitik erkennen.[6]

Und auf der anderen Seite der Patriarchenstaat Aquileia. Der kränkelnde Mann an der Adria. Was war da nicht alles zu gewinnen! Ulrich von Sponheim hatte bereits den Weg dazu gewiesen, Albert von Görz aber ihn nachher erfolgreich beschritten.[7] Der Aufschwung Venedigs, mit dem Aquileia be-

---

[1] Vgl. oben S. 18.

[2] Oben S. 20.

[3] Vgl. den Brief König Rudolfs an Ladislaus von Ungarn (1274), Redlich, Reg. Rudolfs, Nr. 228.

[4] Erben-Emler, Reg. Boh. 2, 368. Vgl. dazu Redlich, a. a. O., Nr. 154.

[5] Vgl. Redlich, Mitth. des Instituts für österr. Geschichtsforschung, Erg.-Bd. 4, 148.

[6] Luschin, Die Handelspolitik der österr. Herrscher im Mittelalter, S. 13 ff.

[7] Vgl. oben S. 12 f. und S. 36.

reits wiederholt in kriegerische Verwicklungen gerathen war,[1] musste dasselbe immer mehr ins Gedränge bringen.

Den Staatsmännern in der Umgebung König Rudolfs, welche die Constellation der politischen Verhältnisse in diesen südöstlichen Territorien naturgemäss in Erwägung ziehen mussten, konnten diese günstigen Conjuncturen kaum verborgen bleiben. Sollten sie König Rudolfs politischem Scharfblick entgangen sein?

Die thatsächliche Entwicklung in der Folgezeit gibt darauf eine deutliche Antwort. Bereits 1292 schliesst Aquileia mit den Gegnern Herzog Albrechts ein förmliches Bündniss ab. Nicht nur mit Salzburg,[2] auch mit dem im Aufstand wider Albrecht begriffenen Heunburger Grafen[3] trat es in Verbindung. Albrecht wird geradezu als Feind und Angreifer des Patriarchates (hostis et offensor) bezeichnet. Gegen ihn vor Allen und Meinhard von Kärnten sichert sich der Patriarch in den Ländern Kärnten, Saunien, Krain und der Mark, sowie Friaul eine Unterstützung jener.

Das will umsomehr beachtet sein, als jene Länder ja gar nicht in der Hand Albrechts sich befanden. Auch das Sannthal war mit Krain und der Mark an Meinhard verpfändet. Und in demselben Jahre noch, 1292, finden wir den Patriarchen auch in jenem bedrohlichen Fürstenbund, der sich gewaltig gegen Albrecht sowohl als Meinhard zusammenballte. Aquileia neben Salzburg, dem Böhmenkönig und Otto von Baiern, Schulter an Schulter mit den gefährlichsten Feinden des habsburgischen Hauses.[4]

Es kann nicht anders sein: Albrecht, der bekanntlich die landesfürstliche Gewalt allseitig mit grossem Nachdruck geltend machte,[5] muss auch Aquileia gegenüber eine empfindliche

---

[1] Vgl. Romanin, Storia documentata di Venezia 2, 314 ff., und dazu W. Lenel, Die Entstehung der Vorherrschaft Venedigs an der Adria, S. 68 und 74, sowie den Brief König Rudolfs an den Dogen von Venedig vom 18. März 1277. Redlich, Reg. König Rudolfs, Nr. 720.

[2] Vgl. den Brief des Erzbischofs Konrad von Salzburg an den Patriarchen Raimund von Aquileia vom 12. August 1292 bei Zahn, Font. II. 40, 22.

[3] Ebenda II. 40, 22.

[4] Vgl. darüber meine Ausführungen in den Mitth. des Instituts für österr. Geschichtsforschung, 21. Bd.

[5] Vgl. Blätter des Vereines für Landeskunde von Niederösterr. 27, 241 ff.

Offensivpolitik bethätigt haben. Die reichen Besitzungen des Patriarchates in Steiermark, Krain und der Mark waren offenbar ihr Zielobject. Langsam, aber sicher wurden dieselben mit der Ausbildung der Landeshoheit in jenen Ländern (auch Kärnten) aufgesogen.

Auch unter den Nachfolgern Albrechts in Oesterreich sind Beziehungen derselben zu Aquileia fortlaufend nachweisbar. Allerdings stehen damals Herzog Friedrich und der Patriarch Ottobon aus gemeinsamen Interesse wider die Kärntner Herzoge zusammen (1308).[1] Allein wie sehr auch die Veränderung der politischen Lage da vorübergehend eine Wandlung schaffen konnte, so ist doch auch dann eine bestimmte Richtung in der Politik der österreichischen Herzoge deutlich erkennbar.

Bereits im Jahre 1308 haben sie durch die Lehensauftragung der Besitzungen Ulrichs von Saneck im Sannthal einen festen Stützpunkt gewonnen.[2] Einzelne militärische Massnahmen, welche sie gleichzeitig im Feldzug wider die Kärntner Herzoge trafen, bezeugen, wie sehr ihr Vorgehen von strategischen Rücksichten bestimmt war. Auf die Besetzung von Windischgraz waren sie, das hebt doch auch der steirische Reimchronist hervor,[3] insbesonders bedacht. Mit der Wegnahme dieses Ortes, welchen die Kärntner von Aquileia zu Lehen trugen, beherrschten sie die Verbindungslinie zwischen dem Drau- und Sannthale. Und da sie nach siegreichem Feldzug dann Frieden schlossen, haben sie die Abtretung des letzteren von ihren Gegnern gefordert. Im Jahre 1311 ward das Sannthal seiner ganzen Ausdehnung nach, wie wir bereits sahen, aus der Krainer Pfandschaft gelöst und ihnen thatsächlich zurückgestellt. Aber nicht nur dies; auch (Windisch-) Feistritz ward damals zugleich von der Mark abgeschieden und mit Steiermark vereinigt.

Man hat diesen Erwerbungen der Habsburger bis jetzt kaum eine Beachtung geschenkt; sie schienen an sich wenig

---

[1] Vgl. darüber den Bericht des steirischen Reimchronisten, Mon. Germ. V. 2, 1215, und dazu (neben Tangl, a. a. O., S. 889) die beiden Briefe Herzog Friedrichs bei Zahn in den Font. II. 40, 32 (zu 1309, nicht 1310 gehörig).

[2] Vgl. oben S. 86.

[3] Mon. Germ. V. 2, 1239; vgl. dazu Tangl, a. a. O., S. 890.

zu bedeuten. Anders allerdings stellt sich die Sache dar, wenn
man in diesem Zusammenhange ihre geographische Lage des
Näheren in Betracht zieht. Die Einsenkung bei Windisch-
feistritz vermittelt von Marburg oder Pettau her ebenso den
Zugang nach Cilli wie das Sannthal von dort ab den Uebergang nach Krain. Schon die alte Römerstrasse von Pettau nach
Laibach hat diese Linie befolgt.[1] Sie stellt die natürliche Ein-
fallspforte aus Steiermark nach Krain dar. Nicht nur als Ver-
kehrsweg für den Handel hat sie vor Allem auch eine eminente strategische Bedeutung. Mit ihr war die militärische
Beherrschung Krains von Steiermark aus gegeben; sie bot zugleich, da sie von Laibach aus ihre directe Fortsetzung hat —
die alte Römerstrasse führte von da über Oberlaibach und
Wippach nach Aquileia[2] — die sichere Operationsbasis gegen
den Patriarchenstaat an der Adria. Schritt für Schritt sehen
wir die Machtsphäre der Habsburger nach dem Süden vor-
rücken. Eine überraschende Perspective eröffnet sich uns
mit diesen bis jetzt gar nicht beachteten Vorgängen auf
die italienische Politik der Habsburger im 14. Jahrhundert.

Wir blicken von diesen Ereignissen der Folgezeit auf die
Kärnten-Krainer Frage nunmehr zurück. Ihre definitive Lösung
war, wie wir sehen, thatsächlich mit der Neuordnung der staatsrechtlichen Verhältnisse dieser beiden Länder im Jahre 1286
bereits gegeben. Zielbewusst und mit politischem Scharfblick
haben die Habsburger den Besitz Krains angestrebt und sich
desselben versichert, nachdem es ihnen unter geschickter Ausnützung einer dafür günstigen politischen Constellation gelungen
war, die Ansprüche Meinhards auf dieses Land endgiltig zu
beseitigen. Die lange zuvor erfolgte Verpfändung Krains und
der Mark an ihn, die ursprünglich einer gewissen politischen
Bedeutung nicht entbehrt haben mochte, hatte dieselbe damals
sicherlich bereits verloren.

---

[1] Vgl. darüber R. Knabl, Der wahre Zug der römischen Militärstrasse von
Cilli nach Pettau, Archiv für österr. Gesch. 26, 45 ff. Ferner Alf. Müllner,
Emona, S. 81 ff.; Fr. Kenner, Noricum und Pannonia, Mitth. des Alter-
thumvereines Wien 11, 15 ff. und 94; endlich neben Oehlmann, Die
Alpenpässe im Mittelalter (Jahrb. für schweizerische Gesch. 4, 279 ff.),
auch Mommsen, CIL III. 2, 626 f., 645 und 698, dazu Karte IV
[2] Müllner, a. a. O., 109; Oehlmann, a. a. O., 280, und CIL III. 1, 483.

Die Habsburger haben dessenungeachtet als eigentliche
Besitzer dieser Länder sich daselbst einen bestimmten Einfluss
vorbehalten und waren insbesonders fortlaufend darauf bedacht,
sich derselben zur Wahrung ihrer Interessen militärisch zu versichern.

Das Jahr 1286 ist aber nicht nur ein Schlusspunkt;
es stellt zugleich auch den Ausgangspunkt einer neuen, ver-
heissungsvollen Entwicklung dar. Eben damals wurde so recht
eigentlich auch der Grund gelegt zur weiteren Ausbreitung der
habsburgischen Herrschaft nach dem Süden.

So enthüllt die zusammenfassende Betrachtung der Kärnten-
Krainer Frage zugleich auch eine Territorialpolitik der ersten
Habsburger vor unseren Augen, die durch die Grossartigkeit
der Conception ebenso überrascht wie durch das ungemeine
diplomatische Geschick, mit dem sie erfolgreich ins Werk gesetzt wurde.

Excurs.

Ueber den Zeitpunkt der Verpfändung Krains und der Mark an Meinhard von Tirol.

Aus dem Gang der früheren Darstellung dürfte klar geworden sein, wie viel die chronologische Bestimmung der Verpfändung Krains an Meinhard für die Beurtheilung der Kärnten-
Krainer Frage bedeutet. Man war früher in dieser Beziehung
in einer unangenehmen Lage, insofern man nämlich — die betreffenden Urkunden sind ja, wie bereits bemerkt, nicht mehr
erhalten — dafür lediglich zwei Quellen kannte, auf Grund
deren eine auch nur annähernd sichere Bestimmung sich thatsächlich nicht gewinnen liess. Die Urkunde über den Vertrag
Meinhards mit Albrecht (23. Jänner 1286), in der jener Verpfändung gedacht wird, lässt uns über den Zeitpunkt derselben
ebenso im Unklaren[1] als der Bericht Johanns von Victring,
welcher gelegentlich der Belehnung der Söhne Rudolfs (irrig
zu 1286), ohne seiner Gewährsmänner sicher zu sein, auch
bemerkt, dass Krain an Meinhard für 20.000 Mark verpfändet
wurde.[2]

So konnte die frühere Forschung sich nur auf Grund allgemeiner Erwägungen innerhalb des damals möglich scheinenden
Zeitraumes (1276—1286) für einen bestimmten Ansatz ent-

[1] S. oben S. 76, Anm. 1.
[2] Böhmer, Font. 1, 317: ‚Albertum ducem Austrie et Stirie, dominum Carniole, Rudolfum ducem Swevie, Meinhardum ducem Karinthie designavit,
qui triginta milia marcarum regi dicitur optulisse, alii dicunt Caruiolam
sibi impignoratam pro viginti milibus marcarum ad Alberti generi sui
gloriam prosequendam.'

scheiden. K. Tangl,[1] Dimitz[2] und Šuklje[3] hatten übereinstimmend das Jahr 1276 angenommen, indem sie sich anscheinend von der Erwägung leiten liessen, dass Meinhard, der mit seinem Bruder Kärnten und Krain für König Rudolf erobert hatte, zugleich mit der Uebertragung der Hauptmannschaft über diese Länder auch eine Sicherung für das Rudolf offenbar zu Kriegszwecken gemachte Darlehen also geboten worden sein dürfte. Demgegenüber hat dann in jüngerer Zeit Oswald Redlich[4] — v. Krones sowohl als Huber haben in ihrer Darstellung der Geschichte Oesterreichs sich darüber nicht näher geäussert — auf das Jahr 1279 als muthmassliche Zeit jener Verpfändung verwiesen. Konnte Redlich darthun, dass damals, nach dem Tode Philipps von Kärnten, Meinhard an König Rudolf herangetreten sei mit der Bitte, ihm eines der neu gewonnenen Länder zu überlassen,[5] so musste in der That die Combination sehr verlockend erscheinen, es sei nunmehr ‚als Abschlagszahlung für das kaum abzuweisende Begehren des vielverdienten Tiroler Grafen‘ die Verpfändung von Krain an Meinhard erfolgt.

Für einen noch späteren Ansatz — das Jahr 1286 — ist Luschin eingetreten. Ihn hat mindestens seine früher besprochene Auffassung der Stellung Krains um jene Zeit zur Voraussetzung.[6]

Dies der Stand der Frage. Sieht man näher zu, so lassen sich doch darüber hinaus eine Reihe von Anhaltspunkten aus den Quellen gewinnen, die eine annähernd sichere Entscheidung ermöglichen dürften. In jüngster Zeit hat schon Redlich[7] auf eine Urkunde Meinhards vom 19. Mai 1281 aufmerksam gemacht, als ‚ein bisher noch nicht verwerthetes Zeugniss für die Verpfändung Krains‘ an diesen. Meinhard erklärt nämlich

[1] A. a. O., S. 209.

[2] A. a. O., S. 191.

[3] Austrijsko Medvladje in Ustanovitev Habsburške vlade na Austrijskem (1246 1288) in dem von der Matica Slovenska (Laibach) 1883 herausgegebenen Spomenik o Šeststoletnici Začetka Habsburške vlade na Slovenskem, S. 75.

[4] Mitth. des Instituts für Österr. Geschichtsforschung, Erg.-Bd. 4, 146.

[5] Vgl. oben S. 35.

[6] Vgl. oben S. 73 f.

[7] Reg. König Rudolfs, Nr. 1291.

darin, dass 1200 Mark von dem Satze auf Krain König Rudolf ledig sein sollen, falls die Heirat seines Sohnes mit einer Nichte der Königin, Rudolfs Gemahlin, in Folge Todfalles eines der beiden nicht zu Stande komme.[1]

Damals also, im Frühjahr 1281, war die Verpfändung sicher bereits vollzogen. Aber der Terminus ad quem lässt sich noch weiter zurückschieben. Ich habe es oben schon angedeutet.[2] Auch der Wortlaut der Urkunde König Rudolfs für Gurk vom 23. März 1280[3] setzt die Verpfändung bereits voraus. Wenn Rudolf dort bei der Verpfändung genannter Güter in der Mark die Zustimmung Meinhards dazu eingeholt hat, so ist dies kaum anders zu erklären, als dass dieser eben bereits Pfandbesitzer derselben gewesen sei.[4]

So muss die Verpfändung Krains spätestens 1279 stattgefunden haben. Es liegt aber nur dann ein Grund vor, sie in dieses Jahr zu setzen, wenn die Annahme Redlich's, dass sie auf jene Forderungen Meinhards hin erfolgt sei, sich als zutreffend erweist. Jedenfalls nach dem Tode Philipps von Kärnten († 22. Juli 1279) erst müsste sie also vorgenommen worden sein. Anderseits aber enthält der Vertrag König Rudolfs mit Agnes von Heunburg eine bis jetzt unbeachtete Stelle, aus der wohl geschlossen werden darf, dass damals diese Verpfändung schon perfect war. König Rudolf verpflichtet sich nämlich, da er Agnes für die ihr zugesicherte Geldsumme von 6000 Mark bestimmte Besitzungen in Untersteiermark verpfändet, ihr diesen Besitz zu überantworten frei von allen Ansprüchen Jedermanns: ‚et specialiter spectabilis viri Meinhardi comitis Tyrolensis manibus et potentia liberatam‘.[5] Allerdings handelt es sich hier zunächst nicht um Besitzungen, die in Krain gelegen waren. Allein der Tenor dieser Stelle besagt, im Ganzen betrachtet, meines Erachtens nicht nur, dass Meinhard jene an die Mark angrenzenden Gebiete — etwa als Landeshauptmann — in seiner Gewalt hatte, sondern zugleich auch im tieferen Sinne, dass er bestimmte Forderungsrechte grösseren Umfanges

[1] Hormayr, Sämmtl. Werke 2, CI. Vgl. dazu oben S. 42.
[2] Vgl. oben S. 39.
[3] Muchar, Austria mera 5, 499.
[4] Vgl. oben S. 30, Anm. 3.
[5] Vgl. Beilage Nr. II.

in jenen Gegenden bereits geltend machen konnte. Man kann doch wohl nicht annehmen, dieselben hätten sich gerade auf die hier genannten Besitzungen und nur auf diese bezogen.

Ich glaube somit kaum irrezugehen, wenn ich annehme, dass auch diese Stelle ihrer tieferen Bedeutung nach auf jene Verpfändung bereits zurückweise. Die Urkunde über den Vertrag mit Agnes aber ist am 22. October 1279 ausgestellt.

Nun war anderseits zu einer solchen Verpfändung nicht nur verfassungsmässig die Einholung des kurfürstlichen Consenses durch den König nöthig, man muss auch, wenn ihr jene politische Geltung zukam, annehmen, dass sie gelegentlich einer persönlichen Begegnung Meinhards mit dem Könige erfolgt sei. Das aber ist nach Allem, was sich für jene Zeit, vom Tode Philipps (22. Juli) bis zum Abschlusse dieses Vertrages, historisch feststellen lässt, schlechterdings ausgeschlossen. König Rudolf weilte im Sommer 1279 in Wien. Dort wird er die Kunde von dem Ableben Philipps, jedenfalls noch im Juli, erhalten haben. Im September zog er von da nach der Steiermark und kam, nachdem er dort bis Ende October sich aufgehalten, in den ersten Novembertagen nach Oberösterreich. Am 4. November urkundet er in Linz.[1]

Meinhard dagegen war vermuthlich während dieser ganzen Zeit in Tirol, sicher aber nicht während der Reise des Königs bei diesem, sondern stiess erst in Linz wieder zu ihm.[2]

Nehmen wir — was bei dem Itinerar Meinhards sehr unwahrscheinlich ist — selbst an, dass derselbe sofort auf die Nachricht von dem Ableben Philipps nach Wien zu Rudolf aufgebrochen sei, so ist noch eine andere Schwierigkeit kaum zu beseitigen. Von den Kurfürsten befand sich im August

---

[1] Vgl. die Reg. Rudolfs von Osw. Redlich, Nr. 1115 ff.

[2] Er urkundet am 7. Juni bei Mühlbach (vgl. die beiden Urkunden für Neustift, Font. II. 34, 156 und 154) und am 3. August in Eppan (Original im Wiener Staatsarchiv; vgl. darüber Egger im Programm des Staatsgymnasiums Innsbruck 1885, S. 15). (Für die Mittheilung dieser Daten bin ich Herrn Prof. Ludw. Schönach in Innsbruck, der sich seit Längerem mit der Geschichte Meinhards beschäftigt, umsomehr dankbar, als die Feststellung des Itinerars Meinhards im Jahre 1279, mangels entsprechender Quellen, recht schwierig ist.) Ueber Meinhards Anwesenheit in Linz vgl. Redlich, Reg. Rudolfs, Nr. 1144, und die dort citirte Stelle des steirischen Reimchronisten.

1279 nur Albrecht von Sachsen in der Umgebung des Königs.[1]

Ist es da wahrscheinlich, dass es König Rudolf in vier Wochen gelang, die Willebriefe der übrigen sechs Kurfürsten zu dieser Verpfändung rechtzeitig einzuholen, um dieselbe gelegentlich einer neuen Anwesenheit Meinhards in Wien — eine solche müsste man in weiterer unwahrscheinlicher Hypothese noch annehmen — dann vor seinem Aufbruch nach Steiermark noch vernehmen zu können?

Doch wenn selbst König Rudolf es bei dieser Verpfändung mit dem kurfürstlichen Consens nicht allzu genau nahm — er erfolgte oft auch erst nachträglich oder ohne förmliche Willebriefe — und wenn auch jene Stelle in dem Vertrage mit Agnes von Heunburg nicht in dem früher vertretenen Sinne aufgefasst werden darf oder man an einen noch späteren Zeitpunkt dieses Jahres denken wollte, so sprechen gewichtige Erwägungen allgemeiner Natur auch dagegen. König Rudolf sah sich zu der Verpfändung jener Gebiete in Untersteiermark an Agnes von Heunburg genöthigt, da er damals, wie in der Vertragsurkunde ausdrücklich hervorgehoben wird, über keine Baarmittel verfügte.[2] Sollte König Rudolf, wenn ihm Meinhard kurz zuvor 20.000 oder gar 30.000 Mark vorgestreckt hatte, jetzt schon nicht einmal so viel mehr verblieben sein, um die 6000 Mark an Agnes zahlen zu können?

Allein noch ein anderes, viel bedeutsameres Argument. Wir konnten oben nachweisen,[3] dass Rudolf sich bereits früher als man bisher annahm, schon am Beginne des Jahres 1280, entgegen seiner früheren Absicht dazu entschlossen hatte, Kärnten an Meinhard zu übertragen. Nun kann — nach den früheren Ausführungen — Meinhard mit seinen Forderungen hinsichtlich dieses Landes erst gelegentlich seiner Zusammenkunft mit dem König im November (Linz) hervorgetreten sein. Möglicherweise könnte schon die auffallende Thatsache,[4] dass hier Mein-

---

[1] Vgl. die Zeugenreihe der Urkunde König Rudolfs bei Redlich, a. a. O., Nr. 1126.

[2] Et quia fiscus regalis paratam ad manus pecuniam non habebat, ipse [Rudolfus rex] nobis titulo ypotece vel pignoris obligavit bona . . . Beilage Nr. II.

[3] Vgl. oben S. 39.

[4] Ebendort, Anm. 1.

Archiv. LXXXVII. Bd. I. Hälfte.

hard unter den Fürsten erscheint, die König Rudolf Willebriefe
für die römische Kirche ausstellten, im Sinne einer gewissen
Berücksichtigung von Meinhards Begehren gedeutet werden.
Aber auch abgesehen davon lässt die verhältnissmässig rasche
Wandlung in den Entschlüssen des Königs zu Gunsten Meinhards kaum einen Platz für ein noch dazwischenliegendes Stadium, einer vorläufigen Abschlagszahlung für jene Forderungen,
als welche man die Verpfändung Krains und der Mark im
Jahre 1279 auffassen müsste.

Von verschiedenen Seiten her weisen also gewichtige Momente auf einen früheren Zeitpunkt. Als solcher kann aber
der ganzen Sachlage nach thatsächlich nur das Jahr 1276 angenommen werden. Damit lösen sich nicht nur all' die erwähnten Schwierigkeiten auf, es sprechen auch eine Reihe
positiver Gründe geradezu dafür. Nicht nur, dass dann das
Begehren Meinhards nach dem Tode Philipps von Kärnten noch
begreiflicher erscheint.[1] Auch die Annahme, dass zur Verpfändung eines ganzen Landes an Meinhard politische Erwägungen und Beweggründe mitgewirkt haben mochten, bleibt bestehen. Gerade damals, zu Ende des Jahres 1276, lag für König
Rudolf noch ein Grund mehr vor, sich zu dieser Verpfändung
zu entschliessen, da Meinhard, der mit seinem Bruder Kärnten
und Krain für ihn erobert hatte, allein auch in der Lage war,
sie gegenüber seinem noch mächtigen Gegner Ottokar zu halten.[2]
Damals hat König Rudolf sicherlich auch noch viel mehr der
grossen Geldmittel bedurft, wie sie das Darlehen Meinhards
bezeugt. In der folgenden Zeit boten ihm doch die grossen
Steuererhebungen des Jahres 1277 einigen Rückhalt.[3] Damals
liess sich jene Verpfändung auch leichter durchführen, da die
Zustimmung der Kurfürsten kurzer Hand eingeholt werden
konnte. Sie befanden sich grösstentheils in der unmittelbaren
Umgebung des Königs.[4]

Aber nicht nur allgemeine Erwägungen lassen sich zu
Gunsten dieses Ansatzes (1276) geltend machen. Auch ganz

---

[1] Vgl. dazu auch Tangl, a. a. O., S. 219.

[2] Vgl. oben S. 24 ff.

[3] Vgl. die Urkunde König Rudolfs vom 28. Mai 1277 bei Schwind und Dopsch,
Ausgewählte Urkunden zur Verfassungsgeschichte Oesterreichs 111, und
die daselbst angeführten Annalenstellen.

[4] Vgl. Redlich, Reg. Rudolfs, Nr. 624 und 633.

speciale Beobachtungen hinsichtlich der Haltung Meinhards zeugen dafür. Er hatte, wie bereits früher erwähnt, Anfang des Jahres 1277 die Rechte der Freisinger Kirche in Krain arg beeinträchtigt und das Landgericht Lack geradezu an sich gerissen. König Rudolf intervenirte zu Gunsten des Freisinger Bischofs. Dass es sich hier nicht etwa, wie man nach dem auch an die Adresse der übrigen Amtleute in Krain (besonders den Grafen Friedrich von Ortenburg) gerichteten königlichen Mandat vom 4. Februar dieses Jahres[1] meinen könnte, lediglich um Uebergriffe handelte, wie solche in Zeiten kriegerischer Verwicklungen leicht vorkommen konnten, lehrt eine spätere Urkunde König Rudolfs. Derselbe sah sich im Frühjahr 1280 neuerdings veranlasst, für Freising einzutreten. Indem er sich nunmehr nur an Meinhard wendet, weist er ihn auf eine Klage des Bischofs hin direct an, jene Entziehung des Lacker Landgerichtes rückgängig zu machen, da dieselbe gegen die verbrieften und auch von ihm (König Rudolf) anerkannten Rechte der Freisinger Kirche verstosse.[2]

Ein solches Vorgehen Meinhards kann unmöglich aus seiner Stellung als Landeshauptmann von Krain genügend erklärt werden. Denn als solcher hatte er gar kein Interesse daran, die Rechte eines mit seinem Oberherrn befreundeten Kirchenfürsten zu beeinträchtigen.

Anders allerdings, wenn Meinhard damals, bereits 1277, das Land Krain im Pfandbesitze hatte. Dann lag es in seinem eigenen Interesse, die Einkünfte aus den damit verbundenen nutzbaren Rechten (Landgericht) zu mehren, wenn er die erst von König Otakar vorgenommene Uebertragung der Landgerichtsbarkeit in Lack nicht beachtete.[3] Das Zurückgreifen auf die Rechtsverhältnisse vor Otakar entspricht übrigens auch seiner späteren Haltung in der Kärnten-Krainer Frage.[4]

---

[1] Font. rer. Austr. II. 31, 346.

[2] Ebenda 391, Nr. 366.

[3] Ebenda 328 (1274). Die Anerkennung der Exemtion der freisingischen Güter von der landesfürstlichen Gerichtsbarkeit seitens Herzog Ulrichs vom Jahre 1265 (ebenda 260) bezog sich doch nur auf Gutenwerth und den in der Mark gelegenen Besitz dieses Hochstiftes. (Bestätigt durch Otakar 1274. Ebenda 327, Nr. 305.)

[4] Vgl. oben S. 59 ff.

So gewinnen wir damit (wenn auch indirect) geradezu einen positiven Anhaltspunkt dafür, dass Krain wirklich schon 1276 an Meinhard verpfändet wurde.

Anderseits lassen sich endlich auch keine Argumente in negativer Beziehung dagegen geltend machen. Philipp von Kärnten hatte damals eben auf seine Rechte förmlich verzichtet;[1] die Rücksichten aber, die König Rudolf auch nachher noch auf seine Persönlichkeit hinsichtlich Kärntens nahm,[2] konnten hier um so eher hinwegfallen, als jener ja nicht Ansprüche auf das ganze Land Krain als solches besass, sondern nur auf die wenn auch reichen Eigengüter der Sponheimer. Diese aber blieben, wie alle privaten Berechtigungen überhaupt, von jener Verpfändung des Landes unberührt.[3]

Wir dürfen an dem in früheren Darstellungen vorgenommenen Ansatz somit festhalten: Die Verpfändung Krains an Meinhard wurde aller Wahrscheinlichkeit nach thatsächlich bereits Ende des Jahres 1276 vollzogen. Das ergibt auch die kritische Untersuchung der dafür zu Gebote stehenden historischen Quellen.

---

[1] Vgl. oben S. 26 f.

[2] Vgl. oben S. 30 und 33.

[3] In diesem Sinne kann auch die Verpfändung einzelner Besitzungen in Krain an Albert von Görz, welche König Rudolf 1277 vornahm, nichts gegen unseren Ansatz besagen. Solche Verpfändungen kamen übrigens auch nachher (z. B. 1286) noch vor. Vgl. oben S. 37, Anm. 4, und S. 83, Anm. 2.

BEILAGEN.

Nr. I.

König Rudolf bestimmt, dass die aus der Ehe des Gurker Ministerialen Otto von Albeck mit Diemud, der Tochter seines Ritters Pilgrim von Wdres, hervorgehenden männlichen Nachkommen zwischen der Kirche und dem Bischof von Gurk gleich getheilt werden sollten. Wien 1279, August 22.

Orig. im Archiv des Kärntner Geschichtsvereines zu Klagenfurt.
Regesten verzeichnet von Redlich, Reg. König Rudolfs, Nr. 1121.

Rudolfus dei gratia Romanorum rex semper augustus universis fidelibus sacri imperii gratiam suam et omne bonum. Noverit universitas vestra, quod cum Otto dictus de Albeke ministerialis ecclesie Gurcensis cum Dimůde filia Pilgerimi militis nostri dicti de W̊dres matrimonium contrahere decrevisset, nos ad instantiam venerabilis Johannis Gurcensis episcopi principis nostri dilecti sic duximus statuendum, ut pueri qui nascentur et exurgent ex matrimonio supradicto, cum ecclesia Gurcensi et eius episcopo equaliter dividantur, non obstante quod dicta Dimůdis ad dominium terre nostre Karinthie pertinet de persona. In cuius rei testimonium presentes sigilli nostri munimine iussimus roborari.

Datum Wienne, anno domini M°CC°LXXVIIII, XI Kal. septembr., regni vero nostri anno sexto.

Sig. pend.

Nr. II.

Graf Ulrich von Heunburg und dessen Gemahlin Agnes verzichten zu Gunsten König Rudolfs gegen eine Summe von 6000 Mark Silber, für die ihnen von jenem genannte Besitzungen in Untersteiermark verpfändet werden, auf alle Ansprüche, die sie in Oesterreich, Steiermark, Kärnten und Krain von früher her besassen. Judenburg 1279, October 22.

Orig. Wien, Staatsarchiv (A).
Unvollständig (in zwei Theilen) gedruckt bei Herrgott, Mon. dom. Austr. II.
1 (Nummothoca 1). 360 = Lambacher, Oesterr. Interregnum, Anhang, 173.

Deutsche Uebersetzung bei Muchar, Gesch. der Steiermark 5, 420 ff. und
Tangl, Gesch. Kärntens IV. 1, 337 ff., sowie Archiv für österr. Gesch. 25, 186
und 192. Regesten bei Lichnowsky 1, Nr. 571. Krones, Verfassung und
Verwaltung des Herzogthums Steier 584, Nr. 212, und Redlich, Reg. König
Rudolfs, Nr. 1138.[1]

[U]*niversis presentes litteras inspecturis. Nos Ulricus comes et
Agnes comitissa de Heunnburch tenore presencium declaramus, quod
postquam serenissimus dominus noster Rudolfus Romanorum rex semper
augustus provincias Austriam Stiriam Karinthiam Carniolam et Marchiam
quas quondam dominus O[takarus] Boemie rex illustris tenuit occupatas,
sibi subiecit et Romani imperii dicioni adiecit, ego Agnes predicta predicto domino cum humilitate debita supplicavi, ut iura michi in predictis
terris competencia ex successione progenitorum meorum et maxime bone
memorie quondam Friderici ducis Austrie propatrui mei, cuius bona et
proprietates ad me spectare dicebam, recognosceret graciose; petivi etiam
bona illa, quibus magnificus princeps quondam Ulricus dux Karinthie
olim maritus meus et dominus me dotavit et michi in donacione propter
nupcias assignavit. Ego quoque Ulricus comes predictus a predicto domino meo rege Romanorum petivi, ut comitatum de Pernekke et oppidum
Drozendorf cum omnibus eorum attinenciis et quedam bona alia in partibus Austrie ad me ex hereditaria successione spectancia mihi faceret
assignari.

Hiis nostris peticionibus nobiles terrarum predictarum et officiales
domini nostri predicti taliter responderunt, quod inter regem Boemie predictum ex una parte et nos ambos iugales ex altera eo tempore quo matrimonium simul contraximus, de premissis questio vertebatur et quod
post tractatus plurimos inter regem Boemie predictum et nos habitos ami-
cabilis composicio intercessit, cuius pretextu omne ius nostrum, quod in
terris predictis ex causis premissis habuimus, eidem regi dicimur assi-
gnasse et in eum omnia iura nostra liberaliter transtulisse; qui rex idem
ius quod a nobis redemit, in dominum nostrum Romanorum regem trans-
tulit eo tempore quo sibi predictas provincias resignavit.

Sed ex parte nostra extitit replicatum, quod quicquid cum rege
Boemie tractavimus vel contraximus in premissis, hoc totum a nobis ex-
torsit eius improbitas violenta et terribilis metus incussio nobis facta, qui
merito cadere poterat in constantes. Ex aliis quoque causis et racionibus

---

* U fehlt; freier Raum für die Initiale A.
[1] Muchar, Tangl und auch noch Krones nahmen, durch die Drucke irre-
geführt, die Existenz von zwei verschiedenen Urkunden an.

dicebamus, quod ea que inter regem Boemie predictum et nos gesta vel acta sunt, cassa fuerunt et irrita ipso iure. Tandem quia predicto domino nostro Romanorum regi quodammodo difficile et nobis inutile videbatur per stricturas legum et iudiciorum angustias discutere iura nostra, eo quod nos sui gratia recognoscit sibi astrictos vinculo naturali, nos quoque non improbabiliter estimantes quod plura commoda nobis poterunt provenire ex gratia domini nostri predicti, cui nos subiecimus confidenter, quam si cum eo per iudicii strepitum contendamus, sic itaque communicato amicorum et fidelium nostrorum consilio omnia et singula de quibus superius fecimus mencionem cum omni iure quod nobis in ipsis conpeciit vel conpetere videbatur, ad manus predicti domini nostri Romanorum regis pro nobis et nostris heredibus ac heredum heredibus libere resignavimus et sponte transtulimus in eundem ratificantes et innovantes renunciaciones composiciones transactiones et donaciones quas regi Boemie fecimus in perpetuam.

Dictus vero dominus noster Romanorum rex devocionem nostram considerans et attendens promisit nobis et nostris heredibus utriusque sexus sex milia marcarum argenti legalis et boni Wiennensis ponderis se daturum. Et quia fiscus regalis paratam ad manus pecuniam non habebat, ipse nobis titulo ypotece vel pignoris obligavit bona possessiones et predia municiones et castra, que inferius suis nominibus exprimuntur. Primo iudicium in Voitsperch pro ducentis marcis. Item iudicium in Tobel pro sex marcis. Item in decimis octoginta modios duri grani pro octoginta marcis. Item avene centum modios et quinquaginta pro nonaginta marcis. Item vinum in Voitsperch et in Rorbah pro triginta et octo marcis. Item in mansis centum porcos pro quinquaginta marcis. Item in censu quadringentos quinquaginta et septem virlingos duri grani pro quinquaginta et septem marcis et viginti denariis. Item in avena octingentos et quadraginta virlingos pro sexaginta et tribus marcis. Item in cunphenning triginta et quatuor marcas. Item in steura centum marcas. Item in marichdienst nongentos et quinquaginta virlingos avene pro sexaginta et octo marcis. Item in Tobel, in Mouttendorf, in Premsteten, in Pirhoum redditus quatuordecim marcarum. Item oppidum Voitsperch cum castris superiore et inferiore et castrum in Tobel. Item in Tyner redditus trecentarum marcarum de officio quatuor schepfonum: In officio schephonis Gerdei, in officio schephonis Leutoldo, in officio schephonis Iurisla, in officio schephonis Zaschitz; in hiis vero quatuor officiis sunt nobis assignate quingente viginti et quatuor huebe cum dimidia exceptis extractis inter quas sunt supani centum et duo. Summa vero tritici de illis quatuor officiis trecenti quinquaginta et duo modioli et due mensure qui faciunt septuaginta modios Australes cum dimidio, summa huius in denariis septuaginta marce cum dimidia. Summa totalis avene quingenti viginti et novem modii, qui faciunt centum et quatuor modios Australes. Summa huius in denariis quinquaginta et due marce. Summa porcorum centum septuaginta et tres pro undecim marcis. Summa totalis ovium centum sexaginta et sex cum tot agnis pro quindecim marcis. Item in officiis quatuor schephonum in Tyuer et circa Sahsenwart in vino et in perchreht septuaginta marcas. Item de officio septuaginta marcas. Item de foro in Sahsenveld viginti marcas. Item castra Sahsenwart, Tyuer, Vreudenekk et Chlousenstein.

Predictas autem possessiones et predia nobis obligavit, prout predia et bona ipsa instructa et instaurata sunt cum colonis mancipiis et ceteris appendiciis eorundem iudiciis iurisdictionibus advocatiis districtibus cum utilitate et fructu piscacionibus venacionibus et omni causa et simpliciter, sicut principes terrarum ipsarum quondam Liupoldus et Fridericus duces Austrie et Stirie eadem bona et predia possederunt.

Ceterum viri militares et nobiles qui in districtibus predicti pignoris habitant, in hanc obligacionem non veniunt; sed eosdem predictus dominus noster ad sua beneplacita reservabit, qui tamen plene permittit eisdem, ut se nobis serviles exhibeant et devotos.

Fructus autem dictorum bonorum sepefatus dominus noster nobis et liberis nostris utriusque sexus contulit ypoteca durante ad hoc ut liberalitatem regiam magis nobis favorabilem senciamus.

Renunciamus itaque pro nobis et heredibus nostris omni auxilio legum et canonum et cuilibet consuetudini patrie per que possent predicta in toto vel parte aliqua retractari. Promittentes nichilominus fide data ad manus regias vice prestiti sacramenti, quod contra predicta nunquam veniemus verbo vel facto, sed ea fideliter et legaliter tenebimur observare.

Dictus etiam dominus noster rex provisione regali nostris volens indempnitatibus precavere ordinavit et statuit, ut dicta bona nobis ypotecata a nobis vel nostris heredibus nullo modo auferantur per successores suos in Romano imperio vel per dominum aut dominos, si quis vel si qui in supradictis provinciis sive terris fuerint ordinati, aut capitaneos eorundem, donec nobis vel nostris heredibus dicta pecunia integre persolvatur, nolens ut particulari solucione predicta bona particulariter redimantur, sed ut tota ypotheca cum integris fructibus apud nos maneat, donec integra et legalis solucio nobis fiat.

Si qua vero de bonis predictis nobis pignori obligatis ad feoda filiorum ipsius domini nostri pertinent, hec tam de ipsorum quam etiam dominorum a quibus ea tenent, beneplacito et consensu nexu pignoris obligata manebunt.

Possessionem quoque bonorum nobis titulo pignoris tradendorum seu assignandorum nobis predictus noster dominus plenam assignabit ab impeticione cuiuslibet et specialiter spectabilis viri Meinhardi* comitis Tyrolensis manibus et potencia liberatam.

Dictus etiam dominus noster rex et sui successores nobis et nostris heredibus tenebuntur predicta bona durante pignore de iure defendere et de eviccione, si per aliquem ipsum pignus vel pars aliqua in iudicio evincatur et ad omne pariter interesse, sic quod ipsa eviccio nobis et nostris heredibus nullum iuris vel facti inferat nocumentum. Et si forte pecunia non soluta predictam ypotecam a nobis vel nostris heredibus de iure evinci vel auferri contigerit violenter per Romanorum regem vel imperatorem seu dominos vel alios eorum nomine, extunc de nostro consensu vult et statuit sepedictus dominus noster decreto irrefragabili, ut predicte renuntiaciones cessiones transacciones vel donaciones tam ei quam regi Boemie facte nobis aut nostris heredibus non officiant, sed si nobis placuerit, omne ius quod ante renunciaciones cessiones transacciones vel donaciones predictas nobis conpeciit, plene et integre reviviscat. Decet enim sublimem sue glorie maiestatem, ut ex eius actibus suisque contractibus non resultet iniuria, ne aliqua capciosa subtilitas oriatur.

Ad hec copiam et transcriptum omnium instrumentorum et privilegiorum predictas causas contingencium que habemus ad presens, ipsi domino nostro sub nostris et venerabilium patrum dominorum Friderici Saltzpurgensis archiepiscopi, Johannis Gurcensis, Wernhardi Secoviensis et Gerhardi Laventine ecclesiarum episcoporum et illustri Alberti ducis Saxonie sigillis assignabimus, renunciantes hiis et aliis instrumentis et privilegiis idem negocium contingentibus, si qua ad manus nostras vel heredum nostrorum pervenerint in futuro, ex quorum tenore nobis vel nostris heredibus vel coheredibus ius aliquod posset competere in predictis, que etiam omnia ex nunc cassamus et anullamus et nullius firmitatis esse volumus nec aliquid iuris ex hiis nobis competere quocumque tempore producantur, dum tamen ipsius ypotece disposicio et plena fructuum percepcio nobis et nostris heredibus utriusque sexus maneat, donec nobis et nostris heredibus supradicti argenti quantitas iuxta modum expressum superius integre persolvatur.

Testes sunt venerabiles patres et domini Fridericus archiepiscopus Saltzpurgensis, Johannes Gurcensis, Wernhardus Secoviensis, Gerhardus

---

* Das letzte i von derselben Hand und Tinte aus o corrigirt.

Laventine ecclesiarum episcopi, Chunradus electus Chimensis et Heinricus abbas Admontensis; illustris dominus Albertus dux Saxonie, nobiles viri domini videlicet Fridericus burchkravius de Nurenberch, Burchardus de Hohenberch, Hugo de Werdenberch, Eberhardus de Chaczenellenbogen, Hugo de Monteforti, .. de Rienekke, Fridericus de Ortenburch et Heinricus de Phannberch comites, strenui viri Fridericus de Petovia, Wlvingus de Stubenberch, Otto de Liehtenstein et alii quam plures.

Et ut predicta omnia et singula firma et illibata permaneant et nullo unquam tempore per nos vel nostros heredes refricentur, presentes litteras sepedicto domino nostro regi tradimus nostrorum et predictorum venerabilium patrum dominorum Friderici Saltzpurgensis archiepiscopi, Johannis Gurcensis, Wernhardi Secoviensis et Gerhardi Laventini episcoporum sigillorum robore communitas.

Nos dei gratia Fridericus Saltzpurgensis archiepiscopus, Johannes Gurcensis, Wernhardus Secoviensis et Gerhardus Laventine ecclesiarum episcopi, quia predictis interfuimus et sic acta cognovimus, ad instanciam predictarum spectabilium personarum Ulrici comitis et Agnetis comitisse de Heunnburch sigilla nostra unacum suis presentibus duximus appendenda.

Datum et actum apud Judenburch, XI Kalend. novembr., anno domini millesimo ducentesimo septuagesimo nono.

Fünf Siegel: 1. Ulrich von Heunburg.
      2. Friedrich von Salzburg.
      3. Johann von Gurk.
      4. Agnes von Heunburg.
      5. Gerhard von Lavant.

Zwei weitere Einschnitte ohne eingehängte Siegel (fehlen).

Nr. III.

Graf Meinhard von Tirol trägt Kol von Seldenhofen und den übrigen Amtleuten in Kärnten auf, dass sie die Uebertragung der Blutgerichtsbarkeit an Bischof Johann von Gurk, welche er über Auftrag König Rudolfs vorgenommen habe, respectiren sollen. Kloster Louka[1] 1279, December 11.

Copie s. 18 in Hs. Nr. 2/27 (Gurker Copialb. IV) p. 159, Nr. 69. Archiv des Kärntner Geschichtsvereines (C).

---

[1] Klosterbruck bei Znaim in Mähren.

Regesten bei Redlich, Reg. König Rudolfs, Nr. 1231 (auch Tangl, Gesch. Kärntens IV, S. 359).

Maynardus comes Tyrolis et Goricie, Aquileiensis Tridentinae et Brixinensis ecclesiarum advocatus Coloni[a] de Seldenove ceterisque iudicibus et officialibus per Karinthiam salutem et omne bonum. Omne iudicium sanguinis et criminum, quod clare memorie olim duces Karinthie in bonis et hominibus Gurcensis ecclesie exercuerunt de consuetudine vel de iure, ex speciali mandato serenissimi domini nostri R[udolfi][b] Romanorum regis semper augusti tradidimus et assignavimus venerabili patri domino Joanni Gurcensi episcopo et ecclesie sue tenendum et possidendum secundum formam modum conditiones et pacta, que in litteris patentibus predicti domini nostri regis eidem episcopo traditis continentur. Ideoque discretioni vestre committimus et mandamus, quatenus eum vel eos, cui vel quibus prefatus episcopus idem iudicium duxerit committendum, ipsum iudicium exercere libere permittatis nullius difficultatis vel impedimenti obstaculum, sed magis promotionis auxilium apponentes.

Datum in claustro sancte Marie in Luca iuxta Znoemam, anno domini MCCLXXX, III idus decembres.

Nr. IV.

Wilhelm von Scherfenberg schwört Herzog Albrecht von Oesterreich Urfehde für drei Jahre unter Anerkennung seiner Dingpflicht gegenüber dem steirischen Landtaiding. Wien 1284, Mai 8.

Orig. Wien, Staatsarchiv.
Regest bei Lichnowsky 1, Nr. 822.

Ego Wilhalmus de Scherfenberch protestans significo presencium inspectoribus universis, me magnifici principis domini mei Alberti ducis Austrie et Stirie gracie cui ingratus extiteram, esse reformatum condicionibus infrascriptis, ad quarum observacionem iuramento me obligo et astringo. Videlicet ut ipsius domini Al[berti] ducis terrarum Stirie, Karinthie et Marchie et aliarum quarumlibet nullatenus amodo sim offensor diffidens, cum requisitus fuero per litteras aut nuncios eiusdem domini mei, abinde ad quatuor ebdomodas Stirie Karniole et Marchie exire terminos, ad easdem nullo modo nisi admissus de memorati domini mei favore et gracia reversurus; etiam generalia placita iudicis provincialis Stirie fre-

---

[a] Colonia C.   [b] R. (nempe Rudolphi) C.

quentare tenebor, dum idem iudex me citandum duxerit et vocandum iudicio. Strictius et iure iurando sponte promitto, ut si quod absit ipsi
domino meo duci me rebellem oponam, si castrum vel castra quacumque
machinacione subegero apugnavero vel mee illicite attraham potestati, si
famosum aliquem virum militem vel militaris condicionis captivavero vel
occidam deliberacione previa de certa sciencia et animo preconcepto, et si
bonum pacis commune violans seu contempnens in terris prelibati domini
mei spolium commisero manifestum, universe et singule possessiones mee
proprietarie et feodales quocumque nomine censeantur, prenotati domini
mei ducis usibus ordinacionibus et potestati simpliciter et precise sub-
iaceant et attineant nullo michi vel meis heredibus competente iure
inantea de eisdem. Ad ampliorem insuper et cerciorem huius reconcilia-
cionis cautelam, si in premissis excedam, duodecim viri potiores ex michi
fidelitatis vel proprietatis astrictis vinculo antefato domino meo duci ad-
herere subieccione perpetua tenebuntur nullum ad me extunc habituri
respectum. In cuius rei testimonium presentem dedi litteram mei sigilli
munimine communitam condicionibus prescriptis a festo pentecostes pro-
ximo ad triennium valituris.

Datum Wienne, anno domini millesimo ducentesimo octogesimo
quarto, VIII° idus maii.

Sig. pend.

Nr. V.

*Abt Berthold und das Capitel von Ossiach beurkunden den Verkauf von
neun Mansen bei der Burg Lewenburg um 40 Mark an den Grafen
Meinhard von Tirol. 1285.*

Orig. Wien, Staatsarchiv.

In nomine domini amen. Cum natura hominum fragilis et eorum
memoria sit labilis, expedit actus qui fiunt sub tempore, ne simul cum
fluxu temporis diluantur, digno littere testimonio eternari. Hinc est quod
nos Berhtoldus miseratione divina Ozziacensis abbas et totum capitulum
ibidem tam presentium memorie quam futurorum noticie duximus incul-
candum, quod cum per novem mansos, quos aput castrum Lewenburch
nostra ecclesia habuit situatos, infra longa tempora modicos fructus dicta
nostra ecclesia percepisset, ipsos novem mansos cum omnibus suis atti-
nentiis deliberato animo et unanimi consilio et consensu quadraginta marcarum Aquilegensium pretio domino nostro clarissimo comiti Tyrolensi
nomine Meinhardo vendidimus sibique ac suis heredibus aproprietavimus

pleno iure sperantes memoratam peccuniam* per aliarum possessionum emptionem ad utilitatem nostre domus convertere pociorem. Ut autem talis nostra venditio per successores nostros rata omnimodis observetur et non possit calumpniandi occasione aliquatenus revocari, presentem litteram conscribi fecimus et sigilli nostri monasterii caractere conmuniri.

Acta sunt hec anno ab incarnatione domini millesimo ducentesimo octogesimo quinto.

Sig. pend.

Nr. VI.

Friedrich von Pettau gelobt dem Grafen Ulrich von Heunburg, die Vogtei zu Oberburg Herzog Albrecht von Oesterreich aufzutragen, auf dass dieser sie jenem verleihe. Pettau 1288, Mai 27.

Orig. Wien, Staatsarchiv.

Ich Fridereich von Petawe vergihe mit disem brieve unt tůen allen den chunt die in sehent hörent oder lesent, daz ich meinem liebem herren, dem edilem graven Ulreichen von Heunenburch gelobt han, die voytaey ze Obernburch unt die manschafft aufgegeben in meines herren hant, herzogen Albrehtes von Österreich unt von Steyer, also daz er im unt seinen erben die leihe ze rehtem lehen mit allem reht zwisschen hinne unt sand Georientage der nu chumt, swanne er ez aeisschet. Unt ob mein niht enwaere, so sulen im mein erben des gelubdes gepunten sein; sturb aver er in der vrist, so sol ich seinen erben des gelubdes sein gepunten. Und taet ich des niht, swelhen schaden er oder sein erben davon naemen, den sulen si haben auf mir unt auf meinen erben unt auf ellen diu unt wier haben. Unt daz daz also staete sei, han ich im unt seinen erben gegeben disen brief mit meinem insigel versigelt ze aeinem urchunde der warhaeit unt sint des gezeuge: her Seyfrid von Chranchperge, her Hertneyd von Stadekke, Fridereich von Weizzenekke, Offe von Emberberch, Ulreich von Schaerphenberch, Heinreich unt Albreht die Wilthausaer, her Fridereich von Jablanach, her Eberhart von Sand Peter, her Heinreich von Griven, Weitel von Trextonitz, Fridereich der schaffaer unt ander biderbe leute.

Ditz ist geschehen unt der brief gegeben ze Pettawe, nach Christes geburt tausent iar zwei hundert iar unt in dem aht unt ahtzegistem iare, des phincztages nach dem sunnetage der Drivaltichaeit unsers herren.

Sig. pend.

Nr. VII.

Herzog Albrecht von Oesterreich überträgt auf Bitte des Abtes und Conventes des Klosters Ossiach die Vogtei über die Kirche St. Jakob in Ras an Herzog Meinhard von Kärnten. Lienz 1293, Jänner 12.

Orig. Wien, Staatsarchiv.

Paläographischer Abdruck (mit vielen Fehlern) bei Melly, Vaterländische Urkunden 27, Nr. XXIX.

Regest bei Böhmer (1246—1313), S. 489, und Tangl, Gesch. Kärntens 4, S. 605.

Excellenti et magnifico principi domino Meinhardo, illustri duci Karinthie et domino Carniole, ecclesiarum Aquileiensis Tridentine et Brixinensis advocato Al[bertus] dei gratia dux Austrie et Styrie cum sincera fide promptam ad beneplacita voluntatem. Ad instanciam honorabilis viri domini Rich[ardi] abbatis et monachorum monasterii Ozziacensis advocaciam super ecclesiam sancti Iacobi in Ras cum pertinentibus ad eandem vestre providencie vice et loco nostri, tanquam eam quam iuxta necessitatem suam propter locorum distanciam non possumus defendere, commictimus protegendam instanter petentes, quatenus ultra statutum ius de dicta advocacia nichil penitus velitis exigere salvo tamen predicto abbati et suo monasterio iure prespiteros secundum timorem dei et statuta canonum in eadem ecclesia ordinandi et ordinatos viciosos forte repertos absque impedimento aliquo removendi. Scituri certissime, quod per hoc beate virgini prefati monasterii patrone et nobis gratum obsequium impendetis.

Datum in Lunz, anno dominice incarnationis millesimo ducentesimo nonagesimo tercio, pridie idus ianuarias.

Sig. pend.

Nr. VIII.

König Heinrich von Böhmen verpflichtet sich, die ihm verpfändeten Länder Krain und die Mark Herzog Friedrich von Oesterreich an dem von der römischen Königin Elisabeth zu bestimmenden Termin zur Einlösung zu geben. Salzburg 1311, Juli 15.

Orig. Wien, Staatsarchiv.

Regest bei Lichnowsky 3, Nr. 130, und Göth in den Mitth. des hist. Vereines für Krain 17 (1862), 46 (aus Copie in den Schatzkammerbüchern des Statthaltereiarchivs in Graz).

Wir Heinrich von gotes gnaden chunich ze Behaim und ze Polan, herzog ze Chernden, graf ze Tirol und ze Gorcz, vogt der gotesheuser ze

Aglay ze Trient und ze Brixin veriehen und tun chunt an disem offen priefe allen den di in sehent horent und lesent, daz wir unserm liben ôheim dem edeln herzog Friderichen von Österich und seinen brudern und erben den lant Chrain und di Windisch March, di er uns ze phande gesaczt hat umbe sechs tousent march lôtiges silbers Wïnner gewichtes, als unser vrowe und swester vrowe Elzbet weilent chunigin von Rôm zwissen uns gesprochen hat, ze lôsen geben wellen und suln auf di zeit di unser vorgenant swester di Rômisch chunigin gesprichet, als si ir selben den spruch uber di lôsung derselben lande behalten hat.

Und geben in daruber ze urchund disen prief versiglt mit unserm insigl; der ist geben ze Saltzburch, nach Christes geburt uber dreuzehen hundert iar darnach in dem einleften iar, des phincztags nach sant Margreten tach.

Sig. pend.

DIE ORGANISATION

DES

EVANGELISCHEN KIRCHENWESENS

IM

ERZHERZOGTHUM ÖSTERREICH U. D. ENNS

VON DER ERTHEILUNG DER RELIGIONS-CONCESSION
BIS ZU KAISER **MAXIMILIANS** II. TODE
(1568—1576).

VON

DR. VICTOR BIBL.

Vorwort.

Der Plan zu dem vorliegenden Aufsatze reifte in mir gelegentlich meiner Vorstudien zu einer Geschichte der Gegenreformation in Niederösterreich unter Kaiser Rudolf II. Eine monographische Behandlung der religiösen Bewegung in diesem Lande unter seinem Vorgänger Kaiser Maximilian II. hätte ja von vorneherein nach den in letzter Zeit erschienenen gründlichen Arbeiten von Otto[1] und Hopfen[2] wenig erfolgreiche Aussichten eröffnet. Die Beiden haben in harmonischer Weise gerade jene Lücken ausgefüllt, welche Wiedemann's ‚Geschichte der Reformation und Gegenreformation im Lande Oesterreich unter der Enns' offenliess. Ich denke gewiss nicht daran, die Verdienstlichkeit dieses Werkes, welches mit ebenso vielem Fleiss wie Liebe zum Gegenstand gearbeitet ist und durch die Fülle des darin gebotenen Materiales zugleich mit dem alten, aber noch immer nicht veralteten Werke von Raupach[3] ein überaus nützliches Handbuch für den Forscher bildet, in Abrede zu stellen. Das reichhaltige fürsterzbischöfliche Consistorialarchiv in Wien zum ersten Male in umfassender Weise wissenschaftlich verwerthet zu haben, ist und bleibt sein unbestrittenes Verdienst. Ausser diesem Archiv benützte Wiedemann noch, wie er selbst in seinem Vorworte bemerkt, ‚das nicht minder wichtige und reichhaltige Klosterrathsarchiv, das Archiv des niederösterreichischen Regimentes (I), das niederösterreichische Lehensarchiv und die Passauer Acten in der Registratur der k. k. Statthalterei von Niederösterreich', das ist also etwas

---

[1] Geschichte der Reformation im Erzherzogthum Oesterreich unter Kaiser Maximilian II. (1563—1576), 1889.

[2] Kaiser Maximilian und der Compromisskatholicismus, 1895.

[3] Evangel. Oesterreich etc. 1741.

kürzer und verständlicher ausgedrückt: das k. k. Archiv für
Niederösterreich (damals noch die Registratur der k. k. niederösterreichischen Statthalterei). Er verwerthete übrigens auch
noch andere Archive, wie z. B. das des k. u. k. Reichs-Finanzministeriums in Wien, die er hier aus unbekannten Gründen
verschweigt; dagegen hat er aber ein ungemein wichtiges und
grosses Archiv vollständig ausser Acht gelassen: das niederösterreichische Landesarchiv in Wien, welches, um in der
Wiedemann'schen Ausdrucksweise zu bleiben, das Prälaten-,
Herren- und Ritterstandsarchiv enthält und bei der hervorragenden Einflussnahme der Stände auf die Entwicklung des
Protestantismus in Oesterreich sicherlich der Benützung werth
gewesen wäre. Ebenso hätte es sich wohl der Mühe verlohnt,
den Acten der ehemaligen k. Hofkanzlei nachzugehen und zu
diesem Zwecke die Archive des k. k. Ministeriums für Cultus
und Unterricht, des k. k. Ministeriums des Innern und vor
Allem das k. u. k. Haus-, Hof- und Staatsarchiv in Wien in
den Bereich der Forschung zu ziehen.

Es war daher eine sehr willkommene That, als Otto zehn
Jahre nach dem Erscheinen des ersten Bandes das niederösterreichische Landesarchiv und Hopfen 16 Jahre später
namentlich die drei anderen genannten Archive zur Forschung
heranzog, und somit die Geschichte der religiösen Entwicklung
in Oesterreich unter Kaiser Maximilian II. abgeschlossen erschien.

Ich war nun bestrebt, Wiedemann's Geschichtswerk auch
für die Zeit seines Nachfolgers entsprechend zu ergänzen. Weil
aber gleich aus seinen ersten Regierungsjahren wichtige Verhandlungsacten der Stände, welche Raupach im zweiten Theil
anführt und verwerthet hat, in dem niederösterreichischen Landesarchive vollständig abgehen, war ich gezwungen, diesen näher
nachzuforschen. Er schöpfte die Kenntniss derselben aus blossen
Ueberschriften, die er in einem Index verzeichnet fand, über
den er sich auf S. 200 (Anm. f.) wie folgt äussert: ‚Durch
geneigte Communication eines unsterblich verdienten Theologi
unserer Kirchen habe einen Indicem oder Register über ein so-
genanntes grosses Religionsbuch in Ms. erhalten, aus welchem zu
ersehen, dass in diesem Volumine Ms. die Documenta von den
vornehmsten Religions-Handlungen, so zwischen den k. Hof und
denen evangelischen Ständen in Nieder-Oesterreich von anno 1571

bis 1590 inclusive vorgefallen, enthalten sind und überall 786 Seiten, in Folio geschrieben, ausmachen. Anderweitig sind wir von gewisser Hand versichert worden, dass dieses Volumen von dem vormaligen Herrn Besitzer desselben vor vielen Jahren an dem Landhause zu Wien verschenket sei und daselbst annoch verwahrlich aufbehalten werde.' Dieses Religionsbuch zu erlangen, erschien mir als nächste Aufgabe. Nachdem es in der Manuscriptensammlung der niederösterreichischen Landesbibliothek nicht zu finden war, forschte ich in einigen österreichischen Stiftsbibliotheken nach, doch vergebens. Endlich fand ich dasselbe in der k. k. Hofbibliothek in Wien, wo ich es ursprünglich nicht vermuthet hatte, da ich annehmen konnte, dass sonst Wiedemann, der mehrere Handschriften derselben citirt, dieselben also in ihrer Gesammtheit gekannt haben müsste, gewiss darauf gestossen wäre und es wenigstens genannt hätte. Es ist dies der Codex Nr. 8314: ,Ducenta quinque acta, decreta, resolutiones, instructiones, supplicationes etc. inter Maximilianum II. et Rudolphum II. imperatores et ordines austriacarum ditionum aliosque tam in materia religionis praesertim quoad exercitium Augustanae confessionis in urbe Vienna ab ordinibus identidem postulatum, ab imperatoribus semper denegatum, quam aliorum incidentium negotiorum mutuo exhibitae, ab anno 1570 usque ad annum 1590; germanice (Jur. civ. 12) ch. XVI. 788 fol.' Wann und wie dieser Codex, der zweifellos in der ständischen Kanzlei verfasst und dort auch aufbewahrt worden war, in die Hofbibliothek kam, konnte ich nicht ermitteln.

Auf diese Art sah ich mich wider Erwarten in dem Besitze eines überaus interessanten Materiales über die letzten Regierungsjahre Kaiser Maximilians II. (1570 — 1576), das durch die Acten des k. u. k. Haus-, Hof- und Staatsarchivs eine ungeahnte Bereicherung erfuhr, indem nämlich einige über Auftrag Kaiser Rudolfs II. von der Wiener Hofkanzlei verfasste und auf ein gründliches Studium der dort vorgefundenen Religionsacten zurückgreifende Berichte über die Verhandlungen mit den evangelischen Ständen, beziehungsweise über die Berechtigung der von ihnen erhobenen Ansprüche manche bisher unbekannte Quellen aus der Zeit seines Vorgängers theils im Original oder in Abschrift beigeschlossen, theils inserirt enthielten. Da überdies zu der Arbeit Otto's, der in die Acten

des niederösterreichischen Landesarchivs selbst nicht Einsicht
nahm, sondern nur die von dem gewesenen niederösterreichischen Landesarchivar Karl Denhart (gest. 1876) mit erstaun-
lichem Fleiss und Gewissenhaftigkeit gearbeiteten ‚Excerpte aus
den in der niederösterreichischen Landschafts-Registratur vorhandenen evangelischen Religionsschriften von 1421 — 1637'
benützte, Manches nachzutragen oder zu berichtigen war,
glaubte ich mich berechtigt, diesem für unsere Landesgeschichte
so bedeutungsvollen Abschnitt eine selbstständige Darstellung
zu widmen.

Zum Schlusse fühle ich mich gedrungen, dem Herrn
Director der k. k. Hofbibliothek, Hofrath Dr. Heinrich Ritter
von Zeissberg, dessen gütiges Entgegenkommen es mir ermög-
lichte, den Codex im Landesarchiv benützen zu können, meinen
ehrfurchtsvollsten Dank auszusprechen, ferner der liebenswür-
digen Bemühungen der Herren Dr. Anton Mayer, Landesarchivar, und Johann Paukert, Haus-, Hof- und Staatsarchivar,
dankend zu gedenken.

Wien, im Jänner 1899.

Dr. Victor Bibl.

Erster Abschnitt.

Die Religions-Concession und Assecuration.

---

1. Einleitung.

Zu Beginn des Jahres 1526 hatten die Stände des Erzherzogthums Oesterreich unter der Enns im Vereine mit den
anderen österreichischen Erbländern dem Erzherzog Ferdinand
auf einem für den 11. November 1525 nach Augsburg einbe-
rufenen Ausschusslandtag[1] zum ersten Male[2] um die Zulassung
der evangelischen Lehre gebeten. Die Erhebung der Bauern
in Tirol und die auf dem Innsbrucker Landtag vom Erzherzog
gemachten Concessionen bildeten die äussere Veranlassung.
,Dieweil allenthalben,' lautet es in ihrer Beschwerdeschrift vom
16. Februar, ,bei dem gemeinen Mann geacht und dafür gehalten, als ob ihnen das heilige, wahre, lautere Gotteswort nit
klar und wie der Text vermag, durch die Prediger und Priester
mitgetheilt und gepredigt werde, die dann auch vergangner
Empörung an etlichen Orten nit kleine Ursach geben hat, demnach ist der getreuen Erbland unterthänigste Bitt, dass E. F. D.
in den österreichischen Erblanden durch die Prediger und geschickten Priester das heilige, wahre Gotteswort und Evangelium klar, lauter und rein, ohne allen Zusatz und ohne alle

---

[1] Vgl. M. Mayr, Der Generallandtag der österr. Erbländer zu Augsburg
(December 1525 bis März 1526) in der Zeitschrift des Ferdinandeums
für Tirol und Vorarlberg, 3. Folge, 38, S. 1 f.

[2] Also nicht 1532, wie Huber (Geschichte Oesterreichs IV, 1892, S. 96)
und auch die ständischen Bittgesuche vom Jahre 1562 (abgedruckt bei
Raupach, Beilage zum I. Theil, S. 116) und vom Jahre 1566 (s. Otto,
a. a. O., S. 14) angeben. Vgl. auch unten.

Forcht oder Sorg uns auf weitere Ordnung auf nächstkunftigen
Reichstag oder auf ein gemein Consilium dem Volk zu predigen
und zu verkündigen gnädigst zulassen, damit die Speis derselben (die allein das Gottwort ist) niemands verhalten noch
entzogen werde, wie denn E. F. D. solches derselben E. F. D.
fürstlichen Grafschaft Tirol unterthänigsten Landleuten gnädiglich zugeben und bewilligt hat.'[1] In der Schlussantwort vom
1. März hatte sich der Erzherzog auf die Reichstagsabschiede
von Worms, Nürnberg und Augsburg und die von ihm sowohl
als dem Kaiser ausgegangenen Religionsedicte, von denen er
auch jetzt nicht abzugehen gewillt wäre, berufen und das der
Grafschaft Tirol gemachte Zugeständniss als im Einklange mit
diesen geschehen hingestellt, indem er allerdings dem genannten
Lande ‚das Evangelium wie der Text anzeigt zu predigen,
gestattet, doch die Bedingung daran geknüpft hätte, ‚dass kein
Prediger das zu Aufruhr und Ungehorsam auslege‘. Er habe
daher, fügte er hinzu, auch gegen das Predigen des Evangelii
‚obangezeigter Meinung‘ in den übrigen Ländern nichts einzuwenden.[2] Wie sich Ferdinand diese Verkündigung des Evangeliums vorstellte, bekundeten seine bald darnach ausgegangenen
scharfen Mandate. Im Jahre 1532,[3] also nicht gar lange nachdem der Protestantismus durch die Uebergabe des evangelischen
Glaubensbekenntnisses auf dem Reichstage zu Augsburg eine
staatsrechtliche Bedeutung gewonnen hatte, waren die Stände
auf dem Innsbrucker Ausschusstage neuerdings um die Bewilligung zur Verkündigung des ‚klaren Wort Gottes ohne allen
menschlichen Zusatz‘ eingeschritten.[4] Aehnliche Petitionen waren
dann 1541 durch eine ständische Deputation der fünf niederösterreichischen Erbländer zu Prag[5] und 1548 zu Augsburg,

---

[1] N.-ö. Landesarchiv, Ms. Nr. 20, Fol. 23; vgl. Mayr, a. a. O., S. 71.

[2] N.-ö. Landesarchiv, ebenda, Fol. 62; vgl. Mayr, a. a. O., S. 94.

[3] Nicht 1534, wie Otto (a. a. O., S. 19) angibt. Der Irrthum rührt durch
Denhart her, der in seinen Excerpten (siehe Vorwort, S. 118) statt ‚vor
34 Jaren‘ (also von 1566 gerechnet: 1532) 1534 geschrieben hat.

[4] Landesarchiv, Landtagsverhandlungsprotokoll 1531 und 1532, Fol. 81;
dieses offenbar auch die Quelle, die Buchholz, Geschichte der Regierung
Ferdinands I., VIII (1838), S. 153, benützt hat.

[5] Es findet sich in den erwähnten Petitionen von 1562 und 1566 (siehe
oben S. 119) angegeben: ‚item zu End des 42. Jahrs zu Prag mit dem Fuss-
fall‘, was wohl auf einem Irrthum beruhen wird. Das Bittgesuch ist am
13. November 1541 überreicht (Landesarchiv, B. 3. 26. Abschrift; abge-

endlich 1554—1558 und 1562—1567 auf den unter-der-ennsi-
schen' Landtagen zu Wien erfolgt, doch immer vergebens.[1]
Auch Maximilian II., dessen Regierungsantritt die Protestanten
mit grossen Hoffnungen erfüllte, hatte ihr Begehren um Freigabe der Augsburgischen Confession stets abgeschlagen.

In Maximilians religiöser Haltung war nämlich nach
aussen hin zu Beginn der Sechzigerjahre ein merklicher Umschwung erfolgt. Hatte man früher, namentlich seit dem Jahre
1556 sogar an die Möglichkeit seines offenen Uebertrittes zum
Protestantismus gedacht, so war man jetzt in eingeweihten
katholischen Kreisen darüber beruhigt. Maximilian war mittlerweile zur Einsicht gelangt, dass er gut daran thue, mit seinen
von der katholischen Kirche abweichenden Anschauungen nicht
mehr so offen wie früher hervorzutreten und mit den katholischen Mächten in gutem Einvernehmen zu leben. Es waren
zunächst dynastische Interessen, die ihn zu diesem Verhalten
drängten: die Aussicht auf die römische Königswahl, auf die
Vermählung seiner Töchter mit dem spanischen Thronfolger Don
Carlos und mit dem König von Portugal, später bei der immer
klarer zu Tage tretenden Regierungsunfähigkeit des Ersteren
auch auf die Nachfolge seines Sohnes Rudolf in Spanien. Ausserdem aber — und dieses Moment muss ganz besonders hervorgehoben werden — hatte er im December 1561 vom Papste
Pius IV. die päpstliche Dispens für die geheime Communion unter

druckt bei Raupach, Beilagen zum ersten Theil, S. 74) und im nächsten
Jahre gedruckt worden. Die ob-der-ennsischen Stände beriefen sich auch
in einem Gesuche auf das Jahr 1541; vgl. Otto, a. a. O., S. 14; Loserth,
Die Reformation und Gegenreformation in den innerösterreichischen
Ländern im 16. Jahrhundert, 1898, S. 73 f.
[1] Vgl. die Petitionsschrift vom 7. December 1566 (Otto, a. a. O., S. 19;
Loserth, a. a. O., S. 97 f.). Obwohl es unwahrscheinlich ist, dass die Stände
im Jahre 1567 ihre Bitten nicht erneuert haben sollten, so fehlt doch in den
Landtagsverhandlungsacten des n.-ö. Landesarchivs jeder Nachweis, dass
auf dem Landtage dieses Jahres die Religionsfrage erörtert worden sei.
Ich entnahm diese Angabe dem gut informirten und aus den Acten der
Hofkanzlei gesogenen ,Instrumentum, in quo solide demonstratur, Luthe-
ranae religionis exercitium in urbibus et oppidis Austriae semper fuisse
prohibitum', das sich abschriftlich im k. u. k. Haus-, Hof- und Staatsarchiv
zu Wien (Oesterr. Acten, Fasc. 7) befindet. Auch Gienger's Gutachten vom
Jahre 1570 besagt, dass die Stände bis auf das 68. Jahr heftig um die
,Ratification und Versicherung der A. C.' angehalten haben; vgl. Hopfen,
a. a. O., S. 344.

beiderlei Gestalten erlangt; es war somit für ihn der wichtigste Grund zum Austritte aus der alten Kirche weggefallen.[1]

In gleicher Weise dachte er auch nicht daran, in seinen Erbländern die Lostrennung der evangelisch gesinnten Unterthanen von der römisch-katholischen Religion, die Bildung einer separaten protestantischen Kirche zu fördern oder auch nur zu dulden, sondern bestrebte sich vielmehr, eine alle Unterthanen, Katholiken und Protestanten gleichmässig bindende Ordnung herzustellen, an die sie sich in der Lehre und im Gottesdienst zu halten hätten;[2] in diesem Sinne hatte er sich auch bei dem Papste um die Gestattung des Laienkelches und der Priesterehe bemüht. Von einer Freigabe der Augsburger Confession aber war bisher nie die Rede gewesen. Um so unerwarteter musste es daher erscheinen, als Maximilian am 18. August 1568, dem Tage der Landtagseröffnung, dem Drängen der zwei Stände der Herren und Ritterschaft nachgab und ihnen unmittelbar nach der Verlesung der Landtagsproposition, nachdem die anderen zwei Stände der Prälaten und Städte abgetreten waren, die Religionsconcession ertheilte. Noch im Jahre 1566 hatte er die beiden Adelsstände auf die ihnen zugesicherte Vollendung seines Reformationswerkes vertröstet und am Ende des nächsten Jahres durch eine aus weltlichen und geistlichen Personen zusammengesetzte Commission einen Entwurf zu einer kirchlichen Vereinigung ausarbeiten lassen, dem dann die Berufung des bairischen Propstes Eisengrein und des Protestanten Camerarius folgte.[3]

Nun that er einen Schritt, welchen man vielfach als eine vollständige Schwenkung in seiner religiösen Politik bezeichnet hat, doch mit Unrecht. Was ihn veranlasste, seinem schon unter Kaiser Ferdinand angefangenen Religionswerke vorzugreifen, war keineswegs die resignirte Erkenntniss, dass seine langjährigen Bemühungen an den unüberbrückbaren Gegensätzen der Katholiken und Protestanten scheitern müssten — den Gedanken an eine Einigkeit im Glauben und in der

---

[1] Vgl. (Turba), Venetianische Depeschen vom Kaiserhofe III, 1895, S. XXVII; Schlecht, Das geheime Dispensbreve Pius IV. etc. im Histor. Jahrbuch XIV, 1893, S. 1 f.

[2] Vgl. über seine Einigungsversuche: Hopfen, a. a. O., S. 88 f.

[3] Vgl. Ritter, Deutsche Geschichte im Zeitalter der Gegenreformation und des dreissigjährigen Krieges I, 1889, S. 394.

Lehre, an eine alle Länder und Unterthanen bindende Religions·
ordnung hatte er damals trotz aller traurigen im Reiche gemachten Erfahrungen noch nicht aufgegeben —: es war vielmehr wirklich die bitterste Noth. Man darf ihm glauben, was
er seinem Bruder Erzherzog Ferdinand bald darnach schrieb,
dass es ‚wider seinen Willen‘ und ‚aus äusserster unumgäng-
licher Nothdurft‘ geschehen sei.[1] In der erwähnten Landtagsproposition ersucht der Kaiser die Stände um die Uebernahme
der hauptsächlich durch die vielen Türkenkriege[2] verursachten
Hofschulden in der beträchtlichen Höhe von 2,000.000 fl. und
Abzahlung derselben sammt den auflaufenden Interessen innerhalb eines Zeitraumes von 10 Jahren, damit der Hof wieder
in den Stand gesetzt werde, seine verpfändeten Kammergüter
auszulösen und seinen Haushalt ohne fernere Anlehen zu bestreiten.[3] Die Stände bewilligten auch ohne langes Zögern und
die üblichen Abstriche am 22. September eine Summe von
2,500.000 fl., die sie jedoch auf unbestimmte Zeit zu zahlen
versprachen.[4] Man erkennt hier unschwer einen causalen Zusammenhang. Es war auch gar kein Geheimniss: der Cardinal
Commendone sagte es dem Kaiser in seiner ersten Audienz
ganz unverhohlen, wie sehr es dem kaiserlichen Ansehen
schaden müsse, wenn die Lutheraner dann behaupten würden,
sie hätten die Religionsconcession um Geld erworben.[5] Obwohl
es gewiss nichts Befremdendes auf sich hat, wenn die Stände
für die Uebernahme einer so bedeutenden, aussergewöhnlichen
Leistung auch ihrerseits ein Zugeständniss verlangten, mochte

---

[1] ddo. Wien, 6. September 1568: abgedruckt von Hopfen, a. a. O., S. 274 f.

[2] Der letzte war im Jahre 1565—1566; vgl. Wertheimer, Zur Geschichte
des Türkenkrieges Maximilian II., 1565—1566, im Archiv für österreichische Geschichte 53, S. 43 f.

[3] N.-ö. Landesarchiv, Landtagshandlungen 1568. Schwarz gibt die Höhe der
verlangten Summe nicht ganz genau mit 2,500.000 fl. an; vgl. seinen Aufsatz ‚Gutachten des bairischen Kanzlers S. Eck gegen die officielle Dul-
dung des Protestantismus in Oesterreich‘ in der von Ehses herausgegebenen Festschrift zum Jubiläum des Campo Santo 1897, S. 237.

[4] Voraussgegangen waren die Antwort der Stände auf die Proposition ddo.
12. September, in welcher sie die Uebernahme der 2 Millionen jedoch
ohne Interessen innerhalb 10 Jahren bewilligten, und die kaiserl. Duplik,
ddo. 18. September, worin der Kaiser erklärte, dass ihm damit nicht
geholfen sei; n.-ö. Landesarchiv, Landtagshandlungen.

[5] Franciscobata, Depeschen III, S. 459; Wiedemann, a. a. O., I, S. 360;
Raumer, a. a. O., S. 100.

der Kaiser doch das Verletzende dieses Vorwurfes gefühlt
haben, und wir verstehen, was seine Seele bewegt haben musste,
wenn er seinem Bruder Erzherzog Karl den Rath ertheilt, er
möge die Landtagsverhandlungen bei den steirischen Ständen
so einrichten, dass die Stände ‚die Gränz- und Schuldenhilfen
nit in den Religiontractat oder den Religiontractat in die Hilfen
vermischen, auf dass es weder I. F. D. noch der Stände theils
bei fremden das schimpflich Ansehen nit habe, als ob mit der
Religion Kaufmannschatz getrieben und dieselbe um Geld verkauft werde'.[1] Die evangelischen Stände machten auch wirklich gar kein Hehl daraus, dass sie die Religionsfreiheit mit
schwerem Gelde erlangt hätten. Durch ihre Bittschriften, die
sie an Maximilians Nachfolger Kaiser Rudolf II. und dessen
Statthalter Erzherzog Ernst zum Zwecke der Wiederherstellung
des Religionswesens in der Stadt Wien richteten, schlingt sich
dieses Argument, als alle anderen versagten, wie ein rother
Faden hindurch.[2] Als im Jahre 1604 zwischen den katholischen
und protestantischen Ständen ein schwerer Conflict ausgebrochen
war, beschwerte sich der katholische Herrenstand in einer Eingabe an den Erzherzog Mathias: ‚Dann erstlich ist die unheil-
same und schädliche Concession denen unseligen Supplicanten
deswegen bewilliget worden, dass sie entgegen 2,500.000 fl.
für Kaiser Maximilian secundo zu zahlen über sich genommen;
da wir nun der Sachen nachschlagen, befindet sich, dass unsere
Vorfordern und wir Katholische drei Theil, also drei doppelt
einer Confession, so unserm Gewissen zuwider und die noch
heunt zu unserer Unterthanen Verderben gereichet, bezahlen
und erkaufen müssen, da doch I. M. persuadirt worden, solches
alles käme allein von unkatholischen Particulargliedern her,
wie dann heunt zu Tag solche lutherische Ständ in allen ihren
Religionsschriften, als hätten sie die Concession so theuer erkauft,
I. M. fürwerfen und dieselb ihrem Unfug längers zuzusehen
persuadiren wollen.'[3]

Man wird es auch begreiflich finden, dass seine arge
finanzielle Bedrängniss, die gerade in diesem Jahre ihren Höhe-

---

[1] ddo. Wien, 13. September 1571; Hopfen, a. a. O., S. 353.

[2] So am 26. November 1588. Cod. 8314, Fol. 640 f.

[3] Landesarchiv, A. 4. 4. Die Bewilligung dieser Summe in diesem Zusammenhange erwähnt auch der Brief des Eisengrein an Herzog
Albrecht von Baiern, ddo. Wien, 17. September 1568 (Hopfen, a. a. O.,

punkt erreichte,[1] ihn das Bedürfniss fühlen liess, in einem guten
Einvernehmen mit den zwei mächtigen Adelsständen zu leben,
die ja doch — nach dem bisherigen Verlauf der Ereignisse zu
schliessen — nicht mehr von ihren Forderungen abzubringen
waren und umsomehr ein Entgegenkommen von seiner Seite
beanspruchen konnten, als von dem neuen Papste Pius V. nicht
das geringste Zugeständniss zu erwarten stand, derselbe vielmehr die von seinem Vorgänger erfolgte Bewilligung des Laienkelches wieder zurücknahm.[2] Wenn auch damals noch gar
keine Anzeichen einer gewaltsamen Erhebung der Stände vorhanden, und diese nicht einmal noch bei dem Mittel der Steuer-
verweigerung angelangt waren, so mochte der Kaiser doch unter
dem frischen Eindrucke des niederländischen Aufstandes mit
der Möglichkeit einer solchen rechnen, jedenfalls aber daran
denken, dass auch ihre Opferwilligkeit bei beständiger Abweisung ihrer Bitten einmal eine Grenze haben würde. So kam
es also, dass er sich mit den Ständen, als diese vor der Eröffnung des Landtages ein namentlich unterzeichnetes Gesuch um
die Bewilligung öffentlicher Religionsübung nach der Augsburger
Confession überreichten, in Unterhandlungen einliess, welche
nach einer persönlichen, am 17. August abgehaltenen Vorbe-
sprechung zur Ertheilung der Concession führten.[3]

2. Die Ertheilung der Religionsconcession.

Man hat bisher von dem Inhalt der Religionsconcession
sehr wenig gewusst,[4] zumal da auch die Landtagsverhandlungen
keinen Aufschluss darüber gaben; den authentischen Text
kannte man jedenfalls nicht. Glücklicherweise ist uns der des
Conceptes durch die Berichte der kaiserlichen Hofkanzlei über
die zwischen dem Hof und den evangelischen Ständen vom

S. 281) und der Bericht des Passauischen Officials in Wien an seinen
Bischof, ddo. Wien, 23. September 1568 (Wiedemann, a. a. O., I, S. 357f.).

[2] Er sah sich sogar genöthigt, vor dem Landtage die Aebte und Prioren
zusammenzuberufen, von denen er dann eine ,Subsidie' von 45.000 fl.
erhielt; vgl. Venetianische Depeschen III, S. 458, Anm. 1. Vgl. auch
Hopfen, a. a. O., S. 153 und 159.

[2] Vgl. Venetianische Depeschen III, S. 443.

[3] Vgl. Ritter (Deutsche Geschichte I, S. 397), der diese Angaben den Dis-
pacci Veneti des Wiener Staatsarchives entnommen hat.

[4] Vgl. Hopfen, a. a. O., S. 144; Schwarz, a. a. O., S. 236 f.

Mai 1578 bis März 1579 geführten Verhandlungen, welche auf
ein gründliches Quellenstudium zurückgehen, erhalten worden.[1]
Derselbe lautet wie folgt:

‚Nachdem I. k. M. etc. mit Vergünstigung der Augsburgischen Confession gern nach Möglichkeit gewähren wollten,
dass darauf I. k. M. etc. gleichwohl nit ungewillt, beiden an-
rufenden zweien Ständen von Herrn und Ritterschaft mit ge-
hürender Mass in ihren Schlössern, Häusern und Gebieten auf
dem Land die vielbemelte A. C. Kaiser Carl hochlöblichister
Gedachtnus zu Augsburg anno 30 übergeben und kein andere
durch gnädigste Geduldung nachzusehen und zuzulassen, wofern man sich anderst zuvor der gottseeligen Ceremonien und
Rituum halben ungefährlich nach dem Gebrauch der ältesten
Kirchen solcher Confession zugethan und wie es bald nach
Verfassung derselben zum meistenteil gehalten worden, vergleichen könnte. Dabei dann I. k. M. kraft der Wort (mit ge-
hürender Mass)[2] etliche sondere Articl und Conditiones verfassen
und ietzt angeregter Antwort beilegen lassen, des Inhalts:[3]

‚Dass erstlichen sich solche Nachsehung allein auf die
Augsburgerisch Confession anno 30 übergeben und durch dieselben zween Ständ in ihren Schlössern, Häusern und Gebieten
auf dem Land exerciert werden soll. Zum andern, dass ihre
der zween Ständ Kirchendiener sich allein derselben Confession,
Lehr und Ceremonien gleich halten, darauf Zusag, Gelübd und
Versprüchnus thun sollen, ausser dessen I. k. M. sie in ihren
Königreichen und Erblandendition nit leiden wollen. Zum
dritten wollten ihnen I. k. M. die Stätt und Märkt als dero
eigen Kammergut bevorbehalten haben und denselben sondere
Mass und Ordnung nach dero christlichem Gutachten geben etc.
Zum vierten könnten I. k. M. den zweien Ständen von Herrn
und Ritterschaft ihrem öftern Begehrn nach in dero landesfürst-

---

[1] ‚Summarischer und grundlicher Begriff, was durch die R. k. M. unseren
allergnädigsten Herrn in Religionssachen L k. M. erbeigenthumbliche
Stadt Wien betr. in vergangnen Monat Mai und Juni des laufenden
78ten Jahrs gehandelt worden‘ (Abschrift im k. u. k. Haus-, Hof- und
Staatsarchiv, österr. Acten, Fasc. 7) und ‚Summarium und Relation an die
k. M. was von Anfang her in der österreichischen Religionssachen bis
auf den Martium anno 1579 gehandlet worden‘ (Original ebenda).

[2] In der kaiserl. Erklärung, ddo. 18. August; siehe unten, S. 129, Anm. 2.

[3] Im ‚Summarium etc.‘ als Beilage A verzeichnet und in Abschrift beigelegt.

lichen Haupt- und Residenzstadt Wien ein sondere offne Kirchen, Kanzel und Predigstuhl nit vergönnen, einräumen oder bewilligen, sondern sollen sich an obstehenden henügen und I. k. M. des Predigstuhls halben verschonen mit Ausführung der Ursachen, warum es sonderlichen zu Wien, da I. k. M. dero k. Gemahel und Kinder Hofhaltungen, auch das Zureisen von allen Orten der Christenheit wären, nit sein, es auch I. k. M. gar nit thun könnten. Fürs fünfte, dass die zween Stände und ihre Kirchendiener die katholischen Personen, ihre Religion und Güter nit verachten, schmähen oder sonst beleidigen. Und fürs sechste, dass ihre der zween Ständ Kirchendiener sich alles Drucks und Bücherschreibens in und ausser Lands enthalten sollen.'[1]

Dieses Schriftstück, auf welches sich die Hofkanzlei berief, war von dem zweiten Vicekanzler Dr. Johann Ulrich Zasius[2] verfasst[3] worden und bildete die Grundlage zur späteren, näher ausgeführten ,Hauptresolution', über die in den beiden Berichten vollständig geschwiegen ist, von der uns aber einige Bruchstücke überliefert sind.[4]

---

[1] Im ,Summarium etc.', Beilage B. Der zweite Bericht ,Summarischer und gründlicher Bericht' inserirt beide Theile nach den Worten: ,Es haben aber I. R. k. M. aus allen demselben mehrers oder anderst nichts befinden können, als dass mehr höchstgedachte nächstverstorbne k. M. allein und blösslich denen zweien Stenden von Herrn und Ritterschaft, soviel sich deren damalen der A. C. angenommen, auf ihr öfters flehentliches Bitten aus sondern Gnaden durch eine Schrift, datiert den 18. August verschienes ...en Jahrs mit diesen Worten angedeut.' Auch das ,Instrumentum' citirt dieses Schriftstück.

[2] Ueber ihn, den Sohn des berühmten Freiburger Humanisten, seit 1564 Vicekanzler, gest. 27. April 1570, vgl. Kretschmayr, Das deutsche Reichsvicekanzleramt im Archiv für österr. Geschichte 84, S. 426 und den Aufsatz von Goetz in der Allg. d. Biographie, 44. Band, 1898, S. 706f.

[3] ,Summarium etc.' Gegen ihn als Verfasser und vermeintlichen Urheber der Concession kehrte sich auch der ganze Unmuth der Katholiken. Der Bischof Otto von Augsburg bezeichnet ihn in einem Briefe an Herzog Albrecht von Bayern als ,Erz-Papst- und Pfaffenfeind' und seine Briefe, die er ,wider die Päpste, Cardinäle, Concilium und Geistlichen so verbitterlich und gotteslästerlich geschrieben', ,teuflisch, unchristlich und erschröcklich'; vgl. Wiedemann, a. a. O., I, S. 360. Man that ihm aber darin sehr unrecht; vgl. Hopfen, a. a. O., S. 102f.

[4] Ich folge hier den Angaben des ,Instrumentum'. Ob sie aber je den Ständen ausgefolgt wurde, ist sehr fraglich; vielmehr dürfte sie in der Hofkanzlei verblieben sein. Damit wäre auch zu erklären, dass die Stände in so völliger Unkenntniss des Inhaltes der Concession befangen

Es wird in derselben betont, dass durch diese Concession
die katholische Kirche keinen Schaden erleiden sollte, und deshalb ‚ernstlich' befohlen, dass ‚nach diesem Zulassen und Nachsehen die beiden Stände von Herrn und Ritterschaft sammt
ihren Ministern, Prädicanten, Kirchendienern und Seelsorgern
die alte katholische Religion und derselben Verwandte, hoch und
niedern Stands, wer sie auch sein, nicht verachten, noch mit
lästerlichen Scheltworten antasten, noch auch jemand derselben
geistlichen und weltlichen sammt ihren Unterthanen einige
Beschwärung der Religion halben zufügen, an ihren Gütern,
Renten, Zinsen, Zehenten und allen anderen Einkommen,
ausserordentlichen Rechten nichts entziehen, noch in ihren
Possessionen zu turbiern oder auch sonst in anderweg weder
an Leib und Gut beschweren, noch von den ihrigen zu
beschehen gestatten, wie dann denselben in geist- und weltlichen Stand auch desgleichen gegen den andern auferlegt . . .
sei. Und neben dem fürnehmlich auch das bishero geübet
schädlich und ärgerliche Schänden und Schimpfen in den
Predigten und andern ihren Versammlungen gänzlich aufhören und weiter nicht geduldet werden sollen, gegen schwerer
I. M. Ungnad und Straf nach Gestalt des Verbrechens und I. M.
Erkanntnus gegen den Ungehorsamen zu verfahren'. Die Ausübung des evangelischen Gottesdienstes wird ausdrücklich als
ein Provisorium bezeichnet: ‚Wofern nun alles und jedes wie
jetzt erzählt, nit allein in würkliche Richtigkeit gestellt, sondern auch von den zweien Ständen, so viel deren der Confession verwandt, denselben allein also getreulich und festiglich
nachzukommen geloben, auch Assecuration darüber gethan
würdet, so wollen alsdann I. k. M. aus den anfangs gemelten
besondern milden Gnaden die mehrbestimmte A. C. von anno
1530 in denselben Buchstaben und Inhalt angeregten zweien
Ständen, die es belangt, in dem Namen des Allmächtigen zulassen und nachsehen, so lang bis etwo seine ewig göttliche Allmächtigkeit durch die ordentlichen und christlichen Mittel eine

waren, bis ihnen Strein, der diese durch den Secretär Unversagt aus
der Hofkanzlei requirirt hatte, die Augen öffnete. Es wäre auch auffallend, dass die Stände, als sie am 6. Juni 1578 über die kaiserliche
Aufforderung vom 30. Mai alle ihre Documente, wie die beiden Assecura-
tionen vorlegten, nicht auch die Concession beigeschlossen hätten, besie-
hungsweise dass dieselbe vom Hofe nicht requirirt worden wäre.

gans gemeine Vergleichung derselbig Glaubenssachen in dem heiligen Römischen Reich deutscher Nation vermittelst seines hochheiligen Segens gottselig erlangt und getroffen oder aber I. M. wol angefangen Werk einer vollkommenen und gänzlichen Universal-Religion, Ordnung für Ihr Königreich, Erbfürstenthum und Land zu gewünschter Vollendung zukünftig bringen mögen.'[1]

Das ist also der Inhalt der berühmten Religionsconcession, die ohne Zweifel im Einvernehmen mit den Ständen ausgearbeitet worden war und jedenfalls im Concepte bereits vorlag, als der Kaiser am 18. August den beiden Ständen die Erklärung abgab: ,S. M. erinnere sich gnädig und väterlich ihrer oftmaligen Bitten um Gewährung der Augsburgischen Confession, sowie der von seinem Vater und ihm oft ernstlich in Aussicht gestellten allgemeinen Ordnung, wonach in allen Königreichen das Wort Gottes gepredigt, die heiligen Sacramente gereicht und die Ceremonien verwaltet werden sollten. Zu diesem Werke, das die Einheit der Religion wiederherzustellen bezwecke, seien schon zu Lebzeiten Kaiser Ferdinands von gelehrten Männern des geistlichen und Laienstandes die Fundamente gelegt. Schwere Kriege, sowie die Abhaltung von Reichs- und Landtagen hätten den Kaiser bisheran gehindert, das glücklich angefangene Werk zu vollenden. Auch jetzt noch machten sehr wichtige Geschäfte die schnelle Erledigung dieser Sache unmöglich. Im Hinblick auf die anhaltenden Bitten der Stände sei der Kaiser jedoch geneigt, ihnen entgegenzukommen, soweit er es vor Gott verantworten könne und die anderweitigen Interessen, auf welche er nothwendig Rücksicht nehmen müsse, es gestatteten. S. M. wollte ihnen daher in ihren Schlössern, Herrschaften und Dörfern[2] die A. C. von 1530 und keine andere allergnädigst gestatten, wenn sie sich vorher über eine Ordnung der kirchlichen Gebräuche verglichen. So lange die Welt stehe, hätte es keine Religion ohne eine derartige Ordnung gegeben, welche das unerfahrene Volk zur wahren Frömmigkeit und zu christlichem Gehorsam aneifere. Die Confessio sei blos ein Lehrbuch, welches bei den Ständen des Reiches eine Reihe von Agenden nothwendig gemacht habe. Eine solche herzustellen, erachte

---

[1] Im ,Instrumentum in quo etc.' Beilage G, H und K.

[2] ,Mit gebürender Mass in ihren Schlössern, Häusern und Gebieten auf dem Land' lautet der Text nach der im Münchner Reichsarchiv aufbewahrten Copie; vgl. S. 130, Anm. 1.

der Kaiser für das Nothwendigste, und er erkläre sich daher
bereit, zu diesem Zwecke erprobte, friedliebende, leidenschafts-
lose Männer zu deputiren, welche unter dem Vorsitze eines
Mitgliedes des geheimen Rathes mit den in gleicher Anzahl zu
wählenden Deputirten der Stände die Agende vereinbaren
sollten. Er zweifle nicht, dass die Deputirten fleissig arbeiten
würden, so dass die Angelegenheit noch während des Landtages zum erwünschten Ende geführt werden könne.'[1]

Diese Religionsfreiheit bezog sich ausdrücklich nur auf
die zwei Stände der Herren und Ritter. Der vierte Stand blieb
ausgeschlossen. Auf dem Landtage des Jahres 1566 hatte Maximilian II. den Abgeordneten der Städte und Märkte strengs-
stens verboten, in Religionssachen mit den zwei oberen weltlichen Ständen zu gehen,[2] und eine darauf erfolgte Beschwerde
der Letzteren rundwegs abgeschlagen. Die landesfürstlichen

---

[1] Dieses interessante Actenstück, welches sich in keinem Wiener Archive
vorgefunden hat, ist von Schwarz nach der im Vaticanischen Archiv
befindlichen ‚Responsio Caesaris ad duos status Austriae de confessione
Augustana d. 18. Aug. 1568' im Auszuge mitgetheilt worden; a. a. O.,
S. 236 f. (Eine durch Dr. Eder an Herzog Albrecht gesandte Abschrift
fand ich nach Abschluss dieser Arbeit in dem Münchner allgem. Reichsarchiv, Oesterr. Religionsacten Tom. X, P. 1, Fol. 205.) Aus welchen
Gründen er aber so bestimmt behauptet, dass diese Erklärung vom
Kaiser gemacht worden sei, ‚ohne noch erst in diesen Angelegenheiten
angegangen zu sein', ist mir nicht ganz klar. Das Wort ‚responsio'
(vgl. auch ‚die Antwort' im Concepte der Concession, S. 126) lässt schon
auf das Gegentheil schliessen. Abgesehen davon, dass gar kein Grund
einzusehen ist, weshalb die Stände von ihrem schon fast zur Gewohnheit
gewordenen Drängen um Religionsfreiheit so plötzlich abgestanden sein
sollten, so wäre es ja ganz gut denkbar, dass sie ihre Sache — so wie
später — durch den geheimen Rath Reichard v. Strein führen liessen,
der, wenn er auch vielleicht damals noch nicht Präsident der Hofkammer
gewesen ist, doch sicherlich schon einen grossen Einfluss auf die finanzielle Gebahrung ausübte und auf diese Weise den Kaiser beeinflussen
konnte, was ihm bei der grossen Gnade, die er bei diesem genoss, nicht
so schwer gefallen wäre. Der venetianische Gesandte Micheli erwähnt
aber ausdrücklich diese Petition der Stände (siehe oben, S. 125, Anm. 3),
und auch das ‚Instrumentum etc.' bemerkt, dass die Stände ‚anno 68
abermalen um eine Kirchen und Prädicanten allhie angehalten', worauf
dann am 18. August die ‚Hauptresolution' erfolgt sei. (Beilage F.) Vgl.
übrigens auch das Gutachten des Gienger, S. 121, Anm. 1.

[2] Auf dieses Verbot berief sich auch Rudolf II., als die Städte im Landtage des Jahres 1579 mit den anderen evangelischen Ständen gemeinsame Sache machen wollten.

Städte und Märkte wurden damals ausdrücklich als Kammergut erklärt, über welches dem Kaiser das alleinige Verfügungsrecht zustünde.[1] Daran wurde auch in dem Landtage 1568 nichts geändert. Aber nicht nur diese selbst, sondern auch — und das ist höchst wichtig — die darin befindlichen Häuser der Adeligen waren von der Concession ausgeschlossen. Das Merkwürdigste daran war aber, dass die zwei Stände, auch ihr Wortführer, keine Ahnung davon hatten, bis ihnen ein Jahr später — wie wir sehen werden — bei der Durchsicht der bezüglichen Verhandlungsacten die Augen geöffnet wurden.[2] Die Fassung der an die Concession geknüpften Bedingungen[3] hätte gewiss noch etwas klarer sein können; vielleicht aber war sie absichtlich etwas zweideutig gehalten. In diesem Falle hatte der Kaiser seinen Zweck vollkommen erreicht. Das den Worten ,in ihren Schlössern, Häusern und Gebieten' angefügte ,auf dem Land' (Punkt 1) bezogen die Stände offenbar auf die Gebiete allein. Und den 3. Punkt, dass sich nämlich die M. die Städte und Märkte als ihr Kammergut vorbehalten habe, konnten sie — wie sie das auch wirklich thaten[4] — dahin deuten, dass dieselben im Sinne der früheren Decrete nicht in die Concession einbezogen werden sollten, diese vielmehr ausschliesslich für den Adel ertheilt sei; und zwar war diese Annahme um so berechtigter, als das im nächsten Punkte enthaltene Verbot des Religionswesens in der Residenzstadt Wien sich nur auf eine ,besondere offene Kirche, Kanzel oder Predigtstuhl' bezog, somit also der Privatgottesdienst in den Häusern der Stadt Wien, sowie der öffentliche Religionsdienst in den anderen Städten und Märkten erlaubt erschien.

3. Die Religionsconferenz. Deputirtenwahlen.

Die Stände gaben in dem guten Glauben, dass ihnen vollständige Religionsfreiheit gewährt worden sei, drei Tage später, am 21. August, ,aus inbrünstigem Herzen' ihrer Freude und ihrem ,höchsten, demüthigsten, unterthänigsten Danke' darüber Ausdruck, dass ihnen die Lehre und Religion nach

---

[1] Vgl. Otto, a. a. O., S. 17 f.　　[2] Vgl. unten.

[3] Die spätere Fassung hat, nach den erhaltenen Proben zu schliessen, in wesentlicher Hinsicht nichts oder sehr wenig geändert.

[4] Vgl. unten.

der Confessio Augustana ,in ihren Schlössern, Häusern und
Gebieten nun forthin frei und offenbar zu gebrauchen' gestattet
sei. Von dem Zusatze ,auf dem Lande' ist, wie man sieht, gar
keine Rede mehr. Den vom Kaiser geäusserten Wunsch, den
Religionstractat ,noch in währendem Landtag zur gebürlichen
Endschaft' zu bringen, beantworteten sie damit, dass sie auch
ihrerseits von demselben Verlangen durchdrungen wären, sie
hätten aber — und damit stellten sie sich und ihren Theologen
gerade kein sehr schmeichelhaftes Zeugniss aus — ,über fleissige
Nachgedenken und in gehabter Umfrag unter ihrem Mittl dergleichen Personen, die sich einer solchen hochwichtigen Handlung anmächtigen wollten, nicht befinden können, wissen auch
die jenen, welche sie zu diesem Werk gelehrt und tauglich
sein achten, in so kurzer Zeit nicht daher zu bringen'. Sie
baten schliesslich um eine Frist und um die Erlaubniss, sich
mittlerweile bis zur Beendigung der Religionsconferenz einer
der drei gedruckten Agenden, nämlich der Pfalzgraf Wolfgang-
schen, der Württembergischen oder der Strassburgischen bedienen zu dürfen.[1]

Der Kaiser antwortete den Ständen am 23. August, er
könne nicht glauben, dass ,unter der Gottlob so stattlichen
Menge von beiden der löblichen Herren und Ritterschaft Stände
so vieler geschickter, verständiger und wohlerfahrner Personen
ein solcher Mangel und Abgang' sein könnte. Sie werden doch
einen gelehrten Theologen im Lande haben, welchen sie zu den
Verhandlungen deputiren könnten, so dass es füglich überflüssig
sei, einen solchen erst aus dem Auslande kommen zu lassen.
Es solle von ihm aus nichts übereilt, sondern Alles ,wohlbe-
dächtiglich' gehandelt werden. Den Gebrauch einer der drei
vorgeschlagenen Agenden könne er mit gutem Gewissen nicht
billigen, weil er sie noch nicht gesehen habe. Sie mögen sich
daher bis zur Conferenz gedulden, in der dann nicht nur die
erwähnten drei, ,sondern auch mancherlei andere mehr christliche wohlberühmte Agenden, wie deren nit wenig in Druck

---

[1] Das Original mit dem kaiserlichen Vermerk ,praesentata 21. Augusti' im
k. u. k. Haus-, Hof- und Staatsarchive (Beilage C des ,Summarium etc.').
Abschrift im n.-ö. Landesarchiv, B. 3. 26; vgl. auch Otto, a. a. O., S. 24.
Von einer Bitte um Mittheilung dieser drei Agenden, die Otto dort anführt, ist darin nichts enthalten. Dieser Irrthum geht wieder auf Denhart
zurück (siehe Vorwort S. 118).

ausgangen, genugsam vorhanden', vorgenommen und miteinander verglichen werden könnten. Zum Schlusse ersucht sie der Kaiser väterlich, ‚sie wollten doch alle diese Gelegenheit und Umstände anderwärts und besser betrachten und zu Gemüth ziehen, nunmehr die Sachen, nach denen sie mit ihrem stäten flehentlichen Bitten und Rufen so lang und heftiglich gestrebet und geworben, selbst zu ihrem gewünschten Ziel und gebührenden wirklichen Fortgang fürdern' und womöglich noch diese Woche zur Wahl ihrer Deputirten schreiten.[1]

Die Stände brachten hierauf am 26. August den Landmarschall Hans Wilhelm von Rogendorf und Rüdiger von Starhemberg aus dem Herrenstande, Leopold von Grabner und Wolf Christof von Enzersdorf aus dem Ritterstande, ferner den Universitätskanzler und Propst der Stiftskirche von Tübingen, Dr. Jakob Andreä, der ihnen ‚für einen trefflichen, gelehrten, christlichen, feinen Mann' gerühmt worden war, und den Grabner'schen Pfarrer in Rosenburg, Christof Reuter, in Vorschlag und baten ihrerseits um Bekanntgabe der kaiserlichen Deputirten.[2]

Die Wahl des Andreä, unstreitig eines der bedeutendsten Theologen seiner Zeit, als ‚Lutherus secundus' im ganzen Reiche bekannt, hatte wohl nicht viel Aussicht, vom Kaiser bestätigt zu werden. Denn trotz seiner unermüdlichen concordistischen Thätigkeit, die ihm auch von Seite des Kaisers zwei Jahre später dessen Lob eintrug, war er ein starr-orthodoxer Lutheraner und ein eingefleischter Gegner der Melanchthon'schen Partei, wodurch er sich von vorneherein in einen schroffen Gegensatz zu dem stark von Melanchthon und der Vermittlungspartei beeinflussten Kaiser stellen musste.[3] Er hatte auch gegen das Leipziger Interim äusserst scharf gepredigt, und ausserdem wird seine heftige und leidenschaftliche Natur, die ihn z. B. auf dem Augsburger Reichstage des Jahres 1559 hinriss, den dortigen katholischen Domprediger während der

---

[1] N.-ö. Landesarchiv, B. 3. 26, Abschrift; vgl. Otto, a. a. O., S. 24.

[2] Ebenda.

[3] Vgl. über Kaiser Maximilian's Verhältniss zu Melanchthon's Lehre Haupt, Melanchthons und seiner Lehre Einfluss auf Maximilian II. von Oesterreich (Programm des Melanchthon-Gymnasiums Wittenberg 1897, Nr. 264), und Loesche, Melanchthon's Beziehungen zu Oesterreich-Ungarn im Jahrbuch der Gesellschaft für die Geschichte des Protestantismus in Oesterreich XVIII, 1897, S. 1 f.

Predigt öffentlich zu schmähen, dem Hofe genügend bekannt gewesen sein.[1]

Der andere Theologe, Reuter, war insoferne gut gewählt, als er, obzwar auch ein entschiedener Lutheraner, doch damals bereits eine sehr gemässigte Richtung vertrat und eine Art von Mittelstellung zwischen den Parteien — namentlich später in dem Erbsündenstreit — einnahm.[2]

Mit dem kaiserlichen Decret vom 28. August bestätigte Maximilian II. die von den Ständen vorgeschlagenen Deputirten mit Ausnahme des Andreä, gegen dessen Annahme er ohne nähere Begründung ‚besondere Bedenken‘ zu haben erklärte, und empfahl ihnen dafür den Professor der Theologie zu Wittenberg, Dr. Paul Eber, oder den sächsischen Superintendenten und Prediger des gefangenen Herzogs Johann Friedrich von Sachsen, Mag. Ambrosius Roth. Gleichzeitig wurden die kaiserlichen Delegirten namhaft gemacht: der Bischof von Wr.-Neustadt,[3] Christof von Carlowitz, Dr. Sigmund von Oedt, niederösterreichischer Regierungsrath, Lorenz Saurer, kaiserlicher Landschreiber, und Prof. Joachim Camerarius. Ein Theologe sollte noch ernannt werden. Zum Präsidenten wurde der erste Reichsvicekanzler Dr. Johann Baptista Weber bestimmt.[4] Es waren also, wie der Kaiser besonders hervorhob, auch zwei Protestanten, allerdings der gemässigsten Richtung, die man sich nur denken kann, im Collegium: der namhafte Staatsmann Carlowitz[5] und der Leipziger Humanist Camerarius,[6] beide intime Freunde und Gesinnungsgenossen Melanchthons.

Die Wahl dieser zwei Vermittlungstheologen entsprach gewiss ganz der Gesinnung des Kaisers, nahm aber auf die

---

[1] Ueber ihn, den ‚Vater der Concordie‘, vgl. den Aufsatz von Wagenmann-Kolde in der Realencyklopädie für protestantische Theologie und Kirche, 3. Auflage, I, 1896, S. 561 f., wo auch die weitere Literatur angegeben ist; vgl. auch den Artikel von Hefele in Wetzer und Welte's Kirchenlexikon, 2. Auflage, I, 1880, S. 818 f.

[2] Er wurde deshalb von den Flacianern ein ‚Nicodemer‘, ‚Weltklügling‘ und ‚stummer Hund‘ genannt; vgl. über ihn Raupach, Presbyterologia Austriaca, S. 148 f. [3] Christian Naponäus Radiducius, gest. 1571.

[4] N.-ö. Landesarchiv, B. 3. 26, Abschrift; vgl. Otto, a. a. O., S. 25.

[5] Geb. 13. December 1507, gest. 8. Jänner 1574; vgl. über ihn: Langenn, Christof von Carlowitz. 1856.

[6] Geb. 12. April 1500, gest. 17. April 1574; vgl. Realencyklopädie für protestantische Theologie, 3. Auflage, III, 1897, S. 687.

religiöse Richtung der Stände wenig Rücksicht. Bei diesen trat nämlich immer deutlicher und unverhohlener das strenge ultra-radicale Lutherthum zu Tage, das durch die scharenweise aus allen Theilen des Reiches nach Oesterreich gewanderten ortho-doxen Prediger rasch verbreitet worden war. Fanatische Hetz-prediger waren es vor Allem, die wegen ihrer halsstarrigen Heftigkeit und ihrer dogmatischen Unduldsamkeit von dort ver-trieben worden waren und nun unter der Maske des reinen und unverfälschten Lutherthums ihre giftigen Waffen gegen alle Andersgläubigen kehrten. Namentlich viele Parteigenossen des leidenschaftlichen Istrianers Matthias Vlacich (Flacius Illyricus),[1] welche die Streitsucht und Härte ihres Meisters, nicht aber seinen durchdringenden Verstand besassen, die allerextremsten unter den Gnesiolutheranern, waren nach dem unglücklichen Ausgange des synergistischen Streites und ihrer Vertreibung durch den Herzog Johann Friedrich von Sachsen, ihren ein-stigen Schutzherrn,[2] in starker Anzahl hierher nach Oesterreich gezogen und daselbst mit Rücksicht auf den grossen Mangel an ordinirten Predigern mit offenen Armen aufgenommen worden.[3] Chyträus konnte wohl ohne Uebertreibung sagen: ‚In Austria libertas religionis fere nimia est. Confluunt enim illuc impune omnes quacunque de causa ex aliis Germaniae locis dimissi.'[4] Die zwei Jahre vorher von mehreren Predigern in Oesterreich ausgegangene ‚Confessio oder christliche Bekanntnus des Glau-bens etc.' hatte bereits Farbe bekannt und der Abneigung gegen Melanchthon und seine Partei scharfen Ausdruck verliehen.[5] Seit-her hatte diese Bewegung unter den österreichischen Predigern keineswegs abgenommen und obendrein bei einem grossen Theile der Stände festen Boden gefasst. Vor Allem waren es — wie wir in der Folge noch zu sehen Gelegenheit haben werden — die Religionsdeputirten selbst, wie der Landmarschall[6] und be-

---

[1] Vgl. über ihn (gest. 11. März 1575) Kawerau in der Realencyklopädie für protest. Theologie, 3. Auflage, VI, 1899, S. 82 f.; Preger, M. Flacius Illyri-cus, 1859—1861, 2 Bde.

[2] Ebenda, II, S. 104 f.; Ritter, Deutsche Geschichte I, S. 207.

[3] Beispiele bietet zur Genüge Raupach's Presbyterologia Austriaca.

[4] 18. October 1574; vgl. D. Chytraei Epistolae, 1614, S. 149.

[5] Raupach, Evang. Oesterr., S. 77 f.

[6] Er galt als einer der hartnäckigsten, wie dies die Stelle aus einem Briefe Melchior Kleel's an den kaiserlichen Obersthofmeister Adam

arhemberg, dessen Gut Efferding in
lange Zeit eine Hochburg des Flacia-
zur flacianischen Richtung bekannten
)egünstigten. Auf diese Weise pflanzten
nd langwierigen dogmatischen Streitig-
's Tode die protestantische Partei in
irchtobten, und die masslosen Angriffe
seine Vermittlungspolitik, die in dem
Interim einen markanten Ausdruck
ich Oesterreich fort. Die orthodoxen
lie unter der geistigen Führerschaft des
nchthon beschuldigten, in den Interims-
in gleichgiltigen Dingen, sondern auch
ensartikeln allzuviel zu Gunsten der
gegeben zu haben und von dem reinen
ich der katholischen Seite, wie in der
n und von den guten Werken, oder
iite in der Lehre vom Abendmahl ab-
)tsächlich der Abendmahlstreit, der im
tphal von Neuem ausgebrochen war,
rbitterung gegen die Philippisten ver-
tte nämlich die lutherische Ubiquitäts-
stillschweigend der calvinischen Abend-
. Das hatte zur Folge, dass Alles, was
calen Lutherthums bekannte, ihn und
illmälig die beiden kursächsischen Uni-
Wittenberg beherrschten, als Krypto-
ste befehdete. Da der Kurfürst August
s doctrinae Philippicum im Jahre 1564
em Lande verliehen hatte, kann man
strengen Lutheraner gegen alle säch-
a.[2]

in, ddo. Wien, 4. März 1585 (Original im
:aatsarchiv) beweist: ‚Heut hab I. D. ich über-
noch den neuen Kalender nicht halten, darunter
Helmhard Gerger die ersten sein. Summa: die
iem Land dermassen überhand, dass E. G. nit

chichte I, S. 91 f.

Namentlich der Wittenberger Superintendent Paul Eber, der nach Melanchthon's Tode vielfach als das Haupt der Philippisten angesehen wurde, musste daher bei den ständischen Deputirten starke Opposition hervorrufen. Er hatte zwar bald darauf, wie sich dies auf dem Dresdener Convent (25. März 1563) geäussert hatte, seine ursprüngliche Zuneigung zur Genferischen Lehre theilweise aufgegeben und eine Mittelstellung zwischen Luther und Melanchthon eingenommen, die auch in seiner Schrift ,vom h. Sacrament des Leibs und Bluts unseres Herrn Jesu Christi' zum Ausdruck kam; der Erfolg war aber nur der, dass er es sich mit den offenen und geheimen Calvinisten verdarb und ausserdem von den meisten Lutheranern als verkappter Calvinist misstrauisch angesehen wurde.[1] Man wird es also begreiflich finden, wenn die ständischen Deputirten am 4. September dem Kaiser entgegneten: Eber sei ,wie auch fast der meiste Theil der Wittenberger mit dem calvinischen Irrthum befleckt', und Roth habe in Sachsen ,allerlei Unrath' angerichtet. Sie schlugen statt dessen neuerlich den Andreä oder den Magdeburger Superintendenten Dr. Johann Wigand, der ,auch für einen gelehrten, christlichen, reinen, alten Theologum erkannt ist', vor.[2] Den Kaiser musste der Vorschlag des Letzteren wie ein offener Hohn berühren, da Wigand bisher als einer der eifrigsten Mitstreiter des Flacius stets die lutherische Orthodoxie verfochten, gegen Eber eine Streitschrift verfasst hatte und wegen seiner leidenschaftlichen Angriffe gegen den Herzog Johann Friedrich zusammen mit Flacius am 9. November 1561 durch eine herzogliche Commission aus Weimar ausgewiesen worden war.[3] Auf keinen Fall aber konnte er, der sich selbst gegen das Sectenwesen und besonders gegen die Ausbreitung des ,calvinischen Giftes' ausgesprochen hatte,[4] diesen Vorwurf ruhig hinnehmen. Er erwiderte daher am 9. September ziemlich scharf und spitzig: Es seien ihm die wider Eber seines Calvinismus wegen geäusserten Bedenken umso befremdlicher, als derselbe ,durch ein sonder gedrucktes Tractätl wider die angeregte calvinische Sect stattlich und mit grossem Fleiss ge-

---

[1] Ueber ihn (geb. 8. Nov. 1511, gest. 10. Dec. 1569) vgl. den Artikel von Kawerau in der Realencyklopädie für protestantische Theologie I (1890), S. 118 f.

[2] N.-ö. Landesarchiv, Abschrift; vgl. Otto, a. a. O., S. 25.

[3] Vgl. über ihn (gest. 1587) Allgem. d. Biogr. 42. Band, 1897, S. 452 f.

[4] Vgl. Ritter, Deutsche Geschichte I, S. 216.

schrieben. I. k. M. glauben auch, dass weder der Kurfürst zu
Sachsen noch seine Wittenbergische Schul und Kirchen gern
geständig sein würden, dass daselbst zu Wittenberg der Calvinismus angeregtermassen überhand genommen'. Auch von
Roth habe er nie etwas Nachtheiliges gehört und wisse nicht,
was das für ein Unrath sei, ,es wäre denn, dass er sich wie
viel andere und der grösste Theil aller Augsburgischen Confession verwandten Kurfürsten, Fürsten und Stände, Theologi
etlichen wenig zänkischen Leuten, so sich in allen Landen ein-
zuflicken und ihren unruhigen Samen sonderer Lehr und Aus-
tilgung guter und zulässiger Ceremonien einzuführen unterstehen, vielleicht auch widersetzt hatte'. Die von den Ständen
empfohlenen Theologen Andreä und Wigand könne er nicht
approbiren, namentlich den Letzteren nicht, ,dessen Abschied
aus einer namhaften I. k. M. und des heiligen Reichs Stadt
und daneben einem andern seinem Gesellen[1] von dannen un-
ruhiger und zum Theil aufrührerischer Lehren halben sehr
schimpflich ausgeschafft worden, und anders mehr, so in dem
ganzen Römischen Reich von solchem Wigando ruchbar, I. M.
ganz unverborgen ist'. Er könne nicht durch die Annahme
solcher Theologen das ganze Religionswerk in einen Misscredit
kommen lassen. Ueberhaupt komme es ihm ,etwas fremd' vor,
,dass solche beide Ständ sonst keine anderen Leut zu ihrem
Theil benennen, als die bei dem meisten und grössten Theil
der Augsburgischen Confession verwandten Kurfürsten, Fürsten
und Ständen nit allein keinen Platz haben, sondern auch in
einem nit guten Namen und Ruf seien. Damit aber die zwei
I. M. getreue Stände spürlich abzunehmen, dass I. M. der
Sachen zu gebürlicher, fürderlicher Fortsetzung je gern geholfen
wissen wollten, so seien I. k. M. allergnädigst zufrieden, dass
sie die zwei Stände aus den beiden Kurfürstenthümern Sachsen
und Brandenburg, also auch aus Markgrafen Hannsen und
Markgrafen Georg Friderichen, auch zu Brandenburg und
dann aller Herzogen zu Braunschweig, Lüneburg, Mechlburg,
item aller Herzogen zu Pommern, beider Herzogen zu Hol-
stein, der beiden Fürsten von Anhalt, auch der vornehmsten
See- und Hanse-Städt, als da sein Lübeck, Hamburg, Braunschweig, Rostok, Gosslau, Stettin, ja auch da sie wollten aus

---

[1] Flacius; vgl. oben, S. 137, Anm. 3.

den beiden Königreichen Denmerkt und Schweden einen oder mehr Theologen erkiesen und zu ihrem Theil namhaft machen'. Nachdem der Kaiser so im Allgemeinen seinen Standpunkt gekennzeichnet hatte, empfahl er ihnen die beiden ‚vornehmsten Rostockischen Theologen', den Superintendenten Dr. Simon Pauli und den Professor der Universität, Dr. David Chyträus.[1] Diese Auswahl war nicht schlecht, denn beide verfolgten, von Melanchthon ausgehend, eine gemässigte Richtung, ohne sich aber wie z. B. der vom Kaiser berufene Camerarius durch die Theilnahme an dem Leipziger Interim bei den Lutheranern verhasst gemacht zu haben. Besonders Chyträus (Kochhase), ‚der letzte der Väter der lutherischen Kirche', musste durch seine ansehnliche Gelehrsamkeit und reiche Erfahrung zu diesem Amte geeignet erscheinen.[2]

Die Stände erklärten am 11. September dem Kaiser, über diese beiden Theologen Erkundigungen einholen zu wollen. Ein kaiserliches Decret vom 16. d. M. ermahnte sie darauf zur Beschleunigung ihrer Wahl, damit sie bis zu Martini alle beisammen wären, indem er ihnen zu bedenken gab, wie schwer es ihm falle, die beiden aus dem Auslande bereits eingetroffenen Deputirten[3] selbst nur bis dorthin, geschweige auf noch längere Zeit zu erhalten, ‚da doch der eine des Hin- und Wiederreisens über Land Alter und Blödigkeit halber nicht vermöglich'.[4] Die Stände entschlossen sich endlich für Chyträus, dessen Schriften ihnen besser als die des Pauli bekannt waren,[5] und baten den Kaiser am 22. September um seine Vermittlung.[6] Drei Tage später ergingen zwei kaiserliche Schreiben, das eine an die Herzoge Johann Albrecht und Ulrich von Mecklenburg, das andere an die Rostocker Universität mit dem Ersuchen,

---

[1] Beilage D des ‚Summarium etc.' in Abschrift. Auch im n.-ö. Landesarchiv, B. 3. 16, abschriftlich; vgl. Otto, a. a. O., S. 25 f.

[2] Vgl. über Chyträus (geb. 1531, gest. 1600) den Aufsatz von Loesche in der Realencyklopädie für protestantische Theologie, 3. Auflage, IV, 1897, S. 112 f; über Pauli den Artikel von Krause in der Allgem. d. Biogr. 25, 1887, S. 273.

[3] Camerarius war am 8. September in Wien eingelangt; vgl. Wiedemann, a. a. O., I, S. 359; Otto, a. a. O., S. 30. Carlowitz begab sich einstweilen auf sein Gut Rothenhaus in Böhmen; vgl. Langenn, a. a. O., S. 319 f.

[4] Abschrift im n.-ö. Landesarchiv, B. 3. 26; vgl. Otto, a. a. O., S. 26.

[5] Relation der Deputirten, ddo. 8. März 1875; Cod. 8314, Fol. 93.

[6] Abschrift im n.-ö. Landesarchiv. B. 3. 26; vgl. Otto, a. a. O., S. 26.

einer Kirchenagende nach Wien
lf Christof von Mamming aus dem
n Ständen den Auftrag, nach Rostock
anzuhalten und ihn nach Oesterreich

des Religionstractates.
esselben. Verfassung einer evan-
Kirchenordnung.

putirtenwahlen die ungeduldige Hast
ier der Kaiser das Zustandekommen
ieb. Er sah offenbar bald nach jenem
das drohende Unwetter vom katho-
igen und wollte daher sein Ver-
dem Losbruche unter Dach und Fach
ich nicht lange auf sich warten. Bereits
er kaiserliche Hofprediger Eisengrein,
genden Vorgängen am Hofe ziemlich
e überraschende Neuigkeit dem Her-
zu melden. Der Hofrath Dr. Georg
weinenden Augen' angezeigt.[3] Eisen-
z bei dem Kaiser begehren, obwohl
sie nichts helfen würde. Als einzigen
rend ,sie mit Vergleichung der Cere-
h eine Zeit erfordern würde', sollte
g Ferdinand, nöthigenfalls auch der
der Papst ,ein impedimentum darin
h sonst niemand, der wehren kann'.[4]
,dem böswilligen Geschwätz schlecht
nmen und seine That bei den mass-
zu rechtfertigen. Er schrieb in diesem
erdinand, seinen spanischen Gesandten
ind an den Gesandten in Rom, Pros-
berdies eine ausführliche Instruction
n anderen Ausweg gewusst, um noch

chiv, B. 3. 26; vgl. Otto, a. a. O., S. 26.
lo. 8. März 1575.
t.

grössere Religionsspaltungen, das Einreissen der Secten und einen Aufstand der Stände zu verhüten.[1] Man liess sich indessen nicht so schnell beruhigen. Wie man katholischerseits die Concession und ihre schwerwiegenden Folgen beurtheilte, bringt das ohne Zweifel bald darnach verfasste Gutachten des hairischen Kanzlers Simon Thaddäus Eck zu klarem Ausdruck, in welchem auch die vom Kaiser zur Entschuldigung vorgebrachten Gründe, als sei er zur Concession im Interesse der Ruhe und der Verhütung des Sectenwesens gezwungen worden, eine scharfe Zurückweisung erfuhren.[2] Papst Pius V., dem Arco am 13. September die Botschaft hinterbrachte, war tief bewegt und klagte mit Thränen in den Augen, dass nunmehr die Religion zu Grunde gehen werde, da der Kaiser den Forderungen der Abtrünnigen nachgebe, und wies auf das verderbliche Beispiel für Frankreich und die Niederlande hin. Zwei Tage später erhielt Graf Arco den Auftrag, dem Kaiser zu melden, dass der Papst mit dem grössten Bedauern von diesem Zugeständniss Kunde erhalten habe, und dass er ihn beschwöre, seinem begonnenen Werke Einhalt zu thun.[3] Man sprach schon davon, dass der Papst den kaiserlichen Botschafter in Rom verabschieden und den Nuntius am kaiserlichen Hofe abberufen wolle.[4] Von allen Seiten drang man auf den Kaiser ein. Inzwischen hatte sich der Papst zu einem energischen Schritt entschlossen: er sandte den Cardinal Johann Franz Commendone nach Wien, damit er, wenn die Concession noch nicht ertheilt sei, Alles in Bewegung setze, sie zu vereiteln, im anderen Falle aber ihre Zurücknahme zu erwirken. Dieser schlaue und gewandte Diplomat, mit dem Maximilian II. einmal schon näher zu thun gehabt hatte, traf ungeachtet, dass ihn der Kaiser in Innsbruck zur Umkehr auffordern liess, in Begleitung des späteren Wiener Nuntius Johann Delfino und des Secretärs Anton

---

[1] Vgl. Hopfen, a. a. O., S. 274; Schwarz, a. a. O., S. 238. Vgl. auch seine späteren Bemerkungen zu Commendone: ‚Chi vi ripareria o mi difenderia? Ho io forse Spagnoli o altri di altra natione, per opponere à questi provinciali? ... Nontio, io ho sei figlioli, et non ho altra heredità da lasciarli che questi pochi stati patrimoniali. Se questi si distruggessero, di che viveranno?' Vgl. Venetianische Depeschen III, S. 460.

[2] Abgedruckt bei Schwarz, a. a. O., S. 239.

[3] Vgl. ebenda, S. 288.

[4] Eisengrein an Herzog Albrecht, ddo. Wien, 16. October 1568; Hopfen, a. a. O., S. 292 und S. 155.

Maria Gratiani am 28. October in Wien ein.[1] Wenn man im
Allgemeinen die grössten Erwartungen auf das persönliche
Einwirken des Cardinals setzte, so konnte sich Eisengrein,
dieser scharfe Beobachter am Wiener Hofe, doch der leisen Be-
sorgnis nicht erwehren, man werde sich unterstehen, ‚dem Cardinal mit guten Worten eine Nase zu machen, bis sie ihn wieder
hinwegbringen‘.[2] Eisengrein täuschte sich nicht. Commendone
war wohl ‚ein geschwinder, listiger Vogel‘, aber Maximilian
war diesmal noch listiger, und hatte er einst in Augsburg jenem
gegenüber den Kürzeren gezogen, so zahlte er es ihm jetzt
zurück. Der Kaiser versicherte ihn, dass er genau denselben
Zweck verfolge wie die römische Curie, nur mit anderen Mitteln, und erklärte ihm schliesslich, er wolle die Religionsconferenz, da er gesehen habe, dass sie dem Papste ‚so heftig zuwider‘ sei, alsbald einstellen. Und wirklich wurde Camerarius
nach Hause geschickt,[3] die Stände entlassen und Carlowitz, der
wieder erwartet wurde, abbestellt.[4] Commendone berichtete
jubelnd seinen Erfolg nach Rom. Dass aber Chyträus bald darauf
in Oesterreich eingetroffen und in dem nahen Spitz a. d. Donau
bereits an die Verfassung einer evangelischen Kirchenordnung
geschritten war, und die Stände die beruhigende Versicherung
erhalten hatten, dass die Verhandlungen fortgesetzt werden
sollten, das hatte ihm der Kaiser wohlweislich nicht gesagt.
Indess einen Zweck hatte das Auftreten des Commendone,[5]
namentlich aber die Einmischung des Königs Philipp, der mit
der zwischen ihm und des Kaisers ältester Tochter Anna pro-
jectirten Heirat ein treffliches Mittel gewonnen hatte, Maximilian zur Nachgiebigkeit zu bewegen, doch erreicht: der Religionstractat kam nicht mehr zu Stande.[6] Dem Kaiser war nach
allen diesen Vorgängen, dem ganz ungeahnt heftigen Anstürmen
der vereinten katholischen Mächte die Lust an der Fortsetzung

---

[1] Am 31. October hatte er bereits die erste Audienz; Venetianische Depeschen III, S. 461, Anm. 1.

[2] Vgl. H. Eisengrein's Schreiben, ddo. 5. November 1568; Hopfen, a. a. O.,
S. 296.

[3] Er trat Ende November seine Heimreise an. Venetianische Depeschen
III, S. 459, Anm. 2.

[4] Vgl. Hopfen, a. a. O., S. 145 f.

[5] Reiste Ende Jänner ab; vgl. Venetianische Depeschen III, S. 465, Anm. 4.

[6] Vgl. Ritter, Deutsche Geschichte I, S. 401 f. und besonders die Venetianischen Depeschen III, S. 460 f.

des Vergleichungswerkes gründlich vergangen. Er erkannte
mit Wehmuth ‚einen grossen Unterschied zwischen der damaligen und jetzigen Zeit'; damit meinte er den früheren Papst
Pius IV., ‚mit dem gut zu handeln gewest, der sich auch ganz
tractabilem finden lassen', und seinen Nachfolger Pius V., der
hingegen ‚eines solchen scharfen und heftigen Gemüths, wie
die von männiglich bekannt ist, der auch in viel geringeren
Ursachen als eines solchen Tractats wegen sich aufs Aeusserste
irritiren liesse'.[1] Ueberdies mussten ihn auch die in den bisherigen Verhandlungen mit den Ständen über die Deputirten-
wahl zu Tage getretenen religiösen Gegensätze unter diesen
und die Anfeindungen, welche Camerarius von Seite derselben
erdulden musste,[2] an einem nur halbwegs gedeihlichen Ausgang
der Conferenz verzweifeln lassen.[3]

Dagegen wurden jetzt die Verhandlungen ganz im Geheimen und in einem etwas geänderten Cours zwischen den
ständischen Deputirten, denen Reuter zugezogen blieb, einerseits
und einigen geheimen Räthen, sowie dem Kaiser andererseits gepflogen. Als Mittelsperson fungirte dabei der ebenso als Staatsmann wie als Gelehrter hervorragende geheime Rath Reichard
Freiherr von Strein, der am Hofe in der nächsten Umgebung
des Kaisers weilte und die Gnade, die er bei diesem in hohem
Masse genoss, dazu verwandte, um sich seiner Glaubens- und
Standesgenossen wärmstens anzunehmen und ihm im vertraulichen Zwiegespräch manches Zugeständniss an die evangelischen
Stände herauszulocken. In kirchlichen Dingen gehörte er der
Vermittlungspartei an und wird sich für manche Forderungen
der Stände, namentlich später, als die radicalen Strömungen
immer mehr die Oberhand gewannen, zweifellos mehr aus Stan-
desrücksichten als aus innerer Ueberzeugung eingesetzt haben.[4]

---

[1] Maximilian II. an Erzherzog Carl, ddo. Wien, 5. November 1569; vgl.
Hopfen, a. a. O., S. 332.

[2] Vgl. ebenda, S. 147; Otto, a. a. O., S. 31.

[3] Vgl. Venetianische Depeschen III, S. 463 f. Dieser Umschwung drückte
sich sehr deutlich in Maximilian's Briefe an Erzherzog Carl, ddo. Ebers-
dorf, 30. October 1569, aus, in welchem er ‚die Nutzlosigkeit solcher Col-
lationes und Colloquiae' bespricht; vgl. Hopfen, a. a. O., S. 331.

[4] Strein (auch Streun, nie aber Stein, wie ihn Hopfen, a. a. O., S. 145,
nennt) stammt aus einem der ältesten österreichischen Adelsgeschlechter
her. Längstens seit 1571 versah er das verantwortungsvolle Amt eines
Präsidenten der Hofkammer. Im Jahre 1587 vertrat er bei der polnischen

Seine ausführlichen Berichte, die er im Jahre 1571 gelegentlich der Uebersendung der Religionsassecuration[1] und dann
im Jahre 1578, als die Stände gegen die von Kaiser Rudolf II.
verfügte Aufhebung des Religionswesens in der Stadt Wien
Sturm liefen, über seine mit Kaiser Maximilian II. geführten
geheimen Verhandlungen verfasste,[2] lüften den Schleier, der
bisher über den grössten Theil derselben gebreitet war.[3]

Als Chyträus am Tage der heiligen drei Könige des
Jahres 1569 in Oesterreich eingetroffen war, hatte Christof
Reuter über Aufforderung der ständischen Deputirten bereits
eine Agende ‚als Fürarbeit zu künftiger Handlung' entworfen.
Dieses Concept, das der Kaiser auf sein Begehren vom Land-
marschall überreicht erhalten hatte, scheint keineswegs seine

---

Königswahl in Warschau die Candidatur des Erzherzogs Matthias und
wurde auch sonst noch zu wichtigen diplomatischen Missionen betraut.
Unter Kaiser Rudolf II. versah er bis zu seinem Tode (8. November 1600)
die Würde eines Curators der kaiserlichen Hofbibliothek zu Wien. Nicht
minder verdient seine gelehrte Thätigkeit hervorgehoben zu werden.
Wenn er sich auch durch seine zahlreichen historischen, genealogischen
und politischen Schriften keinen ersten Platz errungen hat, ist ihm doch,
wie Hormayer bemerkt, ‚die Geschichte Oesterreichs die Rettung unzäh-
liger Denkmale schuldig, welche sonst durch den Vandalismus für immer
verloren gegangen wären'. Das n.-ö. Landesarchiv in Wien und das
o.-ö. Landesarchiv in Linz enthalten viele Werke von ihm. Einige
staatsmännische Schriften, darunter das interessante, an den Erzherzog
Matthias gerichtete ‚Gutbedunken wegen des Bauernaufstand anno 1598'
ddo. Freidegg, 12. Februar 1588, sind in der Kaltenbäck'schen Oesterr.
Zeitschrift für Geschichts- und Staatskunde (I und III) abgedruckt. Vgl.
über ihn Haselbach, Richard Freiherr von Strein in den Blättern des Vereines für Landeskunde von Nieder-Oesterr., Neue Folge II, 1868, S. 89 f.,
107 f. u. 120 f.; F. Krakowitzer, Das Schlüsselburger Archiv im 37. Bericht
über das Museum Francisco-Carolinum, 1879, S. 8 f. Stieve, Die Verhandlungen über die Nachfolge Kaiser Rudolfs II. in den Abhandlungen der
königl. bairischen Akademie der Wissenschaft, 15. Band, 1880, S. 26 f.

[1] ‚Herrn Reicharten Streins letztes Schreiben an die Herrn Deputirten ...
den 14. Januari anno etc. 1571 zu Prag datirt.' Cod. 8314, Fol. 1—6.

[2] ‚Herrn Reicharten Streins Relation, was zwischen weil. Kaiser Maximilian den Andern hochl. Ged. und den zweien Ständen von Herrn und
Ritterschaft in Oesterreich u. d. E. in Religionssachen de anno 68 bis
in das 76. Jahr, in welchem Jahr I. k. M. tödtlich abgangen, durch ihn
Herrn Strein allenthalben gehandlet worden.' s. d. (1578, Juni); ebenda
285—291.

[3] Einiges bringt Hopfen durch die Veröffentlichung von Gienger's Gutachten
‚Summari Verzaichnus etc.', ddo. 1. August 1570; vgl. a. a. O., S. 343 f.

volle Billigung gefunden zu haben, wenn sich auch die Stände
dadurch, wie sie später behaupteten, bei ihm von dem Verdachte reinwuschen, ,als ob sie nicht allerdings der A. C., sondern etwa fremde Opinionen vor sich hätten und keine Ordnung
leiden möchten'. Der Kaiser, von der Ankunft des Chyträus
in Kenntniss gesetzt, fand es ,aus sondern Ursachen', unter
denen die Anwesenheit des Cardinals Commendone gewiss den
ersten Platz eingenommen hatte, für gerathen, ,dass die Sache
nicht allhier, sondern auf dem Land fürgenommen würde'.[1]
So begab sich also Chyträus nach Spitz, wo er im Schlosse
des Ritters Leonhard von Kirchberg bis nach Ostern verblieb
und im Vereine mit Reuter nach den besonderen Weisungen
des Kaisers eine evangelische Kirchenordnung ausarbeitete. Er
benützte dazu die Sächsische (1528), Nürnbergische (1530) und
Brandenburgische Agende (1540), das Agendenbüchlein von
Veit Dietrich (1543), die vom Erzbischof Hermann von Köln
sanctionirte Reformation (1543) und die Pfalz-Zweibrücken'sche
Kirchenordnung (1557).[2]

Ende Februar war sie bereits fertiggestellt[3] und wurde,
bevor sie an die Stände gelangte, dem Kaiser vom Landmarschall ganz im Geheimen — nicht einmal die Stände durften
etwas davon wissen — allein mit Vorwissen der geheimen
Räthe Strein und Zasius zur Durchsicht übergeben.[4] Es war
eine sehr umfangreiche Arbeit; denn sie enthielt nicht blos
,die Ceremonialia', sondern auch ,das ganze Doctrinal, Instruction des Consistorii, Examen theologicum und anderes'. Noch
vor Ostern fuhren Chyträus und Reuter nach Wien und übergaben ihr Concept den ständischen Deputirten, die dasselbe
wieder dem im vorigen Landtage gewählten und jetzt einbe-
rufenen grossen Ausschuss von 24 Personen vorlegten. Nachdem das Elaborat von diesem corrigirt und approbirt worden
war, wurde es am 29. April von den Deputirten nebst einer
ziemlichen Anzahl von Landleuten dem Kaiser in feierlicher
Audienz überreicht, hierauf von Strein und Weber, sowie
dem Landmarschall in aller Stille auf Weber's Schloss Bisam-

---

[1] Relation der Deputirten, ddo. 8. März 1575.

[2] Vgl. Otto, a. a. O., S. 83; Hopfen, a. a. O., 148.

[3] Sie erschien auch im Jahre 1578 zu Rostock im Druck; vgl. Otto, a. a. O.,
S. 40 f.

[4] Vgl. Otto, a. a. O., S. 34; Hopfen, a. a. O., S. 148.

berg durchberathen, theilweise geändert und den Deputirten
‚insgeheim und im Vertrauen‘ mit der Bemerkung wieder zurückgestellt, die k. M. begehre, ‚dieweil die Agenda allein ein Cere-
monial- und nicht Doctrinalbuch sein soll‘, dass sie ‚die Doc-
trinalia und anders in diesem Buch auslassen und allein die
Ceremonialia darinnen behalten sollen‘.[1] Der Kaiser hatte sich
schon bei der ersten Einsichtnahme in diesem Sinne geäussert,
doch war damals, offenbar weil dieselbe ohne Vorwissen der
Stände geschehen, und sie daher auch nachträglich nichts davon
wissen sollten, noch keine Aenderung erfolgt. Den Deputirten
fiel diese Verordnung sehr beschwerlich, und erst als ihnen
nach einigen Debatten die Zusicherung gegeben wurde, ‚dass sie
ein sonders Doctrinal aufrichten, darinnen die richtige, reine
Lehre und Gegenlehre, thesim et antithesim setzen sollen und
mögen und sie auch darüber insonders des Doctrinals halben
assecuriert werden sollen‘, nahmen sie das Werk wieder zur
Hand und brachten es in eine neue Form, nachdem sie vor
Allem die Lehrpunkte, die Consistorial- und Examinationsord-
nung ausgeschieden hatten.[2]

Hierauf übermittelten die Deputirten dem Kaiser ihre
100 Bogenblätter starken ‚Schriftlichen Bedenken, Begriff und
Fürarbeit, darnach eine Kirchenagenda in diesem Lande für
sie die zwei Stände angerichtet werden möcht‘[3] in zwei gleichlautenden Exemplaren, wovon das eine bei Hofe blieb, das
andere wieder den Ständen zurückgestellt wurde, und knüpften
daran die Bitte, ihnen nunmehr die Assecuration zu ertheilen.[4]

Doch diese erfolgte nicht. In dem Decrete vom 26. Juli
1569 gab der Kaiser dem Wunsche Ausdruck, dass nach der
‚aus eingefallenen Verhinderungen‘ erfolgten Einstellung und
Suspendirung des Religionstractates ‚die Sachen dermassen geschaffen wären, auf dass sich I. M. der Stände Begehren nach
ausserhalb aller ferneren Tractation jetzo alsbald entschliessen

---

[1] Relation der Deputirten, ddo. 8. März 1575; Strein's Relation 1573.

[2] Relation der Deputirten, ddo. 8. März 1575,

[3] Kaiserliches Decret an die Stände, ddo. 26. Juli 1569; n.-ö. Landesarchiv, B. 3. 26, Abschrift.

[4] Relation der Deputirten, ddo. 8. März 1575, Zasius schrieb am 10. Juli
1569 dem Herzog Albrecht von Baiern, es sei ihm unmöglich, diese
‚österreichische Religionsschrift‘ zu übersenden, ‚weil I. M. es bisher in
enger Geheim erhalten‘; vgl. Hopfen, a. a. O., S. 324.

möchten'. Doch befinde er ihre Bitte ‚in mehr Weg so hoch-
wichtig, zum Theil auch weitern Bedenkens nöthig und ein
solch Werk sein, daran vieler tausend christglaubiger Menschen-
seelen Heil und Seligkeit, also dass I. k. M. hierüber zeitlichs
und geraumes stattlichs Bedachts wolbedürfen, und will I. k. M.
als obristem weltlichem Haupt der Christenheit in Kraft ihres
tragenden kaiserlichen, königlichen und landesfürstlichen Amtes
in allweg gebüren, hierinnen aufs allerbedächtlichste fürzugehn
und zu handlen und also dies grosse Werk der unvermeidlichen
Nothdurft nach in fernern Bedacht zu nehmen und sich mit
ehester Möglichkeit hierüber gnädigst zu resolviern'. Da er in
wichtigen Regierungsgeschäften demnächst verreisen müsse,
mögen die Stände sich gedulden, unterdessen sich aller ‚ver-
botenen Secten und Neuerungen' enthalten, in seiner Hauptstadt
Wien ‚keine Prädicanten an keinem Ort aufstellen' und sich
aller Schmähungen und Lästerungen der Katholischen enthalten.
Er wolle inzwischen die verfasste Kirchenordnung ‚durch etliche
erfahrne, fromme, gelehrte, schiedliche und friedliebende Theologen und Personen' berathschlagen lassen.[1]

In Wahrheit hatte ihm die von Chyträus und Reuter verfasste Agende nicht sonderlich gut gefallen, und er dieselbe
nur als eine Vorarbeit betrachtet,[2] denn sie setzte — was er
eben vermeiden wollte — eine vollständig getrennte, protestantische Kirche voraus. Viel zu dieser ablehnenden Haltung des
Kaisers werden auch einige seiner geheimen Räthe beigetragen
haben. Namentlich der alte Gienger, mit dem er alle Verhandlungen über das Trienter Concil, die Priesterehe und den Laien-
kelch gearbeitet hatte, und auf dessen Rath er grosses Gewicht
legte, hatte dagegen gesprochen und die Abweisung des ständischen Begehrens beantragt.[3] Auch Zasius konnte sich mit
der jetzigen Lage der Dinge, da nicht mehr Vermittlung, sondern Toleranz das Schlagwort bildete, nicht sehr befreunden.
Die von den Ständen begehrte Assecuration wird ihm als eine
besonders gefährliche Sache erschienen sein, die man, wenn
sie durchaus erfolgen sollte — das war auch der Standpunkt
des Kaisers — so lange als nur möglich aufhalten musste.

---

[1] Vgl. oben, S. 146, Anm. 3.
[2] Zasius an Herzog Albrecht von Baiern, ddo. 31. Juli 1569; vgl. Hopfen,
a. a. O., S. 334.
[3] Ebenda, S. 345.

Aus seiner Feder rührt auch das eben erwähnte Decret her,
womit die Stände mit ihrem Ansuchen auf spätere Zeit
vertröstet wurden.[1] Am 13. August erhielten die Stände eine
kaiserliche Resolution des Inhalts, dass er ihnen ein Consistorium sammt einem Superintendenten, sowie eine eigene Kirche
zu Wien nicht bewilligen könne.[2] Drei Tage darauf reiste
Chyträus mit einem Dankschreiben des Kaisers von Wien ab.[3]

Maximilian II. begab sich noch im selben Monate nach
Pressburg.[4] Von dort aus sandte er Weber nach Wien zu
Gienger und forderte dessen Bericht über die Kirchenagende
des Chyträus ab, die nach dem abweislichen Bescheide vom
26. Juli auf Grund der von Gienger zusammengestellten Mängel
von den Ständen neuerdings ,in etlichen Artikeln verändert‘
und hierauf durch den Landmarschall dem Kaiser dorthin nachgeschickt worden war. Gienger kam alsbald dieser Aufforderung
nach und verfasste ein Gutachten, das nicht viel besser ausgefallen sein wird als sein erstes. Seine leitende Idee, die auch in
seinem späteren Referate vom 22. (12.) December zum Ausdrucke gelangte, blieb unverrückt dieselbe: es sollte ,durch der
k. M. gnädigste Beförderung die strittige Religion nochmals
durch ein gemein Werk und Reichshandlung zu christlicher
Vergleichung oder doch in bessern Stand gebracht und dadurch
der Oesterreicher unzeitig, unvollkommen, mangelhaftig und sehr
sorglich Werk länger eingestellt und damit besserer Gelegenheit erwartet werden‘.[5] Das war gewiss auch Kaiser Maximilian’s Herzenswunsch; doch ein Zurückgehen gab es jetzt nicht
mehr. Die Stände hatten sich schlauer Weise bezüglich der
Zahlung der Hofschulden an keinen bestimmten Termin gebunden, sondern nur so viel zu zahlen versprochen, als dies die
Einkünfte des Landes zuliessen. Damit hatten sie auch das Heft
in Händen: sie zahlten ganz einfach nicht früher, bis sie nicht
die Assecuration in der Hand hatten.[6] Bis zu diesem Zeitpunkte

---

[1] Zasius an Herzog Albrecht von Baiern, ddo. Wien, 31. Juli 1569; vgl.
Hopfen, a. a. O., S. 325.

[2] Vgl. Otto, a. a. O., S. 37.

[3] Ebenda, S. 40.

[4] Er reiste am 17. August von Wien ab und kam erst am 31. October
wieder zurück; vgl. Venetianische Depeschen III, S. 488, Anm. 2.

[5] Gienger’s Gutachten; vgl. Hopfen, a. a. O., S. 347.

[6] In der Steiermark lagen die Dinge ganz genau so wie hier; vgl. Loserth,
a. a. O., S. 160.

hatten sie noch keinen Pfennig ausgelegt. Im nächsten Landtage des Jahres 1570 kam es deshalb zwischen den kaiserlichen Commissären und den die Zahlung verweigernden Ständen zu längeren Auseinandersetzungen.[1] Und erst in den Landtagsverhandlungen des nächsten Jahres, zwei Monate nach der Ertheilung der Assecuration, stossen wir auf die Nachricht, dass die Stände etwas, wenn auch sehr wenig gezahlt hatten.[2] Unter diesen Umständen erklärt es sich wohl, dass der Kaiser, sosehr er sich auch gegen die Assecurirung sträuben mochte,[3] doch diese Consequenz aus der Concession zu ziehen sich genöthigt sah.

5. Die Ausfertigung der Assecuration.

Als der Kaiser nach einem kurzen Aufenthalt in Wien gegen Schluss des Jahres 1569 nach Prag übersiedelt war,[4] stand man schon so weit, dass die Agenda ,über die beschehene vertrauliche Communication wenig Bedenkens mehr auf sich gehabt', worauf sie zusammengefasst und von den Deputirten dem am Hofe weilenden Strein ,neben noch zweier Artikeln von Bann und Besuchung der Kranken und der Präfation, so bievor nicht verfasst noch versehen gewesen', überschickt wurde, um sie dem Kaiser mit der Bitte zu überantworten, ,die Stände sowohl der verwilligten Augsburgerischen Confession, als der Agenda und Doctrinal halber der Nothdurft nach für sich selbst und ihre Erben zu assecuriern und zu vergewissern'. Die Agenda wurde nun abermals durch Weber und Strein durchgesehen, welche dann einige Bedenken, die sie noch dagegen hatten, auf kaiserlichen Befehl den Deputirten schriftlich mittheilten. Diese erklärten sich damit einverstanden, ,doch dergestalt, dieweil die Lehre allerdings von den Ceremonien abgesondert wurde, dass ihnen bevorstehe, wie auch solches in

---

[1] N.-ö. Landesarchiv, Landtagsverhandlungen vom 15. März bis 15. April 1570.

[2] Ebenda, 14. März 1571.

[3] Vgl. den Brief Kaiser Maximilians II. an Erzherzog Carl, ddo. Wien, 13. September 1571, worin er diesem den Rath gibt, ,alle äusserste erdenkliche Mittel und Weg' zu versuchen, bevor er in eine schriftliche Assecuration willige; vgl. Hopfen, a. a. O., S. 354 f.

[4] Er hatte Wien am 28. November verlassen und war am 15. December dort angekommen, wo er vier Tage später den Landtag eröffnete; vgl. Venetianische Depeschen III, S. 489, Anm. 1.

der ersten Tractation[1] wäre verwilligt worden, derwegen ein sonders Doctrinal zu verfassen'.

Darauf erhielt Strein vom Kaiser eine Abschrift der von Zasius verfertigten Assecuration zugestellt, in welcher die Generalclausel: ,in ihren Schlössern, Häusern und Gebieten' enthalten war, mit der aber die Deputirten, die sich darüber im Landtage mit dem ganzen Ausschusse berathen hatten, ,nicht aufrieden gewesen, sondern eine andere Note verfasst und obwohl sie es darin bei der Generalität vorgemeldeter Clausel verbleiben hessen, so haben sie doch daneben in dieser Assecuration die Agenda, Doctrinal, Instruction, Anordnung und Deputation einzuverleiben und etliche andere Correctur zu thun begehrt'.

Mittlerweile wurde die Kirchenordnung ,der Correctur gemäss' reingeschrieben, nach Prag geschickt und von Strein dem Kaiser am Ostersonntag des Jahres 1570 ,in dem Oratorio' überreicht, der diese darauf durch einen eigenen Courier zu Gienger nach Enns zur neuerlichen Begutachtung senden liess. Als dessen Bericht darüber eingelangt war, wurde sie in der letzten Fassung ,ausser des Lieds: Erhalt uns, Herr, so ausgelassen werden soll', approbirt. Die Assecuration wurde auf Befehl Kaiser Maximilians neu concipirt, und zwar ,etwas kürzer als die vorige und ohne Inserirung der Agenda und des Doctrinals', und hierauf sammt der Agende dem zu diesem Zwecke von den Deputirten aus ihrer Mitte nach Prag abgefertigten Rüdiger von Starhemberg durch Strein zugestellt.[2] Nachdem dann noch die Frage einige Schwierigkeiten bereitete, ,ob die Agenda solle gedruckt und publiciert oder allein in mehr Exemplaria abgeschrieben und privatim ausgetheilt werden', willigte endlich der Kaiser in die Drucklegung derselben, doch unter der Bedingung, dass die Vorrede, ,darin I. k. M. und der Stände Namen ausgelassen werden soll', dahin geändert und der Druck ,in der Still' angestellt werden sollte.

Es hätte nun die officielle Ausfertigung der Assecuration erfolgen können, wenn sich die Deputirten mit dem bisher

---

[1] Vgl. oben, S. 146.

[2] Sie ist vom 30. Mai 1570 (Prag) datirt. Abschriften im Staatsarchiv (Beilage F des ,Summarium') und im Landesarchiv B. 3. 26. Vgl. auch Otto, a. a. O., S. 42.

Erreichten zufrieden gegeben hätten.[1] Sie hatten aber noch allerlei Bedenken, und zwar bezüglich der Agende: ‚dass der Stände in der Präfation nicht solle gedacht werden‘, welchen Einwand sie aber ‚über beschehene Erläuterung‘ fallen liessen, und bezüglich der Assecuration: ‚erstlich, dass gemeldet wurde, dass allerlei Secten im Lande eingerissen, deren sie sich ihresteils nicht teilhaftig wissen, zum andern dieweil ihnen allein in ihren eigenen Häusern und Gütern der Religionsgebrauch zu-

---

[1] So erklärt sich, wie man aus dem Folgenden sehen wird, die Verzögerung vom 30. Mai 1570, dem Datum der ersten Ausfertigung, bis zum 14. Jänner 1571, dem der zweiten und schliesslichen, auf ganz natürliche Weise; und man braucht nicht, wie Otto (a. a. O., S. 43; vgl. auch Hopfen, a. a. O., S. 150) den Aufschub damit zu begründen, dass der Kaiser die Vermählung seiner Töchter Anna und Elisabeth an zwei streng katholische Regenten, Philipp II. von Spanien (12. November) und Karl IX. von Frankreich (26. November) vorübergehen lassen wollte; ausserdem die beiden Stände noch vor der wirklichen Ausfertigung einen Betrag von 990.000 fl. aufzubringen hatten. Der letztere Grund ist jedenfalls vollständig hinfällig. Otto hat sich hiebei auf Fitzinger (Versuch einer Geschichte des alten n.-ö. Landhauses 1869, S. 16) und dieser wiederum ohne nähere Bezeichnung auf ein Bergenstamm'sches Manuscript besogen. Sich auf ein solches zu berufen, ist allerdings eine gefährliche Sache, da Bergenstamm äusserst selten seine Quelle angibt und man daher auf den guten Glauben angewiesen ist. In diesem Falle wird die Quelle nicht weit zu suchen sein: es ist Raupach (a. a. O., S. 123), der sich diesmal trotz seiner sonstigen ausserordentlichen Genauigkeit geirrt hat. Er hat nämlich diese Notiz aus Stratemannus, (Theatrum historicum etc., 1696, S. 819) geschöpft. Wie verlässlich übrigens diese Quelle ist, zeigt gleich das Jahr 1569 als Jahresdatum der Mitteilung der Concession. Nun beziehen sich aber die im 2. Absatz nachher angeführten 9 Tonnen Goldgulden gar nicht auf Kaiser Maximilian und Oesterreich unter der Enns, sondern auf Erzherzog Carl und die Steiermark. So kam es, dass diese 900.000 fl., denen Bergenstamm oder Fitzinger wohl durch einen Lesefehler noch 90.000 hinzugefügt hatte, bis auf die jüngste Zeit Erwähnung finden, z. B. bei Deutsch, Zur Geschichte der Reformation in Oesterreich-Ungarn (Jahrbuch der Gesellschaft für Geschichte des Protestantismus in Oesterreich X, 1889, S. 180). Den Ständen wird es übrigens schwerlich eingefallen sein, eine so horrende Summe auf einmal zu erlegen, ohne vorher die Assecuration in Händen gehabt zu haben. Die Landtagsverhandlungen (siehe oben S. 149, Anm. 2) bestätigen dies auch, indem aus denselben hervorgeht, dass die Stände bis zum Jahre 1570 gar nichts, im Jahre 1571 aber nur wenig gezahlt hatten. So ist auch nicht richtig, dass, wie Ritter (Deutsche Geschichte I, S. 405) behauptet, die Ausfertigung wegen der Abreise des Kaisers nach Speier unterblieb.

gelassen, dass dadurch die Pfandschafter und Bestandleut ausgeschlossen würden, zum dritten, dass sie sich der Religion in
ihren Schlössern, Häusern und Gütern, doch ausser I. M. Städt
und Märkt gebrauchen sollen, welches darum beschwerlich,
dieweil ihnen in ihren Häusern zu Wien zu predigen hievor
zugelassen und hiedurch wieder eingestellt würde,[1] zum vierten,
dass in der Assecuration weder der Agenda noch des Doctrinals Meldung beschehe'. Zugleich machten sie sich erbötig, das
Doctrinale vor der Publication den Universitäten Rostock, Wittenberg und Tübingen zur Censur vorzulegen.[2]

Während so die Verhandlungen zwischen dem Hofe und
den Ständen ihren ruhigen Verlauf nahmen, trat ganz plötzlich
ein Ereigniss dazwischen, das die zwei Stände in grosse Aufregung versetzte und auch den Kaiser, der mittlerweile nach
Speier gereist war[3] und den dortigen Reichstag am 13. Juli 1570
eröffnet hatte,[4] sehr unangenehm berühren musste. Die Stände
hatten auf Grund der kaiserlichen Bewilligung im Scheibenhof
in der Nähe von Stein eine Druckerei errichtet, um die Kirchenordnung zu publiciren. Da erging am 7. September über
Befehl des Statthalters Erzherzog Carl[5] von der Regierung im
Namen des Kaisers ein ‚offenes Patent' an alle Obrigkeiten,
worin denselben bekanntgegeben wurde, ‚wie etliche Personen
sich unterstehen sollen, eine ungewöhnliche, verbotene und
heimliche Druckerei am Scheibenhof bei Stein aufzurichten und
daselbst ihres Gefallens Bücher zu drucken, daraus mehrerlei
Nachteil zu besorgen und zeitliche Einsehung vonnöthen'. Der
Untermarschall der niederösterreichischen Regierung, Hans
Hohenberger, und der kaiserliche Thürhüter, Georg Siben-
bürger, wurden gleichzeitig beauftragt, ‚dass sie solch neue
Druckerei aufheben, die Personen, so sich dessen unterstanden,
in Verwahrung bringen, was gedruckt ist, zu ihren Handen

---

[1] Das war eben nicht richtig; vgl. unten, S. 158.

[2] Strein's Relation 1578. Diese vier Punkte führt auch die ständische Petition an den Kaiser vom 6. Juni 1578 an; Cod. fol. 232 f.

[3] Er hatte Prag am 1. Juni verlassen und war dort am 18. eingetroffen;
vgl. Venetianische Depeschen III, S. 391, Anm. 3.

[4] Vgl. Ritter, Deutsche Geschichte I, 432 f.

[5] Ueber seine Ernennung zum Statthalter während Kaiser Maximilian's
Abwesenheit von Wien, vgl. Venetianische Depeschen III, S. 488,
Anm. 2.

nehmen, den Druckereizeug aber und was sonsten vorhanden ist, in Arrest legen sollen', und die Behörden angewiesen, den Beiden allen erforderlichen Beistand zu leisten.[1] Zwei Tage später, am 9. September, wurde der Buchdrucker Blasius Eber nebst seinen fünf Gesellen unter Intervention des Richters von Stein und etlicher bewaffneter Bürger im Scheibenhof verhaftet und nach Stein in den Arrest geführt, die Druckerei aber beschlagnahmt und versiegelt. Zu diesem Schritte war natürlich die Regierung, die von der kaiserlichen Genehmigung der Druckerei keine Kenntniss hatte, vollkommen berechtigt, denn der Artikel 6 der Religionsconcession enthielt ja die ausdrückliche Bestimmung, dass die Stände sich des Bücherdruckes zu enthalten hätten. Die ständischen Deputirten erhoben sofort in einer Eingabe an den Statthalter Protest gegen diese Massregelung und beriefen sich nach einer kurzen Darlegung ihrer bisherigen Verhandlungen mit dem Kaiser auf dessen Zugeständniss.[2] Das hatte zunächst nur den Erfolg, dass die Regierung dem Richter von Stein am 30. September 1570 befahl, strenge darauf zu sehen, dass die Arrestanten ,von männiglich unbeschwert und aller Gebür nach gehalten werden'.[3] Die Deputirten richteten überdies mehrere schriftliche Eingaben an den kaiserlichen Hof in Speier, zuletzt ordneten sie sogar einen Landmann dahin ab und baten den Strein, dass er ihre Be-

---

[1] Mit diesem Patente wurde also die Druckerei aufgehoben und nicht, wie es bei Raupach (a. a. O., I. Forts., S. 200) und dann auch bei Wiedemann (a. a. O. I, S. 348) und Otto (a. a. O., S. 48) heisst, errichtet. Der Irrthum rührt daher, dass Raupach, der auf Grund einer Bemerkung des Chyträus (Syst., S. 530) ganz richtig die Errichtung einer ständischen Druckerei in Stein angenommen hatte, sich verleiten liess, die in dem Index zu diesem Codex (siehe Vorwort, S. 116) verzeichnete Ueberschrift ,Offen Patent wegen der Buchdruckerei, den 7. September anno 70 erging' gerade verkehrt zu deuten.

[2] Cod. fol. 9'f.

[3] Ebenda, Fol. 11 f. Freigelassen wurden sie aber erst am 17. November auf Grund des kaiserlichen Befehles, ddo. Korneuburg, den 14. November 1570; ebenda, Fol. 11'. Dass es den Häftlingen übrigens nicht sehr schlecht gegangen ist, beweist die nach der Enthaftung gelegte Rechnung, welche für die sechs Personen vom 9. September bis 17. November 103 Gulden 4 Schilling für Speise, 34 Gulden 6 Schilling für Wein und 20 Gulden für Zimmer, Holz und Licht, also im Ganzen 159 fl. 15 kr. ausmachte; ebenda, Fol. 11'f.

schwerde sammt den über die Assecuration vorgefallenen Bedenken dem Kaiser vortragen möchte.[1]

Trotz der bevorstehenden Abreise[2] des Kaisers erhielt Strein auf sein ‚unaufhörlich und schier etwas ungestümes Anhalten‘ die Zustimmung zur Fortsetzung des Druckes und zur Abänderung der Assecuration nach den ständischerseits gestellten Anträgen mit Ausnahme des Punktes betreffs der Ausübung der Religionsfreiheit in den Städten und dann des Doctrinals. Strein bemühte sich, auch über diese zwei Punkte hinwegzukommen, ‚aber es war auf dem letzten Grad, wie man sagt, des Aufbruchs‘, so dass es zu keiner Erledigung mehr kam, und er auf Dinkelsbühl oder Nürnberg vertröstet wurde. Dazu kam noch, ‚dass, obwohl I. M. Resolution zu Speier begehrtermassen ergangen, doch die Sieglung allda von wegen des Kurfürsten von Mainz, in dessen Gewalt sie dazumal stund, nit hätte beschehen können‘. Denn sobald der Reichskanzler bei Hofe anwesend war, musste ihm das Siegel übergeben werden; und so wäre der Erzbischof Daniel in die sonderbare Lage versetzt worden, eine zu Gunsten der evangelischen Religion ausgestellte Urkunde siegeln und unterfertigen zu müssen, was er höchstwahrscheinlich verweigert hätte. Als man nach Dinkelsbühl gekommen war, ‚hat es sich von wegen Markgraf Jörg Friederichen Gegenwart und stätem Aufwarten bei I. M. nit schicken wollen‘. Erst in Nürnberg fand Strein Gelegenheit, dem Kaiser ‚mit genugsamer Ausführung‘ die beiden noch ausständigen Punkte neuerdings vorzutragen und um deren Genehmigung zu bitten, worauf sich dieser in gnädiger Weise dahin äusserte, Strein wisse sich zu erinnern, ‚dass I. M. derselben eigenthümliche Städte je und allweg bevorgenommen, wisse auch wol, was eine zeither bei etlichen ihren Predigten zu Wien für Unordnung fürgeloffen,[3] was auch I. M. in mehr Weg für Ungelegenheiten darauf berubeten, das hätten I. M. ihm zum oftermal gnädigst vertraut‘. ‚Strein,‘ fügte der Kaiser hinzu, ‚ich wüsste der Sachen wol recht zu thun, wann ich euer, meiner getreuen Unterthanen, die ihr ohne das erschöpft seid, nit verschonet, dann wir uns kaum von dem einen Feind aufhalten können; um mein Person,

---

[1] Relation der Deputirten, ddo. 8. März 1575.

[2] Dieselbe erfolgte am 18. December 1578; vgl. Venetianische Depeschen III, S. 512, Anm. 3.

[3] Siehe unten, S. 164 f.

glaubt mir, darum wär es mir nit zu thun'.[1] Strein replicirte, dass sich die Majestät allerdings die Städte und Märkte vorbehalten, es habe aber diese Beschränkung seinem Erachten nach diesen Sinn, ,dass die Städte sich beider Stände Concession nit hätten zu gebrauchen. Dass ihnen aber dadurch das exercitium religionis in den Städten verwehrt oder durch I. M. hiemit nit zugelassen sein sollte, wäre dem zu entgegnen, dass I. M. in derselben ersten Resolution, vergangen 68ten Jahrs im Landtag beschehen, beiden Ständen die Uebung der Lehr der Augsb. Confession frei und ungehindert ohne alle Exception zugelassen'. ,I. k. M. hätten sich auch,' fuhr er fort, ,gnädigst zu besinnen, wie beschwerlich es denen fallen würde, so I. M. beiwohnen oder sonst ihrer Dienst halben von Wien nit abkommen mögen, da sie ein ganz Jahr über der Predigten, auch Reichung und Verrichtung der Sacramente verzügen sein sollen oder mit was Ungelegenheit sie sich jederzeit auf das Land derwegen begeben müssten, geschweigen was bei männiglich, sonderlich denen im Reich für ein Nachgedenken bringen würde, da uns anjetzo das expresse verweigert, so hievor tacite zugesehen und nit verwehrt worden, dann unsere Widersacher darüber triumphieren, den andern aber unsers Teils das Herz ganz und gar entfallen würde, so verhoffe ich auch, da einige Unordnung bisher fürgeloffen, die I. k. M., wie ich verstünd, zuwider gewest wäre, es sollte derselben eben durch diese unser Anordnung der Agenda gewehrt und fürkommen werden, dazu so wollte I. k. M. ich dessen vergewissern, wann die Deputierten zu jederzeit verstehen würden, worin I. M. diesfalls offendiert und beleidigt werden möcht, dass sie das nach aller Möglichkeit würden abstellen, sonderlich da I. k. M. diese Sach in dem gnädigsten Vertrauen und Verstand wie bisher, und wie mir nit zweifelt, würden erhalten wollen, dabei dann allen dergleichen Unrath, der sich etwa bisher, dass man nit gewusst, woran man war, fürkommen'.[2]

---

[1] Strein fühlte sich bemüssigt, diese Worte besonders hervorzuheben, ,damit auch etwa unsere Nachkommen sehen, wie gutherzig es I. M. mit den Oesterreichern gemeint hat, gleichwol der Allmächtigkeit Gottes in wollen mehr und billicher getraut als auf alle menschliche rden soll, denn Fleisch ist Fleisch'.

Strein schlug dann noch, als er merkte, dass der Kaiser entschieden gegen die Weglassung des Zusatzes ‚doch ausser unserer Städte und Märkte‘ war, einen Mittelweg vor. Da nach seiner Ansicht der Kaiser mit dieser Clausel ja doch nur ‚den Zulauf abzustellen vermeinte‘, so sollte dieselbe bleiben, doch die Worte ‚ohne was ihre Häuser darin sein, darin sie für sich selbst, ihr Gesind und Zugehörige sich dieser Confession gebrauchen mögen etc.‘ hinzugefügt werden, womit aber nicht verstanden sein solle, ‚dass sie für sich selbst die Besuchung der Predigt den Bürgern wehren und abschaffen sollen‘.[1] Er unterliess auch nicht, auf Erzherzog Carl hinzuweisen, der den steirischen evangelischen Ständen die öffentliche Predigt in der Stiftskirche von Graz eingeräumt habe, und bat unter Ueberreichung eines Memoriales in diesem sowie in dem anderen Punkte bezüglich des Doctrinales, den er näher erläuterte, um einen gnädigen Bescheid. Maximilian versprach sein Möglichstes zu thun und sich unterwegs zu resolviren. Doch weder in Sulzbach, wo sich der Kaiser mit Weber darüber besprach, noch in Weiten und Pilsen konnte Strein trotz seines Anhaltens eine Resolution erhalten.

In Prag[2] endlich, am 13. Jänner 1571 erhielt er, nachdem der Kaiser auf seine neuerliche Werbung mit Weber conferirt hatte, durch Letzteren den erbetenen Bescheid: ‚Erstlich belangend die Druckerei, sei I. M. nochmals wie zu Speier mit Gnaden zufrieden, dass dieselbe fortgesetzt und mittlerweil, als I. M. hie sei, publiciert werde, wie dann I. M. dem Herrn Statthalter, damit wann es zu der Publicierung kommt, nit wieder Irrung einfallen, solches ad partem und mit eigner Hand zuschreiben wolle.[3] Die Forsetzung der Druckerei begehrten I. M. gnädigst, damit die zur Verschonung I. M. irgend auf der Märherischen Gränz beschehe, und dass gleichsfalls die Publicierung mit der Bescheidenheit fürgenommen werde, damit nit viel Getummels daraus erfolge, sondern I. M. achteten, dass am Weg

---

[1] Strein's Relation 1578.

[2] Am 10. Jänner 1571 dort eingelangt; vgl. Venetianische Depeschen III, S. 512, Anm. 3.

[3] Kaiserliches Decret an die n.-ö. Regierung, ddo. Prag, 10. Februar 1571, worin der Kaiser derselben auftrug, dass künftig Alles, was über die zwei evangelischen Stände oder deren Deputirte vorkäme, ‚zu Verhütung sonderer Beschwerd und Weitläufigkeit‘ ihm zuvor berichtet werde; Cod. fol. 12'.

sei, dass die Deputierten solche Austheilung unter die beiden Stände selbst thäten, also dass die Agenda nit dürfe zu feilem Platz kommen, die übrigen Exemplaria würden bei einer Landschaft Handen aufgehalten . . ., für das andere so soll der Artikel mit den einreissenden Secten begehrtermassen corrigiert werden, zum dritten, das Wort ,eigen' bei den Häusern und Schlössern ausgelassen und zum vierten die Agenda in specie vermeldet werden. Soviel aber belangt das Doctrinal, solches könnten L M. derzeit in die Assecuration nit kommen lassen, aus Ursach, dass es I. M. noch bisher nit gesehen. I. M. wären aber des gnädigsten Erbietens, hätten auch allbereit die Verordnung gethan, dass dem Strein derwegen ein Decret sollte gefertigt und zugestellt werden, wann solches durch die fürgeschlagnen Universitäten würde ersehen und I. M. hernacher fürgebracht, dass sich I. M. nit weniger, als mit der Agenda beschehen, mit allen Gnaden gegen beiden Stände verhalten wollten, die Stände auch nit Ursach haben, einigen Zweifel deshalb in L M. zu setzen. Letzlich bei dem Artikel mit den Städten könnten sich I. M. derzeit noch nit entschliessen, sondern sie wollten es bis zu I. M. .. Hinauskunft mit Gnaden angestellt haben und in dem Wesen wie bisher verbleiben lassen, alsdann wollten I. M. sehen, wie sich alle Sachen werden anlassen, auch nach Gelegenheit derselben sich mit Gnaden hernacher weiters deswegen erklären.'

Zu weiteren Zugeständnissen liess sich der Kaiser nicht herbei. Strein fand es für gerathen, nachdem er darüber noch mit Weber, ,der sich in diesem Handel ganz geneigt und in Summa als ein guter Landmann erzeigt hat', vertraulich conferirt hatte, derzeit nicht weiter in den Kaiser zu dringen, und erklärte sich zur Annahme der Assecuration und des Decretes über das Doctrinale bereit.[1] Was ihn hauptsächlich veranlasste, von seinem weiteren Begehren abzustehen, war eine sehr unliebsame Entdeckung, die er im Verlaufe seiner Unterredungen

---

[1] ,Mit dem Doctrinal und Städten,' sagt er über seine Bemühungen, ,glauben mir die Herren für gewiss, dass ich an mir in diesem so wenig als andern nichts hab erwinden lassen, und wills ohne Ruhm gemelt haben, man frag Doctor Weber, der wird sagen, wie er's denn gesagt hat, dass von keinem andern, was dennoch durch mich erhalten worden, hätte erhalten werden mögen, bei so unsäglichen Einwürfen und vielen Veränderungen der Gemüther, davon nit zu schreiben.'

mit dem Kaiser gemacht hatte. Nachdem er nämlich wiederholt
dem Kaiser vorgehalten hatte, ‚die Bewilligung anno 68 beschehen, die liess den Ständen das Exercitium Religionis aller
Orten zu‘, in welcher Meinung er auch durch ein Schreiben
der Deputirten bestärkt worden war, liess er sich, um seinen
Vorstellungen grösseren Nachdruck zu verleihen, vom Secretär
Unverzagt die Landtagsverhandlungen kommen und fand jetzt
zu seinem Erstaunen ‚gerade das Widerspiel‘, dass nämlich
‚I. M. sonderlich Wien, dieweil sie allda ihr Hoflager, mit ausdrücklichen Worten ausschleusst‘.[1] Er trug also Sorge, dass im
Falle seines heftigeren Drängens ‚solchen Schriften nachgesehen
und man ihm um so viel mehr mit Grund begegnet wäre‘.

Er war übrigens, wie er selbst gestand, froh, so viel erreicht zu haben, denn das Verhängniss wollte es, dass gerade
zu dieser Zeit in Linz ein Losenstein’scher Prädicant den Hofprediger der Königin von Polen gröblich insultirt hatte. Auch
tröstete er sich mit dem Gedanken, dass die beiden fraglichen
Punkte zu einer späteren Zeit in günstigem Sinne erledigt
würden und dann ‚jederzeit ein andere Assecuration mit Ver-
leibung dieser beiden Artikel gefertigt oder aber destwegen
ein Nebenschein genommen werden mag‘. Hatten einerseits die
jüngsten Ausschreitungen der evangelischen Stände und ihrer
Prediger seiner Ansicht nach viel zu dem wenig befriedigenden
Ausgang seiner Unterhandlungen beigetragen, so lag anderseits
die Schuld, wie es Strein den Ständen offen heraussagte, an
dem Kaiser selbst, der nämlich aus sehr begreiflichen Gründen
die Stände, ‚indem dass nit abgeschlagen und nit zugelassen
wird, in einer Sorg erhalten wollte‘;[2] denn auf diese Weise
erhielt er sich dieselben seinen ferneren Forderungen gefügig
und konnte auch grösseren Uebergriffen bei Anrichtung ihres
Religionswesens einigermassen steuern. Die Religionsassecuration
wurde nun nach den mit den Ständen vereinbarten Correcturen
in das Reine geschrieben, wobei der Secretär Unverzagt ‚durch
Uebersehung‘ die drei Worte: ‚in denen sie‘ ausliess. Es hätte
also der Wortlaut eigentlich lauten sollen: ‚Dass wir darauf

---

[1] Vgl. oben, S. 126 f. (Punkt 4 der Concession).

[2] Diese Worte erinnern unwillkürlich an den Rath, den Kaiser Maximilian II. dem Erzherzog Carl ertheilte, dass er sich nämlich den steirischen Ständen gegenüber so verhalten möge, dass er nichts abschlage,
aber doch auch nichts bewillige; vgl. Hopfen, a. a. O., S. 332.

letzlich ermelten beiden Ständen aus vielen hochbeweglichen Ursachen, sonderlich aber, damit den beschwerlichen jetzt hin und wider schwebenden Secten desto mehr in unsern nieder-österreichischen Landen gewehrt würde, gnädiglich bewilligt, ver-gönnt und endlich zugelassen, dass sie ... sich auf und in allen ihren Schlössern, Häusern und Gütern, doch ausser unserer Städt und Märkt, in denen sie für sich selbst, ihr Gesind und ihre Zugehörige, auf dem Lande aber und bei ihren zu-gehörigen Kirchen zugleich auch für ihre Unterthanen solcher Confession ... frei gebrauchen mögen etc.' Obwohl Strein diesen Fehler gleich merkte, so wollte er doch aus dem Grunde keine Einsprache dagegen erheben, weil nach seiner Meinung diese drei ausgelassenen Worte an dem Sinne selbst nichts änderten. ‚Und dann‘, fügte er hinzu, ‚da mens Imperatoris in diesem Fall sollte disputiert werden, so könnte man leichtlich aus diesen Worten erzwingen, dass die Zulassung in Städten sei für unser Gesind und Zugehörige, dieweil es auf dem Land für die Unter-thanen mit ausgedruckten Worten specificiert wierdet, wie dann alweg posterior relatio ad priorem sein muss.'[1]

Die Stände zogen auch thatsächlich unter Rudolf II. diese Folgerung und behaupteten in ihrer Petition vom 1. Juni 1578 allen Ernstes, es hätten ja die Worte ‚auf dem Lande aber auch für ihre Unterthanen‘ gar keinen Sinn, ganz ab-gesehen davon, dass die auf ihr Ansuchen erfolgte Correctur des ursprünglichen, in der früheren Assecuration vom 30. Mai 1570 enthaltenen Wortlautes (für sich und ihre Unterthanen und bei ihren zugehörigen Kirchen auf dem Lande) an und für sich beweise, dass nunmehr die Städte und Märkte als in die Concession einbezogen zu gelten hätten, weil ja sonst die erste Fassung beibehalten worden wäre. ‚Sollen sie aber‘, erklärten sie, ‚was bedeuten, so muss unwidersprechlich folgen, dass auf dem Land zugleich auch für die Unterthanen und in E. k. M. Städt und Märkten beide Stände in ihren Häusern für sich selbst, ihr Gesind und Zugehörige des exercitii reli-gionis befugt seien‘.[2] Aehnlich äusserten sie sich fünf Tage später: ‚Dass aber jetztgemelter von wegen der Städt und Märkt erklärter Anhang keinen andern als obbegriffnen Ver-stand haben könnte, das erscheint nit allein aus beiden Alter-

---

[1] Strein's Relation 1571.   [2] Cod. fol. 220.

ınd aber und zugleich), welche sonsten ge-
wider, weil alle andere beider Stände in-
eien Schlösser, Städte, Märkte oder Dörfer
en Worten (auf dem Land etc. und in allen
ıuzern und Gütern etc.) begriffen, gar ver-
. .'1

ı dem Strein nicht glückte, wesentliche Aen-
ıration zu Gunsten der Stände zu erwirken,
ıens einige ganz unbedeutende Zusätze zur
Iervorhebung einiger Worte durch. So kam
,die Lehre und Ceremonien . . . anstellen':
ıs die Ceremonien anstellen und in das Werk

r empfing Strein die langersehnte Asseccu-
leich mit einem an ihn adressirten Decret,
eilt wurde, dass S. M. dem Ansuchen der
Abfassung einer Lehrnorm für die evan-
ı Folge zu geben geneigt sei, doch solle
eten gemäss früher den drei Universitäten
ock und Tübingen zur Begutachtung über-
3. M. zur Entscheidung vorgelegt werden.'
der Asseccuration geschah in aller Stille
ıngere Zeit geheim gehalten worden sein.⁵
beide Schriftstücke zugleich mit seiner Rela-
und vergass auch nicht, ihnen einige wohl-
·e zu ertheilen. Als geeignetsten Ort für die
·uckes der Kirchenordnung empfahl er, da
·liche Anordnung an der mährischen Grenze

Vgl. auch die Bittschrift, ddo. 23. Juni; ebenda,

ı71; vgl. dazu Otto, a. a. O., S. 44.
ıuderem bei Otto, a. a. O., S. 45f.; vgl. auch S. 43.
ebenfalls eine Copie (Fol. 6).
l. Otto, a. a. O., S. 48.
72 machte der Kaiser dem Erzherzog Carl darüber
at, Niemandem etwas davon merken zu lassen. Die
·hütung von Weiterungen ,in grösster Enge bleiben';
)., S. 193. Selbst der gut informirte Eder kannte sie
78 nicht, wie aus seinem Briefwechsel mit Herzog
ı (Münchner Allgemeines Reichsarchiv, Religionsacta
. 6) hervorgeht.

stattfinden sollte, das dem Wolf von Liechtenstein gehörige Schloss Meidburg, damit ihnen nicht der Bischof oder der Landeshauptmann ‚ein neuen Lärmen' machte, und theilte ihnen zum Beweise, wie ihre Gegner ‚auf sie und ihr Thun lauern', im Vertrauen mit, dass gleich nach des Kaisers Ankunft in Prag der Burggraf Rosenberg diesem die Meldung erstattete, dass die Stände eine Zusammenkunft abgehalten und einen Ausschuss hieher zur Ueberreichung der Agende abgeordnet hätten, worauf aber der Kaiser die Bemerkung gemacht hätte: ‚Ich kenne meine Paschkaler wol, wann sie was dergleichen vorhätten, so wollt ich auch darum wissen.' Er rieth ihnen auch, Alles aufzubieten, dass die Prädicanten in Wien mit Bescheidenheit und Mass auftreten möchten, nur dann wäre es noch möglich, ‚unangesehen aller Teufelslist, ob Gott will, die Sachen dahin zu richten', dass er auch den Artikel bezüglich der Städte durchbrächte.

Zum Schlusse forderte er sie auf, ihm die Agende, falls sie bereits reingeschrieben, gefertigt zu übersenden, damit dieselbe dem Kaiser überreicht und in der Hofkanzlei hinterlegt werden könnte.[1]

6. Inhalt und Bedeutung der Concession und Assecuration. Weitere Zugeständnisse des Kaisers.

Am Tage der Ausfertigung der Assecuration erging auch an die Städte und Märkte ein kaiserliches Decret, worin denselben ihr Ansuchen um Zulassung der Augsburger Confession mit dem Hinweise auf die wiederholten früheren Entscheidungen abgeschlagen und die Erwartung ausgesprochen wurde, sie würden sich diesen gemäss verhalten und sich gehorsam erzeigen.[2] Für die Beweggründe zu dieser Ausschliessung liefern die Rathschläge und Ermahnungen des Kaisers an Erzherzog Carl, der sich in einer ganz ähnlichen Situation den steirischen Ständen gegenüber befand, einen ausführlichen Commentar. ‚Denn solle,' schreibt er ihm, ‚den Städten und Märkten gleiches Nachsehen in der Religion geschehen, so hätten E. L. besorglich mit allein in kurz den Abfall der katholischen Reli-

[1] Stein's Relation 1571.
[2] Beilage Q des ‚Instrumentum'.

gion, sondern auch das zu gewarten, dass neben Abnehmung
des schuldigen Gehorsams gegen E. L. die Städte und Märkte
nichts anders, denn eine Aufhaltung, Versammlung und Erzie-
lung aller bösen, verbotnen und verführerischen Secten sein
und ein jeder Burger und Inwohner in Städten das thun würde
und vielleicht müsse, das von einer Zeit zur andern ein Burger-
meister oder Vorgeher der Stadt entweder schaffen oder mit
Fleiss oder aber durch Nachlässigkeit nachsehen, verstatten
und zugeben würde.' Die Folge davon würde sein, dass sie
,schier alle Jahr einen neuen Glauben und Seelsorger haben
und annehmen müssen'.[1] Die Stände nahmen sich auch, wie es
der Kaiser erwartet hatte, des vierten Standes weiter nicht
mehr an,[2] und so war der Kaiser einer grossen Sorge enthoben:
die Assecuration blieb wenigstens auf einen verhältnissmässig
kleinen Theil des Landes beschränkt, wenn er schon sonst nichts
mehr dagegen machen konnte. Befreundet hat er sich wohl
nie mit ihr, aber der Gedanke mochte ihn trösten, dass sie eben
nur ein Provisorium und im Grunde genommen noch ein ganz
glimpflicher Ausweg war; denn er hatte den zwei Ständen,
wie er das mit gutem Gewissen behaupten konnte,[3] bei Weitem
nicht so viel eingeräumt, als manche — vor Allen sie selbst —
glaubten, und sich kluger Weise noch einige Zugeständnisse
zurückbehalten.

Vorderhand — und diesen Zweck hatte er erreicht —
waren die Stände, wenigstens die Mehrheit, zufriedengestellt.
Denn einige, wie z. B. Carl von Zelking, scheinen heftige Opposition gemacht zu haben. Das ist auch der eigentliche Grund,
weshalb der vom Kaiser in der Assecuration verlangte Revers
noch am 16. September 1572 nicht gefertigt und dem Kaiser
übergeben worden war. Die Fertigung desselben wäre gewiss
auch damals nicht in der Sitzung beschlossen worden, hätten
sie nicht zur Erlangung einer offenen Kirche in Wien, um die
sie anhalten wollten, die Fürsprache Strein's benöthigt, der ihnen
dieselbe aber aus dem Grunde abschlug, weil er durch die bisherige Vorenthaltung des versprochenen Reverses vor dem

---

[1] ddo. Wien, den 3. Jänner 1572; vgl. Hopfen, a. a. O., S. 359.

[2] Zum Unterschiede von den steirischen Ständen, die sich wenigstens im
Anfange sehr energisch für die Städte einsetzten; vgl. Loserth, a. a. O.,
S. 180 f.

[3] z. B. zum Bischof Urban von Passau; vgl. Hopfen, a. a. O., S. 152 u. 154.

Kaiser, der darob ,Missfallen trage', als ein ,unwahrhafter Mann'
dastünde.[1] Der letze Versuch, den der Landmarschall machte,
um der Assecuration den gewünschten Sinn zu geben, indem er
im Texte des von Strein verfassten Reverses nach den Worten:
,doch ausser unserer Städt und Märkte' den Zusatz machte:
,darin wir nicht Häuser haben', missglückte, denn er wurde
vom Kaiser gestrichen.[2] Indessen ob die Stände zufrieden waren
oder nicht: sie kümmerten sich sehr wenig um den Inhalt der
Assecuration und legten die Worte derselben, dass sie sich der
Confession ,frei gebrauchen' könnten, so frei als nur möglich
aus, während der Kaiser, wie ihnen dies Strein später erklärte,
damit nur ,ohne Scheuch, Sorg, Gefahr und Hinderung' gemeint,
nicht aber, wie die Stände dachten und auch darnach vorgingen,
mit diesen Worten die schrankenlose Ausübung, wie z. B. den
Zugang fremden, nicht zu ihnen gehörenden Volkes zu ihren
gottesdienstlichen Handlungen gestattet hatte.[3] Welche Rechte
ihnen eigentlich die Religions-Concession und Assecuration gewährten, lernten die Meisten erst unter Kaiser Rudolf II., der
sich streng an den Wortlaut derselben hielt, kennen. In den
Städten und Märkten hessen sie ganz ungescheut den evangelischen Gottesdienst ausüben, an welchem sich auch Bürger und

---

[1] N.-ö. Landesarchiv, Concept, B. 3. 24. Das von Otto (a. a. O., S. 47) angegebene Datum vom 4. Februar 1572 kann daher unmöglich der Wirklichkeit entsprechen. Wenn er das Concept, das er auch citirt hat (a. a. O.,
S. 51) angesehen hätte, so wäre er auf diesen Widerspruch gekommen.
Wie das genannte Datum in diese Copie, die sonst alle ohne eingesetzte
Daten sind, hineingekommen, ist eine andere Frage. Sicher ist eines, dass
auch nach dem 16. September 1572, an welchem Tage die Fertigung des
Reverses betrieben wurde, noch eine geraume Zeit verstrichen sein muss,
bis derselbe dem Kaiser überreicht werden konnte; es findet sich näm-
lich in den Acten des Landesarchivs (B. 3. 24) folgender Vermerk: ,Die
Fertiger des Ritterstand, so den Revers heut, den 22. Tag Februarii a.
73 entzeschreiben: Herr Sigmund Niclas von Aursperg, Wolf Wilh. von
Althan, Serv. von Neydegg, Leonh. Neuhoffer, Christof von Kundtsperg,
Wolfh. Pernestorffer.' Sie scheint aber überhaupt gar nicht zu Stande
gekommen zu sein.

[2] Das Originalconcept von Strein befindet sich im ,Summarium' als Beilage 4; daselbst auch zwei Copien des von dem Landmarschall geänderten
Reverses. Die Streichung dieses Zusatzes erwähnt auch der Erzherzog
Matthias in seinem Gutachten an Kaiser Rudolf II. vom Jahre 1604; vgl.
darüber Otto, a. a. O., S. 47.

[3] Strein's Bericht 1585.

Handwerker betheiligten.[1] Da Maximilian II. ein milder und
gnädiger Herr war, kümmerten sie sich auch nicht viel um seine
Verordnungen und liessen sich allerlei Ueberschreitungen der
Assecuration zu Schulden kommen, gewiss nicht zu ihrem Vortheile. Denn darüber kann kein Zweifel herrschen — und das
gab ihnen auch Strein zu verstehen —, dass ihnen der Kaiser
sicherlich noch grössere Zugeständnisse, mindestens dieselben, die
Erzherzog Carl den steirischen Ständen ertheilt hatte, gemacht
hätte, wenn sie sich nur halbwegs in den rechtlichen Grenzen
bewegt und seine Erlässe etwas besser berücksichtigt hätten.

Der Kaiser hatte den Ständen wiederholt aufgetragen,
keine Prädicanten in den Städten, vor Allem nicht in Wien zu
halten und sich keine Feindseligkeiten gegen die Katholiken
zu erlauben. In dem bereits erwähnten, vor seiner Abreise von
Wien ausgefertigten Decrete vom 26. Juli 1569 hatte er sie
besonders eindringlich ersucht, sie möchten sich ‚aller verbotnen
Secten und ärgerlichen Neuerungen enthalten, auch keine unbekannte streichende Sectarios und Schwärmer aufhalten noch
befördern und insonderheit in dieser k. M. Hauptstadt Wien
keine Prädicanten an keinem Orte aufstellen, sich auch sonst
gegen allen und jeden geistlichen und weltlichen Landständen,
Nachbarn und männiglich sowohl in Religion als andern zeitlichen Sachen ganz friedlich, freundlich und nachbarlich beweisen, niemand freventlich verdammen, lästern noch schmähen,
sondern einander in christlicher Geduld und Lieb vertragen
und sich allenthalben bescheidenlich, christlich und gebürlich
halten und erzeigen‘,[2] oder kürzer gesagt, sie möchten die Concession nicht überschreiten. Wie unangenehm und peinlich
musste es ihn aber berühren, als unmittelbar nach seiner Abreise aus Wien von allen Seiten Beschwerden über das Verhalten der evangelischen Prädicanten einliefen. In äusserst un-
gnädigen Worten hielt er ihnen daher in dem Decret ddo. Prag,
den 28. Jänner 1570 vor: ‚wie alsbald von unserm nächsten

---

[1] Die steirische Landschaft berief sich auch in ihrer Landtagsschrift vom
10. December 1572, in der sie gegen die Ausschliessung ihrer Städte
und Märkte von der freien Religionsübung protestirten, auf Oesterreich
ob und unter der Enns, wo in den Städten die evangelische Religion
‚ohne irgend eine Verhinderung ganz frei und offen im Schwung und
stäter Übung sei‘; vgl. Loserth, a. a. O., S. 184.

[2] Siehe oben, Seite 146, Anm. 3.

Verrücken von Wien ein Prädicant oder Pfarrherr in der
Kirchen ad Salvatorem daselbst aufgestanden, welcher sich
sonder Zweifels mit eurem Vorwissen und Zugeben nit allein
öffentlich zu predigen unterstanden und in solchen seinen Predigten des hochverbotnen, unpriesterlichen und ärgerlichen Ca-
lumniern, Schmähen und Lästern neben Gebrauchung mannig-
faltiger, ungewöhnlicher Neuerungen ungeschickt und sectisch
beflissen, sonderlich auch zu Anstiftung, Unruhe und Untreue
mehr sectische Priester nach seiner Confession, Art und Eigenschaft an sich zu ziehen, und ihm dadurch bereits von denen
gemeinen Stadt- und Handwerksleuten einen solchen Concurs
und Zulauf gemacht, dass derselb nach Gelegenheit dies Orts
bald einen grossen Schaden und Nachteil bringen und verursachen kann, inmassen man bei der Domkanzel St. Stefan wol
verspüret, wasmassen das christliche Volk von dannen abge-
sperrt und gezogen werde, sintemalen die sonn- und feiertäg-
lichen Predigten bei weitem nicht mehr in solcher Anzahl und
Menge als hievor besucht werden'. Er wisse zwar nicht, ob
dieser Prädicant vor seiner Abreise schon daselbst gepredigt
habe, oder ob es ein anderer sei; wenigstens habe er früher
von ihm nichts gehört, es müsste nur sein, ,dass er vielleicht
jetzo auf unser Abwesen sich eines mehreren unterstehet und
vermesse, als er in unser persönlichen Gegenwart thun dürfen'.
Es sei aber wie es wolle, ,so muss es ein fast böser und unar-
tiger, freventlicher Mensch sein, dass er sich dergleichen auf den
Trost unsers jetzigen Abwesen ohne allen Scheuch unserer
hinterlassenen nächstnachgesetzten Obrigkeit . . . unterstehet'.
Er habe von den Ständen nicht erwartet, dass sie in seiner
Gegenwart, viel weniger in seiner Abwesenheit ,dergleichen
Prädicanten auf Pfarren in unser Stadt Wien fürdern, noch
ihm diesem Calumniatoren sein Schmähen, unverschämt Lästern,
gebrauchende neue und ander Ritus, Ceremonien, dass er auch
annoch ander mehr dergleichen Gesellen zuziehe, und ihme
dadurch von den gemeinen Leuten und armen, unverständigen
Volk, das sich dann allweg zu solchen Verführern leichtlicher
als zu denen, davon sie Nutz und Frucht bekommen, zu Verachtung und Schmälerung der Domkanzel einen nachteiligen
Zulauf machen thut, gutheissen, nachsehen und gestatten'
würden, da sie sich doch der wiederholten, kürzlich an sie
gerichteten Ermahnungen zu erinnern wüssten. Er zweifle

nicht, dass den Ständen das Treiben dieses Prädicanten unverborgen gewesen sei, weshalb es sich schon längst, ohne es erst
auf diesen Befehl ankommen zu lassen, gebührt hätte, diesen
‚sectischen‘ Prediger ‚sammt seinen Consorten‘ der Seelsorge zu
entheben und ihn derart zu strafen, ‚damit er dergleichen forthin zu thun und seinen unartigen, höchstschädlichen Samen aus-
zustreuen gar nicht Ursache gehabt hätte‘, und zwar umsomehr,
da sie wüssten und darauf zu sehen verpflichtet seien, ‚was
etwa dergleichen unter dem gemeinen Volk und Handwerks-
gesind für Nachteil zu entspringen pflegt und wie bald der
Gehorsam gegen die Obrigkeit von solchen Schreiern und
Lästerern geschwächt wird und sonderlich weil wir dergleichen
bisher bevorab in der Nahent um Wien nicht gelitten, dass
wir viel weniger dasselbe gutheissen oder gestatten werden‘.
Sein Befehl gehe also dahin, unverzüglich nach Empfang dieses
Decretes den Pfarrer seiner Stelle zu entsetzen und ihm nicht
vielleicht eine andere Seelsorge zu verschaffen, widrigenfalls er
genöthigt wäre, selbst einzuschreiten; desgleichen hätten sie
ausführlich zu berichten, ‚woher solcher Prädicant bürtig und
kommen, in was Officio davor gewesen, was er auch für Testi-
monia seiner Studien, Lehr, Leben und Wandl habe, wer ihn
also zu dieser Pfarre befürdert und aus wes Schutz und Vertheidigung er bisher sich so ungeschickt und unleidenlich gehalten . . .‘. Ausserdem lege er ihnen ernstlich auf, ‚wo bei den
andern Pfarrern ihrer Lehenschaft, es wäre nun im Bürger-
spital zu St. Marx oder anderer Orten in- und ausserhalb der
Stadt, ebenmässige Calumniatores und zum predigen untaugliche
und unbescheidene sectische Personen wären‘, dieselben alsbald
abzuschaffen und ihre Stellen ‚mit ehrbaren, gelehrten, bescheidenen, gottesförchtigen und katholischen Priestern‘ zu versehen,
die von jeder ‚Neuerung in Lehr und Kirchen, Ceremonien
frei sein, sich eines priesterlichen Thuns befleissen, ruhige und
friedliebende Gemüther haben, den Gehorsam gegen Gott und
der Obrigkeit pflanzen und wol zuvor ihre Formata und Testi-
monia zur Nothdurft und völligen Genügen fürlegen‘.[1]

Zwei Jahre später sah sich Kaiser Maximilian neuerlich
zu einem Einschreiten genöthigt, und zwar richtete es sich dies-

---

[1] Beilage qq des ‚Instrumentum‘. Diese Abschaffung erwähnen auch das
‚Summarium‘, und der ‚Summarische Begriff‘.

mal gegen Geyer, den Besitzer der Herrschaft Hernals, dessen Prediger einen grossen Zulauf fremden Volkes aus allen benachbarten Orten, namentlich aus der Stadt Wien verursachte.[1] Es verdient diese Massregel umsomehr hervorgehoben zu werden, als sich die Stände Kaiser Rudolf II. gegenüber, der den Auslauf von Bürgern und Handwerkern nach Inzersdorf, Vösendorf und anderen Orten, wo der evangelische Gottesdienst versehen wurde, untersagte und die zuwiderhandelnden Prädicanten vor die Hofkanzlei vorladen liess, stürmisch und heftig darüber beschwerten, gegen die Vorladung ihrer Prediger protestirten und sich auf die Concession beriefen, die ihnen auf ihren Landgütern den freien und uneingeschränkten Gebrauch ihrer Religion gestatte. Wir sehen nun, dass Rudolf II., dessen Massnahmen die evangelischen Stände in so grossen Aufruhr versetzten, im Anfange seiner Regierung nichts Anderes that, als dass er sich streng auf den Boden der Religionsconcession stellte und sich dabei stets, wie er das auch that, und die Berichte der Hofkanzlei beweisen, auf die von Kaiser Maximilian ausgegangenen Decrete beziehen konnte.

Am 13. Jänner 1572 wurde Geyer sammt seinem Pfarrprovisor vor den Obersthofmeister und den Vicekanzler citirt und ihnen sodann vorgehalten: ‚1. wie I. k. M. gewissen Bericht habe, dass sein Provisor sich im Predigen aller Unbescheidenheit gebrauche; 2. die Obrigkeit, den Papst und alle Gläubigen lästere und schmähliche Lieder singe; 3. die Bürger von Wien und anderer Pfarren Unterthanen zu sich hinausziehe; 4. gar herein in die Stadt greife und die Sacramente administrire. Das könnten I. k. M. nit leiden, bevor dies Orts am Hofzaun, und hätten I. k. M. sich zu dem Geyer eines solchen nit versehen, weil sie wissen, was ihnen I. M. hievor befohlen. Solle es demnach abstellen, denn wo es nit geschehe, wollen I. k. M. sie beide ernstlich und nach Ungnaden strafen.‘ Geyer rechtfertigte sich dahin, dass er davon keine Kenntniss gehabt habe, und erbot sich, diese Uebergriffe abzustellen. Auch der Prädicant entschuldigte sich, dass die Ertheilung der Communion in

---

[1] Es ist gewiss interessant zu vernehmen, dass in der Steiermark die Regierungsräthe des Erzherzogs Carl selbst es waren, welche die Stände auf diesen Auslauf als bestes Auskunftsmittel aufmerksam machten; vgl. Loserth, a. a. O., S. 228.

der Stadt nur auf etlicher Leute ausdrückliches Begehren erfolgt
sei, und versprach, sich derselben künftig zu enthalten.[1]

Das scheint aber nicht sehr gut eingehalten worden zu
sein, denn am 25. November d. J. erging abermals ein Decret
an den Geyer, er solle seinem Prediger gebieten, ‚sich des
Schmähen, item Eingreifung andern Pfarren in ihr Jurisdiction,
Hinausziehung der Stadtleute und dergleichen zu enthalten; denn
da es nit beschehen, wollten I. M. gegen den Herrn und
Pfarrer mit Straf verfahren. Denn den Landleuten die Bewilligung allein auf ihren Häusern und ihren Leuten und gar nit
auf fremde Personen beschehen sei, auch das Schmähen expresse verboten‘.[2] Noch im letzten Jahre seiner Regierung am
30. Mai 1576 sah sich der Kaiser veranlasst, die Geyer in
Hernals anzuweisen, ihrem Prädicanten alle gottesdienstlichen
Handlungen in der Stadt strenge zu verbieten.[3]

Der Kaiser hätte übrigens ohne jeden Zweifel die Ausübung des evangelischen Gottesdienstes in den Stadthäusern
der Adeligen für sie selbst und ihr Gesinde stillschweigend
geduldet, wenn es dabei geblieben wäre. Als er aber bald
nach der Ertheilung der Assecuration wieder in Wien residirte,[4]
bemerkte er zu seinem höchsten Unwillen, dass ‚die Predigten
in etlicher Landleute Häuser nit allein von ihnen, den Landleuten und den ihrigen, sondern auch von der Burgerschaft
und gemeinem Mann besucht werden‘. Er gab daher dem Strein
den Auftrag, sofort durch den Landmarschall die Einstellung
der Hauspredigten verfügen zu lassen, da diese ‚zuwider der
Assecuration‘ geschähen. Der Landmarschall entschuldigte sich
alsbald bei dem Kaiser und erklärte, ‚es stünde bei I. M., die
Einstellung der Predigten zu verordnen, werde aber über die
erfolgte Assecuration mit grosser Betrübniss beider Stände erfolgen. Da aber I. M. je des Zulaufens und der Predigten in
so viel Häusern Bedenken tragen, so könnte der Saal im Landhaus dazu fürgenommen und entgegen die Hauspredigten allerdings eingestellt werden. Es würde auch der Zulauf so weit
eingestellt, dieweil im Saal nit so viel Leut Platz hätten als in

---

[1] Staatsarchiv, Oesterr. Acten, Fasc. 7, Concept.
[2] Staatsarchiv, Oesterr. Acten, Fasc. 7, Concept.
[3] Ebenda, Abschrift.
[4] Angekommen am 10. Juli 1571; vgl. Venetianische Depeschen III, S. 512.
Anm. 3.

vier Häusern,[1] allda jetzt gepredigt wird, und alles an diesem Ort mit besser Ordnung zugehen'.

Darauf entschloss sich der Kaiser, ,dass die andern Predigten in Häusern abgestellt und allein in des Herrn Landmarschallen Haus gepredigt werden soll, dahin die Landleut sammt ihrem Weib und Gesind erscheinen möchten, und dass dabei der Zulauf und alle Unordnung verhütet werde', und schrieb dem Strein mit eigener Hand auf einen Zettel, der neben zwei anderen im Folgenden erwähnten[2] unter Rudolf II. eine nicht unbedeutende Rolle spielt:

,Lieber Strein. Ihr wollet darob sein, bei dem Landmarschall, damit er die Sachen des Predigen dermassen anricht, damit sich nit was ungleichs zutrag, des dann leichtlich beschehen möcht, und ich weiss, dass mir der ehrlich Mann nit gönnen würde, dann sich daraus allerlei zutragen möcht, des auch ihm viel weniger gönnen wollt, denn Ihr wisst, wie treulich und einfältig ichs mit einer ehrsamen Landschaft und insonderheit mit dem Landmarschall vermein.'[3]

Als aber trotzdem der kaiserliche Rath Oswald von Eitzing in seinem Hause predigen liess, verbot ihm dieses der Kaiser. Es dauerte auch nicht lange, so hatte der Zulauf in das Haus des Landmarschalls derart zugenommen, ausserdem sich dessen Prädicant ,etwas unbescheiden' verhalten, so dass sich der Kaiser im Juli 1573 veranlasst sah, Strein deshalb nach Wien zu erfordern ,und sich über den Zulauf, sowohl des Prädicanten Unbescheidenheit und eines wällischen Doctors halber, so die Stände aufgenommen haben sollen, beschwert und deren jedes abzustellen begehrt'. Darauf erbot sich der Landmarschall für sich und die übrigen Deputirten, den wälschen Doctor zu entlassen, den Prädicanten, über den ihm übrigens nichts

---

[1] Gemeint sind damit ohne Zweifel nebst dem Hause des Landmarschalls die Häuser der Herren von Hofkirchen, Eitzing und Enzersdorf, welche auch im ,Summarium' namentlich angeführt werden. Otto (a. a. O., S. 40) erwähnt noch mehr, wie Salm, Polheim, Auersperg und Liechtenstein.

[2] Siehe unten, S. 172 und 175.

[3] Abschrift im Staatsarchiv a. a. O. und n.-ö. Landesarchiv, B. 3. 27. Die Einräumung des Landmarschall'schen Hauses erwähnt auch ein Schreiben des Herzogs Albrecht von Baiern, ddo. 24. Juli 1577; vgl. Ritter, Deutsche Geschichte II, S. 89, der diese Nachricht aber, weil er offenbar nur um die Bewilligung des Landhaussaales wusste, als ,ungenau' bezeichnet.

Ungebührliches zu Ohren gekommen sei, auf seine Herrschaft Frauendorf zu transferiren und statt dessen einen andern zu bestellen, und zwar auf Grund gewisser Artikel, die Strein vorschlug und der Kaiser dann genehmigte.

,Den Zulauf aber,' erklärte der Landmarschall, ,könne er für seine Person nit abstellen, allein, dass er etlichen fürnehmen Bürgern, so die Predigt besuchen, I. M. Meinung wollte anzeigen. Wollten aber I. M. solches dem Stadtrath zu thun befehlen, das stünde bei I. M. gnädigstem Gefallen. Er hielt auch das Haus gesperrt, bis man gleich wollte zu predigen anfahen; bald das Haus eröffnet würde, so sei der Sachen und dem Gedräng ungewehrt. I. M. möchten derwegen selbst Erkundigung einziehen lassen. Damit aber diese Ungelegenheit in Häusern verhütet werde, hielt er dafür, dass diesem entweder mit einer offenen Kirchen oder dem Saal im Landhaus geholfen werden möcht'. Der Kaiser nahm ihr Anerbieten bezüglich der Entfernung der beiden Prädicanten an und erklärte, die Einräumung einer ,offenen' Kirche oder des Landhaussaales in Bedacht zu ziehen. Mittlerweile aber sollte der Zulauf abgestellt werden. Zugleich erbot er sich, Alles, was in Religionssachen vorfiele, künftig immer durch Strein mit dem Landmarschall und den anderen Deputirten verhandeln lassen zu wollen, welchen Vorgang sie auch ihrerseits einzuhalten hätten. Sehr bald darauf schritten die Stände bei dem Kaiser abermals um die Bewilligung des Landhaussaales ein, wurden aber abgewiesen.[1]

Die evangelischen Stände hatten seit dem Jahre 1566[2] wiederholt eine eigene öffentliche Kirche verlangt. Im Landtage des Jahres 1574 fassten sie nun den Beschluss, durch ihre Religionsdeputirten bei dem Kaiser neuerdings ,mit Fleiss und Ernst' um die Genehmigung zur Einrichtung einer solchen, sowie zur Bildung eines Consistoriums anzuhalten. In einer ausführlichen Bittschrift fassten sie alle Beweggründe zusammen. Nur wenn ihnen dieses zugestanden wäre, würden alle Unordnungen in ihrem Religionswesen, über welche sich ihre Gegner so häufig beschwerten, aufhören. Es sei nicht nothwendig, ,dass ein jedweder Landmann einen sondern Prädicanten, einer dorten,

[1] Strein's Relation 1578.
[2] Vgl. Otto, a. a. O., S. 16.

der andere da habe. Wo auch an einem oder dem andern Ort etwas ungleichs sich begäbe, kann dasselb durch Rath und Zulassung desselben ordenlichen Consistorii emendiert und gebessert, endlich auch eine solche Disciplin allenthalben gehalten werden, darob männiglich ohne Beschwerde sein und dessen K. M. noch jemand bei andern einige Nachrede haben kann'. Der Kaiser möge beherzigen, was es für ein ungewöhnliches Ansehen habe, wenn man ihnen wohl die Ausübung der evangelischen Religion, nicht aber einen Ort dazu bewilligte, ,denn: quo mihi fortuna, si non conceditur uti?' Wenn sie auch, wie man vielleicht einwenden werde, auf dem Lande in ihren Schlössern und Häusern den Gottesdienst versehen könnten, seien das doch nur ,Privatörter', aber keine Kirchen, und sie sowohl als ihre Prediger müssten sich die Spottnamen ,Winkelchristen', ,Winkelprädicanten', ,Gartenbruder' u. dgl. gefallen lassen. Dazu käme, dass viele Landleute, welche in kaiserlichen Diensten stünden und mit ihren Familien ständig in Wien zu wohnen benöthigt seien, des Gottesdienstes gänzlich verlustig gehen müssten, wenn sie nicht die nöthigen Mittel zur Erhaltung eines eigenen Hausprädicanten in Wien besässen. Was aber für Unordnung daraus entstünde, wenn ein jeder in Wien lebende Landmann einen eigenen Prädicanten halte, da doch schon die wenigen jetzt so viel zu schaffen machten, sei leicht abzusehen.[1] All der Hader und Zwist, welcher in ihrer Kirche herrsche, alle Ausschreitungen und Uebergriffe, welche sich Einzelne zu Schulden kommen hessen, würden in dem Augenblick aufhören, da ihnen ein Consistorium, das dieselben strafe, und eine öffentliche Kirche, nach der sich alle anderen Prediger auf dem Lande richten könnten, eingeräumt sei, und sich nicht mehr wie früher ein jeder nach seinem Gefallen für einen ,Bischof und Herrn in seiner Kirche' halte. Wenn die Juden, ,die doch öffentliche Feinde Christi und der heiligen Jungfrauen Maria seiner Mutter sein', hier in Wien ihre Synagogen hätten, warum wollte man gerade ihnen, die sie ,Christum für einen einigen Heiland erkennen, glauben und rühmen, die heilige Jungfrau Maria in Gebür ehren' und auch ,aus Grund göttlicher Schriften

---

[1] Die Stände scheuten sich, wie man hier sieht, gar nicht, in einer officiellen Bittschrift den Hausgottesdienst in der Stadt, der ihnen doch ausdrücklich vorenthalten war, als eine feststehende Thatsache hinzustellen.

noch zur Zeit nit widerlegt' seien, eine eigene Kirche verweigern. In der ganzen Welt dulde man die Kirchen der
Andersgläubigen, sogar bei den Türken könnten die Christen
öffentlich ihren Religionsdienst verrichten.[1] Diese Supplication
schickten die Deputirten am 27. Juli 1574 mit der Bitte an
Strein nach Prag, er möge dieselbe durchsehen und ihnen sein
Gutachten und seinen Rath, wie sie dieselbe am besten überreichen könnten, zukommen lassen.[2] Strein bezeichnete sie als
sehr gut, sandte sie aber am 24. August, weil er ‚de modo
praesentandi' noch einige Bedenken hätte, zurück, indem er sie
auf seine Rückkehr vertröstete. Maximilian werde, versicherte
er sie, ihren Wünschen so entgegenkommen, dass sie zufrieden
sein sollen.[3]

Im folgenden Jahre nun, während der Kaiser in Prag
Hof hielt, übersandten die Deputirten die Supplication dem
Strein mit dem Auftrage, er möchte, wenn die Kirche nicht
durchzusetzen sei, nochmals um die Bewilligung des Landhaussaales einschreiten. Als sich die kaiserliche Resolution darauf
hinauszog, fertigten die Stände eine Gesandtschaft, bestehend
aus dem Landmarschall, Niclas Grafen Salm, Hans Stockhorner
und Maximilian von Mamming nach Prag ab, die neben einigen
politischen Angelegenheiten auch die Bitte um die Kirche, ‚damit alle Unordnung, so bei den Häusern fürgeloffen, abbestellt
werden', vorbrachte. Der Kaiser gab aber ihrem Ansuchen
keine Folge und liess dem Strein folgende eigenhändige Zuschrift zustellen:

‚Lieber Strein. Ihr werdet Euch wohl wissen zu erinnern,
was wir gestern mit einander geredet haben. Nun befind ich
in der Wahrheit, dass es jetzt nit allein nit de tempore, sonder
würde sich gar nit thun lassen. Derweil es dann an dem, so
wäre das beste, dass man es dieser Zeit also verbleiben liesse,
denn Gott weiss, dass ichs nit anderst als gut und vons besten
wegen vermein. Maximilian etc.'[4]

Auf diese Abweisung hin begehrten die Gesandten im
Sinne ihrer Instruction durch Strein den Landhaussaal, den der

---

[1] Undatirt. Cod. Fol. 87.

[2] Ebenda, Fol. 86'.

[3] Ebenda, Fol. 92.

[4] Es ist der zweite Zettel (siehe oben, S. 169); abschriftlich im n.-ö. Landesarchiv, B. 3, 26, und im Staatsarchiv a. a. O.

Kaiser endlich am Tage vor seiner Abreise nach Regensburg[1] ,ista conditione et istis verbis' bewilligte: ,Strein, Ihr mögt den Gesandten anzeigen, der Predigt halber im Landhaus soll es nit Noth haben, doch dass entgegen ihrem Erbieten nach alle andern Predigten in Häusern abgestellt werden, und dass mit Transferierung der Predigt aus des Herrn Landmarschallen Haus in das Landhaus verzogen werde, bis ich wieder in das Land komm.' Die Gesandten, durch Strein von dieser kaiserlichen Entschliessung verständigt, waren damit zufrieden und drückten durch diesen ihren Dank aus. Die Stände warteten aber die Rückkehr des Kaisers nach Wien[2] nicht ab, sondern nahmen schon einige Tage früher die Uebersiedlung in den Landhaussaal vor. Der Kaiser, unwillig darüber, beschied am 2. December Strein durch zwei eigenhändig geschriebene Briefe nach Wien und beklagte sich darüber, dass der Landmarschall ohne sein Vorwissen bereits die Predigt im Landhause angestellt hätte, dessen er sich keineswegs versehen. Er möge daher diesem anzeigen, dass er den Landhausgottesdienst alsbald wiederum abstelle. Strein entschuldigte die Stände damit, dass sie ohne Zweifel die Worte des Kaisers in dem Sinne aufgefasst haben werden, als genügte die Ankunft des Kaisers in das Land überhaupt. Doch Maximilian bestand auf seinem Befehl, fügte indess hinzu, ,man könne hernach wol weitere Wege finden'. Der Landmarschall liess nun zu seiner Rechtfertigung dem Kaiser vermelden, dass er und seine Amtsgenossen keineswegs ihn vorsätzlich übergehen wollten, sondern dass sie, wie dies auch Strein angegeben hatte, die Prager Resolution falsch ausgelegt hätten, und bat, sie bei dem einmal gemachten Zugeständniss zu belassen, indem er zu bedenken gab, ,mit was Scandalo und Befremdung die Abstellung beschehen würde'. Schliesslich liess sich auch der Kaiser erweichen und erklärte sich zu Strein: ,Sie hätten gleich Ursach, dieweil man I. M. also übergangen hätt, bei Ihrer Meinung zu verharren, Sie wollen es aber den Ständen zu Gnaden dabei verbleiben lassen und zusehen, wie man sich dabei verhalten und ob man die andern Predigten abstellen werde, doch soll man auch den Zulauf abstellen und

---

[1] Erfolgte am 26. September 1575; vgl. Venetianische Depeschen III, S. 568, Anm. 2.

[2] Er reiste am 4. November von Regensburg ab und kam um die Mitte d. Monats nach Wien; vgl. Venetianische Depeschen III, S. 572, Anm. 2.

sehen, damit keine Unordnung fürfiele und erfolge'. Diese Entschliessung theilte Strein dem Landmarschall mit, der sich darauf erbot, der kaiserlichen Forderung nachzukommen, mit
Ausnahme ‚des Zulaufes'. ‚Das stünde,' erklärte dieser, ‚in
seiner Macht nit, jemand den Zugang zu verwehren. Da aber
I. M. das thun wollten, dabei hätt er I. M. nit Mass zu geben.
Sonst wollte er wol darob sein, dass sich einiger Unordnung
nit zu besorgen sein soll. Der Hauspredigt, hätte er kein Zweifel,
würde jeder gehorsamlich nachkommen, derwegen er auch Verordnung thun wollt, allein hätte Herr Wilhelm von Hofkirchen
derzeit eine. Achtet es unterthänigst dafür, dieweil er I. M. für-
nehmer Diener, dass ihm solches I. M. selbst gnädig auflegen
liessen.' Der Kaiser nahm des Landmarschalls Erklärung an
und verlangte nochmals des Zulaufs wegen, ‚dass derselb und
alle Unordnung soviel möglich verhütet werde'.

Erst später, als er Wien eben verlassen hatte, erinnerte
sich Strein, dass ihn der Landmarschall ersucht hatte, bei dem
Freiherrn von Hofkirchen auf die Einstellung seiner Hauspredigten zu dringen, erstattete daher von Tulbing aus dem
Kaiser darüber Bericht und schrieb überdies selbst dem Freiherrn in dieser Angelegenheit. Darauf erhielt Strein vom Kaiser
ein eigenhändiges Schreiben, worin er neuerlich an die Bewilligung des Landhaussaales die Bedingung knüpfte, dass alle
anderen Predigten abgeschafft werden sollten.[1] Dem Hofkirchen
wurde diese ausdrücklich vom Kaiser untersagt, und als er dagegen Vorstellungen erhob, liess ihm jener am 29. Mai 1576
anzeigen: ‚Dass I. R. k. M. ihm sein Hausprädicanten allhie in
der Stadt Wien öffentlich zu predigen und die Seelsorg zu
treiben abgeschafft, das sei von I. k. M. aus keinen Ungnaden
gegen seiner Person gemeint, sondern dieweil dasselb ausdrücklich wider I. k. M. denen zweien Ständen gethane Bewilligung ist, so könnten I. R. k. M. solche Neuerung weder ihm
noch einigen I. M. Rath oder Landmann zu einem gemeinen
Eingang nit gestatten, inmassen dann I. k. M. dasselb anderer
Orten allhie auch abgeschafft haben. Daran er also zufrieden
und mit dem, was die zwen Ständ ingemein haben, benügt

---

[1] Dieses Schreiben, das in Strein's Bericht als Beilage Nr. 3 angeführt ist,
scheint leider nicht erhalten zu sein. Es wird auch von den Ständen und
dem Kaiser Rudolf II. nicht erwähnt.

sein wird. Seind ihm aber sonsten mit Gnaden gewogen.'[1] Nach einiger Zeit beschwerte sich Maximilian von Regensburg[2] aus an Strein, der damals in Wien weilte, ,dass aus dem Landhaus ein Kirchen gemacht sein soll, nit allein mit Stühlen, sondern auch Altar und andern Sachen'.[3] Strein nahm alsbald einen Localaugenschein vor und berichtete sodann an den Kaiser, ,dass kein Altar wär als ein Tisch zu der Communion, der wäre umschränkt von wegen des Gedrängs, item die Stühl und Gäng wären darum angericht, dieweil der Platz eng', worauf ihm dieser zurückschrieb, ,man hätte I. M. viel anderst bericht, wann's nit anderst wär, so hätte es seinen Weg'.

Im Landtage des Jahres 1576 versuchten die Stände noch einmal, die Bewilligung einer Landschaftskirche zu erreichen; doch vergebens. In einem Handschreiben erinnerte der Kaiser den Strein an ihre frühere Unterredung und seine ihm im Vertrauen mitgetheilten Gründe gegen dieses Zugeständniss, aus welchem ihnen nur allerlei Schwierigkeiten erwachsen würden, und liess die Stände auffordern, ,auf diesmal zufrieden zu sein'. ,Ich will aber,' fuhr er fort, ,den Sachen treulich nachgedenken, wie etwa zu einer bessern und glegnern Zeit dieser Sachen möge abgeholfen werden und die Stände nach Möglichkeit mögen zufrieden gehalten werden, denn Ihr wisst, wie treulich und gutherzig ichs gegen bemelten Ständen jederzeit und noch mein und in nichts anders suche, allein damit Fried und Einigkeit erhalten werde, zudem dass die zween Ständ ohne das nunmehr in Religionssachen unbetrübt seint und ihnen kein Irrung beschieht, so muss auch solche Sachen also wohl in der Still als die Bewilligung der Agenda gehalten und tractiert werden.'[4]

Wenn nach dem vollkommen glaubwürdigen Bericht des biederen Strein kein Zweifel besteht, dass den Ständen das Religionsexercitium im Landhause vom Kaiser bewilligt worden

---

[1] Staatsarchiv, Oesterr. Acten, Fasc. 7, Concept.

[2] Er hatte Wien am 1. Juni zum letzten Male verlassen und langte dort am 18. ein; vgl. Venetianische Depeschen III, S. 589, Anm. 1.

[3] In Strein's Relation als Beilage Nr. 4 bezeichnet; doch ebenfalls nicht zu finden gewesen.

[4] Es ist der dritte Zettel. Hopfen, der ihn aus dem Münchner Reichsarchiv abgedruckt hat (a. a. O., S. 321 f.), reiht ihn irrthümlich in das Jahr 1569 ein.

war, so hatten sie doch zu ihrem Unglück nach dessen Tode nichts Authentisches in Händen, das sie zur Begründung ihrer rechtlichen Ansprüche darauf hätten vorweisen können. Die von Strein mit seinem Berichte vorgelegten Schreiben des verstorbenen Kaisers, sowie die drei von demselben herstammenden Zettel,[1] mit welchen die Stände den Beweis erbracht zu haben glaubten, erwiesen sich als unzulänglich: man befand aus ihnen ‚vielmehr das Contrarium'.[2]

Die vom Kaiser Rudolf H. über die ständischen Forderungen angestellte Untersuchung hatte nur ein Decret Kaiser Maximilians II. an seinen Bruder Carl, ddo. Prag, den 28. Juni 1575, zu Tage gefördert, aus dem wenigstens die Einräumung des Landmarschall'schen Hauses für den evangelischen Gottesdienst — aber nicht mehr — hervorging, wenn es auch sonst nicht sonderlich zu Gunsten ihrer Prätensionen sprach und Rudolf's Vorgehen gegen die Protestanten völlig gerechtfertigt erscheinen liess. Man findet in diesem interessanten, von der Hofkanzlei wiederholt angezogenen Actenstück alle Elemente der Religionspolitik enthalten, welche Kaiser Rudolf II. und der von den Ständen weit mehr als dieser gefürchtete Erzherzog Ernst während seiner ganzen Statthalterschaft (1576—1590) befolgte. ‚Auf E. L.,' heisst es darin, ‚brüderliche Erinnerung und unsers Bischofs zu Wien, auch seiner untergebenen Priesterschaft Beschwerung wegen der Prädicanten, so sich in unserer Stadt daselbst mit öffentlichen Predigen und Administration der hochheiligen Sacramenta aufhalten, ist unser brüderliche Erklärung, auch gefälliger Willen, dass keinem, er sei was Stands oder Thuens er wolle, ausser unsers Landmarschalls kein offne Predig oder Seelsorg in Häusern der Stadt nit gestattet werden solle. Gesinnen auch darauf an E. L. freundlich, Sie wollen den von Hofkirchen, Ensersdorf und alle andere, soviel ihrer bisher in ihren Häusern Predigen oder durch ihre Prädicanten hin und wieder in der Stadt Kranken

---

[1] Diese drei wurden von den Ständen zugleich mit ihrer Supplik am 6. Juni 1578 dem Kaiser überreicht. Ueber die anderen, die jedenfalls noch weniger Beweiskraft hatten, geschieht weiter keine Erwähnung mehr. Möglicherweise sind sie gar nicht vorgelegt worden, weil der Kaiser die Einvernahme des Strein abschlug. Vgl. die Petition der Stände an den Kaiser, ddo. 28. Juni 1578. Original im Staatsarchiv, Oesterr. Acten 7.

[2] ‚Summarischer Begriff'.

oder Gesunden die Sacramente austeilen lassen, für sich persönlich erfordern, solchen ihren Unfug verweisen und bei Vermeidung unserer Ungnad auflegen, bei denselben ihren Prädicanten alle Predigen und Seelsorg in der Stadt alsbald abzuschaffen, damit wir nit Ursach gewinnen, selbst Wendung zu thun, denn wir gar nit bedacht, solches zuwider aller fürgeloffnen Handlung zu gestatten, wie sie auch wol wissen, dass sie das mit nichte befugt. Da sie nun demselben gehorsame Folg leisten (darauf dann E. L. Erkundigung halten lassen wollen), wol gut; wo nit, so wollen E. L. uns dessen alsbald berichten, die weitere Nothdurft zu bedenken haben. Hielten sich dann sonsten in der Stadt von Hernals oder anderer Orten herrnlose Prädicanten auf, so sich der Seelsorg gebrauchten, so wollen E. L. dieselben für unser Klosterräthe erfordern und ihnen innerhalb 8 Tagen aus der Stadt ihren Pfenning weiter zu zehren bieten, und da sie nit gehorsameten, sie durch den Profosen einziehen, alsdann gegen Urfecht, dass sie in die Stadt weiter nit kommen sollen, laufen lassen; damit wirdet versehentlich vielem Unrath geholfen sein.'[1]

Die im Vorausgehenden erwähnten Hofdecrete zeigen deutlich, wie Maximilian H. die Religions-Concession und -Assecuration verstand, und dass er keine Ueberschreitungen derselben durch die Heranziehung der Bürgerschaft und der Nichtunterthanen dulden wollte. Dass es trotzdem zu diesen kam, daran war nicht so sehr seine protestantenfreundliche Gesinnung, die übrigens gegen Ende seiner Regierung immer mehr in den Hintergrund trat, als vielmehr die ganzen innerpolitischen Verhältnisse dieses Landes Schuld. Die evangelischen Stände, der ganze Hochadel, repräsentirten eine gar gewaltige Macht, sie hatten die weitaus überwiegende Majorität im Landtage und besassen durch ihre Steuerbewilligungen eine sehr gefährliche Waffe in Händen. Auch dem Erzherzog Ernst, der mit unerbittlicher Strenge und weitaus grösserer Energie zu Werke ging, gelang es nicht, wie wir sehen werden, den Uebergriffen der beiden Stände völlig Einhalt zu thun, und er hätte es nicht einmal so weit gebracht, wenn ihm nicht der Wiener Dompropst

---

[1] Original im ‚Summarium' als Beilage I. Der ‚Summarische Begriff etc.' erwähnt nebst dieser noch eine ähnlich gehaltene Instruction für den Erzherzog Ernst.

und nachmalige Cardinal Melchior Kleal mit den Waffen seines glaubenseifrigen Feuergeistes und seiner eisernen, vor nichts zurückschreckenden Willenskraft zu Hilfe geeilt wäre.[1] An einem aber hielt Maximilian II. bis an sein Lebensende strenge fest: an der in der Religionsconcession ausgesprochenen Forderung des friedlichen Zusammenlebens beider Parteien. Wer die Gegenpartei schmähte oder gegen sie hetzte, erregte seinen höchsten Unwillen. Wenn er deshalb wiederholt gegen die evangelischen Stände und ihre Prediger, namentlich den ersten Landschaftsprediger Josua Opitz, Stellung genommen hatte, so duldete er hinwiederum auch keinerlei Feindseligkeiten gegen diese von Seite der Katholiken. Der angesehene Hofrath Georg Eder, der in seinem Buche ‚Evangelische Inquisition‘ eine ganze Reihe der auserlesensten Schmähungen gegen diese ‚neue, widerwärtige, hochschädliche Rotte‘ vorgebracht und ihn überdies persönlich durch den Ausdruck ‚Hofchristenthum‘ schwer beleidigt hatte, musste bekanntlich ziemlich hart dafür büssen.[2] Das unduldsame Vorgehen eines katholischen Priesters gegen die Protestanten führte ebenfalls zu einer Intervention zu Gunsten derselben. In Mitter-Stockstall war im Jahre 1575 eine arme Witwe, eine geborene Adelige, gestorben, und der dortige Pfleger des Landuntermarschalls, Christof von Oberhaim, begleitete die Leiche zum Pfarrfriedhof in Kirchberg am Wagram. Der Pfarrer aber — es war der Passauische Domherr Victor August Fugger — weigerte sich, das kirchliche Begräbniss vorzunehmen, indem er vorgab, dass die Verstorbene bei ihm nicht communicirt habe. Darüber kam es zu einem heftigen Streit, der sogar in Thätlichkeiten ausartete und damit endete, dass der Pfarrer dem Passauischen Richter und seinen Schergen befahl, die Leiche zum ‚Diebstein‘ zu führen, wo die Malefizpersonen beerdigt wurden. Dort lag die Leiche vier Tage lang, bis endlich das Landgericht den Verwandten bewilligte, sie an einem ehrlichen Orte begraben zu dürfen. Diesen, sowie einen anderen, ganz ähnlichen Vorfall brachten der Landuntermarschall und der Freiherr Bernhard Turzó den Ständen zur Kenntniss.[3] Darauf beschwerten

---

[1] Ich werde darauf in kürzester Zeit gelegentlich der Herausgabe von Kleal's Correspondenz mit dem Obersthofmeister Kaiser Rudolfs, Adam Freiherrn von Dietrichstein, eingehend zu sprechen kommen.

[2] Vgl. Hopfen, a. a. O., S. 115.

[3] Cod. Fol. 118' und 121'.

sich diese am 5. Juli bei dem Kaiser wider diese ‚ungebürliche und fast abscheuliche Handlung' und beriefen sich auch auf den ihnen in der Assecuration gewährleisteten Schutz, sowie auf einige unmittelbar vorausgegangene kaiserliche Entscheidungen, nach welchen zwei kaiserliche Beamte trotz der Weigerung des Wiener Bischofs auf dem Stefansfriedhofe beerdigt worden waren.[1] In der Resolution vom 12. September wurde den Ständen mitgetheilt, dass dem Pfarrer seine Gewaltthat mit Ernst verwiesen und ihm befohlen wurde, ‚dass er sich forthin dergleichen gänzlich enthalten, alle Verstorbene unter seiner Pfarr sesshaft, sie seien katholisch oder der Augsburgischen Confession, sie haben auch unter ihm oder anderer Orten communiciert, ohne die wenigste Widerred gebürlicher Weis wie von Alters Herkommen begraben, desgleichen jeder Person auf Ersuchen das hochwürdig Sacrament sub una et utraque dem Beschluss des Trientischen Concilii gemäss mit guter Ordnung reichen lassen und also alle Sachen in altherkommenem Stand und Wesen dermassen erhalten solle, damit man dergleichen Beschwerung und unsers landsfürstlichen Einsehens übrig sein möge, und sein des gnädigsten Versehens, er werde sich hierin unverweislich halten'.[2] Als der Pfarrer aber diesem Befehle zuwiderhandelte, und die Stände wiederum Beschwerde erhoben, wurde Fugger mit dem kaiserlichen Decret vom 13. Mai 1576 neuerdings ernstlich zum Gehorsam vermahnt.[3]

Der Kaiser hatte den Ständen trotz aller ihm gegenüberstehenden Schwierigkeiten und gegnerischen Anfeindungen die schriftliche Assecuration über die ihnen gewährte Religionsfreiheit gegeben und war auch jederzeit zu ihrem Schutze eingetreten.

Es lag nun an den Ständen, von derselben die Nutzanwendung zu ziehen. Das erste Erforderniss war natürlich, die bereits ausgearbeitete Kirchenordnung publiciren zu lassen und für deren sinngemässe Handhabung zu sorgen, ferner um allen dogmatischen Streitigkeiten wirksam entgegenzutreten, eine Erklärung der Confessio Augustana oder Lehrnorm (Doctrinale) zur Anerkennung zu bringen, nach welcher auch die

[1] Cod. Fol. 119'.
[2] Ebenda, Fol. 123'.
[3] Ebenda, Fol. 124.

neuen Prediger examinirt werden sollten. Die zweite Hauptaufgabe lag dann in der Bildung eines tüchtigen Kirchenregimentes,
das die Beaufsichtigung der Prediger und die oberste Entscheidung in allen kirchlichen Fragen und inneren Zwistigkeiten
haben sollte.

Zweiter Abschnitt.

Die Ausgestaltung des evangelischen Kirchen-
wesens.

1. Die Kirchenordnung. Angriffe gegen dieselbe.
Das Doctrinale.

Die Kirchenagende, auf die sich die Assecuration berief,
gelangte im Juni des Jahres 1571 unter dem Titel: ‚Christliche
Kirchenagenda, wie die von den zweien Ständen der Herrn
und Ritterschaft im Erzherzogthum unter der Enns gebraucht
wird etc. 1571‘‘ zur Ausgabe. Sie hatte aber nicht die Fassung,
die ihr Chyträus gegeben, in allen Punkten unverändert beibehalten, sondern sich einige Zusätze und Abstriche gefallen
lassen müssen. Dieser führte auch in einem Schreiben an die
ständischen Deputirten[2] einige solcher Veränderungen auf, angeblich um ihnen zu zeigen, wie verschiedenartig die Meinungen
der Theologen sein können, doch mit einem unverkennbaren
Anflug von Gereiztheit. So wäre in seiner Agende ausdrücklich
gesagt gewesen, ‚dass der kleine Catechismus Lutheri ohne
einige Aenderung, Zuthuung oder Verrückung einiges Worts
oder Syllaben behalten werden sollte, item dass die Form der
Tauf, wie sie aus Pfalzgrafen Wolfgangs Ordnung ihrem Bericht nach in vielen Kirchen in Oesterreich bisher gebraucht,
unverändert bleiben soll; so hätte er den Form, die alten zu
taufen, item den langen Form der Confirmation, wie er in der
gedruckten Agenda stünde, nie gesehen; so sei das Stück vom

---

[1] Vgl. Otto, a. a. O., S. 49.
[2] 4. August 1572; Cod. Fol. 31.

Bann und von der Absolution der Verbannten vielfältig geändert.
Desgleichen hätte er die Collecten und Litaneien, die Einsetzung
der Eheleute vorhin nie gesehen, geschweige dass in der Vorrede etliche Sentenz und Wort ausgelassen, dass die übrigen
Wort nicht gar congrue an einander hangen'.[1]

Wie bereits erwähnt wurde, hatte der Kaiser nach dem
unliebsamen Zwischenfall, der sich wegen der ständischen
Druckerei in Stein ereignet und den Druck um ein halbes
Jahr hinausgeschoben hatte,[2] den Wunsch ausgesprochen, dass
derselbe zur Vermeidung jedes Aufsehens an der mährischen
Grenze fortgesetzt werde, und zwar war von Strein das Schloss
Meidburg vorgeschlagen worden.[3] Es unterliegt wohl keinem
Zweifel, dass das dem Deputirten Leopold von Grabner gehörige Schloss Rosenburg dazu ausersehen worden war.[4] Der
Umstand, dass Reuter, der nach des Chyträus' Abreise die
Redaction in Händen hatte, dort Schlossprediger war, und auf
diese Weise der Druck besser beaufsichtigt und beschleunigt
werden konnte, mag bei dieser Wahl bestimmend eingewirkt
haben. Auf keinen Fall aber erschien diese Ausgabe in Stein,
wie das von Raupach zuerst behauptet und von Wiedemann
und Otto nacherzählt wurde.[5] Ganz abgesehen davon, dass es
ein etwas provocirendes Aussehen gehabt hätte, wenn die

---

[1] Ueber diese Unterschiede vgl. Raupach, a. a. O., S. 120; Schütz, a. a. O.,
S. 111. Es dürfte sich übrigens dieses zuletzt Angeführte auch aus einigen
Druckfehlern erklären lassen; es heisst nämlich in dem von Backmeister,
Reuter und Anderen verfassten Gutachten vom 19. März 1580 (Landes-
archiv, B. 3. 27, Abschrift), ,dass der Drucker durch seinen Unfleiss et-
liche nötige Wörter und wol ganze Zeilen und Sentantien ausgelassen'.

[2] Deputirte an Chyträus, ddo. 5. Juli 1571; Cod. Fol. 14'.

[3] Siehe oben S. 160.

[4] Sicher ist, wie aus den Acten des n.-ö. Landesarchivs (B. 3. 27) hervorgeht, dass Grabner eine ständische Druckerei besass. Vgl. dazu Reuter
an W. Wucherer, ddo. Rosenburg, 25. October 1571: ,Ich schicke abermals diesen gegenwärtigen Druckergesellen, die Exemplare der Agende
gar zu collationieren. Wenn ich zunächst auf Wien reise, will ich
dem Herrn die 80 Exemplare auch mitbringen und richtig machen';
Landesarchiv, B. 3. 27, Abschrift.

[5] Vgl. Raupach, a. a. O., 119 und L Forts. S. 200f. (Ueber die Entstehung
dieses Irrthums siehe oben, S. 153, Anm. 3); Wiedemann, a. a. O. I, S. 364f.
und Otto, a. a. O., S. 48f. Wohl wäre es denkbar, dass einzelne Exemplare noch vor der Beschlagnahme (siehe S. 153) im Jahre 1570 zu Stein
fertiggebracht wurden, womit dann der in die Rechnung des Wucherer

Stände an demselben Ort, an welchem ihre Druckerei beschlag
nahmt worden, eine andere errichtet haben würden, heisst e
im Deputirtenbericht vom 8. März 1575 ausdrücklich, das
ihnen nach der Aufhebung der Steiner Druckerei und de
Enthaftung der Buchdrucker ,wieder ein ander Ort zur Buch
druckerei' zugelassen wurde.[1] Desgleichen sind die anderen vo
Raupach, Wiedemann und Otto angeführten, im selben Jahr
erschienenen liturgischen Bücher,[2] wie der Katechismus, da
Enchiridion u. a. aus der Grabner'schen Presse in der Rosen
burg und nicht in Stein gedruckt worden.[3] In Befolgung de
kaiserlichen Anordnung, dass die gedruckten Exemplare de
Agende nicht öffentlich verkauft, sondern im Landhause de
ponirt und dort auch ausgegeben werden sollten,[4] ergin;
von den Deputirten mittels Rathschlags vom 26. Juni 1571 a
den ständischen Kanzleibeamten Wolf Wucherer der Befehl
die im Landhause zu seinen Handen aufbewahrten Stück
allen denen, welche dem Herren- und Ritterstande angehör
ten und im Gültbuche eingetragen seien, auf deren Ersuche
in gewünschter Anzahl um die festgesetzte Taxe von 1 Gulde
Rh. auszufolgen und ihnen dabei im Namen der Deputirten un
Verordneten anzuzeigen, ,dass sie solche Agenda und Exempla
am meisten gebrauchen zu Anordnung ihrer Kirchen un
Schulen, und dass sie angezogene Exemplare in keine be
schwerliche Erweiterung kommen lassen wollen'. Sonst abe
sollten sie Niemandem ausser mit ausdrücklichem Befehle eine
der Verordneten solche ausfolgen.[5] Noch am selben Tage be
gann dann der Verkauf an die einzelnen Landleute.[6]

---

eingestellte Posten: ,Christoph von Enzersdorf laut Schein empfange
 Nr. 1 den 24. August a. 70 ... 50, Nr. 2 den letzten Juni 1571 ..
 7 Exemplare etc.' stimmen könnte.

[1] Cod. Fol. 94'.

[2] Raupach, a. a. O., S. 202; Wiedemann, a. a. O. I, S. 376; Otto, a. a. O
 S. 49.

[3] Ich schliesse dies aus dem von Grabner verfertigten ,Verzeichnis de
 Bücher, so ich von Rosenberg herab gen Wien gebracht', und zw
 Grosser Katechismus . . 3888, kleiner Katechismus 3656, Psalter 370!
 51. Psalm 3433, Enchiridion 4059 Exemplare; Landesarchiv, B. 3. 2
 Abschrift.

[4] Siehe oben, S. 157.   [5] N.-ö. Landesarchiv, B. 3. 27, Abschrift.

[6] ,Verzeichnus der Kirchenagenda, so ich Wolf Wucherer laut des Herr
 Verordneten Rathschlag um bare Bezahlung ausgeben, den 26· Juni
 71'; ebenda Abschrift.

Dass die evangelische Kirchenordnung bei ihrem Erscheinen von den Katholiken nicht sehr beifällig aufgenommen wurde, stand nicht anders zu erwarten. Der Bischof Urban von Passau erhob über Auftrag seines Metropoliten, des Erzbischofs Johann Jakob von Salzburg, bei Maximilian II. gegen sie Einsprache,[1] und Herzog Albrecht von Baiern veranstaltete durch die Ingolstädter Theologen de Torres und Clenck eine Widerlegung.[2] Weit unangenehmer aber mussten die Stände dadurch betroffen werden, dass sich aus ihrem eigenen Lager ein Sturm der Unzufriedenheit erhob. Freilich hätte derselbe nicht so unerwartet kommen sollen. Es war ja gewiss schwer, es Allen recht zu machen, besonders, da ja Oesterreich durch den Zusammenfluss von Predigern aus allen Ländern und Landeskirchen der Sammelpunkt aller möglichen kirchlichen Anschauungen[3] war, und obendrein durch das Vorwiegen der radicalen Elemente das geringste Entgegenkommen im Punkte der althergebrachten Ceremonien auf Widerstand zu stossen Gefahr laufen musste. Aber um so vorsichtiger hätten die Deputirten sein sollen, und es muss ihnen als ein schwerer Fehler angerechnet werden, dass sie, wie dies auch Chyträus rügte,[4] mit Ausnahme des Reuter keinen einzigen der österreichischen Prediger zu den Berathungen über die Agende zugezogen hatten. Durch die Ausschliessung musste von vornherein eine gereizte Stimmung gegen sie aufkommen, die sich auch bei ihrem Erscheinen sofort in den heftigsten Angriffen Luft machte.

Am lautesten schrieen die Prädicanten Peter Eggerdes in Frauendorf, Wilhelm Eck in Göllersdorf und Philipp Barbatus in Sierndorf, die auch eine ausführliche Streitschrift gegen sie verfassten.[5] Die Verordneten und Deputirten sahen sich veranlasst, am 19. November 1571 an etliche Landleute ein bewegliches Schreiben zu richten, um dem Gezänke ein Ende zu bereiten:

---

[1] Vgl. Hopfen, a. a. O., S. 152.

[2] Vgl. Otto, a. a. O., S. 50.

[3] Reuter an Chemnitz, ddo. 14. Juni 1572: ‚Vor Jahren war es uns allein nur daran gelegen: wenn wir nur möchten von k. M. allein die Religion erlangen, hofften wir, es würde alles gut. Da es nun zu dem kommen, ist das Feuer gar im Dach. Da kommt einer von Wittenberg, der andere aus Schwaben, Bayern, Pfalz, Württemberg, Meissen, Schlesien, jeder will Hahn im Korb sein. Ist also im Lande eitel Völlerei, Prahlerei und Schwätzen‘; vgl. Janssen, a. a. O., S. 423.

[4] Vgl. S. 188. [5] Vgl. Otto, a. a. O., S. 50.

Seit dem Jahre 1526, also 45 Jahre hätten die Stände bei
Kaiser Ferdinand und dem jetzt regierenden Kaiser, eine Zeitlang auch im Vereine mit den Städten um die Zulassung ‚der
wahren christlichen Religion‘ nach dem Augsburger Religions-
bekenntniss unablässig angehalten und endlich im Landtage
des Jahres 1568 das Zugeständniss freier Religionsübung unter
der Bedingung erhalten, dass man sich früher über eine Kirchenagende vergleiche. Nachdem diese nach vieler Mühe und grossen
Schwierigkeiten endlich fertiggestellt und gedruckt sei, hätten
sie gehofft, ‚es sollen beide Ständ sammt ihren christlichen
Prädicanten und Kirchendienern sich desselben ihres aus-
gerichten Werks nit weniger als sie selbst mit höchstem erfreuen, dem allmächtigen Gott darum herzlichen Dank sagen
und nunmehr am nächsten dahin trachten, dass es auch in
wirkliche Uebung gebracht würde‘, zumal da diese Agende
einigen ‚evangelischen Universitäten und anderen ausländischen
Kirchen und gutherzigen Christen‘ vorgelegt wurde, ‚welche
dieselbe für christlich, dem h. Wort Gottes und der A. C. gleichmässig halten, approbieren und zum höchsten rühmen‘.[1] Indess
bemerkten sie zu ihrer ‚höchsten Betrübnus‘, wie ‚etliche unter
den beiden Ständen oder derselben Prädicanten und Kirchendienern vorhanden sein sollen, welche in derselben Agenda
Einred und Mängel zu haben vermeinen, ungezweifelt allein
aus Mangel Berichts, warum es so gleich auf diesen Weg gestellt ist‘, worüber sie sich natürlich ‚zum höchsten entsetzen‘,
weil eben jetzt die Gefahr bestünde, ‚dass etwa durch einfal-
lende Disputationen das ganze christliche Werk, darnach ihre
Voreltern und sie so lange Jahr mit grossem herzlichen Eifer
geseufzet, gearbeitet und getrachtet, welches auch Gott Lob
nunmehr nahend zu gutem gewünschtem End erlangt ist, gar
leichtlich wiederum zerrüttet oder unwiederbringlich verloren
werden mag‘. Es sei daher nothwendig, dass sie ‚deren Mängel,
die einer oder der ander anzuzeigen hätte, ein fürderliches,
gründliches und lauters Wissen haben‘, worauf sie ‚solchen
christlichen guten Bericht zu thun verhoffen, dadurch allen
Teilen zu Ruh geholfen werden kann‘. Ersuchten daher, falls

---

[1] So die pfalzgräflich Simmern'schen Theologen, welche über Auftrag des
Herzogs Richard von Pfalz-Simmern ein zustimmendes Gutachten abgaben. Cod. Fol. 40.

sie selbst oder ihre Prädicanten in der Agende ‚einige Irrung oder Mängel‘ fänden, ihnen diese ‚inner vier Wochen‘ rückhaltslos und vertraulich zukommen zu lassen und auf ihre Prediger dahin zu wirken, dass sie sich inzwischen aller Disputationen und Angriffe auf dieselbe enthalten möchten.[1]

Dass die Zahl der Unzufriedenen keine geringe war, beweist das Verzeichniss derjenigen Landleute, an welche dieses Schreiben erging: Carl Ludwig von Zelking, Michael Ludwig von Puchheim, Sigmund und Heinrich Graf zu Hardegg, Niclas Graf zu Salm, Erasmus von Schärffenberg, Hartmann von Liechtenstein, Wilhelm von Hofkirchen, Veit Albrecht und Dietrich von Puchheim, Christof und Helmhard Jörger u. A.[2] Die zwei Stände, die auch eine Vertheidigungsschrift über die Agende ausarbeiten liessen, einigten sich am 3. Februar 1572 auf einem zahlreich besuchten Tage und erklärten feierlich, dass sie diese ‚ungeacht der Mängel, die jetzo dawider von etlichen angezogen und kunftig auf solche Weg einkommen möchten, nach zeitiger, wolbedächtiger Berathschlagung hiemit auch angenommen haben, die auch bei ihren Kirchen mit nächster Gelegenheit ins Werk richten und dabei bleiben‘ wollten. Bezüglich der gegenwärtigen und künftigen Einwände sollten die Deputirten ‚denen, welche also Mängel zu haben vermeinen, auf ihr Ersuchen allen nothwendigen Bericht thun, ob es mit ihnen zu Richtigkeit gebracht werden möchte‘. Die Deputirten sollten ferner dahin trachten, dass ‚das Doctrinale mit ehister Gelegenheit verglichen und ins Werk gericht, aber vor seinem Beschluss den Ständen zum Ersehen fürgebracht werde‘.[3]

Doch fuhren auch dann noch etliche Prädicanten fort, aus ‚ihrem verbitterten, hartsinnigen, hässigen, ehrgeizigen Gemüt, dann von Not wegen‘ wider die Agende ‚ganz beschwerlich zu schreiben, predigen und schreien‘ und liessen sich auch

---

[1] Cod. Fol. 21.

[2] Ebenda, Fol. 22'. Dass ziemlich viel darauf einlief, zeigt die Anmerkung des Copisten im Codex (Fol. 23'): ‚Nota: was über obstehende Anschreiben von etlichen Herrn und ihren Predigern für schriftliche Bedenken einkommen, die sein der Ursachen, dass etliche derselben weitläufig und grosse, lange Schriften, so ein sonders Buch bedürftig, daher zu schreiben unterlassen worden.‘

[3] Mit 32 Unterschriften; Cod. Fol. 23'.

nicht ,durch gütige christliche Vermahnung' davon abhalten,
so dass die Deputirten keinen andern Ausweg mehr sahen als
,Rath zu suchen, wie doch der fernern Erweiterung dieses
beschwerlichen Handels, dem Unrath, der hierinnen leider steht,
soviel möglich bei guter Zeit fürkommen und geholfen werden
möchte'. Weil sie sich aber diesen im Lande selbst ,aus Mangel
gelehrter Theologen' nicht holen konnten, sie ausserdem noch
kein ordentliches Consistorium hatten, vor das diese Handlungen
hätten gebracht werden können, wandten sie sich am 1. Juni
1572 an Chyträus und an die Rostocker Universität und überschickten ihnen gleichzeitig die über die Agende ,in Eile' verfasste Apologie zur Prüfung und Begutachtung. Namentlich der
zur Puchheim'schen Herrschaft Göllersdorf gehörige Prädicant
in Sitzendorf und der dem Landmarschall unterstehende Pfarrer
zu Frauendorf Peter Eggerdes machten ihnen tüchtig zu schaffen.
Der Erstere beantwortete die Bitte seiner Pfarrgemeinde, mit
Rücksicht auf die gerade herrschende Theuerung in einen Aufschub ihrer versprochenen Abgabe zu willigen, ,allein um des
zeitlichen willen' damit, dass er sie insgesammt in den Bann
that, kein Sacrament mehr spendete, die Verstorbenen nicht
auf dem Friedhofe, sondern auf dem Felde begraben liess und
trotz aller Ermahnungen dabei blieb. Der Zweite unterfing sich
seit der Veröffentlichung der Kirchenordnung ,aus sonderer
Hitz und gefasstem Widerwillen' nicht allein öffentlich und mit
grosser Verachtung, doch ohne dafür einen stichhältigen Grund
anführen zu können, wider dieselbe zu predigen und zu
schreiben, sondern weigerte sich auch dem Landmarschall
sammt seiner Familie und seinen Dienstleuten ein Sacrament
zu reichen, bevor sie nicht das ausdrückliche Bekenntniss abgelegt hätten, dass die Agende ,ein ketzerisch Buch' sei. Als
ihm der Landmarschall nach vergeblichen Bemühungen, ihn
umzustimmen, seinen Dienst kündigte, erklärte jener, er ginge
nicht fort, ausser man führte ihn ,auf einem Karren' hinweg.[1]
    Chyträus bedauerte in seinem Antwortschreiben vom
4. August 1572 den ,betrübten, jämmerlichen Zustand der angefangenen Kirchenreformation', tröstete die Deputirten aber
durch den Hinweis, dass, falls der Kaiser seine Meinung hin-

---

[1] Deputirte an die Rostocker Universität; Cod. Fol. 25'. Dieselben an
Chyträus; ebenda, Fol. 27'.

sichtlich des Consistoriums nicht geändert habe, und die Herren selbst über die Lehre und die Agende nicht uneins würden, durch die Bestellung eines tüchtigen Superintendenten bald Frieden geschaffen werde. Zur Ausübung der wahren, evangelischen Religion sei erforderlich: 1. das Evangelium; 2. Personen, welche diese heilsame Lehre ausbreiten, ,wie Superintendenten, Pastores, Prediger und Ordination, Institution, Kirchengericht oder Consistorium, Kirchenvisitation und Synodi der Priester, recht bestellte Studia und Schulen und gute Gelddotation' und 3. ,die äusserlichen Ceremonien in Kirchen als Lectiones, Gesänge und andere Kirchenübungen, welche man in den Agenden vorzuschreiben pflegt'. Bei der Anordnung der Agende gebe es mehrere Wege: Man mache es entweder wie es vor zwanzig Jahren in seinem Lande gehalten worden sei, da der regierende Herzog Albrecht durch einen Superintendenten etliche Theologen und weltliche, aus dem Adels- und Gelehrtenstand gewählte Räthe die vornehmsten Landeskirchen visitiren und etwa vorkommende Missbräuche in den Ceremonien abzuschaffen und die publicirte Agende zu halten befehlen liess. Oder aber man gehe dabei ganz langsam vor und heisse die Pastoren nicht, wider ihren Willen ihre gewohnten Ceremonien aufzugeben; nach ihrem Tode oder Abzug aber verhalte man die neuen Prediger zur Annahme der in derselben vorgeschriebenen, welcher Weg besonders bei der gegenwärtigen Erbitterung zu empfehlen sei. Denn bei der Verschiedenartigkeit der Ansichten, die sich gleich in der ursprünglichen, von ihm verfassten, und der jetzt gedruckt vorliegenden Agende äussere, könne man beispielsweise die Prediger, ,welche die gewöhnliche Form von Luthers kleinem Catechismus ohne alle Zusätz, item die gewöhnliche Form der Taufe aus des Pfalzgrafen Wolfgang Ordnung oder Luthers Taufbüchlein, item das gewöhnliche Traubüchlein behalten wollen, ob sie sich gleich Metten und Vesper und andere Stücke der Agenda zu halten weigern', wenn sie nur nicht ein öffentliches Geschrei dagegen erheben, ruhig dabei lassen, bis ein Superintendent oder ein anderer Theologe den dritten Weg versucht hätte, nämlich in einer öffentlichen Versammlung den Predigern Erklärungen und Erläuterungen zur Agende zu geben und sie zur Uebergabe ihrer Bedenken aufzufordern, ihnen überdies das Recht einzuräumen, bei wichtigen Berathungen aus ihrer

Mitte drei oder vier der tüchtigsten abordnen zu dürfen. Auf
solche Art würden die Prediger, wenn sie nicht schon ,mit kai-
nischem Hass' erbittert seien, besänftigt werden. Jedenfalls aber
möge man Alles aufbieten, dass die unzufriedenen Prädicanten
wenigstens aufhörten, gegen die Agende zu predigen. Sie zu entlassen, habe wenig Sinn, weil sie dann in anderen Ländern ihr
Unwesen treiben, von vielen Herren übrigens gar nicht beur-
laubt würden und man ausserdem bei dem grossen Mangel an
Predigern nicht so bald einen Ersatz fände. Nur die aller-
grössten Schreier, die sich zu gar keinem Entgegenkommen
verstünden, seien aus dem Lande zu weisen. Unterdessen sollten
sie sich mit den Ständen von Oesterreich ob der Enns und der
Steiermark vereinigen und alle wichtigen Religionsfragen mit
ihrem Einvernehmen vollziehen, zu welchem Zwecke man auch
auf halbem Wege einen Versammlungsort für die Delegirten
vereinbaren möge. Endlich sei der Kaiser zu bewegen, ihnen
die Kirche bei dem Landhaus in Wien[1] ,zu vollkommener
Anrichtung der Kirchenagenda, evangelischer Metten und
Vesper zum Exempel anderer Kirchen auf dem Land und
damit alle Winkelpredigten in der Stadt Wien abgeschafft
werden' zu gestatten. Was die wider die Agende ausgegangenen
Schmähschriften betreffe, so habe er zwar auch anfangs an
die Verfassung einer Apologie gedacht, doch sei er sowohl als
seine Collegen der Rostocker Universität später zu dem Schlusse
gekommen, man könne die ärgste Anklage wider jene, dass
man nämlich ,dem Papst heuchle und keinen Unterschied
zwischen der wahren, evangelischen und der papistischen und
anderer Secten Lehre mache', nicht früher gründlich widerlegen, bevor nicht ,das Doctrinal oder Lehrbuch' publicirt sei,
da sie ja bekanntlich aus der Agende die Darstellung und
Widerlegung der päpstlichen Missbräuche, besonders jener bei
dem heiligen Abendmahl ausscheiden mussten und damit auf das
Lehrbuch vertröstet wurden. Ihm graue vor der Anfechtung
des Doctrinales, das sie nach dem Wortlaute des kaiserlichen
Decretes vom 14. Jänner 1571 an drei Universitäten zu schicken
hätten,[2] weit mehr als vor den ,Lumpenschartecken wider die
Agenda'. Es würden die unruhigen Pastoren, wenn man es
nicht früher mit ihnen durchberiethe, ebenso wüthend darüber

---

[1] Es ist dies die Minoritenkirche.   [2] Siehe oben, S. 160, Anm. 4.

herfallen wie über die Agenda und ‚die Namen: Majoristen,
Osiandristen, Synergisten, Adiaphoristen oder vielleicht jetzt
auch Reuterischen oder Davidisten darin haben wollen'.

Erst dann solle man eine gründliche und ausführliche
Schutzschrift verfassen. Jetzt aber, ehe die Agende in die
Wirklichkeit umgesetzt sei, werde die beste Verantwortung sein,
wenn man so schnell wie möglich ‚erstlich die Lehre, man behalte gleich allein die Augsburgische Confession, Apologia,
Catechismus Lutheri und Schmalkaldische Artikel', wie Chemnitz meine, ‚oder aber das Lehrbuch, das auf der Deputirten
Befehl vor drei Jahren daselbst gestellet ist, oder alle beide,
welche der Grund ist aller Kirchenreformation, richtig mache,
darnach das Kirchenamt mit dem Superintendenten, Consistorium ordentlich bestelle, auch die Agenda durch eine christliche Visitation oder anderweg in den meisten Kirchen, da sich
die Pastores gutwillig zu begeben, ins Werk setze': dann werde
‚das Lästergeschrei und die Schmähschriften von selbst wie der
Schnee an der Sonnen zerlaufen und verschwinden'. Wenn sie
sich aber jetzt mit den ‚eigensinnigen, zänkischen Schreiern'
in einen schriftlichen Disput einliessen, sei zu besorgen, dass
noch ‚ein viel grösser Feuer zu ewigem Nachteil dieser neu-
gepflanzten zarten Kirchen entbrennen' und es selbst, wenn
diese zum Schweigen gebracht würden, nach dem alten, von
Luther citirten Verse gehen werde:

‚Hoc scio pro certo, quod si cum stercore certo,
Vinco vel vincor, semper ego maculor.'

Die Lästermäuler werden schon von selbst verstummen,
man brauche gar keine öffentlichen Massregeln gegen sie zu
ergreifen. Bezüglich der zwei Prädicanten von Göllersdorf und
Frauendorf sei er nebst seinen Universitätscollegen der Ansicht, dass ihnen, obzwar man sie mit gutem Rechte aus dem
Lande schaffen könnte, noch einmal bedeutet werden sollte,
es stünde ihnen frei, bis zu einer künftigen Visitation die
kirchlichen Gebräuche gewohnterweise auszuüben, doch mögen
sie sich des unordentlichen Bannens gänzlich enthalten. Wollten
sie das nicht, dann sollte man sie mit Gewalt ausschaffen.[1]

Die Deputirten liessen hierauf durch den eigens zu diesem
Zwecke von den Ständen mit Zustimmung der kaiserlichen

---

[1] Cod. Fol. 31—40'.

Räthe bestellten Johann Friedrich Cälestinus[1] aus der ersten
Fassung und den beiden von Chyträus und Chemnitz verfertigten Schutzschriften eine neue Apologie zusammenstellen,
welche von den beiden Ständen im Landtage angenommen[2]
und hierauf an Chyträus zur Begutachtung gesandt wurde.[3]
Dieser erklärte sich im Vereine mit Chemnitz, G. Cälestinus
und Pouchenius, die bei ihm weilten, mit derselben einverstanden,
doch rieth er ihnen die Veröffentlichung derselben durch den
Druck entschieden ab, weil sie 1. unter den jetzigen Verhältnissen die Aufregung unter den Predigern gewiss nur steigern
und 2. den Papisten und anderen Feinden des Evangeliums
einen Einblick in ihre inneren Streitigkeiten gewähren würde,
was entschieden verhütet werden müsse. Das beste Vertheidi-
gungsmittel, erklärte er neuerdings, wäre, wenn zuerst eine
Lehrnorm ausgebildet, dann das Kirchenregiment ordentlich
bestellt und drittens die Agende durch Visitationen oder andere
Mittel in denjenigen Kirchen, in welchen sich die Pastoren
gutwillig in dieselbe fügten, durchgeführt wäre. Das Erscheinen
des Lehrbuches würde freilich noch lange währen, falls es
wirklich bei der kaiserlichen Entscheidung bliebe,[4] denn gleich
das erste über die Agende eingelangte Universitätsgutachten
— es war aus Wittenberg — hätte zu verstehen gegeben, dass
man dort kein neues Lehrbuch haben wollte, und zur Annahme
ihres ‚Corpus doctrinale‘ gerathen.[5] Man möge daher bei Hofe,
wenn der Kaiser wirklich nicht von dieser Bedingung abzubringen sei, einfach die Confessio Augustana und Luther's
Katechismus vorschlagen. Der Superintendent aber müsse eine
eigens verfasste ‚Formula doctrinae, darin alle zu dieser Zeit
strittige Artikel christlich und deutlich und doch auf das kür-
zeste erkläret‘, bei sich haben, die er den Ordinanden nach
dem Examen zur Unterfertigung vorzulegen und bei der Visitation zu gebrauchen hätte. Sie könnte mit der Zeit auch
gedruckt und hernach ‚ein vollkommenes Doctrinal‘ publicirt

---

[1] Ueber ihn vgl. Raupach, Presb. Aust., S. 18 f.

[2] Relation der Deputirten, ddo. 8. März 1575.

[3] Deputirte an Chyträus, ddo. Wien, 15. August 1573; Cod. Fol. 44.

[4] Siehe oben S. 160, Anm. 4.

[5] Datirt vom 13. August 1571; abgedruckt bei Raupach, a. a. O., 1. Forts.,
Beilagen, S. 144 f.

werden. G. Cälestinus werde voraussichtlich diese ‚Formula concordiae' und das Doctrinale nach Wien mitbringen.[1]

Die Stände sahen auch wirklich von der Publication der Apologie ab.[2] Der Lärm aber verstummte nicht, sondern wurde immer ärger; alle guten Rathschläge des Chyträus und Bemühungen der Deputirten, die Prediger zu beruhigen, waren vergeblich. Die zwei Prediger des Carl Ludwig von Zelking und Christof Freiherrn von Jörger, ferner die zwei der Brüder Gilleis thaten sich besonders hervor und scheuten sich nicht, auch ihren Landesfürsten — wie das die Flacianer überhaupt mit Vorliebe thaten — in eine im Druck erschienene Schmähschrift wider die Agende hineinzuziehen. Da sie überdies noch gegen die Katholiken loszogen, sah sich der Kaiser veranlasst, gegen diese vier Prediger am 1. März 1574 ein scharfes Decret zu erlassen, in welchem er den Deputirten den Befehl ertheilte, die nöthigen Schritte zu thun, dass diese vier, sowie alle anderen Prädicanten ‚so zu dem verfassten Schandbuch Rath, That, Consens, Hilf und Förderung gegeben, innerhalb sechs Wochen von dato anzuraitten, gewisslich aus dem Lande geschafft und sich darüber darinnen nit betreten noch erfahren lassen, auch sonsten dergleichen widerwärtigen friedhässigen Leuten im Land kein Platz gegeben werde; denn wo das nit geschehe, würden I. k. M. kraft des bewussten Beschluss und zu Erhaltung Ruhe und Einigkeit zwischen beiderseits Religionsverwandten selbst auf gebürende Mittl zu trachten verursacht, dessen sie lieber überhoben wären'.[3] Die Stände übermittelten diesen Befehl unverzüglich den Dienstgebern der vier Prediger. Jörger hatte den seinen bereits entlassen. Der des Herrn von Zelking übergab eine schriftliche Entschuldigung und versprach, dass er die Kirchenagenda unterschreiben, ‚künftig dergleichen vermeiden, sondern sich unverweislich und friedlich verhalten wolle'. Die anderen zwei erklärten mündlich, dass sie der k. M. zuwider auf der Kanzel oder sonst in argem nie gedacht, sich auch künftig davor hüten wollen'.[4] Der Kaiser drückte in seiner

---

[1] Chyträus, Chemnitz, Cälestinus und Pouchenius an Deputirte, ddo. Soltquellen, den 25. September 1573; Cod. Fol. 45'—49.

[2] Deputirte an Chyträus, ddo. 26. October 1573; Cod. Fol. 49—50'.

[3] Abschrift im Cod. Fol. 72'—73' und im Staatsarchive (Oest. Acten, Fasc. 7); abgedruckt von Hopfen, a. a. O., S. 376f.

[4] Der Verordneten und Deputirten Bericht, ddo. 9. April; Cod. Fol. 73'—74'.

darauf erfolgten Resolution vom 20. April seine Befriedigung darüber aus, dass der Prediger des Jürger bereits abgeschafft sei, doch wüsste er nicht, ob dieser ausser Landes sei und nicht vielleicht bei einem andern Landmann ,sein Unterschleif suche und finde' und nun dort geradeso sein Unwesen treibe wie vordem; daher der Landmarschall Nachforschungen pflegen und, falls er noch im Lande sei, seine Ausweisung verfügen sollte. Wegen des Zelking'schen Predigers wolle er sich für diesmal mit seinem Widerruf begnügen, wenn er sich seinem Versprechen gemäss ,nach der Apologia und Kirchenagenda' verhalte, obwohl er lieber hätte, wenn er ,weit von dannen wäre'. Die Prediger der Herren von Gilleis seien nochmals zu ihrer Entschuldigung zu verhalten, und falls sie auf ,ihrer Opinion' verharrten, bliebe es bei dem ersten Decret. Das Schandbuch aber und die darauf bezüglichen Schriften sollten, wo man sie anträfe, gesammelt und vertilgt werden.[1]

Wenige Monate später geschah ein grosser Schritt nach vorwärts. Chyträus war über neuerliche Aufforderung der Deputirten[2] im Juni von Graz, wo er für die steirische Landschaft das evangelische Kirchen- und Schulwesen eingerichtet hatte,[3] nach Oesterreich gekommen. Alsbald berief man nach Stein einen Convent ein, an welchem sich unter seinem Vorsitz Reuter, Fr. Cälestinus und andere Prediger betheiligten. Zur endgiltigen Herstellung eines Consenses unter den streitenden Predigern wurde die von Chyträus ausgearbeitete ,Norma doctrinae'[4] neuerdings durchberathen und angenommen, die Vornahme von Visitationen beschlossen, vor Allem aber die Nothwendigkeit der Errichtung eines Consistoriums und der Wahl eines Superintendenten zur Erhaltung und Wahrung der Eintracht betont.[5]

---

[1] Cod. Fol. 74'—75'.

[2] Deputirte an Chyträus, ddo. 16. März 1574; vgl. Loserth, a. a. O., S. 211.

[3] Vgl. ebenda.

[4] ,Norma doctrinae oder richtige Form heilsamer und gesunder Lehre von der Erbsünde, wie dieselbe von beiden löblichen Ständen der Herren und Ritterschaft des Erzherzogthums Oesterreich unter der Enns in allen ihren Versammlungen und Rathschlägen einhellig bekannt und dabei als der einigen Wahrheit zu bleiben entschlossen, auf den formulam anno 74 gestellet und nach erfolgenden Censuren hernach besser erkläret etc.', s. d. Abschrift im Landesarchiv, R. r. I.

[5] Vgl. Wiedemann, a. a. O. I, S. 382 f.; Otto, a. a. O., S. 52.

Der Mangel eines tüchtigen und erfahrenen Kirchenregimentes mit einem erprobten Superintendenten an der Spitze hatte sich bisher in allen den nach der Veröffentlichung der evangelischen Kirchenordnung ausgebrochenen Streitigkeiten äusserst fühlbar gemacht. Die Religionsdeputirten, die dasselbe einstweilen ausübten, bewiesen dabei ihre vollständige Unfähigkeit. Selbst der radicalen Partei angehörig, thaten sie nicht viel, um die ausgebrochenen Differenzen zu beseitigen. Und Reuter, der einzige Theologe und der gemässigteste unter ihnen, war viel zu schwach, um ihnen Widerstand zu leisten, und liess sich vielmehr von ihnen in das Schlepptau nehmen.

2. Bemühungen der Stände um die Besetzung des Superintendentenamtes.

Schon im Jahre 1569 hatten die zwei evangelischen Stände ihr Augenmerk auf den Braunschweiger Superintendenten Martin Chemnitz [1] gerichtet. Dieser, unstreitig einer der bedeutendsten lutherischen Theologen, durch seine tiefe Gelehrsamkeit, besonders aber durch seine Schrift ,Examen concilii Tridentini' berühmt, war eine der Säulen der reinen lutherischen Lehre und trotz seiner Verehrung für Melanchthon ein Gegner der Kryptocalvinisten, dabei aber von einer auch gegnerischerseits anerkannten Mässigung, so dass diese Wahl gewiss eine treffliche war. Zu diesem Zwecke hatten sich die Deputirten zuerst durch Chyträus [2] und dann durch einen ihrer Landleute, Wolf Christof von Mamming, der diesen von Rostock nach Oesterreich begleitete [3], persönlich bei Chemnitz angefragt, ob er eine Berufung nach Oesterreich annehmen wollte; doch war darauf keine Antwort erfolgt. [4] Am 5. Juli 1571 wandten sich nun die Deputirten neuerdings an Chyträus mit der Bitte, er möge ihnen behilflich sein, den von ihm und anderen ,hochgerühmten' Chemnitz dahin zu bringen, dass er ,zu Reformierung der österreichischen Kirchen und Anrichtung und beständiger Erhaltung

---

[1] Ueber ihn (geb. 9. November 1522, gest. 8. April 1586) vergleiche den Aufsatz von Schmid-Kunze in der Realencyklopädie für protestantische Theologie III, 3. Aufl. 1897, S. 796 f.

[2] Vgl. Raupach, a. a. O., S. 108; Otto, a. a. O., S. 51.

[3] Siehe oben, S. 140.

[4] Vgl. Chyträus an Deputirte, ddo. Berlin, 20. August 1571; Cod. Fol. 15'—17'.

Archiv. LXXXVII. Bd. I. Hälfte.   13

der Agenda' das Amt eines Superintendenten übernehmen
wolle. Sie schlossen auch ein Schreiben an Chemnitz bei, worin
sie ihm mittheilten, dass die Berufung mit Vorwissen Kaiser
Maximilians erfolge, und versprachen, ,er solle von den Ständen
so gehalten werden, daran er versehentlich wol vergnügt sein
werde'.[1] Chemnitz antwortete den Ständen am 13. August, er
habe diesen Ruf, der ihn sehr schmeichle, durch acht Tage
allein und mit Anderen wohl erwogen und ihn darauf dem Stadtrath zur Entscheidung unterbreitet, dessen Erklärung er nun
beisende.

Darnach könne er nicht mit gutem Gewissen ,in diesen
gefährlichen Zeiten, sonderlich des Calvinismi halben' die dortige
Kirche verlassen. Nach seinem Dafürhalten sollte Chyträus,
der ja die Agende verfasst habe, dieselbe auch zur Durchführung
bringen und deshalb auf ein Jahr nach Oesterreich berufen
werden, währenddem man eine andere taugliche Persönlichkeit
finden könnte.[2]

Chyträus schlug den Deputirten in seinem Antwortschreiben
ddo. Berlin, 20. August 1571 für den Fall, dass Chemnitz die
Berufung nicht annehmen sollte, den kurbrandenburgischen
Theologen Dr. Georg Cälestinus,[3] einen Bruder des später in
Oesterreich bediensteten Predigers Johann Friedrich, vor, den
er mit dem österreichischen Adeligen Sigmund Leisser auf
seiner Rückreise von Oesterreich in Berlin persönlich kennen
gelernt hatte, ,einen gottseligen, bescheidenen, friedliebenden,
wolerfahrnen, gelehrten und beredten Mann, der nun viel Jahre
durch das heilige Kreuz wol probiert und dennoch dabei fröh-
lich und leutselig ist'. Derselbe sei ,nun über zwanzig Jahr
an kur- und fürstlichen Höfen mit Leuten umgangen, wie er
dann jetzunt in das achte Jahr des Kurfürsten zu Brandenburg
Hofprediger und des reformierten Stifts allhie zu Berlin Dompropst ist und zuvor bei einem Fürsten zu Plauen zu Drüsingen,
eine Wegreis von Prag fünf Jahr gedient'. Er zweifle nicht,

---

[1] Deputirte an Chyträus, Cod. Fol. 14'. Dieser Brief und die Antwort vom
20. August beweisen, dass Raupach nicht Recht hat, wenn er (a. a. O.,
S. 120) sagt, dass Chyträus, durch die mit der Agende vorgenommenen
Aenderungen verletzt, mit seiner Correspondenz nach Oesterreich längere
Zeit innehielt.

[2] Chemnitz an Deputirte; Cod. Fol. 18'.

[3] Ueber ihn Jöcher, Gel. Lex. I, S. 1098.

dass ihn der Kurfürst von Brandenburg für ein oder zwei Jahre beurlauben werde, damit er ‚einen jungen, wolbegabten Mann in dem Superintendentenamte unterweisen könne'. [1]

Die Stände ersuchten nun am 5. Juni 1572 nochmals Chemnitz, die Superintendentur bei ihnen zu übernehmen,[2] und hielten unterdessen mit der Berufung des Cälestinus aus dem Grunde inne, weil jener bereits dem Kaiser vorgeschlagen, diese Auswahl von ihm auch gebilligt worden war, und sie daher nicht gleich einen anderen berufen konnten. Gleichzeitig richteten sie an Chyträus die Bitte, er möchte, wenn Chemnitz ablehnte, selbst auf ein Jahr zu ihnen kommen und die Ordnung des evangelischen Kirchenwesens in seine Hand nehmen, und erklärten sich bereit, seine Hausfrau und Kinder auf Landeskosten sicher herbringen zu lassen, ihm für ein Jahr tausend Gulden Rh. sammt einer ihm passenden Wohnung und einem ausreichenden Holz-, Wein- und Getreidedeputat zu geben und ihn nach Ablauf des Jahres, falls er nicht länger bleiben wollte, sammt den Seinen wiederum unentgeltlich zurückzubringen. Sie ersuchten ihn auch, ihnen einen tauglichen Prädicanten zur Unterstützung des Superintendenten zu verschaffen oder gleich mitzubringen. Dieser würde ebenfalls im Namen der zwei Stände und der Deputirten in Wien angestellt und erhielte nebst Wohnung, Holz, Wein und Getreide ein Anfangsgehalt von circa 300 Gulden. Ausserdem wollten sie zur Entlastung dieses Prädicanten, der mit den Wochenpredigten und der Administration der Sacramente und dergleichen Kirchendiensten, noch dazu bei der keineswegs kleinen Gemeinde mehr als genug zu thun haben würde, einen Diakon bestellen, der ‚die Verhör der Beicht aufnehme, die Kindlein taufte, die Communion hielt, den Catechismum und die Collecten der Agendaordnung nach verlesen thät'.

Diesem Geistlichen, zu welchem ihnen Chyträus ebenfalls behilflich sein möchte, wollten sie neben Quartier und einem Naturaldeputat gegen 100 Gulden geben.[3]

---

[1] Chyträus an Deputirte; Cod. Fol. 15'.

[2] Vgl. Otto, a. a. O., S. 51. Dieses Berufungsschreiben wurde unter dem gleichen Datum an Chyträus gesandt.

[3] Deputirte an Chyträus, ddo. Wien, den 5. Juni 1572; Cod. Fol. 27'—31.

Chyträus schlug darauf zum Prediger den schon genannten
Georg Cälestinus[1] und zum Diakon den wohlgelehrten und
frommen Mag. Mento Gogrevius[2] vor. Was ihn selbst aber
betreffe, tauge er nicht ‚zum Predigtamt, noch zu Weltsachen
oder mit andern Leuten stattlich und fruchtbarlich zu handeln‘,
ausserdem werde er täglich schwächer. Er wisse auch nicht,
ob seine Vorschläge bezüglich der Anordnung der Agende, wozu
er ‚neben einem andern hochbegabten, verständigen Superintendenten‘ gerne helfen wollte, den Deputirten genehm seien.
Wenn dies aber der Fall sei, so wolle er ihrer Berufung
ohne weiteres Folge leisten, auch einen Prädicanten und
Diakon mitbringen und nach Michaeli zu ihnen reisen. Doch
sei es unnöthig, dass sie sich bei seiner Herreise neuerlich in
so grosse Unkosten stürzten; es genüge, wenn ein österreichischer Edelmann an den Kurfürsten zu Brandenburg des Cälestinus, an den Rath zu Braunschweig des Chemnitz und an
die Herzoge Johann Albrecht und Ulrich von Mecklenburg
seinetwegen mit einigen hundert Thalern für die Reise abgefertigt werde.

Chemnitz hatte an diese nunmehr zum dritten Male erfolgte
Berufung nach Oesterreich gewisse Bedingungen geknüpft, die
nicht so einfach gewesen zu sein scheinen. Wir kennen eine
von diesen, vermuthlich ist es auch die, welche Chyträus als
die ‚bedenklichste‘ bezeichnete, nämlich ‚eine offene Kirche‘.
An diesem Punkte scheinen auch die Verhandlungen, welche
Strein im Namen der Stände mit dem Kaiser führte, gescheitert zu
sein; denn im Principe hatte er damals die Bestellung eines Superintendenten genehmigt — aber nur, wie dies als sicher angenommen werden kann, in der Bedeutung eines ersten Landschafts-
predigers,[3] ohne die mit jener Stellung verbundene kirchengericht-

---

[1] Vgl. oben, S. 194, Anm. 3.

[2] Ueber ihn vgl. Raupach, a. a. O., I. Fortsetzung, S. 248 f. und Presb. Austr.,
S. 48 f.

[3] Damit stimmt es dann, wenn einerseits die Stände im Landtagsberichte
vom 8. März 1575 behaupteten, dass ihnen diese Stelle vom Kaiser bewilligt worden sei, anderseits der Kaiser (siehe unten, S. 224) nach diesem
Zeitpunkte gegen die ‚Jurisdiction‘ des Consistoriums Bedenken äusserte.
Es erklärt sich auch, wenn Strein in seiner Relation vom Jahre 1578
den späteren Landhausprediger Opitz als Superintendenten aufführt. Die
Stände aber unterschieden sehr wohl zwischen dem Superintendenten-
und dem Landschaftspredigeramt.

liche Ingerens.[1] Die Stände liessen daher auch, als die Berufung des Chemnitz nicht zu erlangen war, durch Strein den Rostocker Superintendenten Simon Pauli vorschlagen, gegen den der Kaiser nach ihrer Meinung umso weniger irgendwelche Bedenken haben konnte, als er ihn seiner Zeit selbst zur Verfassung der Agende vorgeschlagen hatte.[2]

3. Verhandlungen der Stände wegen Anstellung von Landschaftspredigern. Berufung des Opitz und Becher. Ausbruch des Erbsündenstreites.

So verging über diese Verhandlungen mit dem Kaiser ein ganzes Jahr, bis sich die Stände entschlossen, damit in der Bildung des Kirchenwesens kein weiterer Stillstand einträte, inzwischen G. Cälestinus und Gogrevius zu bestellen, nachdem sie von dem Kaiser mit Rücksicht auf den Mangel an einheimischen gelehrten und geübten Predigern ‚zum Theil‘ die Bewilligung dazu erhalten hatten.[3] Am 15. August 1573 wurden die darauf bezüglichen Decrete an G. Cälestinus[4] und an seinen Herrn, den Kurfürsten Georg von Brandenburg,[5] sowie an Gogrevius[6] ausgefertigt.

Dieser antwortete am 18. September, dass er ein ganzes Jahr vergebens auf seine Berufung gewartet, sich darüber in grosse Unkosten gestürzt und, nachdem er mehrere Posten ausgeschlagen, unlängst einen angenommen habe, doch wolle er bis Ostern eine Entscheidung treffen.[7] Die Stände nahmen dieses Anerbieten dankend an und wiesen ihm 50 Thaler bei Chyträus an.[8]

---

[1] Vgl. Nobbe, Das Superintendentenamt, seine Stellung und Aufgabe nach den evangelischen Kirchenordnungen; Zeitschrift für Kirchengeschichte XIV (1894), S. 556 f., XV (1895), S. 44 f.

[2] Siehe oben, S. 189.

[3] Deputirte an Chyträus, ddo. 15. August 1573; Cod. Fol. 44.

[4] Deputirte an Cälestinus, ddo. 15. August 1573, dann 26. October 1573; ebenda, Fol. 55 und 60.

[5] Deputirte an den Kurfürsten, ddo. 15. August und 26. September; ebenda Fol. 55 u. 54.

[6] Deputirte an Gogrevius, ddo. 15. August; ebenda, Fol. 67.

[7] Cod. Fol. 64.

[8] Ebenda, Fol. 68 (auf Fol. 69 folgt irrthümlich wieder Fol. 68).

Cälestinus erklärte sich am 4. October bereit, das Amt
eines Predigers auf ein Jahr zu übernehmen, vorausgesetzt,
dass der Kurfürst seine Erlaubniss dazu gebe; bat aber, man
möge auch seinen Freund Chyträus, der ohnedies in die
Steiermark reisen müsse, bestellen, da er ohne ihn ‚wenig
Nutzen‘ schaffen könne. Gegen die seinem Berufungsdecret
beigeschlossenen Ordinationsartikel habe er keine Bedenken.[1]
Die Deputirten gaben darauf am 26. October ihrer freudigen
Erwartung seiner baldigen Ankunft Ausdruck und wiederholten
durch einen eigenen Boten bei dem Kurfürsten ihre Bitte.[2]
Dieser stimmte auch zu und setzte Maximilian II. brieflich davon in Kenntniss. Cälestinus trat also seine Reise nach Oesterreich an, und zwar in Begleitung des Chyträus und eines Gesandten der steirischen Landschaft,[3] dem er — und dies ist
gewiss etwas merkwürdig — ebenfalls bereits zugesagt hatte,
sich zur ‚Aufrichtung der Kirchen- und Schulordnung‘ in ihren
Dienst zu begeben,[4] ohne dass er den österreichischen Ständen
ein Wort davon erwähnt hätte. Nun wäre das allein noch nicht
so schlimm gewesen, weil er ja nach Verrichtung seiner steirischen Mission seine Stelle in Oesterreich hätte antreten können;
er hatte aber, wie es sich später herausstellte, überhaupt nur
ein Vierteljahr Urlaub und war insoferne schon wortbrüchig
geworden, als er sich ihnen auf ein ganzes Jahr verpflichtet hatte.

Unterwegs aber, in Meissen, hatte sich G. Cälestinus mit
dem steirischen Gesandten zerschlagen, und dieser schrieb deswegen an die österreichischen Stände, worauf die ganze Sache
aufkam. Als jener daher ganz unerwartet in Wien erschien
und den Deputirten in einer besonderen Eingabe seine Dienste
anbot, worin er, schon von der Besorgniss erfüllt, seine Bestellung
könnte von den Ständen ‚um der zwischen ihm und dem steirischen Gesandten fürgefallenen Irrungen willen‘ rückgängig gemacht werden, bat, den von diesem wider ihn ‚ausgegossenen
Auflegungen und Beschwerungen‘ nicht gleich zu glauben und
seine durch die Herreise entstandenen Unkosten zu berücksichtigen, wurde ihm von den Deputirten einige Tage darauf,

---

[1] Cod. Fol. 57.

[2] Ebenda, Fol. 60'.

[3] Es war Lerch, Cod. Fol. 114.

[4] Ueber seine Verhandlungen mit den steirischen Ständen vgl. Loserth,
a. a. O., S. 209.

am 28. December, kein sehr gnädiger Bescheid zu Theil. Sie hätten, heisst es darin, auf des Chyträus Rath sowohl durch diesen als durch eigene Schreiben mit ihm wegen der Annahme der Predigerstelle verhandelt, in die er auch brieflich eingewilligt habe. Darauf sei ein eigener Bote an ihn geschickt worden, in der Voraussetzung, er nehme zunächst ‚diese österreichische und gar keine andere oder gleich doppelte Vocation‘ an, weil er von der anderen Berufung, wovon er doch damals bereits Kenntniss gehabt haben musste, keinerlei Meldung gethan habe, und die ganzen Unterhandlungen in dem Sinne geführt worden seien, dass er die Stelle, wenn nicht länger, so doch auf ein Jahr annehmen solle.

Nun. stelle sich aber heraus, dass er sich sowohl in die Steiermark als hieher habe berufen lassen und also ‚eine doppelte Vocation‘ angenommen habe, wie er dies selbst bekenne und auch aus dem Schreiben seines Kurfürsten an den Kaiser, besonders aber aus dem Briefe eines steirischen Verordneten ddo. 17. December hervorgehe, ‚darinnen die Herren Verordneten in Steyr den Herrn Cälestinum seines bei ihnen angenommenen Berufs allererst begeben und herüber nach Oesterreich weisen‘. Dazu komme noch, dass er vom Kurfürsten nur ein Vierteljahr für Steiermark oder Oesterreich Urlaub habe, während die Berufung auf ein ganzes Jahr laute; daher es wohl in der Ordnung gewesen wäre, dies den Ständen früher mitzutheilen und ihren Bescheid zu erwarten. Ohne auf seinen Streit mit dem steirischen Gesandten, der allerdings zwischen den beiden Landschaften, wenn man ihn darauf hin bestelle, einen Zwiespalt herbeizuführen geeignet sei, näher einzugehen, sei die Sache selbst, um die es sich dabei gehandelt habe, eine solche, die nun bei vielen ausgebrochen und etwa noch immerdar mehrere für die Leut kommen mag, daher auch bei den Feinden oder Widerwärtigen der christlichen Religion desto mehr Aergerniss, Unruhe, Gezänk und Verachtung des Wort Gottes oder andere Anstöss erfolgen würden‘.

Man kann unschwer errathen, was die Deputirten mit dieser Andeutung meinten: es war der Streit über die Natur der Erbsünde, ob diese nämlich die Substanz selbst oder nur ein Accidenz sei, in welchem G. Cälestinus offenbar eine decidirte Haltung angenommen hatte, und zwar, wie man zu vermuthen berechtigt ist, gegen die flacianische Auslegung derselben als Substanz, weil im andern Falle die Deputirten — ihr weiteres Verhalten wird es zeigen — gewiss keine Bedenken gehabt hätten, ihn trotz seines unehrlichen Verhaltens und seines Streites mit dem Gesandten als Prediger anzunehmen. Sie bewilligten ihm, da er die Reise in steirischen Diensten gemacht habe, nur für seine Bemühungen bei der Durchsicht der Apologie und für die Widmung seiner Tractate, ‚Wie sich ein Diener des Wort Gottes halten solle‘ betitelt, 535 Thaler, doch unter der Bedingung, dass er dem A. Pouchenius davon 50 gebe, die bezeichneten Schriften zu ihren Handen erlege und sie nicht weiter verbreite, oder wenigstens ihren Namen nicht nenne, weil sie ihnen ‚etlichermassen zuwider‘ seien, dass er endlich so bald als möglich abreise und über das Vorgefallene vollkommenes Schweigen bewahre.[1]

Cälestinus nahm das Geld und reiste ab. Als er aber wieder in Berlin war, schlug er Lärm, verlangte beglaubigte Abschriften der von Chyträus und dem steirischen Gesandten ‚hinterrücks‘ geschriebenen Briefe und nahm die Autorität seines Kurfürsten in Anspruch, der deshalb dreimal[2] an die Deputirten schrieb und sogar mit einer kaiserlichen Intervention drohte, bis endlich Cälestinus auf die energischen Vorstellungen derselben Ruhe gab.[3]

Da wurde den Deputirten von einer ‚vertrauten Person‘ ein Schreiben zugestellt, das Dr. Jeremias Homberger von Lauingen aus, wo er als Theologieprofessor wirkte, einem Augsburger Freunde gesandt hatte. In diesem rühmte er die österreichische Agende, stellte ihr das Zeugniss aus, dass sie den prophetischen, apostolischen Schriften und der Confessio Augustana vollkommen gemäss sei, und bot der evangelischen Kirche in Oesterreich seine Dienste an. Homberger erhielt nun durch diese Mittelsperson die Aufforderung, herzukommen und einige Probepredigten zu halten, der er auch Folge leistete, worauf dann die beiden Theologen Friedrich Cälestinus und Reuter

---

[1] Deputirte an Cälestinus, ddo. 28. December; Cod. Fol. 63'.

[2] 12. September 1574 (fehlt im Codex), 20. December 1574; ebenda, Fol. 114 und 23. Februar 1575; Fol. 115.

[3] Cälestinus an den Kurfürsten, s. d. Fol. 114. Deputirte an den Kurfürsten, ddo. 25. Jänner und 16. März 1575; Fol. 114' und 117. Deputirte an Cälestinus, ddo. 16. März; Fol. 117'.

angewiesen wurden, mit ihm wegen Uebernahme des ständischen Predigeramtes Unterhandlungen zu pflegen. Man forderte hauptsächlich, ,dass er sich des ärgerlichen Streits de accidente peccati originis, welchen er bald im Anfang in seiner geschriebenen Confession gesetzt hätte, müssig gehen und diese noch zarte, junge Kirche mit Erregung dieses Streits nicht turbiren, ja weder das Wörtl substantia noch accidens gebrauchen, sondern bei der Form, so die Propheten und Apostel, Lutherus, ja der Herr Christus selbst in dieser Materia gebraucht hätte, bleiben solle', wogegen er wohl einwandte, ,dass er diese seine Meinung de accidente nicht könnte fallen lassen in Bedenkung, dass er seine Meinung vielen Pastoren communiciert, die ihm auch Beifall gethan, auch in privatis et publicis lectionibus seinen Discipeln dictiert, welche er alle schwerlich, da er von seiner Meinung fallen solle, ärgern würde'. Doch nach vielem Zureden der beiden Theologen und der Deputirten, namentlich durch den Hinweis, dass er nur unter dieser Bedingung angestellt werden könnte, gab er dann am 6. April 1574 die schriftliche Erklärung ab, ,dass er dieses Streits, so lang er in ihrem Dienst sein würde, ganz müssig gehen, ja da er je von jemand so hoch dazu gedrungen würde, seine Meinung zu vertheidigen, so wollte er solches doch mit ihrem Vorwissen thun, ja lieber Urlaub haben, denn Unruhe erregen'.

Damit gaben sich die Deputirten zufrieden, verschoben aber die Bestellung bis zu ihrer nächsten Zusammenkunft nach Ostern, weil einige von ihnen, wie sie vorgaben, in dringenden Geschäften abreisen mussten. In Wahrheit aber war ihnen an ihm ,nicht viel gelegen. Homberger war allerdings einst ein Anhänger der flacianischen Lehre von der Erbsünde gewesen und hatte auch über Wunsch des Flacius eine Elogie darauf verfasst, welche dieser dann in seiner Replik auf die ,Streitschrift des Andreä' abdrucken liess. Er hatte sich aber später in einem Briefe an Flacius von seiner Meinung losgesagt und war also zu dieser Zeit — was die Deputirten offenbar früher nicht gewusst hatten — ein ,Accidenzler'.[1] Diese hatten übrigens die Predigerstelle, vorausgesetzt, dass das Datum des Be-

---

[1] Vgl. M. Mayer, Jeremias Homberger. Ein Beitrag zur Geschichte Innerösterreichs im 16. Jahrhundert, Archiv für österreichische Geschichte 74, 1889, S. 208.

stallungsbriefes richtig ist, bereits am 13. April, jedenfalls aber
bald nach der Eröffnung der Unterhandlungen mit ihm, an
einen erklärten Flacianer, den unmittelbar vorher seiner Lehre
wegen aus Regensburg ausgewiesenen Mag. Josua Opitz vergeben.

Sie hüteten sich jedoch, mit Homberger offen zu brechen,
weil sie den Verdacht, als begünstigten sie den Flacianismus,
bei der anderen Partei der zwei Stände vermeiden wollten, und
unterhandelten mit ihm weiter. Er aber, der ihre Absichten
durchschaute, dürfte sich in ihrer Abwesenheit über ihr Vorgehen beschwert haben; wenigstens warfen sie ihm in ihrer
Landtagsrelation vom 8. März 1575 vor, er habe sich währenddem unterstanden, seine Lehrmeinung über das Accidenz der
Erbsünde ‚heimlich bei hohen und niederen Ständen zu spargiern und insinuieren‘ und auch die beiden Theologen, die im
Auftrage der Deputirten mit ihm conferirt hätten, zu ver-
dächtigen, als würden sie ihn nur deshalb nicht anstellen, weil
er die These, die Erbsünde sei die Substanz selbst, nicht vertheidigen wollte, und ihm daher allerlei Schwierigkeiten
machten.

Als die Deputirten wieder versammelt waren, wurde ihm
am 17. Mai die Bestallungsurkunde im Concepte übermittelt und
von ihm ein gleichlautender Revers verlangt, worauf er sie
dann mit etwas veränderter Formulirung den in Baden weilenden Deputirten Leopold Grabner und Wolf Christof von Enzersdorf übergab. Als diese mit Rücksicht auf die eigenmächtigen
Aenderungen keine Entscheidung zu treffen erklärten und diese
ganze Angelegenheit ihren Amtscollegen nach Wien berichteten,
kam Homberger einige Tage später zur Reise gerüstet nach
Baden und zeigte den Beiden an, er wolle sich nach Graz zu
Chyträus begeben, weil ihm dieser geschrieben habe, dass die
dortige Landschaft ohne Prediger sei. Chyträus hatte aber
bereits die Steiermark verlassen und kam im Juni 1574, wie
schon erwähnt wurde, nach Stein.[1] Als ihn nun Homberger
in Graz nicht mehr antraf, reiste er ebenfalls dorthin und besprach sich mit ihm, der ihm zur Annahme der von den
österreichischen Deputirten angebotenen Stelle rieth.

---

[1] Siehe oben, S. 192.

4. Opposition der Stände gegen die Deputirten und die Landschaftsprediger. Concordienformel.

Inzwischen war der bereits im Keime bestehende Zwiespalt unter den Ständen und ihren Predigern zum offenen Ausbruche gekommen, wozu Homberger's Anwesenheit in Wien nicht wenig beitrug. Die Mehrheit der Stände, darunter auch die evangelischen Rathgeber Kaiser Maximilians,[1] ergriff für Homberger Partei und wandte sich mit heftigen Angriffen gegen die Anhänger des Flacianismus, hauptsächlich gegen die Deputirten, indem sie diesen vorwarf, dass sie ihn nur deshalb nicht zum Landschaftsprediger ernennen wollten, weil er das Accidenz nicht fallen lassen wolle, hingegen sich nicht gescheut hätten, Opitz, der öffentlich die Substanz vertheidigt habe, zu berufen. Die Verhandlungen mit Homberger wurden nun fortgesetzt und führten am 4. Juli zu seiner Anstellung als zweiter Landschaftsprediger, nachdem er im Beisein der Stände erklärt hatte, die in dem ersten Anstellungsdecret enthaltenen Bedingungen anzunehmen. Man fasste aber den Beschluss, dass er ,seine phrases, die er im Predigen gebrauchen wollte, schriftlich alsbald übergeben' sollte, desgleichen auch Opitz, sowie der vor Kurzem ernannte Diakon Laurenz Becher, der ebenfalls ein Flacianer war. Die von diesen drei Predigern verfassten Schriften wurden nun geprüft und ,was in einem oder anderm zu einiger Disputation Ursach gehen möge', ausgeschieden. So entstand die ,Formula Concordiae, aus beider Theil Schriften in dieser Sachen, der heiligen biblischen, prophetischen, apostolischen Schrift, Dr. Luthers Lehre, der Augsburgischen Confession, Schmalkaldischen Artikeln und der österreichischen Agenda allerdings gemäss gestellt', die hierauf beiden Parteien vorgelegt wurde.

Jetzt brach aber der Sturm erst recht los. Beide Theile fielen über diese Concordienformel her. Homberger, der besonders heftig gegen sie zu Felde zog, konnte jetzt nicht mehr gehalten werden und schied noch im selben Jahre aus Oesterreich.[2] Es ist kein Zweifel, dass er durch seinen Uebereifer

---

[1] Diese drückte auch dem Strein sein Befremden darüber aus, dass sie diesen ,feinen gelehrten Mann' wegziehen liessen; vgl. S. 215.

[2] Deputirtenbericht vom 8. März 1575.

und seine Leidenschaftlichkeit der evangelischen Kirche in
Oesterreich in der Folge geschadet hätte; jedenfalls aber hätte
er unvergleichlich Besseres und Verdienstlicheres geleistet als
der Flacianer, den die Deputirten ihm vorgezogen hatten, nämlich Opitz. [1]

Dieser war, wie schon bemerkt, am 13. April 1574 auf
ein Jahr zum Prediger der zwei evangelischen Stände angestellt worden, um ihnen und den Ihrigen ‚derzeit in des Landmarschalls Behausung oder was ihnen Gott sonsten und kunftig-
lich für eine zum gemeinen Gottesdienst geben und bescheren
möchte, das heilige Wort Gottes, Gesetz und Evangelium inhalt
der prophetischen und apostolischen Schriften rein und lauter,
in rechtem, wahrem Verstand, wie der in den alten Symbolis
Apostolico, Nicaeno, Athanasiano et Ambrosiano, auch obbe-
melter Augsburgischer Confession, desgleichen in den Schmalkaldischen Artikeln und Catechismis und Bekenntnissen Lutheri
kürzlich verfasst, ohne allen menschlichen Zusatz, Irrthum und
Corruptelen, zur Busse und Vergebung der Sünden im Namen
ihres Herrn Jesu Christi fürtragen und predigen solle, für seine
Person die heilige Bibel und die berührten Schriften selbst
fleissig lesen und studieren und nach S. Pauli Befehl mit allem
Ernst ob dem Wort halten, das gewiss ist und lehren kann,
treulich und fleissig seine Sonntage, Feste und geordnete Feier-
tag- und Wochenpredigten thue, gleichfalls auch im Falle der
Noth mit dem Diacon, so die zween Stände insonderheit angenommen, in Reichung der heiligen hochwürdigen Sacramenta
guten Beistand thun oder im Fall seiner Abwesenheit solches
selbst verrichten solle . . .‘ Verlangten, dass er ‚zur Hinderung
oder Zerrüttung gemeines Friedens und christlicher Einigkeit
dieser Lande Kirchen nichts thue noch fürnehme, alles unnöthigen
Gezänks, Wortkrieges, ungeistlichen Geschwätzes, thörichten
Fragen und unnutzen, unpässlichen Disputationen und Predigten von der Ubiquität, von der Höll und Himmelfahrt des
Herrn Jesu Christi, von der ewigen, göttlichen Vorsehung, von
der Substanz oder Accidenz der Erbsünde, soll davon reden,
wie in der Formula concordiae begriffen und dergleichen, auch

---

[1] Ueber seine wahrhaft bedeutende organisatorische Thätigkeit in Gras
und seine spätere Ausweisung vergleiche M. Mayer, a. a. O., S. 209 f., und
Loserth, a. a. O., S. 208 f.

freventlichen Richtens und Bannens müssig gehe und sich in
Verrichtung seiner Kirchenämter, so viel möglich und Ort, Zeit
und andere Umstände geben, der in ihrem und der zweier
Stände Namen publicirten Agenda und derselben Apologia gebrauch und gleichförmig erzeige und nichts dawider handle
und mit gottseligen eingezogenen Leben und Wandel, wie einem
Diener Gottes gebürt, die Lehre Christi in allen Stücken ziere
und sich sonderlich in seinem Dienstamt keiner Herrschaft
über den Diaconum und seine Mitbrüder, auch über die Zuhörer anmasse, keine unehrliche oder Kirchendienern übel anständige Hantierung treibe, sich des Vollsaufens, Zutrinkens,
öffentlicher Weinhäuser, leichtfertiger Gesellschaft, Spielens,
Haderns, Raufens, Schlagens, Wucherns enthalte und um aller
Gefährlichkeit und sorglicher Zufälle willen die päpstischen
Kirchen und Schulen und andere gefährliche Oerter inner und
ausser der Stadt Wien so viel möglich meide und sein Weib
und Kind mit Ernst zu Gottesfurcht, guten Tugenden und ehrlichen Arbeiten oder Künsten halten und gewöhne, damit weder
durch ihn noch die Seinen jemand geärgert, und den Widerwärtigen wahrer christlichen Religion sein Amt und Person
und ganze Lehre des heiligen Evangelii zu verachten und zu
verlästern Ursach gegeben werde'. Dafür sollte er sich ihres
wirksamen Schutzes erfreuen und ein Jahresgehalt von 350 Gulden Rh. sammt freier Wohnung, 18 Klafter Holz und 50 Gulden
für den Transport seiner Familie und des Gepäckes nach Wien
erhalten. Am nächsten Tage stellte er den Revers aus.[1]

Seine Gegner, namentlich Jakob Andreä,[2] von dem auch
ein gedrucktes Sendschreiben gegen Flacius ausging,[3] beeilten
sich alsbald, diesen Prediger bei den Ständen unmöglich zu

---

[1] Cod. Fol. 69'—77 und 77'. Ich glaube nicht, dass die Erwähnung dieser
Formula concordiae die Richtigkeit des Datums (13. und 14. April 1574)
ausschliesse. Möglicherweise hat man die im Sommer 1574 verfasste
Formel nachträglich dem Bestallungsdecret eingefügt. Jene braucht
aber gar nicht mit dieser identisch zu sein; erwähnt doch schon Chyträus
in seinem Schreiben vom 25. September 1573 (Cod. Fol. 45') eine ‚Formula
concordiae‘, die er schicken wollte. Es ist auch nicht leicht anzunehmen, dass sich der ungemein gewissenhafte Copist zweimal nacheinander geirrt habe.

[2] Vgl. S. 184, Anm. 1.

[3] Deputirte an Andreä, ddo. 10. Februar 1576; Cod. Fol. 126'.

machen.[1] Sie hinterbrachten ihnen, dass er wegen seiner flacianischen Gesinnung vom Stadtrath in Regensburg, wo er als Superintendent gewirkt hatte,[2] kurz vorher seines Amtes enthoben worden sei,[3] und liessen ihn durch die Deputirten auffordern, sein Abschiedsdecret vorzuzeigen. Opitz rechtfertigte sich darauf in zwei ausführlichen Berichten. Er würde sich, sagt er darin, nie in den Streit von der Erbsünde eingemengt haben, wäre er nicht von dem Regensburger Stadtrath selbst hineingezogen worden, weil dieser nämlich von ihm verschiedene Censuren über anderwärts ausgegangene Schriften verlangt habe.[4] Nicht viel besser erging es den zwei anderen bei den Ständen bediensteten Predigern Friedrich Cälestinus[5] und Becher, denen man ebenfalls nichts Geringeres zur Last legte, als dass sie ihrer flacianischen Lehre wegen von anderswo ausgewiesen worden seien.[6]

Die Deputirten setzten sich in der zum Landtage des nächsten Jahres zusammengestellten Relation äusserst energisch für ihre drei angegriffenen Prediger, deren Wiederanstellung für das folgende Jahr sie beantragten, ein und griffen zu einem ungemein wirksamen Mittel: sie baten, man möchte sie des Deputirtenamtes entheben, das sie nun seit dem Jahre 1568, also schon in das siebente Jahr ausgeübt hätten, ohne irgend etwas Anderes als bei dem grösseren Theil der Stände Undank geerntet zu haben.[7] Das machte auch wirklich Eindruck. Die Stände baten sie in ihrer Erwiderung, im Amte zu verbleiben, nahmen ihre Entschuldigung wegen des Homberger an, obwohl Etliche unter ihnen ,fast gern gesehen', dass derselbe bei ihrer

---

[1] Ebenda ist sein Schreiben an die Deputirten, ddo. 30. September erwähnt.

[2] Seit 1571 an Stelle des verstorbenen Nicolaus Gallus.

[3] Die Regensburger liessen sogar im nämlichen Jahre einen gedruckten Bericht ausgehen; vgl. Raupach, a. a. O., 1. Forts., S. 254 f. Opitz verfasste darauf im Jahre 1578 einen gründlichen Gegenbericht; vgl. Preger, a. a. O. II, S. 392.

[4] Cod. Fol. 79'—85.

[5] Namentlich durch den Grafen Günther von Schwarzburg. Er rechtfertigte sich auch in einem besonderen Schreiben an die Deputirten, ddo. 18. Mai 1574; ebenda, Fol. 85.

[6] Vgl. die folgenden Landtagsschriften.

[7] 8. März 1575; Cod. Fol. 92—102'.

Kirche bestellt worden wäre. Bezüglich der Wiederverwendung der drei des Flacianismus beschuldigten Theologen fanden sie, ,dass fast gut wäre, zu Verhütung allerlei Unraths, so hieraus erfolgen möchte, sich hinfüro dergleichen Leut, so viel möglich sein kann, zu enthalten, wie sie denn für gut achten, dass die Herrn Deputirten darauf gedacht sein wollen, Theologos oder Prädicanten, so anderer Orten vertrieben und abgefertigt, nicht zu promovieren, zumal weil hierdurch der k. Mt Ursach geben werden möchte, denen Ständen dergleichen Leut abzuschaffen, sondern vielmehr solche Leut befürdern, die eines guten Lobes reiner Religion und guten Namens sein. Soviel aber Dr. Cälestinum belangt, haben die Stände seiner Person halben auch kein ander Bedenken, allein dass denen Ständen fürkommen, wie er fast in grossem Verdacht bei männiglichen, dass er in der Religion nit allerdings lauter und deswegen anderer Orten vertrieben sei worden; und weilen sonderlich die Stände befinden, dass er nunmehr dasjenig, dazu er bisher gebraucht, vollendet und man seiner nit mehr bedürftig sein werde oder zu einem Superintendenten zu gebrauchen sei, so erachten die Stände, er Cälestinus möchte mit ehister Gelegenheit und gutem Fug seines Dienstes erlassen und ferner in der Landschaft Dienst nit aufgehalten werden.

,Des Herrn Opitii und Herrn Lorenzen Becher sein gleichwol etliche unter denen Ständen der Meinung gewest, dass sie beide auch alsbald fürnehmlich der Ursachen, weil sie anderer Orten auch übel abgeschieden und allerlei wider sie geschrieben werde, zu Verhütung mehrerlei Verdachts geurlaubt und weggeschafft werden sollen, die meisten aber dahin geschlossen, dass sie beide noch zur Zeit bei ihren Diensten doch unverbunden bleiben, und sollen ihnen alle Tractätl und anders, was bisher wider sie einkommen, um ihre Verantwortung zugestellt, alsdann dieselbige Handlung alle etlichen Universitäten um ihr Iuditium, ob sie Gewissens halben zu erhalten sein, überschicken. Da nun befunden, dass ihre Verantwortung für genugsam erkannt, möchten sie länger bei ihren Diensten bleiben; wo sie aber nit für genugsam gehalten, dass sie entweder ihren Irrthum öffentlich revocieren oder da sie das nit thun wollten, alsbald, so wol auch andere Prädicanten, so in diesem Verdacht und Irrthum sein, abgeschafft würden. Zum Fall sich auch einer oder der ander entzwischen in seinem Predigtamt verdächtlich hielte, sollen sie ohne Mittel geurlaubt, sonsten aber bis zur Aufrichtung des Consistorii und der Superintendenten sollte neben den Herrn Deputierten und Herrn Christoffen Reuter noch ein gelehrter Theologus, so reiner, unverfälschter Lehre, gehalten und hierinnen keine Unkosten erspart werden.'[1]

Die Religionsdeputirten liessen sich auf diese so entgegenkommende Replik hin zur Weiterführung ihrer Amtsgeschäfte herbei, erklärten aber, des Cälestinus, der übrigens mit kaiserlicher Bewilligung aufgenommen worden sei, ‚zu Aufrichtung des Consistorii und anderer fürfallenden Sachen' gar nicht entrathen zu können. Sollten die künftigen Deputirten die Religionsgeschäfte mit einem anderen Theologen richten können, so hätten sie nichts dagegen.

Wenn vorgegeben werde, er sei aus anderen Städten vertrieben worden, beruhe dies auf einem Irrthum.[2] Bezüglich der von Regensburg wider Opitz verbreiteten Anklagen erklärten sie sich bereit, seine Verantwortungsschrift mehreren unparteiischen Kirchen zuzuschicken und deren Censuren zu erwarten, denn von den Universitäten werde kaum eine in ganz Deutschland zu finden sein, die nicht bereits für oder die andere Lehrmeinung Partei ergriffen hätte. aber habe sich nie an dem Erbsündenstreite betheiligt nur deshalb von den kurfürstlich-sächsischen Theologen seines Dienstes enthoben worden, weil er Melanchthon's Doctrinale, wogegen er einige begründete Bedenken hätte, nicht unterfertigen wollte.[3]

Der festen, entschlossenen Haltung der Deputirten gegenüber gaben endlich die Stände — nicht zum Heile der evangelischen Kirche in Oesterreich — nach und entschuldigten sich noch obendrein in ihrer Schlusserledigung vom 30. März: Sie hätten nur gedacht, man würde des Fr. Cälestinus, den sie übrigens nie im Verdachte ‚unrechter Religion' gehabt hätten. nach Vollendung des Lehrbuches, der Apologie und anderer dogmatischer Schriften nicht mel so   , ко-ferne die Deputirten aber weit   ine   .itten

---

[1] Erledigung der Stände, d'

[2] Er war thatsächlich frei-
Austr., S. 18.

[3] Cod. Fol. 105—106'.

sie nichts dagegen einzuwenden. Becher sei nunmehr durch
verschiedene eingelaufene Berichte vollkommen gerechtfertigt
worden. Auch gegen die Belassung des Opitz trügen sie keine
weiteren Bedenken, falls er sich seinem Reverse gemäss verhielte, und seine Rehabilitation seitens einer oder mehrerer Universitäten erfolgt sei. Nicht gegen die vertriebenen Prädicanten
überhaupt wendeten sie sich, sondern lediglich gegen die,
welche 'einer irrigen Lehre halben' vertrieben worden seien.[1]

5. Neuerliche Verhandlungen über die Wahl eines Super-intendenten. Errichtung einer evangelischen Landschaftsschule.

Im Landtage desselben Jahres unternahmen die Stände
einen ernsthaften Schritt zur Ausgestaltung ihres Kirchenwesens.
Es wurde beschlossen, das Doctrinale, auf welches sich die
gedruckte Agende berief, und das nun endlich fertiggestellt
war, einem Ausschuss von je sechs Landleuten aus dem Herren-
und Ritterstand neben den Deputirten und einigen gelehrten
Theologen zur Begutachtung vorzulegen, hierauf im Sinne der
kaiserlichen Resolution vom 14. Jänner 1571 den drei Universitäten Tübingen, Wittenberg und Rostock zur Censur zu
schicken und im Falle ihrer Zustimmung in den Druck zu
legen; falls aber in einem oder dem andern Punkte Bedenken
geäussert würden oder, wie zu erwarten stand, einander wider-
sprechende Gutachten einkämen, sollte es vorher entsprechend
umgearbeitet und der Stände Beschluss darüber eingeholt
werden. Auch sollten die Deputirten an die evangelischen
Stände des Landes Oesterreich ob der Enns die Anfrage
ergehen lassen, ob sie zur Ueberprüfung dieses Doctrinals ihre
Verordneten hersenden und sich ebenfalls 'um christlicher
nachbarlicher Einigkeit willen' dazu bekennen wollten. Nach
Erledigung dieses Punktes sollte die Apologie im Ausschusse
vorgenommen werden, doch ohne sie einstweilen durch den
Druck zu veröffentlichen.

Auch die Errichtung eines Consistoriums mit einem Superintendenten trat wieder in den Vordergrund. Seitdem der im
Jahre 1573 vorgeschlagene Pauli bei dem Kaiser nicht durch-

---

[1] Cod. Fol. 107—108'.

zubringen gewesen war,[1] war von der Besetzung dieser Stelle
nicht mehr gesprochen worden. Die Deputirten wurden jetzt mit
der Bildung desselben betraut und erhielten den Auftrag, ,sich
alsbald um eine wol qualificierte Person, welche zu einem Superintendenten und Anrichtung eines solchen Werks zu gebrauchen,
auch andere dazu gehörige Personen vermög der verfassten
Consistorialordnung umzusehen, denselben Superintendenten, wo
vonnöthen, der k. M. namhaft zu machen'. Wenn das geschehen,
hätten die Stände nichts dagegen, ,inmassen sie sich auch auf
die Assecuration reversiert,[2] sich mit ihren Kirchen und Predigern dem Consistorio, soviel die Ordnung geben und sich
thuen lassen wird, doch ihres jeden Vogt- und Lehensgerech-
tigkeit unbenommen, zu unterwerfen'.

Für diese Stelle eines Superintendenten wurde nun von den
Deputirten Mag. Michael Besler zugleich mit einem anderen,
nicht näher Genannten, vorgeschlagen. Falls jener aber zu diesem
Amte nicht tauge oder angenommen werden könne, sollen ,die
Herrn Deputierten andere Personen mehr, deren der Stände
Erachten nach sonder Zweifel im Reich noch wol zu finden
sein sollen und sonderlich auch bei dem Herrn Davide Chyträo
nachforschen und alsdann, wo ihnen einer zum tauglichsten
berühmt wird, demselben zuvor seine Instruction und anderst,
darauf er zu bestellen und sich reversiren solle, zuschicken, damit, wenn er sich darauf nit bestellen lassen wollt, er nicht
vergeblich und umsonst ins Land gesprengt und grosse Unkosten verwendet werden. Insonderheit aber sollen die Herrn
Deputirten vor allen Dingen darauf bedacht sein, dass eine
solche Person berufen werde, die sich des neuen, leidigen
Streits von der Erbsünde nicht theilhaftig gemacht, noch denselben dieser Lande Kirchen zuzuziehen gesinnet und sonsten
reiner, unverfälschter Lehre und der Augsburgischen Confession
wahrhaftig zugethan und eines guten Namens, Lebens und
Wandels sei. Wenn dann das Consistorium dermassen bestellt,

---

[1] Maximilian hatte gegen dessen Person ,Bedenken' getragen; Strein's Relation 1578; Fol. 288'. Siehe S. 197.

[2] Die Fertigung des Reverses scheint aber trotsdem unterblieben zu sein
(vgl. S. 163, Anm. 1), wenigstens beruft sich Kaiser Rudolf in seiner
Instruction für Erzherzog Ernst, ddo. 11. März 1579 (Münchner Allgemeines Reichsarchiv, Oesterr. Rel. A. VII, Fol. 110) auf den ,verglichenen,
aber noch ungefertigten Revers'.

sollen alsdann ferner durch dasselbe auf dem Lande vier
Viertelinspectores oder Specialsuperintendenten auch geordnet
werden, mit dem Befehl, dass dieselben auf die benachbarten
Kirchen und Pfarrer Gutachtung haben und allerlei Irrthümer
und künftige Strittigkeit und Aergerniss soviel möglich verhüten, oder wo das durch sie nit beschehen könnte, an das
Consistorium um gebürliches und nothwendiges Einsehen gelangen lassen, doch dass auch solche Personen hiezu gebraucht
werden, welche eines friedliebenden, schiedlichen Geistes, reiner
Religion und in göttlichen Sachen ziemlicher Erfahrung und
Verstandes sein, welchen sie dann, ob sie wol ihre eigene Pfarr-
dienste haben, eine gebürliche Ergötzlichkeit für ihre Mühe erfolgen und solche Ordnung, da es vonnöthen, auch mit Vorwissen der k. M. ins Werk richten sollen'.

Auch einigten sich die Stände dahin, bis zur vollständigen
Aufrichtung des Consistoriums bei der Aufnahme von Prädicanten und Lehrern eine Ordnung ,zu Verhütung allerlei künftigen Unraths und Aergernissen' zu bestimmen, auf welche sich
dieselben künftig reversiren sollten. Ferner sollte ,allen der
Stände Prädicanten hiemit lauter verboten sein, einige Bücher
oder Streitschriften wider jemand andern inner oder ausser
Landes ohne der Herrn Deputierten Vorwissen auszusprengen
oder in den Druck zu geben oder auch, wiewol bishero von
etlichen geschehen, auf öffentlicher Kanzel namhaftig wider den
andern zu predigen'.

Endlich wurden auch bezüglich der Errichtung einer
evangelischen Landschaftsschule und Bewilligung einer ,offenen
Kirche' Beschlüsse gefasst.[1]

Durch solche Mittel hofften die Stände das hereinbre-
chende Verderben ihrer jungen Kirche aufhalten zu können.
Noch wäre vielleicht Alles gut geworden, wenn sie an Stelle
der Flacianisch gesinnten Religionsdeputirten andere, gemässig-
tere Männer gesetzt hätten. Diese glaubten allen Ernstes, mit
der beantragten Landesverweisung des Dr. Johannes Matthäus
Alles zur Ordnung des evangelischen Religionswesens gethan
zu haben, und stellten sich auch in ihrem Rechenschaftsbericht
vom 8. März 1575 das ehrende Zeugniss aus, das aus ihrem
Munde allerdings etwas sonderbar und wie die reinste Selbst-

---

[1] Instruction für die Deputirten, ddo. 21. Juni 1575; Cod. Fol. 110.

ironie klingt, soviel durch Gottes Gnade ausgerichtet zu haben,
‚dass die gräulichen Abgöttereien, so vor dieser Zeit fast in
allen Winkeln dieses Landes gewesen, mehrers teils abgeschafft,
die reine, prophetische, apostolische Lehre, wie durch den
treuen Werkzeug Gottes Dr. Luthern an Tag gebracht, ge-
pflanzet, auch allen Corruptelen und Irrthümern, Secten und
Schwärmereien, wie die immer Namen haben mögen, gewehrt,
dass dieselben bei dieser ihrer Administration nicht eingerissen,
und da sie etwas dergleichen vermerkt, soviel sich thun hat
lassen, dasselbig abgestellt, also dass sie hoffen, dass ausser
des Johannes Matthäi obbemelt jetziger Zeit kein falscher
Lehrer oder Pfarrer bei der zweier Stände Kirchen öffentlich
ins Predigtamt kommen, darüber auch nicht geringen Kampf
mit ihren Widersachern ausstehen müssen, dazu auch soviel
möglich alle ärgerliche Gezänk und Streit verhütet, also diese
Kirchen bishero in ziemlichen Frieden erhalten worden'.[1]

Johann Matthäus, damals unstreitig einer der tüchtigsten
Prediger in Oesterreich, der nachher in Krems a. d. Donau in
wahrhaft mustergiltiger Weise sein Seelsorge- und Schulmeister-
amt verwaltete, war den Ständen von Andreä empfohlen worden
und predigte einstweilen im Hause des Freiherrn von Hofkirchen.
Weil er aber kein Flacianer war, hatten sie alsbald heraus-
bekommen, ‚dass dieser nicht der reinen Lehre und Augsburgischen Confession zugethan, sondern ein Calvinist sei, welcher
sich hievor lange zu Heidelberg gehalten und am selben Ort
von den calvinischen Theologen zum Doctorat promoviert und
hernach zu Amberg in der obern Pfalz Superintendens worden,
von dannen er etliche rechtschaffene evangelische Prediger
vertreiben und verfolgen lassen helfen und doch letzlich auch
vom Kurfürsten zu Heidelberg des verdachten Arrianismi
halben seines Amtes und Dienstes dies Orts entsetzt worden'.

Dieser Vorwurf entsprach allerdings den Thatsachen und
bildete auch, obwohl er im nächsten Jahre zu Regensburg
seine calvinischen Irrthümer widerrief, die Grundlage für seine
spätere Ausweisung durch Kaiser Rudolf II.[2] Der Landmarschall fand es daher für angezeigt, den Herrn von Hofkirchen

---

[1] Deputirtenbericht, ddo. 8. März 1575.
[2] Vgl. über ihn Raupach, a. a. O., 1. Fortsetzung, S. 302 f.; Presb. Austr.
S. 113 f. und Suppl. S. 63.

insgeheim vor seinem Prediger zu warnen, der darauf seine
Rechtfertigung bezüglich des Arrianismus und sein Bekenntniss
über das heilige Abendmahl einschickte. Weil aber in letzterem
die ‚antithesis oder die Gegenlehre‘ fehlte, vermochte er nicht
den Verdacht zu beseitigen. Er musste daher ein neues ausarbeiten und darin ‚thesis und antithesis‘ setzen, über welches
dann die Deputirten und ihre Theologen zu Gericht sassen.
Ihre darüber verfasste Censur wurde dem Freiherrn mit dem
Ersuchen mitgetheilt, ‚dass er ihn als einen Calvinischen nicht
befördern, sondern fahren lassen soll‘. Nun erschien Matthäus
selbst bei dem Landmarschall und erbat sich ein Colloquium
mit den ständischen Predigern, in welchem Anliegen er auch
von Hofkirchen unterstützt wurde. Die Deputirten gaben darauf
die Gründe, ‚warum sie den Dr. Matthäum für einen Calvinisten halten‘, bekannt und verweigerten seine Zulassung zum
Colloquium und seine Anstellung als Prediger. ‚Könnten ihm
auch,‘ fügten sie hinzu, ‚nicht rathen, dass er ihn ferner fördern solle, in Ansehen, dass wir in allen unsern Suppliciern
der Religion halben der vorigen und der jetzigen k. M. klar
und lauter zugesagt und verheissen, uns auch gegen dieser k. M.
reversiert hätten, dass wir keiner fremden, falschen Lehre, wie
die immer geheissen werden möchte, uns teilhaftig machen,
sondern allein bei der Augsburgischen Confession verharren
wollten und keinen fremden oder falschen Lehrer bei uns halten
oder fördern‘. Hofkirchen bestand aber auf dieser Conferenz
und legte eine neuerliche Erklärung seines Predigers bei. Die
darauf seitens der Deputirten erfolgte Erwiderung wurde dem
Hofkirchen in Gegenwart etlicher Landleute übergeben, ‚darin
des Dr. Johannis Matthäi Irrthum lauter dargethan und erwiesen,
dass er nicht der Augsburgischen Confession verwandt, sondern
calvinisch und ein Sacramentierer ist‘.[1] Auch die Stände schlossen
sich endlich dieser Anschauung an und beauftragten in ihrer
Schlusserklärung vom 30. Mai 1575 die Deputirten, darauf zu
sehen, ‚damit er aufs fürderlichste aus dem Land gebracht
werde‘.[2]

Wie genau übrigens dieser Auftrag befolgt wurde, beweist
die Thatsache, dass Matthäus noch im selben Jahre als Stadt-

---

[1] Deputirtenbericht, ddo. 8. März 1575; Cod. Fol. 100 f.
[2] Ebenda, Fol. 107'.

prediger nach Krems berufen wurde und dort bis zu seiner Ausweisung (24. Juni 1578) sein Amt versah.

Die Rücksichtnahme auf den Kaiser und auf ihren Revers hinderte aber die Deputirten nicht, Prediger in ihre Dienste aufzunehmen, ,die als Fanatiker mit eisernem Reif um Hirn und Herz Kaiser Maximilian an der Herstellung des Friedens verzweifeln liessen'[1] und zuwider den Bestimmungen der Concession und dem Wortlaute ihres Reverses die Katholiken auf das Gröbste befehdeten. Namentlich Opitz trieb es so arg, dass sich der Kaiser, der doch sicherlich dem Flacianismus gegenüber duldsam war,[2] veranlasst fand, am 30. März 1575 an den Landmarschall und die Verordneten ein sehr ungnädiges Decret ergehen zu lassen, worin er sich über die Landleute und namentlich über Opitz beschwert. ,Wir zweifeln gnädigst nit,' heisst es darin, ,euch sei unverborgen, was den 23. Martii an S. Michaelskirchen oder Freithofsthür für ein Schmachzettel inliegender Abschrift gemäss öffentlich angeschlagen befunden worden. Wiewol uns nun der Autor über bestellte Inquisition unbewisst, so erscheint doch aus derselben klärlich, dass solche Schmachzettel von einer oder mehr Personen den Landleuten der Augsburgerischen Confession zugehörig herfliesse, dieselb auch also unbedächtlich gestaltet, dass es mehr zu des gemeinen Manns Aergerniss, auch etwa zu allerhand Unruhe zwischen den Ständen, denn zu guter Einträchtigkeit gemeint, welches uns ganz missfällig und von keinem Teil, er sei was Religion er wolle, zu gestatten sein will. Ist derhalben hiemit unser gnädigster Befehl, da ihr den Autorem wisset, dass ihr uns denselben alsbald wollet namhaft machen, die Gebür zu handlen haben, daneben aber bei euch und bei allen Landleuten die Fürsehung und Bestellung thun, damit solches forthin nit allein durch dergleichen Anschlagen, sondern auch im Predigen und Schreiben sowol heimlich als offentlich unterbleib. Denn da es nit geschehen und solche jetzige ärgerliche Schmähungen zu des gemeinen Manns Bewegung und Ausspinnung Gefährlichkeit mehr also publiciert würde, zumal in unser Stadt Wien,

---

[1] Vgl. Loesche, Melanchthon's Beziehungen zu Oesterreich-Ungarn; Jahrbuch der Gesellschaft für Geschichte des Protestantismus in Oesterreich XVIII, 1897, S. 14.

[2] Vgl. meinen Aufsatz ,Nidbruck und Tanner' im Archiv für österreichische Geschichte, 85. Band, 1898, S. 401 f.

darinnen diesen Leuten kein solcher Platz und Freiheit zugelassen ist, würden wir gegen denselben selbst Abstellung zu
thun nit unterlassen können. Sonsten ist weniger nit denn dass
der Opitius eines bösen Lobs für friedhässig und haderig, auch
in seiner Lehre sträflich berühmt und aller Orten, da er sich
vor gehalten, mit schlechtem Willen abgeschieden, inmassen
denn unser und des Reichs Stadt Regensburg ihn nit allein mit
Unwillen von sich gebracht, sondern ein ganz Tractat oder
Bücher wider ihn öffentlich in Druck ausgeben lassen, welches
demnach Ursach genug, dass eure Landschaft seiner und seines-
gleichen müssig stehen und sich besserer und tauglicherer Leut
gebrauchen möchten.'[1]

Die Deputirten beeilten sich durchaus nicht, dieser kaiserlichen Aufforderung nachzukommen, und Opitz trieb nach wie
vor sein Wesen. Als der Kaiser gegen Ende dieses Jahres Strein
wegen der vorzeitigen Anrichtung des evangelischen Gottesdienstes im Landhause zu sich beschied, wiederholte er unter
Anderem auch sein Missfallen darüber, ,dass die Deputirten einen
Prädicanten aufgestellt hätten, welcher von Regensburg seines Irrthums und dass er allerlei Unruhe in der Stadt erweckt hätte,
weggeschafft worden, welches nit recht wär. Die Stände machten
ihnen im ganzen Reich ein bös Geschrei, dass sie alle, die so
nirgends gelitten würden, nur gar gern aufnehmen. Hätt's jetzt
vergangen vom Kurfürsten zu Sachsen zu Regensburg selbst
anhören müssen. Könnten sie doch wol sonst Leut genug haben
aus Sachsen, Braunschweig, Württemberg, die nit verdächtig
wären'. Er liess daher dem Landmarschall anzeigen, er möge
verordnen, ,dass der Predigstuhl mit einer andern, tauglichen,
unverdächtigen Person versehen werde, wie denn I. M. ver-
stünde, dass sie einen feinen, gelehrten Mann, davon er (Strein)
I. M. hievor gesagt hätte (er meinte Homberger), wegziehen
lassen, welchen sie billig behalten sollen'.[2]

Der Landmarschall führte zu seiner Entschuldigung an,
es wäre allerdings wahr, dass Opitz aus Regensburg abgeschafft
worden sei, doch wäre ihm dabei Unrecht widerfahren. Dieser
stünde auch im Begriffe, sich deswegen zu rechtfertigen. Sie
hätten ihn nur deshalb dem Homberger vorgezogen, weil

[1] Abschrift im n.-ö. Landesarchiv, B. 3. 26.
[2] Siehe oben, S. 203.

dieser keinen Revers darüber ausstellen wollte, dass er sich
des Streites über die Erbsünde enthalten würde, während Opitz
sich deswegen und noch auf andere vom Kaiser genehmigte
Artikel verpflichtet hätte. Der Landmarschall erbot sich hierauf
im Namen der Deputirten, Opitzens Verantwortungsschrift
innerhalb zweier Monate an zwei unparteiische Universitäten,
und zwar nach Rostock[1] und Frankfurt zu schicken und deren
Censuren darüber einzuholen, welches Anerbieten er um so
leichter stellen konnte, als die Deputirten von den Ständen
bereits dazu beauftragt worden waren.[2] Woferne nun diese Censuren gegen Opitz ausfielen, wollten sie ihn ohneweiters entlassen,
im anderen Falle aber erhofften sie des Kaisers Zustimmung.
Mit dieser Erklärung gab sich der Kaiser zufrieden. Nur sollte
die Einholung derselben möglichst betrieben werden, und Opitz
sich unterdessen ‚gebürlich und bescheiden‘ verhalten.[3]

So war also der Angriff auf Opitz glücklich abgewehrt.
Gegen Andreä aber, der am meisten zu dessen Verfolgung
beigetragen und in dem Sendbrief an M. Flacius die Uneinigkeit der österreichischen Stände hervorgehoben hatte, kehrte
sich jetzt ihr ganzer Unmuth. Es komme ihnen, schrieben sie
ihm, etwas fremdartig vor, dass er, der früher ihren Eifer
bei der Unterdrückung der Secten gelobt hätte, kurze Zeit darauf ihre Uneinigkeit tadle und sie beschuldige, als nähmen sie
‚solche irrige, falsche und verdammte Lehrer an und auf, die
sonsten im ganzen Reich deutscher Nation bei keinem Kurfürsten, Fürsten, Stand oder Stadt des Reichs Augsburgerischer
Confession Platz haben sollen, dergleichen denn seines Erachtens
insonderheit sein solle ihr bestellter Prediger allhie zu Wien,
den neben anderen Predigern, wie er sie verhasslich nennet,
alle Christen bei Verlust ihrer Seelen Seligkeit fliehen und
meiden sollen‘.

Mit einer merkwürdigen Unverfrorenheit erklärten sie
dann, dass ihnen von einer ‚solchen Zerstörung verhoffter
Einigkeit‘ in ihrer Kirche nichts bekannt sei, mit Ausnahme
des einen Falles Homberger, den sie aber auch schon aus dem
Lande gebracht und durch Opitz ersetzt hätten. Diesen und
andere aber blos desshalb für irrige Lehrer zu halten, weil

---

[1] Ueber dieses Gutachten vgl. Raupach, a. a. O., S. 142 f.

[2] Siehe oben, S. 209.

[3] Strein's Relation 1578.

sie aus anderen Städten vertrieben worden, dazu hätten sie keinen genügenden Grund, zumal da sie wüssten, ‚dass es zu allen Zeiten den beständigsten Lehrern göttlichen Worts in der Welt also gangen, wie S. Paulus selbst bekennet'. Dagegen wären sie gerne von diesem ‚alten, landkundigen und verschlagenen Sacramentierer und dazu beschuldigten Arrianer, der eben dieser Lehrer einer ist, so nicht allein bei den Reichsständen der A. C., sondern auch den Zwinglianern und Calvinisten selbst keinen Platz finden können' — sie meinten Matthäus — verschont geblieben.[1]

In einem solchen Tone sprachen die Deputirten zu einem der grössten Theologen ihrer Zeit, der es sich in der uneigennützigsten Weise zur Aufgabe gestellt hatte, die Uneinigkeit unter den Protestanten zu beseitigen — demselben, den sie vor acht Jahren als Theologen zu dem von Kaiser Maximilian angeordneten Religionstractat in erster Linie vorgeschlagen hatten — bloss desshalb, weil er ihnen in der besten Absicht die unverhüllte Wahrheit gesagt hatte. Sie wollten aber nicht mehr hören und rannten auf der abschüssigen Bahn weiter — geradeaus in das Verderben der ihrer Obhut anvertrauten Kirche.

Die Deputirten holten nun in Vollziehung des Ständebeschlusses über den von ihnen zum Superintendenten vorgeschlagenen M. Besler ‚bei ehrlichen und christlichen gelehrten Leuten zu Nürnberg und anderstwo' Erkundigungen ein, die natürlich, weil er ein erklärter Flacianer war, nicht anders als gut ausfallen konnten, worauf er dann, obwohl er von Nürnberg vertrieben worden war, nach Wien berufen ward. Die Gegner der Flacianer aber setzten am 1. December 1575 den Beschluss durch, dass man sich bei dem Stadtrath von Nürnberg selbst erkundigen solle, aus welchen Ursachen er seines dortigen Kirchenamtes enthoben worden sei. Man wandte sich also drei Tage später an diesen und bat um die Bekanntgabe, ‚beverab welcher Gestalt und wie lang Besler ihren Kirchen vorgestanden, ob er sich einiger Lehre, so Gottes Wort und Augsburger Confession zuwider, heimlich oder öffentlich teilhaftig gemacht, sonderlich aber in dem jetzigen ärgerlichen Streit de substantia et accidente peccati originis einigerlei Weis verwandt sei, wann und aus was Ursachen er sich wiederum

---

[1] Deputirte an Andreä, ddo. 10. Februar 1576; Cod. Fol. 128'.

aus dem Kirchenamt wirklich begeben, ob er ihnen mit Diensten oder sonst noch verbunden und wie es summariter um sein Thun und Wesen allerseits geschaffen'.[1]

Am 23. December erfolgte die Antwort: Besler habe 22 Jahre lang bis zum Jahre 1569 in ihrem Dienste gewirkt, zuerst in der Vorstadt Wörth, dann in der Stadt selbst an der Frauen- und an der Predigerklosterkirche, während welcher Zeit man an seinem Lebenswandel und an seiner Lehre nichts auszusetzen gehabt. Als aber vor einigen Jahren der Flacianische Streit ausbrach, und sich auch einige von ihren Prädicanten und Lehrern hineinmischten, seien sie bemüssigt gewesen, diese Streitigkeiten zuerst auf gütlichem Wege, dann mit strengen Massregeln abzustellen. Weil nun ‚Besler sich dieser Flacianischen Spaltungen auf dem Predigstuhl und sonsten auch angenommen und über ihre väterliche, wolmeinende Warnung und Abhaltung derselben zu viel nachgedenkt und ihm solche Unruhe vielmehr denn die christliche Einigkeit und Wolstand der Kirchen erwählt und belieben lassen', er auch seines Alters wegen um seine Enthebung von der Predigerstelle an der Klosterkirche gebeten habe, so sei ihm dieses nicht nur nicht bewilligt, sondern er auch des anderen Amtes an der Frauenkirche, sowie der Superintendentur enthoben und ihm eine jährliche Gnadengabe unter der Bedingung, dass er sich ruhig verhalte, zugesprochen worden. Ob er sich aber ‚an dem jetzigen ärgerlichen Streit .de substantia et accidente peccati originis' betheiligt habe oder nicht, könnten sie, da derselbe erst nach seiner Suspendirung vom Amte ausgebrochen sei, nicht angeben. Gegen seine Berufung hätten sie vom dienstlichen Standpunkte nichts einzuwenden, weil er bei ihnen keine Stelle mehr bekleide.[2]

Dieses Schreiben war gewiss deutlich. Die Flacianische Partei aber fand es ‚unformlich und dunkel' und sprach sich trotzdem für die Berufung des Besler aus. Indess drang in der Sitzung vom 21. Jänner 1576 der Antrag der Gegenpartei durch, der dahin ging, die Zuschrift des Nürnberger Stadtrathes dem Besler zur Gegenäusserung zuzustellen, was auch am selben Tage geschah.[3]

---

[1] Deputirte an den Stadtrath; Cod. Fol. 124. Deputirtenbericht, ddo. 1. Februar 1576; ebenda, Fol. 134 f.

[2] Nürnberger Stadtrath an die Deputirten; Cod. Fol. 125'—127.

[3] Deputirtenbericht, ddo. 2. Februar 1576; Cod. Fol. 134'f.

Dieser rechtfertigte sich alsbald: er habe nichts Anderes gethan, als gegen die durch die Annahme des Interim und durch die Adiaphoristen eingerissenen Irrthümer ‚vom freien Willen, von gnädiger Rechtfertigung und guten Werken, dass sie auch zur Seligkeit nötig‘, Stellung zu nehmen und seine Zuhörer davor zu warnen. Diesen Irrthümern habe ‚Matthias Flacius Illyricus neben etlichen andern beständigen Kirchendienern nothalben widersprechen müssen, daher sie denn von dem Gegentheil und Vertheidigern gedachter interimistischer Handlungen und Corruptelen Flacianer genennt und den Oberkeiten hin und wieder mit Schreiben und Schreien, mit Sparung aller Wahrheit, Gottesforcht und Redlichkeit bis auf diese Stund verunglimpft und die Sache dahin gebracht worden, dass nun alle, so dem Interim und den daraus hergeflossenen Corruptelen widersprochen und sich noch zur alten unverruckten Augsburgischen Confession und zum reinen, beständigen, evangelichen Bekenntnis der Schriften Lutheri halten, Flacianische Secten und Flacianer sein und als die ärgsten Ketzer verfolgt werden müssen‘. Bezüglich der Lehre von der Erbsünde stehe er noch auf dem Standpunkte der vom Nürnberger Stadtrath verfassten ‚Formula concordiae‘, die er auch unterschrieben habe.[1]

Die Deputirten waren mit dieser Rechtfertigung vollständig zufrieden und stellten daher im Landtage den Antrag: ‚Die Stände sollen im Namen Gottes mit ihm schliessen und ihn entweder zum völligen Superintendenten oder nur Vice-Superintendenten und Pastoren, ob mittlerweil Gott bessere Gelegenheit bescheren wollte, annehmen‘, und zwar aus folgenden Gründen: 1. Haben die Stände selbst in seine Berufung eingewilligt. 2. Bezeuge das Schreiben des Nürnberger Stadtrathes, ‚dass er sich bei ihnen eine Zeit lang im Wandel, Lehr und Leben wol und christlich verhalten‘. 3. Habe ihm derselbe keine näher angeführten Irrlehren nachgewiesen, sondern nur im Allgemeinen ‚Flacianisches Gezänk‘ vorgeworfen, wogegen er sich bereits genügend vertheidigt habe. 4. Wüssten sie derzeit den Ständen ‚keine anderen und besseren‘ vorzuschlagen, weil selbst ‚zu Wittenberg, Leipzig, Jena und dergleichen berühmten Orten, da doch viel Schulen sind und studirende

---

[1] Besler's Beantwortung, Jänner 1576; ebenda, Fol. 127—128'.

Personen erzogen werden, an dergleichen Leuten und andern reinen, beständigen und geschickten Lehrern und Predigern selbst merklicher Mangel' herrsche, 5. Würden ihre kirchlichen Verhältnisse immer ,schwerer und fährlicher' werden, je länger man die Besetzung des Superintendentenamtes und des Consistoriums anstehen liesse. 6. Käme es ihnen ,Gewissen und Ehren halben' nicht zu, mit so hohen Sachen Gott und seine Diener betreffend so liederlich umzugehen und unter den Dienern und Predigern göttlichen Worts ihres Gefallens zu wählen und sich selbst den Leuten dadurch ins Maul zu geben, als sein sie nicht eins und können nirgends keinen Superintendenten oder Kirchendiener finden, die ihnen eben und annehmlich wären, wie denn bereits dergleichen Reden von ihnen bei ausländischen Leuten fallen sollen'. 7. Wenn sie die gegenwärtigen verwerfen möchten, würde ihnen Gott statt dieser ,aus Zorn zur Strafe' Leute zuschicken, an denen sie nur ,wenig Ehre und Gewinn für Gott und rechten Christen' haben würden, ,wie denn Gott zu Samuel sagt, da ihn die Juden aus Fürwitz nicht mehr zum Regenten und Superintendenten haben wollten: Sie haben nit Dich, sondern mich verworfen, und drohet auch der Welt durch Ezechielem und S. Paulum, dass er solche Lehrer und Lehren geben wolle, die nicht gut sein und sie ums ewige Leben bringen'. 8. Habe sich Besler gegen sie ,dermassen zu verhalten und zu reversieren erboten', dass sie billig zufrieden sein können.

Was aber den Vorwurf selbst betreffe, dass Besler nämlich wegen des Flacianischen Streites seines Predigeramtes entsetzt worden sei, so habe derselbe wohl ,jetziger Zeit bei der Welt einen grossen Schein, aber bei verständigen Christen und ehrbaren Leuten nicht also', und würde auch vor dem weltlichen Gericht eine ,so dunkle, ungewisse Anklage' schwerlich angenommen werden. Denn ,mit sonderer List' seien in dem erwähnten Schreiben all' die Punkte, über die er gestritten, verschwiegen, ,damit man sich nicht bei verständigen Christen zu bloss gebe, wenn man ausdrücklich melden sollte, dass er wider das Interim und interimistische Irrthümer gepredigt habe'. Es sei nun ,reichs- und landkundig', dass der Rath von Nürnberg sich dem verderblichen Interim angeschlossen habe, und sich dadurch verschiedene ,Corruptelen und Irrthümer' dort eingenistet haben, gegen welche nebst vielen Anderen, wie

Flacius, Amsdorf, Gallus, die sächsischen Städte etc. auch Besler, der ein Schüler Luther's und von diesem auch ordinirt sei, aufgetreten und ,in seiner Kirchen das seine auch gethan, wiewol fast eher zu wenig als zu viel'.

Deshalb habe er nun ,den verhassten Namen der Flacianer' bekommen, obwohl er doch nichts Anderes lehre, als was ,noch heutzutage zu Rostock, Hamburg, Lübeck, Braunschweig und vielen anderen berühmten Kirchen Augsburgischer Confession gelehret wird und auch D. Jacobus Andreas, der gleichwol zuvor viel Jahr geschwankt, noch neulich in seinen sechs Predigten (den einigen neuen Streit von der Erbsünde ausgenommen) geschrieben, gelehret und vertheidiget'. Die Stände selbst hätten ja diese ihre Meinung bisher getheilt und aus diesem Grunde auch vor acht Jahren keinen Theologen, der sich der erwähnten Irrthümer schuldig gemacht hatte, berufen wollen. ,Des verworrenen Schulstreits von der Substanz und Accidenz der Erbsünde' wollten sie sich ihrestheils vollständig enthalten, im Uebrigen aber bei der ,einfältigen, wahren Lehre' bleiben, wie sie dieselbe in der vor drei Jahren verfassten und von Chyträus, Chemnitz und anderen Theologen gebilligten Apologie bekannt haben.

,Soll aber je,' schlossen sie ihren Bericht, ,dies unser treuherzig Rathen, Bitten und Ermahnen bei Euch nichts gelten und alles, was wir seit des 68. Jahrs her Euch und uns und dem ganzen Vaterland zum besten mit viel Mühe und grossen Unkosten gerathen und gethan und in Schriften bringen lassen, vernichtiget oder umgekehrt, desgleichen auch Beslerus um der liederlichen Beschuldigung willen des Nürnbergerischen Schreibens verstossen und die andern zwei[1] etwa auch geurlaubt werden: so protestieren und bezeugen wir hiemit, dass wir uns solcher Sünden nit teilhaftig machen, noch in unnötige Veränderungen und unbillige Verachtung und Verfolgung unschuldiger Diener Gottes willigen können oder gewilligt haben wollen mit der deutlichen Erklärung zu unserer notwendigen Verwahrung in futurum eventum, dass, da dergleichen, was wir doch nit hoffen, geschehen und kunftig ein verdächtiger Superintendens oder Consistorium Gottes und unsern bisher geführten Glaubensbekenntnissen, auch gestelleten Doctrinal, Consistorii-

---

[1] Opitz und Fr. Cölestinus.

und Schulordnung zuwider bestellet werden sollten, dass wir uns und die unsern derselben Jurisdiction zu unterwerfen nicht gesinnet, sondern unsere Kirchen und Schulen in jetzigem ihrem Stande ruhig bleiben zu lassen gänzlich entschlossen, der Zuversicht, ihr werdet uns die unsere christliche und notwendige Protestation zu keinem Argen ausdeuten und alle Sachen mit reifen Betrachtungen in Gottesforcht erwägen und zu guten christlichen Wegen richten helfen.'[1]

Durch diese etwas ungewöhnliche Art von Antragstellung eingeschüchtert, betraten die Stände einen Mittelweg und fassten, da sie ohnedies wussten, dass Besler nie die kaiserliche Bestätigung erlangen werde, den Beschluss, ,die Herrn Deputierten sollen ihm Beslero in beider Stände Namen anzeigen, dieweil die k. M. seiner Person halben um des Nürnbergerischen Schreibens willen Bedenkens, die Stände aber ohne I. k. M. gnädigstes Vorwissen das Superintendentenamt nit zu besetzen hätten, dass demnach ihnen den Ständen noch derzeit mit ihm Beslero zu schliessen nit gebüren wollte, sondern sie würden bewegt, um eine andere Person zu trachten. Ob man aber dieselb nit erlangen möchte, wären die Stände nit gedacht, dies Superintendentenamt in die Läng unersetzt zu lassen, sondern vielmehr zu versuchen, ob I. k. M. ungeacht jetzt habender Bedenken in sein Besleri Person gnädigst wollten verwilligen, auf welchen Fall sie, die Stände ihn hernach mit einer ehrlichen Abfertigung zu seinem billigen Benügen bedenken, ihm auch mittlerweil die notwendige Unterhaltung zu reichen verordnen, die ihn benebens insonderheit vermahnen liessen, dass er solche Zeit lang nochmalen aus gehörten Ursachen Geduld zu tragen und bei dem Kirchenwesen sein bestes zu thun unbeschwert sein wolle'.

Die Deputirten erhielten Vollmacht, schleunigst einen oder zwei Herren aus dem Ritterstande mit einem Schreiben an Chyträus abzufertigen, um ihn neuerlich zu bewegen, bei ihnen das Superintendentenamt, wo nicht länger, so doch auf ein Jahr oder mindestens bis zur Aufrichtung des Consistoriums und der Landschaftsschule zu übernehmen. Im Falle seiner Weigerung sollten die Deputirten wenigstens seinen Rath einholen, ,wie und wo sie etwa eine andere qualificierte, in Lehre

---

[1] Deputirtenbericht, ddo. 2. Februar 1576; Cod. Fol. 141.

und Leben unbefleckte, sonderlich dem jetzigen neuen ärgerlichen Streit de substantia et accidente peccati originis ganz
unverwandte Person zu solchem Amt erlangen, darunter denn
sie die Gesandten ihm Chyträo Dr. Simonem Pauli und Jo-
hannem Kaufmann zu Nürnberg, als welche denen Ständen
auch für tauglich gerühmt, ob er wider sie kein Bedenken
hätte, benennen und fürschlagen'. Doch sollte jedenfalls früher
die kaiserliche Zustimmung eingeholt werden.[1]

Die Deputirten entgegneten darauf am 26. März, die
Stände möchten sich bezüglich Besler's etwas näher erklären,
‚wie und welcher Gestalt demselben auf eine Zeit das Kirchenwesen zu befehlen, was mittlerweil bis auf Ankommen eines
ganz völligen Superintendenten sein Amt und Werk sein, wohin er endlich verordnet und wie er unterhalten werden solle,
sintemal ihm auf eine solche Ungewissheit zu dienen und zu
verharren beschwerlich sein würde und er ihrethalben zu
Nürnberg sein versprochen Gnadengeld verlieren möchte und
wie zu besorgen bereits verloren hat'.

Gegen die Delegirung eines oder zweier Landleute zu
Chyträus hatten sie einzuwenden, dass abgesehen von den bedeutenden Kosten einer derartigen Mission, dieser schwach
und krank sei und erst vor wenigen Monaten in einem
Briefe an einige Ständemitglieder geschrieben habe, man möge
ihn mit der Revision des Doctrinals seiner Leibesschwachheit
und vieler Geschäfte wegen verschonen, ausserdem wolle er
ihnen sowohl als anderen künftighin keinen Kirchendiener
empfehlen, man wollte denn diesen selbst ‚zuvor gegenwärtig
eine Zeit lang probieren, hören und sehen und seiner Lehre
halber Kundschaft einziehen'. Pauli könne man vielleicht zur Annahme bewegen, doch sei dies sehr fraglich. Ueberhaupt werde
man unter gelehrten, ansehnlichen Theologen schwerlich einen
finden, ‚der gedachtem Streit von der Erbsünde ganz unver-
wandt sei'. Ihr Vorschlag gehe dahin, dass man sich einfach
schriftlich bei Chyträus erkundige und ihm zugleich die Instruction, die Consistorial- und Schulordnung zusende. Der vorgeschlagene Joh. Kaufmann sei, wie sie hörten, ‚noch jung und
unerfahren und zu solchem hohen Amt wol weniger als M. Beslerus qualificiert'. Uebrigens sei jenem vor etlichen Jahren auf

---

einige Zeit die Predigt entzogen worden, er dürfte daher vom
Nürnberger Stadtrath keinen besseren Abschied als Besler
erhalten haben, ,daraus man denn abermalen leicht Ursach
haben und nehmen würde und könnte, dieselbe Person auch
zu verwerfen und sie und beide löblichen Stände in neuen
Spott und Schaden, auch Unkosten zu führen'. Zum Schlusse
ihrer Replik, aus der man recht deutlich hört, dass sie keinen
anderen als Besler zum Superintendenten haben wollten, drohten
sie neuerdings, im Falle als die Stände ihren Beschluss aufrecht
hielten, ihr Mandat niederzulegen.[1]

Inzwischen war der Landtag geschlossen worden und der
grösste Theil der Stände nach Hause gereist. Die Deputirten
wurden auf den für den 1. Juni festgesetzten Zusammentritt
des grossen Religionsausschusses vertröstet und gebeten, bis
dahin in ihren Aemtern zu verbleiben.[2] Die grossen Erwartungen, welche sich an diesen Landtag geknüpft hatten, waren
vollständig gescheitert.

Die Ordnung für das Consistorium, das aus je drei Mitgliedern der beiden Stände, zwei Theologen und einem Rechtsgelehrten hätte bestehen sollen, sowie die Instruction für den
Superintendenten lagen ausgearbeitet vor. Auch der Kaiser
scheint stillschweigend der Aufrichtung eines Kirchenministe-
riums zugestimmt zu haben, nachdem Strein seine letzten Bedenken zerstreut und ihm versichert hatte, dass die Stände
durch dasselbe sich keine Jurisdiction in der Stadt anzumassen
willens seien, dass sie vielmehr nur ,eine Deputation auf dem
Land von beiden Ständen, auch etlichen Geistlichen anzustellen
vermeinen, welche gleich als Inspectores sein sollen, damit die
Lehre und Ceremonien bei richtiger Mass und Ordnung gebürlich erhalten werden mögen, wie sich denn die Agenda fürnehmlich im Artikel vom Bann auf eine solche Deputation lehne'.[3]

So fehlte also nur mehr eines, freilich das Wichtigste:
ein erfahrener Superintendent und ein tüchtiges Consistorium.
Unter solchen Umständen darf es nicht Wunder nehmen, wenn
der Ausbau des evangelischen Kirchenwesens, zu dem man

---

[1] Replik der Deputirten, ddo. 26. März 1576; ebenda, Fol. 142'.
[2] Schreiben der Stände an die Deputirten, ddo. 30. März 1576; ebenda,
Fol. 146'.
[3] Strein's Relation 1578; vgl. oben, S. 196, Anm. 3.

sich im Landtage des Jahres 1575 .einen Anlauf genommen, wieder bedenklich ins Stocken gerieth.

In dem eben genannten Landtage hatte man auch die Nothwendigkeit erkannt, ,dass eine christliche gemeine Landschaftsschule ohne längern Verzug aufs fürderlichste angerichtet werde, damit dieser Lande Jugend in Gottesfurcht und guten Künsten wol und christlich unterwiesen und junge Leute zu Schul- und Kirchendiensten, zu weltlichen Regimenten und Schreibereien und dergleichen nöthigen und ehrlichen Aemtern aufgezogen und präparirt werden und man nicht allezeit fremde, unbekannte und ausländische Personen nicht ohne Gefahr annehmen und bestellen dürfe'. Die Deputirten wurden daher aufgefordert, in dem alten Schulhause der Landschaft so bald als möglich eine ,christliche, gemeine Schule' aufzurichten, doch ,im Anfang bis zur Aufrichtung des ganzen Ministerii und Consistorii', weil hiefür noch keine finanzielle Bedeckung vorhanden sei, möglichst geringe Kosten dazu zu verwenden. Zur Bestreitung der erforderlichen Geldmittel sollte der Kaiser von den Deputirten im Namen der Stände gebeten werden, die für die kaiserliche Landschaftsschule bei den Dominikanern bestimmte Dotation mit Rücksicht auf die geringe Anzahl der dort untergebrachten Schüler auf die neu zu errichtende evangelische Schule zu übertragen. Ferner sollte ein ,tüchtiger Oeconomus' angestellt und eine Schulbibliothek eingerichtet werden, für welche die Deputirten ,die nötigsten und nützlichsten Bücher und Autores' anzukaufen, aber anfänglich den Betrag von 500 Gulden nicht zu überschreiten hätten.[1]

Im Landtage des Jahres 1576 legten die Deputirten den Ständen eine ausgearbeitete Schulordnung vor und beantragten, sie ,der Säulen eine, darauf das Land, Regiment und Kirchen stehen soll und muss, und auch viele Landleute eine lange Zeit sehnlich gehofft und durch sie vertröstet worden' schleunigst in das Leben zu rufen. Nach dieser sollten unter Anderem für die fünf zu schaffenden Classen fünf ,Präceptores' und ein Rector mit einem jährlichen Gehalt angestellt und zwölf ,Stipendiaten Theologiae, die künftig im Predigamt zu brauchen', aufgezogen werden.[2]

---

[1] Instruction für die Deputirten, ddo. 21. Juni 1575; ebenda, Fol. 112'.

[2] Sie enthält ferner die Bestimmungen über die Besoldung der Lehrer, Kost- und Schulgeld, Befreiung der armen Kinder vom Schulgelde,

Die Stände gaben hierauf den Deputirten Vollmacht, mittlerweile bis zur völligen Bildung des Consistoriums zwei oder drei Classen zu errichten, doch zuvor beim Kaiser um die Erlaubniss dazu anzuhalten. Diese bestellten auch noch im Juli desselben Jahres Paul Sesser für die zweite, Simon Schultes für die dritte, Philipp Schlorsbach für die vierte und Georg Geisler, an dessen Stelle am 1. November Johannes Riedlinger trat, für die fünfte Classe. Doch dürften sich diese mit Ausnahme des Sesser[1] nur ganz kurze Zeit gehalten haben.[2] Zum Schulökonomen wurde der schon einmal genannte Wolf Wucherer ernannt.[3]

Das scheint aber auch Alles gewesen zu sein, was die Stände in dieser so wichtigen Angelegenheit thaten. Die weitere Ausgestaltung des Schulwesens wurde einem Ausschusse zur eingehenden Berathung anvertraut, der sich aber nicht viel darum kümmerte und, wie die Deputirten im Landtage des Jahres 1577 klagten, bis zu diesem Zeitpunkte viermal vergebens zu einer Sitzung einberufen wurde.[4] Nachdem bereits die Schule theilweise errichtet war und der Kaiser schon darum wusste, suchten die Deputirten auch um seine Bewilligung an, doch die Erledigung kam nicht mehr.[5] Am 12. October 1576 hatte Maximilian II. zu Regensburg für immer die Augen geschlossen.[6] Zu spät erkannten die Deputirten die nach

---

Schülerchor etc. Bericht der Deputirten, ddo. 2. Februar 1576; ebenda Fol. 137'—140'.

[1] Er wurde im Jahre 1578 zusammen mit Opitz und Tettelbach ausgewiesen und scheint damals die einzige Lehrperson gewesen zu sein.

[2] Zum Cantor war am 12. April 1574 Jacob Donatus bestellt worden. Sein Anstellungsdecret im Cod. Fol. 131.

[3] Er starb nicht lange nachher; es wurde daher am 28. März 1578 die Neubesetzung der durch seinen Tod erledigten Stelle beantragt; ebenda.

[4] Deputirtenbericht vom 9. Februar; ebenda, Fol. 149.

[5] Die Hofkanzlei warf ihnen auch vor, dass sie die Schule, welche sie laut ihrer dort vorgefundenen Originalsupplication ‚allein zur Lernung und nit zu dem Religionsexercitio begehrt‘, ‚unerwartetes Bescheids, weil sie sich viel mehr Abschlagens als Bewilligung versehen, aufgerichtet‘ hätten; vgl. ‚Summarischer Begriff‘ etc. Auch Strein, der für die Stände intervenirt hatte, bemerkt in seinem Bericht (1578): ‚es ist aber solche Supplication mit I. k. M. tödtlichem Abgang unerledigt geblieben‘.

[6] Vgl. Moritz, Die Wahl Rudolfs II, 1895, S. 437f. Die medicinische Seite behandelt Senfelder, Kaiser Maximilians II. letzte Lebensjahre und

seinem Tode eingetretene „grosse Aenderung'.[1] Durch eigene
Saumseligkeit und Verblendung hatten sie die günstige Gelegenheit, welche ihnen die Regierung des milden und keineswegs protestantenfeindlichen Kaisers darbot, um ihrem Kirchenwesen eine feste Organisation zu geben, vorübergehen lassen.
Acht Jahre waren seit der Ertheilung der Religionsconcession
verstrichen, und sie standen um keinen Schritt weiter als damals. Dagegen herrschte jetzt Uneinigkeit und Zwietracht
unter den Ständen und ihren Predigern, wodurch ein ein-
müthiges und erfolgreiches Vorgehen bei der Ausgestaltung
ihrer Kirche unmöglich gemacht wurde.

Der erste Landschaftsprediger in Wien, Josua Opitz,
fand vor dem grösseren, nicht flacianisch gesinnten Theil der
Stände keine Gnade. Selbst als die von den Universitäten
Rostock und Frankfurt über seine Rechtfertigung und die
Formula concordiae verlangten Censuren nur wenige Bedenken
äusserten und ihn für einen „rechten Lehrer' erklärten, gab
sich die Gegenpartei nicht zufrieden und erklärte im Landtage
des Jahres 1578, wenige Monate vor seiner Ausschaffung, ihn
nur unter der Bedingung in seinem Dienste zu belassen, wenn
auch seine zu Mannsfeld gedruckte, noch in Regensburg geschriebene Erklärung von der Rostocker Universität gebilligt
werde.[2] Dass er auch von dem Kaiser nicht gerne gesehen
war, beweist das bereits besprochene Decret, worin mit seiner
Answeisung gedroht wurde.[3] Wenn sich auch dieser durch die
Vorstellungen des Landmarschalls von einem weiteren gewaltsamen Vorgehen gegen Opitz abhalten liess,[4] schadete doch
sein Widerwille der evangelischen Sache ungemein und bot
dem Kaiser Rudolf II. eine willkommene Handhabe zu seiner
Landesverweisung.

Gegen die Deputirten selbst wurden die heftigsten Anklagen laut, und im Landtage des Jahres 1576 mussten sie
sogar hören, „man wüsste nicht eigentlich, was der Deputirten
Glaube wäre und wollte demnach vonnöten sein, sich diesfalls

Tod; Blätter des Vereines für Landeskunde, XXXII. Jahrgang, 1898,
Nr. 2, S. 47 f.
[1] Deputirtenbericht vom 9. Februar 1577; Cod. Fol. 149.
[2] Instruction für die Deputirten, ddo. 25. März 1578.
[3] Vgl. S. 215.
[4] Vgl. S. 216.

gegen den Ständen zu erklären', welchem Verlangen die Deputirten auch nachkamen.[1]

Vergebens hatten die Stände im Jahre 1575 den Beschluss gefasst, dass sich ihre Prediger der Worte ‚Substanz' und
‚Accidenz' gänzlich enthalten und sich darauf reversiren sollten,
und hatte auch Opitz diese Erklärung unterschrieben:[2] der
Streit wurde immer wüthender und erbitterter.

Wenige Jahre später auf dem Landtage des Jahres 1583
mussten die Verordneten das traurige Bekenntniss ablegen:
‚Was das Kirchenwesen auf dem Lande betrifft — in der Stadt
Wien hatten sie keines mehr —, da hat bisher der leidige,
unglückselige Streit von der Erbsünde und was dem anhängig,
wie es die Herrn Verordneten zu ihrem Theil befinden, anderst
nit verstehen könnten, alle guten Ordnungen verhindert und
dagegen eine solche Zerrüttung hin und wieder geursacht, dass
es billig hoch zu beklagen und wofern es nit verbessert werden
sollte, ist in der Wahrheit zu besorgen, es werde das ganze
Wesen aus Gottes gerechter Strafe ohne unserer Widersacher
Zuthun für sich selbst einen Bruch gewinnen'.[3]

Hätte die neue Regierung ein innerlich gefestigtes und
einheitlich geordnetes Kirchenwesen und eine geeinigte Pro-
testantenpartei angetroffen, die Gegenreformation hätte wahrhaftig einen schwereren Stand gehabt.

---

[1] Anbringen der Deputirten ‚wegen etlicher ergangener Reden', ddo.
20. März 1576; ebenda, Fol. 146'.

[2] Ebenda.

[3] Relation der Verordneten Nic. v. Puchheim, Wolf v. Liechtenstein,
Maximilian v. Mamming und Franz v. Gera, ddo. 1. März 1583; ebenda,
Fol. 464'.

ITINERARIUM

MAXIMILIANI I.

1508—1518.

MIT EINLEITENDEN BEMERKUNGEN

ÜBER DAS KANZLEIWESEN MAXIMILIANS I.

HERAUSGEGEBEN

VON

VICTOR v. KRAUS.

Und die grossen, über Monate hin sich erstreckenden Lücken aus
zufüllen, sollen nun die in den Briefen Maximilians enthaltenen
Datirungszeilen herangezogen werden. Damit beginnt die
Schwierigkeit. Tragen diese Briefe bestimmte Merkmale an
sich, durch welche die persönliche Mitwirkung Maximilians an
der Ausfertigung ausser jeden Zweifel gestellt wird, dann kann
der Datirungsort der Urkunde unbedenklich als Aufenthaltsort
des Kaisers gelten. Andererseits steht fest, dass Briefe unter
dem Namen des Kaisers ausgefertigt wurden, die nicht unmittel
bar vom Kaiser, sondern von den Reichs-, Hof- und Landes
behörden (Hofrath, Regimente und Kammern) sowohl bei An
wesenheit des Kaisers, als in dessen Fernsein und ohne dessen
Wissen ausgefertigt wurden, bei denen ein Rückschluss aus
dem Datirungsort der urkundenden Behörde auf den Aufent
haltsort des Kaisers nicht vorgenommen werden darf. Der
späteren Untersuchung vorbehaltend, ob und in welchem Um
fange bestimmte Arten von kaiserlichen Briefen für die Zwecke
eines Itinerars verwendbar erscheinen, genüge zunächst die Be
merkung, dass eine wahllose Heranziehung der im Namen des
Kaisers ausgefertigten Briefe in das Itinerar des Kaisers nur
Verwirrung zu bringen vermöchte.

Unter diesen Umständen kann es als glückliche Fügung
angesehen werden, dass von Personen in der nächsten Umge
bung des Kaisers lediglich aus Gründen der Verrechnungs
technik genaue Feststellungen über den Aufenthalt des Kaisers
gemacht, hierüber Listen angelegt und uns Theile derselben
welche die Regierungsperiode 1508—1518 umfassen, überliefert
wurden. Das gräflich Falkenhayn'sche Schlossarchiv zu Wal
persdorf in Niederösterreich enthält einen Actenfascikel mit der
Aufschrift neueren Datums: ‚Reisen des römischen Kaisers
Max I. von 1508—1518 betreffend, grösstentheils Rechnungen.
Dieser enthält einen in Buchform gehefteten, aus 56 Folioblättern
bestehenden Fascikel mit der Ueberschrift: ‚Verzaichnes der
Raisen, so die Röm. Khay. Mt. etc. Maximiliani der Erste von
monat Nouembris anno 1508 bis zu Auszgang des monats Fe
bruary anno 1518 volbracht haben.‘ Je eine Seite dieses
Reisebuches enthält die Angaben für einen Monat, obenan Monats
und Jahresangabe mit folgenden Monats- und Wochentagen und
beigefügten Ortsnamen. Die Aufzeichnung ist mit Genauigkeit
von Blatt zu Blatt, das heisst von Monat zu Monat durchgeführt

Nur zum 23. und 24. März 1509 und zum 19. Juni 1516 fehlen die Ortsnamen. Ankunft und Abgang sind nicht vermerkt. Die Schrift gehört der ersten Hälfte des 16. Jahrhunderts an, die Aufzeichnung ist durchgängig von einer Hand, mit einer Tinte und in einem Zuge gemacht und erscheint demnach als eine Aufstellung auf Grund vorgelegener Einzelaufzeichnungen. [1]

---

[1] Einen Anhaltspunkt über die Art der Verrechnungen und über die dabei sich ergebenden gesicherten Daten bezüglich des Aufenthaltes liefert uns ein im Innsbrucker Statthaltereiarchiv (Max. $\frac{w}{6}$ $\overline{90}$) erhaltener Rechenzettel für Ausgaben des Herzogs Siegmund von Tirol. Wurden für eine die ganze Regierungsperiode oder doch einen grossen Theil derselben umfassende Schlussabrechnung alle offenbar instructionsgemäss abgegebenen Rechenzettel gesammelt und die Daten ausgezogen, so ergab sich für den Nachweis der Aufenthaltsorte ein ganz ausgezeichnetes Resultat. Der Rechenzettel lautet:

Leonharten Rosanenhamer sein schultzedl etc.

Item am eritag vor sant Petter stulfeyr ist mein g. her gen Hall komen vnd das nachtmal zu Frycsens mit XXXVIII pferden vnd zu Hall vbernacht belyben vnd das morgenmall da genomen 92°.

Vermerckt speyß vnd fieczetl als m. g. h. vnd m. g. fr. auff das Seueld sind gezogen vnd ubernacht zu Zierl sind belyben an freutag nach sant Vlrichstag im 92°.

Item wie uil ich wein vnd prott auff die person laut der siecsetl verpraucht hab zu Hall von montag zu nacht pis pfinstag nach dem mall vnd auf die ubrigen person laut des kuchlschreibers zetl an montag vor sant Alexi 92°.

Vermerck die fietzetl vnd ander ausgeben im Selrain beschehen auch zu Achsamß am hin in vnd heraußziehen an suntag, montag, erytag vor Margeten 92°.

Sonntag zu Achsams am hineinziehen erytag herausziehen.

Vermerckt die fietzettl als m. g. h. vnd m. g. f. zu Hall geiagt haben am mantag vnd erytag nach des hayligen creutz erhöhungtag im 92°.

Item am freutag vor der herren faßnacht im 92° ist mein g. h. gen Hall komen vnd da belyben pis auff suntag der herrn faßnacht nach dem mal vnd hernach volgt mein außgeben.

Vermerckt die fieter vnd speyßsetl alls mein g. h. auff das Seueld ist gezogen am freytag nach Judica im 92°. (Item m. g. h. ist auff Fragenstain gelegen etc.)

Item an sant Valenteinstag im 92 ist m. g. h. gen Zirl komen vnd da belyben zwo nacht vnd hernach volgt mein außgeben.

Item mein gnedigister herr ist komen gen Hall an sambstag nach vnser lieben frawentag weüchwurcz vnd da belyben piß auff sambstag nach Bartholomei im 92° vnd volgt hernach mein außgeben.

Dafür, sowie für die geringe Vertrautheit des Schreibers mit den von ihm verzeichneten Ortsnamen sprechen die häufigen Verballhornungen derselben. Angaben über den Schreiber, über das zu Grunde gelegte Material und über den Zweck der Zusammenstellung fehlen.

Ueber den letzteren wird man aber durch weitere fünf Fascikel orientirt. Einer, ohne besondere Aufschrift, enthält Verrechnungen über Ausgaben und Einnahmen, die ihrer Natur nach sich unmittelbar auf die Person des Kaisers und zumeist auf das Jahr 1504 beziehen. Die weiteren vier Fascikel führen die Aufschriften: 1. ,Hierin etlicherlay Khaisers Maximiliani des ersten hochseligster gedechtnus zalmaister (darunter durch-strichen phennigmaister) raittung, emphang vnd ausgab, dabei was etlich dienern abgesprochenn.' Mit Wochen- und Monats-, aber ohne Jahresangaben lassen sich diese zahlreichen Rech-nungen auf Ausgaben des Jahres 1517 zurückführen. 2. ,Tag-zettln, was auf der Röm. Khay. mt. hoffgesindt in die khuchel einkhaufft, darbei was für fleisch vnd anders auffgangen sambt andern zettln.' Ein Convolut von gleichartig abgefassten Küchen-zetteln,[1] je ein halber Bogen für eine Hoftafel, mit Zeitangaben

---

Aus diesem einzigen Vermerkzettel lassen sich nachfolgende gesicherte Daten für Herzog Siegmunds[*] Aufenthalt leicht zusammenstellen:

1492.	14.—16. Febr.	Zirl. (Dieser Ort und alle nachfolgenden liegen bei Innsbruck in Tirol.)
	21. Febr.	Hall und Fritzens.
	22. Febr.	Hall.
	2.—4. März	Hall.
	6.—7. Juli	auf dem Seefeld und Zirl.
	8.—10. Juli	Axams und Selrain.
	10.—19. Juli	Hall.
	18.—25. Aug.	Hall.
	17.—18. Sept.	Hall.

[*] Dass unter der Bezeichnung: m. g. h. nur Siegmund und nicht der König Maximilian gemeint sein konnte, erhellt aus der Thatsache, dass Maxi-milian nachweisbar in der im Rechenzettel angegebenen Zeit nicht zu Innsbruck weilte (s. V. v. Kraus, Max I. Beziehungen zu Siegmund von Tirol, S. 47, Nr. 33—39), überdies im Zettel von einer ,gn. frau' (offen-bar Katharina von Sachsen) gesprochen wird, Maximilian damals aber noch Witwer war.

[1] Aus diesen für die Geschichte der Preise lehrreichen Küchenzetteln bringen wir nachfolgenden (aus dem Jahre 1510) zum Abdruck:

wie in den Stücken des vorgenannten Fascikels. 3. ‚Tagzettln oder ausgaben auf der Röm. khay. mt. khayser Maximiliani des ersten hochseeligster gedechtnus stallparthey oder füetterung.‘ Fast durchgängig über Ausgabenposten des Jahres 1504. 4. ‚Etlich (wenig) zettln der ausgaben durch den liechtcamerer.‘ Fünf Blätter ohne Jahresangaben.

Eine Vergleichung des Inhalts der fünf Fascikel mit den Aufzeichnungen des Reisebuches weisen nach Schrift und Tinte auf einen gemeinsamen Schreiber hin. Die auf übrigens losem Umschlag angebrachten Ueberschriften des ersten und dritten Fascikels, in denen die einzelnen Rechnungsbelege als Blätter zumeist chronologisch eingelegt waren, sprechen von dem bereits verstorbenen Kaiser († 1519). An mehreren Stellen erwähnt der Zahlmeister eines Bruders, von dem er Geld zur Verrechnung in Empfang nahm und solches an ihn abgeliefert habe. Beide Brüder scheinen also in Hofkammergeschäften Maximilians verwendet worden zu sein, und liegt uns hier das Material zu einer umfassenden Rechnungslegung nach Maximilians Ableben vor.

Am montag den VII. tag January gespeist zu Botzenn Ro. kay. mt vnd I^{C}XL personnen.

vmb III hasenn I st. 13 kr.	39 kr.	vmb swyfell	9 kr.
vmb VI veldhunner I st. 7 kr.	42 kr.	vmb pirnn	6 kr.
vmb VIII hennen . . . . . ,	48 kr.	vmb huneratz	8 kr.
vmb vogll . . . . . . per Fisyony.		vmb II par schuch der offi-	
vmb III kapaun	34 kr.	cir kuchinknoben	20 kr.
vmb milch	28 kr.	vmb holz	48 kr.
vmb essich	9 kr.	Summa . . 8 fl. 41 kr.	
vmb salz	12 kr.	Vermerckt das flaisch vmb	
vmb schmalz . . . 2 fl. Rh.		III^{C}x ℔ rindtflaisch	
vmb gerstenn	12 kr.	kalbflaisch vnd schaf-	
vmb schonmell	9 kr.	flaisch I ℔ per 1 kr.	
vmb hausenplatter	27 kr.	facit	6 fl. 50 kr.
vmb saurkraut	24 kr.	vmb 1 kalbskopff	5 kr.
vmb rueben vnd kholl-		Summa . . 6 fl. 55 kr.	
kraut	28 kr.		
vmb opffell	8 kr.	Sumarum . . 15 fl. 36 kr.	

(Die Rechnung vom vorigen Tag — Sonntag, 6. Jänner 1510 — betrug 18 fl. Rh. 10 kr. und enthält neben den obigen Artikeln: ain star weiß arbiß für der kay. mt. mundt 1 fl. Rh.; vmb II sew zu wirsten kaufft auf beneich kay^r mt 5 fl. 14 kr.; vmb darmb zun wirsten 12 kr.; vmb kunich dorzu 4 kr.)

Bezüglich des Namens des Zahl- oder Pfennigmeisters sind wir nur auf unsichere Vermuthung verwiesen. Die Hofkammerordnung vom Jahre 1498 führt uns unter dem Reichsschatzmeister Balthasar Wolf einen Jörg von Eck als Pfennigmeister an, dem Casiüs Hacquenay als Registrator zur Seite stand. In der Hofkammerordnung vom Jahre 1501 erscheint der Letztere als Schatzmeister oder Rechenmeister. Auch geschieht eines Johann Lucas als königlichen Controlors bezüglich der Ausgaben zur Unterhaltung von Tafel, der Truchsesse und Diener in der Garderobe und Küche, im Keller und der Lichtkammer Erwähnung, der die Ausgabe der für diese Etats erforderlichen Summen durch den Pfennigmeister Sebastian Hofer besorgen lässt. Casius Hacquenay, noch im 16. Jahrhundert wegen seiner pünktlichen Registrirung der Hofkammeracten gerühmt, besass einen Bruder Jorg Hacquenay, seit 1502 Gehilfe des Einnehmers der extraordinären Einkünfte am Hofe. Endlich wird im Jahre 1513 Ulrich Pfintzing als Zahlmeister genannt. [1]

Welchem Zweck auch immer ursprünglich das obenerwähnte Reisebuch diente, so viel steht fest, dass die um die Person des Kaisers dienstlich beschäftigten Hofbeamten in erster Linie befähigt waren, uns und der Forschung über alle Vorfälle am Hofe, die, wie die fortgesetzten Reisen, für den Hofetat von finanzieller Tragweite waren, werthvolle Aufzeichnungen zu machen. Sache der Kritik bleibt es, durch eingehende Untersuchung den Grad der Verlässlichkeit zu prüfen und ihnen nach dem Mass der sichergestellten Glaubwürdigkeit

---

[1] Siehe S. Adler, Die Organisation der Centralverwaltung unter Maximilian I., Leipzig 1886, in dem die Hofkammer behandelnden Capitel. Jorg von Hacquenay führte, wie aus einer Notiz im Innsbrucker Statthaltereiarchiv hervorgeht, auch den Titel eines Pfennigmeisters. Die Notiz lautet:

Jörigen Hackaney phenningmaister auf sein zerung vnd vnderhaltung in abslag seines liuergelts geben laut quitt. L guld. R.

Freitag 8. Nov. Rattenburg aus beuelch meines bruedern Jorg Heckenney glichen auff raittung, so er genn Innspruckh woldt reitten. L gulden R.

Zu Geysennfeldt dem Jorign Heckenney zalt, so er fur meinen bruedern fur zerung ausgeben hatt xxx kr.

Hat bezalt von Hans von Steten 1200 fl. auff das silber.

Nach dieser Notiz käme neben dem Hacquenay noch ein zweites Brüderpaar (Pfintzing?) in Betracht.

die als Hauptquelle für ein Itinerar Maximilians zukommende Stellung anzuweisen.

Aus der Gruppe der Quellen, deren Nachrichten über den jeweiligen Verbleib Maximilians Anspruch auf unbedingte Glaubwürdigkeit erheben können, greifen wir die Berichte der Rathsboten an die Stadt Frankfurt[1] und die daran sich anschliessenden Archivsnoten zum eingehenden Vergleich mit den Angaben unseres Reisebuches heraus. Der Bericht aus Worms 21.—22. April 1509 (Nr. 952) meldet, dass der Kaiser am 21. April 1509, 6 Uhr Abends, in Worms zum Reichstag eingezogen sei. Das Itinerar enthält die Daten: 1509, 21. April Nieder-Olm, 22. April Worms. Man beachte die Verschiebung um einen Tag. Nach dem Wormser Bericht vom 24. April 1509 (Nr. 954) ritt der Kaiser an demselben Tag zur Mittagszeit von Worms nach Speyer weg. Das Itinerar berichtet: 1509, 22.—26. April Worms, 27. April Speyer. Aus Nr. 955 erfahren wir auch, dass der Kanzler Serntein und mit ihm offenbar auch die kaiserliche Kanzlei noch bis zum 26. April zu Worms verweilt, um dem Kaiser nach Speyer nachzuziehen. Die Frankfurter Räthe melden ihrer Stadt am 27. April 1509 (Nr. 956), dass der Kaiser zu Speyer weile, und melden am 29. April aus Worms (Nr. 957), dass er am 27. April von Speyer nach Brüssel (!) abgereist sei. Das Itinerar berichtet: 1509, 27. April Speyer, 28. April Bruchsal. Heller berichtet dem Frankfurter Rath aus Augsburg 4. Februar 1510, dass der Kaiser dem Mainzer Erzbischof geschrieben hätte, er wolle sich um Kaufbeuren und Füssen aufhalten, um beim Eintreffen der Stände in Augsburg auch dort zu erscheinen (Nr. 988), und derselbe Bote an Frankfurt am 14. Februar 1510 (Nr. 992), dass der Kaiser in Mindelheim verweile. Das Itinerar berichtet: 1510, 4. Februar Reutte, 5. Februar Nesselwang, 6. Februar Kempten, 7. Februar Liebenthan, 8.—11. Februar Kaufbeuren, 12. Februar Angelberg, 13.—17. Februar Mindelheim. Am 18. Februar 1510 berichtet Heller an Frankfurt (Nr. 993), der Kaiser reise um Augsburg herum, die Kanzlei traf erst an diesem Tage in Augsburg ein. Nach dem Itinerar finden wir Maximilian zwischen 7.—21. Februar 1510 zu Kaufbeuren, Mindelheim, Angelberg, Puchloe

---

[1] Frankfurts Reichscorrespondenz, herausgegeben von Joh. Janssen, II. Bd., II. Abth., 1872.

und Schwabmünchen. Am 25. Februar 1510 berichtet Reller (Nr. 995), der Kaiser sei am 21. Februar nach Augsburg gekommen. Das Itinerar meldet: 1510, 22.—28. April Augsburg. Auch hier wieder eine Verschiebung um einen Tag. Am 10. März 1510 berichtet Heller an Frankfurt (Nr. 997), der Kaiser sei nach Dillingen geritten und werde in vier Tagen wieder nach Augsburg zurückkehren. Das Itinerar berichtet: 1510, 5. März Wertingen, 6. März Dillingen, 7. März Donauwörth und Wertingen, 8. März und folgende Tage Augsburg. Also auch hier die Verschiebung um einen Tag, die wir in der Folge nicht mehr besonders hervorheben. Es ist klar: Der erste im Itinerar angesetzte Monatstag ist der Tag der Abreise und nicht der der Ankunft. Max verlässt am 4. März Augsburg, trifft Abends in Wertingen ein, wo er vom 4.—5. März übernachtet, und zieht am 5. März von Wertingen weiter. Carl von Henssberg berichtete am 22. April 1510 an Frankfurt (Nr. 1016), der Kaiser sei von Augsburg abwesend, er soll zu seiner Schwester nach München geritten sein. Das Itinerar berichtet: 1510, bis 18. April in Augsburg, 19. April Mering, 20. April Fürstenfeldbruck und Naynnhofen, 21. April Dachau, 22. April Fürstenfeldbruck, 23. April und folgende Tage Augsburg. Die Reise zeigt die Richtung bis in die Nähe Münchens. Am 19. Februar 1511 berichtet Heller aus Freiburg an Frankfurt (Nr. 1047), der Kaiser sei am 18. Februar nach Colmar geritten. Das Itinerar berichtet: 1511, 15.—18. April Freiburg, 19. April Breisach, 20. April Colmar. Dr. Rechlinger schreibt am 20. December 1511 aus Augsburg an den Frankfurter Rath (Nr. 1067), jüngst sei ihm die Nachricht zugekommen, dass sich der Kaiser ‚neulich' zu Mauterbach (!) oder ungefähr auf den Rottenmann aufgehalten und nach Steiermark zu ziehen willens gewesen sei. Er werde daher vor Weihnachten nicht nach Augsburg kommen. Das Itinerar berichtet: 1511, 2.—3. December Mauterndorf, 11. December Rottenmann, von wo Max nach Aussee zieht. Johann Kesseller zu Nassau schreibt am 24. Februar 1512 an Frankfurt (Nr. 1069), er habe glaubhaft gehört, dass der Kaiser gestern (23. Februar) in Karlstadt gelegen, heute (24. Februar) zu Gmünden und morgen (25. Februar) in Gelnhausen liegen werde. Das Itinerar berichtet: 1512, 23.—24. Februar Würzburg, 25. Februar Karlstadt, 26. Februar Gmünden, 27.—28. Februar Gelnhausen. Nach Nr. 1071 kam der Kaiser am 28. Februar

1512 nach Frankfurt a. M. Das Itinerar berichtet: 27.—28. Februar Gelnhausen, 29. Februar bis 1. März Frankfurt. Am 18. Mai 1512 berichten die Frankfurter Boten aus Trier an ihre Stadt (Nr. 1076), der Kaiser sei am 17. Mai nach den Niederlanden abgereist. Nach dem Itinerar verlässt Maximilian am 17. Mai 1512 Trier und zieht gegen die Niederlande. Bericht Heller's an Frankfurt aus Köln am 17. Juli 1512 (Nr. 1084), der Kaiser sei am 16. Juli nach Köln gekommen. Itinerar: 1512, 16.—31. Juli Köln. Derselbe theilt derselben aus Worms 1. December 1512 mit, dass der Kaiser noch zu Landau weile. Das Itinerar berichtet: 1512, 13. November Neustadt, 14. bis 19. November Landau, 20.—22. November Speyer, 23.—27. November Landau. Die kaiserlichen Commissäre zu Worms am 10. Juni 1513 theilen den wartenden Ständen das Heranziehen des Kaisers mit (Nr. 1112). Itinerar: 1513, 10. Juni Geislingen, 12.—13. Juni Esslingen, 14. Juni Stuttgart und Eglisheim, 15. Juni Vaihingen, 16. Juni Maulbronn und Bretten, 17. Juni Bruchsal und Hausen, 18. Juni Speyer und Oggersheim, 19.—25. Juni Worms. Der Wormser Rath theilt (Nr. 1113) dem Frankfurter am 18. Juni 1513 mit, dass der Kaiser die letzte Nacht zu Speyer gewesen und heute in Worms eintreffe. Der Frankfurter Rath theilt am 28. Juni 1513 (Nr. 1116) dem Mühlhausner mit, Maximilian sei am 26. Juni nach Frankfurt gekommen und sei noch dort. Das Itinerar berichtet: 1513, 26. Juni Darmstadt, 27. Juni und folgende Tage in Frankfurt. Eine Frankfurter Archivsnote (Nr. 1154) theilt mit, dass der Kaiser am 13. Juni 1517 dorthin gekommen, acht Tage verweilte und am 21. Juni gegen Aschaffenburg geritten sei, und am 22. Juni 1517 erhält der Rath zu Hagenau die Auskunft (Nr. 1155), dass der Kaiser abgezogen sei und in der Nacht vom 22.—23. Juni zu Miltenberg liege. Das Itinerar berichtet: 1517, 13. Juni Wiesbaden und Höchst, 14.—20. Juni Frankfurt, 21. Juni Frankfurt und Seligenstadt, 22. Juni Aschaffenburg und Obernburg, 23. Juni Miltenberg und Külsheim.

Die Genauigkeit in der chronologischen Anordnung und in Verzeichnung bestimmter Thatsachen und Vorfälle reiht die uns vom Ritter Siegmund von Herberstein hinterlassene und mit besonderer Sorgfalt vom Verfasser revidirte Selbstbiographie[1]

Herausg. von Th. v. Karajan in Font. rer. Austr., I. Abth., I. Bd., Wien 1855.

p. 104 ff. **Beschreibung** einer Reise des Kaisers von Füssen nach Hagenau im Elsass, October bis December 1516.

Am 20. October macht sich Herberstein auf den Weg und holt den Kaiser zu Füssen ein. Bei der nun folgenden Darstellung der Reise gibt er nur einen Monatstag — 2. November — an. In allen Fällen ist der Vergleich der Reiseroute bei Herberstein und im Itinerar wichtig für das Urtheil über den Werth des letzteren.

Herberstein	Itinerar
(nach 24. Oct. 1516) zu Füssen	1516
	26.—27. Oct. Füssen und Reutte.
zu Reutte	28. Oct. Reutte.
	29. Oct. Reutte und Nesselwang.
„ Tannheim	30. Oct. Tannheim.
„ Fluchenstein	31. Oct. Fluchenstein.
2. Nov. 1516 zu Immenstadt	2. Nov. Fluchenstein und Immenstadt.
zu Staufen	3. Nov. Staufen und Scheideck.
„ Ueberlingen	8.—9. Nov. Ueberlingen.
„ Salmansweiler	10. Nov. Salmansweiler und Ueberlingen.
„ Ueberlingen und Constanz	11. Nov. Constanz.
„ Zell am Untersee	12. Nov. Zell.
„ Engen und Islingen (!)	13. Nov. Engen und Geisingen.
„ Fürstenberg, Hüfingen	14. Nov. Hüfingen.
„ Neustadt	15. Nov. Neustadt.
„ Freiburg	{ 16. Nov. Freiburg. 17. Nov. Freiburg und Dachswang.
„ Breisach	{ 18. Nov. Breisach. 19. Nov. Breisach und Jebsheim.

Herberstein	Itinerar
Colmar entlang	1516
Bergheim	20. Nov. Bergheim und Scherweiler.
Oberehenheim	21. Nov. Oberehenheim.
gegen Schlettstadt	
in Neuweiler	22. Nov. Neuweiler.
Ingweiler	23. Nov. Ingweiler.
Hagenau	24.—30. Nov. Hagenau.
Am 14. Dec. 1516 Herberstein's Abfertigung, Hagenau	bis 15. Dec. Hagenau.

Johann Cuspinian's Tagebuch (1502—1527)[1] enthält nachfolgende zum Vergleich mit dem Itinerar geeignete Daten:

Cuspinian			Itinerar
berichtet zum	des Kaisers		
23. Dec. 1511	Ankunft	in Linz	1511, 24.—3. Dec. Linz.
5. Mai 1514	„	„ Wien	1514, 6.—10. Mai Wien.
10. Juli 1515	„	„ Wien	1515, 11.—15. Juli Wien.
17. Juli 1515	„	„ Wien	1515, 18.—28. Juli Wien.
9. Sept. 1517	„	„ Wien	1517, 10. Sept. Wien.
29. Juli 1515	Abreise von Wien		1515, 29. Juli Wien und Neudorf.

Auch hier sehen wir im Itinerar den Anfang des Aufenthaltes auf den nächsten Tag verlegt. Es wird also der Tag der Abreise ohne Rücksicht auf den noch an demselben Tage erreichten Ankunftsort zu dem Abreiseorte gerechnet. Darnach verzeichnet das Itinerar folgerichtig: 1517, 6.—8. Jänner Trier, 9. Jänner Wittlich, obwohl der Kaiser am 7. Jänner 1517 seiner Tochter Margarethe aus Trier schreibt,[2] er werde den nächsten Tag, also den 8. Jänner, Trier verlassen, d. h. an demselben Tage das nahe Wittlich erreichen. Zum Beleg a contrario kann die verlässliche Notiz aus dem Nürnberger Archiv: ‚An sant Blasiustag den 3. Febr. rit k. Maximilian hie zu Nurnberg ein. darnach am sontag den 15. Febr. zug der keyser hinweg', herangezogen werden. Das Itinerar berichtet: 1512, 3. Februar Neu-

---

[1] ed. Th. v. Karajan in Font. rer. Austr., I. Abth., I. Bd., 1855.
[2] Le Glay, Corr., Tome II, Nr. 646.

markt, 4.—15. Februar Nürnberg, 16. Februar Kadolzburg und
angenzen. Der Kaiser verliess Neumarkt am 3. Februar, traf
anselben Tag in Nürnberg ein, erreichte nach dem Ausritt von
Nrnberg am 15. Februar noch an demselben Tage die wenige
ilometer entfernte Kadolzburg. Trotzdem verzeichnet das
nerar als Anfangstage 4. und 16. Februar. Die zweitägige
ifferenz im ersten Tagesdatum bei jedem Orte zwischen Herber-
ein und Itinerar wird dadurch erklärt, dass Herberstein den erst als
isexiel am nächsten Tage zu erreichenden Ort mit der angeführten
agezaahl verbindet, dagegen das Itinerar den der Ankunft erst
chfolgenden Tag als ersten zu diesem Orte einzeichnet.

Aus der Masse der unter kaiserlichem Namen hinaus-
gebenen Briefe greifen wir zur Vergleichung mit dem Itinerar
r die besondere Gruppe heraus, bei der durch die Bedeu-
ng der behandelten Materie und die hervorragende Stellung der
iefempfänger die unmittelbare Mitwirkung des Herrschers an
r Ausfertigung und damit die Anwesenheit desselben an dem
usstellungsorte oder doch in nächster Nähe ausser aller Frage
ht. Allerdings fällt es schwer, für die Zugehörigkeit zu
eser Gruppe eine von vorneherein feststehende Regel aufstellen. Hier kommt es wesentlich auf die aus der innigen
ertrautheit mit der Sache gewonnene Schärfe des Urtheils an.[1]

Am 20. April 1509 schreibt Max zu Rüdesheim an
retini über die Abweisung eines venetianischen Secre-
rs. Itinerar: 1509, 19.—20 April Rüdesheim. Max an Veit
Fürst über Belehnung des Papstes mit italienischen Reichs-
hen, Innsbruck, 5. August 1510. Itinerar: 1510, 1.—7. August
msbruck. Im October 1510 wurde mit ungarischen Gesandten
n Vertrag zu Constanz abgeschlossen. Itinerar: 22.—30. Sep-
mber Constanz, 1.—14. October Constanz, 15. October Con-
anz und Wollmatingen. Max an Bischof M. von Gurk über
ichtige politische Vorfälle, Breisach, 5. November 1510. Itinerar:
510, 3.—7. November Breisach. Max an denselben, Ensisheim,
9. November 1510. Itinerar: 15.—21. November Ensisheim.

[1] Die hier angeführten Briefe haben in der trefflichen Darstellung der
Geschichte Maximilians I. von H. Ulmann bereits ihre Würdigung ge-
funden. Werden auch Ulmann's Angaben im Einzelnen durch das
Itinerar unwesentliche Correcturen erfahren können, so vermag doch der
Vergleich mit dem Itinerar nur die ungemein grosse Sorgfalt Ulmann's
in der chronologischen Anordnung der Vorfälle zu bekräftigen.

Max an Georg von Sachsen, Innsbruck, 24. Juli 1511, Einladung der Stände nach Trient. Itinerar: 1512, 24. Juli Sterzing (da Max am 22.—26. Juni zu Innsbruck weilt, so liegt
die Vermuthung eines Schreib- oder Druckfehlers bei Ulmann,
H, p. 562, vor). Zwei Schreiben: Max an Herzog Wilhelm von
Baiern von Lienz, 30. September 1511 und an König Ferdinand
von Arragon, Trient, 1. September 1511, mit politischen Nachrichten. Das Itinerar: 1511, 28. September bis 6. October
Lienz, 1511, 29.—31. August Trient, 1. September Selva bei
Levico, am 9. September wieder nach Trient zurück. Maximilians Beitritt zum Georgsorden am 10. November 1511 zu Innsbruck und Max an den Bischof von Trient in diplomatischer
Angelegenheit, Innsbruck, 12. November 1511. Itinerar: 1511,
10.—19. November Innsbruck. Max an Christian von Limburg,
Sillian, 25. November 1511. Itinerar: 1511, 25. November Sillian.
Max an Andrea de Burgo, Wiesbaden, 2. März 1512. Itinerar:
1512, 2. März Wiesbaden. Max an Paul v. Liechtenstein,
Trier, 29. März 1512. Itinerar: 1512, 27.—30. März. Maximilian
an den Bischof M. von Gurk und Serntein, Brüssel, 28. Mai
1512. Itinerar: 1512, 26.—29. Mai Brüssel. Max an den
Herzog von Cleve, Köln, 28. Juli 1512. Itinerar: 1512,
16.—31. Juli Köln. Max an den römischen Orator Grafen
Carpi in insulis (Lille), 12. September 1513. Itinerar: 1513,
11.—14. September Lille. Max an den König von Polen, Tournay, 22. September 1513. Itinerar: 1513, 16.—24. September
im Feld vor Tournay. Max an das Innsbrucker Regiment,
Windischgrätz, 4. Juni 1514. Itinerar: 1514, 4.—5. Juni Windischgrätz. Quittungsbrief Max' über 100.000 Goldgulden seitens
Frankreich, Gmunden, 1. August 1514. Itinerar: 1514, 16. Juli
bis 22. August, Gmunden. Max' Instruction für Serntein u. A.,
Mindelheim, 24. April 1515. Itinerar: 1515, 24. April Mindelheim. Nach gleichzeitigen Nachrichten gelangt Max im mailändischen Feldzuge am 22. März 1516 nach Fontanella und
bewerkstelligt bei Rivolta am 24. März den Uebergang über die
Adda. Itinerar: 1516, 22. März Fontanella, 23. Caravaggio,
24. März Rivolta a. d. Adda. Maximilians Ausschreiben an die
Stände, datirt vom 24. März 1516 zu Pioltello. Itinerar: 1516,
26.—28. März Pioltello. (Nach dem ganzen Verlauf des Mar-
sches die Angabe des Itinerars viel glaubwürdiger.) Nach
Brewer weilte Max am 1. April 1516 zu Pontoglio, von wo er

am 4. April nach Cesta(!) rückt. Itinerar: 1516, 1.—4. April Pontoglio, 5. April Costa di Mezzate. Carl Trapp berichtet dem Innsbrucker Regiment über Vorfälle aus des Kaisers Umgebung aus dem Lager zu Borgo di Terzo, 5. April 1516. Itinerar: 1516, 6. April Borgo di Terzo. Max an den Bischof von Trient, Terzolas, 20. April 1516. Itinerar: 1516, 17.—22. April Terzolas. Max. Instruction für Casimir von Brandenburg an R. Pace derzeit zu Augsburg, Landeck, 3. Juni 1516. Itinerar: 1516, 3. Juni Landeck und Zams. Max an den Cardinal von Sitten. Imst, 9. Juni 1516. Itinerar: 1516, 7.—10. Juni Imst. Max an den Hochmeister des deutschen Ordens Ueberlingen, 27. Juni 1516. Itinerar: 1516, 27.—28. Juni Ueberlingen. Secretär Renner an Schatzmeister Casius. Reutte, 8. Juli 1516. Itinerar: 1516, 8. Juli Tannheim, 9. Juli Reutte. Max sichert Hilfe zu Gunsten Veronas zu. Imst, 21. August 1516.. Itinerar: 1516, 18. August Imst und Zams, 19.—21. August Zams, 22. August Imst. Max an Wolckenstein und Serntein. Hagenau, 1. December 1516. Itinerar: 1516, 1.—15. December Hagenau. Instruction Max für Casimir von Brandenburg an den Kurfürsten Joachim von Brandenburg. Neustadt, 20. November 1517. Itinerar: 1517, 12.—20. November Neustadt. Max an denselben. Mühldorf, 22. Jänner 1518. Itinerar: 1518, 22. Jänner Mühldorf und Schwindkirch.

Endlich wollen wir jene brieflichen Nachrichten, die von dem Kaiser selbst oder aus dessen nächster Umgebung stammen, und die sich direct mit der Aufenthaltsfrage des Kaisers beschäftigen, soweit uns solche aus Archiven bekannt wurden, mit den durch das Itinerar überlieferten Daten vergleichen. Am 18. Juli 1510 schrieb Maximilian aus München an Paul von Arnstorffer,[1] er habe die vergangene Nacht (17.—18. Juli) bei dem ‚heiligen Perg‘ (Kloster Andachs am Ammersee) liegen und heute (18. Juli) in Weilheim sein wollen, aber seine Schwester und deren Kinder hätten ihn zu München festgehalten; heute wolle er sich jedoch erheben und morgen (19. Juli) zu Weilheim sein. Das Itinerar berichtet: 1510, Juli 15.—18. München, 19. Juli Starnberg und Heiligenberg, 20.—22. Juli Weilheim. Am 16. Mai 1511 schrieb Maximilian an seinen Kanzler Cyprian von Serntein aus Weilheim,[2] dass er gestern (15. Mai)

und heute mit ‚den rayger' so viel zu schaffen gehabt hätte,
dass er ihm nicht schreiben konnte. Doch lasse er die Falken
hier zurück und ‚ziehen wir heute gegen Heiligenberg'. Dort
soll er allen Bescheid erhalten. Uebermorgen (18. Mai) wolle
er mit dem Herzog Wilhelm jagen. Das Itinerar berichtet:
1511, 16. Mai Weilheim, 17. Mai Heiligenberg, 18.—19. Mai
Fürstenfeld und Bruck, 20.—21. Mai München. Abgesehen von
der völligen Uebereinstimmung mit den Angaben des Kaisers
wird hier auch, da der Kaiser ausdrücklich seine Abreise
nach Heiligenberg am 18. Mai angibt, das Itinerar den Kaiser
dort am 19. Mai als anwesend verzeichnet, die schon besprochene
Verschiebung um einen Tag ausser Frage gestellt. Der Aufenthalt in Fürstenfeld und Bruck entspricht dem beabsichtigten
Jagen auf bairischem Gebiete. Endlich ziehen wir zwei Schreiben
des Secretärs Finsterwalder an den Kanzler Serntein [1] heran,
welche uns für die geradezu minutiöse Genauigkeit des Itinerars
Zeugniss ablegen. Im ersten theilt Finsterwalder am 18. September 1515 aus Magerbach von der Hirschjagd mit, dass der
Kaiser ‚heint zu Kematen übernacht liegen wird'. Im zweiten
vom 10. December um 11 Uhr in der Nacht aus Ehrenberg,
der Kaiser habe tagsüber auf Gemsen gejagt, 7 Stück gefangen,
‚so lustig als es in langer Zeit nie gewesen'. Morgen (11. December) zöge der Kaiser um 9 Uhr von hier weg und werde
zu Lermoos liegen. Das Itinerar berichtet: 1515, 18. September
Magerbach und Sils, 19. September Kematen, ferner 1515,
10. December Ehrenberg an der Klausen, 11. December Ehrenberg an der Klausen und Heiterwang, 12. December Lermoos
und Nassereit.

Aus der vorangegangenen Untersuchung ergibt sich mit
vollster Evidenz: 1. Die unbedingte Verlässlichkeit der Angaben
des Itinerars. Dasselbe kann als vorzügliche Quelle in allen
mit dem jeweiligen Aufenthalt des Kaisers zwischen 1508—1518
zusammenhängenden Fragen verwendet werden. Die Angaben
sind so verlässlich, dass umgekehrt bei gegensätzlichen Nachrichten in anderen Quellen die Untersuchung auf die Richtigkeit dieser letzteren erst angestellt werden muss. 2. Der
Verfasser des Itinerars hat nicht alle von Maximilian vom Ab-
gangsorte bis zum Orte der nächsten Nachtruhe berührten Ort-

---

[1] Innsbrucker Statthaltereiarchiv, Maximiliana XIV, Parteisachen.

schaften zu den Aufenthaltstagen eingezeichnet. Werden zu einem Tage mehrere Orte genannt, so legt der Zweck des Itinerars die Vermuthung nahe, dass die zur getrennten Unterbringung des Kaisers und seines bekanntlich nicht kleinen Hofstaates — häufig an 100 Personen und darüber — verwendeten Orte gemeint sind. 3. Die Ankunft des Kaisers kann in der Regel auf den Tag, der dem im Itinerar genannten Tage vorangeht, verlegt werden. Es ergibt sich also bezüglich des Ankunftstages eine Verschiebung um einen Tag zurück, nicht aber bezüglich des Abfahrtstages. Die zwischen Ankunft und Abfahrt liegenden Tage werden in ihrer richtigen Stellung nicht berührt. 4. Aus Versehen unterlaufene Fehler konnten auf Grund sorgfältiger Vergleichung nicht nachgewiesen werden. 5. Kurze Ausflüge nach nachbarlichen Orten ohne Nachtunterkunft bei längerem Verweilen an einem anderen Orte erscheinen nicht verzeichnet und haben nachgewiesener Massen stattgefunden.

Die Untersuchung kann jetzt den umgekehrten Weg nehmen. Das Itinerar gilt uns für die zehnjährige Periode als feststehend. Darnach sind die Datirungen aller Briefschaften Maximilians — der gedruckten wie ungedruckten — zu prüfen und zu versuchen, ob sich nicht im Allgemeinen verlässliche Kriterien für die Heranziehung bestimmter Gruppen dieser Briefschaften für die Zwecke eines Itinerars gewinnen lassen.

In erster Linie handelt es sich bei Beantwortung der Frage, ob der Ausstellungsort auch der Aufenthaltsort des Kaisers sei, um den Nachweis des persönlichen Mitthuens des Kaisers an der Fertigstellung des Briefes. Dieses erscheint bei den vom Kaiser eigenhändig geschriebenen Briefen ausser alle Frage gestellt. So werthvoll daher die Autographe Maximilians für die Feststellung des Aufenthaltsortes sind, so ist doch erstens die Zahl der überlieferten gegenüber der Gesammtbriefschaft verschwindend klein, und überdies ist der weitaus grösste Theil der Autographe durch den Mangel von Zeit und Ortsangabe für die Zwecke eines Itinerars unbrauchbar.[1] Es entsprach

---

[1] Die Autographe Maximilians sind — soweit ich feststellen konnte — durchaus epistol. claus. chart. ohne kanzleigemässe Form, zumeist mit dem Ringsiegel Maximilians verschlossen. Die wenigen in den Archiven zu Innsbruck und Wien liegenden Autographe entbehren zumeist einer vollständigen Datirungszeile. Von den von Le Glay, Corr., Bd. I u. II veröffentlichten 32 französischen Autographen kommen für das Itinerar

eben dem Wesen des Kaisers, sich nicht allzu peinlich an
kanzleimässige Formen zu binden. Was nun den grossen Bestand der theils veröffentlichten, theils noch in den verschiedenen
Archiven ruhenden Briefe mit kanzleigemässer Fertigung anlangt, so lässt sich Folgendes auf Grund eingehender Untersuchung feststellen: Nicht die von der Kanzlei gewählte Form
der Ausfertigung, sondern der Inhalt des Verbrieften kann mit
der Frage der Verwendbarkeit der Datirungszeile für das
Itinerar in Zusammenhang gebracht werden. Je bedeutsamer
der Inhalt, je hervorragender der Briefempfänger, je mehr der
Inhalt die Nothwendigkeit einer unmittelbar vor der Verbriefung
erfolgten Entschliessung des Kaisers voraussetzt, desto werthvoller erscheint die Datirungszeile für das Itinerar. Genaue
Regeln sind in dieser Beziehung nicht festzustellen. Einen
Zusammenhang zwischen der gewählten Ausfertigungsform und
der Anwesenheit des Kaisers am Ausstellungsorte lässt sich nicht
ermitteln. Der Form nach theilen wir die Kanzleibriefe ein
in: I. Epistolae patentes membran. (Pergamentumschlag unten,
anhangendes Siegel, aussen keine Adresse, unmittelbarer Anschluss der Titelzeile an den Urkundentext, Ankündigung des
Siegels und darauffolgende Datirungszeile. Je nach dem Grade
der feierlichen Ausfertigung [Diplomata], nach den Abweichungen in einzelnen Theilen des Protokolls, insbesonders in Bezug
auf die von Maximilian gewählte Unterschrift lassen sich die
Diplomata in verschiedene Arten gruppiren.) II. Epistolae patentes chartac. (Kein Umschlag, rückwärts in der Mitte aufge-
drucktes Siegel. Im Urkundentext und Protokoll der Gruppe I
gleich. Die Lehenssachen werden insbesonders durch die Patente erledigt. Die Unterschrift des Kaisers und der Kanzlei
erfolgt in abweichenden Formen. Oefters fehlt die erstere.)
III. Instructionen. (Aeussere Form wie Gruppe II, jedoch mit
unmittelbar unter dem Text aufgedrücktem Siegel.) IV. Epistolae
claus. membranac. (Rückwärts Verschlusssiegel, rückwärts

---

nur 5 in Betracht. Jeder Datirung entbehren 6. Ausstellungszeit, aber
keinen Ort enthalten 21. Von den mir bekannten 13 deutschen Autographen im Weimarer Ernestinischen Staatsarchiv kommen nur 4 (sämmtlich vor Herbst 1508) in Betracht. 4 Stücke haben Zeit-, aber keine
Ortsangabe, 1 Stück Orts-, aber keine Zeitangabe, 2 Stücke weder das
eine noch das andere. Gachard theilt in Lettres inéd. Max. I, Nr. 121
(Compte rendu, Serie II, Bd. 2 u. 3), nur 1 Autograph mit.

Adresse. Die kaiserliche Namens- und Titelzeile unterhalb des Brieftextes im Anschlusse an die Datirungszeile. Wechselnde Art der Unterschrift. Selten, wohl nur im Verkehr des Kaisers mit dem Papst, angewandte Briefform.) V. Epistolae claus. chartac. (Rückwärts Verschlusssiegel, rückwärts Adresse. Name und Titel des Kaisers in getrennter Zeile oberhalb des Brieftextes. Unterschrift des Kaisers und der Kanzlei in verschiedenster Form. Oftmals fehlt die Unterschrift des Kaisers, öfters steht dieselbe allein. Der Brieftext beginnt mit dem Titel des Empfängers. In dieser am stärksten vertretenen Briefform erfolgt die Erledigung der vielseitigsten, das Verwaltungs- und Finanzwesen berührenden Angelegenheiten.) VI. Concepte mit Datirungszeile und mit Verbesserungen aus der Kanzlei oder von der Hand des Kaisers. (In den mannigfachsten Formen von flüchtiger Festsetzung des Inhaltes [„Rathschlages'] auf losem Blatte bis zur Form einer im letzten Stadium nicht abgefertigten epistola.) Den Concepten reihen wir an die Registratursabschriften (Copialbücher) mit ausdrücklicher Bezeichnung der von des Kaisers Hand in den Briefen gemachten Zusätze. Die lateinischen Briefe,[1] die französischen aus der burgundischen Kanzlei gleichen im Allgemeinen der Form nach den Ausfertigungen der deutschen Kanzlei. In dem französischen ep. claus. schliesst sich manchmal die kaiserliche Namens- und Titelzeile unmittelbar an den Brieftext an.[2]

Sehen wir von den Autographen ab, so steht fest, dass rücksichtlich der Verwendbarkeit der Datirungszeile für ein Itinerar keine der vorgenannten sechs Briefarten von vorneherein auszuschliessen ist. Wohl aber werden sich bestimmte Unterabtheilungen dieser Briefarten für diesen Zweck nicht gut verwenden lassen. Immer steht die Frage nach dem unmittelbaren Mitthuen des Kaisers an der Fertigstellung des Briefes am Datirungsorte obenan. Wenn Maximilian der Erledigung einer Beschwerde des österreichischen Kanz-

---

[1] Secretär in der lateinischen Kanzlei war durch viele Jahre Collauer.

[2] Bezüglich dieser Briefe siehe Correspondance de Max I. et de Marguérite d'Autriche éd. Le Glay, II. Bd., 1839. Gachard's (Lettres inédites Max I, 1478—1508 in Compte rendu, Serie II, Bd. 2 u. 3, 1851—1852) enthalten 36 Stücke Maximilians (darunter eines, Nr. 30, in flämischer Sprache, ein Autograph und eine epist. pat.). Maximilian bediente sich auch der flämischen Sprache und machte in dieser autographe Zusätze (siehe Mémoires de Jean de Dadizelle éd. M. Kervyn de Lettenhove).

lers Johann Waldner von Innsbruck, 22. Jänner 1498 (ep.
claus. chart. Innsbrucker Archiv), die eigenhändige Bemerkung beifügt: ‚Las dich niemt erschrecken vnd handl hin
als beer, das wellen wier in gnaden alczeit gegen dier erkennen. p. m. p.‛, wenn Maximilian, dieselbe Person zu nutz-
bringender Thätigkeit am Wiener Landtag aufmunternd, von
Innsbruck, 18. Februar 1500, seinem kleinen Handzeichen die
Worte beisetzt: ‚hab fleis in der sach. p. m. p.‛ (ep. claus. chart.
Innsbrucker Archiv), wenn Maximilian von derselben Person
die Abtretung zweier Pflegschaften von Innsbruck am 28. Jänner
1500 mit dem eigenhändigen Zusatz: ‚Las dier dy sach bevolhen
sein vnd slach dy vns nicht ab. belln wier alczeit gegen dier
mit gnaden erkennen p. m. p.‛ (ep. claus. chart. Innsbrucker
Archiv), wenn das Copialbuch des Innsbrucker Statthaltereiarchivs 1496 einen Brief des Kaisers an Cyprian von Serntein
vom 26. August 1496 aus Carimate mit der Bemerkung registrirt, dass er den Zusatz von des Kaisers Hand enthält: ‚Fürder
die sach vnd bevilich ernnstlich, das dem ernnstlich zu angesicht nachkomen werd, dann wir tannczen hie stetigs an ain
pheiffer vnd auff ainer stelczen p. m. p.‛, wenn Maximilian
am 13. April 1503 aus Hal im Hennegau den Hofräthen in Innsbruck befiehlt, dort beisammen zu bleiben und seines Bescheides
wegen der Silberlosung zu harren, und seinem kleinen Handzeichen folgende eigenhändige Nachschrift voranstellt: ‚dann wir
ewcb kurczlich weiter vnser mainung auff die sach verkunden
wellen, nachdem sich dy sach verlengt‛ (ep. claus. chart. Innsbrucker Statthaltereiarchiv), wenn Maximilian in Erledigung
einer Angelegenheit des Haller Münzmeisters Behaim dem Innsbrucker Regiment und der Raitkammer aus dem Lager zu
‚Menduli bei Mantua‛ am 14. März 1516 mit dem autographen
Zusatz neben dem kleinen Handzeichen schreibt: ‚Tuet im also
propter causam p. m. p.‛ (epist. claus. chart. Innsbrucker Archiv,
fasc. 8), so erscheinen die Aufenthaltsorte: 1496, 26. August
Carimate, 1498, 22. Jänner Innsbruck, 1500, 28. Jänner und
18. Februar Innsbruck, 1503, 13. April Hal im Hennegau, 1516,
14. März Medole unbedingt verbürgt. In der That verzeichnet
auch unser Itinerar: 1516, 14. März Medulla.

Schwieriger steht die Sache, wenn zur Beglaubigung des
Aufenthaltes die persönliche Unterschrift des Kaisers allein
herangezogen wird. Der Unterschrift: ‚M. Ro. kunig p. m. p.‛

bediente sich der Kaiser nur in seltenen Fällen[1] und da zumeist bei eigenhändigen Mittheilungen mehr vertraulichen und freundschaftlichen Charakters. Sie wurde zumeist in den Formen des sogenannten grossen und kleinen Handzeichens geleistet. Das grosse lautet: ‚Maxis‘ mit einer anschliessenden ziemlich kunstreichen Verschnörkelung[2] und den angedeuteten Buchstaben ‚sps.‘ (subscripsi). Das kleine lautete: ‚per regem per se‘.[3] Ein Kriterium bezüglich der Verwendung des einen oder anderen ist schwer festzustellen. Im Allgemeinen entsprach der feierlicheren Beurkundungsform die Verwendung des grossen Namenshandzeichens. Da, wo sie vom Kaiser persönlich geleistet wurde, ist ein Rückschluss auf den Aufenthaltsort zulässig. Doch bleibt die Frage offen, ob die Unterschrift unter allen Umständen durch des Kaisers Hand erfolgte, und ob nicht eine Art von Biancozeichnung vorgekommen ist. Vor Erledigung dieser Frage wollen wir uns die bei Ausfertigung der Kanzleibriefe massgebenden Umstände vergegenwärtigen.

Ueber Maximilians persönlichen Antheil bei der Fertigung der aus seinen Kanzleien ausgehenden Briefe werden wir durch die Bestimmungen der ‚Hof- und Regimentsordnung‘ vom 13. December 1497, der ‚Schatzkammerordnung‘ vom 13. Februar 1498, endlich eines Instructionsentwurfes für den Hofkanzler s. d.[4]

---

[1] So in einer ep. claus. chart. von Praceti, 25. November 1496, im Wiener Staatsarchiv.

[2] Fr. W. Cosmann, Von dem grossen Namenshandzeichen Maximilians I., Mainz 1786, deutet diese Versierung als ‚rex‘. Er erwähnt auch eines monogrammatischen Handzeichens, einer doch wohl nur vereinzelten diplomatischen Spielerei.

[3] Dass ‚per regem etc.‘ wirklich als Handzeichen galt, wird durch den Brief Maximilians an die Hofkammer, Villingen, 24. April 1497, in welchem Walsee auf Grund eines wiedergefundenen Lehensbuches als österreichisches Lehensgut bezeichnet wird, und durch eine Urkunde Max I., Augsburg, 28. Februar 1518, im Streitfall mit Michael v. Eytsing beglaubigt (ep. claus. chart. und ep. pat. membran., Wiener Staatsarchiv). Im Text wird ausdrücklich auf das nachfolgende ‚Handzeichen‘, das in obiger Form dann folgt, verwiesen. Vereinzelt kommt auch in den letzten Regierungsjahren ‚per Cesarem‘ vor. Doch wird die Formel ‚per regem‘ auch nach Annahme des Kaisertitels fast durchgängig beibehalten.

[4] Die zwei erstgenannten Ordnungen im Wiener Staatsarchiv. Der Entwurf im Innsbrucker Statthaltereiarchiv, die Schatzkammerordnung, wie den Entwurf hat S. Adler im Anhange zur ‚Organisation der Centralverwaltung unter Max I.‘ abgedruckt. Doch fehlt in dem gedruckten

(zweifellos derselben Zeit zugehörig) zur Genüge informirt. Nach
der Hof- und Regimentsordnung gibt der König thatsächlich einen
Theil der ihm bisher vorbehaltenen Machtbefugniss an seine
Hofräthe, in erster Linie an seinen Statthalter, den Kurfürsten
Friedrich von Sachsen („stattverwalter vnseres regiments‘) ab,
als oberste Regenten treten sie an die Stelle der bisher ‚in unseren eigenen Geschäften‘ gebrauchten Hofräthe. Herzog Friedrich von Sachsen zeichnet die Briefe in des Königs Namen,
keiner der hohen und niederen Beamten am Hofe darf irgend
eine Angelegenheit mit Umgehung des Hofrathes direct an den
König bringen (‚Procurey treiben‘). An des Königs statt nimmt
Herzog Friedrich den Schlüssel zur grossen ‚Rathstruhe‘ an
sich. Nur gewichtige Angelegenheiten sollen durch Herzog
Friedrich und die Hofräthe an den König gebracht und dessen
Beschluss an den Rath zurückgeleitet werden. In allen Ver-
waltungsangelegenheiten, das Reich so gut wie die österreichischen Erblande betreffend, konnten also Verfügungen im königlichen Namen (per regem) hinausgehen, ohne dass der König
an der Ausfertigung sich persönlich betheiligte. Die in den
Briefen Maximilians so häufig vorkommende Unterschrift ‚per
regem‘ will daher nichts Anderes sagen, als dass eine dem

‚Entwurf‘ bei Adler nach dem Abschnitt: ‚Item das die ku. mt. den statthaltern . . . fürderlichen der ku. mt. zuschickhen‘ nachfolgender Abschnitt:
‚In simili dem haubtman stathaltern vnd regenten zu Wienn auch zuschreiben vnd zubeuelhen, das sy von wegen tax der canncsleien auch
von stundan ratslagen vnd ordnung fürnemen vnd denselben irn ratslag
vnd ordnung der ku. mt. fürderlichen in schrifft zuschicken. als dann
so mag die ku. mt. aus denselben ratslagen nach seiner mt. willen vnd
geuallen ein ordnung fürnemen vnd sliessen, was für ainen yeden brief
gegeben sol werden, damit die vndertanen vnd ander durch die hof-
cannczlei noch die cannczleien zu Innsprugk vnd Wienn nit beswert
noch übernomen werden.‘ Bezüglich der ‚Hof- und Regimentsordnung‘
muss bemerkt werden, dass im Wiener Staatsarchiv zwei von einander
abweichende Ausfertigungen vorliegen. Der ausführliche (auf Pergament),
ohne Siegelung und Unterschriften versehene Entwurf blos mit der
Jahresangabe 1497, dann eine mit Maximilians und C. Stürtzel's Handzeichen versehene viel kürzere epist. pat. membran. mit dem Datum
13. December 1497 (mit verändertem Schlusspassus und Hinweglassung
der über die Secretäre, Registratur und Kanzleischreiber handelnden
Capitel). Trotz der gründlichen Untersuchungen Adler's und Ulmann's
über Wesen, Bestand und Umwandlung der kaiserlichen Aemterorganisation von 1497 an ist in der Sache ein völlig sichergestelltes Resultat
noch nicht gewonnen.

königlichen Willen entsprechende, allenfalls nach mündlich oder schriftlich gepflogenem Einvernehmen mit dem König oder auf schriftlichen oder mündlichen Auftrag von ihm erfolgte Ausfertigung vorliegt. Daher in den Briefen von 1497 und.1498 die so häufig wiederkehrende Unterschriftsformel: ‚per regem‘ und darunter ‚Fridericus‘ mit dem ausdrücklichen Hinweis auf die consiliar erfolgte Erledigung des Gegenstandes.

Die an den Hofrath gerichteten oder ihm zugewiesenen Stücke werden in die offene Rathssitzung gebracht. Dort legt der Hofmeister die causa dar, und der Hofmarschall stellt durch Umfrage den Beschluss fest. Vor Schluss der Sitzung verliest der oberste Secretär denselben (‚Rathschlag‘), nach dessen Gutheissung vom Kanzler oder obersten Secretär der Entwurf des Briefes und nach Genehmigung desselben durch Unterschrift einer der Beiden die Ausfertigung in der Kanzlei angeordnet wird. Letztere gelangt in die nächste Rathssitzung, wird nach neuerlicher Verlesung approbirt und nunmehr an des Königs statt vom Herzog Friedrich und dem Kanzler (oder obersten Secretär) unterfertigt und von den zwei Secretären besiegelt. Daneben steht zweifellos fest, dass Maximilian sich völlig freie Entschliessung auch für die Jahre 1497—1498 — im noch höheren Masse galt dies wie in der vorangehenden Periode für die dem Zerfall dieser Regimentsordnung nachfolgenden Jahre — vorbehielt. Viele Eingaben wandten sich unmittelbar an seine Person. Es gab ja ausser den ‚Händeln, Sachen und Geschäften, die künftig vom heil. Reich deutscher Nation, gemeiner Christenheit oder von unseren erblichen Fürstenthümern und Landen herfliessen, ferner Sachen, die den Hof und dessen Zugehörige betreffen‘, auch den König höchst persönlich berührende Angelegenheiten. Die Competenzgrenze zu ziehen blieb dem Könige vorbehalten, der sie allerdings zu Gunsten seiner persönlichen Machtvollkommenheit zu verrücken verstand.

Die Kanzleiinstruction verfügte nun, dass alle Briefe, Aufträge, sowie Verschreibungen vom Kanzler von Wort zu Wort gelesen und von ihm mit Unterschrift und mit einer nach dem jeweiligen Auftraggeber wechselnden Clausel versehen werden sollten. Kam der Auftrag vom Rathe, d. h. auf Grund eines Rathsbeschlusses, so hat sie zu lauten: ‚commissio domini regis in consilio‘; erfolgt die Ausfertigung über mündlichen Befehl des Königs: ‚commissio domini regis propria‘. Ist der Auftrag

des Königs durch Vermittlung einer Amtsperson („Geschäfts-
herr") dem Kanzler zugekommen, so ist der Name dieser Amtsperson (per dominum N.) an das „propria' zu fügen. Die
Clausel zur Bezeichnung der königlichen Zustimmung (per regem)
konnte sich nun durch den Zusatz: „per se' zur Clausel der
durch ihn, den König selbst, (per se) ausgedrückten königlichen
Zustimmung, d. h. also zu dem von ihm persönlich gemachten kleinen Namenszeichen erweitern, das seit 1497 das früher vielfach
gebrauchte, in späteren Jahren nur auf besonders feierliche
Ausfertigungen beschränkte, grosse Handzeichen verdrängte.

Für das Itinerar wichtig ist also die Thatsache, dass die
Anwendung des kleinen Handzeichens die Anwesenheit des
Königs am Ausstellungsorte im Allgemeinen verbürgt, dass die
Clausel der Consiliarcommission zwar in Verbindung mit der
Clausel „per regem' mit nachfolgender Statthalterzeichnung, nicht
aber — mit einer einzigen, sofort zu behandelnden Ausnahme —
in Verbindung mit dem kleinen Handzeichen (per regem per
se) nachgewiesen werden kann. Die Proprial-Commissionsclausel
muss zwar nicht, wird aber thatsächlich sehr häufig in Verbindung mit dem kleinen Handzeichen angewandt.

Endlich gibt es Briefe, die abseits von der Kanzlei lediglich unter dem kleinen Handzeichen hinausgehen. Wir können
für sie die Bezeichnung „Privatbriefe des Königs' gebrauchen
und bemerken, dass ihre Ausstellungsorte für das Itinerar von
besonderem Werthe sind.

Der Stellung der Statthalter und Hofräthe in „Regiments-
sachen' analog war die der fünf Statthalter der Hofkammer
(Melchior Bischof von Brixen, Martin Herr von Polheim, Heinrich
Prüschenck, Walter von Stadion, Hans von Landau)[1] in allen
Finanzangelegenheiten. Vielleicht in noch höherem Masse ging
hier — handelte es sich doch um eine wirksame Bindung der
königlichen Macht — die königliche Machtfülle an die Stellvertretung und ihre consiliare Gewalt über. Die Regimentsordnung, soweit sie in den Kanzleiausfertigungen zum Ausdrucke
kommt, war mit dem Abgang des Kurfürsten Friedrich längst
gefallen,[2] als noch Consiliarausfertigungen der Hofkammer mit

---

[1] Siehe Adler, a. a. O., p. 82.
[2] Die Controversfrage, ob nach 1498 ein Hofrathscollegium noch weiter
in Permanenz blieb, ist für die lediglich in Bezug auf das Itinerar gemachte Untersuchung irrelevant.

der Clausel ‚per regem‘ und dem beigefügten Namen eines Statthalters im Gebrauche blieben. Dies lässt sich durch zahlreiche
Ausfertigungen in Finanzsachen aus den Jahren 1500, 1501
und 1502 mit den Unterschriften E. Brixinensis (1498 und
1500), H. von Landau (1500, 1501, 1502), P. von Liechtenstein
(1500) und den Secretären Casius Hagkeney und Blasius Hölzl
erweisen. Das Cap. 18 der Schatzkammerverordnung vom
13. Februar 1498 [1] verfügte, dass alle Aufträge in Hinkunft
wegen Pflegepfandschaften, Aemtern, heimgefallenen Lehen etc.
(an den Kammerverwalter und den obersten Schatzmeister)
zugleich vom königlichen Hof und vom Rath hinausgegeben
werden. Dieselben sollen mit dem Hofkammersecret gesiegelt,
mit dem königlichen Handzeichen signirt und von einem der
Superintendenten (Marginalnote: ‚von zwei Statthaltern‘) und
dem Hofkammerregistrator unterzeichnet werden. Wir haben
es also hier mit der schon früher erwähnten einzigen Ausnahme
der Verwendung der Consiliar-Commissionsclausel neben dem
kleinen Handzeichen (vereinzelt auch dem grossen Handzeichen)
zu thun. Die Briefe dieser Gruppe sind jedoch von den übrigen der Hofkammer leicht zu erkennen. Während die letzteren
neben der Unterfertigung des Statthalters unter den Worten:
‚per regem‘ und des Kammersecretärs die Clausel: ‚in consilio
camere‘ enthalten, ist in den ersteren dem ‚per regem per se‘
der Name des Statthalters [E. Brixinensis (Freiburg, 18. Juni
1498, eodem 14. August 1498, eodem 25. August 1498 Wiener
Staatsarchiv, 18. Februar 1500 Innsbrucker Archiv), P. von
Liechtenstein (Augsburg, 19. März 1500 Innsbrucker Archiv,
Augsburg, 12. Juni 1500, Innsbruck, 27. September 1500, Linz,
3. Jänner und 18. März 1501 Innsbrucker und Wiener Archiv),
H. von Landau (Linz, 4. Jänner und 11. Februar 1501 Wiener
und Innsbrucker Archiv), H. G. zu Hardeck (s. l. 31. August
1500 Wiener Staatsarchiv)], der Secretäre (Casius oder Höltzl)
die Formel: ‚visa in consilio camere‘ beigefügt. Wir haben
es also mit königlichen Entschliessungen unter königlicher Fertigung, jedoch unter gleichzeitiger consiliarer Controle — es
handelt sich durchwegs um Finanzsachen — zu thun.

Aus der Wendezeit des Jahrhunderts sind uns Kanzlei-
fertigungen eines staatsrechtlich recht interessanten, jedoch sehr

---

[1] Siehe Adler, a. a. O., Anhang, p. 522.

kurzlebigen reichsständischen Institutes — des Nürnberger
Reichsregimentes — erhalten. Die bezüglichen Briefe fallen in
die Zeit vom 16. September 1500 bis 21. März 1502. Die mir
bekannten Stücke haben sämmtlich Nürnberg als Ausstellungsort und nachfolgende Subscription: ‚per regem‘, darunter ‚B.
archiepiscopus Mogunt. sspt.‘, daneben ‚in consilio imperii‘ und
die Unterschrift ‚Sixtus Ölhafen secretarius‘. An Stelle des
Erzbischofs Berthold von Mainz erscheint auch Waldemar,
Fürst von Anhalt als Unterfertiger. Obwohl unter Maximilians
Namen ausgestellt, steht der Inhalt der Briefe (pat. und claus.)
den Entschliessungen des Kaisers ferne, ja einige derselben sind
nachweisbar gegen die Absicht des Königs hinausgegeben worden. Für die Zwecke eines Itinerars erscheint diese Briefgruppe
völlig unbrauchbar.

In der in das 16. Jahrhundert fallenden Regierungsperiode
Maximilians sind zwar mehrmals Anläufe zu durchgreifender
Aemterreform unternommen worden, aber zu einer bleibenden
Abgabe der königlichen Macht an eine das Reich und die
Erblande umspannenden Centralamtsgewalt am Hofe ist es nicht
gekommen. In der Form der Briefschaften tritt die persönliche
Willensmeinung des Fürsten wieder mehr in den Vordergrund,
die Hofräthe um seine Person werden wieder wie vor 1498 in
‚unseren eigenen Geschäften‘ gebraucht. Von den zwei Haupt-
gruppen, mit Proprial-Commissionsclausel und mit Consiliar-
Commissionsclausel, tritt die erstere bedeutend in den Vordergrund. Damit im Zusammenhange steht die sich mehrende
Verwendung des kleinen Handzeichens ‚per regem per se‘.

Das grosse Handzeichen hat, soweit ich sehen konnte,
während der ganzen Regierungszeit Maximilians an seiner typi-
schen Form gar keine Veränderung erlitten. Dasselbe gilt im
Grossen und Ganzen auch von dem kleinen Handzeichen. Die
Annahme des Kaisertitels am 10. Februar 1508 schaffte das ‚per
regem‘, das sich bis zu des Kaisers Tode siegreich gegenüber
dem vereinzelten Gebrauche von ‚per Cesarem‘ behauptet, durchaus nicht aus der Kanzlei.

Briefschaften mit der Proprialclausel in Verbindung mit
dem Namenshandzeichen Maximilians werden immer — das
ergab ein eingehender Vergleich ihrer Datirungszeilen mit den
Angaben des Itinerars vom November 1508 bis Februar 1518
— mit Nutzen für die Feststellung der Aufenthaltsorte für die

im Itinerar nicht behandelte Regierungszeit verwendet werden können.

Der Verwendbarkeit nach gehen Autographe, Briefe mit autographen Zusätzen, endlich Briefe, die nur die Unterfertigung ‚per regem per se' tragen, allerdings voraus. Je unansehnlicher der äusseren Form nach, je mehr den Charakter des losen Zettels — Maximilian bediente sich selbst dieses Ausdruckes — an sich tragend, desto näher stand diese Briefschaft der Hand des Kaisers.[1] Briefe mit der Proprial-Commissionsclausel in Verbindung mit der Unterschrift eines Stellvertreters des Kaisers (Augsburg, 15. Mai 1510 per regem. P. v. Liechtenstein. Commissio etc. propria) kommen in der Periode nach 1498, beziehungsweise 1503 selten vor. Nicht sehr häufig sind Briefe, die nur die Commissionsclausel (sowohl ‚Proprial' als ‚Consiliar') als Unterschrift tragen (Worms, 13. Mai und 5. August 1495, Augsburg, 14. Februar 1496, Schwäbisch-Wörth, 18. März 1496). Sie kommen für das Itinerar nicht in Betracht.[2]

---

[1] Als Proben solcher ‚Privatbriefe' theile ich hier mit: 1510, 5. August Innsbruck (Innsbrucker Statthaltereiarchiv, fasc. 24): ‚Michel freyherr zu Wolckenstain. vnnser beuelh ist, das du in der sachen zwischen vnnserm ohaim vnd fursten herczog Wolfganngen von Bayern vnd Wolffen von Freyberg auff vnnser ausgegangen citacion als vnnser richter in diser sachen rechtlichen hanndlst. daran tust du vnnser ernnstliche meynung. actum Ynsprugkh am funften tag Augusti anno decimo. per regem per se. Nach dem Itinerar weilte M. vom 1.—7. August 1510 zu Innsbruck. — 29. Juli 1511, Trient (Innsbrucker Statthaltereiarchiv, fasc. 25): Zyprian von Serntein vnnser cannczler. vnnser ernstlicher beuelh ist, das du graf Lienharts zum Hag diener, zaiger dits zettls, von stund an zerung verordnest, damit er mit der Vngerischen hanndlung zu gemeltem seinem herrn furderlichen reytte vnd ime die zubringe. daran tustu vnnser ernstliche meynung. actum Trient am XXVIIII tag Juli anno etc. im eylfften. per regem per se. Das Itinerar verzeichnet 1511, 29. Juli Neuenmetz, 30. Juli Trient. Wir sehen auch hier, dass der zum Ort eingetragene Tag der der Abreise ist, an dem der nachfolgende Ort noch erreicht wird. Als weiterer Beleg hiefür ep. claus. chart. Innsbrucker Archiv, fasc. 25 mit Proprialclausel und kleinem Namenszeichen: Der Kaiser verlangt vom Regiment in Innsbruck die Absendung des Blasius Höltzl und Anderer zur Aufrichtung einer guten Ordnung an der Gmundner Saline, Trier, 26. März 1512. Das Itinerar verzeichnet 26. März Ehrenbach, 27.—30. März Trier.

[2] Die Unterschriftsformel: ‚per regem proprium' und daneben ‚commissio Cesaree mtis. propria.' L. Kuttenfelder finde ich nur einmal in einer ep. claus. pap. S. W. Staatsarchivs, Linz, 23. December 1517, betreffend die

.   Die Commissionsclausel erlitt im Laufe der Zeit einige
die Sache nicht berührende Aenderungen. Statt der Formel:
‚Commissio domini regis propria‘, beziehungsweise ‚in consilio‘
wird öfters die Formel gebraucht: ‚ad mandatum domini regis
proprium‘, beziehungsweise ‚in consilio‘ zumeist in Patenten, mit
denen sich der König an die Unterthanen im Allgemeinen oder
an eine Gruppe von Unterthanen wendet, ferner wird seit 1508
an Stelle des ‚regis‘ ‚Caesaris‘ eingefügt, um jedoch bald (bestimmt seit 1509) dem Worte ‚imperatoris‘ und in den letzten
sechs Jahren dem häufig angewendeten ‚Cesaree majestatis‘
Platz zu machen.

Wir haben im Allgemeinen die Verwendbarkeit der epistolae mit Proprial-Commissionsclausel in Verbindung mit
dem kaiserlichen Handzeichen für das Itinerar hervorgehoben.
Dennoch fordern bestimmte Ueberlieferungen aus der kaiserlichen Kanzlei zu einiger Vorsicht auf. Am 23. August 1513
schrieb Maximilian aus dem Lager vor Therouane (nach dem
Itinerar weilte er an diesem Tage wirklich dort) an Serntein
und Villinger in Innsbruck, er schicke ihnen die ihm einge-
sandten, den Vertrag mit dem Landvogt von Schwaben, Jakob
von Landau, betreffenden Briefe, nachdem er sie mit seinem
Zeichen gefertigt habe, hiemit zur endgiltigen Ausfertigung zurück (Innsbrucker Archiv, Max., fasc. 25). Die Briefe, in Innsbruck ‚ingrossiert‘, enthalten Innsbruck als Ausstellungsort.
Hier könnte die eigenhändige Unterschrift Maximilians leicht
zur irrthümlichen Annahme führen, der Kaiser verweilte am
23. August 1513 statt an der französisch-belgischen Grenze in
den Tiroler Bergen. Aber es geschah in dieser Richtung noch
viel Bedenklicheres. Der Band ‚Gescheft v. Hof 1502‘, fol. 205
(Innsbrucker Statthaltereiarchiv) enthält die Abschrift einer vom
Kaiser und Secretär Ziegler unterfertigten epistola an das Innsbrucker Regiment von Ellwangen am 9. December 1502 (der
König weilte damals wirklich in dortiger Gegend), in welcher
er Paul von Liechtenstein aufträgt, in den in einer Schuldsache
betreffend den Grafen Johann zu Sonneberg auszufertigenden
Credenzbriefen an seiner Stelle das ‚per regem per se‘ zu unterschreiben. Auf eine ähnliche Verfügung hin muss wohl das

---

dem Linzer Franziskanerorden zu reichende Weinration. Ich vermuthe,
dass hier lediglich ein Kanzleiversehen vorliegt.

Vorkommen des kleinen Handzeichens in Verbindung mit der Proprialclausel in dem ,bekennen' (epist. pat. chart.) von Innsbruck, 1. Mai 1509, in welchem er dem Peter Meichsner und seiner Frau einen Garten zu Steinach abkauft (Innsbrucker Statthaltereiarchiv, Max. XIII, fasc. 13), zurückzuführen sein, da der Kaiser nachgewiesenermassen am 1. Mai 1509 zu Stuttgart weilte.[1] Selbst die Anwendung des grossen Handzeichens schliesst wenigstens kleine Verschiebungen bezüglich des Aufenthaltsortes nicht aus. Ein also gefertigtes Creditiv des Kaisers für Hans Koler wegen Zahlung von 400 fl. Rh. an Marquart Breisacher, 29. September 1514 (Innsbrucker Statthaltereiarchiv, Max. XIV, fasc. 17), enthält Hall als Ausstellungsort, obwohl unser Itinerar den Kaiser zu Innsbruck weilen lässt. Allerdings schliesst Halls Lage nächst Innsbruck einen kurzen Aufenthalt am ersteren Orte an diesem Tage nicht aus.

Endlich unterliegt es gar keinem Zweifel, dass der Kaiser sich bei seiner Namensfertigung namentlich in den letzten Regierungsjahren eines Stempels bediente, und dass dieser thatsächlich aus den Händen des Kaisers in die seiner Vertrauten zum Gebrauche wanderte.[2] Schon auf dem Reichstag zu Constanz Ende Juli 1507 zeigte Maximilian den Reichsständen in der offenbaren Absicht, sie für seinen vorhabenden Romzug zu gewinnen, die Anfertigung eines Stempels mit seinem Namenszug und die Ueberlassung desselben zu dritter Hand, d. h. an ständische Vertrauenspersonen an.[3] Am 20. Mai 1511

---

[1] Dass auch von Fälschungen der Unterschrift des Kaisers die Rede war, zeigt ein Schreiben eines Ungenannten aus der kaiserlichen Kanzlei an Johann Vinsterwalder, Innsbruck, 24. Juni 1514 (Innsbrucker Statthaltereiarchiv, Max. XIV, fasc. 26), in welchem ein gewisser Erhard von Waldt einer solchen beschuldigt wird. Ob die Unterschrift des Kaisers echt sei, möge dieser selbst entscheiden, das Handzeichen des Villinger sei bestimmt falsch. Es soll zur Klarlegung des Falles dem Erhard ein Rechtstag vor dem Regiment angesetzt werden.

[2] Eines Stempels zur Unterschrift bediente sich auch Serntein. Das kaiserliche Mandat an den Hartvogt und die Forstknechte auf der ,Haidt', durch welches sie zum Gehorsam gegenüber den Anordnungen des obersten Forstmeisters Balthasar von Andlo in Forst- und Jagdsachen verhalten werden. Völlenberg, 14. Juli 1501 (Innsbrucker Statthaltereiarchiv, Parteis. XIV, fasc. 23), weist einen solchen Stempeldruck des Namens Serntein auf.

[3] Janssen Reichscorrespondenz Frankfurts, Bd. 2, p. 739. ,Item so will der konigl. maj. zů schwer und unmoglich sin, hinfür alle prieff in sachen

17*

schrieb Maximilian von München an den Hof und tirolischen
Kanzler Serntein, derselbe möge eilends ‚vnser katschett vnn-
sers hanndtzaichens' von Dr. Peutinger in Augsburg zur Fertigung des gedruckten kaiserlichen Ausschreibens an das Reich
absenden. Am 24. Mai schrieb hierauf Serntein, er habe nach
Erhalt des kaiserlichen Briefes sofort das Katschett versiegelt
durch einen Einspännigen des Regiments an Peutinger in der
Erwartung geschickt, dass dieser es am 25. Mai Nachts oder
26. Mai Früh erhalten werde. In gleichem Sinne schrieb Serntein
an den am Hofe Maximilians weilenden Secretär Pfinzing.
(Sämmtliche Stücke im Innsbrucker Statthaltereiarchiv.) Das
gedruckte Mandat Maximilians, durch welches er die Gefangennahme der zu Brescia, Verona und Roveredo meuternden und
zum Feinde übergegangenen Landsknechte zu Füssen am
24. Juli 1516 anordnete, ist mittelst eines aufgedruckten Stempels ‚ů p Cesare(m)' gezeichnet. In diesem Falle führte er, da er
sich nach dem Itinerar am 24. Juli in der Nähe Füssens, in
der Ehrenberger Klause, aufhielt, die Stampiglie in nächster
Nähe. Auf dem Mandat an die Reichsstände, durch welches
der Landgraf Philipp von Hessen und Ritter Franz von Sickingen
unter Androhung von Acht und Aberacht zur Ruhe aufgefordert
werden, von Augsburg, 20. September 1518 ist der Trocken-
druck der Stampiglie des Namenszeichens, dessen Furchen
nachher mit Tinte ausgefüllt wurden, deutlich zu erkennen
(Innsbrucker Statthaltereiarchiv, Max. XIII, Miscell. V, Abtheilung 13). Auf die nicht zur Ausführung gelangten Bestimmungen des Innsbrucker Libells vom 24. Mai 1518, durch welche
unter Abschaffung des kleinen Handzeichens die Verwendung
des Katschetts in allen Ausfertigungen des Hofrathes und die
des grossen Handzeichens (‚unseres Namens') in wichtigen
Sachen, insbesonders denen der Kammer angekündigt wurde,
haben wir nicht einzugehen.

---

das hailig rich, Castilien, Osterich, Burgund, ander zufallend hendel be-
rührend selbs so zaichnen, wie ir maj. byöhar gethon hatt, uß größe derselben kunigrich und furstenthumb, und hatt deshalben ainen truck ainer
signatur machen lassen und also geordnet, das dannocht alle brief durch
die dritte hand byß zů gantzer vertigung gon müssend. Item kongl. maj.
will ain erbern hoffråt verordnen, so das ir maj. verhoff, die stend und
menigklich soll daran kainen mangel haben.'

Die mit der Consiliar-Commissionsclausel gefertigten Briefe lassen sich nach dem Ausfertigungsorte leicht in zwei grosse Gruppen scheiden. Die Kanzleien der in Innsbruck — theils ständig, theils vorübergehend — amtirenden Behörden (Hofrath und Hofkammer, Regiment und Raitkammer (Schatzkammer) der tirolisch-vorderösterreichischen Lande) urkundeten ebenso im Namen des Kaisers wie die für die niederösterreichischen Lande bestellten Aemter (niederösterreichisches Regiment und Rechnungskammer in Wien, Hofgericht in Neustadt etc.). Dass die Zahl der mit der Proprial-Commissionsclausel gefertigten Briefe in den Kanzleien der niederösterreichischen Lande eine verhältnissmässig kleine war, findet ebenso sehr in der die obersten Spitzen in Innsbruck oder am jeweiligen Hoflager des Kaisers zusammenfassenden Aemterorganisation wie in dem verhältnissmässig beschränkten Verweilen des Kaisers in den niederösterreichischen Landen genügende Erklärung. Unter dieser Form gehen die zahlreichen von den Aemtern an einzelne Amtspersonen (Pfleger, Burg- und Salzverwalter, Vicedome etc.) hinausgegebenen Briefe, die Erledigung des sich laufend abwickelnden Amtsgeschäftes sowohl in Verwaltungs- wie Rechtssachen geringerer Bedeutung, die Correspondenzen der Aemter untereinander (innerer Amtsverkehr) hinaus. Im Gegensatze zu den aus Innsbruck und vom kaiserlichen Hoflager stammenden Ausfertigungen lässt sich bei den niederösterreichische Angelegenheiten behandelnden, d. h. also aus niederösterreichischen Kanzleien (insbesondere aus Wien) stammenden Briefen mit Consiliar-Commissionsclausel wohl durchgehends in der Datirungszeile der Mangel des Datirungsortes nachweisen. Diese (niederösterreichischen) Consiliarausfertigungen kommen deshalb für die Itinerarfrage nicht in Betracht.

Wohl aber müssen die aus Innsbruck und vom Hofe stammenden Consiliarfertigungen Maximilians mit Datirungsort einer desto genaueren Prüfung rücksichtlich der Verwendbarkeit für das Itinerar unterzogen werden. Wir haben aus der Fülle dieser selbstverständlich ohne die Clausel ‚per regem per se‘ hinausgegebenen Briefe eine Anzahl (theils epist. claus., theils pat.) zur Vergleichung mit beglaubigten Aufenthaltsnotizen und insbesonders mit unserem Itinerar herangezogen. 1. Maximilians Confirmationsbrief für das St. Clara-Kloster nächst Feldkirch. Innsbruck, 14. Juni 1497 (Wiener Staatsarchiv). Maximilian

verweilte damals in der Gegend um Füssen. 2. Max fordert
in einer zwischen Georg von Thurn und Simon von Hungers-
bach schwebenden Rechtssache die Wiener Universität zur
Begutachtung auf. Innsbruck, 2. November 1503 (Innsbrucker
Statthaltereiarchiv). Maximilian weilte damals in oder um Augsburg. 3. Maximilian beauftragt den Hauptmann zu Steinach,
Hildebrand von Spaur, und den Schwazer Bergrichter Leonhard
Möldl, den Pfarrer Peurl um ein Darlehen von 1000 fl. Rh. anzugehen. Innsbruck, 2. Juni 1508 (Innsbrucker Statthaltereiarchiv). Maximilian weilte damals am Rhein. 4. Derselbe an die-
selben in derselben Sache. Innsbruck, 9. Juni 1508 (Innsbrucker
Statthaltereiarchiv). Der Kaiser weilte am Rhein. 5. Maximilian an
den Zolleinnehmer am Lueg, Hans Stüntzl. Rechtfertigung wegen
Zollbeschwerung der Schmelzer zu Taufers an die Innsbrucker
Raitkammer. Innsbruck, 27. Juni 1508 (Innsbrucker Statthaltereiarchiv). Der Kaiser weilte damals am Rhein. 6. Maximilian
an den Pfleger zu Sigmundskron, Adam von Weinegg, und
Andere in Sachen des von Peter Tainell zu Margreit wegen
Wasserschadens erbetenen Zinsnachlasses. Innsbruck, 2. April
1509 (Innsbrucker Statthaltereiarchiv). Der Kaiser weilt an
diesem Tage zu Xanten am Rhein. 7. Maximilian an den Haus-
kämmerer Wolfgang Haller in Sachen der vom Seehüter Korn-
man zu Spiegelfreud für Baukosten angesprochenen Mehrfor-
derung. Innsbruck, 8. November 1509 (Innsbrucker Statthaltereiarchiv). Der Kaiser weilt an diesem Tage zu Arco in Südtirol.
8. Maximilians Aufforderung an die Erben des Siegmund Sprenng
zur Zahlung des noch rückständigen Steuergeldes von 12 fl. Rh.
Innsbruck, 29. August 1510 (Innsbrucker Statthaltereiarchiv).
Der Kaiser weilte an diesem Tage zu Trient. 9. Maximilian
übersendet dem Bergrichter zu Taufers, Claus Pelle, die Supplication des Maung Huber zur gütlichen Erledigung. Innsbruck,
7. November 1510 (Innsbrucker Statthaltereiarchiv). Maximilian
weilte an diesem Tage zu Freiburg im Breisgau. 10. Maximilian
an den Reichsschatzmeister Hans von Landow und die zu den
Eidgenossen geschickten Räthe wegen gütlichem Vergleich im
Streite zwischen Balthasar von Schellenberg und Jakob von
Rapoltenstein. Füssen, 11. Mai 1511 (Innsbrucker Statthaltereiarchiv). Maximilian weilte an diesem Tage zu Kaufbeuren.
11. Maximilian setzt dem Jorg von Rot im Streit mit Fugger
einen neuerlichen Rechtstag zu Augsburg. Innsbruck, 4. October

1511 (Innsbrucker Statthaltereiarchiv). Der Kaiser weilte an diesem Tage zu Lienz nahe der kärntnerischen Grenze. 12. Maximilian an den Meraner Landrichter Siegmund Eisenschmied, betreffend die Schuld von 40 Mark Berner des Hans Raidl zu Obermais. Innsbruck, 2. März 1513 (Innsbrucker Statthaltereiarchiv). Der Kaiser weilte an diesem Tage zu Landau in der Pfalz. Eine epist. claus. mit der Proprial-Commissionsclausel von demselben Tage führt wirklich Landau als Ausfertigungsort. 13. Maximilians Aufforderung an alle bis Stockach sesshaften Postboten, den in dringender Sache abgegangenen Ulrich Marschall von Pappenheim mit Pferden zu versehen. Innsbruck, 30. August 1514 (Innsbrucker Statthaltereiarchiv). Der Kaiser weilte an diesem Tage zu Vöcklamarkt und Strasswalchen in Oberösterreich. Daneben existirt im Innsbrucker Statthaltereiarchiv eine epist. pat. chartac. ganz gleichen Inhaltes mit der Zeichnung ‚per regem per se‘ und der Proprialclausel Wels, 26. August 1514. Nach unserem Itinerar weilte er an diesem Tage wirklich zu Wels (nicht weit von Strasswalchen und Vöcklamarkt). Es ist ganz deutlich: der Kaiser urkundet von seinem Aufenthaltsorte weg, der Auftrag geht an das Innsbrucker Regiment in derselben Sache, und dieses gibt vier Tage später sein Patent mit gleichem Inhalte von Innsbruck hinaus. 14. Maximilian fordert den Ulrich Sawrwein zur Vorlage seiner Wasser- und Fisch-Gerechtigkeiten an die Innsbrucker Raitkammer auf. Innsbruck, 22. November 1514 (Innsbrucker Statthaltereiarchiv). Der Kaiser weilte an diesem Tage (wohl zufällig) zu Innsbruck. 15. Maximilian an den Hauptmann von Kufstein, Degen Fuchs von Fuchsberg, wegen unerlaubten Bierbrauens von Seite etlicher Unterthanen von Kufstein. Innsbruck, 5. Februar 1515 (Innsbrucker Statthaltereiarchiv). Der Kaiser weilte an diesem Tage zu Innsbruck. 16. Maximilian an den Bozener Amtmann Jakob von Wanng, er solle dem Zöllner an der Zollstange, Stoffl Ul, unter Androhung der Amtsentsetzung zu grösserem Fleisse ermahnen. Innsbruck, 26. April 1515 (Innsbrucker Statthaltereiarchiv). Der Kaiser weilte an diesem Tage zu Mindelheim. 17. Maximilian an den Stadt- und Landrichter von Rattenberg, Bartholomäus Axmgst, er solle den Metzger Ulrich Steinberger zu Brixlegg in der Ausübung seines Handwerkes beschützen. Innsbruck, 22. April 1515 (Innsbrucker Statthaltereiarchiv). Der Kaiser

weilte an diesem Tage zu Terzulas bei Cles in Südtirol.
18. Maximilian übersendet den Räthen Wilhelm Freiherrn von
Wolkenstein und Dr. Ludwig Rainolt eine Supplication in Berg-
werkssachen. Innsbruck, 4. März 1517 (Innsbrucker Statthaltereiarchiv). Der Kaiser weilte an diesem Tage zu Tervueren in
den Niederlanden. 19. Maximilian übersendet dem Bozener
Amtmann Jakob von Wangg eine Supplication des Christian
Hofereyder um Zinsnachlass wegen erlittenen Schadens. Er
soll der Raitkammer berichten. Innsbruck, 2. Mai 1517 (Innsbrucker Statthaltereiarchiv). Der Kaiser weilte an diesem Tage
zu Tholen in den Niederlanden. 20. Maximilian an Jakob
Grewtter. Er soll seinen Anspruch auf Ersatz der alten Mühl-
steine durch neue von amtswegen bezüglich der Mühle Dry-
faggen bei Pruz nachweisen. Innsbruck, 16. Juni 1517 (Innsbrucker Statthaltereiarchiv). Der Kaiser weilte damals zu
Augsburg.

Die im Vorangehenden durchgeführte Vergleichung dürfte
zur Genüge die Unverwendbarkeit der Briefe mit Consiliar-
Commissionsclausel für die Anlage eines Itinerars darthun.

Fassen wir daher das Ergebniss unserer Untersuchung
kurz zusammen. Als Quellen zur Anlage eines Itinerars sind
die unter Maximilians Namen gehenden Briefschaften rücksichtlich ihrer Verwendbarkeit in nachfolgender Abstufung zulässig:

1. Autographe Briefe Maximilians (leider nur selten mit
ausreichender Datirungszeile). An Werth kommen ihnen gleich
Briefe (ep. claus. und pat. mit dem grossen und kleinen Handzeichen Maximilians oder ohne dasselbe) mit Zusätzen von des
Kaisers Hand.

2. Briefe (ep. claus. oder pat.), die ausser dem Handzeichen
des Kaisers keinen weiteren Ausfertigungsvermerk enthalten
(sogenannte Privatbriefe des Kaisers).

3. Briefabschriften in den amtlichen Copialbüchern mit
ausdrücklicher Hervorhebung der vom Kaiser eigenhändig gemachten Zusätze. Ihnen reihen sich Concepte mit Datirungszeile und Correcturen von des Kaisers Hand an.

4. Briefe (ep. claus. oder pat.), die neben der Clausel: ‚Commissio domini regis (imperatoris oder Cesaree majestatis) propria‘
oder ‚ad mandatum domini regis (imperatoris oder Cesaree majestatis) proprium‘ das kleine oder (seltener) das grosse Namenshandzeichen des Kaisers führen (Briefe mit Proprial-Commissions-

clausel). Doch ist bei Verwendung der Datirungszeile für die Zwecke des Itinerars mit Rücksicht auf den nicht ausgeschlossenen Missbrauch bei Anwendung des Handzeichens (Stempels) Vorsicht geboten. Dieser Gruppe können die Hofkammersachen (Finanzangelegenheiten) berührenden Briefe mit Consiliar-Commissionsclausel in der Form: ‚visa in consilio camere‘ und dem kleinen Namenshandzeichen Maximilians angereiht werden.

5. Ueber die Verwendbarkeit der mit der Clausel in consilio oder in consilio camere (Hofraths- oder Hofkammersachen) und mit ‚per regem‘ mit beigefügten Namen des Statthalters (in Stellvertretung des Kaisers im Hofrath wie in der Hofkammer) unterfertigten Briefe kann von vornherein nicht entschieden werden. Es ist in jedem Falle der Nachweis über die Anwesenheit des Hofraths-, beziehungsweise Hofkammercollegiums am Hoflager zu erbringen.

6. Nicht verwendbar für das Itinerar sind die Briefe (ep. claus. oder pat.) mit der Clausel: ‚Commissio domini regis (imperatoris oder Cesaree majestatis) in consilio‘ oder ‚ad mandatum domini regis (imperatoris oder Cesaree majestatis) in consilio‘ (stets ohne Handzeichen mit Ausnahme der in 4. erwähnten Gruppe von Kammerbriefen). (Briefe mit Consiliar-Commissionsclausel.) Ihnen sind die aus der Kanzlei des Nürnberger Reichsregimentes (1500—1502) mit der Unterschrift des Erzbischofs Berthold von Mainz und des Secretärs S. Ölhafen ausgefertigten epistolae (claus. oder pat.) anzureihen.

Es verlohnt sich nicht der Mühe, durch eine Zusammenstellung der Angaben in Staelin's Itinerar mit denen des hier zum Abdruck gebrachten von Tag zu Tag, d. h. durch einen Vergleich zweier an sich nicht gleichartiger Grössen den Irrthümern im Einzelnen nachzugehen. Es mögen einige Bemerkungen genügen. Für die Orientirung, in welcher Gegend sich Maximilian — nach grösseren Jahresabschnitten gerechnet — aufhielt, erscheint Staelin's Itinerar immerhin brauchbar. Die Schwäche seiner Publication ruht vielmehr in den zahlreichen offen gebliebenen Lücken, deren es in jedem Monat recht viele gibt. So entstehen für die Periode 1508—1518 zahlreiche Sprünge: von Februar bis Juni 1510, im Juli 1511, von Juli bis November 1512, vom 1. September 1514 bis 7. März 1515.

Auffallendere Unrichtigkeiten wären zu verzeichnen: Am 26. Juni und 31. Juni 1511 weilte Max nicht in Sterzing und

Brixen, sondern an beiden Tagen zu Innsbruck. Unrichtig ist
die Angabe von Maximilians Verweilen am 5. Jänner 1514 zu
Rattenberg. Am 18. Mai 1514 weilte Maximilian nicht in Wien,
sondern zu Bruck a. d. Mur. Am 1. September 1514 nicht zu
Innsbruck, sondern zu Trostberg. Am 16. November 1515 weilte
Maximilian nicht in Innsbruck, sondern zu Krumbach nächst
Ulm. Vielfach falsch sind die Angaben zum März 1517. Auffallend ist die Angabe St. Pölten, 26. November 1516 (Quelle
Mittheilung Birk's), nachdem er doch unmittelbar vorher Maximilian zu Breisach und Bergheim verweilen lässt. In Wirklichkeit verweilte Maximilian am 26. November 1516 zu Hagenau
im Elsass. Möglicherweise liegt bei Staelin eine Verwechslung
mit dem 26. November 1517 vor, an welchem Tage Maximilian
wirklich zu St. Pölten weilt. Endlich sei als Curiosum verzeichnet, dass Staelin — ebenfalls über freundliche Mittheilung
Birk's — in sein Itinerar einen 31. (!) Juni 1511 mit dem Aufenthalt Brixen eingeschmuggelt hat. Der Kaiser weilte in Wirklichkeit vom 28. Juni bis 7. Juli 1511 zu Innsbruck.

Ein besonderes Interesse bietet es, die umfassende und
inhaltlich so reichhaltige Correspondenz zwischen Maximilian
und seiner in den Niederlanden weilenden Tochter Margarethe
in der durch unser Itinerar umspannten Zeitperiode von November 1508 bis Februar 1518 einer kurzen Besprechung unter
Bezug auf die im Itinerar sichergestellten Aufenthaltsorte zu
unterziehen. Die auch hier gebotene Unterscheidung zwischen
der Gruppe der von Maximilian unterzeichneten und der lediglich von der Kanzlei ('per regem') in dessen Auftrag hinausgegebenen Briefe tritt für die Frage des persönlichen Mitthuns
des Kaisers bei der Abfertigung und damit für die des Aufenthaltsortes gegenüber der hervorragenden und verwandtschaft-
lichen Stellung der Empfängerin und dem Inhalt der doch vorzugsweise auf persönliche Entschlüsse des Kaisers beruhenden
Nachrichten zurück. Man kann annehmen, dass von den in
der Correspondenz behandelten Dingen das Meiste unmittelbar
vorher mit dem Kaiser besprochen, ja von diesem den Secretären sozusagen in die Feder dictirt wurde. Eben deshalb ist
ein Vergleich der in den Briefen gegebenen Datirungen mit
den Itinerarangaben sehr werthvoll.

Derselbe ergibt im Grossen und Ganzen eine überraschende
Uebereinstimmung der in beiden Quellen enthaltenen Aufent-

haltsdaten. Dass es im Einzelnen an Abweichungen nicht gebricht, kann ebensowenig gegen die Verlässlichkeit unseres Itinerars zeugen, wie umgekehrt die nunmehr an der Hand der Itinerarangaben mit Sicherheit vorzunehmenden Correcturen der von Le Glay veröffentlichten Briefschaften den Werth dieser Publication zu verringern vermögen.[1]

Zunächst wollen wir constatiren, dass die schon früher erwähnte Verschiebung des Anfangsdatums beim Aufenthaltsorte im Itinerar durch zahlreiche Briefe eine schlagende Bestätigung erfährt (siehe die Briefe Bd. I, Nr. 92, 97, 98, 99, 143, 144, 170, 215, 228, 232, 235, 259, 337, 340, 360; Bd. II, Nr. 389, 393, 395, 460, 464, 514, 599, 640).

In 30 Fällen lässt sich die Abweichung in den Ortsangaben des Itinerars und in denen der Briefdatirungszeilen leicht durch eine gleichzeitige räumliche Trennung des Kaisers von seiner Kanzlei erklären. Hieher gehören die Briefe I. Bd., Nr. 87, 117, 120, 122, 135, 136, 148, 149, 187, 226, 229, 234, 240, 267, 330, 345, 346, II. Bd., Nr. 442, 445, 497, 510, 531, 539, 550, 551, 598, 611, 617, 620; Append. Nr. 6. Wenn z. B. (Nr. 120) der Kaiser am 25. Mai 1509 seiner Tochter aus Rierte (Reutte) schreibt, das Itinerar zum 25. Mai Nesselwang als Aufenthaltsort angibt, so ist ganz gut möglich, dass der Kaiser, am 25. Mai Nesselwang verlassend, noch an diesem Tage das nachbarliche Reutte, ja wahrscheinlich schon die hiebei gelegene Ehrenberger Klause (Itinerar: 26. Mai, Ehrenberger Klause) erreichte. In diesen und ähnlichen Fällen braucht sogar eine räumliche Trennung des Kaisers von der Kanzlei nicht angenommen zu werden. Am

---

[1] Correspondance de l'empereur Maximilien I et de Marguerite d'Autriche de 1507 a 1519, publ. par M. le Glay. Paris 1839. 2 Bde. Für die Zeit des Itinerars kommen über 420 Briefe des Kaisers an seine Tochter in Betracht. Mit Ausnahme von drei Briefen in lateinischer Sprache sind alle französisch, fast durchgängig nach Originalien. Abgesehen von den schon früher erwähnten Autographen haben vier Briefe kurze autographe Zusätze. Die Briefe sind theils in der Formel: ‚vostre bon père Maxi' (oder Maximilien) oder ‚per regem', in beiden Fällen mit nachfolgendem Namen des Secretärs (zumeist Renner, oftmals Hannart oder Botschou, vereinzelt Jac. de Bannisis, Waudripont, Leclerc, Hanetou, Vogt, Gheerts, Ernhem [wohl Serntein], Ghodemart und Maroton) unterzeichnet. In dieser Briefgattung (wie immer in den Autographen [unterfertigt: ‚de la main de vostre bon père Maxi']) fehlt der Name des Secretärs nur ganz vereinzelt.

24. Juli 1510 schreibt Max aus Weilheim (Nr. 229), das er nach
dem Itinerar am 22. Juli verlassen hatte, um sich an dem
ersteren Tage (wahrscheinlich schon am 23. Juli Abends) bereits
in dem südlicheren Füssen zu befinden. Hier kann an eine
Trennung von Kanzlei und Kaiser gedacht werden. Andere
Fälle, wie Nr. 187 (der Kaiser schreibt von Augsburg am
21. März 1510 [1509 Osterstil], während er nach dem Itinerar
Augsburg am 20. März verlassen, am 21. März zu Buchloe,
am 22. März zu Kaufbeuren und Buchloe, am 23. März [viel-
leicht schon am 22. März Abends] wieder nach Augsburg zurückkehrt), oder Nr. 234 (der Kaiser schreibt von Innsbruck
am 8. August 1510, während er nach dem Itinerar sich an
diesem Tage in Innsbrucks Umgebung [Fragenstein, Zirl, Ke-
mathen] aufhält), oder Nr. 267 (der Kaiser schreibt von Freiburg am 28. November 1510, während er nach dem Itinerar,
Freiburg bereits am 25. November verlassend, vom 26. November [vielleicht schon 25. November Abends] bis 30. November
zu Breisach weilte), oder Append. Nr. 6 (der Kaiser schreibt
von Linz am 30. April 1514, an welchem Tage er nach dem
Itinerar, Linz am 25. April verlassend, in dem nachbarlichen
Enns weilte) beweisen nur, dass die Kanzlei nicht alle unbe-
deutenden Ausflüge des Kaisers mitmachte, öfters dem vom
Kaiser gewählten grösseren Aufenthaltsort voraneilte oder denselben etwas früher verliess. Bedurfte man der Unterschrift des
Kaisers, so wurde sie einige Tage später für den schon nach
dem jeweiligen Aufenthaltsorte der Kanzlei fertiggestellten Brief
nachgetragen.

Auffallendere und allein durch den vorgenannten Vorgang
nicht leicht zu erklärende Differenzen weisen acht Fälle auf:
Nr. 173 (Bozen, am 28. Jänner 1510 [1509 Osterstil]. Itinerar:
28. Jänner 1510 Innsbruck. Der Kaiser kommt zunächst nicht
nach Bozen, wo er vom 21. December 1509 bis 13. Jänner 1510
verweilte, zurück), Nr. 240 (31. August 1510 Innsbruck. Nach
dem Itinerar hat der Kaiser Innsbruck, auf der Reise zum
Bodensee begriffen, bereits am 7. August verlassen), Nr. 246
(13. September 1510 Buchhorn. Itinerar: der Kaiser dorthin erst
am 18. September), Nr. 264 (Kufstein = Kunsstein?, 18. November 1510. Itinerar: 18. November 1510 Ensisheim!), Nr. 317
(12. September 1511 Brixen. Itinerar: 12. September 1511 Trient.
Der Kaiser kommt erst am 16. September 1511 nach Brixen),

Nr. 487 (27. April 1513 Augsburg. Itinerar: der Kaiser hat
Augsburg am 20. April verlassen und kehrt dorthin erst am
15. Mai zurück), Nr. 608 (30. November 1515 Augsburg. Itinerar:
der Kaiser verliess Augsburg am 12. November, ohne dorthin
zurückzukommen), Nr. 629 (21. November 1516 Strassburg.
Itinerar: 21. November Oberehnheim führt während des damaligen Aufenthaltes im Elsass Strassburg als Aufenthaltsort
gar nicht auf).

In mehrfachen Fällen wird durch die Angaben des Itinerars
die Vermuthung zur Gewissheit, dass — sei es durch Versehen
des Herausgebers oder infolge der schon in der kaiserlichen
Kanzlei unterlaufenen Verstösse [1] — sich in die Datirungszeilen
Unrichtigkeiten eingeschlichen haben:

Nr. 101. Datirt mit letztem Jahrestag 1508. Ist nicht nach dem
Osternstil zum 7. April, sondern nach dem römischen
Stil zum 24. oder 31. December 1508 Antwerpen
(nach dem Itinerar weilt der Kaiser an diesen Tagen
im nachbarlichen Mecheln) einzureihen.

„ 213. Die von Le Glay ergänzte unleserliche Stelle in der
Datirungszeile ist nicht mit Juni, sondern Jänner zu
ersetzen. Daher nicht: Freiburg, 10. Juni 1510, sondern Freiburg, 10. Jänner 1511 (1510 Osternstil).

„ 246. Dürfte statt Buchorn, 13. September 1510 zu lesen sein:
Buchorn, 18. September 1510.

„ 335. Statt: Breisach, 12. November 1511 ist zu lesen: Breisach, 12. November 1510 (Itinerar: Max weilte am
11. [beziehungsweise 10. Abends] bis 14. November
1510 zu Breisach, am 12. November 1511 zu Innsbruck).

„ 350. Statt Munde (Gmunden), 29. December 1511 ist wohl
zu lesen: Gmunden, 19. December 1511.

„ 386. Statt Trier, Mai 1512 kann ergänzend gelesen werden:
Trier, 2. Mai 1512.

„ 520. Statt Bitberg, Juli 1513 kann ergänzend gelesen werden: Bitburg, 18. Juli 1513.

„ 521. Statt Coblenz, Juli 1513 kann ergänzend gelesen werden: Coblenz, (9.—14.) Juli 1513.

---

[1] Dem Herausgeber dieses Itinerars sind die von Le Glay veröffentlichten
Briefe im Originale zur Durchsicht nicht vorgelegen.

Nr. 559. Statt Landau, 20. December 1514 ist zu lesen: Landau,
20. December 1512 (nach dem Itinerar weilte Max
am 20. December 1512 in Landau, am 20. December
1514 zu Innsbruck).

„ 606. Statt Innsbruck, 16. November 1515 ist zu lesen: Innsbruck, 16. November 1514 (nach dem Itinerar weilte
Max am 16. November 1514 zu Innsbruck, 16. November 1515 in der Ulmer Gegend).

„ 622. Statt Ueberlingen, 28. Mai 1516 wohl zu lesen: Ueberlingen, 28. Juni 1516 (nach dem Itinerar weilte Max
am 28. Mai zu Laatsch in Tirol, am 28. Juni zu
Ueberlingen).

„ 189 ist ‚le dernier jour de mars‘ 1510 (1509 Osternstil) statt
30. mit 31. März 1510 aufzulösen. Mehr als Curiosums
sei auch eines Versehens von Maximilians Hand
(Nr. 182 Autograph) erwähnt, der einen Brief vom
29. Februar 1510 datirt.

Nach dem Itinerar können entweder schon in der Aus-
fertigung oder aber bei der Herausgabe arg verstümmelte Ortsnamen richtiggestellt werden: Nr. 105 St. Weir = St. Goar,
Nr. 120 Rierti = Reutte, Nr. 127 Inan = Ivano, Nr. 154 Ary =
Avio, Nr. 228 Willamen = Weilheim, Nr. 265 Enghessen = Ensisheim, Nr. 329 Emvels = Heimfels, Nr. 340 Munde = Gmünd in
Kärnten, Nr. 350 Munde = Gmunden in Oberösterreich, Nr. 366
Vintzer = Windsheim, Nr. 611 Fyenshe = Füssen, Nr. 621
Metz = Neuenmetz (Mezzolombardo) in Südtirol, Nr. 624 Sartem-
berze = Hörtemberg in Tirol, Nr. 637 Muessen = Malsen (Mals
in Tirol), Nr. 645 Englistat = Ingolstadt.

Die burgundische Kanzlei Maximilians bediente sich zur
Rechnung des Jahresanfanges des in den romanischen Gebieten
üblichen Osternstiles (mos gallicanus).[1] Le Glay hat ihn auch

---

[1] Wenn L'art de vérifier, Tome I, p. 16, sagt, Maximilian habe die Epoche
des 1. Jänner in die kaiserliche Kanzlei (hiebei ist nur an die deutsche
Kanzlei gedacht) eingeführt, so ist dies doch wohl nur so zu verstehen,
dass die deutsche Kanzlei Maximilians sich bereits der Jahresrechnung
ab 1. Jänner bediente. Thatsächlich machte sich ein starkes Schwanken
in der Rechnung nach der Incarnation (25. December) und nach dem
1. Jänner bemerkbar. Auffallende Belege, dass man sich zu gleicher Zeit
und an demselben Kanzleiorte beider Rechnungen bediente, liefern zwei

bei der Herausgabe der Correspondenz des Kaisers beibehalten und darnach die einzelnen Stücke eingereiht. Da er jedoch selbst der Vermuthung Raum gab, dass die Kanzlei sich den in den jeweiligen Aufenthaltsgebieten üblichen Jahresrechnungen anschmiegte, in einigen Fällen auch ausdrücklich die Verwendung des römischen Stiles (Weihnachten) oder der Rechnung ab 1. Jänner constatirte und zwei Stücke darnach richtig einreihte, ohne in eine weitere Untersuchung bezüglich anderer Stücke mit mindestens fraglicher Jahresrechnung einzugehen, hat er in die chronologische Einreihung der Briefe ziemliche Verwirrung gebracht. In der That enthält die Sammlung mehr Stücke mit römischem Stil, als Le Glay vermuthete. Wir zählen sie nachfolgend auf:

Nr. 96 ist einzureihen zum 28. Jänner 1508 (nicht 1509).
„ 280 „ „ „ 10. Jänner 1510 (nicht 1511).

Briefe (ep. claus. chart.) vom 29. December 1511 mit der Fertigung ‚per regem per se‘, von denen der eine von U. Pfintzing, der andere von G. Vogt mitgefertigt ist. Beide haben das Datum 29. December und als Datirungsort Linz. In dem einen wird Serntein zur Ausfolgung von 50 Stück schwarzes Tuch an Phintzing aufgefordert. Das Datum lautet: 29. December anno etc. duo decimo. Im zweiten werden Regiment und Raitkammer zu Innsbruck aufgefordert, seinen Diener Medlinger sammt vier Husaren in Innsbruck vollständig bei den Wirthen auszulösen. Hier lautet das Datum: 29. December anno etc. undecimo. Ein drittes Stück, ebenfalls mit der Fertigung ‚per regem per se‘ und der Mitfertigung S. Vogt aus Bozen vom 29. December 1500 ‚vnd im zehennden‘ (Mandat an den Zöllner Hermann Eichhorn am Unterrain, wodurch er einer Schuld von 100 fl. Rh. ledig gesprochen wird) gehört dem 29. December 1509 an. Die Kanzlei bediente sich hier also der Rechnung des Weihnachtsjahresanfanges. (Sämmtliche drei Stücke im Innsbrucker Statthaltereiarchiv.) Auch das Testament Maximilians (abgedruckt bei F. v. Bucholtz' Geschichte Ferdinands I., Band 1, p. 476) beginnend mit den Worten ‚Am 30. Tag Decembris anno etc. im neunzehendten Jar‘ (30. December 1518), während das letzte Codicill das Datum: ‚6. Januar im 19ten‘ führt, bedient sich der Weihnachtsrechnung. Hier sei noch erwähnt, dass seit Beginn des 16. Jahrhunderts in der Maximilianischen Kanzlei die Verwendung der Heiligennamen gegenüber der fortlaufenden Numerirung der Monatstage in den Hintergrund tritt. Es entsprach dies einer am 25. Mai 1500 von Augsburg von der Hofkammer an die Innsbrucker Raitkammer ergangenen Weisung unter ausdrücklicher Betonung der bei der Zählung nach Heiligentagen sich so häufig ergebenden Irrungen. (Innsbrucker Statthaltereiarchiv, Geschäft bei Hof a. 1500.)

Nr. 281 ist einzureihen zum 13. Jänner 1510 (nicht 1511) und
ist statt Brüssel zu lesen: Bolzane
(Bozen).

„ 351 „ „ 3. Jänner 1511 (nicht 1512).

„ 352 „ „ 4. Jänner 1511 (nicht 1512).

„ 467 „ „ 29. März 1512 (nicht 1513).

„ 560 „ „ 28. März 1513 (nicht 1514).

„ 633 „ „ „ 1. Jänner 1516 (nicht 1517).

„ 634 „ „ „ 18. Jänner 1516 (nicht 1517).

„ 635 „ „ „ 25. Jänner 1516 (nicht 1517).

„ 637 „ „ „ 26. Februar 1516 (nicht 1517) und
statt Muessen zu lesen: Mals.

„ 646 „ „ „ 7. Jänner 1517 (nicht 1518),

„ 674 „ „ „ 18. Jänner 1517 (nicht 1518; diese
zwei letzten Stücke sind vor
Nr. 636 zu setzen).

„ 616 Augsburg, 5. Jänner 1516 hat Le Glay unter Hervorhebung des römischen Stiles richtig in das Oster-
jahr 1515 nach December 1515 eingereiht.

Wären wir über Maximilians zerfahrenes und ruheloses
Wesen nicht gut aus anderweitigen Quellen berichtet, wahrlich
der Inhalt unseres Itinerars müsste uns darüber zur Genüge
belehren. In der Periode von nicht ganz zehn Jahren sehen
wir den Kaiser einem fahrenden Scholaren gleich von einem
Ort zum anderen wandern. Nach Hunderten zählen die Orte,
in denen der Kaiser nicht über eine Tagesfrist Aufenthalt
nahm. Oft sind es kleine Ortschaften, verlorene Weiler, inzwischen längst verschwundene Burgen, die den hohen Gast
beherbergten. Der Mangel an häuslicher Bequemlichkeit, die
Schwierigkeiten der Unterkunft für das der Kopfzahl nach nicht
geringe Gefolge an Menschen und Thieren, der wirthschaftliche
und culturelle Tiefstand der so oftmals besuchten Gemeinden
mögen das Reisen zu Beginn des 16. Jahrhunderts nicht zu
Annehmlichkeiten des Daseins gemacht haben. Wenn wir dennoch den Kaiser auch besser situirte Orte, wie Innsbruck oder
Augsburg, oftmals auf kleineren, nur für wenige Tage berech-
neten Fahrten verlassen sehen, so kann wohl nur die Freude
an dem Waidwerk in den so oft von ihm aufgesuchten
Gegenden Tirolmarken südwärts von Augsburg, auf dem
Wege über Inner Wand, in der Kühetai, an den schroffen

Gehängen des Innthales in Tirol, Erklärung für diese räthselhafte Wanderlust bieten. Nur ganz vereinzelt bequemte sich der Kaiser zu längerem Aufenthalte an einem und demselben Orte, am öftesten in Augsburg, wo wir ihn viermal, vom 23. März bis 18. April 1510, vom 30. April bis 8. Juni 1510, vom 27. November bis 26. December 1513 und vom 26. Jänner bis 25. Februar 1518 antreffen, am längsten in Köln von Mitte Juli bis Anfangs November 1510. Vier Wochen verweilte Maximilian im Winter von 1510 auf 1511 zu Freiburg im Breisgau. Zweimal erstreckte sich ferner über eine grössere Periode sein Verweilen zu Innsbruck und dessen Umgebung (18. September 1514 bis 21. März 1515 und 2. September 1515 bis 27. October 1515). Wien gehörte durchaus nicht zu den bevorzugten Orten. Dort hielt er sich dreimal ganz kurz (6.—10. Mai 1514, 11.—15. Mai 1515, 10. September 1517) und nur einmal durch 16 Tage (23. October bis 8. November 1517) auf.

An der Hand unseres Itinerars begleiten wir den Kaiser mehnmal nach Tirol, viermal (in den Jahren 1508—1509, 1512, 1513 und 1517) nach den Niederlanden, dreimal nach dem Elsass (November 1510 bis April 1511, Ende November 1512 bis Anfangs März 1513, November bis December 1516), endlich zweimal zu kriegerischen Unternehmungen nach Italien (August bis Ende October 1509, Mitte März bis Mitte April 1516). Oftmals weilte er auf deutschem Reichsboden, zog den Main und den Rhein entlang und fuhr über den Bodensee. Böhmen und Ungarn hat er in der Zeit unseres Itinerars nicht betreten. Am weitesten nordwestlich stand sein Fuss zu Lille auf heutigem französischen Boden, südlich drang er bis an die Thore Mailands vor.

Zu drei Monatstagen (23. und 24. März 1509 und 19. Juni 1516) hat der Schreiber des Itinerars die Eintragung des Aufenthaltsortes unterlassen. Nach den ‚Lettres de Louis XII‘, I, 161, lässt sich für den 23. März 1509 Bergen op Zoom und aus einer lit. claus. chart. des Innsbrucker Statthaltereiarchivs (Max theilt mit der Fertigung ‚per regem per se‘ seinen Räthen zu Trient mit, dass er von König Karl und ‚hier zu Constanz‘ durch den englischen Gesandten Pace englische Hilfsgelder zu erlangen hoffe, Constanz, 19. Juni 1516) für den 19. Juni 1516 Constanz als Aufenthaltsort mit ziemlicher Sicherheit feststellen.

Nur in zwei Fällen ist es nicht gelungen, die Existenz der im Itinerar angeführten Ortschaften (Weiler oder Burgen) nachzuweisen. Es sind dies: 1513, Mai 12, Enndthofen; 1514, Juni 18, Eybiswald. Ob hier von Seite des Copisten ein Versehen in der Wahl des Namens im zweiten oder eine arge Verstümmelung in der Namensschreibung im ersten Falle vorliegt, bleibt dahingestellt. Ein Eibiswald in Krain lässt sich nicht erweisen, so wenig wie ein bei Fürstenfeldbruck in Baiern gelegenes Enndthofen. Doch können wir in beiden Fällen den gemeinten Ort der Lage nach auf das Genaueste bestimmen. Für Eibiswald kommt nur ein Ort in nächster Nähe Krainburgs, für Enndthofen ein solcher in der Nähe der bairischen Orte Schmiechen und Fürstenfeldbruck in Betracht.

Zum Schlusse reihen wir eine Anzahl für ein Itinerar Maximilians werthvoller Daten, soweit sie den unserem Itinerar beiliegenden Rechnungsfascikeln zu entnehmen waren, hier an. Orts-, Monats- und Wochentagsangaben sind den einzelnen Rechnungsposten beigeschrieben, in den meisten Fällen war das Jahr leicht festzustellen. Wenn auch nur bei der einen Hälfte der Daten die Anwesenheit Maximilians ausdrücklich vermerkt ist, so kann doch bei der anderen aus der Art der Ausgaben auf die Anwesenheit am Ort der Ausgabe ziemlich sicher geschlossen werden.

1500

I.	30.	Innsbruck.[1]
II.	20.	Innsbruck.
III.	28.	Augsburg.[2]
IV.	4., 16.	Augsburg.[2]
VIII.	1.,4.,18.,24.	Augsburg.[2]
IX.	5.	Zirl.[3]
	6.	Weilheim.[4]
	13.	Telfs.[5]

1500

IX.	19.	Steinach.[6]
	25.	Innsbruck.
	29.	Seefeld.[7]
	30.	Innsbruck.
X.	31.	Wörth.[8]
XI.	7.	Nürnberg.[9]
XII.	5.	Baumgartenberg.[10]
	13.	Persenbeug.[11]

1. Hauptstadt Tirols.   2. Augsburg am Lech w. von München. 3. Im Innthal w. von Innsbruck.   4. Weilheim s. vom Ammersee in Baiern.   5. Telfs im Innthal w. von Innsbruck.   6. Steinach am Brenner s. von Innsbruck.   7. Seefeld n. von Zirl in Tirol.   8. Donauwörth in Baiern.   9. Nürnberg in Baiern.   10. Baumgartenberg ö. von Linz in Oberösterreich, nahe der Donau.   11. Persenbeug ö. vom vorigen, an der Donau.

1500
XII. 26. Linz.[1]
1501
III. 22., 27. Linz.
VII. 28. Gries.[2]
29. St. Siegmund[3] und
Gries.
30. Axams,[4] Kematen[5]
und Vellemberg.[6]
1504
IV. 2—17. Augsburg.
18. Füssen.[7]
19. Möhringen[8] und
Augsburg.
24—29. Augsburg.
30. s. l.
V. 1. St. Leonhard[9] und
Immenhofen.[10]
2. Friedberg.[11]
3. Donauwörth.[12]
9. Dillingen.[13]
10. Höchstädt.[14]
11., 12. Aislingen.[15]

1504
IX. 19. Geisenfeld.[16]
20. Wollnzach.[17]
21. Indersdorf.[18]
22.—24. München.[19]
28., 29. Schwaz.[20]
30. Schwaz und Ratten-
berg.[21]
X. 1. Rattenberg.
2. Langkampfen.[22]
3. Auerdorf.[23]
4. Langkampfen.
5—20. Im Felde vor
Kufstein.[24]
21., 22., 23., 24., 25. Rosenheim.[25]
26., 27. Kufstein.
28., 29. Aschau.[26]
30. Merklstein.[27]
31. Traunstein.[28]
XI. 1. Traunstein.
2., 3. Baumburg.[29]
4. Oping.[30]

---

1. Linz, Hauptstadt von Oberösterreich. 2. Gries im Melach-
thal sö. von Innsbruck. 3. St. Sigismund w. vom vorigen. 4. und
5. Axams und Kematen nahe bei Innsbruck. 6. Vellenberg, Ruine
ob Vels bei Innsbruck. 7. Füssen in Baiern an der Tiroler Grenze.
8. Mering sö. von Augsburg. 9. ? bei Augsburg. 10. Inchenhofen nw.
von Augsburg. 11. Friedberg bei Augsburg. 12. Siehe Nr. 8, p. 46.
13. Dillingen a. D. zwischen Ulm und Donauwörth. 14. Höchstädt
ö. vom vorigen. 15. Aislingen s. von Dillingen. 16. Geisenfeld sö.
von Ingolstadt. 17. Wolnzach s. vom vorigen. 18. Indersdorf n.
von Dachau. 19. München, Hauptstadt von Baiern. 20. Schwaz
im Innthal nö. von Innsbruck. 21. Rattenberg am Inn ö. vom vorigen.
22. Am Inn s. von Kufstein. 23. Ober-(Nieder-)Audorf am Inn n. von
Kufstein. 24. Kufstein, tirolisch-bairische Grenzfeste. 25. Rosenheim in Baiern n. von Kufstein und sö. von München. 26. Aschau
sw. vom Chiemsee. 27. Marquartstein an der Achen sw. vom Chiemsee. 28. Traunstein ö. vom Chiemsee. 29. Baumburg hart bei
Altenmarkt nw. von Traunstein. 30. Obing sö. von Wasserburg am Inn.

1504		1504	
XI.	5., 6. Rosenheim.	XI.	24., 25. s. l.
	7. Kufstein.		26. Salzburg.
	8. Rattenberg.		27. Reichenhall.
	9. s. l.		28. Lofer und Kirchdorf.[7]
	10. Rattenberg.		29. Söll.[8]
	11. Hall.[1]		30. Schwaz.[*]
	12. Hall und Innsbruck	**1508**	
	13—15. Innsbruck.	IV.	1. Ulm.[9]
	16. Schwaz.		2. Ehingen.[10]
	17. Kundl[2] und St. Jo-		3. Ehingen, Martel[11] und
	hann.[3]		Blaubeuren.[12]
	18. Lofer.[4]		4. Ehingen und Erbach.[13]
	19. Reichenhall.[5]		5—9. Ulm.
	20., 21., 22., 23. Salzburg.[6]		

1. Hall am Inn ö. von Innsbruck.   2. Kundl am Inn nö. von Rattenberg.   3. St. Johann ö. von Kufstein.   4. Lofer sw. von Salzburg.   5. Reichenhall sw. von Salzburg und nö. von Lofer.   6. Salzburg, Hauptstadt des gleichnamigen österreichischen Herzogthums.   7. Kirchdorf n. von St. Johann.   8. Söll ö. von Wörgl am Inn.   9. Ulm, württembergische Stadt an der Donau.   10. Ehingen sw. von Ulm.   11. Obermarchthal a. D. w. von Ehingen.   12. Blaubeuren n. von Ehingen.   13. Erbach zwischen Ehingen und Ulm.

[*] Obige Daten wichtig für den Nachweis über die persönliche Theilnahme Max' am Landshuter Erbfolgekrieg 1504 (vgl. damit die von H. Ulmann, Kaiser Maximilian I., Bd. II, p. 230 ff. und G. v. Maretich, Kaiser Max I. vor Kufstein 1504 im Organ der mil. wiss. Vereine, Bd. 37, 1888 beigebrachten Daten).

Itinerarium 1508—1518.

(Für jeden im Itinerar vorkommenden Ort ist in den untenstehenden Anmerkungen eine topographische Erläuterung versucht worden. Da diese nur
beim ersten Vorkommen des Ortsnamens gegeben wurde, so ist sie beim
Vorkommen von Ortsnamen ohne Erläuterung durch Zurückgehen in den
Anmerkungen zu suchen.)

1508			1508		
XI.	1 (Mittwoch)—4.[1] Anndtorff.[2]		XII.	17.	Lyer.
	5.	Mechell.[3]		18—31.	Mechell.
	6.	Runsst.[4]	1509		
	7.	Tembss.[5]	I.	1(Montag)—22. Mechell.	
	8—20.	Anndtorff.		23—29.	Prüssell.[9]
	21.	Lyer.[6]		30.	Mechell.
	22—25.	Mechell.		31.	Prüssell.
	26—30.	Lyer.	II.	1 (Donnerstag)—8. Prüssell.	
XII.	1 (Freitag)—3. Lyer.			9.	Mechell.
	4—5.	Sanntfluet.[7]		10.	Fülfordt.[10]
	6—13.	Pergen am Sanndt.[8]		11—22.	Prüssell.
	14.	Sanntfluet.		23.	Termondt.[11]
	15—16.	Anndtorff.		24—27.	Ghenndt.[12]
				28.	Allsst.[13]

---

1. Maximilian weilt in den Niederlanden.   **2.** Antwerpen.
3. Mecheln.   **4.** Rumpst, Dorf in der Provinz Antwerpen, rechts a. d.
Nethe, n. von Mecheln.   **5.** Tempsche (Tamise) in Ostflandern w.
von Rüpelmonde an der Schelde.   **6.** Lier (Lierre) sö. von Antwerpen.
7. Santvliet an der Mündung der Schelde n. vom Fort Lille.   **8.** Bergen
op Zoom im niederländischen Nordbrabant.   **9.** Brüssel.   **10.** Vil-
vorde (Vilvoorden) n. von Brüssel, Marktflecken in der belgischen Provinz Brabant.   **11.** Dendermonde (Termonde) nw. von Brüssel in der
belgischen Provinz Ostflandern.   **12.** Gent (Gand).   **13.** Aalst (Alost)
nw. von Brüssel im belgischen Ostflandern.

1509

III. 1 (Donnerstag).Termondt.
2—5. Ghenndt.
6—8. Termondt.
9—10. Mechell.
11—16. Lyer.
17—22. Anndtorff.
23. s. loco.[*]
24. s. loco.
25. Altennpüsch.[1]
26. Predaw.[2]
27. Lon.[3]
28. Hertzogenpusch.[4]
29—31. Grab.[5]

IV. 1 (Sonntag). Kalckharan.[6]
2. Gsanndten.[7]
3. Deusburg.[8]
4. Dysselldorff.[9]
5—11. Cölln.[10]
(Ostertag 8./IV.)

1509

IV. 12—13. Syburg.[11]
14. Anndernach.[12]
15—17. Koblenntz.[13]
18. Sanndt Gwer.[14]
19—20. Rudishaim.[15]
21. Nider Ollm.[16]
22—26. Wormbs.[17]
27. Speyer.[18]
28. Pruessell.[19]
29. Faychingen.[20]
30. Stuetgartten.[21]

V. 1 (Dienstag). Stuetgartten.
2. Geppingen.[22]
3—4. Vllm.[23]
5. Weyssennhorn.[24]
6. Rockhennburg.[25]
7. Phaffennhawsen.[26]
8—9. Mundlhaim.[27]

---

1. Oudenbosch in der niederländischen Provinz Nordbrabant. **2.** Breda in derselben Provinz. **3.** Loon op Zand nö. von Breda. **4.** 's Hertogenbosch (Bois le duc) nö. von Breda. **5.** Grave a. d. Maas in der niederländischen Provinz Nordbrabant. Maximilian verlässt die Niederlande. **6.** Kalkar, Flecken im preussischen Regierungsbezirke Düsseldorf. Maximilian betritt deutschen Reichsboden. **7.** Xanten a. Rh. **8.** Duisburg s. von Xanten. **9.** Düsseldorf n. von Köln. **10.** Köln a. Rh. **11.** Siegburg s. von Köln. **12.** Andernach n. von Coblenz. **13.** Coblenz in der Rheinprovinz. **14.** St. Goar a. Rh. s. von Coblenz. **15.** Rüdesheim a. Rh. im preussischen Regierungsbezirke Wiesbaden s. von St. Goar. **16.** Nieder-Olm im Grossherzogthum Hessen s. von Mainz. **17.** Worms a. Rh. im Grossherzogthum Hessen. **18.** Speier a. Rh. in der bairischen Pfalz. **19.** Bruchsal im Grossherzogthum Baden n. von Carlsruhe. **20.** Vaihingen in Württemberg nw. von Stuttgart. **21.** Stuttgart. **22.** Göppingen in Württemberg ö. von Stuttgart. **23.** Ulm a. D. in Württemberg. **24.** Weissenhorn in Baiern sö. von Ulm. **25.** Roggenburg, Dorf sö. von Weissenhorn. **26.** Pfaffenhausen sö. von Roggenburg und sw. von Augsburg. **27.** Mindelheim s. von Pfaffenhausen und sw. von Augsburg.

[*] Der hier fehlende Aufenthaltsort ist verlässlich als Bergen op Zoom festzustellen (s. Lettres de Louis XII., I, 161).

1509			1509		
V.	10.	Puechlo.[1]	VI.	10.	Potzen.[15]
	11—20.	Kawffpeyren.[2]		11.	Newennmarckht.[16]
	21—22.	Mundlhaim.		12—17.	Trienndt.[17]
	23.	Liebennthan.[3]		18—19.	Arch.[18]
	24.	Kempten.[4]		20.	Rofereydt.[19]
	25.	Nesselbanng.[5]		21—30.	Trienndt.
	26.	Ernnberg an der Clausen.[6]	VII.	1 (Sonntag)—4. Yfonn.[20]	
				5—6.	Velters.[21]
	27.	Lermoss.[7]		7—10.	Ziuidatt.[22]
	28.	Nasareyth.[8]		11—12.	Vellters.
	29.	Stambs.[9]		13.	zu der Laytter[23] vnd Carpignatz.[24]
	30.	Fragennstain vnd Zierll.[10]		14—15.	Marrostica.[25]
	31.	Ynnspruckh.[11]		16.	Passonn.[26]
VI.	1 (Freitag) — 3. Innspruckh.			17.	Marrostica.
				18.	Passon.
	4.	Mattron.[12]		19.	Carpygnon.[27]
	5—8.	Stertzing.[13]		20—22. zu der Laytter.	
	9.	Brychsen.[14]		23—24. Grym.[28]	

1. Buchloe ö. von Mindelheim. 2. Kaufbeuern s. von Buchloe. 3. Weiler Liebenthan ssw. von Ronsberg, w. von Kaufbeuern. 4. Kempten s. von Memmingen. 5. Nesselwang nahe der tirolischen Grenze. Maximilian verlässt das Reich. 6. Pass bei der Ehrenberger Feste, womit Maximilian die österreichischen Erblande betritt. 7. Lermos in Nordtirol. 8. Nassereit s. von Reute. 9. Stams am Inn. 10. Burgraine Fragenstein, Lieblingsaufenthalt des Kaisers, und Zirl am Fuss der Martinswand am Inn w. von Innsbruck. 11. Innsbruck. 12. Matrei an der Brennerstrasse s. von Innsbruck. 13. Sterzing, tirolisches Städtchen s. vom Brenner. 14. Brixen, tirolischer Bischofssitz s. von Sterzing. 15. Bozen (Bolsano), Stadt in Südtirol. 16. Neumarkt a. d. Etsch s. von Bozen. 17. Trient (Trento) s. von Bozen. 18. Arco im Sarcathal sw. von Trient und n. vom Gardasee. 19. Roveredo s. von Trient, ö. von Arco. 20. Ivano ö. von Trient, ein links von Strigno auf bewaldeter Felswand stehendes Schloss. 21. Feltre s. von Strigno an der tirolisch-venetianischen Grenze. Maximilian betritt italienischen Boden. 22. Cividale nö. von Palma nuova. 23. De la Scala, Schloss bei Primolano. 24. Carpane bei Valstagna n. von Bassano (Carpanedo im Brentathal?). 25. Marostica ö. von Bassano. 26. Bassano, Stadt n. von Padua. 27. Das früher erwähnte Carpane (?). 28. Grigno im Valsugana ö. von Strigno.

1509

VII. 25.   zu der Laytter.
    26—31. Yfonn.

VIII. 1 (Mittwoch)—4.Yfonn.
    5—9.   Basson.
    10—13. im veldt vor Ba-
       dua.[1]
    14—18. im veldt bey
       Lymna.[2]
    19—24. im hör oder veldt
       bey Tanckeröl-
       la.[3]
    25.   im hör oder veldt
       bey Selichs.[4]
    26—29. im veldt oder
       hör bey Monn-
       tesellitz.[5]
    30—31. im veldt vnd hör
       vor Badua.

IX. 1 (Samstag) — 10. im
       veldt vnd hör
       vor Badua.
    11—14. im veldt vnd
       hör bey Bofa-
       lenntz.[6]
    15—18. im veldt vnd hör
       vor Badua.

1509

IX. 19—30. im hör vor Badua
       in SanntEelenna-
       closter.

X. 1 (Montag) — 3. im hör vor
       Badua im Sannt
       Eelennacloster.
    4—6.   im veldt vnd hör
       bey dem sloss
       Lymna.
    7.   im veldt vnd hör
       zu Companisa.[7]
    8—9.   im veldt vnd hör
       zu Lungara.[8]
    10—17. im veldt vnd hör
       zu Custosa.[9]
    18.   Altouilla.[10]
    19.   sannt Bonifacy.[11]
    20.   Bernn.[12]
    21—23. Soaui.[13]
    24—26. Bernn.
    27—29. Vollarni.[14]
    30—31. Aui.[15]

XI. 1 (Donnerstag) — 12. Ro-
       fereydt.
    13.   Kaldenatsch.[16]
    14—15. Yfonn.

---

1. Padua.   2. Limena n. von Padua.   3. Tencarolo bei Padua.
4. Monselice s. von Padua.   5. Der vorgenannte Ort, dessen Schloss
Maximilian am 27. August einnahm.   6. Bovolenta n. von Conselve,
s. von Padua.   7. Companisa ö. von Padua.   8. Longare s. von Vicenza.   9. Costozza s. von Vicenza. Da Costozza etwas östlicher als
Longare liegt, so muss Maximilian eine Rückzugsbewegung gemacht
haben.   10. Altavilla an der Strasse von Vicenza nach Verona.   11. San
Bonifacio ö. von Verona.   12. Verona.   13. Soave n. von S. Bonifacio und ö. von Verona.   14. Volargne n. von Verona. Maximilian
verlässt das venetianische Gebiet.   15. Avio sw. von Ala a. d. Etsch.
Maximilian kehrt vom Kriegszug nach Tirol zurück.   16. Caldonazzo
beim Eingang ins Valsugana bei Levico ö. von Trient.

1509		1510	
XI. 16.	Perschen.[1]	I. 1 (Dienstag) — 13.	Potzen
17—18.	Trienndt.		oder Pulson.
19.	Rofereydt.	14.	Brixner Clawsen.[9]
20.	Nussdorf[2] vnd	15.	Newennstyfft.[10]
	am Stain.[3]	16.	Stertzing.
21—26.	zum Stain am	17.	Mattron.
	Gallian.[4]	18—20.	Hall im Inntall.[11]
27—28.	im sloss zu Aui.	21—25.	Innspruckh.
29.	Prannthain.[5]	26.	Hall im Inntall.
30.	Arch.	27—31.	Innspruckh.
XII. 1 (Samstag).	Trienndt.	II. 1 (Freitag).	Telffs.[12]
2.	Perschen.	2.	Stambs.
3.	Ziuitzan vnd am	3.	Lermoss.
	Nouis.[6]	4.	Reutten.[13]
4.	Newenmetz.[7]	5.	Nesselbanng.
5.	Khaltarn.[8]	6.	Kempten.
6—15.	Potzen.	7.	Liebennthan.
16.	Newenmarckht.	8—11.	Kauffpeyren.
17—18.	Trienndt.	12.	Annglberg.[14]
19.	Newenmetz.	13—17.	Mundlhaim.
20.	Newenmarckht.	18.	Annglberg.
21—31.	Potzen oder Pulson.	19—20.	Puechlo.
		21.	Mennchingen.[15]

1. Pergine an der Strasse zwischen Trient und Levico. 2. Volano n. von Roveredo, von den Deutschen Folgarias heute noch Nussdorf genannt. 3. Castell alla Pietra unterhalb Calliano n. von Roveredo, auch „Stain" genannt; Stein am Gallian hat auch ein Ausschreiben Maximilians an die Hauptleute des Fussvolkes zu Bassano, ddo. 22. November 1509. Schloss Stein, am 24. November 1509. Maximilian an den Vicedom Lorenz Saurer. 4. Das vorgenannte Stain bei Calliano. 5. Brentonico (?) am M. Baldo zwischen der Etsch und dem Gardasee. 6. Zivezzano zwischen Trient und Pergine. 7. Mezzolombardo n. von Trient bei S. Michele. 8. Kaltern n. von Bozen. 9. An Stelle der Brixner Klause jetzt die Franzensfeste. 10. Kloster Neustift bei Brixen. 11. Hall, Städtchen ö. von Innsbruck a. Inn. 12. Telfs a. Inn w. von Innsbruck. 13. Reutte am oberen Lech an der tirolisch-bairischen Grenze. Maximilian verlässt Tirol. 14. Weiler Angelberg bei Tussenhausen nö. von Mindelheim. 15. Schwabmünchen s. von Augsburg.

1510

II. 22—28. Augspurg.[1]
III. 1 (Freitag) — 4. Augspurg.
5. Werchtingen.[2]
6. Tyllingen.[3]
7. Werdt vnd Mar-
dingen.[4]
8—20. Augsburg.
21. Puechlo.
22. Kauffpeyren vnd
wider zu Puechlo.
23—31. Augspurg.
(Ostertag 31./III.)
IV. 1 (Montag) — 18. Augspurg.
19. Mornigen.[5]
20. Pruckh, Fürstenn-
feldt vnd Naynn-
hofen.[6]
21. Tachaw.[7]
22. Pruckh vnd Für-
stennfeldt.
23—28. Augspurg.
29. Göckhingen.[8]
30. Augspurg.
V. 1 (Mittwoch) — 31. Augspurg.
VI. 1 (Samstag) — 5. Augspurg.

1510

VI. 6. Göckhingen.
7—8. Augspurg.
9. Grosayttingen[9]
vnd Mennchin-
gen.
10. Puechlo vnd
Zell.[10]
11—13. Kauffpeyren.
14—15. Mundlhaim vnd
Annglberg.
16. Mennchingen vnd
Grosayttingen.
17—30. Augspurg.
VII. 1 (Montag) — 2. Augspurg.
3. Gockhingen vnd
Grosayttingen.
4. Puechlo vnd
Zell.
5—6. Kauffpeyren.
7. Annglberg.
8. Grosayttingen
· vnd Pobingen.[11]
9—10. Augspurg.
11. Gockhingen.
12. Frydtberg vnd
Newennhofen.
· 13. Esstingen.[12]

---

1. Augsburg. **2.** Wertingen nw. von Augsburg. **3.** Dillingen
a. D. w. von Wertingen. **4.** Donauwörth und Mertingen. Letzterer
Ort s. von Donauwörth. **5.** Mering oder Merching. Beide Orte,
3 Km. von einander entfernt, liegen sö. von Augsburg. **6.** Bruck,
zwischen Augsburg und München, eine Viertelstunde südwärts das
frühere Cistercienserkloster Fürstenfeld. Nannhofen nw. von Bruck.
7. Dachau nö. von Bruck und nw. von München. **8.** Göggingen s. von
Augsburg. **9.** Grossaitingen s. von Augsburg, zwischen diesem und
Schwabmünchen. **10.** Oster- oder Oberzell ö. von Kaufbeuern. Beide
Orte hart aneinander. **11.** Bobingen s. von Augsburg, zwischen diesem
und Grossaitingen. **12.** Esting nö. von Fürstenfeld.

1510			1510		
VII.	14.	Fürstennfeldt vnd Menntzingen.[1]	VIII.	8—9.	Fragennstain, Zierll vnd Kematten.[11]
	15—18.	Münichen.[2]		10—11.	Axsambs[12] vnd Wennlennberg.[13]
	19.	Starchennberg[3] vnd zum Heylligenberg.[4]		12.	Kematten.
	20—22.	Weylhaim.[5]		13—14.	im Sellrayn, am Griess vnd in der Khuettey am Gembsengeiaidt.[14]
	23.	Staingaden.[6]			
	24—26.	Fuessen.[7]			
	27.	Reutten vnd Aytterwanng.[8]		15—16.	Stambs.
	28.	Ernnberg vnd Aytterwanng.		17.	Magerpach[15] vnd Frewnntshaim.
	29.	Lermoss.			
	30.	Nasareyth vnd Frewnntshaim.[9]		18—19.	Nasareyth.
				20.	Lanndegkh[16] vnd Lawdegkh.[17]
	31.	Flawerling[10] vnd Fragennstain.		21.	Lawdeckh.
VIII.	1 (Donnerstag) — 7. Ynnspruckh.			22.	Laudeckh vnd Bernegkh.[18]

1. Obermensing nw. von München. 2. München. 3. Starnberg s. von München am Nordende des Würmsees. 4. Kloster Andechs auf dem „heiligen Berge" am Ostufer des Ammersees. 5. Weilheim sö. von München und s. vom Ammersee. 6. Steingaden sw. von Weilheim. 7. Füssen s. von Steingaden an der bairisch-tirolischen Grenze. Maximilian verlässt deutschen Reichsboden. 8. Heiterwang s. von Reutte. Maximilian betritt Tirol. 9. Freundsheim, früher Sigmundsfreud, Schloss bei Obermimmingen ö. von Nassereit. 10. Flauerling am rechten Innufer ö. von Telfs. 11. Kematen w. von Innsbruck. 12. Axams s. von Kematen, w. von Innsbruck. 13. Vellenberg, verfallenes Schloss ob Vels. 14. Selrain, Gries und Kuhetey am Fuss des Glatzkopfes sö. von Zirl und Innsbruck. 15. Wirthshaus zu Magerbach am Inn gegenüber Haimingen w. von Stams. 16. Landeck am Inn w. von Stams. 17. Ruine Laudegg über Prutz rechts auf steiler Felswand. 18. Berneck, Schloss im Kaunserthal bei Landeck.

1510

VIII. 23—25. Bernnegkh.

26—27. im Kawnerthal bey dem Fernner.[1]

28—29. Bernnegkh vnd Brutz.[2]

30. Lanndeckh.

31. Zambs.[3]

IX. 1 (Sonntag) — 2. Wysperg.[4]

3—4. Pottnnoy.[5]

5. zum Closterlen[6] vnd Bludenntz.[7]

6. Bludenntz.

7. Rennsperg.[8]

8—10. Veldtkirch.[9]

11—12. Bregenntz.[10]

13—17. Lynndaw.[11]

18. Puechhorn.[12]

19—21. Vberlingen.[13]

22—30. Costenntz.[14]

1510

X. 1 (Dienstag) — 14. Costenntz.

15. Costenntz vnd Wolmuettingen.[15]

16—17. Zell am Vnndersee.[16]

18. Ach.[17]

19—20. Ennttenburg[18] vnd Gayslingen[19]

21. Villingen.[20]

22—24. Ennttennburg an der Parr.

25—29. Villingen.

30. Ennttennburg an der Parr.

31. In der Neustat[21] vnd Freyburg.[22]

XI. 1 (Freitag) — 2. Freyburg.

3—7. Preysach.[23]

8—10. Freyburg.

11—14. Preysach.

---

1. Kauner- oder Kaunserthal sö. von Prutz. 2. Prutz am Inn s. von Landeck. 3. Zams n. von Landeck. 4. Wiesberg, verfallenes Schloss am Ausgang des Paznaunerthales w. von Landeck. 5. Pettneu im Stanzerthal. 6. Klösterle w. vom Arlberg. 7. Bludenz in Vorarlberg. 8. Rönsberg in der Gemeinde Schlins zwischen Bludenz und Feldkirch. 9. Feldkirch in Vorarlberg. 10. Bregenz am Bodensee. Maximilian verlässt die österreichischen Erblande. 11. Lindau am Bodensee. Maximilian betritt den deutschen Reichsboden. 12. Buchhorn, jetzt Friedrichshafen am Bodensee, die kleinste ehemalige Reichsstadt. 13. Ueberlingen am Bodensee. 14. Constanz am Bodensee. 15. Wollmatingen nw. von Constanz. 16. Radolfszell am Nordrande des Zeller Sees. 17. Aach n. von Radolfszell. 18. Jagdschloss Entenburg zu Pfohren a. d. D. zwischen Geisingen und Donaueschingen. 19. Geisingen nw. von Aach. 20. Villingen n. von Donaueschingen und nw. von Geisingen. 21. Neustadt ö. von Freiburg. 22. Freiburg im badischen Breisgau. 23. Alt-Breisach im Grossherzogthum Baden, zu Maxens Zeit im österreichischen Besitz.

1510

XI. 15—21. Ennsishaim.[1]
22. Preysach.
23—25. Freyburg vnd
Krotzingen.[2]
26—30. Breysach.
XII. 1 (Sonntag) — 5. Breysach.
6—11. Freyburg.
12. Newennburg.[3]
13. Breysach vnd
heyllig † (sic!).[4]
14—17. Collmar.[5]
18—19. Breysach.
20—31. Freyburg.

1511

I. 1 (Mittwoch) — 17. Freyburg.
18. Breysach vnd
Opfingen.[6]
19—26. Freyburg.
27. Breysach.
28—31. Ennsishaim.
II. 1 (Samstag) — 3. Ennsishaim.
4—6. Collmar.
7—9. Breysach.
10—13. Freyburg.
14. Breysach.

1511

II. 15—18. Freyburg.
19. Breysach.
20. Collmar.
21—24. Ennsishaim.
25. Breysach.
26—28. Freyburg.
III. 1 (Samstag) — 3. Freyburg vnd Krot-
zingen.
4. Taxwanng.[7]
5—8. Breysach, Perck-
haim vnd Kennt-
zingen.[8]
9—10. Kenntzingen.
11—15. Slettstadt.[9]
16—18. Collmar.
19—20. Ennsishaim.
21—23. zum heylling
Creytz.
24. Ruffach.[10]
25—26. Ennsishaim.
27. Ruffach.
28. Collmar.
29—30. Slettstadt.
31. Obernnechnen.[11]
IV. 1 (Dienstag) — 4. Stras-
burg.[12]
5—6. Offennburg.[13]

---

1. Ensisheim sw. von Breisach, im Elsass. 2. Krotzingen bei Ehrenstetten sw. von Freiburg. 3. Neuenburg in Baden am Rhein s. von Breisach. 4. Heiligkreuz im Elsass w. von Breisach. 5. Colmar im Elsass w. von Breisach. 6. Opfingen n. von Thiengen, zwischen Breisach und Freiburg. 7. Weiler Dachswangen s. von Gottenheim. 8. Burkheim n. von Altbreisach und Kenzingen nö. von Burkheim. 9. Schlettstadt n. von Colmar. 10. Rufach zwischen Colmar und Ensisheim. 11. Oberehnheim auf dem Wege von Schlettstadt nach Strassburg. 12. Strassburg im Elsass. 13. Offenburg in Baden sö. von Strassburg.

1511			1511		
IV.	7—11.	Genngenbach.[1]	V.	8.	Annglberg vnd
	12—16.	Offennburg.			Kauffpeyren.
	17—21.	Genngenbach.		9—12.	Kawffpeyren.
(Ostertag 20./IV.)				13.	Puechlo.
	22.	Offennburg vnd		14.	Leder.[13]
		Puchell.[2]		15.	Schonnga.[14]
	23.	Puchell.		16.	Weylhaim.
	24.	Nider Paden.[3]		17.	Heyllingperg.
	25.	Ottlingen.[4]		18—19.	Fürstennfeldt vnd
	26.	Phortzen.[5]			Pruckh.
	27.	Weyll[6] vnd		20—21.	Münichen.
		Hernnberg.[7]		22.	Gruenwaldt.[15]
	28—29.	Tybingen[8] vnd		23.	Ebersperg[16] vnd
		Metzlingen.[9]			zum Hag.[17]
	30.	Reydlingen.[10]		24.	zum Hag.
				25.	Hag vnd Hawnn.[18]
V.	1 (Donnerstag).	Mynn-singen.[11]		26.	Muldorff.[19]
	2.	Echingen.[12]		27.	Ottingen.[20]
	3.	Vllm.		28.	Burckhawsen.[21]
	4.	Weyssennhorn.		29—30.	Brawnaw.[22]
	5.	Rockhennburg.		31.	Burckhawsen vnd
	6.	Pfaffenhawsen.			Ottingen.
	7.	Mundlhaim vnd	VI.	1 (Sonntag) — 2.	Muldorff.
		Annglberg.		3—4.	Ottingen.
				5.	Muldorff.

1. Gengenbach s. von Offenburg. **2.** Bühl s. von Baden. **3.** Baden im Grossherzogthum Baden. **4.** Ettlingen s. von Carlsruhe. **5.** Pforzheim in Baden ö. von Ettlingen. **6.** Weil die Stadt in Württemberg w. von Stuttgart. **7.** Herrenberg s. von Weil die Stadt. **8.** Tübingen am Neckar s. von Stuttgart. **9.** Metzingen ö. von Tübingen. **10.** Reutlingen zwischen Tübingen und Metzingen. **11.** Münsingen w. von Ulm. **12.** Ehingen a. D. sw. von Ulm. **13.** Leeder in Baiern sö. von Buchloe. **14.** Schongau s. von Leeder. **15.** Grünwald, Dorf bei München rechts a. d. Isar. **16.** Ebersberg ö. von München. **17.** Haag ö. von München. **18.** Haun an der Strasse von Haag nach Mühldorf. **19.** Mühldorf am Inn ö. von München. **20.** Neu- und Alt-Oetting ö. von Mühldorf. **21.** Burghausen a. d. Salzach sö. von Oetting. **22.** Braunau, früher bairische, jetzt österreichische Stadt am Inn nö. von Burghausen.

1511

VI.	6.	· Hag.
	7.	Rosennhaim.[1]
	8—9.	Kopfstain.[2]
	10—11.	Rattennburg am Inn.[3]
	12—13.	Hall im Inntall.
	14—20.	Innspruckh.
	21.	Hall im Inntall.
	22—26.	Innspruckh.
	27.	Myllanns[4] vnd zu Hall im Inntall.
	28—30.	Innspruckh.
VII.	1 (Dienstag) — 7.	Innspruckh.
	8.	Axsambs.
	9.	Axsambs, Wellennberg vnd Kematten.
	10.	Axsambs vnd Kematten.
	11.	Telffs vnd Stubach.[5]
	12—22.	Staynach.[6]
	23.	zum Lueg.[7]
	24.	Stertzing.
	25.	Bryxen.
	26.	Bryxner Clawsen.

1511

VII.	27.	Potzen.
	28.	Kaltharn.
	29.	Newenmetz.
	30.	Trienndt.
	31.	Roffereydt.
VIII.	1 (Freitag) — 2.	Roffereydt.
	3.	Trienndt.
	4—8.	Persen.[8]
	9.	Trienndt.
	10—28.	Perschen.
	29—31.	Trienndt.
IX.	1 (Montag).	Sellffynn oder Zhylff.[9]
	2—7.	Yfonn.
	8.	Selfynn oder Zhylff.
	9—12.	Trienndt.
	13.	Newenmarckht.
	14.	Potzen.
	15.	Brixner Clawsen vnd Neustyfft.
	16—18.	Brychsen.
	19—22.	Mülbacher Clawsen.[10]
	23.	Brawnegkhen.[11]
	24.	Toblach.[12]

1. Rosenheim, bairische Stadt am Inn sö. von München. Maximilian verlässt den jetzigen deutschen Reichsboden. 2. Kufstein, früher bairische, jetzt österreichische Stadt am Inn s. von Rosenheim. Maximilian überschreitet die jetzige österreichische Reichsgrenze. 3. Rattenberg am Inn sw. von Kufstein. 4. Mils bei Hall in Tirol. 5. Stubai s. von Innsbruck. 6. Steinach am Brenner. 7. Burgruine Langteifel-Lueg am Fuss des Brenners bei Gries am Ende des Obernbergthales. 8. Pergine an der Strasse zwischen Trient und Levico. 9. Salva bei Levico. 10. Mühlbach bei der Franzensfeste an der Mündung des Valserthales. 11. Bruneck im Pusterthal. 12. Toblach ö. von Bruneck.

1511

IX. 25—27. Haynnfells[1] vnd Syllion.[2]

28—30. Luenntz.[3]

X. 1 (Mittwoch)—6. Luenntz.

7. Syllion.

8. Innchingen.[4]

9—15. Haynnfells vnd Syllion.

16. Ynnchingen.

17—20. Toblach.

21. zu den Hayden.[5]

22—26. Toblach.

27. Brawnnegkhen.

28. Mülbacher Clawsen.

29. Stertzing.

30. Stainach.

31. Hall im Inntall.

XI. 1 (Samstag) — 6. Innspruckh.

7—9. Hall im Inntall.

10—19. Ynnspruckh.

20. Stainach.

21. Stertzing.

1511

XI. 22. Mülbacher Clawsen.

23. Brawnnegkhen.

24. Toblach.

25. Syllion.

26. Luenntz.

27. Traburg[6] vnd Greyffennburg.[7]

28. Greyffennburg.

29. Sachsennburg.[8]

30. Gmündt.[9]

XII. 1 (Montag). Gmündt.

2—3. Mautternndorff.[10]

4. Thembsweg.[11]

5. Mueraw.[12]

6. Scheyffling[13] vnd Huntzmarckht.[14]

7—9. Judennburg.[15]

10. Zeyring.[16]

11. Rottenman.[17]

12. Mytternndorff.[18]

13—14. Ausse.[19]

15—16. Yschl[20] vnd zu sannd Wolfgang.[21]

---

1. Ruine Heimfels bei Sillian ö. von Toblach. 2. Sillian a. d. Drau ö. von Toblach und Innichen. 3. Lienz a. d. Drau, östlichste Stadt Tirols. 4. Innichen zwischen Lienz und Bruneck. 5. Auf der Toblacher Heide. 6. Ober-Drauburg in Kärnten. 7. Greifenburg, Markt an der Drau ö. von Ober-Drauburg. 8. Sachsenburg ö. von Greifenburg. 9. Gmünd n. von Sachsenburg. 10. Mauterndorf im Taurachthal im südöstlichen Salzburg n. von Gmünd. 11. Tamsweg an der oberen Mur ö. von Mauterndorf. 12. Murau in Steiermark ö. von Tamsweg. 13. Scheifling ö. von Murau. 14. Unzmarkt an der Mur n. von Scheifling. 15. Judenburg ö. von Unzmarkt. 16. Ober-Zeyring zwischen Unzmarkt und Judenburg. 17. Rottenmann im Paltenthal n. von Zeyring. 18. Mitterndorf w. von Rottenmann. 19. Aussee w. von Mitterndorf. 20. Ischl a. d. Traun im oberösterreichischen Salzkammergut. 21. St. Wolfgang w. von Ischl.

1511

XII. 17—20. Gmunden.[1]
21. Lambach.[2]
22—23. Wells.[3]
24—31. Lynnts.[4]

1512

I. 1 (Donnerstag) — 3.
Lynntz.
4. Ebersperg.[5]
5—8. Wells.
9. Sachsennburg.[6]
10. Wells.
11—13. Lynntz.
14. Wells.
15—20. Lynntz.
21. Wells.
22. Lambach.
23. Puechaim.[7]
24. Veckhlstorff.[8]
25. Mattigkhofen.[9]
26—27. Brawnaw.
28. Pharkirchen.[10]
29. Lanndaw.[11]

1512

I. 30. Geyslhering.[12]
31. Regennspurg.[13]
II. 1 (Sonntag). Regenns-
purg.
2. Hemaw.[14]
3. Newenmarckht.[15]
4—15. Nuernnberg.[16]
16. Karlspurg[17] vnd
Lanngentzen.[18]
17—20. zu der Newstatt.[19]
21. Wynntzhaim.[20]
22. Ochsennfurt.[21]
23—24. Wiertzburg.[22]
25. Carllstatt.[23]
26. Gemunnen.[24]
27—28. Geylhawsen.[25]
29. Frannckhfortt.[26]
III. 1 (Montag). Frannckfort.
2. Wyspaden.[27]
3. Rudishaim.
4. Oberwesel.[28]
5—6. Koblenntz.

---

1. Gmunden n. von Ischl.   2. Lambach n. von Gmunden.
3. Wels nö. von Lambach.   4. Lins, Hauptstadt Oberösterreichs a. D.
5. Ebelsberg bei Linz.   6. Schloss Sachsenburg bei Hörsching s. von
Linz und sw. von Ebelsberg (= Neu-Sachsenburg).   7. Buchheim bei
Vöcklabruck sw. von Lambach.   8. Vöcklamarkt n. vom Attersee.
9. Mattighofen sö. von Braunau am Inn.   Maximilian verlässt die österreichischen Erblande.   10. Pfarrkirchen n. von Braunau.   Maximilian
betritt den Reichsboden.   11. Landau an der unteren Isar nw.
von Pfarrkirchen.   12. Geiselhöring sw. von Straubing.   13. Regensburg a. D.   14. Hemau nw. von Regensburg.   15. Neumarkt sö.
von Nürnberg.   16. Nürnberg.   17. Kadolzburg w. von Nürnberg.
18. Langenzenn n. von Kadolzburg.   19. Neustadt nw. von Nürnberg.
20. Windsheim sw. von Neustadt.   21. Ochsenfurt s. von Würzburg.
22. Würzburg a. M.   23. Carlstadt a. M. n. von Würzburg.   24. Ge-
münden a. M. n. von Carlstadt.   25. Gelnhausen a. d. Kinzig nö. von
Frankfurt a. M.   26. Frankfurt a. M.   27. Wiesbaden n. von Mainz.
28. Ober-Wesel am linken Rhein unterhalb Bingen.

1512		
III.	7.	Kochaim.[1]
	8.	Zell am Hamen.[2]
	9.	Bernn Casstl.[3]
	10.	Newmagen.[4]
	11—20.	Tryer.[5]
	21.	Mackharn.[6]
	22.	Tiettennhofen.[7]
	23—25.	Lutzennburg.[8]
	26.	Achternach.[9]
	27—30.	Tryerr.
	31.	Grymberg.[10]
IV.	1 (Donnerstag).	sannd Wenndl.[11]
	2.	Schelling.[12]
	3—18.	Trierr.

(Ostertag 11./IV.)

	19.	Scheypflingen.[13]
	20.	Casstl[14] vnd Loshaim.[15]

1512		
IV.	21.	Pockhingen.[16]
	22.	Hauspach.[17]
	23—30.	Trierr.
V.	1 (Samstag) —4.	Trierr. —
	5.	Mackharan.
	6—17.	Trierr.
	18.	Achternach.
	19.	Tiettennkirch.[18]
	20—21.	Bastennach.[19]
	22.	Marsch.[20]
	23.	Namur.[21]
	24.	Jemphlue.[22]
	25.	Lofen.[23]
	26—29.	Prussell.
	30—31.	Hall inHonigaw.[24]
VI.	1 (Dienstag).	Hall in Honigaw vnd Gruenntall.[25]
	2.	zu der Fewer.[26]

---

1. Kochem a. d. Mosel sw. von Coblenz. 2. Zell a. d. Mosel s. von Kochem. 3. Bernkastel a. d. Mosel s. von Zell. 4. Neumagen a. d. Mosel nö. von Trier. 5. Trier a. d. Mosel. 6. Königsmachern im nördlichen Lothringen sw. von Trier. 7. Diedenhofen im nördlichen Lothringen. 8. Luxemburg, Hauptstadt des Grossherzogthums Luxemburg. 9. Echternach in Luxemburg nw. von Trier. 10. Ruine Grimburg n. von Wadern und w. von Birkenfeld. 11. St. Wendel sö. von Trier. 12. Schillingen nw. von Grimburg. 13. Der Hof Reiplingen beim Dorf Fahn, von Saarburg die Leuk aufwärts (s. v. Restorf, Hist.-topogr. Beschreibung d. Rheinprovinzen, 1830). 14. Castel a. d. Saar s. von Saarburg. 15. Losheim s. von Trier. 16. Beckingen zwischen Trier und Saarlouis. 17. Hausbach w. von Beckingen. 18. Diekirch in Luxemburg. Maximilian verlässt den Reichsboden. 19. Bastogne im südöstlichen Belgien. Maximilian betritt die Niederlande. 20. Marche nw. von Bastogne. 21. Namur in Belgien am Zusammenflusse der Maas und Sambre. 22. Gembloux nw. von Namur. 23. Löwen ö. von Brüssel. 24. Hal im Hennegau s. von Brüssel. 25. Groenendael s. von Brüssel, nordwärts von Waterloo. 26. Tervueren ö. von Brüssel, nicht mit dem südlicher gelegenen Waveren zu verwechseln.

1512

VI.	3.	Mechell.
	4.	Fulfortt.
	5—7.	Prussell.
	8.	Fewer.
	9.	Fulfordt.
	10.	Mechell.
	11.	Lyerr.
	12—13.	Mechell.
	14—16.	Anndtorff.
	17.	Perschgadt[1] vnd zu sant Bernnhart im closter.
	18.	Thembss.
	19—20.	Repelmundt[2] vnd Wall.[3]
	21.	Mechell.
	22.	Mechel vnnd Fulferdt.
	23—25.	Fewr.
	26.	Arschgadt.[4]
	27.	Geyll.[5]
	28—30.	Turnolt.[6]
VII.	1 (Donnerstag) —6.	Turnoutt.
	7.	Gheyll.
	8—9.	Tyesst.[7]

1512

VII.	10—12.	Mastrycht.[8]
	13.	Ach.[9]
	14.	Gullch.[10]
	15.	Perckhaim[11] vnd Sonntz.[12]
	16—31.	Cölln.
VIII.	1 (Sonntag) — 31.	Chülln.
IX.	1 (Mittwoch)—30.	Cölln.
X.	1 (Freitag) — 14.	Cölln.
	15—16.	Niderwesell.[13]
	17.	Dewsburg.
	18—23.	Newss.[14]
	24—29.	Sonntz.
	30—31.	Cölln.
XI.	1 (Montag) — 4.	Cölln.
	5.	Syburg.
	6.	Lynnss.[15]
	7.	Anndernach.
	8.	Koblenntz.
	9.	Pophartten.[16]
	10.	Oberwesell.
	11.	Creytzenach.[17]
	12.	Altzhoy.[18]
	13.	zu der Newstatt.[19]

1. Waerschoot (Wert sur Escaut) s. von Tempsche. 2. Rupelmonde s. von Antwerpen. 3. Waelhem nw. von Mecheln, nahe bei Rumpst. 4. Aerschot ö. von Mecheln. 5. Gheel, Arrondissement Turnhout n. von Aerschot. 6. Turnhout n. von Gheel, nahe der niederländischen Grenze. 7. Diest ö. von Aerschot. 8. Maastricht n. von Lüttich in den südlichen Niederlanden. Maximilian verlässt die Niederlande. 9. Aachen ö. von Maastricht. Maximilian betritt den Reichsboden. 10. Jülich nö. von Aachen. 11. Bergheim zwischen Jülich und Köln. 12. Zons a. Rh. n. von Köln. 13. Wesel a. Rh. n. von Köln. 14. Neuss a. Rh. s. von Düsseldorf. 15. Linz a. Rh. s. von Bonn, gegenüber Sinzig. 16. Boppard a. Rh. s. von Coblenz. 17. Kreuzenach a. d. Nahe s. von Bingen. 18. Alzey s. von Mainz im Grossherzogthum Hessen. 19. Neustadt in der bairischen Pfalz ö. von Kaiserslautern.

19*

1512

XI. 14—19. Lanndaw.[1]
  20—22. Speyer.
  23—27. Lanndaw.
  28. Weyssennburg.[2]
  29—30. Hagennaw.[3]
XII. 1 (Mittwoch) — 3. Ha-
    gennaw.
  4. Yungweyller.[4]
  5—6. Hagennaw.
  7—11. Weyssennburg.
  12—23. Lanndaw.
  24—31. Weyssennburg.

1513

I. 1 (Samstag) — 7. Weys-
    sennburg.
  8—14. Lanndaw.
  15. Weyssennburg.
  16—20. Hagennaw.
  21. Puschweiller.[5]
  22—24. Hagennaw.
  25—28. Yungweyller.
  29. Reyshofen.[6]
  30—31. Weyssennburg.
II. 1 (Dienstag) — 8. Weys-
    sennburg.
  9. Lanndaw.
  10—14. Speyer.
  15—17. Lanndaw.
  18. Weyssennburg.
  19—21. Lanndaw.
  22. zu der Newnstatt.

1513

II. 23—28. Lanndaw.
III. 1 (Dienstag) — 2. Lannd-
    aw.
  3. zu der Newnstatt.
  4—5. Lanndaw.
  6. Speyer.
  7. . Speyer vnd Haw-
    sen.[7]
  8. Bruessell.[8]
  9. Faychingen.
  10. Stuetgartten.
  11. Eslingen.[9]
  12. Geppingen.
  13—14. Geyslingen.[10]
  15—16. Vlm.
  17. Phaffennhawsen.
  18. Mennchingen.
  19—31. Augspurg.
(Ostertag 27./III.)
IV. 1 (Freitag) — 11. Augs-
    purg.
  12. Werttingen.
  13—17. Augspurg.
  18. Gockhingen.
  19—20. Augspurg.
  21. Gockhingen.
  22. Grosayttingen.
  23. Mennchingen vnd
    Annglberg.
  24. Mundlhaim vnd
    Pfaffennhawsen.

---

1. Landau in der bairischen Pfalz s. von Neustadt. 2. Weissenburg im nördlichen Elsass s. von Landau. 3. Hagenau im Elsass s.
von Weissenburg. 4. Ingweiler w. von Hagenau. 5. Buchsweiler
s. von Jungweiler. 6. Reichshofen n. von Hagenau. 7. Rhein- oder
Oberhausen am rechten Rheinufer Speier gegenüber, n. von Philipps-
burg. 8. Siehe 1509, 28./IV. 9. Esslingen sö. von Stuttgart.
10. Geislingen sö. von Göppingen.

1513		
IV.	25—27.	Mundlhaim vnd Anglberg.
	28.	Puechlo.
	29.	Kawffpeyren vnd Eyryshofen.[1]
	30.	Lanndsperg.[2]
V.	1 (Sonntag) — 2.	Puechlo.
	3—4.	Kauffpeyren vnd Ebennhofen.[3]
	5.	Liebennthan.
	6—10.	Kauffpeyren.
	11.	Puechlo vnd Lanndtsperg.
	12.	Schmyha,[4] Enndthofen[5] vnd Furstennfeldt.
	13.	Furstennfeldt vnd Tachaw.
	14.	Aychach[6] vnd Frydtperg.[7]
	15—23.	Augspurg.
	24.	Augspurg vnd Burckhwaldt.[8]
	25.	Burckhwaldt vnd Myckhawsen.[9]
	26—30.	Mundlhaim.

1513		
V.	31.	Mennchingen.
VI.	1 (Mittwoch).	Burckhwaldt vnd Vettingen.[10]
	2.	Vettingen vnd Grosskretz.[11]
	3—4.	Rockhennburg.
	5.	Weyssennhorn.
	6—8.	Vllm.
	9.	Plapeyren.[12]
	10.	Geyslingen.
	11.	Geppingen.
	12—13.	Eslingen.
	14.	Stuetgartten vnd Eglishaim.[13]
	15.	Faychingen.
	16.	Mawllprun[14] vnd Pretten.[15]
	17.	Bruessell vnd Hawsen.
	18.	Speyerr vnd Obershaim.[16]
	19—25.	Wormbs.
	26.	Darmbstatt.[17]
	27—30.	Frannckhfordt.
VII.	1 (Freitag) — 3.	Frannckhfort.

1. Eurichshofen s. von Buchloe. 2. Landsberg am Lech s. von Augsburg. 3. Ebenhofen zwischen Kaufbeuern und Oberdorf. 4. Schmiechen sö. von Schwabmünchen rechts vom Lech. 5. Nicht auffindbar. Doch ist die Lage des Ortes durch die mitgenannten Orte Schmiechen und Fürstenfeld bestimmt. 6. Aichach nö. von Augsburg. 7. Friedberg, hart an der Ostseite Augsburgs. 8. Burgwalden sw. von Augsburg, n. von Schwabmünchen. 9. Mickhausen bei der Ortschaft Münster nw. von Schwabmünchen. 10. Jettingen nw. von Augsburg. 11. Gross-Kötz s. von Günzburg. 12. Blaubeuern w. von Ulm. 13. Eglosheim nw. von Ludwigsburg und n. von Stuttgart. 14. Maulbronn nw. von Vaihingen. 15. Bretten nw. von Maulbronn. 16. Oggersheim s. von Worms. 17. Darmstadt nw. von Worms.

1513		
VII.	4.	Frannckhfort vnd Hoffhaim.[1]
	5.	Wyspaden vnd Wallauff.[2]
	6—7.	Pynngen.[3]
	8.	Oberwesel vnd sannt Gwer.
	9—14.	Koblenntz.
	15.	Chardam.[4]
	16.	Kochaim[5] vnd Wettlich.[6]
	17.	Wettlich.
	18.	Bytburg.[7]
	19.	sannt Veyt.[8]
	20.	Marsch.
	21—23.	Namur.
	24.	Gemplaw[9] vnd Wauers.[10]
	25.	Lofen.
	26.	Fewer.
	27—28.	Brussell.
	29.	Hall in Honigaw.
	30.	Graudtmont.[11]
	31.	Audenar.[12]

1513		
VIII.	1 (Montag)—5. Audenar.	
	6.	Sottickhaim[13] vnd Tennsee.[14]
	7.	Tennsee.
	8.	Ruslar.[15]
	9.	Bellon[16] vnd Ary.[17]
	10—17.	Ary.
	18.	Ary vnd im veldt vor Terwona.[18]
	19.	im veldt vnd hör vor Terwona.
	20—22.	im veldt vor Terwona vnd zu Ary.
	23.	im veldt vnd hör vor Terwona.
	24.	Terwona vnd sant Thomar.[19]
	25—26.	sannt Thomar.
	27—31.	Ary.
IX.	1 (Donnerstag)—5. Ary.	
	6—7.	Venanntz.[20]
	8.	Nowy.[21]

---

1. Hofheim zwischen Frankfurt a. M. und Wiesbaden. **2.** Walluf am rechten Rhein nüchst Mainz. **3.** Bingen w. von Mainz an der Mündung der Nahe in den Rhein. **4.** Karden a. d. Mosel sw. von Coblenz. **5.** Kochem a. d. Mosel sw. von Karden. **6.** Wittlich s. von Kochem. **7.** Bitburg w. von Wittlich, nahe der luxemburgischen Grenze. **8.** St. Vith n. von Bitburg. Maximilian verlässt den Reichsboden und betritt die Niederlande. **9.** Gembloux nw. von Namur. **10.** Waveren (Wavre) n. von Gembloux. **11.** Grammont (Geertsbergen) w. von Hal. **12.** Oudenaarden (Audenarde) nw. von Grammont. **13.** Sottegem nö. von Audenarde. **14.** Deynze n. von Audenarde. **15.** Rousselaere (Lille) in Frankreich an der belgischen Grenze. **16.** Bailleul zwischen Lille und Aire. **17.** Aire in Frankreich w. von Lille. **18.** Therouane, Arrondissement St. Omer, Departement Calais. **19.** St. Omer, Departement Calais. **20.** St. Venant w. von Aire. **21.** Neuve-Chapelle ö. von St. Venant.

1513

IX. 9—10. Lephenoy.[1]

11—14. Russel.[2]

15. Baysien.[3]

16—24. im veldt vnd hör vor Tornneckh.[4]

25. Tornnegkh vnd Lamoy.[5]

26. Tornnegkh.

27—29. Annthon.[6]

30. Selle.[7]

X. 1 (Samstag). Adt[8] vnd Bergen.[9]

2. Bergen.

3. Murlauwytz.[10]

4. Floru[11] vnd Namur.

5—6. Namur.

7. Marsch.

8—9. sannt Veyt.

10. Byttburg.

11—12. Wettlich.

13. Kochaim.

14. Khardan.

1513

X. 15. Enngers.[12]

16—18. Lannstain.[13]

19. sannt Gwer.

20—25. Oberwesell.

26. Pynngen.

27. Wyspaden.

28—30. Frannckhförtt.

31. Aschoffennburg.[14]

XI. 1 (Dienstag) — 2. Myltennburg.[15]

3. Bischoffshaim.[16]

4. Weyckhershaim.[17]

5. Rottennburg an der Tawber.[18]

6. Tunckhlspuchel.[19]

7—8. Nordlingen.[20]

9. Werdt.

10. Werttingen.

11—23. Augspurg.

24. Burckhwaldt.

25. Mennchingen.

26. Burckhwaldt.

---

1. Laventie w. von Lille.   2. Lille oder Ryssel in Frankreich nahe der belgischen Grenze.   3. Baisieu w. von Tournay und n. von Bouvines.   4. Tournay (Doornik) in Belgien.   5. Lannoy zwischen Lille und Tournay.   6. Antoing sö. von Tournay.   7. Ellezelles s. von Oudenaarde ?, wenn nicht hier von Seite des Abschreibers eine Verwechslung mit dem besser in die Route passenden Melles ö. von Tournay vorliegt.   8. Ath ö. von Tournay.   9. Mons sö. von Ath.   10. Morlanwelz ö. von Mons.   11. Fleurus w. von Namur. Maximilian verlässt die Niederlande bei Marche und betritt zu St. Vith den Reichsboden.   12. Engers am rechten Rheinufer n. von Coblenz.   13. Lahnstein a. d. Lahn ö. von Coblenz.   14. Aschaffenburg sö. von Frankfurt a. M.   15. Miltenberg s. von Aschaffenburg.   16. Tauberbischofsheim im nördlichen Baden ö. von Miltenberg.   17. Weikersheim bei Mergentheim im nördlichen Württemberg s. von Tauberbischofsheim.   18. Rothenburg a. d. Tauber sö. von Weikersheim.   19. Dinkelsbühl s. von Rothenburg.   20. Nördlingen n. von Donauwörth.

1513

XI. 27—30. Augspurg.

XII. 1 (Donnerstag) — 26.
Augspurg.

27. Frydtperg.

28. Furstennfeldt.

29—30. Münichen.

31. Schefflern im
closter.[1]

1514

I. 1 (Sonntag). Benedicten-
peyren.[2]

2. Myttenwaldt[3]
vnd auf dem
Seefeldt.[4]

3. Fragenstain vnd
Zierll.

4—7. Ynnspruckh.

8. Hall im Inntall.

9—12. Ynnspruckh.

13. Hall im Inntall.

14—16. Ynnspruckh.

17. Stainach.

18. Stainach vnd
Hall im Intal.

19. Innspruckh vnd
zu Myllanss.

20. Hall im Inntall
vnd zu Kolsos.[5]

1514

I. 21. Schwatz[6] vnd
Rattennberg.

22—25. Rattennberg am
Inn.

26. Schwatz.

27. Hall im Inntall.

28—31. Innspruckh.

II. 1 (Mittwoch). Hall im
Inntall.

2—14. Radtennberg am
Ynn.

15. Khopfstain.

16. Rosennhaim.

17. Troschperg.[7]

18. Tyttmaning.[8]

19. Lauffen.[9]

20. Mattigkhofen.

21. Veckhlapruckh.[10]

22—23. Gmunden.

24. Lambach.

25. Wells vnd March-
trennckh.[11]

26. Newsachsenn-
burg.

27—28. Wells.

III. 1 (Mittwoch). Wells.

2. Newsachsenn-

---

1. Schäftlarn a. d. Isar, Bezirk München, heute ein Benedictiner-priorat. **2.** Benedictenbeuern s. vom Würmsee nahe der bairisch-tirolischen Grenze. **3.** Mittenwald s. von Benedictenbeuern, hart an der tirolischen Grenze. Maximilian verlässt den Reichsboden. **4.** See-feld in Tirol s. von Mittenwald. Maximilian betritt die österreichischen Erblande. **5.** Kolsass im Innthal ö. von Hall. **6.** Schwaz im Innthal ö. von Kolsass. **7.** Trostberg a. d. Alz nö. von Rosenheim. **8.** Titt-moning a. d. Salzach n. von Salzburg. **9.** Laufen zwischen Tittmoning und Salzburg. **10.** Vöcklabruck nw. von Gmunden. **11.** Marchtrenk nö. von Wels.

1514

		burg vnd Ebers- perg.
III.	3—4.	Enns.[1]
	5—8.	Steyer.[2]
	9.	sannt Florian im closter.[3]
	10—14.	Lynntz vnd Ebers- perg.
	15.	Enns.
	16.	sannt Florian.
	17—18.	Enns vnd Florian.
	19.	Ebersperg vnd Sachsenburg.
	20.	Sachsennburg vnd March- trenckh.
	21—22.	Wells vnd Sachsenburg.
	23.	Ebersperg.
	24.	Wells vnd Lam- bach.
	25—26.	Gmunden.
	27.	Veckhlapruckh.
	28.	Mattigkhofen.
	29—31.	Brawnaw.
IV.	1 (Samstag).	Brawnaw vnd Scharding.[4]
	2.	Starding.[5]
	3.	Passaw[6] vnd Aschach.[7]

1514

IV.	4.	Efferdingen.[8]
	5—6.	Lynntz.
	7.	Lynntz vnd Ebers- perg.
	8.	Wells vnd March- trenckh.
	9—17.	Wells.
(Ostertag 16./IV.)		
	18.	Wells vnd March- trennckh.
	19.	Wells vnd Lewm- bach.[9]
	20.	Krembsmunster.[10]
	21.	Marchtrennckh vnd Saxenburg.
	22—25.	Lynntz.
	26.	Ebersperg.
	27.	Sachsennburg, Ebersperg vnd sannt Florian.
	28.	Enns.
	29.	sannt Florian.
	30.	Enns.
V.	1 (Montag).	Enns vnd Perg.[11]
	2.	Pawmgarttenperg im closter.[12]
	3.	Posennpeug.[13]
	4.	Posenpeug vnd Ypps.[14]

---

1. Enns ö. von Linz.   2. Steyr s. von Enns.   3. St. Florian zwischen Linz und Enns.   4. Schärding s. von Passau.   5. Der vorgenannte Ort.   6. Passau, bairische Grenzfestung am Einfluss des Inn in die Donau.   7. Aschach a. d. D. zwischen Passau und Linz. 8. Efferding w. von Linz.   9. Lambach sw. von Wels.   10. Kremsmünster, an der Strasse von Wels nach Steyr, sö. von dem ersteren. 11. Perg ö. von Linz.   12. Baumgartenberg, ehemaliges Cistercienserkloster ö. von Perg gegenüber Wallsee a. D.   13. Persenbeug a. D. 14. Ips a. D. gegenüber Persenbeug.

1514		**1514**	
V. 5.	Krembs.[1]	V. 27.	Wildan.
6—10.	Wienn.[2]	28—31.	Grätz.
11.	Pettersdorff.[3]	VI. 1 (Donnerstag). Grätz.	
12—13.	zu der Newenn-	2.	Leybnytz.
	stat.[4]	3.	Maydennburg.[17]
14.	Schadtwienn.[5]	4—5.	Wynndisch-
15.	Reychennaw[6] vnd		grätz.[18]
	Noyperg im clo-	6.	Cylli.[19]
	ster.[7]	7.	Brawalt.[20]
16.	Merttzueschlag.[8]	8—9.	Cylli.
17.	Kynngberg[9] vnd	10.	Franntz.[21]
	Kapfennburg.[10]	11.	Stain in Craynn.[22]
18.	Prueckh an der	12—13.	Craynnburg.[23]
	Muer.[11]	14.	im sloss zu Fled-
19.	Fronnleytten[12]		nnegkh.[24]
	vnd Strassingen	15—17.	Craynnburg.
	im closter.[13]	18.	Craynnburg vnd
20—22.	Grätz.[14]		Eybiswaldt.[25]
23.	Leybnytz.[15]	19.	Craynnburg vnd
24.	Wyldan.[16]		Tragembl.[26]
25—26.	Grätz.	20.	Laybach.[27]

---

1. Krems a. D. nw. von Wien. 2. Wien. 3. Petersdorf (Perch-toldsdorf) sw. von Wien. 4. Wiener-Neustadt s. von Wien. 5. Schott-wien am Fusse des Semmering. 6. Reichenau am Fusse des Schnee-berges sw. von Wiener-Neustadt. 7. Neuberg, ehemaliges Cistercienser-kloster im Mürzthal nw. von Mürzzuschlag. 8. Mürzzuschlag s. vom Semmering in Steiermark. 9. Kindberg und 10. Kapfenberg, beide sw. von Mürzzuschlag. 11. Bruck a. M. am Zusammenflusse der Mürz und Mur s. von Kapfenberg. 12. Frohnleiten n. von Graz. 13. Strass-engel, jetzt Wallfahrtskirche bei Gradwein n. von Graz. 14. Graz, Hauptstadt der Steiermark. 15. Leibnitz s. von Graz. 16. Wildon zwischen Graz und Leibnitz. 17. Marburg a. d. Drau s. von Leibnitz. 18. Windischgrätz w. von Marburg. 19. Cilli s. von Marburg. 20. St. Paul am Pragwald w. von Cilli. 21. Franz w. von Cilli. 22. Stein ö. von Krainburg. 23. Krainburg nw. von Laibach. 24. Flödnig (Ruine Stari grad) sö. von Krainburg. 25. Eibiswald in Krain unauffindbar. Doch muss der gemeinte Ort nahe bei Krainburg liegen. 26. Dragomel bei Krainburg. 27. Laibach, Hauptstadt von Krain.

1514

VI.	21.	sannt Martein.[1]
	22.	Rotschach.[2]
	23.	Cylli.
	24.	Cylly vnd Noy-kirchen.[3]
	25.	Weyttenstain[4] vnd sant Gilgen.[5]
	26—27.	Seldennhofen.[6]
	28.	Eybennswald.[7]
	29—30.	Leybnytz.
VII.	1 (Samstag).	Grätz.
	2.	Fronnleytten.
	3.	Bruckh an der Muer.
	4.	Lewben[8] vnd vordern Eysen-ärtzt.[9]
	5—8.	Eisennärtzt im ynndern perg.[10]
	9.	Keychelbanng.[11]
	10.	Gayshorn[12] vnd in der Trueben.[13]
	11.	Rottenman vnd auf dem Thaw-ern.
	12.	in der Truehen vnd zum Rotten-man.

1514

VII.	13.	Rottenman.
	14.	Mytternndorf vnd Aussee.
	15.	Yschll.
	16—31.	Gmunden.
VIII.	1 (Dienstag) — 22.	Gmunden.
	23.	Puechaim.
	24.	Wells.
	25.	Wells vnd March-trennckh.
	26—28.	Wells.
	29.	Lambach vnd Vecklapruckh.
	30.	Veckhlstorff vnnd Strass-walchen.[14]
	31.	Lauffen.
IX.	1 (Freitag).	Troschpurg.
	2.	Rosennhaim.
	3.	Kuefstain.
	4.	Rattennberg vnd Schwatz.
	5—7.	Hall im Inntall.
	8—11.	Ynnspruckh.
	12.	Vellennberg.
	13.	Khematten.
	14.	Innspruckh.

1. St. Martin bei Littay ö. von Laibach.   2. Ratschach ö. von Littag.   3. Neukirchen bei Hochenegg n. von Cilli.   4. Weitenstein n. von Neukirchen.   5. St. Ilgen nw. von Weitenstein, zwischen diesem und Windischgrätz.   6. Saldenhofen a. d. Drau w. von Marburg.   7. Eibiswald n. von Saldenhofen.   8. Leoben in der nordwestlichen Steiermark w. von Bruck a. M.   9. Vordernberg n. von Leoben.   10. Der innere Berg zu Eisenerz.   11. Kallwang nw. von Leoben bei Mautern.   12. Gaishorn nw. von Kallwang.   13. Trieben sö. von Rottenmann.   14. Strasswalchen in Oberösterreich w. von Vöcklamarkt.

1514

IX. 15.	Hall im Inntall.
16.	Malannss.
17—21.	Innspruckh.
22.	Hall, Ambross[1] vnd Innspruckh.
23—30.	Innspruckh.
X. 1 (Sonntag) — 3.	Innspruckh.
4.	Ynnspruckh vnd inn des Hawsers heysl.
5.	Hall vndAmbross.
6.	Stainach.
7.	inn Schmiern[2] vnnd im Valsertall.[3]
8.	Stainach.
9.	Stainach vnd im Vernner tall.[4]
10.	Lueg vnd zu Stainach.
11—17.	Ynnspruckh.
18—19.	Hall im Inntall.
20—26.	Ynnspruckh.
27.	Hall.
28—31.	Ynnspruckh.
XI. 1 (Mittwoch).	Ynnspruckh.
2.	Vyllss.[5]
3.	im Stubacher tall.
4.	Stubach.
5—9.	Ynnspruckh.
10.	zu sannt Martinswanndt.[6]

1514

XI. 11—14.	Ynnspruckh.
15.	Hall vnd Myllanss.
16—25.	Ynnspruckh.
26.	Ambross im sloss.
27.	Hall im Inntall.
28—30.	Innspruckh.
XII. 1 (Freitag) — 4.	Ynnspruckh.
5.	Inspruckh vnd Pamkirchen.[7]
6.	Schwatz.
7.	Hall im Inntall.
8—10.	Innspruckh.
11—12.	Hall im Inntall.
13—21.	Ynnspruckh.
22.	Hall im Inntall.
23—31.	Ynnspruckh.

1515

I. 1 (Montag).	Ynnspruckh.
2—3.	Schwatz.
4.	Hall im Inntall.
5—15.	Ynnspruckh.
16.	Hall im Inntall.
17—30.	Ynnspruckh.
31.	Hall im Inntall.
II. 1 (Donnerstag).	Hall im Inntall.
2—28.	Ynnspruckh.
III. 1 (Donnerstag) — 21.	Ynnspruckh.
22.	Vellennberg vnd Fragennstain.

---

1. Ambras, Schloss bei Innsbruck.　　2. Schmirnerthal bei Steinach am Brenner. (Schmiern sö. von Steinach.)　　3. Valserthal mündet bei Mühlbach an der Rienz.　　4. Vennathal an der Ostseite des Brenners. 5. Vill s. von Innsbruck.　　6. Martinswand bei Zirl w. von Innsbruck. 7. Baumkirchen im Innthal zwischen Hall und Schwaz.

1515			1515		
III. 23.	Flawerling vnd Stambs.		IV. 23.	Chrumbach[8] vnd Pfaffenhawsen.	
24.	Stambs vnd Ymbst.[1]		24.	Mundlhaim.	
25.	Ymbst.		25.	Mundlhaim vnd Anglberg.	
26.	Nasarcyth vnd Byberwier.[2]		26.	Puechlo, Zell vnd Wall.[9]	
27.	Aytterwanng vnd Reutten.		27.	Lanndtsberg.	
28.	Fuessen vnd Stetten.[3]		28.	Lanndtsperg, Puechlo vnd Pydingen.[10]	
29.	Kawffpeyren vnd Osterzell.[4]		29.	Kawffpeyren vnd Puechlo.	
30.	Puechlo vnd Mennchingen.		30.	Puechlo vnd Mennchingen.	
31.	Burckhwaldt vnd Augspurg.		V. 1 (Dienstag). Gockhingen.		
IV. 1 (Sonntag) — 13. Augspurg.			2—4.	Augspurg.	
(Ostertag 8./IV.)			5.	Werttingen.	
14.	Gockhingen.		6—20.	Augspurg.	
15.	Vettingen vnd Noyburg.[5]		21.	Augspurg vnd Wellennberg.[11]	
16.	Gynntzburg.[6]		22.	Burckhwaldt vnd Bobingen.	
17.	Weyssennhorn.		23.	Mennchingen vnd Puechlo.	
18—20.	Vllm.		24—27.	Mundlhaim.	
21.	Vllm vnd Tyssen.[7]		28.	Phaffennhawsen vnd Annglberg.	
22.	Weyssennhorn.				

1. Imst im Gurglthal s. von Nassereit.   2. Bieberwier n. von Nassereit.   Maximilian verlässt die österreichischen Erblande bei Reutte.   3. Stetten zwischen Oberdorf und Füssen.   Maximilian betritt den Reichsboden.   4. Osterzell ö. von Kaufbeuern.   5. Neuburg sw. von Jettingen.   6. Günsburg an der Mündung der Gunz in die Donau nw. von Jettingen.   7. Illertissen s. von Ulm und Weissenhorn.   8. Krumbach sö. von Weissenhorn.   9. Waal sö. von Buchloe. 10. Bidingen am Hühnerbach, einem Zufluss der Wertach, zwischen Oberdorf und Schongau.   11. Wöllenburg nahe bei Göggingen s. von Augsburg.

1515

V.	29.	Puechlo vnd Lanndtsperg.
	30.	Wessobrun[1] vnd Weylhaim.
	31.	Weylhaim vnd Heyligenperg.
VI.	1 (Freitag).	Weylhaim vnd Pollingen im closter.[2]
	2.	Murnnen[3] vnd Porttenkirch.[4]
	3.	Myttennwaldt vnd auf dem Seefeldt.
	4.	Fragennstain[5] vnd Zierll.
	5.	Ynnspruckh.
	6.	Hall im Inntall vnd Myllans.
	7.	Ynnspruckh.
	8.	Ynnspruckh vnd Vellennberg.
	9.	Innspruckh.
	10—11.	Hall im Inntall.
	12.	Schwatz.
	13—14.	Rattemberg vnnd Wergl.[6]
	15.	Kuefstain.

1515

VI.	16.	Rosennhaim.
	17.	Wasserburg.[7]
	18.	Alten Ottingen.
	19.	Purckhawsen vnd Mawerkirchen.[8]
	20—21.	Mattigkhofen.
	22.	Veckhlstorff vnd Veckhlapruckh.
	23.	Vecklapruckh vnd Chamer.[9]
	24.	Lambach.
	25.	Wells.
	26.	New Sachsennburg.
	27—30.	Lynntz.
VII.	1 (Sonntag) — 3.	Lynntz.
	4.	Lynntz vnd sannt Florian.
	5.	sannt Florian.
	6.	Enns.
	7—8.	Persennpeug.
	9.	Khrembs vnd Nusdorff.[10]
	10.	Hackhingen.[11]
	11—15.	Wienn.
	16.	Trawtmerstorff.[12]
	17.	Lachsennburg.[13]
	18—28.	Wienn.

---

1. Wessobrunn sö. von Landsberg, zwischen diesem und Weilheim.
2. Polling s. von Weilheim. 3. Murnau s. von Weilheim und Polling.
4. Partenkirchen s. von Murnau. Maximilian verlässt bei Mittenwald den Reichsboden. 5. Maximilian kehrt zu Seefeld nach den österreichischen Erblanden zurück. 6. Wörgl s. von Kufstein in Tirol. 7. Wasserburg am Inn n. von Rosenheim. 8. Mauerkirchen in Oberösterreich, zwischen Braunau und Mattighofen. 9. Kammer s. von Vöcklabruck am Nordende des Attersees. 10. Nussdorf, Vorort n. von Wien. 11. Hacking, Vorort w. von Wien. 12. Trautmannsdorf sö. von Wien. 13. Laxenburg, Schloss s. von Wien.

1515

VII. 29.	Wienn vnd Noydorff.[1]
30.	zu der Newenstatt.
31.	zu der Newstat vnd Ebennfurt.[2]
VIII. 1 (Mittwoch)—2.	Ebennfurt.
3.	Ebennfurt vnd Medling.[3]
4—6.	sannt Veit[4] vnd Hackhing.
7.	Hackhing vnd Mawerpach.[5]
8.	Tulln[6] vnd Trasmawer.[7]
9.	Krembs.
10.	Krembs, Stain[8] vnd Spitz.[9]
11.	Emersdorff[10] vnd Persenpeug.
12.	Persennpeug, Plinttenmarckht[11] vnd Aschpach.[12]

1515

VIII. 13.	Aschach (!)[13] vnd Enns.
14.	Enns.
15.	sannt Florian.
16.	sannt Florian vnd Enns.
17.	Enns vnd Ebersperg.
18.	Newsachsennburg vnd Marchtrenckh.
19—21.	Wells.
22.	Lambach.
23.	Vecklapruckh, Veckhlsdorff vnd Frannckhenmarckht.[14]
24.	Straswalchen vnd Lauffen.
25—26.	Lauffen vnd Tennckhling.[15]
27.	Troschburg.
28.	Rosenhaim vnd Vischpach.[16]
29.	Kuefstain vnd Wergl.

1. Neudorf bei Mödling s. von Wien.   2. Ebenfurt nö. von Wiener-Neustadt.   3. Mödling s. von Wien, nahe bei Laxenburg. 4. St. Veit, Vorort w. von Wien.   5. Mauerbach im Wienerwald w. von Wien.   6. Tulln a. D. nw. von Wien.   7. Traismauer w. von Tulln.   8. Stein unmittelbar bei Krems.   9. Spitz a. D. w. von Traismauer.   10. Emmersdorf a. D. gegenüber Melk.   11. Blindenmarkt sw. von Persenbeug.   12. Aschbach w. von Amstetten und Blindenmarkt.   13. Offenbar liegt hier ein Schreibfehler vor und ist das vorgenannte Aschbach gemeint. Allerdings existirt westlich von Linz ein Aschach an der Donau, das jedoch nicht in die Reiseroute passt. 14. Franksmarkt, hart an Vöcklamarkt.   15. Tengling n. vom Waginger See, nw. von Salzburg.   16. Fischbach am Inn s. von Rosenheim.

1515

VIII.	30.	Rattemberg.
	31.	Schwatz.
IX.	1 (Samstag).	Hall im Inntall.
	2—3.	Innspruckh.
	4.	Hall vnd Volderss.[1]
	5—6.	Ynnspruckh.
	7.	Ambross.
	8—9.	Ynnspruckh.
	10.	Vellennberg.
	11.	Vellennberg vnd Axsambs.
	12.	Flawerling vnd Herttennberg.[2]
	13.	Herttennberg.
	14.	Herttennberg vnd Frewntshaim.
	15—16.	Herttennberg.
	17.	Herttennberg vnd Stambs.
	18.	Magerpach vnd Syltz.
	19.	Kematten.
	20—24.	Ynnspruckh.
	25.	Hall im Inntall.
	26—30.	Innspruckh.
X.	1 (Montag) — 2.	Ynnspruckh.
	3.	Hall vnd Thawer.[3]

1515

X.	4—9.	Ynnspruckh.
	10.	Ynnspruckh vnd Ambross.
	11.	Hall im Inntall.
	12—17.	Ynnspruckh.
	18.	Inspruckh vnd Mutters[4] am ge— iaidt.
	19—22.	Ynnspruckh.
	23.	Hall im Inntall.
	24—27.	Ynnspruckh.
	28.	Hall im Inntall.
	29.	Hall vnd auf des Hawsers heysl.
	30.	Fragennstain vnd Zierll.
	31.	Herttennberg vnd Phaffenhofen.[5]
XI.	1 (Donnerstag).	Herttennberg.
	2.	Herttennberg vnd Stambs. .
	3.	Ymbst vnd Nasareyth.
	4.	Lermoss vnd Puechlpach.[6]
	5—6.	Ernnberg an der Clawsen vnd zu Fuessen.
	7.	Stetten vnd Pydingen.

1. Volders am Inn gegenüber Vils bei Hall.   2. Hörtenberg, verfallenes Schloss am Inn bei Pfaffenhofen w. von Innsbruck.   3. Thaur nw. von Hall.   4. Mutterns s. von Innsbruck links von der Sill gegenüber Igels.   5. Pfaffenhofen bei Telfs am Inn w. von Innsbruck. 6. Büchelbach s. von Reutte.   Maximilian verlässt die österreichischen Erblande und betritt bei Füssen den Reichsboden.

1515			1515		
XI.	8.	Puechlo vnd Hyltafingen.[1]	XII.	1 (Samstag)	—2. Kawff-peyren.
	9.	Burckhwaldt vnd Bobingen.		3.	Kawffpeyren vnd Ebennhofen.[9]
	10.	Gockhingen vnd Augspurg.		4.	Stetten vnd Fuessen.
	11—12.	Augspurg.		5—8.	Fuessen.
	13.	Wellennberg vnd Burckhwalden.		9.	Fuessen vnd Reutten.
	14.	Burckhwaldt vnd Myckhawsen.		10.	Ernnberg an der clawsen.
	15.	Myckhawsen vnd Krumpach.		11.	Ernnberg an der clawsen vnd Aytterwang.
	16.	Krumpach vnd Waldstetten.[2]		12.	Lermoss vnd Nasareyth.
	17—21.	Vllm.		13—14.	Ymbst.
	22.	Weyssenhorn.		15.	Ymbst vnd auf der Mylss.
	23.	Rockhennburg vnnd Retzenn-ryedt.[3]		16.	Lanndegkh vnnd Grynnss.[10]
	24.	Babenhawsen[4] vnd Memingen.[5]		17.	Pottnoy vnd auf dem Adlberg zu sannt Cristoffl.[11]
	25—27.	Meminngen.		18.	Pludenntz.
	28.	Meminngen vnd Erckhaim.[6]		19—20.	Veldtkirch.
	29.	Ottenpeyren[7] vnd Thienngen.[8]		21.	Bregenntz.
	30.	Kawffpeyren.		22.	Bregenntz,[*]

1. Hiltefingen unmittelbar sw. von Schwabmünchen.   2. Waldstetten nö. von Weissenhorn.   3. Ritzisried sö. von Illertissen.   4. Babenhausen zwischen Weissenhorn und Mindelheim.   5. Memmingen w. von Mindelheim.   6. Erkheim zwischen Memmingen und Mindelheim.   7. Ottobeuern sö. von Memmingen.   8. Unter-Thingau sw. von Kaufbeuern.   9. Ebenhofen zwischen Oberdorf und Kaufbeuern ö. von letzterem.   Maximilian verlässt bei Ehrenberg den Reichsboden und betritt die österreichischen Erblande.   10. Grins w. von Landeck.   11. St. Christof am Arlberg.

* Maximilian verlässt die österreichischen Erblande und betritt den Reichsboden.

1515

	Lynndaw vnd Langenargen.[1]
XII. 23.	Lanngenargen vnd Tettenam.[2]
24—27.	Rauennspurg.[3]
28.	Waldtsee[4] vnd Essendorff.[5]
29.	Byberach[6] vnd Obersymentingen.[7]
30.	Echingen vnd Ringingen.[8]
31.	Vllm vnd Weyssennhorn.

1516

I.	1 (Dienstag)—2. Weyssennhorn.
3.	Weyssennhorn vnd Waldstetten.
4.	Vettingen vnd im dorf Byburg.[9]
5—22.	Augspurg.
23.	Gockhingen vnd Bobingen.
24.	Mennchingen vnd Annglberg.

1516

I. 25—27.	Mundlhaim.
28.	Mundlhaim vnd Posweil im dorff.[10]
29.	Kauffpeyren vnd Vnndertingen.[11]
30.	Liebennthan.
31.	Liebennthan vnd Eberspach.[12]
II. 1 (Freitag) — 4.	Kawffpeyren.
5.	Kawffpeyren vnd Ebennhofen.
6.	Stetten vnd Ebennhofen.
7.	Obernndorff[13] vnd Roshaubten.[14]
8.	Fuessen.
9.	Fuessen vnd Reutten.
10.	Aytterwanng vnd Lermoss.
11.	Nasareyth.
12.	Ymbst vnd auf der Mylls.
13.	Lanndegkh vnd Grynss.
14—17.	Pottnnoy.

---

1. Langeargen am Bodensee w. von Lindau. 2. Tettaang n. von Langeargen. 3. Ravensburg n. von Tettnang. 4. Waldsee nö. von Ravensburg. 5. Unter-Essendorf bei Stadt Winterstetten n. von Waldsee. 6. Biberach n. von Waldsee. 7. Ober-Sulmetingen sw. von Ulm. 8. Ringingen zwischen Schelklingen und Erbach sw. von Ulm. 9. Biburg w. von Augsburg. 10. Baisweil s. von Mindelheim im Landgericht Kaufbeuern. 11. Das früher schon genannte Unter-Thingau sw. von Kaufbeuern. 12. Ebersbach bei Ober-Günzburg w. von Kaufbeuern. 13. Oberdorf s. von Kaufbeuern. 14. Rosshaupten n. von Füssen. Maximilian verlässt bei Füssen das Reich und betritt bei Reutte die österreichischen Erblande.

1516		
II. 18.		Pottnnoy vnd zum Strenngen.[1]
	19.	Lanndegkh.
	20.	Lanndegkh vnd auf der Mylss.
	21—22.	Ymbst.
	23—24.	Lanndegkh.
	25.	Bernneckh vnd Phundts.[2]
	26.	Nawders[3] vnd auf Malser haydt[4] zum federspill.
	27.	Churburg.[5]
	28.	Latsch[6] vnd am Zoll zu Tyll.[7]
	29.	Ameron[8] vnd Terren.[9]
III.	1 (Samstag).	Potzen vnd Branntzoll.[10]
	2.	Sallurnns[11] vnd am Nouiss.

1516		
III.	3—6.	Persen.
	7—8.	Tryenndt.
	9.	Tryenndt vnd Nusdorff.
	10.	Rofereydt.
	11.	Auy.
	12.	Cauayon.[12]
	13.	Muntzabona.[13]
	14.	Medulla.[14]
	15—16.	Remedel.[15]
	17.	Ramodella.[16]
	18.	Bratalban.[17]
	19.	Vyorolly Verrarisch.[18]
	20.	Cabayon.[19]
	21.	Ludria.[20]
	22.	Fonntefella.[21]
	23.	Carobatz.[22]
(Ostertag 23./III.)		
	24.	Ryuallta.[23]
	25.	Lyscadt.[24]

1. Strengen im Stanzerthal zwischen Pettneu und Landeck. 2. Pfunds im oberen Innthal sw. von Landeck. 3. Nauders s. von Pfunds im oberen Innthal. 4. Die Malser Haide s. von Nauders. 5. Churburg, Schloss zu Schluderns bei Mals. 6. Laatsch im oberen Etschthal w. von Meran. 7. Wirthshaus am Töller Sattel, der das Vintschgau vom Etschthal trennt. 8. Meran im Etschthal. 9. Terlan nw. von Bozen. 10. Branzoll und 11. Salurn, beide s. von Bozen. 12. Cavajon bei Bardolino am südöstlichen Ufer des Gardasees. 13. Monzambano s. vom Gardasee, zwischen Peschiera und Valeggio. 14. Medolo sw. von Monzambano und sö. von Carpenedalo. 15. und 16. Remedello di sopra und Remedello di sotta sw. von Medolo. 17. Pratboino a. d. Mella sö. von Verola nuova. 18. Verola nuova oder vecchia zwischen Cremona und Brescia. 19. Gabbiano nw. von Verola nuova. 20. Ludriano, nahe am Oglio sw. von Brescia. 21. Fontanella w. von Ludriano. 22. Caravaggio an der Strasse von Mailand nach Brescia w. von Fontanella. 23. Rivolta a. d. Adda w. von Caravaggio. 24. Liscate bei Melzo ö. von Mailand.

1516

III. 26—28. Pyontella.[1]
    29. Pyschgiera.[2]
    30. Busna.[3]
    31. Pollackh[4] vnd Carobatz.

IV. 1 (Dienstag) — 4. Pannthoy.[5]
    5. Costa.[6]
    6. Alburg de Tertz.[7]
    7—8. Louers.[8]
    9. Bree.[9]
    10. Medulla.[10]
    11. Pontelegno.[11]
    12. Tormey.[12]
    13—15. Tertzulass.[13]
    16. Tertzulass vnd Chaldess.[14]
    17—22. Tertzulass.
    23. Tertzulass vnd Caldess.
    24. Gless.[15]
    25—26. Newenmetz.

1516

IV. 27. Newenmetz vnd am Nauiss.[16]
    28—29. Trienndt.
    30. Fetzan[17] vnnd Arch.[18]

V. 1 (Donnerstag) — 9. Reyff am Gardtsee.[19]
    10. Reyff am Gardtsee vnd zu Kaden.[20]
    11—22. Trienndt.
    23. Trienndt vnd Wessan.[21]
    24. sannt Michaell[22] vnd Newemarckht.
    25. Potzen.
    26. Ameron vnd am Terll.[23]
    27—28. Latsch.
    29. Glurnns.[24]
    30. Nawders.

---

1. Pioltello, zwischen Mailand und Melzo ö. von Mailand. **2.** Peschiera bei Mailand s. von Pioltello. **3.** Bisnate a. d. Adda ö. von Peschiera. **4.** Palazzo s. von Caravaggio und Treviglio. **5.** Pontoglio nö. von Caravaggio und n. von Chiari. **6.** Costa di Mezzate ö. von Bergamo und n. von Pontoglio. **7.** Borgo di Terzo in Vall Cavallina nö. von Trescorre und ö. von Bergamo. **8.** Lovere, am Nordende des Iseo-Sees. **9.** Breno nö. von Lovere. **10.** Edolo n. von Lovere. Dieses wie jenes im Val Camonica. **11.** Ponte di Legno und **12.** Termenago im Val di Sole. **13.** Terzolas zwischen Malé und Caldes w. von Cles. **14.** Caldes mit altem Schloss im Val di Sole bei Cles. **15.** Cles im Sulzberg n. von Trient. **16.** Nave n. von Trient bei Lavis. **17.** Vezzano w. von Trient. **18.** Arco n. vom Gardasee. **19.** Riva am Nordende des Gardasees. **20.** Cadine w. von Trient. **21.** Das früher genannte Vezzano. **22.** S. Michele a. d. Etsch n. von Trient. **23.** Terlan zwischen Bozen und Meran. **24.** Glurns im Vintschgau s. von Mals.

1516			1516		
V.	31.	Phundts.	VI.	30.	Costenntz vnd Morsperg.[10]
VI.	1 (Sonntag).	Ryedt[1] vnd Prutz.	VII.	1 (Dienstag).	Puechhorn.
	2.	Lanndeckh.		2—3.	Lynndaw.
	3.	Lanndegkh vnd Zambss.		4—5.	Bregenntz.
	4.	Ymbst.		6.	Bregenntz vnd Stawffen.
	5—6.	Magerpach.		7.	Sunthofen.[11]
	7—10.	Ymbst.		8.	Tannhaim.
	11.	Nasareyth vnd Lermoss.		9.	Rewtten.
	12—13.	Ernnberg an der klawsen.*		10—21.	Fuessen.
	14.	Thannhaim.[2]		22.	Fuessen vnd Ernnberg an der clawsen.b
	15.	Ymestatt[3] vnd Rottennstain.[4]		23.	Aytterwanng.
	16.	Stauffen.[5]		24—25.	Ernnberg an der clawsen.
	17.	Wanngen.[6]		26.	Rewtten vnd in des Hochstetters hütten.
	18.	Puechhorn vnd Tettnanng.[7]		27.	Ernnberg an der clawsen vnd Aytterwang.
	19.	sine loco.[8]		28.	Lermoss.
	20—26.	Costenntz.		29.	Lermoss vnd Nasareyth.
	27—28.	Vberlingen.			
	29.	Vberlingen vnd in der Maynnaw.[9]			

1. Ried s. von Prutz im oberen Innthal.   2. Tannheim an der Nordgrenze Tirols ö. von Sonthofen.   3. Immenstadt ö. vom Bodensee.   4. Rothenfels nw. von Immenstadt.   5. Staufen, zwischen Bodensee und Immenstadt.   6. Wangen nö. vom Bodensee.   7. Tettnang n. vom Bodensee zwischen Friedrichshafen und Wangen.   8. Auf Grund eines Briefes Maximilians an die Kriegsräthe von Trient, 19. Juli, Constentz (Innsbrucker Statthaltereiarchiv), kann Constanz als Aufenthaltsort eingesetzt werden.   9. Mainau auf der gleichnamigen Insel im Ueberlinger See.   10. Mersburg zwischen Ueberlingen und Friedrichshafen am Bodensee.   11. Sonthofen sö. von Immenstadt.

* Maximilian verlässt die österreichischen Erblande und betritt den Reichsboden.   b Maximilian verlässt das Reich und betritt die österreichischen Erblande.

1516		
VII.	30.	Frewnntshaim vnd Stambs.
	31.	Herttennberg.
VIII.	1 (Freitag).	Herttennberg vnd in der Pettnaw.[1]
	2.	Fragenstain vnd Kematten.
	3.	Kematten vnd Velss[2] im Weyrheysl.
	4—7.	Ynnspruckh.
	8.	Fellennberg.
	9—10.	Fragennstain.
	11.	Fragnstain vnd auf dem Seefeldt.
	12—13.	Fragennstain.
	14.	Fragennstain vnd Telffs.
	15—16.	Stambs.
	17.	Magerpach.
	18.	Ymbst vnd Zambss.
	19—21.	Zambss.
	22.	Ymbst.
	23.	Nasareyth vnd Lermoss.
	24—28.	Ernnberg[3] vnd Reutten.
	29.	Reutten, Ernnberg vnd Aytterwanng.

1516		
VIII.	30.	Lermoss vnd Aytterwang.
	31.	Ernnberg vnd Reutten.
IX.	1 (Montag) — 2.	Ernnberg vnd Reutten.
	3.	Fuessen.
	4.	Kauffpeyren.
	5.	Kauffpeyren vnd Stetten.
	6—9.	Fuessen.
	10.	Aytterwanng.
	11.	Reutten vnd Aytterwanng.
	12.	Fuessen.
	13.	Fuessen vnd Nyderhofen.[4]
	14.	im closter zu Staingaden.[5]
	15—17.	Kauffpeyren.
	18.	Myckhausen vnd Burckwaldt.
	19—30.	Augspurg.
X.	1 (Mittwoch) —6.	Augspurg.
	7.	Augspurg vnd Gockhingen.
	8—19.	Augspurg.
	20.	Augspurg vnd Radaw.[6]
	21.	Bobingen.

1516		
X. 22.	Meunchingen vnd Hyltafingen.	
23.	Puechlo vnnd Wall.	
24.	Kawffpeyren.	
25.	Stetten vnd Roshopten.	
26—27.	Fuessen [1] vnd Reutten.	
28.	Reutten.	
29.	Reutten vnd Nesselbanng.	
30.	Thannhaim vnd Hinderlanng. [2]	
31.	Fluechenstain. [3]	
XI. 1 (Samstag).	Fluechenstain vnd Sunthofen.	
2.	Fluechenstain vnd Ymestat.	
3.	Stauffen vnd Schaideckh. [4]	
4—5.	Bregenntz.	
6.	Bregenntz vnd in der Aw im closter.	

1516		
XI. 7.	Lynndaw vnd Puechhorn.	
8—9.	Vberlingen.	
10.	Sallmerschweyller. [5]	
11.	Costenntz.	
12.	Zell am Vnndersee.	
13.	Enngen [6] vnd Guslingen. [7]	
14.	Hufingen. [8]	
15.	zu der Newenstat [9] vnd Kyrchzartt. [10]	
16.	Freyburg.	
17.	Freyburg vnd Taxwanng.	
18.	Preysach.	
19.	Preysach vnd Yebshaim. [11]	
20.	Berckhaim [12] vnd Scherweill. [13]	
21.	Obernnechnen.	
22.	Neuweyller. [14]	
23.	Yungweyller.	
24—30.	Hagennaw.	

---

1. Maximilian verlässt das Reich und betritt die österreichischen Erblande. 2. Hindelang in Baiern zwischen Tannheim und Sonthofen. 3. Fluchenstein ö. von Sonthofen. 4. Scheidegg w. von Staufen und n. von Bregenz. Bei letzterem Orte verlässt Maximilian die österreichischen Erblande und betritt den Reichsboden. 5. Salmannsweiler, heute Salem am Nordufer des Bodensees. 6. Engen im Grossherzogthum Baden w. vom Bodensee. 7. Geisingen nw. von Engen. 8. Hüfingen w. von Geisingen. 9. Neustadt ö. von Freiburg im Breisgau. 10. Kirchzarten zwischen Freiburg und Neustadt. 11. Jebsheim im Elsass n. von Alt-Breisach und Colmar. 12. Bergheim zwischen Colmar und Schlettstadt. 13. Scherweiler nw. von Schlettstadt. 14. Neuweiler w. von Buchsweiler.

1516		1517	
XII.	1 (Montag) — 15. Hagennaw.	I.	11—12. Mayen.[8]
	16. Hagennaw vnd Werdt.[1]		13—14. Arweyller.[9]
			15. Reynnpach.[10]
	17. Werdt hiebey Hagennaw.		16. Zulph.[11]
			17—18. Theyern.[12]
	18—19. Hagennaw.		19. Altennhofen.[13]
	20. Hagennaw vnd Phaffennhofen.[2]		20—22. Mastricht.
			23. sannt Troyen.[14]
	21. Jungweyller vnd Puschweyller.		24—25. Thynen.[15]
			26—27. Thyesst[16] vnd Gell.[17]
	22. Yungweiller vnd Newburg[3] im closter.		28. Tournoudt.
			29—30. Lierr.
	23—29. Hagennaw.		31 Mechell.
	30. Hagennaw vnd Reyshofen.	II.	1 (Sonntag). Mechell vnd Fulfordt.
	31. Reyshofen vnd Pytsch.[4]		2—3. Mechell.
1517			4. Mechell vnd Tyffl.[18]
I.	1 (Donnerstag). Pytsch.		5—8. Anndtorff.
	2. Zwapruckh.[5]		9. Anndtoff (sic!) vnd Berschgadt.
	3—4. Ottweyller.[6]		10. Lyerr.
	5. Gryemberg.		11. Mechell.
	6—8. Trierr.		12. Mechell vnd Fulfordt.
	9. Wettlich.		13—18. Prussell.
	10. Kaysersesch.[7]		19—20. Hall in Honigaw.

---

1. Wörth n. von Hagenau.　2. Pfaffenhofen w. von Hagenau.
3. Weiler Neuburg a. d. Moder w. von Hagenau und nw. von Freiburg.
4. Bitsch im nördlichsten Elsass nw. von Hagenau.　5. Zweibrücken
in der bairischen Pfalz n. von Bitsch.　6. Ottweiler in der Rheinprovinz nw. von Zweibrücken.　7. Kaisersech n. von Kochem a. d.
Mosel.　8. Mayen w. von Coblenz.　9. Ahrweiler a. d. Ahr n. von
Mayen.　10. Rheinbach sw. von Bonn.　11. Zülpich nw. von Rheinbach.　12. Düren zwischen Aachen und Köln.　13. Aldenhofen bei
Jülich.　Maximilian verlässt das Reich und betritt die Niederlande.
14. St. Trouyden (St. Trond) nw. von Lüttich.　15. Tienen (Tirlemont)
w. vom vorigen Orte.　16. Diest n. von Tienen.　17. Gheel zwischen
Diest und Turnhout, n. von ersterem.　18. Duffel n. von Mecheln.

1517
II. 21—22. Prussell.
23. Prussel vnd Ful-
fordt.
24—26. Mechell.
27. Lierr vnd Kunt-
tickhen.[1]
28. Anndtorff.
III. 1 (Sonntag). Anndtorff.
2. Mechell.
3. zu der Fewer vnd
Gruenntall.[2]
4. zu der Fewer.
5. Fulfordt.
6. Mechell.
7. Lyerr vnd Furst-
lers.[3]
8—11. Anndtorff.
12. Anndtorff und
Schwindeckh.[4]
13. Beuerss.[5]
14. Hulsst[6] vnd
Kembseckh.[7]
15. saunt Niclass[8] vnd
Wasmunster.[9]
16. Termondt.

1517
III. 17—18. Allsst.
19—20. Termondt.
21. Fulfordt.
22. Fulfordt vnd im
closter zu Aimer
(Aiuier).[10]
23. Posfordt[11] vnd
Fulfordt.
24. Mechell vnnd
Lyerr.
25—29. Anndtorff.
30. Anndtorff vnd
Ymerssell.[12]
31. Furstlers.
IV. 1 (Mittwoch) — 2. Tur-
nout vnd Gyerl-
le.[13]
3. Tournoudt vnd
Barlle[14] im dorff.
4. Predaw[15] vnd
Hochstrass.[16]
5—6. Bredaw.
7. Altennpusch[17]
vnd im dorff
Lewren.[18]

---

1. Centich zwischen Lier und Antwerpen. 2. Groenendael s. von Brüssel. 3. Viersel nö. von Lierre, zwischen Antwerpen und Herenthals. 4. Zwyndrecht w. von Antwerpen. 5. Beveren w. von Antwerpen. 6. Hulst nw. von Antwerpen. 7. Kemseke s. von Hulst und n. von St. Nicolas. 8. St. Nicolas w. von Antwerpen. 9. Waesmunster s. von St. Nicolas. 10. Offenbar hat die Vorlage Aiuier verzeichnet, aus dem der Copist Aimer machte. Aywières (Aivier), eine 1796 zerstörte Abtei nahe bei Maransart, liegt in der Mitte zwischen Nivelles und Wavre s. von Boitsfort in Brabant. 11. Boitsfort (Boschvoorde) sw. von Brüssel und nahe dem nö. gelegenen Tervueren. 12. Immerseel ö. von Antwerpen. 13. Gierle s. von Turnhout. 14. Baarle im holländischen Nordbrabant. 15. Breda in den Niederlanden. 16. Hoogstraeten in Belgien s. von Breda. 17. Oudenbosch w. von Breda. 18. Leur zwischen Oudenbosch und Breda.

1517

V. 30. · sannt Troyen vnd
Gottershaim.[1]

31. Mastricht.

VI. 1 (Montag). Mastricht vnd
Gulpa.[2]

2. Ach[3] und in sinem
slossn.

3. Theyren.[4]

4. Lechnich.[5]

5—6. Chölln.

7. Pundt.[6]

8. Anndernach.[7]

9—11. Lannstain.[8]

12. Lannstain, Nas-
stetten[9] vnd lann-
gen Schwab-
lach.[10]

13. Wyspaden vnd in
ainem stadl ge-
nannt Höchst.[11]

14—20. Frannckhfordt.

21. Franckhfordt vnd
Sellingstatt.[12]

22. Aschoffennburg

1517

vnd Ober-
marckht.[13]

VI. 23. Myltennberg vnd
zu Khulsam.[14]

24. Bischoffshaim[15]
vnd Merget-
haim.[16]

25. Weyckhershaim[17]
vnd Schwartzen-
prunn.[18]

26—28. Rottennburg an
der Thauber.[19]

29. Rottennburg an
der Thauber vnd
Waldhawsen.[20]

30. Tunckhels-
puchel[21] vnd
Frembdingen.[22]

VII. 1 (Mittwoch). Nördlingen
vnd Mager-
pam.[23]

2. Werdt.

3. Werdt vnd Wert-
tingen.

---

1. Cortessem nw. von St. Trond und s. von Hasselt. 2. Gulpen
ö. von Maastricht. Maximilian verlässt die Niederlande und betritt
den Reichsboden. 3. Aachen. 4. Düren. 5. Lechenich sw. von
Köln. 6. Bonn s. von Köln. 7. Andernach am Rhein nw. von Coblenz. 8. Lahnstein in der Nähe von Coblenz. 9. Nastätten s. von
Kamen. 10. Langenschwalbach bei Wiesbaden. 11. Höchst w. von
Frankfurt a. M. 12. Seligenstadt ö. von Frankfurt a. M. 13. Obernburg a. Rh. n. von Miltenberg. 14. Külsheim. 15. Tauberbischofsheim
sw. von Würzburg. 16. Mergentheim s. vom vorigen. 17. Weickers-
heim nahe bei Mergentheim. 18. Schwarzbronn nw. von Rothenburg
a. d. Tauber. 19. Rothenburg a. d. Tauber sö. von Mergentheim.
20. Waldhausen nw. von Feuchtwang. 21. Dinkelsbühl sw. von Ans-
bach. 22. Fremdingen s. von Dinkelsbühl. 23. Magerbein (Ober-
und Unter-) an der Strasse zwischen Deggingen und Bissingen, s. von
Nördlingen und nw. von Donauwörth.

1517			1517		
VII.	4.	Kyllenntall bey Westendorff.[1]	VIII.	17.	Aychach[5] vnd Gerspach.[6]
	5—9.	Augspurg.		18.	Phaffennhofen[7] vnd Kunigsfeldt.[8]
	10.	Augspurg vnd Lechausen.[2]			
	11.	Augspurg.		19.	Geysennfeldt[9] vnd Meniching.[10]
	12.	Augspurg vnd Gockhingen.			
	13.	Bobingen vnd wider zu Augspurg.		20—22.	Ynnglstadt.[11]
				23.	Khelhaim.[12]
				24.	Regennspurg.[13]
	14—23.	Augspurg.		25.	Strawbing.[14]
	24.	Augspurg, sannt Radigundt[3] vnd Wellennberg.		26.	Passaw vnd Ennglhartzell.[x15]
				27.	Lynntz.
	25.	Augspurg.		28.	Lynntz vnd Ebersperg.
	26.	Augspurg vnd Dyermdorff.[4]		29.	Lynntz vnd Newsachsennburg.
	27—31.	Augspurg.		30—31.	Newsachsennburg.
VIII.	1 (Samstag) — 5.	Augspurg.			
			IX.	1 (Dienstag).	Newsaxennburg vnd Ebersperg.
	6—7.	Bobingen vnd Gockhingen.			
	8—15.	Augspurg.		2.	Enns.
	16.	Augspurg vnd Frydtperg.		3.	Greynn[16] vnd Persennpeug.

1. Küllenthal bei Westendorf n. von Biberach zwischen Mertingen und Augsburg. 2. Lechhausen n. hart an Augsburg. 3. und 4. bei Augsburg. 5. Aichach nö. von Augsburg. 6. Gerolsbach ö. von Aichach nahe bei Pfaffenhofen. 7. Pfaffenhofen nw. von Freising a. d. Isar. 8. Königsfeld bei Wollnzach n. von Pfaffenhofen. 9. Geisenfeld bei Reichertshofen n. von Königsfeld. 10. Manching a. d. Paar nw. von Geisenfeld und n. von Reichertshofen. 11. Ingolstadt a. D. sw. von Regensburg. 12. Kelheim a. D. zwischen Ingolstadt und Regensburg. 13. Regensburg a. D. 14. Straubing sö. von Regensburg. 15. Engelhartszell a. D. ö. von Passau. Maximilian verlässt das Reich und betritt die österreichischen Erblande. 16. Grein a. D. ö. von Enns.

1517

IX. 4—5. Persennpeug.
6. Persennpeug vnd Krembs.
7—9. Krembs.
10. Wienn.
11. Hackhingen.
12. Lachsennburg vnd Hymberg.[1]
13. Lachsennburg.
14. Enntzisfeldt.[2]
15—21. zu der Newenstat.
22—23. Laxennburg.
24—30. zu Paden im padt.[3]

X. 1 (Donnerstag) — 11. Paden.
12. Enntzisfeldt.
13—17. zu der Newenstat.
18—20. Paden.
21. Paden vnd Gunttersdorff.[4]
22. Laxennburg.
23—29. Wienn.
30. Wienn vnd Closternwburg.[5]
31. Wienn.

XI. 1 (Sonntag) — 2. Wienn.
3—4. Wienn vnd Ebersdorff.[6]

1517

XI. 5—7. Wienn.
8. Wienn vnd Lach im dorff.[7]
9—10. Paden.
11. Enntzisfeldt.
12—20. zu der Newenstatt.
21. Paden.
22. Medling vnd Heyllingstatt.[8]
23. Closternewburg.
24—25. Tullnn.
26. Tulln vnd lanngen Mamerstorff.[9]
27. sannt Pölten.[10]
28—29. Melckh.[11]
30. Zum Newenmarckhten[12] vnd Ypps.

XII. 1 (Dienstag). Persennpeug.
2. Persennpeug vnd im Struden.[13]
3. Pawmgarttenperg im closter.
4. Enns, sannt Florian vnd Ebersperg.

---

1. Himberg s. von Wien und nö. von Laxenburg. 2. Enzesfeld bei Leobersdorf n. von Wiener-Neustadt. 3. Baden s. von Wien und sw. von Laxenburg. 4. Guntramsdorf nahe bei Laxenburg. 5. Klosterneuburg a. D. nw. von Wien. 6. Kaiser-Ebersdorf bei Wien. 7. Entweder Laab bei Breitenfurth sw. von Wien oder Ober- und Unter-Laa am Liesingbach s. von Wien. 8. Heiligenstadt, Vorort n. von Wien. 9. Mannersdorf an der Strasse von Tulln nach St. Pölten, nö. von letzterer Stadt. 10. St. Pölten w. von Wien. 11. Mölk a. D. w. von St. Pölten. 12. Neumarkt, hart an Blindenmarkt ö. von Amstetten. 13. Straden a. D. bei Grein.

	1517			1518	

1517

XII.	5—9.	Lynntz.
	10.	Lynntz vnd Ebersperg.
	11.	Enns vnd Neu-saxennburg.
	12.	Wells.
	13.	Wells vnd March-trennckh.
	14—31.	Lynntz.

1518

I.	1 (Freitag) — 3.	Lynntz.
	4.	Lynntz vnd New-saxennburg.
	5—7.	Wells.
	8.	Wells vnd March-trennckh.
	9.	Wells.
	10.	Lambach vnd Puechhaim.
	11.	Veckhlapruckh.
	12.	Veckhlapruckh vnd Frann-ckhenmarckht.
	13.	Straswalchen

1518

		vnd Mennter-fingen.[1]
I.	14.	Mattigkhofen Mawerkirchei
	15—19.	Brawnaw.
	20.	Burckhawsen.
	21.	Burckhawsen Ottingen.
	22.	Muldorff,[3] Schwindtkircl
	23.	Dorffen[5] vnd dingen.[6]
	24.	Freysing[7] vn Camerberg.[8]
	25.	Ynnderstorff[9] Maltzhawsen.
	26—31.	Augspurg.
II.	1 (Montag) — 25.	A purg.
	26.	Augspurg vn Gockhingen.
	27.	Bobingen vnd Mennchingen.
	28.	Wall[11] vnnd Z(

1. Munderfing s. von Mattighofen. **2.** Mauerkirchen n. Mattighofen. Maximilian verlässt die österreichischen Erblande betritt bei Braunau den Reichsboden. **3.** Mühldorf w. von 1 Oettingen. **4.** Schwindkirch ö. von Dorfen. **5.** Dorfen s. von La hut und w. von Mühldorf. **6.** Erding sö. von Freising. **7.** Frei a. d. Isar n. von München. **8.** Kammerberg nö. von Freising. **9.** Inc dorf und Kloster Indersdorf n. von Dachau und w. von Kammerl **10.** Malzhausen, Hof ö. von Friedberg bei Augsburg. **11.** Siehe 1! 26./IV. **12.** Siehe 1510, 10./VI.

Archiv

für

österreichische Geschichte.

———

Herausgegeben

von der

zur Pflege vaterländischer Geschichte aufgestellten Commission

der

kaiserlichen Akademie der Wissenschaften.

————

Siebenundachtzigster Band.

Zweite Hälfte.

Wien, 1899.

In Commission bei Carl Gerold's Sohn

Buchhändler der kais. Akademie der Wissenschaften.

Archiv

für

österreichische Geschichte.

Herausgegeben

von der

zur Pflege vaterländischer Geschichte aufgestellten Commission

der

kaiserlichen Akademie der Wissenschaften.

Siebenundachtzigster Band.

Wien, 1899.

In Commission bei Carl Gerold's Sohn

Buchhändler der kais. Akademie der Wissenschaften

Druck von Adolf Holzhausen,
k. und k. Hof- und Universitäts-Buchdrucker in Wien.

Inhalt des siebenundachtzigsten Bandes.

DER

BAIRISCH-FRANZÖSISCHE EINFALL

IN

BER- UND NIEDER-ÖSTERREICH

(1741)

UND DIE STÄNDE DER ERZHERZOGTHÜMER.

I. THEIL:

RL ALBRECHT UND DIE FRANZOSEN IN OBER-ÖSTERREICH.

VON

DR. J. SCHWERDFEGER.

Vorwort.

Der erste Theil nachstehender Arbeit stützt sich der Hauptsache nach auf jene Actenstücke des k. u. k. Haus-, Hof- und Staatsarchivs in Wien, die unter der Bezeichnung ‚Aus der Kanzlei der Verordneten des Erzherzogthums Oesterreich ob der Enns‘ die Fascikel 342 und 343 der Kriegsacten desselben bilden. Sie enthalten in fast lückenloser Reihenfolge die Eingaben der Landschaft an die Regierung seit dem Frühjahre 1741, die Originalrescripte Maria Theresias an die Verordneten, die Kundgebungen des Kurfürsten Karl Albrecht an die oberösterreichischen Stände, endlich eine Fülle von Stücken, die sich auf die Huldigung am 2. October 1741 und die bairische Administration bis December 1741 beziehen.

Wie jener Theil der oberösterreichischen Verordnetenkanzlei nach Wien kam, erhellt aus einer Stelle des Schreibens Maria Theresias an den Grafen Khevenhiller, den Wiedereroberer Ober-Oesterreichs, vom 21. Jänner 1742 (bei Arneth, Maria Theresia II, 462, Anm. 28): ‚Weiters hast Du allen Fleiss sorgfältig anzuwenden, damit Du alle die dem Feind ohnverantwortlich geleiste Huldigung betreffende Acten und Schriften zu Deinen Handen bringest.‘

Es lag darum die Vermuthung nahe, dass im Linzer Landesarchiv nichts Erhebliches in Bezug auf das Jahr 1741 vorliege, eine Vermuthung, die durch freundliche Zuschrift des Herrn Landesarchivars Dr. Krakowizer bestätigt wurde.

Da auch die sogenannte Peter'sche Sammlung des k. u. k. Haus-, Hof- und Staatsarchivs durch die Abtheilung ‚Aus dem Archive der Stadt Enns 1716—1742‘ werthvolle Ergänzungen gab, ebenso das niederösterreichische Landesarchiv, so glaubt der Verfasser, eine im Allgemeinen actenmässig sicherstehende,

21*

wenn auch keineswegs alle Details erschöpfende Darstellung
der Ereignisse von 1741, soweit die oberösterreichischen Stände
dabei betheiligt waren, geben zu können. Es ergibt sich aus
derselben allerdings die Irrigkeit der Ansicht, die Stände hätten
dem Kurfürsten die Huldigung angetragen, und manches Crasse,
das über dieses Geschehniss verbreitet ist, erscheint im milderen
Lichte; dennoch aber zeigt sich bei dieser Gelegenheit die
ganze Trostlosigkeit auch der inneren Verhältnisse beim Regierungsantritte Maria Theresias in greller Färbung. Um so grösser
muss die Bewunderung vor der hohen Frau sein, die aus
diesen Zuständen heraus ihren achtunggebietenden Staat schuf.

Das Thema im Allgemeinen, den Zug Karl Albrechts bis
in die Nähe Wiens in seiner Einwirkung auf die zunächst
betroffenen Länder Ober- und Nieder-Oesterreich zu behandeln,
war für den Verfasser als gebornen Nieder-Oesterreicher von
hohem Reiz.

Für die ihm bei dieser seiner Arbeit in reichem Masse
zu Theil gewordene Förderung bittet er die Direction des
k. u. k. Haus-, Hof- und Staatsarchivs seinen ergebensten
Dank entgegenzunehmen, wie es ihm auch eine angenehme
Pflicht ist, der Herren Haus-, Hof- und Staatsarchivare Johann
Paukert und Franz Baron Nadherny, der Herren Archiv-
concipisten Dr. Joh. v. Voltelini und Dr. Tankred Stokka, sowie der Herren: Landesarchivar Dr. Anton Mayer, Custos Dr.
M. Vancsa und Universitätsdocent Dr. Heinrich Kretschmayr
mit geziemendem Danke zu gedenken.

Troppau, 6. Jänner 1899.

Dr. J. Schwerdfeger.

Einleitung.

In der Nacht vom 19. auf den 20. October 1740 verschied in seinem Schlosse Favorita, dem heutigen Theresianum in Wien, Kaiser Karl VI. ohne männliche Nachkommen, und gemäss der von ihm zu einem Gesetze von europäischer Giltigkeit erhobenen pragmatischen Sanction folgte seine älteste Tochter Maria Theresia.

Kurze Zeit nachher erschien jedoch sowohl bei den Conferenzministern als bei den fremden Botschaftern der bairische Gesandte Graf Perousa, um im Namen seines Herrn, des Kurfürsten Karl Albrecht, zu erklären, der Münchner Hof verweigere die Anerkennung Maria Theresias als Gesammterbin der österreichischen Länder. Zugleich verlangte er Einblick in das Testament Ferdinands I. vom 1. Juni 1543 und das Codicill zu demselben vom 4. Februar 1547. Nach seiner Behauptung habe nämlich Ferdinand I. in Testament und Codicill verfügt, dass nach dem Aussterben der männlichen Linie des Hauses Oesterreich das Recht der Erbfolge übergehen sollte auf seine Töchter, und zwar zuerst auf die mit dem bairischen Herzog Albrecht V. vermählte älteste Tochter Anna. Der Fall sei eingetreten, und darum erhebe Karl Albrecht als Nachkomme Annas und Albrechts V. seine Erbansprüche.

War es schon dem natürlichen Rechtsgefühl keineswegs einleuchtend, dass die Tochter des letzten Besitzers zurücktreten solle gegenüber der Descendenz einer vor zwei Jahrhunderten an einen auswärtigen Fürsten verheirateten Tochter eines früheren Besitzers, so zeigte vollends die Prüfung des Originaltestaments die Hinfälligkeit der bairischen Ansprüche. Am 3. und 4. November 1740 legte der oberste Hofkanzler Graf Sinzendorff das in drei gleichlautenden Exemplaren ausgefertigte Originale den Vertretern der fremden Mächte und speciell dem Grafen Perousa vor, ein Schritt, der schon bei Lebzeiten

Karls VI. gegenüber den Ansprüchen des Kurfürsten hätte geschehen sollen. Im Testament, respective im Codicill hiess es nämlich blos, dass nach dem Aussterben der ehelichen Nachkommen Ferdinands die älteste Tochter desselben, jene an den bairischen Herzog Albrecht V. verheiratete Anna folgen sollte. Dieser Fall war aber gar nicht eingetreten, vielmehr blühte Ferdinands I. und seiner Söhne eheliche Descendenz vor Allem in der Tochter Karls VI., Maria Theresia, die noch dazu durch die allseits (auch von Baiern) anerkannte pragmatische Sanction zur Thronfolge berufen war. Es wurde dem bairischen Gesandten gestattet, das Testament durch bairische Beamte auf das Genaueste copiren zu lassen und die Copien mit dem Originale zu vergleichen (vom 8.—14. November) — nirgends fand sich die Spur eines Widerspruches oder einer Fälschung. Am 17. November erschien Perousa selbst noch einmal im Bibliothekszimmer Sinzendorff's, wo die Pergamente lagen, und untersuchte sie nochmals in Gegenwart des kaiserlichen Rathes Schneller, ‚besahe die Schrift a facie et a tergo, nahm sie gerad und überzwerk, under sich und über sich, hielte das Blatt, wo Eheliche Leibeserben befindlich, gegen das Taglicht, auf das allergenauest, zweifelsohne umb nur mit aller augenschärfe zu ergründen, ob ja nicht etwas irgendwo radiert sein möchte‘ — umsonst, unverrückbar fest standen die Worte Ferdinands im Codicill, die da lauten: ‚Und nachdem wir in vilbenannten unserm Testament gesetzt und geordnet haben, Wo alle unsere geliebte Sone one Eeliche leibs Erben (das Gott gnediglich verhueten welle) abgiengen, Das alsdann aus unsern Töchtern aine unsere Kunigreich Hungern und Behaim mit sampt derselbigen anhengigen Landen als Rechte Erbin innhaben und besitzen soll‘ etc. [1] Zwei Tage später verliess Graf Perousa Wien, trotz seiner entschiedenen diplomatischen Niederlage im Auftrage seines Hofes den eingangs erwähnten Protest erneuernd.

Es begann nun vorerst ein Federkrieg zwischen München und Wien. Die bairischen Juristen stellten die gewagte Behaup-

---

[1] Hierüber Heigel, Der österreichische Erbfolgestreit und die Kaiserwahl Karls VII., Nördlingen 1877, S. 28—82 und 322, Anm. 69; Arneth, Maria Theresia I, S. 96 und 97. — Heigel hat zuerst wieder nach 130 Jahren diese im k. u. k. Haus-, Hof- und Staatsarchiv befindlichen Urkunden untersucht und ihre völlige Echtheit und Unversehrtheit bestätigt.

tung auf, unter eheliche Nachkommen habe Ferdinand nur die männlichen verstanden wissen wollen, gaben aber bald ihre unhaltbare Position fast ganz auf und beriefen sich zur Vertheidigung der angeblichen Rechte ihres Kurfürsten auf die Ehepacten Albrechts V. und Annas. Der mit Recht erbitterte Wiener Hof warf wieder dem Kurfürsten vor, er habe sich durch eine gefälschte Testamentsabschrift — man nannte sogar den Namen des Fälschers — hinters Licht führen lassen. Auch wies man treffend auf das älteste österreichische Grundgesetz, das Privilegium Kaiser Friedrichs I. von 1156 hin, in dem überhaupt nur von einem Erbrecht der ältesten Tochter (filia maior) des letzten Besitzers, nicht von dem der Tochter eines früheren Besitzers oder Acquirenten die Rede war.[1]

Auffallen muss es nun, dass trotz dieser gleich beim Ableben Karls VI. hervortretenden offen feindseligen Gesinnung des bairischen Kurfürsten und seiner Drohungen, zu den Waffen zu greifen, österreichischerseits nichts geschah, um das im Falle einer kriegerischen Action zunächst gefährdete Ober-Oesterreich zu schützen, dass erst im März 1741 Schritte in dieser Hinsicht gethan wurden, und zwar auch nicht umfassend und energisch. Der Grund hiezu ist in dem Umstande zu suchen, dass der Prätendent trotz des publicistischen Lärms, den seine Ansprüche hervorriefen, seiner thatsächlichen Machtstellung nach nicht sonderlich gefährlich war, solange ihn nicht eine europäische Grossmacht stützte.[2]

Wenn sich auch die kaiserliche Armee beim Tode Karls VI. in einem recht betrübenden Zustande befand, so wäre sie doch noch immer trotz des preussischen Einfalls in Schlesien der Macht Karl Albrechts an und für sich gewachsen gewesen. 12.600 Mann Infanterie und 3500 Reiter, das war das ganze reguläre Militär des Kurfürsten. Und selbst diese kleine Macht konnte nur mit schier unerschwinglichen Opfern seitens der Landschaft auf die Beine gebracht werden. Damit konnte Karl

---

[1] Die Druckschriften dieses Federkrieges füllen den Fasc. 381 der Kriegsacten des k. u. k. Haus-, Hof- und Staatsarchivs.

[2] Ich kann mich hierin nicht der Ansicht Heigel's (l. c., S. 7) anschliessen, welcher sagt (von den Franzosen, dem späteren Bundesgenossen Karl Albrechts wird an dieser Stelle noch abgesehen): „Alles in Allem schien die Wage zwischen Habsburg und Wittelsbach ziemlich gleich zu stehen.‟

Albrecht weder seine Ansprüche auf Oesterreich, noch seine
Pläne auf Erwerbung der Krone Karls des Grossen durchsetzen.
Auch die — weitaus nicht erreichte — Vollstärke des bairischen Heeres betrug nur 21.000 Mann regulärer Miliz und
9000 Mann ‚Landfahn‘. Unter den 6000 Mann ‚Landfahn‘, die
thatsächlich aufgeboten werden konnten, waren wieder nur die
des Gebirges und des Bairischen Waldes ‚durch Patriotismus
und Rauflust ausgezeichnet‘.[1] Verlangte doch der Kurfürst selbst
am 23. November 1740 von Frankreich eine Million Gulden,
um seine Armee, wenigstens auf 17.000 Mann bringen zu können,
während ihm der leitende französische Staatsmann Cardinal
Fleury ‚vorläufig‘ nur 400.000 fl. bewilligte.[2]

Die bairische Infanterie war ‚mittelmässig geübt, schlecht
gekleidet und ausgerüstet‘, die besten Truppen waren im unglücklichen Türkenkrieg 1738/39 zu Grunde gerichtet worden,
‚die Cohäsion war gering, die Disciplin mangelhaft‘.[3] — Nicht
besser stand es mit der Führung. Zwar zählte die kleine Armee
nicht weniger als einen Feldmarschall (Törring), 5 General-
lieutenants, 3 Generalwachtmeister 2 Brigadiers der Cavallerie,
4 der Infanterie,[4] aber das Urtheil über diese zahlreiche Generalität klingt vernichtend, nämlich: ‚So schleppte man in den
Reihen des höheren Führerpersonals einen Wust von Italienern
und Franzosen, ab und zu mit nicht bairischen Deutschen, aber
verhältnissmässig wenig mit Baiern gemischt nach sich, die
meisten Zierden des Hofes, aber nicht der Armee.‘[5]

Auch die Person des Prätendenten war nicht darnach
angethan, das Missverhältniss zwischen dem Wagniss und den
Mitteln, mit denen es unternommen wurde, wettzumachen.
Zwar hat Heigel überzeugend nachgewiesen, dass der Charakter
Karl Albrechts keineswegs jenem Zerrbilde entspricht, das
Schlosser von ihm entworfen hat. Wenn auch — wie im Fol-
genden sich ergeben wird — häufig durch die steife Grandezza

---

[1] Ueber die Streitkräfte Karl Albrechts vgl. den trefflichen Aufsatz des
Grafen Erasmus Deroy, k. bair. Major à la suite: ‚Beiträge zur Geschichte
des österreichischen Erbfolgekrieges‘ in den Verhandlungen des historischen Vereines für Niederbaiern XX, 1878; Obiges, S. 418.

[2] Heigel, l. c. 74.

[3] Deroy, l. c. 417.

[4] Heigel, l. c. 165.

[5] Deroy, l. c. 419.

die im Geschmacke der Zeit war, bei Karl Albrecht Leut-
seligkeit und Humanität durchschimmerten, den Vergleich hält
er weder mit seiner grossen Gegnerin Maria Theresia, noch mit
seinem Bundesgenossen Friedrich II. von Preussen aus. Namentlich zum Eroberer fehlten ihm alle jene Eigenschaften, die
guten wie die schlimmen, über die sein glücklicherer Alliirter,
der preussische König, in so reichem Masse verfügte. Das Feld-
herrntalent Max Emanuels war nicht auf den Sohn übergegangen, wenn es auch Karl Albrecht an persönlicher Bravour
nicht fehlte, wohl aber dessen Vorliebe für prächtigen Hofhalt
und die unselige, von den Traditionen des Ahnherrn Maximilian
so ganz verschiedene Hinneigung zu Frankreich, die schon den
Vater im spanischen Erbfolgekriege um Land und Leute gebracht hatte.

War es bei der gewaltigen Gegnerin Karl Albrechts,
Maria Theresia, die durch nichts zu erschütternde Festigkeit
in der Vertheidigung ihres guten Rechtes, die sie aus einem
erbitterten, achtjährigen Kriege als eigentliche Siegerin hervorgehen liess, so war es bei dem Kurfürsten ein ebenso durch
nichts zu erschütternder Wahn von der Rechtmässigkeit seiner
Ansprüche auf Oesterreich, der ihn, sein Haus und sein unglück-
liches Land in das grösste Elend bringen sollte.

Karl Albrecht konnte erst von dem Augenblicke an ein
gefährlicher Gegner werden, in dem sich das Haus Bourbon
seiner bediente. Von der Haltung Frankreichs hing es daher
zunächst ab, ob man sich eines Angriffes auf Ober-Oesterreich
oder Böhmen werde versehen können. Und diese schien sich
nach einigen Schwankungen zu einer beruhigenden zu gestalten.
Schon 1737 anlässlich einer Sendung Törring's nach Versailles
hatten es die französischen Diplomaten für wenig logisch und
natürlich gefunden, dass die Tochter des letzten Besitzers dem
Nachkommen einer Seitenlinie nachstehen sollte.[1] — Cardinal
Fleury zögerte freilich anfangs recht bedenklich, bis das
Schreiben Maria Theresias, in welchem sie Ludwig XV. den
Tod ihres Vaters und ihren eigenen Regierungsantritt anzeigte,
mit der gewünschten Titulatur ‚Königin‘ beantwortet wurde,
trotz der wahrhaft ungeheuren Opfer des verstorbenen Kaisers
und seines Schwiegersohnes Franz von Lothringen im polnischen

---

[1] Heigel, Der österreichische Erbfolgekrieg, S. 19.

Erbfolgekriege für die Anerkennung der pragmatischen Sanction durch die französische wie spanische Linie des Hauses Bourbon. Als der österreichische Gesandte in Paris Fürst Liechtenstein dem eben mit dem Minister Amelot arbeitenden Staatsmanne das Schreiben seiner Herrin an Ludwig XV. mit der Aufschrift: ‚Serenissimo et Potentissimo Regi‘ überreichte mit der Bemerkung, der König werde wohl Maria Theresia den gleichen Titel geben, sahen sich Fleury und Amelot fragend an, und der Cardinal erwiderte langsam, es liege hier ein neuer Fall vor, er müsse erst in den Archiven nachsehen lassen.[1] ‚Ich bin,‘ meinte etwas später der alte Cardinal klagend und entschuldigend zum österreichischen Agenten Freiherrn v. Wasner, ‚in medio pravae et perversae nationis‘.[2] Endlich traf aber dennoch das vom 20. Jänner 1741 datirte Handschreiben Ludwigs XV. in Wien ein. Schon die Aufschrift ‚A la Très haute, Très excellente, Très Puissante Princesse Notre Très Chère et Très Aimée Bonne Seure et Cousine La Reine de Hongrie et de Bohème‘ bedingt die Anerkennung Maria Theresias seitens des französischen Hofes, umsomehr, als sich auch der Inhalt in den höflichsten Worten bewegt, wenn man denselben freilich etwas dürftig nennen muss.[3] Immerhin konnte man also von Frankreich vorderhand nichts Böses voraussetzen. War ja noch im Mai und Juni des Jahres 1741 zur Zeit des angeblichen

---

[1] Heigel, l. c. 72.

[2] Arneth, Maria Theresia I, S. 389, Anm. 26.

[3] Dieses nur bei Arneth I, 188, kurz berührte Schreiben, das nach unserer Ansicht für die Lage Maria Theresias im Jahre 1741 höchst bedeutsam ist, hat den Wortlaut: (Anrede wie oben angeführt) ‚La lettre du 21 Novembre dernière année par laquelle Votre Majesté Nous a notifié le decès de Notre très Chère et très Aimé Frère et Cousin l'Empereur Charles VI, Son Père, nous exprime aussi l'étendue de l'affliction de Votre Majesté en ce triste événement, la considération de sa juste douleur augmente les regrets, que Nous cause la perte d'un Prince, pour qui, depuis l'union Sincère qu'il avait contractée avec Nous, notre amitié étoit devenue aussi parfaite, que Notre estime la toujours été, et les sentimens, que Votre Majesté Nous témoigne, ne peuvent que fortifier et perpétuer ceux que Nous avons pour Elle; sur ce Nous prions Dieu qu'il vous aye, Très haute, Très excellente et Très Puissante Princesse Notre Chère et Très Aimée Bonne seur et Cousine en sa Sainte et digne garde. Ecrit à Versailles le 20 janv. 1741. Votre Bon Frère et Cousin Louis.‘ K. u. k. Haus-, Hof- und Staatsarchiv, Kriegsacten, 1741, Fasc. 341.

Nymphenburger Tractats ‚das französische Cabinet keineswegs
gesonnen, sich zur Unterstützung des Kurfürsten in einen Krieg
mit Oesterreich einzulassen‘.[1] Erst im Juli 1741 trat der Umschwung ein. Freilich war man in Wien auch weit entfernt
davon, anzunehmen, dass man auf Frankreichs Unterstützung
bei den Angriffen auf die pragmatische Sanction rechnen könne.
Wenn — worauf Alles hindeutete — Frankreich blos ruhig
zusah, und das hohe Alter des Cardinals schien einer solchen
Politik auch geneigt, war Baiern nicht gefährlich.

Ein anderer Factor, mit dem Karl Albrecht rechnete, und
der ihn schon ohne fremde Unterstützung zu einem gefährlichen
Gegner gemacht hätte, wäre eine Erhebung in den von ihm
prätendirten Landestheilen zu seinen Gunsten gewesen. Meinte
er doch selbst mit einer merkwürdig falschen genealogischen
Begründung: ‚Die Oesterreicher würden sich gerne fügen in
das Dominium ihrer alten Herren, der vom Hause Bayern ab-
stammenden alten Markgrafen zurückzukehren.‘[2] — Allerdings
war die Stimmung, wie schon der verewigte Arneth ausgeführt
hat, beim Regierungsantritte Maria Theresias nicht überall eine
befriedigende. Sagt doch die Kaiserin selbst in einer späteren
Denkschrift, in der sie die Schwierigkeiten auseinandersetzt,
mit denen sie 1740 und 1741 zu kämpfen hatte: ‚Das Volk in
der Hauptstadt selbsten so zaumlos als schwierig und auf die
nemliche Art fast in denen Ländern.‘[3] Doch handelte es sich
hiebei keineswegs um irgendwelche politische Strömungen zu
Gunsten eines auswärtigen Prätendenten, sondern um die materielle Unzufriedenheit einiger catilinarischer Existenzen aus
den niederen Volksschichten, was sich in Wien in gelegent-
lichem Strassenaufläufen, auf dem Lande im Zusammenrotten
der Wilderer äusserte. Dafür liegen zwei merkwürdige Zeugnisse vor. Im September 1741 berichtet der ständische Ober-
commissär für das Viertel ober dem Manhartsberg aus Krems
an die niederösterreichischen Verordneten, dass in seinem Viertel
‚etliche ganz verarmte Unterthanen sich häufig und ganz offent-

[1] Heigel, l. c., S. 141.
[2] Ebenda, S. 10.
[3] Arneth, Zwei Denkschriften der Kaiserin Maria Theresia, Archiv für
österr. Gesch., 47. Bd., S. 326; vgl. auch Arneth, Maria Theresia I, 89;
Gubo, Steiermark während des österr. Erbfolgekrieges, Jahresbericht des
I. Staatsgymnasiums in Graz, S. 4 ff.

men lassen, woferne der Feund mit gewalt seine
abzunehmen den Anfang machen wurde, sie dem-
ukommen sich beeyfferen werden und von der Blin-
nur etwas anzutreffen, sich nicht werden enthalten
:benso verordnet der Stadtrath von St. Pölten am
ber 1741: ‚weil ein und anderer von **Tagwerkern**
ithen lassen, wenn es über und über gehet, wollen
iicbt die Letzte sein, sondern schon ehender dasu-
es ist daher all' und jeden diesen unverschambten
rn zur Nachricht, dass ein solcher auf frischer That
Rauber allsogleich eingezogen und ohne einigen
helliechten Galgen aufgehängt werden solle'.[2]
en anarchischen Regungen und Worten folgten jedoch
en. Die junge Herrscherin verstand es in kürzester
rosse Masse der bürgerlichen und bäuerlichen Unter-
sich zu gewinnen, so dass, wie aus dem Späteren
n wird, das bairisch-französische Heer bei der wirk-
en Invasion seitens der Bevölkerung nicht die min-
erung fand. An einer Agitation für die Ansprüche
sten fehlte es allerdings nicht, und zwar reichte sie
Ungarn, wenn sie dort auch erst zur Zeit der Be-
ier-Oesterreichs kräftiger einsetzte. So liegt ein Flug-
Epistola ad Regni Proceres', dessen Verfasser sich
Hungarus' darzustellen sucht.[3] Dem Anonymus ist
chlich darum zu thun, die Ungarn vor einem Auf-
en die Streitkräfte Karl Albrechts abzuhalten, erst
Linie stand die Propaganda für die Ansprüche des
Er meint, die ‚neu versamblete und ohne Ordnung
ärmende Reyterey' werde dem Feinde wenig Furcht
essen Armee ‚aus denen nach der genauesten Kriegs-
imbleten Soldaten' bestehe. Die Ungarn würden den
ieichen, die in eitlem Wagen den Himmel stürmen
Ein guter Freund habe ihm, dem Pamphletisten, die
in und Breiten erörterten Erbansprüche des Kur-

ndesarchiv, ‚Land-Defension vom Jahre 1741', Fasc. E 20, 5.
iber, ‚St. Pölten', 1885, S. 259 aus den Rathsprotokollen von
a.

le C . . . nobilis Hungari Epistola ad Regni Proceres', lateinisch
handschriftlicher deutscher Uebersetzung, k. u. k. Haus-, Hof-
itsarchiv, Kriegsacten 1741, Fasc. 341.

fürsten ausgelegt, und sie erscheinen ihm natürlich dermassen einleuchtend, dass er gar nicht begreift, ‚was die durchlauchtigste Erz-Herzogin darwider einwenden wollte‘. ‚O Himmel, wie glücklich würde nicht Hungarn unter dem bairischen Lewen blühen!‘ ruft er aus. Es wäre billig, demselben die Krone aufzusetzen schon im Hinblick auf die Verdienste Max Emanuels um Ungarn in den Türkenkriegen. Das Libell fand schlagfertige Erwiderung durch einen ‚Stephanus Igazházi de Szabad-Szaba‘.[1] Nicht ohne Witz meint der Verfasser dieser Gegenschrift, der angebliche ungarische Edelmann Irenicus v. C. dürfte vielmehr ein ‚bairischer Hungar‘ sein. Bescheiden meint er: ‚Ich gebe zu, dass die Welt vor Ungarn nicht erzittern werde, verlange auch nicht, dass unsere Feinde aus blosser Furcht verschwinden sollten‘ — aber man werde sehen, was 50.000 bis 60.000 Ungarn statt der bisher (in Schlesien) verwendeten 5000 bis 6000 ausrichten könnten. Der Werth leichter ungarischer Reiterei wird militärisch richtig gewürdigt. ‚Hat euch der gute Freund nicht auch erinnert,‘ heisst es weiter, ‚an den Landtag 1687, auf welchem überhaupt erst ein Erbrecht von den Ungarn anerkannt wurde, an die Anerkennung der pragmatischen Sanction von 1723?‘ Die Ungarn seien überzeugt, glücklicher unter Maria Theresias Regierung zu leben als unter dem bairischen Löwen, ‚der annoch mit hungerigem Rachen und blutigen Klauen herumstreiffet, rugiens, quaerens, quem devoret‘. Ironisch wünscht der Autor dem Kurfürsten Glück zu der ihm von Frankreich und dessen ‚Stipendiariis‘ bestimmten Kaiserkrone; doch könne gar leichtlich auf des Kaisers Schwert vergessen werden ‚durch den süssen Geruch der Lilien und wohl gar durch verrätherische Krähung des Hahnes die Kaiserkrone auf des Löwen Haupt erzittern‘. Was die Kraft der Argumente und des Stiles anbelangt, erweist sich ‚Stephanus Igazhási de Szabad-Szaba‘ seinem Gegner bei Weitem überlegen.

Auch in den Alpenländern erfuhren die Versuche, unter dem Adel Stimmung für Karl Albrecht zu machen, temperament-

---

[1] K. u. k. Haus-, Hof- und Staatsarchiv, Fasc. 341 (1741). ‚Antwort eines wahren seiner Königin und dem Vaterland treugesinnten hungarischen Edelmanns auf das von Irenico oder besser zu sagen Ironico v. C., einem dem Namen und Sinne nach bayrischen Hungarn, an die Stände des Königreichs abgelassenen Schreiben.‘

volle Abwehr, wie die im Wiener Staatsarchiv befindliche Abschrift eines Flugblattes, ‚Schreiben eines steyrischen Grafen an einen bairischen' beweist, das sich als Antwort auf ein nicht mehr vorliegendes bairisches Libell bezieht.[1] Der steirische Graf verwahrt sich gegen die bairische Gratulation zu der bald erfolgenden Vereinigung mit Baiern ‚nicht dass mir die bairische Nation unangenehm, sondern weilen die Steyrer gegen unsere Erblandfürstin treu und so gewillet als verpflichtet sein und dabay allen Ursach zu verbleiben haben ... 450 Jahr ist es uns mit unseren Grafen von Habsburg wohl ergangen! ... Und was vor Linderung hätten wir wohl von Baiern zu hoffen? Würden wir besser als seine Unterthanen gehalten werden? Befindet ihr euch etwan weniger beladen als wir? Habt ihr mehrer Geld und weniger Schulden als wir? Die missrathene Jahr flagellieren uns wohl sehr empfindlich, aber ist dies nicht auch in Baiern und noch ärger? Hat daran ein Landesfürst Schuld? Oder könnte uns davor ein Churfürst in Bayern jezo gleich lossprechen und künfftig davon behüten?' — Den bairischen Ständen wird das Unglück ins Gedächtniss gerufen, das vor 36 Jahren Max Emanuel, des Kurfürsten Vater, durch ein ähnliches Beginnen über Baiern gebracht habe. Dringend warnt der Steirer vor Frankreich und spielt auf die trüben Jahre des Exils Max Emanuels an. ‚Erinnert auch Eweren Landsherrn, wie hart seinem Herrn Vater selig und dessen Herren Bruder, dem verstorbenen Kurfürsten von Köln, bei währendem vorigen spanisch-Successionskrieg der Aufenthalt zu Paris worden, wie klein Monsieur de Baviere et Monsieur de Cologne damals zu Paris selbst waren und was disfalls beede nach Ihrer Zuruckkunft vornehmlich aber der Kurfürst von Köln für Reü und Warnungspredigen für alle teütsche Fürsten gemacht haben.'[2] Eine bairische Partei unter dem alpenländischen Adel war also keineswegs vorhanden, wenn auch die schon von Arneth so scharf gerügte Indolenz eines Theiles des oberösterreichischen Adels der Huldigung in Linz beim Einrücken Karl Albrechts keinen Widerstand entgegensetzte, ebenso wie aus demselben Grunde zwei Monate später die Huldigung in Prag möglich wurde.

---

[1] K. u. k. Haus-, Hof- und Staatsarchiv, Kriegsacten, Fasc. 341 (1741).
[2] Ebenda.

Aber direct feindselige Handlungen gegen die rechtmässige Herrin sind auch von denen nicht ausgegangen, die am 2. October 1741 in Linz huldigten; Niemand zog das Schwert für die vermeintlichen Rechte Karl Albrechts. Da also der Kurfürst auf eine mächtige Partei in der österreichischen Bevölkerung nicht rechnen konnte — war ja selbst unter seinen eigenen Unterthanen die Stimmung über das gewagte Unternehmen sehr getheilt — und da das Schreiben Ludwigs XV. vom 20. Jänner 1741 bezüglich der Haltung Frankreichs einigermassen beruhigte, so begann man in Wien die bairische Frage als nicht sehr gefährlich zu betrachten, ja man schöpfte aus ihr die Anregung zu einem Tauschproject, wie ein Memorandum des Grossherzogs Franz Stephan, des Gemahls Maria Theresias, beweist. Baiern soll gegen die österreichischen Besitzungen in Italien, die Lombardei, Parma, Piacenza und Mantua eingetauscht werden, dem Kurfürsten wird die Erhebung zum König der Lombardei zugedacht.[1]

Welch' gewaltiger Abstand im Vergleiche zu den hohen Anerbietungen, mit denen der Wiener Hof im August 1741 die durch Frankreichs offenen Anschluss an die Sache des Kurfürsten drohende Gefahr abzuwenden trachtete, Anerbietungen (die Niederlande, Breisgau, Vorarlberg und das österreichische Schwaben), durch die Karl Albrecht ein mächtigerer Fürst geworden wäre als einst Karl der Kühne, Zugeständnisse, wie sie der furchtbare Druck der Verhältnisse, der unglückliche Krieg in Schlesien der jungen Monarchin aufnöthigte.[2] Der verblendete Karl Albrecht ging nicht darauf ein, zog es vor, mit den Erbfeinden des deutschen Reiches in Oesterreich einzufallen und verlor durch dieses Beginnen schon im Februar 1742 Land und Leute, wie sein Vater zu Beginn des Jahrhunderts durch den Anfall auf Tirol.

---

[1] K. u. k. Haus-, Hof- und Staatsarchiv, Kriegsacten, Fasc. 341. ‚Un projet pour le contenteman d. 8. A. E. de Baviere et pour luy faire avoyre le titre de Roy.' (Gans eigenhändig.) Die Schrift ist wahrscheinlich in den Anfang des Jahres 1741 zu setzen. Der entscheidende Satz lautet: ‚lon pouret trouvere le moyen de faire un change de la Baviere . . . contre le Milan et Parme et piasens et les Mantuan a quoy on pouret ijouendre le titre de Roy de lonpardie.'

[2] Vgl. darüber Arneth I, 237 und 8.

Dass man aber noch zu Anfang des Frühjahres 1741
den Kurfürsten nicht als ausgesprochenen Feind gleich Friedrich II. von Preussen betrachtete, beweist das Schreiben, mit
dem Grossherzog Franz am 13. März 1741 dem Kurfürsten
die Geburt eines Sohnes (des nachmaligen Kaisers Josef II.)
mittheilte.[1] Es wurde in München durch den zum Special-
gesandten bestellten Unter-Silberkämmerer v. Moser überreicht. Zwar wurde v. Moser in München gut aufgenommen,
trotz des kurfürstlichen Podagras in Audienz empfangen, und
der kurfürstliche Hof erschien am nächsten Tage in herrlicher
Gala.[2] Dennoch stiess Karl Albrecht die durch das freudige Ereigniss gebotene Gelegenheit einer Verständigung mit Maria Theresia zurück. Zwar liess er durch den Truchsess v. Gariboldi
ein aus München den 21. März 1741 datirtes Schreiben überreichen, in dem er versicherte, an allen Franz von Lothringen
betreffenden Ereignissen freund-vetterlichen Antheil zu nehmen,
und zugleich den Wunsch aussprach, der neugeborne Prinz
möge von Gott in bester Gesundheit zu seiner Eltern Trost
und seines Hauses Aufnahme erhalten bleiben. Aber wie Ironie
klingt dies, da Karl Albrecht gerade in diesem Schreiben

---

[1] Der Grossherzog an den Kurfürsten, Wien, 13. März 1741. ‚Durchlauch-
tigster Chur-Fürst, Freundlich-vielgeliebter Herr Vetter. Von Eurer Liebden schätzbarsten Freundschafts Meynung, bin ich schon voraus voll-
kommentlich gesichert, dass dieselbe an denen mich betreffenden Bege-
nussen einen freund-vetterlichen Antheil zu nehmen belieben, und
darum habe nicht anstehen mögen, Euer Liebden sofort die höchst er-
freuliche Nachricht hiermit mittelst eigener Abschickung meines Unter-
Silber-Cammerers des von Mosers zu ertheilen, dass der Königin zu
Ungarn und Böhmen, meiner geliebtesten Frauen Gemahlin Majestät
mit einem gesund und wohlgestalten Erts-Herzogen zu beederseits
Unseren ungemeinen Trost anheunt gegen 2 Uhr in der Frühe glücklich entbunden worden; Ich wünsche anbey nichts mehrers, als dass
Gott Euer Liebden und Ihro Chur-Hauss mit vielfältigen Beglückungen
seegnen und ich öfters die angenehme Gelegenheit haben möge, Ihro
Selben darüber meine wahre Mit-Freude und aufrichtige Antheilnehmung
bezeigen und anmit an Tag legen zu können, dass Euer Liebden zu
Erweisung freund-vetterlicher Dienste mit ganz ergebenem Gemüth
alleseit willig und geflissen verbleibe Euer Liebden dienstwilligster
Vetter Franz.' K. u. k. Haus-, Hof- und Staatsarchiv, Fasc. 341.

[2] Aus einer anonymen Gesandten-Relation vom Wiener Hofe, auf der
Rückseite bezeichnet als ‚Ministre-Relation' vom 29. März 1741; ebenda
Fasc. 347.

wieder seine auf Zertrümmerung der Macht Maria Theresias
gehenden Ansprüche aufrecht erhält, indem er die Königin
blos als ,Grossherzogin', ihren Sohn statt als Erzherzog als
Grossprinz' bezeichnete.[1]

Nun begann man in Oesterreich langsam zu rüsten auch
gegen die von Westen her drohende Gefahr, zumal der April
741 das Unglück von Mollwitz auf dem nördlichen Kriegs-
hauptplatze gebracht hatte. — Wie es bei der damaligen
derativen Gliederung des Staates nicht anders möglich war,
spielten bei diesen Vorkehrungen die Stände der bedrohten
Länder Ober- und Nieder-Oesterreich die Hauptrolle. Es war
die letzte grosse Action der alten Stände. Während nun die
oderösterreichischen Stände eine Opferwilligkeit und Thätigkeit zeigten, wie sie an die glorreichen Zeiten von 1683 er-
nerte, bot dagegen die Haltung der oberennsischen ein trost-
loses Bild particularistischer Lauheit und Unbehilflichkeit,
welche im Vereine mit dem Vorgang vom 2. October 1741
nicht wenig dazu beitrug, dass die kraftvolle Herrscherin in
den nächsten Jahren nach dem Erbfolgekriege mit den ständischen Verfassungen zu Gunsten des Centralismus und Absolu-
tismus aufräumte, ihnen nur mehr ein Scheindasein gewährend,
das allerdings noch bis 1848 dauerte. Doch erwarben sich auch
in Ober-Oesterreich während der Invasion und Occupation
durch die Franzosen einige ständische Cavaliere und Beamte
das unzweifelhafte Verdienst, die Noth des Landes nach Kräften
gelindert zu haben. Die grosse Masse des Volkes blieb trotz der
,erzwungenen freiwilligen Huldigung', wie sie ein ständisches
Organ entschuldigend nennt, im Herzen ,gut königlich' gesinnt,
wie die Ereignisse von 1742 und der Jubel bei der Huldigung
von 1745 beweisen.

---

[1] Karl Albert an den Grossherzog, München, 21. März 1741. ,Mir ist wohl
sonderlich lieb zu vernehmen gewesen, was gestalten Dero Frau Gemahlin Gross-Herzogin Liebden mit einem gesunden und wohlgestalten
Prinzen glücklich entbunden und erfreuet worden. Wie nun Euer Liebden versichert seyn können, dass von allen Dero zustehenden Begeg-
nissen jederzeit freund-vetterlichen Antheil nehme, so gratuliere zu
diesem Ehe-Seegen von aufrichtigen Hertzen und wünsche danebens,
dass der neugebohrne Gross-Prinz zu beeder Liebden Trost und Dero
Hauses Aufnahme unter den Schutz des Allerhöchsten fortan in bester
Gesundheit erhalten werde.' K. u. k. Haus-, Hof- und Staatsarchiv, Kriegsacten, Fasc. 341.

———

Erstes Capitel.

... ... zur Landesdefension von Ober-Oesterre
und die Stände.

... ... Maria Theresia ihr e...
... ... Landes ob der Enns; es ent...
... ... erfolgten zeitlichen
... ... katholischen May. H...
... ... Mara Theresias Regierungsa...
... ... Erbkönigreiche und La...
... ... Zuversicht Ausdruck, die Stä...
... ... Kaiser auch ihr ,mit ...
... ... unter die Arme greif...
... ... 31. October bekunden
... ... über den Todesfall, pr...
... ... Sanction zum Ausdrucke
... ... des verstorbenen Kaisers. D...
... ... und wieder bei der Erbh...
... ... bestätigte Grundgesetz erkl...
... ... zu wollen und Alles
... ... der Königin und der gesam...
... ... reichischen mag. Dafür bitter
... ...

... ... österreichischen Stände war ...
... ... für die Steuern pro 1741 g...
... ... geneigt.

... ... bewilligt 300.000 fl., zahlba...
... ... zu Ostern, ,Bartlmei' (24. Aug

b
E...
all...
Vett...
Aus ...
Rückse...
Fasc. 34

... ...archiv. österr. Acten, Fasc. 14. ...

... ...archiv. österr. Acten, Fasc. 14. ...

... ... Anhang. Nr. I.

und am Ende des Jahres, als Extraordinarium 50.000 fl. und
als ‚Superextraordinarium' von wegen deren nach dem Todfall
ihrer kayserl. May. in Schlesien erfolgten Kriegstroublen'
50.000 fl., im Ganzen also 400.000 fl. Von dieser Summe ist
freilich nur ein kleiner Theil im April und Mai 1741 wirklich
der Regierung bar bezahlt worden (48.000 fl.), der Rest
wurde für Militärausgaben und fällige Zinsen früherer Darlehen in Abzug gebracht, und schon zur Zeit des feindlichen
Einfalles im Herbst 1741 war durch diese Abzüge und Pränume-
randozahlungen für 1742 die Landesbewilligung um 6742 fl.
3 ½ kr. überschritten. Werthvoller für die Regierung war
aber das Darlehen, welches die Stände am 11. Jänner 1741
gewährten: 200.000 fl.[1]

Die gesammte Schuldenlast des Landes betrug nach einer
Eingabe der ständischen Verordneten vom 12. Juli 1741 vier
Millionen Gulden. — Die Landesbewilligung war im Steigen
begriffen. So hatte sie 1703, als ebenfalls ein bairischer Einfall
drohte, blos 200.000 fl. betragen.[2] Namentlich die Kriege
Karls VI. kamen in der Finanzlage Ober-Oesterreichs, wenn
man die der Regierung gewährten Darlehen überblickt, zum
Ausdrucke. 1717, während des ersten Türkenkrieges Karls VI.,
hatten die Stände 150.000 fl. vorgestreckt, im Friedensjahre 1729
70.000 fl. Besondere Opfer erforderte der polnische Erbfolgekrieg. 1734 bewilligten die Stände zuerst ein Darlehen von
50.000 fl., dann 80.000 fl., neuerlich zu Ostern 1735 42.000 fl.
Nach Beendigung des unglücklichen zweiten Türkenkrieges

---

[1] Ueber die Finanzlage des Landes Oesterreich ob der Enns unterrichtet
uns das Stück: ‚Hofs-Nothdurft' vom 9. October 1741. Der Kurfürst hatte
nämlich während der Occupation den ständischen Verordneten aufgetragen, über die Finanzlage des Landes zu berichten. Dieser Bericht k. u. k. Haus-, Hof- und Staatsarchiv, Kriegsacten, Fasc. 343,
aus der Kanzlei der Verordneten des Erzherzogthums Oesterreich ob
der Enns'.

[2] Die Verordneten an die Regierung am 7. und 12. Juli 1741; k. u. k.
Haus-, Hof- und Staatsarchiv, Kriegsacten, Fasc. 342. Die ständischen
Verordneten bis zur bairischen Occupation waren: Alexander, Abt zu
Kremsmünster, Johann Wilhelm Graf Thürheim (zugleich Präses), Jo-
hann Aahas Gottfried Willinger von der Au und Josef Gubatta aus
Freistadt. Abt Alexander Fixlmillner von Kremsmünster erwarb sich (nach
Arneth, Maria Theresia IV, 20) anlässlich der späteren Haugwitz'schen
Finanzreform Verdienste um Staat und Land.

gewährten die Stände am 20. Juli 1740 100.000 fl. zur ,Beför-
derung deren churbairischen in Hungarn gestandenen Auxiliar-
truppen', und nicht sehr viel später, wie eben bemerkt, am
11. Jänner 1741, 200.000 fl. Von einer regelmässigen Zinsen-
zahlung seitens der Regierung war indess keine Rede. So
wurden die rückständigen Zinsen von der jeweiligen jährlichen
Landesbewilligung abgezogen und schmälerten die factischen
Einnahmen des Staates. Darlehen wie Landbewilligung waren
für die damalige Zeit verhältnissmässig hoch: Tirol z. B. zahlte
nur 70.000 fl. jährlich, Vorder-Oesterreich 65.000 fl., Steiermark 300.000 fl. Am stärksten war Böhmen mit 2,750.000 fl.,
Mähren mit 926.666 fl. 4 kr. und Schlesien mit 1,853.333 fl.
20 kr. bedacht, während Ungarn, allerdings ohne Siebenbürgen
Slavonien und Syrmien, nur 2,500.000 fl. zahlte.[1] Trotz dieser
Opferwilligkeit war aber dennoch nicht, wie die Stände versicherten, die äusserste Grenze der Leistungsfähigkeit Ober-
Oesterreichs erreicht. Dies beweist am besten die wenige Jahre
nachher in Kraft tretende Haugwitz'sche Steuerreform, durch
welche unter gerechterer Vertheilung der Steuern auf Ober-
Oesterreich 906.000 fl. entfielen und auch ohne sonderliches
Widerstreben der Stände bewilligt wurden.[2]

Mit der Gewährung des Darlehens vom 11. Jänner 1741
schien jedoch die Opferwilligkeit der Stände zu Ende zu sein.
Als im April 1741 die Regierung die Gefahr eines feindlichen
Einfalles ernstlicher ins Auge fasste — schon im März war üb-
rigens der Oberstkriegscommissär FML. Graf Salburg nach
Ober-Oesterreich abgegangen — und zur Verstärkung der im
Lande liegenden Dragonerregimenter Savoyen und Kheven-
hiller 3000 Warasdiner Grenzer abordnete, für welche die
Landschaft Vorspann stellen und einen kleinen Betrag auf die
,Mundportiones' darreichen sollte, erregte dies bei den Ständen
grossen Unmuth. Eine förmliche militärische Abhandlung ging

---

[1] Vgl. ,Der österreichische Erbfolgekrieg', bearbeitet in der kriegsge-
schichtlichen Abtheilung des k. u. k. Kriegsarchivs, III. Bd., S. 150.

[2] Arneth, Maria Theresia IV, S. 20 u. 507, Anm. 6. Nicht ohne Interesse
ist es zu vergleichen, was 1740 der n.-ö. Landtag bewilligte: Ordinarium
und Extraordinarium 700.000 fl., ,pro subsidio extraordinario' 200.000 fl.,
die Bezahlung der Stadtguardia und der Milis in Raab, endlich ,gutwillige
Service-Praestation für die einquartierte Milis ohne künftige Ein- und
Abrechnung'; n.-ö. Landesarchiv, Landtagsverhandlungen 1740.

nun am 17. April 1741 nach Wien ab. Zwar erklärten sie sich
bereit, ‚noch diesmal' Vorspann zu stellen und 2 kr. auf jede
Mundportion zuzulegen, doch meinten sie, die Erfahrung lehre,
mit kleinen Forderungen fange das Militär an, die dann am
Ende sehr drückend würden. Die ständischen Verordneten
schlagen vor, dass diese Warasdiner die Grenzen Ober-Oesterreichs nicht betreten sollten ‚bei dermalen gottlob hierzulandt
mehr entfernet als näheren Feindsgefahr'. Die Grenzer sollten
sich vielmehr blos ‚in der Nähe' des Landes aufstellen, und
zwar, damit nicht etwa die Niederösterreicher mit ihnen beschwert würden, jenseits der Leitha. Von dort aus könnten
sie ja in 10—12 Tagen zu dem in Ober-Oesterreich befindlichen Corps stossen, umsomehr als sie nicht so schwer bepackt
seien als die deutschen Truppen, ‚sye auch ohndeme als ein
flüchtigeres und mehr abgehärtetes Volk auch geschwind an
Ort und Ende khomen werden'.[1]

Die Regierung konnte sich natürlich mit diesem Vorschlage, Truppen, welche zum Schutze Ober-Oesterreichs bestimmt waren, in Ungarn zu postiren, nicht befreunden, und
die Warasdiner näherten sich den oberösterreichischen Grenzen.
Da wandten sich die Verordneten am 29. April 1741 mit der
Bitte nach Wien, die Warasdiner sollten hinter der Enns
bleiben. Die Rücksicht auf die Niederösterreicher war somit
schon gefallen. In Nieder-Oesterreich seien ‚Trayd und Fleisch,
Strohe und Holz wissentlich leichter und wohlfeiler herbeizu-
schaffen'.[2]

Bittere Klage führte die Landschaft gleichzeitig auch
über ‚Quartiersungemach und Uncosten', welche die beiden
‚ganz unverhofft' nach Ober-Oesterreich verlegten Dragoner-
Regimenter Savoyen und Khevenhiller verursachten. In einer
Eingabe vom 30. April 1741 wandten sich die Verordneten in
dieser Angelegenheit sogar an Franz von Lothringen, den Gemahl Maria Theresias, um ein Anhalten der Warasdiner jenseits des Ennsflusses durchzusetzen.[3] Bevor noch jene beiden

---

[1] ‚Hoffs Notbdurfft' vom 17. April 1741; k. u. k. Haus-, Hof- und Staatsarchiv, Kriegsacten, Fasc. 342.

[2] ‚Hoffs Notbdurfft' vom 29. April 1741; ebenda.

[3] K. u. k. Haus-, Hof- und Staatsarchiv, Kriegsacten, Fasc. 342.

vom 29. und 30. April erledigt sein konnten, erfloss
ein königliches Rescript: ‚Wir haben bei fürwaltenden
ţturen unseres und des Publici Dienstes zu seyn be-
   dass die in Oesterreich ob der Enns gewidmeten
ľann Warasdiner Gränitzer zu unserem in Schlesien
en Kriegs-Corpo gezogen werden.'¹
estand ständischerseits die Ansicht, dass die Feindes-
,gottlob mehr entfernet als näher sei', so war dies seit
741 nicht mehr die Ansicht der Regierung. Bereits am
ril erfloss ein königliches Rescript, die Aufstellung eines
en Land-Aufbotts' betreffend. Dies fand ständischerseits
ıs keinen Anklang. In ihrer Antwort vom 30. April er-
die ständischen Verordneten, dass ein solches Aufgebot
ˈNachbarschaft (id est Baiern) grosses Aufsehen erregen
und gerade den befürchteten Einfall seitens ‚einer zu-
n Potenz' nach sich ziehen könne. Auch geriethen hie-
lie Steuerzahler in ‚Kleinmüthigkeit'. Wenn es schon
ei mit dem Aufgebot, solle ein solches auch in Böhmen,
Oesterreich, Steiermark, Kärnten und Tirol anbefohlen
.²
ıese wenig ermuthigende Haltung der Stände und das
n des Kurfürsten, mit dem Einfall Ernst zu machen,
n die Regierung bewogen zu haben, von ihrem Plane
ˌg abzusehen. Wenigstens verfloss der Mai und Juni,
ass vom Defensionswerk die Rede war. Da trafen be-
ˌende Nachrichten ein. Das Militär in Baiern werde
kt und zusammengezogen, die Landfahnen aufgeboten.
Theresia beauftragte nun die Landschaft, sich bezüglich
rtheidigung von Ober-Oesterreich mit dem Landeshaupt-
ˈerdinand Graf Weissenwolff und den bereits im März
ˈber-Oesterreich geschickten ‚Obristen-Kriegs-Commiss-
ML. Grafen Franz Ludwig von Salburg ins Einverneh-
ı setzen und ihr über das Resultat der Berathungen zu
en.³ Die erste diesbezügliche Conferenz fand am 7. Juli
uf dem Linzer Schlosse statt. Von Seiten der Landschaft
ˌgten sich die Verordneten der drei oberen Stände.

ı. k. Haus-, Hof- und Staatsarchiv, Kriegsacten, Fasc. 342.
ıda.
ia Theresia an die Verordneten, Pressburg, 1. Juli 1741; ebenda.

Besonders willig zeigten sich die Stände hiebei nicht, wie aus dem 12 Seiten langen Lamento, das sie noch am Tage der ersten Berathung abfassten, erhellt.[1] Die Verpflegung einer zur Defension von Ober-Oesterreich abgeschickten Armee oder eines Corps könne nicht aus Landesmitteln geschehen, sondern die hiezu nöthigen Victualien seien aus den anderen Ländern, keineswegs aber aus Ober-Oesterreich herbeizuführen. Die Organe der Regierung wiesen dagegen hin auf die patriotische Opferwilligkeit, welche das Land anno 1702 und 1703 in ähnlicher Lage bewiesen habe. Darauf wurde ihnen erwidert: Damals sei man am Anfange eines Krieges gestanden ,wo wir anitzo de anno 1733 mit Kriegs Troublen umbgeben, wofür iederzeit die eusserste Cröfften angespant worden seynd'. Damals war die Landesbewilligung 200.000 fl., jetzt 400.000 fl. Das Aeusserste, wozu sich die Landschaft verstehe, sei eine Anticipation in Geld ,ungefähr von 16 oder 20.000 fl.' gegen Rebonification an der Landesbewilligung, ,umb zu zeigen, dass wir nach Thunlichkeit zur beuorstehenden Landes-Defension gern Alles contribuieren, zu einem mehrern aber können wir aus Mangel der Befolgungsmöglichkeit uns nicht einlassen'.

Eine weitere Conferenz fand am 12. Juli statt. Verhandelt wurde:

1. Ueber das Landesaufgebot, dasselbe wurde in gleicher Weise ,von dem Militari sowohl, als auch der Landshauptmannschaft und uns Verordneten' für unthunlich befunden. Es würden nur Haufen unabgerichteter, nicht mit Feuergewehren versehener Handwerker und Bauern zusammenkommen; dieselben würden hiedurch von ihrer Hantirung und vom Feldbau abgehalten und — wovon sich die Stände immer den grössten Eindruck auf die Regierung erhofften — vom Steuerzahlen. Ausserdem würden sie ,bei Erblickung einer kleinen Anzahl regulirter Truppen, wie in vorigen Zeiten geschehen ist, auseinanderlaufen, derohalben dann von einem Landtaufbott ein guter Effect niemahlen zu hoffen seye'.

2. Die Anlage von Schanzen gegen Baiern erklärt die Landschaft für unnütz.

---

[1] ,Insinuatum an die löbliche Landtshauptmannschaft wegen der bey heuntiger Conferenz im Schlosse zur Landesdefension nöthigen reguliarten Troupppen und der dem Landt zumuthenden Proviantberschaffung; 7. Juli 1741; k. u. k. Haus-, Hof- und Staatsarchiv, Kriegsacten, Fasc. 342.

3. Die Forderung der Regierung: Conscription der Jäger, Schützen und anderer Personen, die mit dem Feuergewehr umgehen könnten, findet den Beifall der ständischen Verordneten, freilich mit der kleinen Nörgelei, dass jene Conscription 1702 und 1703 von den Verordneten ausgegangen sei, während sie jetzt von der Landeshauptmannschaft ‚prätendirt‘ werde.

4. Die Löhnung jener Schützen wird vom Lande gegen künftige Abstattung von der Landesbewilligung übernommen.

Aus dem 5. Verhandlungspunkte erhellt, dass sich im Linzer Zeughause 3600 Centner Pulver und 1520 Flinten befinden.

6. Zur Vertheidigung des Landes seien wenigstens 15.000 Mann regulärer Truppen nöthig. ‚Allein, da eine Invasionsgefahr nach allen sicheren Nachrichten — gottlob — so nahe nicht,‘ wären bei der Unmöglichkeit, eine solche Macht auch nur kurze Zeit ohne Zugrunderichtung desselben zu erhalten, die Truppen in die Nachbarschaft nach Böhmen, Niederösterreich, Steiermark und Tirol zu verlegen, wo sie bald (?) bei der Hand wären.

Zum 7. Verhandlungspunkte erklären die Verordneten: auf die von der Landeshauptmannschaft ‚zumuthende‘ Lieferung von Proviant, Fourage und Schlagvieh kann das Land unmöglich eingehen.

8. Von der Regierung wird die Errichtung eines Magazins zur Verpflegung der Truppen verlangt. Auch hiefür könnten sich die Stände nicht erwärmen, ‚indeme hiedurch der Feind aus seinen wissentlich mit einer annoch grösseren Trayd Theuerung geplagten Land, in dieses Land gelocket werden könnte‘. Mit einer ähnlichen Begründung hatten die Stände schon am 30. April das Landesaufgebot abgelehnt.

Zum Schlusse spricht die Landschaft die Bitte an Maria Theresia aus, reguläre Truppen, namentlich Infanterie zur Vertheidigung des Landes zu schicken; diese sollten aber vorderhand in den benachbarten Ländern halten.[1]

---

[1] ‚Notturfft auf das königl. Rescript vom 1ten July 1741: Die Concertirung der landesdefension mit herrn Landtshaubtmann und dem herrn Frans Ludwig Grafen von Salburg, khönigl. Felmarschall-Lieut. und obersten Kriegs-Commissario betref. 12. July 1741.‘ K. u. k. Haus-, Hof- und Staatsarchiv, Kriegsacten, Fasc. 342.

Nach dem bisher Mitgetheilten wird man wohl den herben Worten Alfred v. Arneth's zustimmen müssen: ‚Unglaublich ist die kleinliche Engherzigkeit, mit welcher die oberösterreichischen Stände zu Werke gingen, jede ihnen durch die Natur der Sache zufallende Last von sich möglichst fernzuhalten suchten und dadurch die Massregeln, welche die Regierung zum Schutze des Landes zu treffen sich bemühte, weit eher hemmten als unterstützten.[1]

Während aber die Stände sich und die Regierung damit trösteten, dass eine Invasionsgefahr ‚nach allen sicheren Nachrichten — gottlob — so nahe nicht', erfolgte von bairischer Seite bereits der entscheidende Schlag. Am frühen Morgen des 31. Juli 1741 überrumpelte der kurfürstliche General Gabrieli Passau, und somit stand Ober-Oesterreich dem Feinde offen. Noch am selben Tage berichteten dies die Verordneten, die durch einen Schiffsmann von der Einnahme von Passau, die ‚heunt in der Frühe Nach 4 Uhr' vor sich gegangen war, benachrichtigt worden waren, nach Wien; ausserdem verlangten sie Rath, wie sie sich bei dieser ‚fatalen Begebenheit' zu verhalten hätten.[2]

Aber selbst dieses Ereigniss vermochte die Landschaft von ihrer bis jetzt eingeschlagenen Taktik nicht abzubringen. Am 26. Juli hatte die Regierung für 2000 Mann Fussvolk und 200 Husaren von Warasdiner Grenzern, die durch Ober-Oesterreich marschirten, um zu dem bei Pilsen sich bildenden ‚Observationscorps' des Fürsten Lobkowitz zu stossen, Vorspann und einen Geldbeitrag verlangt, in ähnlicher Weise wie früher schon für 3000 dieser Grenzer. Am 2. August 1741 erklärte sich wirklich die Landschaft hiezu bereit und gab einen Beitrag von 3 kr. täglich zur Gage der Ober-, von 2 kr. zur Gage der Unterofficiere und 2 kr. zur Löhnung der Gemeinen. Wenn sie dafür verlangte, die Truppen sollten die ‚genaueste Kriegsdisciplin' halten und nicht etwa ‚durch Anverlangung einiger Naturalien ohne Bezahlung in denen Nachtquartieren und auf den Strassen' lästig fallen, so war dies nur billig. Aber wieder erklären die Verordneten, falls jene Truppen im Lande

---

[1] Arneth, Maria Theresia I, 248.

[2] Erinnerungsnothurfft an den khönigl. Hof vom 31. Juli 1741. K. u. k. Haus-, Hof- und Staatsarchiv, Kriegsacten, Fasc. 342.

blieben, möge sie das Aerar verpflegen, da Ober-Oesterreich wegen Misswachs, Fleischmangels und der ohnedem schon im Lande liegenden zwei Dragoner-Regimenter nicht leistungsfähig sei. Wieder wird bei dieser doch keineswegs belangreichen Durchzugsangelegenheit der Umstand ins Treffen geführt, der Unterthan könne versagt werden und die mit Ende des Jahres fälligen hohen Steuern nicht bezahlen.[1]

Nach der Einnahme Passaus wurde die Regierung zu regerer Thätigkeit angespornt. Nunmehr war kein Zweifel mehr an den feindlichen Absichten Baierns. Im Ungewissen war man blos, ob der Kurfürst direct in Ober-Oesterreich einrücken werde, oder ob die Ueberrumpelung Passaus nur den Zweck gehabt hatte, des Kurfürsten Stammland, falls er in Böhmen einfallen würde, vor einer Diversion aus Ober-Oesterreich zu schützen. Man beschloss ein ‚Observationscorps' sowohl für Ober-Oesterreich als für Böhmen in der Pilsener Gegend aufzustellen, und am 2. August unterzeichnete Maria Theresia die Instruction für den Führer desselben, den Feldmarschall Christian Fürsten von Lobkowits. Das Corps soll bestehen aus den fünf Kürassier-Regimentern Caraffa, Lubomirsky, Carl Palffy, Bernes und St. Ignon, den drei Infanterie-Regimentern Seckendorff, Moltke und Waldegg. Auch die in Ober-Oesterreich stehenden Dragoner-Regimenter Savoyen und Khevenhiller gehören zum Corps, bleiben aber bis auf Weiteres noch auf ihrem Posten. Lobkowitz' Befehl unterstanden noch die schon erwähnten 2000 Warasdiner zu Fuss und 200 Reiter, 400—500 berittene Theisser und Maroscher Grenzer und 2000 Mann zu Fuss ‚von denen Sclavoniern'. Die Artillerie der kleinen Lobkowitz'schen Armee bestand aus 8 Feldstücken und 2 Haubitzen. Der grösste Theil von Caraffa und ganz Bernes standen bereits in Pilsen, die übrigen Truppen waren auf dem Marsche dahin. Complet waren freilich nur die Grenzer und die beiden Dragoner-Regimenter. Von Auxiliartruppen konnte der Fürst vielleicht auf 3200 Hessen und 1000 Würzburger hoffen. Aus den verschiedenen Umständen, sagt Maria Theresia, ‚ergibt sich der Schluss, dass das Ihme (Lobkowitz) anverthrauende Corpo ein blosses Observations-Corpo derzeit seye;

---

[1] ‚Hoffs-Notturfft' vom 2. August 1741. K. u k. Haus-, Hof- und Staatsarchiv, l. c.

dass selbes zur Defendierung von Böheimb nicht minder als von Ober-Oesterreich gewidmet vnd dass es, sovill immer möglich, beisamb, mithin in stant zu halten seye, wohin die Umstände erfordern, aufbrechen zu können; dass daher seine, des Fürstens Obsorg, ohngeachtet das Corpo nacher Pilsen der Zeit angetragen ist, nicht nur auf Böheimb, sondern auch auf Ober-Oesterreich zu richten und alles dermassen von nun an vorzubereithen seye, damit einem feindlichen Einfall, an was Ort er immer geschehe, nach Erfordernus und Möglichkeit Einhalt gethan werde'. Vorerst müsse sich der Fürst nach Ober-Oesterreich begeben, um dort mit dem Landeshauptmann und den ständischen Verordneten zu conferiren, wie das Land am besten zu vertheidigen sei. Nur an Ort und Stelle könne der Fürst entscheiden, wo man die Donau sperren müsse, ob dies bei Engelhartszell geschehen solle oder weiter stromabwärts an der Ranna oder am Spielberge bei Enns, wodurch allerdings nur Nieder-, nicht aber Ober-Oesterreich gedeckt werde. Den Ständen habe Maria Theresia ebenfalls geschrieben und sie aufgefordert, jetzt, wo die Ernte zum Theil schon hereingebracht sei, für Verpflegung der Truppen das Möglichste zu thun, ,nachdem ein jeder das Seinige doch lieber uns als Lands Mutter als einem zu des Lands Unterdrückung eindringenden Feind wird ergeben wollen'. Es werde dem Fürsten auch zweckdienlich ein, in Linz zu erfahren, was in den Jahren 1702 und 1703 veranstaltet wurde. Nach des oberösterreichischen Landeshauptmanns Bericht seien Jäger und Schützen bereits aufgeboten, was um so wichtiger, als fast nur Cavallerie im Lande sei, Infanterie zur Grenzvertheidigung und zur Deckung des so erträgnissreichen Salzkammergutes aber höchst nöthig wäre. Die zunächst ankommenden Warasdiner sollten vermischt mit bewaffnetem Landvolk ins Salzkammergut gelegt werden. — Ein kundiger Officier, der Ingenieur-Oberstlieutenant Steiger, wurde ins Linzer Zeughaus abgeschickt, ebenso 300 noch leidlich kriegstüchtige Invaliden aus Wien zur Abrichtung des Landvolks. Mit Neipperg, dem Oberbefehlshaber gegen die Preussen, und Ogilvy, dem Commandanten von Prag, habe Lobkowitz Correspondenz zu pflegen.[1]

---

[1] Ich entnehme diese Daten der Originalinstruction Maria Theresias an Lobkowitz, ddo. 2. August 1741. K. u. k. Haus-, Hof- und Staatsarchiv, Kriegsakten, Fasc. 345.

Der Instruction lag der Bericht bei, welchen der erwähnte Ingenieur-Oberstlieutenant J. Steiger, als er sich mit dem Grafen Salburg im Frühjahre 1741 nach Ober-Oesterreich begeben hatte, erstattete. Derselbe klang, was die Sperrung der Grenze gegen Baiern anbelangte, keineswegs ermuthigend. Steiger beschreibt ausführlich die Verhaue und Sicherheitsvorkehrungen im Jahre 1703 und stützt sich hiebei theils auf Berichte alter Leute, theils auf den eigenen Augenschein dort, wo Spuren der Grenzbefestigung noch erkennbar waren. Zwar wurde damals die von den Baiern auf der Passauer Poststrasse erbaute Schanze zu St. Willibald von den Oberösterreichern genommen, sonst ist aber Steiger's Gesammturtheil, ,dass die Gräntzen damals schlecht verwahret gewesen, es seye denn ein considerables Corpo zugegen gewesen.'

Nach Steiger's Vorschlägen wäre die Donau bei Engelhartszell durch eine starke Kette und ein Seil, welche beide auf kleinen wohlverankerten Schiffen zu ruhen hätten, zu sperren. Längs der grossen Kette seien auf dem Wasser drei Blockhäuser zu verankern und ausserdem an beiden Ufern je ein starkes Blockhaus mit Graben und Pallisaden anzulegen. Sonst sollten die Grenzen dort, wo Wälder sich erstreckten, verhackt, dort, wo das Land offen, eine 6 Stunden lange ,Linie' angelegt werden mit dahinterstehenden Blockhäusern. Bei Anlage dieser Linie wird man sich nicht ängstlich an die Grenze halten, sondern, um von den Vortheilen des Terrains zu gewinnen, bald von der Grenze nach einwärts, bald ins bairische Territorium hinaus abweichen müssen, wie schon 1703 geschehen. Doch könnte trotz aller dieser Anstalten ein feindliches Corps etwa bei Passau die Donau übersetzen und auf dem anderen Ufer bis Linz marschiren, wie dies eine Episode im Bauernkrieg von 1626 beweise, wo doch das jenseitige Land viel rauher und unwegsamer war.[1]

Von Steiger's Vorschlägen fand hauptsächlich der Plan der Donausperre Anklang, wenn ihn auch später der von Lobkowitz bestellte Landescommandirende Graf Palffy nur zum Theil verwirklichen wollte. Bei Engelhartszell gedachte er zwei Blockhäuser zu errichten, dieselben mit Landvolk zu besetzen und den Strom mit einer Kette zu sperren.[2] Doch kam es

---

[1] Bericht Steiger's (damals Ingenieur-Major), ddo. Linz, 23. April 1741. K. u. k. Haus-, Hof- und Staatsarchiv, Kriegsacten, Fasc. 359.

[2] Der Hofkriegsrath an Lobkowitz nach Pilsen am 19. August 1741; ebenda.

auch hiezu nicht. Der Hofkriegsrath schreibt am 19. August klagend an Lobkowitz, dass keine eisernen Ketten vorhanden seien, ‚und woher solche herzunehmen, nachdem die Landschaft sich zu deren Beschaffung nicht verstehen will?'[1]

So schwammen denn am 13. und 14. September die grossen Donaukähne mit den Franzosen gemächlich die Donau herunter und standen noch eher als der Kurfürst vor den Thoren von Linz.[2]

Zweites Capitel.

Das oberösterreichische Landesaufgebot von 1741.

Ziemlich gleichzeitig mit der Instruction an Lobkowitz, am 3. August 1741 hatte Maria Theresia auch an die ständischen Verordneten in Linz ein Rescript erlassen. Sie theilt denselben mit, dass auf die Nachricht vom Falle Passaus und der Feste Oberhaus hin Fürst Lobkowitz nach Linz abgeschickt worden sei, um mit den Verordneten die nöthigen Vorkehrungen zu berathen. Da reguläre Infanterie nicht vorhanden sei, so empfehle es sich, Jäger, Schützen und überhaupt alle wehrfähige Mannschaft aufzubieten. Dem Landesaufgebote sei aus dem Linzer Zeughause aller möglicher Vorschub zu leisten.

Ebenso gehen aus dem Wiener Invalidenhause 300 noch dienstfähige alte Soldaten zur Abrichtung des Aufgebotes nach Ober-Oesterreich ab. Die Königin hofft — wie sie schon in der Instruction an Lobkowitz gesagt hatte — die Stände würden ‚zur Vertheidigung des armen Unterthans gerne alles anwenden und viel geneigter sein, zur Erhaltung des Landes das Aeusserste aufzusetzen, als durch eine einbrechende feindliche Macht ihre Habschaften verschlingen zu sehen'.[3]

---

[1] Voriges Schreiben.
[2] Vgl. Heigel, Der österreichische Erbfolgekrieg, S. 194.
[3] Königliches Rescript an die oberösterreichischen Verordneten, Pressburg, 3. August 1741. K. u. k. Haus-, Hof- und Staatsarchiv, Kriegsacten, Fasc. 342; vgl. Anhang, Nr. II.

Unter dem gleichen Datum erhielt auch der Landeshauptmann ein königliches Rescript aus Pressburg.

Lobkowitz hatte sich bereits am 2. August nach Linz
begeben. Schreiben des Hofkriegsrathes an ihn vom 2., 4. und
5. August sind nach Linz adressirt und am 7. August dortselbst
präsentirt. Am 9. August war er indess schon nicht mehr in
Linz, denn eine Ordre des Hofkriegsrathes muss ihm nach
Prag nachgeschickt werden. Inzwischen waren die oberösterreichischen Stände im Plenum zusammengetreten. Der Feldmarschall beauftragte sie am 7. August mit dem Aufgebote des
Landsturmes und der Beschreibung der Schützen.

In der Plenarversammlung der Stände am 8. August erklärten sich diese zunächst mit der ständischerseits zu ge-
schehenden Werbung und Bestellung des regulären Recruten-
contingentes von 1109 Mann einverstanden.

Am 9. August erschien das diesbezügliche ständische
Patent, wornach von je 40 Feuerstätten ein Recrut im Alter
von 20—45 Jahren zu stellen sei. Die Assentirung sollte vom
25. August an im Landhause unter Leitung des landschaftlichen Chirurgus Sigmund Lechl stattfinden. Auf die Qualität
der Geworbenen kam es der Landschaft nicht an, wie folgender
culturhistorisch nicht uninteressanter Passus des landschaftlichen
Patentes beweist: ‚worzu nun (zu Recruten) benantlich die an-
gewohnte Gässelgeher, Rauffer, Spihler, Vollsauffer,
item die öffters betrettene Fornicanten (liederlichem
Lebenswandel nachhängende junge Leute), wann selbe vorhin
etwann nicht schon abgestrafft worden seynd und sonderbahr
die Vagabundi, so ohne ‚authentischen Passen, Handwerks-
Urkunden und Attestaten im Land herumstreichen, mithin dem
Publico sowohl als Privato und sonderbahr dem Land-Mann,
Bürger und Bauren auf den Strassen und zu Hauss ohnedeme
zur Last seynd freiwillig und wider ihren Willen ap-
pliciert und genommen werden können. Die Obrigkeiten also
durch heimlich und öffters Visitationes zuforderist in denen ab-
gelegenen Würthshäusern solche aufzubringen von selbsten gericht sein werden‘.[1] Bis Ende September gedachten die Stände

---

[1] Ständisches Patent vom 9. August 1741. K. u. k. Haus-, Hof- und Staatsarchiv. Peter'sche Sammlung: Aus dem Archive der Stadt Enns (Varia)
1716—1742.

mit diesem Elitecorps zu Stande zu sein. Freilich überschritt schon am 11. September der Kurfürst die Grenze und bis dahin waren erst 253 Recruten assentirt.[1]

Am selben 8. August genehmigten die Stände indess auch das Landesaufgebot. Jeder zehnte Mann wurde aufgeboten und dieser Beschluss durch das ständische Patent vom 11. August allenthalben kundgegeben.

Am 13. August wurde der Regierung der Plan vorgelegt, nach welchem der Landsturm aufgeboten und organisirt werden sollte.[2] Es lässt sich nicht leugnen, dass derselbe umsichtig und zweckdienlich angelegt war. Leider liess die Ausführung sehr viel zu wünschen übrig. Im Punkte 1 des Planes wird darauf hingewiesen, dass mittelst des Patentes vom 11. August die Aufbietung des Landsturmes bereits erfolgt sei.

Punkt 2 des Planes bringt das allerdings richtige Axiom: dass es nicht rathsam sei, den Landsturm ,wie eine Herd Schaf' einem regulirten Militär entgegenzustellen und aufzuopfern. Demnach soll das ohne die landesfürstlichen Städte etwa 4000 Mann zählende Aufgebot in 13 Compagnien zu je 300 (350) Mann getheilt werden.

3. Sammel- und Musterplätze für die Landescompagnien sind: Im Hausruckviertel: Schwanstadt, Grieskirchen, Wels und Eferding. Im Traunviertel: Steyr, Kremsmünster, Neuhofen, Kirchdorf oder für die beiden letzten Orte Enns und Ebelsberg. Im Mühlviertel: Rohrbach und Ottensheim. Im Machlandviertel: Neumarkt bei Freistadt, Pabneukirchen, Markt Perg.

Das Aufgebot soll ,in profixo termino' (derselbe ist leider aus den Acten nicht ersichtlich, da das Patent vom 11. August nicht vorliegt) so viel als möglich mit Ober- und Untergewehr sammt Pulver und Blei für 24 Schüsse erscheinen. Die Unbe-

---

[1] Ständischer Bericht an den Kurfürsten vom 9. October 1741. K. u. k. Haus-, Hof- und Staatsarchiv, Kriegsacten, Fasc. 343.

[2] ,Sistema des entworffenen Plans, welchergestalten auf eingelangten königl. allergsten Befehl und darauf von denen gesamten löbl. Ständen dieses Erzherzogthums Ö. o. der Enns unverweilt geschöpften Entschlüssungen de dato 8ten currentis mensis Augusti dieses lauffenden 1741ten Jahrs von denen hierzu cum libera bevollmächtigten Landschaftsverordneten der würklich ergriffene Landaufbott des 10. Manns reguliert und in Erfüllung zu setzen getrachtet wirdet.' (Concept vom 13. August 1741). Ebenda, Fasc. 362.

waffneten aber sollten die ‚Bewöhrung‘ gegen herrschaftliche Gutstehung in Linz erhalten.

4. Für jedes Viertel sind von der Landschaft Commissäre zu bestellen aus kriegskundigen Cavalieren, die in kaiserlichen Diensten gestanden sind; diese hätten darüber zu wachen, dass nur taugliche Leute gestellt, dass Musterrollen für jede Compagnie angelegt, Pulver und Blei untersucht würden.

5. Zur Uebernahme der Hauptmannsstellen in den einzelnen Compagnien sind ‚Landsmitglieder und adelich Patrioten‘ durch eigene Ersuchschreiben zu requiriren.

6. In allen Städten und Märkten seien durch öffentliche Patente ‚die qualificierte Subjecta für Lieutenants, Feldweibel, Führer und Korporals, weillen die wöhrhaffte Invaliden in genugsamer Anzahl nicht zur Hand seind, invitiert und berufen worden‘.

7. Ober- und Unterofficiere sind allsogleich den Musterplätzen zuzutheilen und sollen dort ‚mit behöriger Positions-Anweisung nebst aller übrigen patriotischen Pflichts-Ermahnung, jedoch ohne körperlich Jurament fürgestellet werden‘.

8. Da zwischen dem commandirenden General der regulären Truppen und jedem einzelnen Landaufbotshauptmann die Correspondenz zu beschwerlich war, so stellten die Verordneten über alle Compagnien ihr Mitglied Herrn Josef Willinger von der Au, ‚einen absonderlich in re militari viel Jahr geübten Lands-Kavalieren, zu einem Oberhauptmann oder Capitain-Commandanten‘, der auch jene Correspondenz zu führen hatte. Ebenso wird 9. zur leichteren Durchführung aller Veranstaltungen dem commandirenden General Grafen Palfy ein eigenes Landschaftsmitglied zugegeben.

Diesem Plane ist auch ein Kostenvoranschlag beigefügt:[1] Von den 14.075 Feuerstätten des Hausruckviertels ist die 1. bis inclusive 4. Compagnie ohne Ober- und Unterofficiere je 351 Mann auszuheben. Die Gemeinen erhalten monatlich 2106 fl. per Compagnie, die Ober- und Unterofficiere 327 fl. Damit kommt eine Compagnie des Hausruckviertels dem Lande auf 2433 fl. monatlich zu stehen.

Das Traunviertel stellt von 12.763 Feuerstätten die 5. bis inclusive 8. Compagnie zu je 314 Mann ohne Officiere. Der

---

[1] ‚Schema des Schützenaufboths in Ö. o. der Enns‘, l. c.

ld beträgt monatlich 1914 fl. per Compagnie, die Gesammt-
sten für eine Compagnie des Traunviertels monatlich 2241 fl.

Das Mühlviertel stellt von 5548 Feuerstätten die 9. und
Compagnie mit je 277 Mann. Sold der Officiere 327 fl.,
r Gemeinen 1662 fl., also 1989 fl. monatlich per Compagnie.

Aus dem Machlandviertel mit seinen 9065¹/₂ Feuerstätten
rutirt sich die 11., 12. und 13. Compagnie mit je 302 Mann.
forderniss monatlich 327 fl. für die Officiere, 1812 fl. für die
nnschaft; im Ganzen somit pro Compagnie 2139 fl. monatlich.

Die Gesammtstärke des Aufgebots soll sich von 41.451¹/₂
uerstätten des ganzen Landes auf 4140 Mann mit 234 Ober-
d Unterofficieren belaufen; die Totalkosten würden 29.091 fl.
natlich betragen; hiebei sind aber die Ausgaben für Waffen,
nition, Patrontaschen, Schanzzeug, Arbeiter, Fuhrwerke, Apo-
ker und Feldscherer nicht mit eingerechnet.

Dies der von den Ständen der Regierung unterbreitete
bilisirungsplan für das Landesaufgebot; freilich fehlte gleich
m Anfange der gute Wille, ihn durchzuführen.

Bereits am 10. August hatten die Stände auf ein die
ndsturmangelegenheit betreibendes Promemoria des Grafen
Iffy erwidert: ,dass wir von diesen unexercierten Pauern-
lk die erwünschte Landesdefension und Sicherheit nicht ver-
rüchen können, sondern einem eintzigen regulierten Infanterie-
giment mehrer Cräfften zum widerstandt, als einem doppelt
d dreyfachen Aufbott von dem Landvolkh zuetrauen'.

Dem ,Sistema des entworfenen Planes' selbst fügt die
ndschaft einen Schwall von allerlei Bedenken bei. Nament-
h an Munition, Pulver und Blei mangle es. Die vorhandenen
nten seien von ungleichem Caliber, das Landvolk sei unab-
richtet. Gerade jetzt habe man die Bestände des Linzer
ughauses nach Enns gebracht. Letzterer Einwand war in
r That in etwas begründet. Am 14. August wird attestirt,
ss durch die Regierung 2119 alte Musketenschlösser, sowie
5 neue in das Ennser Stadtzeughaus gebracht worden waren.
hin wurden indess im Auftrage des Hofkriegsrathes für Linz
stimmt: 2 sechspfündige ,Falkhaunen', 8 dreipfündige ,Re-
pents-Stukh', 2000 Stückkugeln, 60 Centner Musketenpulver,
Centner Kugelblei, 6000 Flintensteine und 2 Centner Lunten.

Im Weiteren verweisen die Stände auf die grossen Kosten
s Aufgebotes, welche die landschaftliche Casse ,zumal in

gegenwärtiger creditloser Zeit' nicht wird bestreiten können.
Zudem sei die Grenze gegen Baiern offen und weitschichtig,
das Land ohne Festung.[1] Wieder klingt am Schlusse der alte
Refrain: Durch alle diese Anstalten könne unter den Steuer-
zahlern ,Bestürzung' entstehen und die Zahlungen derselben
stocken.[2]

Eine andere Angelegenheit war den Ständen ebenfalls
Gegenstand heftigen Unmuthes, bewies aber den gänzlichen
Mangel an Gemeingefühl mit den übrigen Ländern. Pálffy hatte
am 10. August von der Landschaft Arbeiter und Holz zur Anlage zweier Redouten auf der Insel Spielberg und dem Dorfe
Enghagen bei Enns begehrt. Hierüber beschweren sich die
Verordneten bei der Königin und melden, dass sie an Pálffy
,erindert hätten, dass diese redoutenaufwerffung an der Land-
Gräniz abwerts zu Bedeckung dieses lands nicht dienlich sei
und wann es auf bede Redouten, wie auch die Stadt Enns
annoch ankhommet, das völlige Land von einer feindlichen
Macht von oben herab schon übergewältigt und verschlungen
sein müsse'.[3]

Allerdings erhielt der landschaftliche Pfleger in Steyregg
Befehl, Holz auf Pallisaden und Faschinen, sowie Handwerkr-

---

[1] Hierin hatten die Stände recht, wie durch ein neueres militärisches
Urtheil über den damaligen Zustand von Linz, Enns und Steyr bestätigt wird. ,Das durch seine Lage im Donauthale und an der vorzüglichsten Vorrückungslinie des Gegners wichtige Linz, damals 12.000
Einwohner zählend, hatte nur eine altartige, wenn auch bereits unter
dem Einfluss der Pulvergeschütze entstandene Befestigung aus mit Erd-
wällen verstärkten Mauern, an deren ausspringenden Winkeln zur Ge-
schützvertheidigung eingerichtete Rondelle angebracht waren. Aussen-
werke fehlten völlig. Die ganze Anlage, die in Folge der Mangel-
haftigkeit und des Zustandes ihrer Werke den Namen Festung nicht
mehr verdiente, war überdies von dem nächsten Umterrain vollkommen
dominirt und entbehrte daher bei Ausbruch des Krieges nahezu jeder
Vertheidigungsfähigkeit. Ebenso besassen Enns und Steyr nur halb-
verfallene Stadtmauern.' Oesterreichischer Erbfolgekrieg, herausgegeben
vom Kriegsarchive, I, S. 779.

[2] ,Sistema' vom 13. August 1741. K. u. k. Haus-, Hof- und Staatsarchiv,
Kriegsacten, Fasc. 342. — Das Attest über die nach Enns gebrachten
Bestände des Linzer Zeughauses: ebenda, Peter'sche Sammlung. Be-
züglich der nach Linz zu bringenden Munition: Der Hofkriegsrath an
Lobkowitz am 16. August 1741; ebenda, Kriegsacten, Fasc. 359.

[3] ,Hoffs-Nottürfft' vom 16. August 1741. K. u. k. Haus-, Hof- und Staatsarchiv, Fasc. 342.

leute und Arbeiter für die bei Enns auszuführenden Arbeiten zu stellen, doch die Stände konnten nicht unterlassen, jene Werke als unnütz hinzustellen; auch verwiesen sie die Regierung auf die Nieder-Oesterreicher. Diese verfehlte nicht, die niederösterreichischen Stände heranzuziehen.[1] Letztere nahmen sich in der That der Sache mit Eifer an und verausgabten für jene Schanzen auf oberösterreichischem Grunde nach und nach 13.000 fl.[2]

Mittlerweile gingen die Stände daran, den mit Patent vom 11. August aufgebotenen Landsturm zu organisiren, jedoch ohne rechte Freude an der Sache, so dass schon am 19. August der Hofkriegsrath an Lobkowitz schreibt: ‚mit dem Landvolk gehet es langsamb vor sich, auf welches auch ausser zu Abhaltung deren Streifungen kein grosser Staat zu machen'.[3]

Bevor nun am 22. August wirklich die 1. Compagnie zu Peuerbach gemustert wurde, versuchten die Verordneten noch einmal, die Regierung von dem Plane der Aufbietung des Landsturmes abzubringen. Am 14. August richteten sie eine diesbezügliche Vorstellung an Maria Theresia, wie sie auch den Landeshauptmann und den General Palffy in dieser Angelegenheit schon öfters ‚erindert' hatten. Zum Theile wiederholen sie bereits Geäussertes, zum Theile kommen sie mit neuen Bedenken angerückt. Sie zweifeln sehr, ob wirklich jeder zehnte Mann sich auf den Musterplätzen einfinden wird. Beschämend ist ihr Geständniss, dass von den ‚adelich Patrioten', welche Hauptmannsstellen übernehmen sollten, sehr wenig sich angemeldet hätten mit der Begründung, ‚weilen jedermann zwar sein Guet und Blueth für Eur Khönigl. May. und das werthe Vaterland willfährig sacrificiret, aus Mangel eigener Kriegserfahrenheit aber, oder auch weilen er von dem gar nicht abgerichten Landvolk verlassen zu werden billig befürchtet'. Ferner wird die Besorgniss ausgesprochen, ‚dass auf den ersten Anfall einer feindlichen Parthei das ohnedeme von Natur furchtsame Pauernvolkh die Posten verlasset und ausseinander

---

[1] Königliches Decret vom 16. August 1741 an die niederösterreichischen Stände; niederösterreichisches Landesarchiv, Fasc. E, 20, 5.

[2] Relation vom 28. November 1741 im niederösterreichischen Landesarchiv, l. c.

[3] Der Hofkriegsrath an Lobkowitz, 19. August 1741; k. u. k. Haus-, Hof- und Staatsarchiv, Fasc. 359.

laufet', ein Vorwurf, der in gar nichts begründet ist. Der
Kenner der oberösterreichischen Landbevölkerung wird gewiss
energisch verneinen müssen, dass dieselbe 'von Natur forcht-
sam' ist. Auch war das Verhalten der Bevölkerung während
des Einmarsches der Feinde und der Besetzung des Landes
ein durchaus untadeliges; sie blieb gut österreichisch und unter-
stützte — wie an einem Beispiele im Folgenden gezeigt werden
wird — mit Lebens- und Vermögensgefahr die Rückeroberung.
Auch die von der Regierung zur Abrichtung geschickten 300
noch rüstigen Invaliden sind der Landschaft ein Gegenstand
des Missfallens, 'weilen sye den zum gewöhr ungeschickten
Paurs-Mann mit Schlög tractieren, mithin noch mehr verzagt
machen und zur Desertion veranlassen dörfften'. In Wirklichkeit verhielten sich jene alten Exerciermeister bei wirklich erfolgter Invasion weit besser als manche Landesmitglieder und
konnten mit allen Ehren abziehen. Das Geld für das Landesaufgebot erklären die Verordneten geradezu für hinausgeworfen.
Wieder schliesst die Reihe der ständischen Argumente mit dem
Hinweise, sie müssten, um die Beschaffenheit der Dinge in ihrer
'natürlichen Farb' zu entwerfen, bekennen, dass die Unterthanen
in einigen Herrschaften 'bei gegenwärtig gefährlichen Zeiten
und Umständen Steuer und Gaben zu reichen verweigern'.

Sie bitten nun um 'den allerhöchst khönigl. Befelch hierüber, ob wir nemblich bey so gefährlich sich äussernden Umständen mit der so kostbahr fallenden Aufrichtung deren 18 Companien von unerfahrenen Pauernvolkh indenoch fortzufahren
haben'. Wie Ironie klingt es, wenn die Vertreter der Landschaft am Schlusse der Hoffnung Ausdruck geben, die Königin
werde in diesen und allen anderen Dingen den ständischen 'blinden Gehorsam allermildest erkennen'.[1]

Auf diese Klagen und Vorstellungen antwortete Maria
Theresia durch das Rescript de dato Pressburg, 26. August
1741.[2] Mit grosser Nachsicht sagt die Königin, sie würdige
zwar die Erheblichkeit des Vorgebrachten, es ginge aber doch
nicht an, das Land 'ohne einige Verfassung' zu lassen. Die

---

[1] 'Hoffs-Notturfft den Landesschützen-Aufbot betreff.' Linz, 19. August
1741. K. u. k. Haus-, Hof- und Staatsarchiv, Kriegsacten, Fasc. 342
(Anhang III).

[2] Maria Theresia an die Verordneten, Pressburg, 26. August 1741; ebenda,
Fasc. 342.

Compagnien des Landesaufgebotes könnten sowohl dem Feinde Widerstand, als dem regulären Militär Unterstützung gewähren. Den wahren in den Geldauslagen zu suchenden Grund des ständischen Widerstrebens gegen den Landsturm beseitigte Maria Theresia kurz durch die Verfügung, die Kosten seien der Landschaft aus den Contributionsraten für das künftige Jahr zu erstatten.

Damit war nun der Stein des Anstosses beseitigt, und gewissermassen frohlockend bemerkten die Verordneten am 29. August auf dem königlichen Rescripte in dorso: ‚Dies allergnädigste Rescript in originali mit besonderem Fleiss bei der Canzley aufzubehalten.‘ Zugleich ergingen vidimirte Abschriften des königlichen Schreibens an das landschaftliche Generaleinnehmeramt und den landschaftlichen Kriegscassier, damit die Unkosten ‚durch besondere Rechnung dem königl. Hof an denen Contributionsratis angesetzet werden können‘. Nunmehr scheint etwas mehr Thätigkeit in der Landesaufgebotsangelegenheit entfaltet worden zu sein. Ein Theil der Compagnien trat wirklich in voller Stärke zusammen, 3 wurden an der Grenze aufgestellt, eine Compagnie bei den Schanzen in Spielberg, Enghagen und Ebelsperg, eine stand in Steyr, je eine auch in Schwanstadt, Kremsmünster und Kirchdorf. Doch war immerhin am 6. September, fünf Tage vor dem Einmarsche des Kurfürsten, von den fünf Compagnien des Mühl- und Machlandviertels auch noch nicht eine gemustert. Kostbare Zeit, vom 8. August, dem Tage der Beschlussfassung, bis zum 29. August, von wo an man die Sache ernergischer betrieb, war verflossen. Mittlerweile hatte sich das drohende Gewitter immer finsterer zusammengeballt.

Am Himmelfahrtstage (15. August) nämlich begannen die ersten Colonnen der Franzosen den Rhein zu überschreiten. Wie sie auf dem rechten Rheinufer angelangt waren, erschien die blauweisse bairische Cocarde auf ihren Hüten, keinen Zweifel lassend über ihre Bestimmung. In langsamen Märschen näherten sie sich dem kurfürstlichen Lager bei Schärding.[1] Oberösterreich schien nun ziemlich sicher das Object des ersten

---

[1] Arneth, Maria Theresia I, S. 248. Die völlige Vereinigung der Franzosen mit den Baiern erfolgte indessen erst in Ober-Oesterreich, da sich die Franzosen bei Donauwörth einschifften und dann zu Pfätter unweit Regensburg ein Lager aufschlugen (nach Heigel, l. c., S. 175).

Angriffes. Geschehen war dort herzlich wenig. Die ganze
Haltung der Stände in der Frage des Aufgebotes war eine
derartige gewesen, dass sie auch auf die Regierung entmu-
thigend eingewirkt zu haben scheint. Als Mitte September
der böhmische Obersthofkanzler Graf Kinsky den Plan eines
‚Land-Aufbots‘ in Böhmen anregte, ging der Hof, offenbar
durch die Erfahrungen mit den oberösterreichischen Ständen
hiezu veranlasst, nicht darauf ein, da davon ‚eine gar geringe
Wirkung zu erwarten sein würde‘.[1] Am 6. September schon
entliess Palffy den grössten Theil der Aufgebotsmänner und
verzichtete auf die Musterung der noch ausständigen fünf Compagnien.[2] Gewehre und Munition wurden den Leuten kurz nach
dem Einmarsche der Bavaro-Franzosen auf Befehl der kurfürstlichen Behörden von der Landschaft wieder abgenommen.[3]
Am 19. September erfloss das landschaftliche Patent, nach
welchem die Landesschützen verhalten wurden, die ihnen vor
dem abgegebenen Waffen, ‚so in einer Flinten, Bajonett oder
Säbel bestanden‘, an das landschaftliche Depositorium zurückzubringen.[4]

So endete sang- und klanglos das Aufgebot des Landes
ob der Enns, wie sich auch bei der herrschenden Stimmung
der Stände nicht anders erwarten liess. Kein Schuss fiel, als
am 11. September der Kurfürst einrückte, und ohne eine Spur
eines Widerstandes besetzte Karl Albert eines der Stammländer
des habsburgischen Staates. Zeit zur Organisation eines wirksamen Landsturmes hätten die Stände genugsam gehabt. Frühzeitig, schon im April, forderte die Regierung hiezu auf. Ja

---

[1] Maria Theresia an Lobkowitz, Pressburg, 14. September 1741. K. u. k.
Haus-, Hof- und Staatsarchiv, Kriegsacten, Fasc. 357.

[2] ‚Gegen Pro-Memoria‘ des Grafen Palffy an die Verordneten, Linz, 6. September 1741. Ebenda, Fasc. 342.

[3] Protokoll von der Hand des ständischen Syndicus v. Fridel zu der Conferenz am 16. September 1741. Anwesend ‚die kurfürstl. Ministri H. Gr.
Preysing, H. Bar. von Braitenlohn et reliqui mihi ignoti . . . Punct 2:
seye das gewöhr und munition von den burgern und paurschaft abzufordern und solches nacher Linz zu bringen‘. Auch die landschaftlichen
Verordneten schreiben dem Kurfürsten am 17. September: Das Gewehr
und die Munition, ‚welches auf Verlangen des Generals Palfy an die
Landesschützen ausgetheilt wurde, ist an die Landschaft allerdings abzuliefern‘. Ebenda.

[4] Original mit sechs Siegeln. Ebenda, l. c.

noch nach der Eröffnung der Feindseligkeiten durch die Wegnahme Passaus vergingen sechs Wochen bis zum wirklichen
Einrücken Karl Albrechts. Es wäre freilich unnützes Blutvergiessen, ja Wahnsinn gewesen, mit dem ‚Landfahn' allein die
Grenzen gegen Baiern und das flache Land halten zu wollen
ohne reguläres Militär. Doch in dem gebirgigen Theile, zumal
im Salzkammergute, hätte das Landesaufgebot, nach dem glorreichen Muster der Tiroler anno 1703 gegen Max Emanuel,
von grossem Nutzen sein können. So indess fiel auch das Salzkammergut mit seinen reichen Vorräthen und Einkünften ohne
Widerstand, während der Feind ohne sonderliche Mühe durch
die auf Benachrichtigung des wackeren Leonsteiner Pflegers
Franz Michael Grezmillner vom Admonter Prälaten aufgebotenen steirischen Bauern am Ueberschreiten des Pyrnpasses
und am Einfalle in das steirische Ennsthal gehindert wurde.[1]
Dass das oberösterreichische Landesaufgebot keineswegs zu
unterschätzen war, das beweist der Eifer, mit welchem die
Regierung und diesmal auch die Stände im Herbste 1742 die
Verfügung trafen, alle im Lande befindlichen Jäger und Scharfschützen seien auszuheben und dem General Bernklau zur Besetzung von Passau, Schärding, Braunau und Burghausen zu
überlassen, der fünfte Mann im ganzen Lande, das gesammte
Landvolk an der bairischen Grenze sei aufzubieten, um dem
drohenden Einfalle des bairischen Generals Seckendorf mit Erfolg zu begegnen. Das Salzkammergut soll mit 400 oberösterreichischen Scharfschützen besetzt werden. Schnell und dringend
verlangen die Stände von der Regierung für ihr Landvolk Gewehre, Pulver, Blei und Säbel.[2]

Wie sehr ist diese Haltung von der im Jahre 1741 verschieden!

---

[1] Bericht Gresmillner's. K. u. k. Haus-, Hof- und Staatsarchiv, Fasc. 14.
Oberösterreich 1650—1749.
[2] Die Landschaft an Maria Theresia am 17. October 1742. Ebenda.

Drittes Capitel.

Die letzten Zeiten vor dem Einmarsche der Baiern und Franzosen in Ober-Oesterreich.

Schon in der Conferenzsitzung vom 12. August war sich der Wiener Hof über das ernstlich Bedrohliche der bairischen Rüstungen klar geworden. Die Conferenz constatirte die Thatsachen, dass aller Orten längs der Donau und des Innstromes Schiffe gesammelt würden; einige bairische Regimenter hätten ein Lager bei Schärding bezogen, der Rest stünde in Straubing und Ingolstadt; die von den Franzosen an die Ulmer gestellte Durchzugsforderung lasse vermuthen, dass sie auf der Donau nach Ober-Oesterreich herabzukommen Willens seien.[1] In einer solchen Stärke hatte man sich aber die französische Hilfeleistung an den Kurfürsten kaum vorgestellt, wie sie das mächtige französische Heer nun erwies, das seit Mitte August in glänzender Ausrüstung durch den schwäbischen und bairischen Kreis heranzog. Dieser Thatsache gegenüber sah sich bereits am 19. August der Hofkriegsrath unter Klagen über die Unzulänglichkeit des Landaufgebots und die Unmöglichkeit der Donausperre (vgl. S. 347) genöthigt, den Landescommandirenden Grafen Palffy durch Lobkowitz dahin instruiren zu lassen, ,er habe bey allzustark auf ihme anruckhende feindliche Macht sich anfangs über die Traun, und wan er auch von dannen weichen müsste, über die Enns zu ziehen'.[2]

Noch düsterer stellt der Hofkriegsrath die Lage in seinem Berichte vom 30. August 1741 dar. Ein Theil der Franzosen, schreibt er an Lobkowitz, dürfte anfangs September in Donauwörth eintreffen; ein anderes französisches Corps wird, wie aus einem vom Marschall Belleisle an den Nürnberger Magistrat ergangenen Requisitionsschreiben erhelle, seinen Weg durch Franken und die Oberpfalz nehmen. In Schärding stehen 10.000 Baiern, viele Schiffe und Flösse sind gesammelt, für die Verproviantirung wird vorgesorgt, die Strassen sind für den

---

[1] Extract aus dem Conferenzprotokolle vom 12. August 1741, Beilage zu dem Schreiben des Hofkriegsrathes an Lobkowitz vom 19. August 1741 – K. u. k. Haus-, Hof- und Staatsarchiv, Kriegsacten, Fasc. 359.

[2] Voriges Schreiben.

Marsch der Truppen in Stand gesetzt, ,es ist mit einem Worte alles dermassen zubereitet, dass die Ruptur, wo nicht vor der Conjunction mit den Franzosen, doch gleich darauf vor sich gehen kann'. Der Fürst möge einen Plan einsenden, wie er sich im Falle eines Angriffes der feindlichen Uebermacht von Oberösterreich und der Oberpfalz her retiriren würde. Bezüglich Oberösterreichs heisst es wie schon früher, ,dass, sobald der Kurfürst einruckhet, Graf Palffy nichts anderes thun kann, als mit denen 2 Regimentern über die Traun und von da über die Enns sich zu retiriren', ja sollte der Zug weiter nach Niederösterreich gehen, so könne der Fürst ,sich selbsten einbilden, was vor einen Widerstand die zwei Dragoner-Regimenter allein gegen einer den Ennsfluss mit Ernst passieren wollenden feindlichen Macht zu leisten vermögend wären'. [1]

Die einzige grössere Armee, die Oesterreich aufzuweisen hatte, die Neipperg'sche, war durch die Preussen am nördlichen Kriegsschauplatze zurückgehalten. So betrat man noch einmal den Weg der Unterhandlungen.

Noch in der zweiten Augustwoche hatte man den Ausgleich mit dem Kurfürsten für leicht und ohne sonderliche Opfer durchführbar gehalten, trotz der im Juli gepflogenen vergeblichen Unterhandlungen, die der oberste Hofkanzler Ludwig Graf Sinzendorff und der bairische Kanzler v. Unertl durch das Medium des sowohl in Wien als in München ansässigen Wolf Werthheimer geführt hatten. Noch am 9. August schrieb Maria Theresia an ihren Vertreter am sächsischen Hofe: ,Wir sind ebenmässig vest entschlossen, unsere teutsche Erbländer nicht zu schmälern, sondern allenfahls Chur-Bayern von entfernten Ländern zu befriedigen.' [2] Die Hoffnung, mit Baiern zu einem leichten Abkommen zu kommen, erwies sich jedoch bei der geänderten Stellung Frankreichs als eine trügerische. Maria Theresia unternahm es aber noch

---

[1] Der Hofkriegsrath an Lobkowitz am 30. August. K. u. k. Haus-, Hof- und Staatsarchiv, Fasc. 365.

[2] ,Extractus Rescripti an Graffen von Wratislau u. Khevenhüller, Presburg, den 9ten August 1741.' Ebenda. Dort heisst es auch: ,Ein leichtes würde zwar sein, sich mit Chur-Bayern auch ohne sonderlichen Abbruch unserer Gerechtsame einzuverstehen.' Ueber die Verhandlungen Sinzendorff's mit Unertl vgl. Arneth, Maria Theresia I, S. 236 ff.

einmal, durch eine persönliche Unterhandlung den von Westen
her drohenden Einbruch selbst mit schweren Opfern fernzuhalten. Am 26. August 1741 fand eine lebhafte Unterredung
zwischen ihr und des Kurfürsten Schwiegermutter, der Kaiserin Amalie, Witwe Josefs I., statt. Maria Theresia bot
dem Kurfürsten die Niederlande oder sämmtliche Besitzungen
des Hauses Oesterreich in Italien, freilich gegen die Verpflichtung, sie vor einem Gebietsverluste dem preussischen
Feinde gegenüber zu bewahren und ihrem Gemahl die Stimme
bei der Kaiserwahl zu geben. Dieses Angebot wurde von der
Kaiserin Amalie im Namen ihres Schwiegersohnes abgelehnt
und als Gegenforderung aufgestellt: Abtretung der Vorlande
und des Landes Oesterreich ob der Enns, Erhebung zum Könige
von Schwaben oder Franken. Vergeblich erklärte sich Maria
Theresia endlich selbst bereit, zu sämmtlichen Niederlanden
auch deutsche Besitzungen, die Vorlande (den Breisgau, Vorarlberg und das österreichische Schwaben) abzutreten; vergebens,
der verblendete, von den Franzosen und seinen Grossmachts-
träumen völlig umstrickte Kurfürst ging selbst hierauf nicht
ein.[1] Damit war jede Aussicht auf eine friedliche Lösung der
bairischen Frage erloschen.

Umsomehr jammerten die Stände Ober-Oesterreichs, die
wieder zusammengetreten waren, als ihnen diese Thatsache klar
wurde. Sie beklagten sich jetzt, dass die Regimenter Caraffa und
Saint Ignon nur auf dem Durchmarsche im Lande seien, und dass
auch die durch Nieder-Oesterreich marschirenden Regimenter, sowie die mehrerwähnten 2000 Warasdiner und 200 Husaren gegen
Böhmen zögen, sie, die früher gegen jede Vermehrung der Besatzung die grössten Schwierigkeiten erhoben hatten. Der Ton
ihrer Eingabe vom 1. September 1741 ist ein ganz anderer,
willigerer als der in den früheren Schriftstücken, leider zu spät.
Sie schicken nun ihr Mitglied, Otto Karl Grafen von Hohenfeld, an die Königin, um zu bitten, ,allerhöchst dieselbe geruhen
uns durch schleunige Hilfsleistungen mit zulängig regulierten
Trouppen allermildest zu Hilf zu kommen'.[2]

Wenn sie auch in demselben Actenstücke, in welchem
sie um Verstärkung des regulären Militärs ansuchen, in den

---

[1] Ueber diese Verhandlungen Arneth, Maria Theresia I, S. 237, 238.

[2] Die Stände an Maria Theresia, Linz, 1. September 1741. K. u. k. Haus-
Hof- und Staatsarchiv, Fasc. 342.

alten Fehler verfallen und der Regierung vorjammern, wie
schwer es sei, die beiden im Lande liegenden Dragonerregimenter (1400 Mann) mit Fleisch zu versehen, so helfen sie
doch diesmal der Beschwerde aus Eigenem ab; schon am
nächsten Tage erschien ein ständisches Patent, laut welchem
von je 40 Feuerstätten ein schlagbares Rind zu liefern sei,
gegen Vergütung von 4 kr. per Pfund.[1]

Graf Hohenfeld reiste noch am 1. September mit dem Schreiben der Stände nach Wien ab. Daselbst angekommen, wandte
er sich an jenen, den man für den einflussreichsten unter den
Conferenzministern der jungen Königin hielt, den 77jährigen
Grafen Gundaker Starhemberg.[2]

Starhemberg wies ihn nach Pressburg an den obersten
Hofkanzler Philipp Ludwig Grafen Sinzendorff. In Pressburg
fand nun in Hohenfeld's Gegenwart beim Hofkriegsrathsprä-
sidenten Grafen Harrach[3] am 3. September eine Conferenz
statt. Der dringendste Punkt, den Hohenfeld vorbrachte, war,
wie sich die Stände im Falle des Verlangens einer Huldigung·
von Seiten des Feindes verhalten sollten. Ob die Königin die
Huldigung verbiete? ,ob wer solche umb sein Haab und Gutt
zu salviren getrungener praesstiren wurde, in landesfürstliche
Ungnaden verfallen thäte?' Die Mitglieder der beim Grafen
Harrach versammelten geheimen Conferenz beschlossen:

1. Hohenfeld hat bei der Königin Audienz zu nehmen
und ihr über die Lage des Landes und die Stellungen des
Feindes Bericht zu erstatten.

2. Die Truppen sind von Pilsen nach Budweis zu dirigiren.

3. Die Stände sollten sich im Falle einer Invasion nicht
in corpore versammeln; Jeder thue wohl, sich auf seine Güter

---

[1] Ständisches Patent vom 2. September 1741. K. u. k. Haus-, Hof- und
Staatsarchiv, Fasc. 342.

[2] Ueber Gundaker Starhemberg, den Stiefbruder des Vertheidigers von
Wien, den trefflichen und redlichen Finanzmann, Gründer des ,Wiener
Stadtbanco', dem noch sterbend Kaiser Karl Tochter und Schwiegersohn
empfohlen hatte, vgl. Arneth, Maria Theresia I, S. 67 ff. Ebenda, S. 62 ff.
das vernichtende Urtheil über den feilen Sinzendorff.

[3] Feldmarschall Graf Josef Harrach, seit 1738 Hofkriegsrathspräsident,
war ebenso wie sein älterer Bruder Raimund, der im kritischen Jahre
1700 Gesandter in Madrid gewesen war, ohne Bedeutung. Vgl. Arneth,
l. c., S. 70.

zu retiriren, ‚allwo ihme jedoch frey gelassen wirdtet, nach
Möglichkeit in privato sich zu behelfen‘.

Hohenfeld nahm allsogleich nach dieser Berathung Audienz
bei Maria Theresia. Die junge Monarchin empfing ihn mit der
grössten Güte und versicherte in wahrhaft königlicher Huld
und Grossmuth, sie werde das nicht ungnädig aufnehmen, was
wegen der Uebermacht nicht zu vermeiden oder abzuändern
sei. Sie bedauere herzlich, nicht im Stande zu sein, den sich
zu ihr Flüchtenden den Lebensunterhalt gewähren zu können.
Wie eine Mutter sei sie den Ständen im Allgemeinen und Jedem
im Besonderen gewogen.[1]

Am nächsten Tage erging an Hohenfeld auch ein Hofdecret, das denselben Inhalt hatte wie das ihm von der Königin mündlich Mitgetheilte. Im Falle der Invasion hätten die
Stände ‚straks auseinanderzugehen‘. Im Uebrigen aber
werde Maria Theresia ‚in Ungnaden nicht vermerken wollen,
was wegen der Übermacht nicht zu vermeiden oder nicht zu
ändern ist‘. Aus dem Contexte ergibt sich, dass jene gnädigen
und rücksichtsvollen Worte nur auf den Privatverkehr jedes
einzelnen Landesmitgliedes mit dem eingedrungenen Feinde zu
beziehen seien, keineswegs aber auf eine Huldigung, die durch

---

[1] Hohenfeld's Bericht an die Stände ohne Datum (präsentirt 7. September
1741). K. u. k. Haus-, Hof- und Staatsarchiv, Fasc. 342. Die Stelle bezüglich der Audienz lautet: ‚Es haben allerhöchst dieselbe auch (nach
Bestätigung des in der Conferenz Beschlossenen) sich nicht weniger allermildest vernemen lassen, wie dass sye Endlich jenes in Ungnaden nicht
vermerkhen wurden, was wegen der Uebermacht nicht zu vermeiden
oder nicht abzuändern ist, gestalten sye herzlich bedauerten, dass sye
denenjenigen, welche zu ihr sich begeben wolten, nicht zu leeben geben
khönte, wo hingegen höchst dieselbe jedoch denen Stäuden in corpore
und jeden in particulari mit allen gnaden gewogen und eine Mutter zu
verbleiben die allerhöchste Versicherung vonsichgegeben.‘ Dass die Königin hiebei aber keineswegs auch die Huldigung dem Feinde gegenüber verstanden haben wollte, beweist am besten das Patent Maria Theresias an die Oberösterreichischen Stände vom 28. September 1741, als
ihr die Nachricht zukam, von Seiten des Kurfürsten würden Vorbereitungen für die Huldigung getroffen: ‚Nun versehen wir uns zwar zu
eurer unversehrten Treu, Liebe und Devotion, dass ihr derley unberechtigten Zumuthungen von selbsten kein Gehör geben, minders Folge
leisten werdet; allermassen Wir auch ein Solches euch sammt und sonders
mit gemessenen Ernst hiemit verbieten.‘ Niederösterreichisches Landesarchiv, Landesdefension 1741.

das Auseinandergehen des Landtages und das Verbot des Wiederzusammentrittes unmöglich gemacht werden sollte.[1]

Aeusserst gütig war auch das Rescript gehalten, das Maria Theresia an die oberösterreichische Landschaft von Holitsch aus auf deren Schreiben vom 1. September ergehen liess. Tröstlich und wohlgefällig sei ihr dasselbe gewesen; sie hofft, die Stände würden in diesen Gesinnungen verharren. Ober-Oesterreichs Vertheidigung werde durch das Lobkowitz'sche Corps unterstützt werden. Im Falle des feindlichen Einbruches hätten die Stände allsogleich auseinanderzugehen. Auch Hohenfeld werde ihnen mündlichen Bericht erstatten.[2]

Hohenfeld eilte nach Linz zurück. In einem Punkte verlangten die Stände noch nähere Auskunft: Sind unter den ,Ständen', die sofort auseinander zu gehen hätten, auch die ständischen Verordneten mit inbegriffen? Man nahm dies nicht an, sondern erklärte — vorbehaltlich der Genehmung des Hofes — die Verordneten ,keineswegs für unseres ständischen Corporis Repräsentanten' (was sie in Wirklichkeit doch auch waren), ,sondern für Besorger der allgemeinen Lands-Oekonomie'; sie hätten demnach mit dem Präsidenten Johann Wilhelm Grafen Thürheim beisammen zu bleiben, ersterer ,in seiner inhabenden Landhauss-Wohnung' zur besseren Wahrung der Landesinteressen und damit nicht etwa Archive, Kanzleien und Cassen dem Feinde wie herrenloses Gut zufielen, eine Vorsorge, die selbstverständlich nur gebilligt werden muss. Noch am 7. September, dem Tage, an dem ihnen Hohenfeld Bericht erstattete, schickten sie den landschaftlichen Secretär Tobias Schmidpauer mit diesen Vorschlägen an die Königin zugleich mit der Ver-

---

[1] Hofdecret an Hohenfeld ddo. Holitsch, 4. September 1741: ,Da ist Ihrer königl. May. allergnädigste Intention, dass in solchem Fall (der Invasion) die treu gehorsambste Stände straks auseinandergehen und alle Versamblung in Corpore äusserist vermeyden sollen, wie aber ain jeder ihme selbst in privato helffen könne, solches wird ihnen für dergleichen Fall freigelassen, massen Ihre königl. May. endlich in Vngnaden nicht vermerken wollen, was wegen der Übermacht nicht zu vermeiden oder nicht zu ändern ist.' K. u. k. Haus-, Hof- und Staatsarchiv, Fasc. 342.

[2] Rescript Maria Theresias an die oberösterreichischen Stände, Holitsch, 4. September 1741; ebenda. Am 5. September wurde auch Lobkowitz nach Budweis commandirt; ebenda, Fasc. 359.

sioherung, dass auch mitten unter der feindlichen Uebermacht die so viele Jahrhunderte für das Ershaus gewahrte Treue ,unauslöschlich bevestiget und in unsere allersubmissesten Herzen eindrucket' werden würde.[1]

Auf die Sendung Schmidpauer's erfolgt ein königliches Rescript aus Pressburg am 9. September. In demselben werden die Verfügungen der Stände bezüglich der Verordneten und des Präsidenten Thürheim genehmigt; von jedem der vier Stände soll ein Verordneter zur Besorgung der laufenden Geschäfte in Linz bleiben, alle anderen Landesmitglieder aber sich nach Hause entfernen ,und zu unserem Nachtheil, wie wir uns ohnedem gänzlich versehen, unter keinerlei Vorwand was vorgenommen werden'.[2]

Mit diesem Rescripte schliesst die reguläre Correspondenz der oberösterreichischen Stände und der Regierung. Denn schon am selben 9. September erliess der Kurfürst von seinem Lager zu Schärding aus ein Schreiben an die Stände.

<hr />

Viertes Capitel.

Der Einmarsch des bairischen Kurfürsten in Ober-Oesterreich.

Am Nachmittage des 7. September 1741 verliess Karl Albrecht seine Hauptstadt München und begab sich nach dem bairischen Hauswallfahrtsorte Altötting, um den Segen des Himmels für sein gewagtes Unternehmen herabzuflehen. Von dort aus eilte er zur Armee nach Schärding. 12 Bataillone Infanterie, 10 Escadronen Cavallerie und 2 Dragonerregimenter, die der Kurfürst in seinem Tagebuche als Waffengattung, die sowohl zu Pferd als auch zu Fuss verwendet werden konnte, gesondert anführt, bildeten den Bestand des Schärdinger Lagers. Mit dieser kleinen Macht unternahm es Karl Albrecht, aller-

<hr />

[1] Die Stände an die Königin, Linz, 7. September 1741. K. u. k. Haus-, Hof- und Staatsarchiv, Fasc. 342.

[2] Maria Theresia an die Stände, Pressburg, 9. September 1741. Ebenda.

dings gestützt auf Frankreichs werkthätigen Beistand, einen Grossstaat anzugreifen und, wenn schon nicht zu vernichten, doch um ein beträchtliches Stück zu schmälern. Selbst diese Truppen waren aber noch nicht völlig complet, und so setzte sich der Kurfürst noch nicht in Marsch. ‚Ich verlor,‘ so erzählt er, ‚währenddem keineswegs die Zeit, sondern schickte einen Trompeter nach Linz, ausgestattet mit einem Schreiben an die Stände von Ober-Oesterreich, sowie mit der (sc. gedruckten) Begründung meiner Erbrechte und meinem Manifest, kündigte ihnen meinen bevorstehenden Eintritt in Oesterreich an, mit dem Befehl, sich meinem Willen zu unterwerfen, mich als ihren Landesherrn anzuerkennen und mit Fourage und Lebensmitteln für das Heer zu unterstützen.‘[1]

So langte denn am 10. September 1741, nach 10 Uhr Vormittags, ‚ob der Post‘ in Linz ein bairischer Trompeter mit einem Handschreiben Karl Albrechts ein; an die ‚würdigen und ersamben in Gott, hoch und wohlgebornen Edlen, Vesten auch Fürsichtigen, ehrsamben und weisen, besonders Lieben‘.[2] An Höflichkeit und Wahrung der althergebrachten ständischen Formen liess es also der Kurfürst nicht fehlen, wie denn überhaupt der Ton des Schreibens ein überaus sanfter ist. Der Kurfürst betrachtete sich nicht als eindringenden Feind, sondern als rechtmässigen Landesherrn, der, gestützt auf das Testament Ferdinands I., sein Erbe in Besitz nimmt. Er zweifelt nicht, ‚dass Sye (die Stände) das, was unserem Churhaus der Güettigste Gott verschaffet und selbigem deren löbl. Ständten geweste nunmehr in Gott ruehende Kaysern und Landsfürsten ... zuegedacht, allerdings gönnen, mithin uns fürohin für ihren natürlichen und rechtmässigen Erb-Herrn erkennen und bereitwilligst sich mit Gehorsamb und Unterthänigkeit untergeben werden‘. Es ist kein Zweifel, dass Karl Albrecht persönlich noch immer von der Richtigkeit seiner Erbansprüche überzeugt war, trotz der Niederlage Perousa's am 3. November 1740, als

---

[1] K. Th. Heigel, Das Tagebuch Kaiser Karls VII., München 1883, S. 20. Der Kurfürst bemerkt: ‚Ce fut le 10.‘ Doch ist das Schreiben vom 9. datirt; am 10. kam es allerdings nach Linz.

[2] Karl Albrechts Handschreiben an die oberösterreichischen Stände, Schärding, 9. September 1741. Original im k. u. k. Haus-, Hof- und Staatsarchiv, Fasc. 342. Vgl. Anhang, Stück IV.

die österreichische Regierung die Originale von Testament und
Codicill Ferdinands I. vorgelegt hatte.

Im Weiteren versicherte der Kurfürst, er werde die Freiheiten und Privilegien des Landes bestätigen, und stellte völligen
Schutz gegen Militärexcesse in Aussicht für den Fall, als die
Subsistenz der Armee sichergestellt werde. Dies könne auf
zwei Wegen erzielt werden. Entweder die Armee fouragire,
oder die nöthigen Subsistenzmittel würden von der Landschaft
ins bairische Lager so lange geliefert, ‚bis sich eine Abänderung
vor diese Gegend hervorthun, folgsam die Erleuchterung ergeben wirde‘.

Ersteren Weg hält der Kurfürst für unzweckmässig, da er
nicht ‚ohne des Landes grosser Beschwernus ablaufen könnte‘.
Der zweite Weg, die ordnungsmässige Lieferung ins Lager, sei
weit entsprechender; nur dadurch könnten Militärexcesse vermieden werden.

Ausserdem überreichte der Trompeter einen Folioband,
in welchem durch des Kurfürsten gelehrten Juristen Ickstatt
weitläufig und nach seiner Ueberzeugung ‚ohnabneinlich‘ bewiesen wurde, dass ‚weder die so benamste pragmatische Sanction, noch die von der durchleuchtigsten Gross-Herzogin von
Toscana eigenmächtig vorgenommene Besitz-Ergreifung er-
wehnter Königreichen und Landen zu Recht bestehen könne‘.
Die unbändige Länge und Weitschweifigkeit der im fürchter-
lichsten Advocatendeutsch damaliger Zeiten abgefassten Schrift,
die noch dazu bis ins graue Alterthum zurückgreift, liess den
Kurfürsten Eintrag für ihre Beweiskräftigkeit befürchten. Schon
von seines Kanzlers Unertl umfangreicher Schrift über denselben
Gegenstand hatte er einen kurzen französischen Auszug an-
fertigen lassen, ‚um den alten Cardinal (Fleury) durch die
Weitschichtigkeit nit abzuschrecken‘. Auch jetzt war der Fo-
liant Ickstatt's von einem immerhin noch drei Druckbogen starken
Manifest begleitet, das in kürzerer Form die Prätensionen Karl
Albrechts darlegte. Es heisst in demselben: ‚Die Sr. churfürstlichen Durchlaucht von Rechts wegen angefallenen Erb-Königreiche und Lande werden ebenfalls, so es nur immer möglich,
bei allen diesen Unternehmungen verschont bleiben,‘ falls sich
Stände wie Unterthanen dem Kurfürsten als ‚rechtmässigen,
angestammten König und Erbherrn‘ bereitwillig unterwerfen
würden. Aus dem Titel ‚König‘ erkennt man auch, dass

die Absichten des Kurfürsten nächst Ober-Oesterreich auf Böhmen gingen, dem mit den Franzosen verabredeten Plane gemäss. [1]

Die ständischen Verordneten nahmen das Schreiben des Kurfürsten in Empfang, wie es scheint, mit einiger Beruhigung. Dem Einrücken der feindlichen Armee waren nämlich Tage des Schreckens und der Verwirrung, der Furcht um Geld und Gut vorausgegangen, Tage eifrigen Einpackens in Klöstern und Schlössern. [2] Die Furcht vor Plünderungen milderte sich jetzt etwas. Correct war der Beschluss der Verordneten, das Schreiben Karl Albrechts in Abschrift an den königlichen Hof nach Wien zu senden, mit der Anfrage, wie man sich dem kurfürstlichen Rescript gegenüber verhalten solle, nicht correct und von ungehöriger Zaghaftigkeit zeugend das sofortige Eingehen auf die Intentionen Karl Albrechts, indem sie ihn in ihrem Antwortschreiben titulirten: ‚Dem durchleuchtigsten Fürsten und Herrn

---

[1] Die Deduction der bairischen Ansprüche: k. u. k. Haus-, Hof- und Staatsarchiv, Fasc. 381. ‚Gründliche Ausführung und klarer Beweiss derer dem durchleuchtigsten Chur-Hause Bayern zustehenden Erbfolgs und sonstigen Rechts-Ansprüchen auf die von weiland Kayser Ferdinanden dem Ersten besessene, durch den am 20. October 1740 erfolgten unverhofften Todesfall Seiner kayserl. Majestät Karl des Sechsten höchst-seel. Angedenkens erledigte Königreiche Ungarn und Böheim, wie imgleichen auf das Erz-Herzogthum Oesterreich und allerseits angehörige Fürstenthümer und Lande, welche aus denen älteren wahrhafften Geschichten und ächten Urkunden getreulich hergeleitet etc. etc. etc. Mit Beylagen von Lit. A bis T inclusive. Mit kurfürstl. gnädigstem und des H. Röm. Reichs-Vicariats-Privilegio, München gedruckt und zu finden bei Johann Jacob Vötter 1741.‘ Das kürzere Manifest: ebenda, Kriegsacten, Fasc. 341. Es wurde der österreichischen Regierung aus dem Haag zugeschickt, laut dem Vermerk: ‚a la Haye ce 11me Sept. 1741, Elsacker.‘ Ueber Ickstatt: Heigel, l. c., S. 190.

[2] Vgl. Arneth, Maria Theresia I, S. 251, nach dem ‚Flebile Promemoria oder Diarium, was sich bei französischen und churbairischen Einfall annis 1741 u. 1742 zugetragen‘ des Propstes Johann Georg von St. Florian. Auch das Staatsarchiv besitzt im Fasc. 341 der Kriegsacten einen ‚Extract aus der Beschreibung deren aus dem Land ob der Enns nacher Kärndten geflüchteten und von denen nacher Grätz transportierten Sachen‘. Dieses Verzeichniss entging dem scharfen Auge des Fiscus nicht. In einer Einlage zu dem Actenstücke äussert sich ein Finanzmann zwar: ‚Derer consecrierten Sachen kann man sich nicht wohl prävalieren,‘ doch könnte namentlich der Abt von Kremsmünster auf seine Kostbarkeiten ‚ein proportioniertes Kapital‘ aufnehmen.

Carl Albrecht etc. unserem gnädigsten Kurfürsten und
Herrn.'[1]

Sie theilen mit, dass sie das ‚in den gnädigsten Terminis
erlassene Rescript' in Abwesenheit der vier Stände erbrochen
und zugleich den Beschluss gefasst hätten, den Herrn Josef
Willinger von der Au nach Peuerbach an den Kurfürsten zu
senden, um die Forderung des bairischen Kriegscommissariates
entgegenzunehmen.[2] Sie klagen über die unzulängliche Fechsung
der Jahre 1740 und 1741, die es nothwendig gemacht habe,
für die früher im Lande stehende österreichische Garnison Zu-
fuhr aus Ungarn kommen zu lassen. Der Kurfürst möge es
auch nicht übelnehmen, dass sie einen Expressboten mit der
Anzeige des kurfürstlichen Schreibens und der Bitte um Ver-
haltungsbefehle nach Wien geschickt hätten.

Noch am 10. September erging auch das Ersuchschreiben an
Josef Willinger von der Au, er möge sich als Deputierter der
ständischen Verordneten nach Peuerbach begeben; zugegeben
wurde ihm der Kanzlist Stephan Gassner und der Pfleger von
Peuerbach. Später war auch der ständische Secretär Schmidtpauer bei ihm. Der Pfleger wird bezeichnet als ein ‚in militari besonders angeriembt wohl erfahrener Beambter'. Die Verordneten gaben der Hoffnung Ausdruck, die Sendung Willinger's würde auch die Genehmigung des königlichen Hofes
finden.[3]

Schon hatte Willinger aus Peuerbach seinen ersten Bericht
abgeschickt, als ein Rescript Maria Theresias in Beantwortung
der Anfrage vom 10. September in Linz eintraf.[4] Die Königin

---

[1] K. u. k. Haus-, Hof- und Staatsarchiv, Fasc. 342, Concept vom 10. September 1741. — Am Rande des Stückes hat eine andere (alte) Hand
bemerkt: ‚Diese Titulatur ist vor der Huldigung gegeben worden.'

[2] Es war derselbe Josef Willinger von der Au, welcher zum ‚Oberhauptmann und Kapitain-Commandanten' des Landesaufgebotes ausersehen
gewesen war (vgl. S. 350).

[3] ‚Ersuech-Schreiben dem Herrn Joseph Wiellinger von der Au, 10. September 1741.' K. u. k. Haus-, Hof- und Staatsarchiv, Fasc. 342. Es
heisst dort: ‚So ersuchen wür denselben hiedurch und geben hiemit in
Hoffnung der von Ihro Khönigl. May. auf die von uns erlassene aller-
unterthänigste Anfrag erfolgende allergnädigste Genembhaltung die Commission und Vollmacht.'

[4] Rescript Maria Theresias an die oberösterreichischen Verordneten, Pressburg, 12. September 1741. Ebenda.

verwies auf ihre Rescripte vom 4. und 9. September und
schärfte nochmals ein, von jedem Stande solle nur ein Verordneter
in Linz bleiben, jede Versammlung der Stände in pleno und
die ‚auch etwa zumuthende Huldigung‘ sollten auf das Aeusserste
vermieden werden Wahrhaft hochherzig und landesmütterlich
sind die Worte, mit denen auch jetzt wieder die Monarchin ihr
Schreiben schliesst, die letzten, welche sie vor dem Einfalle
an die Landschaft richtet: ‚Übrigens versehen wir uns zu eurer
Treu und Liebe gegen uns und dem werthen Vaterland, dass
ihr alle zu dessen Erhaltung erforderliche Veranstaltung sorgfältig fortsetzen und in specie dahin antragen werdet, dass aller
ruin des Landes vermieden und das, was man nicht verhindern
kann, mit Ordnung beygeschaffet werde.‘ Ganz im gleichen Sinne
hatte sich die Königin mündlich am 3. September zum Grafen
Hohenfeld geäussert, sie werde nicht in Ungnaden aufnehmen,
was wegen der Uebermacht nicht zu vermeiden oder abzuändern sei. Actionsfreiheit fehlte also den ständischen Vertretern gewiss nicht, was zu vermeiden war, blieb einzig die
Huldigung.

Herr v. Willinger traf am 11. September, Abends 9 Uhr,
in Peuerbach ein. Drei Viertelstunden zuvor hatte der bairische Trompeter auf seinem Rückritte zum Kurfürsten den Ort
passirt und beim Postmeister angefragt, ob noch kein ständischer Commissär aus Linz angekommen sei, ‚indem sein gnädigster Kurfürst sehr grosses Verlangen um eine Antwort auf
sein gestriges Zuschreiben tragen thäten‘.[1] Der Postmeister
theilte ihm mit, es seien für Herrn v. Willinger Postpferde bestellt; der Trompeter liess sich den Namen notiren und ging
‚ganz wohl zufrieden‘ ab. Willinger fand die Gegend in der
Nähe der damaligen Landesgrenze bei St. Willibald von ein
paar hundert Baiern besetzt und schickte noch um Mitternacht
den landschaftlichen Trompeter Josef Kärner auf Postpferden
nach Schärding ins Hauptquartier Karl Albrechts. Am Morgen
des 12. September war Kärner, nachdem er seinen Auftrag
ausgerichtet hatte, bereits wieder bei Willinger in Peuerbach.

---

[1] Bericht v. Willinger's vom 11. September 1741, Nr. 1. ‚A Son Excellence
Monsieur Jean Guillaume le Comte de Thierheim, Chambellant et Con-
silier aulic Intime de la M^te Imperiale le Charles VI. et President dici
pais Sur l'Onuse pour pres. a Lince.‘ K. u. k. Haus-, Hof- und Staatsarchiv, Fasc. 342.

Der Kurfürst hatte ihn freundlich angeredet und liess Willinger durch ihn versichern, dass, wenn für die Verpflegung
Vorsorge getroffen würde, ‚kein Mensch, ja auch kein Stein
beleidiget werden solle‘. Auch der bairische Feldmarschall
Graf Törning liess durch den landschaftlichen Trompeter melden, für den 12., an welchem schon 15.000 Mann in das Lager
von Weidenholz in der Nähe von Waisenkirchen einrückten,
sei wohl durch Nachfuhr aus Baiern gesorgt. Für den nächsten
Tag aber schon habe das Land für Pferd- und Mundportionen,
sowie Brennholz aufzukommen, das mache, wie Willinger zu
seinem nicht geringen Schrecken erfuhr, für die Cavallerie
allein 2000 Metzen Hafer, 1280 Centner Heu, 8000 ‚Schab‘
Stroh, eine Forderung, die er in seinem Berichte als ‚verstärkt‘
bezeichnet. Doch liess er durch den Pfleger zu Weidenholz
bei den nächstgelegenen Herrschaften, Pfarren, Märkten und
Bauernschaften Proviantvorkehrungen treffen. Bairischerseits
war ihm wohl die Quittirung alles Empfangenen, jedoch vermuthlich ohne Zahlungsversicherung‘, versprochen worden.[1]

Inzwischen hatte Karl Albrecht am 11. September seinen
Rubikon überschritten, in der Nähe von St. Willibald war er
über die Grenze gegangen, von seiner Umgebung in dem
Augenblicke bejubelt, als er den Fuss auf österreichisches Gebiet setzte.[2] Fast mühelos sollte ihm vorerst zwar die Herrschaft über Oberösterreich und die böhmische Königskrone zufallen, ja sogar die Krone Karls des Grossen sein Haupt
schmücken. Im weiteren Verlaufe brachte ihn jener Schritt
um Land und Leute, liess ihn als Kaiser ohne Land und von
der Franzosen Gnaden das Brot der Verbannung essen. Es
war gerade jener 11. September, an welchem Maria Theresia
im schwarzen Trauerkleide, mit der Stephanskrone auf dem
Haupte im Audienzsaale des Pressburger Schlosses vor den ungarischen Ständen erschien, der Tag einer von der Legende
so stolz ausgeschmückten Scene.[3]

Am 12. September erschien der Generaladjutant Karl
Albrechts ‚zu 2 mahlen‘ bei dem ständischen Commissär und

---

[1] Zweiter Bericht Willinger's an die oberösterreichischen Verordneten,
Peuerbach, 12. September 1741. K. u. k. Haus-, Hof- und Staatsarchiv,
Fasc. 342.

[2] Heigel, Tagebuch Karls VII., S. 20.

[3] Arneth, Maria Theresia I, S. 298—300.

bedeutete ihm, er möge doch dem Kurfürsten entgegenkommen und mit ihm sprechen. Herr v. Willinger fuhr hierauf mit dem ständischen Secretär Schmidtpauer ,eine und andere hundert Schritt' aus seinem Quartier dem Kurfürsten, der sich mit der Generalität — ausdrücklich erwähnt Willinger den Grafen Schmettau an Karl Albrechts Seite — zu Pferde befand, entgegen. [1]

Sobald der Kurfürst und seine Suite Halt gemacht hatten, trat Willinger vor und brachte seine ,Aufwartung' an, theilte mit, dass er sammt einer kleinen Kanzlei aus Linz im Auftrage des ständischen Verordnetencollegiums eingetroffen sei, um die Regelung der Proviant- und Fouragelieferungen vorzunehmen und so Excesse zu verhüten. Karl Albrecht hörte dem Vortrage Willinger's zu Pferde sitzend, doch mit höflich abgezogenem Hute aufmerksam zu und antwortete dann mit ,deüttlicher Expression', er werde diese Fürsorge der Stände (,ich aber hab' nur den Namen der Verordneten gebrauchet', bemerkt Willinger) nachdrücklichst unterstützen und an den Oberösterreichern nicht anders als ein Vater an seinen Kindern handeln. Sollten — wider Verhoffen — doch Excesse erfolgen, so werde er ,sofortige ,Remedur und Ersetzung des Schadens verfügen'. [2]

Damit war die Unterredung vorläufig zu Ende. Willinger sah nun etwas dem Einmarsche der Truppen zu und berichtet, das Heer des Kurfürsten bestehe aus schönen Leuten und Pferden, fast durchwegs deutsches Kriegsvolk. Die Franzosen stünden mit der Artillerie bei Passau und würden wohl zu

---

[1] Dritter Bericht Willinger's (an die Verordneten), Pfarrhof Waizenkirchen, 12. September 1741. K. u. k. Haus-, Hof- und Staatsarchiv, l. c., vgl. Anhang V.

[2] Bericht Willinger's, Pfarrhof Waizenkirchen, 12. September 1741. Ebenda, l. c. Nach dem Tagebuch und nach dem Grafen Deroy (vgl. S. 326) überschritt der Kurfürst am 11. September die Grenze, nach Heigel am 12. September. Jedenfalls fand die Zusammenkunft Karl Albrechts mit dem ständischen Abgesandten nicht, wie der Kurfürst angibt (Tagebuch, S. 20), am 11. September und bei Gelegenheit der Grenzüberschreitung, sondern erst am 12. September auf der Strasse zwischen Peuerbach und Waizenkirchen statt. Willinger kam nach seinem eigenen Berichte am 11. September erst um 9 Uhr Abends nach Peuerbach. Karl Albrecht erzählt: ,Je continois ma marche le lendemain 11. et recus les complimens de ceux, qui m'accompagnérent le moment meme, que je mis le pied en Autriche. Les deputés des états virent au devant de moy pour attendre mes ordres.'

Wasser herabkommen. Auch die Absichten des Feindes suchte Willinger behufs Berichterstattung nach Pressburg zu ergründen, ob der Marsch auf Wien losgehe, oder ob der Kurfürst bei Linz, vielleicht auch erst bei Stein die Donau übersetzend in Böhmen einzufallen gedenke. Jedenfalls, so schreibt er den Verordneten, sei die österreichische Generalität jenseits der Enns, der königliche Hof in Pressburg und das Kreisamt in Budweis von dem bisherigen Verlaufe der Dinge zu verständigen. Von Unwillen wurde Willinger darüber erfasst, dass dem Kurfürsten in Waizenkirchen ‚ohne mich zu fragen mit Läuttung aller Glocken die landesfürstliche Begrüssung abgestattet wurde‘.[1] Wenn auch v. Willinger nachmals dem Kurfürsten huldigte, bei dieser Gelegenheit hat er sich streng loyal benommen.

Noch am selben 12. September berief der Kurfürst, der sein Hauptquartier im kuefsteinischen Schlosse Waizenkirchen aufgeschlagen hatte — ‚un fort beau chateau‘ nennt er es in seinem Tagebuche — nach geendeter Mahlzeit Willinger zu längerer Unterredung zu sich. Er wünsche, bemerkte Karl Albrecht, dass es niemals zu dieser ‚Extremität‘ hätte kommen müssen, und dass ein Vergleich zu Stande gekommen wäre. ‚Nun aber müsste es schon also geschehen, damit Sie (der Kurfürst) bey Gott und dero Nachkommen keine Verantwortung auf sich ladeten und dasjenige Recht behaupteten, welches Ihro Gott und die Natur gegeben hätten.‘[2]

Man sieht wieder, Karl Albrecht zog mit unerschütterlichem Glauben an die vermeintliche vor Gott und der Welt zu rechtfertigende Billigkeit seiner Ansprüche in den gefährlichen Kampf. Gerade in jenem Schlosse Waizenkirchen erhielt er auch günstige Nachrichten von Belleisle bezüglich der Kaiserwahl.[3]

Recht bezeichnend aber für die klägliche Abhängigkeit des Kurfürsten von den Franzosen ist seine Aeusserung Willinger gegenüber, er sei weit mehr auf gute Verproviantirung der französischen Auxiliarvölker, als der eigenen Truppen be-

---

[1] Bleistiftbemerkung Willinger's auf dem erwähnten Berichte. Vgl. Anhang V.

[2] Bericht Willinger's Nr. 4, ebenfalls Pfarrhof Waizenkirchen, 12. September 1741. Vgl. Anhang VI.

[3] Heigel, Tagebuch Karls VII., S. 20.

dacht, denn die Franzosen seien eine fast doppelte Fleisch-
portion als die Baiern gewohnt, auch zu Excessen und ‚Im-
pertinenzien‘ weit mehr geneigt. Sein Marsch gehe mit den
bairischen Truppen nach Eferding, erklärte Karl Albrecht
weiter, 9000 Franzosen würden zu Wasser kommen, die französische Cavallerie zu Lande dem Hauptcorps folgen. Zu Linz
werde er mit den Ständen bezüglich des Aufhörens der Steuer-
leistungen an die österreichische Regierung verhandeln, in allen
Stücken aber das Land möglichst verschonen, ‚wohl wissend,
dass selbiges seit vielen Jahren hart mitgenommen und ge-
schröpfst worden sei‘.[1] Bisher, erklärt Willinger in seinem
Berichte sei Alles gut abgegangen; der Kurfürst selbst habe
die ‚durch Uebereilung der Zeit‘ geschaffene Lage gar wohl
gewürdigt.

Die Berichte Willinger's gelangten mit grosser Verzögerung
an die Verordneten nach Linz, denn am 12. September gibt
der Landschaftssyndicus v. Friedel in einem Briefe an den
Willinger begleitenden Landschaftssecretär Schmidtpauer dem
Erstaunen Ausdruck, dass noch keine Relation in Linz eingetroffen sei. In Wirklichkeit hatte Herr v. Willinger jedoch schon
drei Berichte durch Staffetten nach Linz geschickt. Er befürchtet deshalb in seinem vierten Berichte, dass die früheren
Relationen ‚intercipirt‘ worden seien. Das war nun freilich
nicht der Fall. Doch war der Verkehr insofern von der gewöhnlichen Route abgelenkt worden, als Nachrichten aus Linz
— wie z. B. jener Brief Friedel's — nicht auf der gewöhnlichen Poststrasse über Eferding, sondern auf dem grossen
Umwege über Schärding nach Waizenkirchen ins Hauptquartier
kamen.[2]

Vom bairischen Feldmarschall Törring erhielt Willinger
den Entwurf, was für die bairischen Truppen in das für den
13. September zu Eferding ausgesteckte Lager zu liefern sei.[3]
6000 Pfund Fleisch für die Infanterie, 5700 Bund Stroh zu je
20 Pfund, Holz in nicht näher angegebener Menge, endlich
40 mit je 4 Pferden bespannte Wagen. Brot und Hafer wurden
für ganz kurze Zeit aus den bairischen Magazinen nachgeschafft.

---

[1] Bericht Willinger's Nr. 4, Pfarrhof Waizenkirchen, 12. September 1741.
Anhang VI.
[2] Aus dem Berichte Willinger's Nr. 4.
[3] Zettel Törring's dem Berichte Willinger's Nr. 4 beiliegend.

Törring bemerkt ganz in Uebereinstimmung mit der eben erwähnten Aeusserung seines Herrn, des Kurfürsten, der Entwurf
gelte nur für die Baiern, für die französischen Hilfsvölker sei
,allenthalben mit weit mehreren Mund- und Pferdportionen,
auch Holz, Stroh, Brot und Bier anzutragen', welche schmähliche Zurücksetzung der eigenen Landeskinder später das Verhältniss zwischen Franzosen und Baiern zu einem so gespannten
machte, dass es unmöglich wurde, französische und bairische
Abtheilungen zusammen cantoniren zu lassen. Die Franzosen
machten sich auch bald im ganzen Lande verhasst, während
man dem bairischen Militär nichts nachsagen konnte, so dass,
wenn es sich um Garnisonen handelte, der Kurfürst schliesslich
um Baiern und ja keine Franzosen gebeten wurde.[1]

Zum Troste für die schweren Lieferungen versicherte
Törring den ständischen Commissär, der gemeine Soldat werde
fast alles Essen und Trinken mit barem Gelde bezahlen.

Am 13. September campirte die bairische Armee um
Eferding, und vom dortigen Pfarrhofe aus — der Kurfürst
hatte sein Quartier im Schlosse — schrieb Willinger seinen
letzten Bericht an die Verordneten.[2] Zu Waisenkirchen war
am 12. September noch Alles glücklich abgelaufen. Wo es
nicht stimmte, wurde der Abgang ,ganz bescheidentlich dis-
simulieret'. Willinger hatte schon von Peuerbach aus an die
benachbarten Herrschaften Aufträge mit Angabe der ins bairische Lager nach Weidenholz zu liefernden Quanten geschrieben ,gegen künftige Ersetzung'.[3] Nur beklagt er sich,
dass er nie recht wisse, wann und wohin die Lieferungen zu
dirigiren seien, ,gestalten alle kurfürstlichen Dispositiones bis
auf die letzte Stund in Geheim gehalten und alsdann ganz

---

[1] Ansuchen der Ennser beim Kurfürsten, 30. September 1741. K. u. k.
Haus-, Hof- und Staatsarchiv, Peter'sche Sammlung.

[2] Bericht Willinger's Nr. 5. Seinen vierten Bericht hatte Willinger in der
Nacht vom 12. auf den 13. September nach Linz abgeschickt. Der Kurfürst gibt in seinem Tagebuche irrthümlicherweise den 12. September
als Tag seines Aufenthaltes im Efferdinger Schlosse (,un château magni-
fique appartenant au comte de Starenberg') an. Das Lager befand sich
unweit von Eferding bei Hartheim. Vgl. Prits, Geschichte des Landes
ob der Enns, Linz 1847, II. Bd., S. 492 ff.

[3] Ein solches Stück, bei der dem berühmten Genealogen Freiherrn
v. Hohenegg gehörigen Herrschaft Schlüsselberg am 12. September 1741
präsentirt, liegt den Berichten Willinger's bei.

pressant an mich notificiert werden'. Schwere Sorgen bereitete
Willinger der Gedanke, wie für die nächsten Tage die Subsistenz für die nach der Vereinigung mit den Franzosen vorläufig 24.000 Mann betragende Armee zu beschaffen sein werde,
zumal bei dem ,ungemeinen Tross, welche alle leben wollen'.
Fleischhauer, Bäcker und Brauhäuser konnten dem Bedarfe
nicht mehr genügen. Stroh für das Lager mangelte am meisten,
und Willinger ging sogar so weit, den barbarischen Plan zu erwägen, auch das unausgedroschene Stroh sammt der Frucht
bei der umliegenden Bauernschaft durch militärische Execution
hinwegnehmen zu lassen; freilich setzt er hinzu: ,welche Extremität jedoch Ihro Durchlaucht dem Kurfürsten so wenig als
mir lieb und anständig seyn würde'.[1] Auch Holz für die
Wachtfeuer ,bei jetzigen schon kalten Nächten' war dringend
von Nöthen. Ueberdies beantragte der ständische Commissär,
die Verordneten möchten ein Patent an die Fleischhauer, Bäcker
und Brauer erlassen und wies besonders darauf hin, dass die
Baiern bisher selbst das Brot stück- und kreuzerweise bei
Bürgers- und Bauersleuten, wenn nur kein zu unbilliger Preis
gefordert wurde, bar bezahlt hätten.

Da für den 14. September schon Linz zum Mittelpunkte
des Lagers ausersehen war, so hielt Willinger von der Au seine
Sendung für beendet und begab sich nach der Landeshauptstadt zurück.

Noch bevor er aber heimgekehrt war, hatten die Verordneten auf seine Anregung hin Vorkehrungen für die Verproviantirung getroffen; wie seinerzeit am 2. September, als das
Landesaufgebot noch unter Waffen stand, erliessen sie auch
jetzt ein Patent, nach welchem von je 40 Feuerstätten ein
schlagbares Rind abzuliefern und für 4 Kreuzer per Pfund aus-
zuschlachten sei. Unverweilt mussten auch Korn und Hafer
ausgedroschen werden, damit kein Mangel an Stroh entstehe.[2]
Zum Theile wörtlich sind Ausdrücke des Patentes vom 2. September in diesem vom 13. wiederkehrend. ,In hac extrema
necessitate', ,so schwär und hart es auch immer ankommt',
heisst es hier wie dort.

---

[1] Bericht Willinger's Nr. 5, Pfarrhof Eferding, 13. September 1741. K. u. k.
Haus-, Hof- und Staatsarchiv, Fasc. 342.

[2] Patent der ständischen Verordneten vom 13. September 1741. Ebenda.

Besondere Fürsorge liess die Landschaft der Zubereitung des bairischen Lieblingsgetränkes, des Bieres, angedeihen. Ein weiteres ständisches Patent vom 15. September setzte vorerst den Preis der Mass auf 4 Kreuzer herab (auch das Pfund Fleisch kostete nicht mehr!), nicht nur für die Miliz, sondern auch für das civile Publicum; ausserdem werden ,die herrschaftlichen und Privat-Brau-Hauss-Inhaber, sonderbar aber jene, welche in der landesfürstlichen Stadt Lins allhier der Bier-Zu- und Einfuhr sich prävalieren hiedurch ermahnet zu besorgen, dass unverzüglich und so viel immer möglich ist, Bier gebräuet und solches in das Lager zugeführet werde, damit an solchem kein Mangel und Abgang erscheine'. [1]

Am 14. September hielten die Baiern, mit denen sich auch ein Theil des französischen Hilfsheeres vereinigt hatte, im Lager vor Efferding Rasttag. 2 Bataillone des bairischen Leibregimentes mit 2 Compagnien Grenadieren schickte der Kurfürst am Morgen des 14. September zu Wasser nach Linz, um die Stadt zu besetzen, was auch zur Zufriedenheit Karl Albrechts erfolgte. Bei dem Zustande der Befestigung wäre auch jeder Widerstand gänzlich nutzlos gewesen. Gleich nach der Besetzung von Linz begann auch die Administration des Landes auf Befehl des Kurfürsten. [2]

[1] Patent der ständischen Verordneten vom 15. September 1741. K. u. k. Haus-, Hof- und Staatsarchiv, Peter'sche Sammlung. Willinger von der Au hatte den Verordneten am 13. September geschrieben, man werde auch, wenn das Bier nicht ausreichte, Most und ,Aschauer' Wein ,zu Hilf' nehmen müssen. Auch die nachrückenden Franzosen befreundeten sich rasch mit dem bajuvarisch-germanischen Lieblingsgetränke. In der Zeit vom 17. bis 23. September 1741 wurden von der französischen Besatzung von Enns aus den acht Wirthshäusern der Stadt, namentlich ,de la brasserie du Maire de la ville' (,von mein Statt-Richters Brauhauss') 1484½ Mass Bier consumirt und ebenso wie 2953 Pfund Fleisch, 2783½ Pfund Brot und 357 Pferdeportionen zwar in Bezug auf richtigen Empfang quittirt (auch 11 Quittungszettel französischer Sergeanten liegen bei), aber nicht bezahlt. Der Dolmetsch ,François Louis Monnot interprete de M^rs les Etats' übersetzte den Ennsern die ,Specification de ce qui a été livré par Ordre de M^r le Commandant Comte de Montemar . . . en tout en biere que viande' etc. ins Deutsche. Ebenda.

[2] Bezüglich der Massnahmen der Bavaro-Franzosen für den 14. September erhielt das Verordnetencollegium schon am 13. September (wahrscheinlich durch Willinger) eine ,Nota für die löbl. Herren Verordneten zu

Kurz vorher hatte sich der Vertreter Maria Theresias, der Landeshauptmann Ferdinand Bonnaventura Graf Weissenwolf, aus Linz entfernt, indem er auch aus seiner Amtswohnung auf dem Schlosse, in welcher der Kurfürst residiren sollte, Alles, was tragbar war donauabwärts hatte bringen lassen, so dass nichts als die kahlen Wände blieben und der Feind das Schloss ‚völlig ausgeraumet' vorfand, was den Kurfürsten mit grossem Zorne gegen Weissenwolf erfüllte. [1]

Die Agenden Weissenwolf's übernahm der Landesanwalt Johann Augustin Fortunat Graf Spindler. Im Vereine mit dem

vorläufiger Nachricht und Information über die anheut als 13ten 7bris 1741 aufgestellte Ordre zum morgigen Rast-Tag und respective bis Linz zum Theil verordneter Einruckung deren churbayr. und französischen Trouppen'. Sie enthält 7 Punkte:

1. Am 14. September werden 6 Bataillone zu je 685 Mann von Efferding und ebensoviel von Passau nach Linz abmarschiren. Das Lager wird zwischen Linz und Kleinmünchen gegen Ebelsberg zu abgesteckt werden.

2. 2 Bataillone Kurbaiern und 2 Compagnien Grenadiere werden am 14. September Früh die Thore von Linz besetzen und sich in der Stadt bequartiren.

3. Die übrigen Truppen halten zu Efferding am 14. September Rasttag und rücken am 15. September ins Lager bei Ebelsberg nach.

4. Die Baiern sind bis inclusive 19., die Franzosen bis 21. September mit Geld, Hafer, Heu, Brot und Zeltstroh versehen; sie brauchen Brot, Fleisch, Bier, Holz; die Franzosen ausserdem noch süsses Kraut.

5. Aus einem beiliegenden Entwurfe können die Verordneten entnehmen, was die Armee bei Efferding und dann bei Linz ohne Cavallerie brauchen wird.

6. In Abwesenheit des Landeshauptmannes hat sich der ‚Lands-Anwalt nebst einem oder anderen H. H. Landrath nacher Eferding' zu begeben; sie sollen nämlich zur Verwaltung der Polizei- und Justizsachen designirt werden.

7. Die kurbairischen alten und die französischen neuen Louisd'ors sind gangbar zu machen ‚nach ihrem daraussigen valeur'. Die holländischen, kaiserlichen und Kremnitzer Ducaten bekommen ein Agio nach der kurbairischen Valuta, was ‚per patentes Electorales unter Trompeten- und Pauken-Schall publicieret und sodann ad valvas affigiert werden solle'. K. u. k. Haus-, Hof- und Staatsarchiv, Fasc. 342.

[1] Bericht des niederösterreichisch-ständischen Obercommissärs für das Viertel Obermanhartsberg Franz Friedrich Graf Engl ddo. 24. September 1741. Niederösterreichisches Landesarchiv, ‚Landdefension 1741'. Bei Spann: ‚Lebensbeschreibung des Johann Georg Adam Freiherrn zu Hohenegk', VI. Bericht des Museums Francisco-Carolinum in Linz 1842, wird Weissenwolf irrthümlich als ‚Schlosshauptmann' bezeichnet.

‚Land-Rath und Land-Schreiber‘ Michael Ernst von Springen-
fels erliess er noch am 14. September ein Münzpatent, ebenso
wie die kurfürstliche geheime Kanzlei ein solches von Eferding
aus ergehen liess und beauftragte die Verordneten am selben
Tage eine Taxe für alle Lebensmittel auszuarbeiten, damit die
Soldaten nicht überhalten würden.[1]

Während die feindliche Macht Linz besetzte, beantwortete
das Verordnetencollegium das Rescript Maria Theresias vom
12. September. Sie dankten der Monarchin für die Erlaubniss,
wonach zur Vermeidung des Landesruines ‚das, was man nicht
verhindern kann, mit Ordnung beigeschafft werde‘. Dies habe
verhindert, dass bis jetzt von Seiten der 24 Bataillone und
Escadronen bairischer und französischer Soldaten, die in und
um Linz stehen, keine Excesse verübt wurden. Die Verordneten schliessen ihr Schreiben mit den Worten: ‚Bei dieser
äussersten Desolation geraichet allein zu unserer Consolation
die Hoffnung unter die sanftmüthigst österreichische
Regierung bald wiederumb zu kommen.‘[2]

Kurze Zeit darnach, am Mittage des 15. September 1741
brach der Präsident der Verordneten, Graf Thürheim, auf, um
den Kurfürsten mit wohlgesetzter Rede zu empfangen. Um
2 Uhr Nachmittags hielt Karl Albrecht, umgeben von den
französischen, preussischen und sächsischen Gesandten, seinen
Einzug in Linz. Die alte Stadt, die seit den Tagen Leopold
des Glorreichen in Freud’ und Leid die Geschicke Oesterreichs
und seines Herrscherhauses mitgetragen hatte, beherbergte nun

---

[1] Ein bairischer Doppel-Karolin sollte 9 fl. 30 kr. gelten, ein einfacher
4 fl. 45 kr. Ein neuer französischer Louisd’or 7 fl. 30 kr., ein alter 7 fl.
36 kr. Ein grosser neuer französischer Thaler 2 fl. 22 kr. und 2 Pf., ein
französisches ‚Vier-Stückl‘ 7 kr. Ein kurbairischer halber Gulden 27 kr.,
ein Fünfzehner 13 kr. 2 Pf. Ein bairischer Doppelgroschen 6 kr., ein
einfacher 3 kr. Münzpatent, Linz, 13. September. K. u. k. Haus-, Hof-
und Staatsarchiv, Fasc. 342. Doch bald beklagten sich die Stände, dass
die Unterthanen genöthigt wurden, die Münzen anzunehmen ‚über den
Werth der emanierten Patenten‘ (‚Hoffs-Notturft‘ vom 5. October 1741).
In einem eigenhändig unterzeichneten Rescripte schärfte darum Karl Albrecht die genaue Befolgung des Münzpatentes ein (Linz, 6. October
1741). Ebenda.

[2] Die ständischen Verordneten an Maria Theresia, 14. September 1741.
Ebenda; vgl. Anhang VII. Heigel (S. 195) lässt dieses Schreiben irrthümlich vom Linzer ‚Stadtrath‘ ausgehen.

in ihren Mauern einen Fürsten, der nicht als blosser militärischer Feind, sondern als Prätendent mit Herrschaftsansprüchen über das Land ob der Enns erschien, Unterwerfung und Huldigung fordernd. Ueberraschend schnell schienen sich in den nächsten Tagen Karl Albrechts Herrschaftsansprüche auf Ober-Oesterreich zu verwirklichen.[1]

Fünftes Capitel.

Karl Albrecht in Linz und Enns.

Einen Tag nach dem Einzuge des Kurfürsten, bereits am 16. September 1741, traten die ständischen Verordneten mit den bairischen hohen Beamten zu einer Berathung zusammen. Der landschaftliche Syndicus v. Friedel führte Protokoll und erwähnt unter den Anwesenden: ‚die kurfürstlichen Ministri

[1] Ueber des Empfang des Kurfürsten schreibt der niederösterreichische Obercommissär Graf Engl in seinem oben angeführten Berichte an die unterennsischen Verordneten: ‚Der Herr Präses deren H. Hⁿ Verordneten solle bis Calvari-Berg dem Churfürsten entgegengekommen sein und ihme alda gar wohl angeredet haben, wie er denn auch gar gut angesehen sein solle.‘ Niederösterreichisches Landesarchiv, ‚Landdefension 1741‘. Der Kurfürst selbst schreibt in seinem Tagebuche: ‚Je arrivois l'apres diner a Lintz, ou le monde accourut en foulle. Je passois avec ma cavallerie tout au travers du camp, ou je vis 12 bataillons des Francois, qui y etoient dejas campés. A mon arrivé dans la residence le comte Tirheim président et l'abbé de Kremsmunster me complimentérent au nom des états‘ (Heigel, Tagebuch Karls VII., S. 20). Demnach hätte die Begrüssung erst im Schlosse stattgefunden. Doch mag die Angabe Karl Alberts nicht verlässlich sein, da er auch irrthümlich den 13. September als Tag des Einzuges bezeichnet, statt den 15. September. Mit gleicher Unbefangenheit wie am 15. September 1741 vor dem Kurfürsten fand sich Graf Thürheim auch am 24. Jänner 1742 ein, um bei der Wiedereroberung von Linz den einziehenden Grossherzog Franz, den Gemahl Maria Theresias, zu begrüssen. Er wurde aber nach dem, was sich am 2. October 1741 zugetragen hatte, vom Grossherzog nicht vorgelassen und musste sich auf seine Güter entfernen. Später wurde er wieder zu Gnaden aufgenommen, geheimer Rath und 1745 Präsident der oberösterreichischen Commerzien- und Manufactur-Hofcommission. Vgl. Arneth, Maria Theresia II, S. 12.

H. Graf v. Preysing und H. Baron von Braitenlohn'. Es müssen sich aber bairischerseits noch mehr Personen an der Conferenz betheiligt haben; denn Friedel setzt hinzu ,et reliqui mihi ignoti'. [1]

Der erste Punkt der Verhandlungen betraf die Verpflegsangelegenheiten. Wahrhaft horrend erschien den Verordneten das Geforderte. 263.000 Portionen Hafer und ebensoviel Heu, mehr als dreissigtausend Pfund Stroh, fast 2000 Klafter Holz, 300 Ochsen, Alles im Gesammtbetrage von 117.523 fl. 25 kr. waren bis inclusive 4. October zu liefern, beziehungsweise zu zahlen. Selbst nach dem ständischerseits angestrebten mässigeren Voranschlage belief sich das zu Liefernde noch immer auf einen Geldbetrag von 100.075 fl. [2] Was bedeuteten dem gegenüber die Verpflegskosten für 2 Dragoner-Regimenter und eine Handvoll leichter ungarischer Reiter, ja selbst für das oberösterreichische Landesaufgebot!

---

[1] Friedel's Protokoll vom 16. September 1741. K. u. k. Haus-, Hof- und Staatsarchiv, Fasc. 342; vgl. S. 356, Anm. 3.

[2] Die Forderungen des Feindes sind niedergelegt in einem ,Entwurff über die durch kurfürstliches Rescript gnädigst anbegehrte portions-lifferung vnd derselben betragnus in gelt' (ebenda). Für die damaligen Preise von Interesse:

263.620 portiones haabern, jede derselben zu 7 ℔, fordern 32.952½ Metzen, ieden zu 1 fl. 30 kr. .	49.428 fl. 45 kr
263.620 portiones heü, iede zu 15 ℔, fordern 43.936 Centen 60 ℔., weillen bey ieden Centen wenigst 10 ℔ auf die heü-blumen vnd staub zuruckh bleiben, folglich der Centen vor 90 ℔ heu angeschlagen vnd vor 1 fl. gerechnet wirdtet	43.936 „ 40 „
30.360 bund Strohe à 7 kr.	3.542 „ — „
1.872 Claffter Holz, jede zu 3 fl.	5.616 „ — „
900 Centen Fleisch, fordern wenigst 300 ochsen und ieden zu 3 Centen, in gelt aber à 50 fl.	15.000 „ — „
	117.523 fl. 25 kr

Ausserdem waren unter Einem noch zu liefern: 43.620 Portionen Hafer à 7½ Pfund, 43.620 Portionen Heu à 15 Pfund, 16.260 ,Scha... Stroh à 18 Pfund und 184 Klafter Holz für einige noch im Anmarsch begriffene französische Abtheilungen.

Die Landschaft suchte in einem von ihr ausgearbeiteten ,Entw... und Designation' die Kosten auf 100.075 fl. zu ermässigen. K. u. Haus-, Hof- und Staatsarchiv, l. c.

Und wie hatten einst die Stände über jene verhältnissmässig geringen Lasten geseufzt! Jetzt hatte der am 14. September Maria Theresia gegenüber geäusserte Wunsch, bald
wieder unter die sanftmüthigste österreichische Regierung zu
kommen, seine vollste Berechtigung.

Landschaftlicherseits wurde den Baiern und Franzosen
gegenüber geltend gemacht, dass schon der Transport bedeutende Kosten verursache, die in jenen Fällen, wo die Lebensmittel aus der Ferne herbeigeschafft werden müssten, den Werth
des Naturales überstiegen. Derb aber richtig meinten die Verordneten, dass bei solchen Forderungen ‚Leuth und Viech aus
Hungersnoth crepieren müssen‘. [1]

Der zweite Punkt der Conferenz betraf die Herausgabe
von Gewehr und Munition seitens der Bürger- und Bauernschaft.
Hievon war schon an früherer Stelle (S. 356) die Rede. Die
Entwaffnung der unteren Stände, denen man feindlicherseits
nicht traute, wurde durchgeführt.

Und nun wurde in Punkt 3 die heiklichste Frage, das
Begehren nach der Huldigung aufgeworfen, nach Aenderung
der Wappen und Livréen; das Ende war, dass die Ablegung
des Homagiums in die Hände des Kurfürsten innerhalb einer
Frist von zehn Tagen gefordert wurde. [2]

Ueber das von den bairischen Bevollmächtigten in der
Conferenz vom 16. September Begehrte richteten die Verord-
neten schon am nächsten Tage an den Kurfürsten selbst ein
‚Pro-memoria‘. [3] Vorerst baten sie um Abzug der ständischen
Unkosten für das Heer von der Landesbewilligung. An den
Gedanken, den Kurfürsten als Souverän zu betrachten und ihm
die Gefälle abzuliefern, hatte man sich also schon gewöhnt.

Der Abzug sollte indess nicht von den für 1741 bewilligten
Geldern erfolgen, da dieselben schon aufgebraucht waren, sondern von der Landesbewilligung für 1742.

---

[1] ‚Entwurf und Designation‘. K. u. k. Haus-, Hof- und Staatsarchiv l. c.

[2] Protokoll Friedel's: ‚3tio würdet die Huldigung begehret; vnd wann
solche geschehen solle, zu überlegen ... innerhalb 10 Tagen und vor
dem landsfürsten persöhnlich abzulegen ... seind die wappen, liberey
und ander Sachen zu endern.‘

[3] Die ständischen Verordneten an den Kurfürsten am 17. September 1741.
K. u. k. Haus- Hof- und Staatsarchiv, l. c.

Die ungeheuren Lieferungen ‚auf eine so zahlreiche, in diesem Erzherzogthumb niemahlen zu ersehen geweste Armee‘ möchten beschränkt werden.

Wie elend die Lage des Bauernstandes selbst in dem wohlhabenden Ober-Oesterreich war, geht aus der Begründung dieser Bitte hervor. Der Kurfürst möge nämlich hauptsächlich die unerträglichen Forderungen an Hafer (263.630 Portionen, gleich 32.952¹/₂ Metsen) vermindern, sonst würden nicht allein die Pferde der Bauern aus Mangel an Lebensmitteln zu Grunde gehen, sondern auch unter den Leuten selbst Hungersnoth ausbrechen, ‚weillen die mehreste nur das Haberbrot geniessen‘. Auch das Holz sei im Lande schwer aufzutreiben. In Bezug auf die Ablieferung von Gewehr und Munition erklären die Verordneten, dem kurfürstlichen Befehle nachkommen zu wollen. In Betreff der Huldigung wurde der Kurfürst durch die Verordneten ‚gehorsambst erindert‘, dass die Einladung hiezu, beziehungsweise zur Versammlung des Landtages jederzeit Sache des Landesfürsten war; in der Verordneten Kräften sei es blos gelegen, dem Kurfürsten in einer Beilage die mit den oberösterreichischen Erbämtern begnadeten Geschlechter namhaft zu machen.

Um das Herz Karl Albrechts zu rühren, legten die Verordneten ihrem Promemoria den Bericht des landschaftlichen Obercommissarius Josef Freiherrn v. Clam bei über das ungeheuerliche Ansinnen des französischen Intendanten Sechelles, 300 Stück Ochsen, noch dazu gratis, binnen wenigen Tagen zu liefern. Wollte man dies ausführen, so müsse man den Bauern namentlich im Gebirge da Zugthier ausspannen.[1]

Auf dieses Promemoria antwortete Karl Albrecht in einem eigenhändig unterzeichneten Rescripte vom 19. September:[2] Es

---

[1] Jener Sechelles, dem wir noch einigemale begegnen werden, begleitete Karl Albrecht auch nach Böhmen und war nach dem unglücklichen Ausgange dieses Zuges bei der französischen Armee in den österreichischen Niederlanden. Ueberall erwies er sich als arger Peiniger. Beim Aufkommen der Pompadour schloss er sich dieser an und erlangte durch sie den Posten eines Generalcontroleurs der Finanzen. Arneth, Maria Theresia III, S. 247. 362. Bei den Verhandlungen vor Ausbruch des siebenjährigen Krieges spielte er eine grosse Rolle.

[2] Rescript Karl Albrechts vom 14. September 1741. K. u. k. Haus-, Hof- und Staatsarchiv, Fasc. 342.

thue ihm leid, dass er habe zu den Waffen greifen müssen;
die Sache habe sich nicht so gefügt, dass Stände und Unterthanen des Kriegsungemaches hätten enthoben bleiben können.
Auf dem Geforderten müsse er indess bestehen, sonst sei es
von Nöthen, die Truppen in verschiedene Abtheilungen zu zer-
legen, und selbe ihre Subsistenz selbsten suchen und nehmen
zu lassen'. Aus besonderer Gnade verfüge er jedoch, dass für
seine eigene bairische Cavallerie Hafer- und Heuportionen von
geringerem Gewichte geliefert werden könnten. Auch die Bitte
um Abzug der Kosten von der Landesbewilligung für 1742 will
Karl Albrecht gewähren, wenn nur die von der bairischen
General-Proviantdirection geforderten 263.620 Portionen Hafer
etc. aufgebracht wärden.

Sechelles zu einem Nachlasse bezüglich der geforderten
300 Ochsen zu bewegen, gelang den bairischen Behörden selbst
nicht.[1]

Ständischerseits wurde dieses Rescript des Kurfürsten mit
einer neuen Beschwerde erwidert.[2] Die kaiserlichen Reiter
hätten sich seinerzeit mit 6 Pfund Hafer und 8 Pfund Heu pro
Pferderation begnügt. Die Franzosen dagegen begehren 7¹/₂
Pfund Hafer und 15 Pfund Heu. Das Pfund Rindfleisch müsse
den Truppen um 3 kr. ausgehackt werden, während es doch
zu 4 und 4¹/₂ kr. im Preise stehe. Aehnlich sei es beim Brot.
Der Kurfürst möge die Forderungen der Franzosen herabsetzen,
Fleisch, Mehl und Brot zum grösseren Theile aus Baiern nach-
führen lassen.

Der Kurfürst liess es aber bei seinem früheren Bescheide
bewenden, indem er wohl die Rationen für seine eigene Cavallerie herabsetzte, nicht aber die für die Franzosen; letzteres
konnte er nicht, auch wenn er gewollt hätte. Denn trotz des

---

[1] ,Pro Memoria titl. Hrn Baron von Clam wirdet gesimend vernachrich-
tiget, waasgestalten der königl. fransös. General-Intendant Monsieur
le Sechell auf seiner gemachten aufforderung unabweislich verharre,
crafft welcher selber verlanget, dass in Zeit von 2en Tag mithin bis
den 22ten dieses 100 stuck schlagbares Rind-Vieh, die übrige 200 stuck
aber bis den 4ten nächstkonftig Monats bey Vermeidung unmittelbarer
Execution geliferet werden. Datum im Haubtquartier zu Linz, den
20ten 7bris 1741.' Kurfürstliches Feldkriegscommissariatsamt, Franz
Gottlieb Edler von Hochmiller. K. u. k. Haus-, Hof- und Staatsarchiv,
Fasc. 342.

[2] Die Verordneten an den Kurfürsten, 19. September 1741. Ebenda.

pomphaften und wortreichen Patentes, mit dem ihn Ludwig XV.
zum Generallieutenant der in Deutschland befindlichen französischen Armee bestimmt hatte,[1] war weniger er der Herr
über die Franzosen, als diese es über ihn waren.

Bald gelangten Klagen über Aergeres durch die Verordneten an den Kurfürsten. Aus den ständischen Magazinen
wurde allerlei Fourage ohne Bescheinigung auf angeblich kurfürstlichen Befehl geholt, auf den Strassen Holz und Stroh von
den Wagen gerissen und die Pferde ausgespannt, Scheunen und
Speicher aufgesprengt, das Hornvieh ohne Unterschied, ob es
schlagmässig oder nicht, aus den Ställen fortgeschleppt. Die
Unterthanen wurden hiedurch trostlos, verzagt und kleinmüthig;
Manche drohen schon Haus und Hof zu verlassen.[2]

Bald sollten dem Lande neue Lasten erwachsen. Für den
25. September wurde eine französische Cavalleriedivision in
Waizenkirchen erwartet. Ständischerseits wurde ihr der Graf
Philibert Fueger entgegengeschickt. Mit dem, was der bairische ‚General-Proviant-Commissär‘ v. Perkhaimb für diese
französische Abtheilung per Tag verlangt hatte,[3] war dieselbe
nun durchaus nicht einverstanden. Perkhaimb z. B. hatte
18 Klafter Holz beantragt, die Franzosen begehrten 120. Dazu
6725 Portionen Hafer, 6500 Portionen Heu, 2400 Bund Stroh,
300 Vorspannpferde, 5—6 Ochsen, 30—40 Schafe, 8—9 Kälber,
800 Pfund weisses und 1200 Pfund gutes schwarzes Brot ‚auf
ieden Tag‘.

Nachdem ohnehin schon so viel geliefert worden war und
es unmöglich schien, noch mehr zu leisten, sahen die Verordneten
dem Eintreffen der 1. französischen Division — eine 2., 3. und
4. war auch schon avisirt — mit einer gewissen dumpfen Resignation entgegen. ‚Sollten sich,‘ schrieb der Landschaftssyndicus an den Grafen Fueger, ‚Excess und aigenmächtige
Einfähl in die Städl und Kösten der Pauerschaft, wie man befürchtet, zuetragen, so seind solche Unglückh dem göttlichen
Willen und Anordnung zu überlassen.‘[4]

Eine Abschrift von Wasner's Hand. K. u. k. Haus-, Hof- und Staatsarchiv, Kriegsacten 1741, Fasc. 341.

[2] Die Verordneten an den Kurfürsten am 21. September 1741. Ebenda,
Fasc. 342.

[3] Fridel an den Grafen Fueger, 22. September 1741. Ebenda.

[4] Voriges Schreiben.

Graf Fueger war aber ganz der geeignete Mann, die Gefahr abzuwenden. Er reiste den Franzosen bis Schärding entgegen und traf in dem französischen commandirenden General,
dem berühmten Grafen von Sachsen, einen alten Bekannten
von der Belagerung von Belgrad her, der sich ihm äusserst geneigt zeigte.

Zwar lebte Graf Fueger, wie er an den Landschaftssyndicus Fridel schreibt, ‚zwischen Hoffnung und Furcht', er
weiss oft nicht, ‚wo ihm der Kopf steht', denn ‚Confusion, Un-
heil, Widerwärtigkeiten und Ungerechtigkeiten' kommen doch
vor, so dass Fueger in den Ruf ausbricht: ‚Gott seye mir und
uns allen gnädig und barmherzig', aber endlich ist die 1. Division abgefertigt. Der Graf gedenkt ihr aber nicht nach Eferding zu folgen, sondern der 2. Division entgegenzugehen, ‚um
die Gemüther zu gewinnen'. Recht weltklug meint er am
Schlusse seines Berichtes: ‚Ich nimme mir auch die Freyheit,
vor die Taffl des commandierenden Generalen was beyzu-
schaffen, denn mir bekant, dass mit dergleichen bacquatellen
oft viel ausgemacht wird.'[1]

Bevor sich noch diese französischen Divisionen mit dem
Hauptheere vereinigten, standen im Lager bei Linz schon gegen
30.000 Mann, die Mehrzahl Franzosen (19.400 Mann), meistens
Reiter, in 23 theils vollzähligen, theils noch zu ergänzenden
Regimentern. An kurbairischen Truppen waren 9400 Mann
im Linzer Lager.[2]

Als die Armee Ende September die Enns überschritt,
zählte sie nach dem Promemoria der ständischen Verordneten
an den Grafen Törring vom 26. September 1741 50.000 Menschen und 20.000 Pferde,[3] denn jeden Tag kamen theils auf
dem Wasser, theils zu Lande Franzosen und Baiern nach.
Noch im Juli hatten es die Stände für die reinste Unmöglichkeit erklärt, auch nur 15.000 Mann auf kurze Zeit im Lande
zu erhalten (vgl. S. 342, Punkt 6) und nun! Ganz ähnlich war

---

[1] Fueger aus Weidenholz am 23. September 1741 an den Landschaftssyndicus. K. u. k. Haus-, Hof- und Staatsarchiv, Fasc. 342.

[2] Auf einem anonymen Zettel — der Schrift nach von der Hand des tüch-
tigen österreichischen Agenten in Paris, Freiherrn v. Wasner — im k. u. k.
Haus-, Hof- und Staatsarchiv, Kriegsacten, Fasc. 341 heisst es (s. nächste
Seite unten):

[3] Promemoria vom 26. September 1741. Ebenda, Fasc. 342.

es in den Sudetenländern gewesen. Erzählt doch die grosse Monarchin selbst, dass zu Anfang ihrer Regierung ‚die aus Schlesien anhero eingeloffene, durch die böhmische Canzley unterstüzet wordene Bericht die Unmöglichkeit vorstelleten, das Naturale für blose zwey Cavalerie-Regimenter in land zu finden‘, während der König von Preussen die Mittel fand, ‚seine ganze Armée Reichlich und Bequem das ganze Jahr hindurch alda subsistiren zu machen‘.[1]

Das französisch-bairische Lager erstreckte sich am linken Donauufer gegen Enns zu und mass eine Stunde in die Länge, eine halbe in die Breite. Jeden Tag gegen 5 Uhr Abends ritt der Kurfürst vom Schlosse aus, begleitet von etwa 20 Officieren, entweder über die Donaubrücke nach Urfahr oder ins Lager.[2]

---

[1] ‚Aus mütterlicher Wohlmeinung zu besonderem Nutzen meiner Posterität verfasste Instructions-Puncta‘; herausgegeben von Arneth, Archiv für österreichische Geschichte, 47. Bd. (S. 328).

[2] Aus dem schon mehrmals erwähnten Berichte des ständischen Obercommissärs für das Viertel ob dem Manhartsberg Grafen Friedrich Engl vom 24. September 1741. Niederösterreichisches Landesarchiv: ‚Das Lager

Le 19. 20. 21 de 7bre 1741 se trouvient à Lintz les suivans Regiments:

Le reg. de Petiver		**Regiments Bavaroises:**	
de la Marine		de Birkenfeld	1600
de Vaisseux		du Corps	1600
de Navarre		de Minuzzy	1600
de Touraine		de Marowitz	1600
de Bogny		Hohenzollern Cavalerie	1000
de Normandie	Chacun	Remondi	1000
de la Mark	de 800 Têtes	(sc. General Ray-	
du Roi		mond)	
d'Alsace		Törring	1000
d'Anjou			
de Roos			
de Monsieur			
de la Foy			
Du Dauphin Cavalerie . de 600			
De Tarrasque Ussars 400			
ex Somme 13.000			
Huit Regiments qui sont			
arrivés aprés mon de-			
part sont 6.400			
Somme de Trouppes fran-			
çoises 19.400		Somme 940—	

Somme entiere 28.400

In Linz erhielt er auch mehrere Depeschen von Belleisle des Inhalts, dass die Verhandlungen mit Sachsen-Polen sich dem Abschlusse näherten. Karl Albrecht sollte gänz Böhmen erhalten, dazu Ober-Oesterreich, Tirol und die österreichischen Besitzungen in Schwaben, der König von Polen dagegen ,en revange' ganz Mähren, Ober-Schlesien und ein Stück von Nieder-Oesterreich, das Viertel ob dem Manhartsberge.[1]

So verlebte denn Karl Albrecht angenehme Tage im Linzer Schlosse, voll von Hoffnungen, die sich freilich später nicht erfüllten; ein reiches, schönes Land war ihm ohne Schwertstreich zugefallen, in ganz Ober-Oesterreich fand der Kurfürst, wie sich Arneth ausdrückte, ,wenn auch nicht eben freudige, so doch wenigstens gehorsame Vollstrecker'.

Der letzte von den Baiern und Franzosen besetzte Theil des Landes war das Salzkammergut. Hier wäre eine wirksame Vertheidigung am Platze gewesen, dieser werthvolle Theil des Landes hätte Maria Theresia erhalten bleiben können. Wie der Kurfürst in seinem Tagebuche angibt, war Gmunden, der Hauptort des Salzgebietes, von 1500 gut bewaffneten Leuten besetzt. Dorthin hatte man auch die von der Regierung zur Abrichtung des oberösterreichischen Landsturmes seinerzeit abgeschickten Invaliden detachirt, nebst 4 Feldstücken. Die Salzbauern waren ebenfalls, wie Karl Albrecht berichtet, ,bis auf die Zähne' bewaffnet. Doch die klägliche Haltung des Salzamtmannes zu Gmunden, Ferdinand Grafen Seeau, erstickte jeden Widerstand. Als die Bavaro-Franzosen Wels und Lambach besetzt hatten, verlangte Seeau einen halben Tag Bedenkzeit und erklärte sich dann bereit zu capituliren, gegen die Belassung seiner selbst und seiner Untergebenen in ihren Stellen. Die Invaliden waren indess damit nicht einverstanden und verlangten ehrenvollen Abzug mit den Waffen und ihren 4 Stücken, was der Kurfürst auch bewilligte. Die alten Soldaten, 350 an der Zahl, zogen in die Gegend des Pyrnpasses, verbanden sich mit dem bewaffneten Landvolke in den Bergen und machten

---

gegen Enns fanget an nebst der Donau bey dem Eckardtshoff über den Caplan Hoff, biss an den Stock- und Mäderer-Hoff, so in die Länge eine stund, in die Breithe aber eine halbe stund austraget und würdet auf 30 ▪ Mann geschätzet.' Vgl. Anhang VIII.

[1] Karls VII. Tagebuch, herausgegeben von Heigel, S. 21.

dem Feinde noch zu schaffen. Im Salzkammergute fanden die Baiern einen grossen Vorrath an Salz. Der Kurfürst gibt ihn vielleicht übertrieben mit 400.000 fl. an Werth an.[1]

Um diesen Vorrath bald in Geld umzusetzen, erliess Karl Albrecht am 29. September ein Rescript, durch welches er den Preis des Salzes von 4 fl. 12 kr. per Centner auf 3 fl. 12 kr. für die nächsten sechs Wochen herabsetzte.[2] Ein ständisches Patent theilte dies am 3. October den Unterthanen mit. Jeder möge die Gelegenheit benützen und Salz kaufen, um hiedurch ,sowohl das fürstl. Cameral-Interesse als auch seinen eigenen Nutzen zu beförderen'.[3] Auf die Bitte der Verordneten, den Termin für das billige Salz bis Ende des Jahres zu erstrecken, erliess Karl Albert am 5. October ein weiteres Rescript, laut welchem jener Termin bis Ende November verlängert wurde.[4] In einem weiteren am 1. October 1741 erlassenen Rescripte, in welchem sich der Kurfürst zuerst — noch vor der Huldigung — den Titel eines Erzherzogs von Oesterreich beilegt, wird das nach dem Salzkammergute gehende Schlachtvieh vom landschaftlichen Aufschlag befreit,[5] ein Erlass, der sehr zum Verdrusse der Landschaft und sehr gegen den Willen des Kurfürsten einen schwunghaften Transitohandel durch das Salzkammergut herbeiführte, welchem durch ein weiteres, präciser gefasstes Rescript ein Ende gemacht wurde.[6] Die leitende Be-

---

[1] Ueber die Einnahme des Salzkammergutes des Kurfürsten Tagebuch bei Heigel, l. c., S. 21 u. 22. Ueber den Grafen Seeau und seine Brüder: Arneth, Maria Theresia I, S. 318. Am 8. Jänner 1742 schrieb Maria Theresia an den Feldmarschall Khevenhiller: ,Den Seeau und alle seines gleichen, deren nicht so wenige eben seyn durfften, hast du sogleich beym Kopf nehmen zu lassen' (Arneth, ebenda, II, S. 416, Anm. 14). Doch kam er später mit dem Verluste seiner Stelle davon, während sein Bruder Anton, den man für den eigentlichen spiritus rector hielt, zu lebenslänglichem Gefängnisse und zur Güterconfiscation verurtheilt wurde. Der Füssener Friede 1745 gab auch ihm Freiheit und Besitz wieder zurück.

[2] Rescript an die vier Stände, Linz, 29. September 1741. K. u. k. Haus-, Hof- und Staatsarchiv, Fasc. 342.

[3] Ständisches Patent vom 3. October 1741. Ebenda, Peter'sche Sammlung.

[4] Rescript Karl Albrechts vom 5. October 1741. Ebenda, Fasc. 343.

[5] Rescript Karl Albrechts vom 1. October 1741. Ebenda. (Sämmtlich eigenhändig unterzeichnet.)

[6] Karl Albrecht an die Verordneten am 5. October 1741. Ebenda.

börde im Salzkammergute wurde nun in ‚Churfürstliches Salz-Oberamt in Oesterreich ob der Enns' umgenannt.[1]

Um den 19. September verliess der Kurfürst Linz, in das er bald wieder zurückkehren sollte und schlug sein Lager bei Enns auf. In gemächlichem Tempo marschirte sein Heer dorthin, um wieder bis 1. October Halt zu machen. Das Lager lehnte sich mit dem einen Flügel an den Donaustrom, mit dem anderen an die Hügel südlich von der Stadt. Auch hier warteten des Kurfürsten gute Nachrichten. Der König von England habe gute Zusicherungen in Bezug auf die hannoveranische Kurstimme gemacht, der Vertrag mit Sachsen sei perfect geworden.[2]

Da sich an der oberösterreichisch-steirischen Grenze das Landvolk zu erheben begann und sich mit den obengenannten Invaliden verband, schickte Karl Albrecht eine bairisch-französische Abtheilung ins Gebirge,[3] die sich in der Folge zu Spital am Pyrn, Windisch-Garsten, Klaus und an der ‚unteren Klausen' am Pyrn festsetzte und den Ständen auch nach dem Abzuge des Haupttheeres in Bezug auf die Verpflegung schwere Sorgen bereitete. Sie gerieth gleich anfangs 1742 durch einen von dem kühnen Pfleger von Leonstein, Franz Michael Gresmillner, ausgehenden Handstreich in die Gefangenschaft Trenk's.[4]

---

[1] Erhellt aus der Erledigung eines vom Grafen Seeau befürworteten Gesuches der ‚gesammten Traunfahrer und Fahlbauern' vom 26. October 1741 in Fourageangelegenheiten. Ebenda.

[2] Karl Albrechts Tagebuch, herausgegeben von Heigel, S. 22.

[3] Ebenda.

[4] Der Bericht Gresmillner's (k. u. k. Haus-, Hof- und Staatsarchiv, österreichische Acten, Fasc. 14) bietet uns einen Beleg dafür, wie die Stimmung der oberösterreichischen Bevölkerung selbst war, wie sich diese in einem ganz auffälligen Gegensatze zu der rein opportunistischen, schlaffen Haltung der ständischen Kreise befand. Gestützt auf diese Stimmung wäre das Salzkammergut und überhaupt die gebirgigen Theile des Landes zu halten gewesen, da die Bauern, geführt von ihren Pfarrern und ‚Pflegern', keineswegs jenes ‚von Natur forchtsame' Volk waren, als das sie ständischerseits der Regierung dargestellt worden waren (vgl. S. 353). Gresmillner erzählt zuerst die Besetzung der genannten Orte durch die Feinde im Herbste 1741. Er selbst stand in eifriger Correspondenz mit dem ‚gut königlich' gesinnten Pfarrer in ‚Klaus' und anderen patriotischen Persönlichkeiten in Steyr, trotz des diesbezüglichen kurfürstlichen Verbotes bei Lebensstrafe. Er hatte die Schwäche der bairischen Stel-

In Enns wurde ein bairisches Provianthauptmagazin eingerichtet. Graf Törring machte den ständischen Behörden hievon Mittheilung und forderte vorerst Zuweisung eines passenden Platzes für dasselbe, ferner landschaftliche ‚taugliche Subjecta‘ für Herbeischaffung des nöthigen Provianta, endlich eine genaue Specification dessen, was ständischerseits mit und ohne

---

lungen in Erfahrung gebracht. Durch einen schmalen Gebirgsteig konnte man ihnen in den Rücken kommen. Gegen Ende des Jahres 1741 schickte er seinen Praktikanten nach Steyr zu Trenk mit der Aufforderung, einen Versuch zu wagen. Die Generalität willigt ein und am Neujahrstage 1742, Abends 6 Uhr, langt Trenk mit 240 Panduren in Leonstein ein. Gresmillner bewirthet sie mit Brot und Branntwein (‚worvon in diesem einzigen Nachtlager mir über 3 Emer aufgiengen‘). Der Pandurenführer wird durch ihn aus der Karte und einer Topographie über die Situation unterrichtet. Trenk verlangt vor Allem Gewissheit, ob der schmale Steig noch offen sei. Um 12 Uhr Nachts wurde daher der erwähnte Praktikant an den Pfarrer von ‚Klaus‘ gesandt; um 3 Uhr Früh ist er zurück mit günstiger Nachricht. Nun brach Trenk auf. Die Bauern weisen ihm den Weg, und um 6 Uhr ist er mit seinen Panduren im Pfarrhofe. Von dort aus schickt er 40 Mann über den ‚güheb Felsen Gangsteig‘. Diese kommen so den ahnungslosen Soldaten der feindlichen Hauptwache in den Rücken, erzwingen das Niederlassen der Zugbrücken, über welche nun Trenk mit seiner Hauptmacht vorrückt. Der Commandant und die Besatzung, ‚so annoch in guter Ruh gelegen haben‘, werden kriegsgefangen (1 Hauptmann, 3 Lieutenants, 180 Mann). Die 500 Mann in Spital am Pyrn, von der steirischen wie von der österreichischen Seite bedroht, müssen sich nun auch ergeben (1 Oberstwachtmeister, 6 Hauptleute und Fähnriche, ‚darunter sich ein junger Graf Morawitzky, junger Graf Poniatoffsky und Graf Looai befunden‘. Am 5. Jänner Mittags bewirthete Gresmillner auf Schloss Leonstein 16 gefangene bairische Officiere zugleich mit Trenk und seinen Leuten. Nach geendeter Tafel bedankte sich zwar der bairische Oberstwachtmeister v. Raupp beim Pfleger für die derzeitige Bewirthung, kündigte ihm aber im Falle der Zurückkunft der Baiern nach Ober Oesterreich nichts Gutes an. Noch seien die Fransosen in Böhmen, die Sachsen und Preussen in Mähren. Gresmillner stand daher in den nächsten Jahren bei bedrohlicherer Kriegslage mehrere Male ‚auf dem Sprung‘, sich mit Habschaft, Weib und Kind ins Steirische zu flüchten. Diese seine ‚Ausführliche und wahrhafte Beschreibung und Relation des . . . durch die königl. Truppen den 2ten Jan. 1742 wiederumb erfolgenden Überfall und Eroberung des inermelten Schloss und Pass Klaus‘ schrieb Gresmillner am 30. März 1743 zu Leonstein nieder. Dem Original im k. u. k. Haus-, Hof- und Staatsarchiv liegt die Bestätigung Trenk's, dass der Pfleger der Wahrheit nach berichte, bei. Ueber die Oertlichkeiten Gubo, Steiermark während des österreichischen Erbfolgekrieges, l. c., S. 34.

Quittung an den französischen Intendanten abgeliefert worden war. Seitens der Verordneten wurde der Landschaftssecretär Schmidtpauer nach Enns geschickt. Behaglich war seine Stellung dort keineswegs. Die Franzosen kümmerten sich um die ständischen Commissarien nicht, tractirten deren untergeordnete Organe wohl auch ‚mit harten Schlägen‘ und drohten Allen zusammen bei dem geringsten Verzuge im Lieferungsgeschäfte mit Galgen und Tod. Selbst der Generalintendant Sechelle sah sich endlich veranlasst zu verordnen, ‚Niemand soll berechtigt sein, übelzuhalten die landschaftlichen Commissarien und in specie den Sieur Monnot, ihren Tulmätscher‘.[1] Auch musste Sechelles auf directen Befehl des Kurfürsten anordnen, aus den Magazinen dürfe nichts genommen werden ‚ohne ein Zettul von bairisch oder französisch Commissario‘. Nach wie vor kamen indess Klagen, dass die Franzosen die meisten Magazine eigenmächtig occupirten, die mit Fourage bepackten Wagen auf den Strassen anfielen und die Vorräthe ohne Mass, Gewicht und Quittung hinwegnähmen.[2]

Mit der Disciplin war es somit bei den Franzosen nicht zum Besten bestellt. Aehnliches war schon zu Waizenkirchen, Eferding und Linz vorgegangen, denn die Verordneten wussten dem Grafen Törring auf seine oben angeführte Aufforderung hin nicht anzugeben, ‚was in der ersten Confusion und Schrockhen auf vorgebend kurfürstl. Befelch hin und wider haubtsächlich aber zu Watzenkhürchen, Eferding und allhie an heu, haber, strohe und holz abgegeben oder durch die Miliz selbsten gleich von der strassen oder denen wagen hinweggenommen‘.[3]

Um mit den Franzosen verkehren zu können, wurden ausser dem vorhingenannten ‚Sieur Monnot‘ auch noch andere im Lande befindliche Franzosen und sonstige der französischen ·Sprache mächtige Personen als Dolmetscher von der Landschaft angestellt ‚zu nicht geringer Vermehrung der Ausgaben‘.[4] Trotz

---

[1] Anordnung Sechelles', Enns, 27. September 1741. K. u. k. Haus-, Hof- und Staatsarchiv, Fasc. 342; ebendort der Bericht Schmidtpauer's an die Verordneten vom 28. September 1741 über die Verhältnisse in Enns. Vgl. Anhang Nr. IX.

[2] Voriger Bericht. Vgl. Anhang IX.

[3] Die Verordneten an Törring am 26. September 1741. K. u. k. Haus-, Hof- und Staatsarchiv, Fasc. 342.

[4] Ebenda.

der bald beginnenden Noth im Lande nahmen aber die Lieferungen ihren Fortgang. Die Unterthanen geriethen indess durch
die Uebergriffe der Franzosen derart in Verwirrung, dass sie
‚die zuegelifferte fourage an nögsten besten orth abgeführt und
ohne Erwarthung eines Wag- und Lieferungszettl zuruckh ge-
fahren seind‘.[1] Um ein System in die Lieferungen zu bringen,
erliessen die Verordneten am 27. September ein Patent, nach
welchem die noch ausständigen Lieferungen im Hausruckviertel
an den Pfleger der Herrschaft Eferding Ignaz Wilhelm Ma-
derer gegen Quittung abzuliefern seien, im Mühlviertel in
das Linzer Magazin, im Traun- und Machlandviertel in das
Ennser Magazin. Die nur ein oder zwei Stunden entfernten
Herrschaften und Unterthanen haben sofort zu liefern, die
anderen binnen drei Tagen, bei sonstiger militärischer Execution.[2]

Besonders zu leiden hatten natürlich die Orte um das
Lager. Baron Weichs, der bei der Huldigung am 2. October
die Hauptrolle spielte, legte dies den ständischen Commissären
zur Last, welche somit von beiden Seiten angegriffen wurden.
Auch war ihre Lage trotz des Sechelles'schen Erlasses vom
27. September keine rosigere geworden. ‚Wie wir allhier tri-
buliert werden, ist nicht auszusprechen,‘ klagen sie schon zwei
Tage später. Tief in der Nacht pflegte man ihnen erst ‚anzudeuten‘, was am nächsten Tage erforderlich sei, und zwar
gleich ‚mit solch' exorbitanter Bedrohung‘, dass sie genöthigt
waren, um nur schnell das Erforderliche zu requirieren, immer
die nächsten Orte in Mitleidenschaft zu ziehen. Ausserdem
klagen sie, wie saumselig ihre Anordnungen von Seiten der
Herrschaften ausgeführt wurden. Werden 200 Leute verschrieben, so kommen 100; von diesen laufen bald 80 wieder
davon, es geschieht nichts, und die ständischen Commissäre
müssen nun unter dem Zorne der Franzosen leiden und werden ‚mit den schmählichsten Worten angegriffen‘, trotzdem der
Kurfürst und sein Hofstaat noch in Enns sind. Was wird erst
geschehen, sagen die Commissäre, wenn der Kurfürst aus Enns

---

[1] Die Verordneten an Törring am 26. September 1741. K. u. k. Haus-,
Hof- und Staatsarchiv, Fasc. 342.

[2] Patent der Verordneten vom 27. September 1741. Ebenda.

fort ist ‚und wir den französischen Insolentien exponiert verbleiben?‘[1]

Recht thätig erwies sich zu Enns der ständische Secretär Schmidtpauer, wo es galt, den Uebermuth der Franzosen zu zügeln und das Land vor gewaltsamer Fouragirung zu bewahren. Wenn er an den Landschaftssyndicus schreibt, er hoffe, dass er und seine Collegen ‚eine kleine Ehr‘ verdient hätten, so ist dies gerechtfertigt. Wenn der Kurfürst Abends mit der Generalität in sein Quartier zurückkehrte, fand sich Schmidtpauer ein mit seinen ‚täglichen gravamina‘ und brachte endlich Karl Albrechts Blut derart in Wallung, dass eine ‚scharpfe Ordre‘ publicirt wurde, die gequälten Bauern sollten französische oder bairische Soldaten, die ohne Commando ausserhalb des Lagers herumschweiften, ‚auch um einer abgebrochenen Zwetschgen, Biern, Apfels oder dergleichen Kleinigkeit gesammter Hand überfallen, binden, wie auch allenfalls gar todschlagen und so gut möglich in das Lager zuruckliefern‘.[2]

Man sieht, dem Kurfürsten wenigstens war es mit der Aufrechthaltung einer guten Disciplin voller Ernst, wenn er auch hierin ebensowenig seine ehrenhaften Absichten durchsetzen konnte als im nächsten Jahre Khevenhiller in Baiern Trenk gegenüber. Auch erwirkte Schmidtpauer, ‚dass alle französische ravages für genossen und empfangen, was wir nur in etwas wahrscheinlich machen können, quittiert werden muss‘.[3]

Dennoch waren die Sorgen des Landschaftssecretarius noch gross. Der 29. September ging so leidlich vorüber, ‚wie ich aber biss zum Ausmarsche bestehen werde, weiss der liebste Gott‘, schreibt er an den Syndicus.[4]

In jenen Tagen fielen auch die ersten Schüsse.

Jenseits der Enns bereits streiften die österreichischen Husaren. Namhafte Fouragelieferungen, welche die Bavaro-Franzosen in Niederösterreich ausschrieben, hatten schon dar-

---

[1] Schreiben des ständischen Commissärs vom 29. September 1741 aus Enns (gezeichnet ‚v. Kirchstetter‘) an ‚Mons. Mons. Dionis Adam de Frideli Secretaire et Syndique‘. K. u. k. Haus-, Hof- und Staatsarchiv, Fasc. 342.

[2] Bericht Schmidtpauer's vom 28. September (Anhang IX).

[3] Ebenda.

[4] Schmidtpauer an Fridel am 29. September 1741 (k. u. k. Haus-, Hof- und Staatsarchiv, Fasc. 342).

um nicht den mindesten Erfolg. Zwischen den Husaren und den bairischen Dragonern nun kam es zu Scharmützeln, welche jedoch nur Lärm und Pulverdampf, keine Verluste an Menschen-leben im Gefolge gehabt zu haben scheinen. Da geschah es nun, dass einer der Husaren, durch die Schüsse blos betäubt (,nur etwas dumm von Schussen‘), vom Pferde fiel und liegen blieb. Seine Kameraden, die ihn für todt hielten, nahmen hurtig Gewehr und Kleidung des Gestürzten an sich; der Husar blieb in den Händen der Feinde, kam wieder zu sich und wurde als erster Gefangener gleichsam im Triumphe vor den Kurfürsten gebracht. Es war, wie Schmidtpauer berichtet, ,ein ansehentlicher, baumstarker Mann‘. Karl Albrecht schenkte ihm einen Doppelkarolin und befahl, ihn wohl zu halten. ,Der Jubel dieser Victorie war ungemein gross,‘ bemerkt der saty-rische Landschaftssecretär.[1]

Endlich konnte Schmidtpauer in gehobenster Stimmung den Abzug der Bavaro-Franzosen melden. Am 1. October passirte der grösste Theil der feindlichen Armee den Ennsfluss. Vorher hatte der Secretarius noch schwere Stunden, so dass er an den Landschaftssyndicus schreibt: ,Kein Wunder wäre, wann einem von lauter Verdruss über die excommunicierte Fran-zosen das ganze Kröb im Leib wie einem Eydexl gesprenklet wurde. Basta! es ist das Gröbere vorhey und ich hoffe davor eine gnädige Compensation im Fegfeür.‘[2]

Besonders rühmt Schmidtpauer die Beihilfe eines kur-bairischen Proviantcommissärs, Mayr mit Namen, der den stän-dischen Beamten wiederholt bei dringenden Requisitionen mit

---

[1] Bericht Schmidtpauer's vom 28. September. Die Husaren und Grenzer scheinen namentlich bei den Franzosen in grossem Respecte gestanden zu sein, wie ein Vorfall wenige Tage früher bewies. Ein vom Ober-commissär für das Viertel Ob dem Manhartsberg nach Ober-Oesterreich ge-schickter Kundschafter gerieth unter eine grosse Schaar Franzosen (bei Mauthhausen), die ihn mit sich ins Lager nehmen wollten. Auf dem Wege dahin fragten sie einen Passanten: ,Nichts deütsch Soldat hier?‘ Jener deutete mit der Hand hinter sich und meldete, es seien 200 Wa-rasdiner Husaren in der Nähe. ,Es ist dann gleich das Geschreu unter ihnen ausgebrochen: „Üsär, Üsär“ und sprungen sodann gleich in ihre 3 Zillen, einer den andern stossend.‘ Der Kundschafter entkam bei dieser Gelegenheit. Bericht des Grafen Engl (Anhang VIII).

[2] Schmidtpauer an Fridel, Enns, 1. October 1741. K. u. k. Haus-, Hof- und Staatsarchiv, Kriegsacten, Fasc. 343.

Vorrath aus den kurfürstlichen Magazinen ausgeholfen hatte, wie auch ‚mit vertrauter Anzaig‘. Ein merkwürdiger Circulus! Feindlicherseits wurden grosse Lieferungen von den Ständen verlangt. Diese wieder verschafften einen Theil des Verlangten (15.000—20.000 Portionen nach Schmidtpauer) durch Vermittlung guter Freunde aus den eigenen Magazinen des Kurfürsten! Schmidtpauer meint, dass für jenen Herrn Mayr 200 fl. Recompens nicht zu viel wären, da er mit diesen 15.000—20.000 Portionen Hafer, Heu und Stroh ‚gar willig und getreulich aus der Noth und Plünderungsgefahr zu grossem Nutzen des ganzen Landes geholfen‘. [1]

Während aber Schmidtpauer noch in Enns weilte, wurden in Linz bereits alle Vorbereitungen zu einer ‚gezwungenen — freiwilligen Huldigung‘ (‚coacta spontanea submissio et homagium‘), wie der Landschaftssecretär sich ausdrückte, getroffen.

Sechstes Capitel.

Die Huldigung am 2. October 1741.

Nachdem das Gros der Armee die Enns überschritten hatte, kehrte der Kurfürst wieder nach Linz zurück, um die gleich von allem Anfang an in Aussicht genommene Huldigung entgegenzunehmen. Wie wir aus dem Früheren ersehen haben (S. 381), war schon am 16. September, einen Tag nach der Ankunft Karl Albrechts, das Begehren nach der Huldigung seitens des Feindes gestellt worden. Mittlerweile waren an sämmtliche Mitglieder der Landschaft kurfürstliche Citationsschreiben abgegangen, sich zu einem für den 1. October anberaumten Landtage und zu der am 2. October stattfindenden Huldigung einzufinden. Trotz der gemessenen königlichen Rescripte vom 4. September 1741 (vgl. S. 363, Anm. 1 und 2), sich nicht im Plenum zu versammeln, kam ein grosser Theil der Stände, freilich lange nicht in der Zahl, wie Karl Albrecht gehofft hatte, am 1. October 1741 zusammen. Vorsitzender der Ver-

[1] Schmidtpauer an Fridel, Enns, 1. October 1741. K. u. k. Haus-, Hof- und Staatsarchiv, Kriegsacten, Fasc. 343.

sammlung war Josef Clement Freiherr v. Weichs, Senior des
Herrenstandes. Die Motive, welche so viele Landesmitglieder bewogen (darunter selbst den sonst so streng loyalen alten Johann
Georg Adam Freiherrn v. Hohenegg), jenen beklagenswerthen
Schritt zu unternehmen, drücken sich in den kurzen Worten
aus, mit denen Weichs die Versammelten bestimmte, sich der
Ceremonie am 2. October zu fügen, dass die ‚von Ihre kurf.
Durchlaucht durch Citationsschreiben auf Morgen als den 2ten
dieses bestimmte Huldigung, ohne sich und das ganze Land
der schwersten Ungnad und nachfolgenden Schaden
zu unterwerfen, in Gegenwart einer zahlreichen Armee
nicht mehr zu declinieren und zu depreciieren ist‘. [1] Dagegen liess sich freilich einwenden, dass dieser Grund — wenn
durch ihn der Actus am 2. October einigermassen entschuldigt
werden sollte — für die Zeit der beginnenden Invasion gepasst
hätte, nicht für die Situation Anfangs October, wo die Hauptarmee bereits abgerückt war. Alle Drangsale, die der Aufenthalt eines grossen Heeres mit sich brachte, hatte Ober-Oesterreich bereits zu bestehen gehabt, daran änderte auch eine
Huldigung nichts mehr, umsomehr als Ausschreitungen einzig
von Seiten der Franzosen vorgekommen waren und einzig von
diesen zu erwarten standen, wogegen eine Huldigung schon aus
dem Grunde nichts nützen konnte, da Karl Albrechts Pouvoir
über die Franzosen ein recht geringes war. Gewiss war für
viele Landesmitglieder auch die Furcht vor der Rache, die der
Kurfürst an den Nichterscheinenden nehmen würde, ein Grund
für ihre Haltung. Davor hätten sie sich aber nicht zu äng-
stigen gebraucht! Karl Albrecht gedenkt in seinem Tagebuche
nur mit wenigen elegischen Worten der Vielen, die nicht erschienen waren, und während der drei Monate, die er noch über
Ober-Oesterreich gebot, ist nirgends davon die Rede, dass an
Denen, die am 2. October nicht erschienen waren, Rache genommen werden sollte. Erst vom 8. December 1741 an, als
ihm mittlerweile auch in Prag gehuldigt worden war, schien
Karl Albrecht eine schärfere Tonart anschlagen zu wollen. Da

---

[1] ‚Schlus deren Löbl. Ständen sub praesidio Herrn Joseph Clement Freyh.
von Weix, als ältesten dess alten Herrnstant den 1ten 8ber 1741.‘ K. u.
k. Haus-, Hof- und Staatsarchiv, Kriegsacten, Fasc. 343. Ueber Weichs
s. Arneth, Maria Theresia I, S. 318.

waren aber die Tage seiner Herrschaft über Ober-Oesterreich schon gezählt.[1]

Man wird nicht fehlgehen, wenn man den Grund zu jener Huldigung ebenso in der Furcht vor feindlichen Gewaltmassregeln sucht, als in dem Glauben der meisten Mitglieder des ständischen Adels, die Sache Maria Theresias sei unrettbar verloren. Angegriffen von dem mächtigen Frankreich, geschlagen von Preussen, durch das Haus Bourbon auch in Italien bedroht, selbst in seinen Rechtsgrundlagen durch die Kurfürsten von Baiern und Sachsen nicht respectirt, schien der Staat Karls VI. zusammenzubrechen. Hat ja doch die grosse Monarchin selbst mit einfachen, aber erschütternden Worten die allgemeine Stimmung in ihrer nächsten Umgebung gezeichnet: ‚gesammte meine Ministri, anstatt mir Muth zuzusprechen, liessen solchen gänzlich sinken und liessen nicht undeutlich sich verlauten, als ob sie alles für desperat anseheten, ja es suchten sogar einige sich zu retirieren und verloren sich letzlich so weit, dass Einige davon (meiner damaligen Unerfahrenheit missbrauchend) sich nicht gescheuet, die Erlaubnis von mir anzusuchen, dem Churfürsten nach seiner zu Prag von sich gegangenen Krönung, wegen ihrer in Böheim liegenden Gütern schriftlich zu huldigen.‘[2] Unter solchen Umständen begreift man wenigstens den Vorgang zu Linz, wenn er auch deshalb noch nicht entschuldigt zu werden braucht. Denn der Schaden für Maria Theresia war, wenn auch nur momentan, insofern gar gewaltig, als durch die Huldigung das Ansehen Karl Albrechts bei den Kurfürsten bedeutend wuchs, ebenso wie es gewiss ist, dass, wenn die Wiedereroberung Ober-Oesterreichs und der Gegen-

---

[1] Patent Karl Albrechts aus Prag, 8. November 1741. K. u. k. Haus-, Hof- und Staatsarchiv, Kriegsacten, Fasc. 348. Ueber Karl Albrechts allerdings zum Wesen eines Eroberers schlecht passende Humanität schreibt recht unschön Belleisle an den französischen Kriegsminister: ‚Er (Karl Albrecht) suche immer die Bewohner des eroberten Gebietes zu schonen und bewerbe sich lächerlicher Weise um Neigung und Liebe, wo er sich vor Allem gefürchtet machen müsse‘ (Heigel, Der österreichische Erbfolgestreit etc., S. 206).

[2] ‚Aus mütterlicher Wohlmeinung zu besonderen Nutzen meiner Posterität verfasste Instructions-Puncta‘, herausgegeben von Arneth, Archiv für österreichische Geschichte, 47. Bd., S. 329. 330.

zug nach Baiern zwei Wochen früher stattgefunden hätten, die Kaiserkrone wohl kaum Karl Albrecht zu Theil geworden wäre, sondern schon damals dem Gemahl Maria Theresias.[1]

In der Versammlung vom 1. October wurde beschlossen: Ein Ausschuss ist zu erwählen, um beim Kurfürsten Audienz zu nehmen und ihm die Anwesenheit der Stände zur Ablegung der Huldigung zu insinuieren. In diesen Ausschuss wurden gewählt: Baron Weichs, Graf Lobgott von Kueffstein, Graf Jörger, der Prälat von Lambach und die Stadt Steyr. Sowohl bei dieser Audienz als bei der Huldigung selbst soll Baron Weichs eine Ansprache halten. Ausserdem wird dem Kurfürsten ein Huldigungsdonativ von 6000 Ducaten bewilligt, 200 Ducaten dem bairischen Vicekanzler und 1000 fl. dem bairischen Controloramt. Endlich wurde die vom Kurfürsten herabgelangte Ordnung für den Huldigungszug vom Schlosse in die Pfarrkirche genehmigt.[2]

Bairischerseits war eine neue Auftheilung der Erbämter vorgenommen worden, denn der grösste Theil jener Cavaliere, die von der letzten Huldigung her (1732) Erbämter im Besitz hatten, war zur Huldigung nicht erschienen, so der Landeshauptmann Graf Weissenwolff, Graf Ferdinand Lamberg, Thomas Gundaker Graf Starhemberg, Feldmarschall Josef Graf Harrach, Sigmund Graf Sinzendorff, Franz Graf Schönborn, Fürst Lamberg, Franz Ludwig Graf Kueffstein, Ludwig Graf Salburg, Graf Polhaimb, Franz Graf v. d. Traun, Philipp und Wilhelm Grafen Sinzendorff.[3] Diese verloren ihre Erbämter, und eine Reihe anderer Persönlichkeiten wurden damit ausgestattet.

Auch sonst war der Adel nicht so zahlreich erschienen als Karl Albrecht erwartet hatte. Weichs betonte daher auch in seiner Ansprache, ‚dass sye Stände sich in möglicher Anzahl versamblet hätten vmb die gebürende Erbhuldigungspflicht gehorsambst abzulegen‘. Immerhin waren erschienen ausser den Prälaten 35 vom Herrenstande, 19 vom Ritterstande und die

---

[1] Heigel, l. c., S. 246.

[2] ‚Memorial für die löbl. Stände in Huldigungssachen.‘ K. u. k. Haus-, Hof- und Staatsarchiv, Ober-Oesterreich, Fasc. 1650—1749.

[3] Eine Zusammenstellung der Erbämter von 1732 mit denen vom Kurfürsten verliehenen, ebenda.

Vertreter von sieben landesfürstlichen Städten.[1] Bei der Huldigung an die legitime Herrscherin im Jahre 1743 erschienen allein vom Herrenstande 89 Mitglieder.

Am Morgen des 2. October 1742 versammelten sich in der Rathsstube des Landhauses die zur Huldigung Erschienenen und begaben sich durch den ‚hölzernen Gang‘ ins Schloss. Auf 7 Uhr hatte auch die bewaffnete Bürgerschaft Befehl erhalten, mit fliegenden Fahnen und klingendem Spiele die Mitte des Linzer Stadtplatzes zu besetzen. Dessen Seiten nahmen 8 bairische Grenadiercompagnien und 2 Dragoner-Escadronen ein. Bairisches Militär bildete auch Spalier vom Schlosse zur Pfarrkirche. Zuerst fand die Uebergabe der neuen Erbämter statt. Mittlerweile kam Karl Albrecht die Stiege von seinen Gemächern herunter und bestieg das am Fusse der Treppe seiner harrende Pferd, wobei ihm der Graf Otto Karl von Hohenfeld die Steigbügel hielt. In pompösem Zuge, voran die Dienerschaft der Stände und der bairischen Cavaliere, Trompeter und Pauker, Haiduken und Lakaien, die Abgeordneten der landesfürstlichen Städte,[2] der Graf Ernst von Sprinzenstein als ‚Obrist-Erblands-Pannier‘ mit der Fahne, der Landschaftssyndicus, der Ritterstand, der Herrenstand, die kurfürstlichen Officiere und Kämmerer, endlich die geheimen Räthe, zog Karl Albrecht zur Kirche. Es umgaben ihn die neuen ‚Erbämter‘, ihm zunächst der neue ‚Obrist-Erbland-Marschall‘ Wilhelm Graf Starhemberg mit entblösstem Schwerte. Hatschiere und Edelknaben umringten den Kurfürsten, eine Compagnie des Leibregimentes schloss den Zug, der nach beendetem feierlichen Hochamte wieder ins Schloss zurückschritt. Baron Weichs mit dem vorhingenannten ständischen Ausschusse begab sich nun zum Kurfürsten, der unter einem Baldachin sass, und bat, Karl Albrecht wolle nun geruhen, die Huldigung entgegenzunehmen, die althergebrachten Freiheiten und Gewohnheiten des Landes zu be-

---

[1] ‚Liste deren löbl. Stände, . . . so gegenwärtig sind den 2. October 1741.‘ Ebenda, Fasc. 343. Vgl. Anhang X.

[2] Von der gänzlichen Bedeutungslosigkeit des bürgerlichen Elementes in der ständischen Verfassung gibt der Umstand Zeugniss, dass die landesfürstlichen Städte nicht mit ihren Collegen vom Clerus und Adel sogen, sondern nach den Lakaien und vor dem Landessyndicus, und dass nur bei ihren Abgeordneten die Bemerkung beigefügt ist, sie hätten alle ‚Paar in Paar in schöner Ordnung zu gehen‘.

stätigen, dagegen versicherten die Huldigenden Alles zu leisten, ‚was treugehorsamsten Vasallen gegen ihren gnädigsten Landesfürsten zu thun gebüret und wohlanstehet‘. Kurz vor der Huldigung hielt Weichs noch eine zweite Ansprache an den Kurfürsten, in welcher er der Zuversicht Ausdruck gab, der Kurfürst werde nach geleisteter Huldigung die ständischen Privilegien bestätigen und die Stände könnten sich getrösten, dass Karl Albrecht das ‚landschaftliche Systema‘ aufrechterhalten werde. Ursprünglich stand auch eine bewegliche Bitte um künftige Schonung des Landvolkes und des durch die Verpflegung einer zahlreichen Armee an den Rand des Ruines gebrachten Landes im Concepte der Rede. Man hatte aber für gut befunden, diesen Passus auszuscheiden. Der Erhaltung des ‚landschaftlichen Systema‘ galt es vor Allem.[1] Hierauf verlas der bairische Vicekanzler die Huldigungsformel, welche die drei oberen Stände nachzusprechen hatten. Sodann wurde sie auch den Abgeordneten der landesfürstlichen Städte vorgelesen ‚mit dem Unterschiedt, dass diese mit aufgehobenen 3 Fingeren den Aydt schwören müssen‘. Der Huldigung folgte die Aushändigung des auf Pergament geschriebenen Bestätigungsbriefes der ständischen Freiheiten und dieser der Handkuss der Anwesenden. Während die Glocken der ganzen Stadt läuteten und die erste Salve erfolgte, fand in der Schlosskapelle das Tedeum statt. Eine Parademahlzeit, bei der die neuen Landeserbämter in Function traten und 24 Cavaliere die Speisen aus der Küche herbeitrugen, folgte. Beim Confecte überbrachte der Graf Franz Sprinzenstein als ‚Oberst-Erbland-Münzmeister‘ dem Kurfürsten ‚auf einer silbernen Tasse die vorhandene Gold- und Silber-Gedächtnus-Münzen‘, während schon früher der Freiherr von Clam als ‚Obrist-Erbland-Mundschenk‘ den ersten Trunk auf den Kurfürsten ausgebracht hatte. Eine Tafel der Stände schloss, nachdem der Kurfürst sich in seine Gemächer zurückgezogen hatte, die Huldigung.[2] Während die Glocken läuteten und der Donner des am Ufer postirten schweren Geschützes

---

[1] Das erste und zweite Concept der beiden Ansprachen Weichs' k. u. k. Haus-, Hof- und Staatsarchiv, Kriegsacten, Fasc. 343, und oberösterreichische Acten 1650 bis 1749.

[2] ‚Beschreibung des auf den 2ten Octob. annoch Vorgehenten Huldigungsactus in Linz.‘ Ebenda. Vgl. Anhang XI.

über die Donau hinrollte, schien der Adler mit dem österreichischen Bindenschild für immer von den Thoren der alten Donaustadt zu verschwinden.

Doch nicht vier Monate vergingen, und Linz sah in seinen Mauern den tüchtigsten aus der Feldherrnschule des grossen Eugen, den Grafen Khevenhüller, mit dem Gemable der legitimen Landesherrin.

Maria Theresia war auf die Kunde von der geplanten Huldigung auf das Tiefste erregt. Am 28. September 1741 erschien im Druck ein königliches Patent ‚an alle und jede, sonderlich aber unsere treu gehorsamste Stände und Unterthanen unseres Erzherzogthums Österreich ob der Enns‘, worin die Königin ihrer Meinung Ausdruck gab, sie versehe sich bei der unversehrten Treue, Liebe und Devotion der Stände dahin, dass sie den unberechtigten Zumuthungen des Kurfürsten keine Folge leisten würden, ‚allermassen wir euch ein solches auch sammt und sonders mit gemessenem Ernst hiemit verbieten‘. Sollte aber trotzdem ‚aus vordringender Gewalt zu unserem Nachtheile etwas fürgehen, so erklären wir es von nun an für das, was es an sich ist, nämlich null, nichtig und unkräftig‘.[1] Das königliche Patent konnte indess den Lauf der Dinge in Linz nicht ändern.

Als aber Khevenhüller im December gegen Ober-Oesterreich und Baiern aufbrach, hatte er die gemessenen Befehle, gegen Thürheim, Weichs, die Grafen Seeau und Andere vorzugehen und wider Jene, ‚welche durch ihre üble Aufführung mit gänzlicher Beiseithsetzung der uns schuldigen pflicht eine besondere neigung für unseren Feind bezeigt, eine exemplarische Demonstration zu verhengen‘.[2] Eine Untersuchung unter der Oberleitung des Landeshauptmannes Grafen Weissenwolff wurde eingeleitet, ja im ersten Zorne dachte die Königin daran, die Landschaft überhaupt aufzulösen, und es bedurfte des ganzen Einflusses Bartenstein's, sie hievon abzubringen. Doch bald gewann eine mildere Stimmung die Oberhand. Nach und nach, bis 1745 wurden selbst die am schwersten compromittirten Landesmitglieder wieder zu Gnaden aufgenommen. In hoch-

---

[1] Patent Maria Theresias, Pressburg, 28. September 1741. Niederösterrei hisches Landesarchiv. Vgl. Anhang XII.

[2] Arneth, Maria Theresia II, S. 462, Anm. 28.

herziger Weise breitete Maria Theresia den Schleier über das Geschehene. Schon am 9. März 1742 schrieb sie eigenhändig auf den Bericht Weissenwolff's über die Untersuchung ihre Verzeihung, ‚weillen in Gnaden diesen passus in Vergessenheit setzen will',[1] und als sie selbst am 25. Juni 1743 die feierliche Huldigung in Linz entgegennahm, schwand jeder Groll, zumal sich alle Landesmitglieder zahlreich wie nie zuvor eingefunden hatten.

Siebentes Capitel.

Ober-Oesterreich während der bairisch-französischen Occupation (bis 30. December 1741). — Nothstand des Landes.

Nach der Huldigung blieb Karl Albrecht noch vier Tage in Linz. Hochwasser hinderte ihn — wie er wenigstens in seinen

---

[1] Arneth, Maria Theresia II, S. 515, Anm. 59. — Nach der sonst verdienstvollen Skizze über den oberösterreichischen Genealogen Freiherrn v. Hoheneck von R. v. Spaun im VI. Berichte über das Museum Francisco-Carolinum in Linz 1842 und nach Arneth, Maria Theresia I, S. 390 (Nach dem ‚Flebile Promemoria' in St. Florian) wäre Maria Theresias gemessener Befehl, die Huldigung unter keinen Umständen zu leisten, dem Präsidenten der Verordneten Grafen Thürheim bei der Huldigungstafel in dem Momente zugekommen, als Weichs den Toast auf den ‚gnädigsten Landesfürsten' ausbrachte. Die verlegenen Stände hätten dieses königliche Patent mit einem Schreiben Thürheim's beantwortet, worin sie den Vollzug der Huldigung mittheilten, aber den Wunsch durchblicken liessen, ‚bald wieder unter des Hauses Oesterreich mildeste Regierung zu gelangen'. Heigel dagegen sagt gar nur (S. 195): ‚Das während der Festlichkeiten angekommene Edict der Königin wurde von der Landschaft durch eine Anzeige, dass man soeben dem rechtmässigen und siegreichen Herrn gehuldigt habe, erwidert.' Das Schreiben der ständischen Verordneten liegt im Anhange Nr. VII dieser Arbeit vor. Allerdings heisst es in demselben, ‚bei dieser äussersten Desolation gereichet allein zu unserer Consolation die Hoffnung, unter die sanftmüthigst österreichische Regierung bald wiederumb zu kommen'. Aber dieses Schreiben ist mehr als zwei Wochen vor der Huldigung, am 14. September, abgefasst und noch am selben Tage, im Momente des feindlichen Einmarsches expedirt (vgl. auch S. 378 vorliegender Arbeit). Damit fällt auch die oben geschilderte dramatische Scene. Bei Heigel (S. 195) wird dieses Schreiben irrigerweise dem Stadtrathe von Linz ebenfalls am Huldigungstage zugeschrieben.

Tagebuche angibt — der bereits in Niederösterreich campiren-
den Armee zu folgen, für seine Sache ein arger Zeitverlust, für
den Vertheidigungszustand Wiens ein grosser Gewinn. Die vier
Tage vergingen Karl Albrecht freilich in der angenehmsten
Weise. Am 8. October überreichte man ihm das in der Versammlung vom 1. October bewilligte Huldigungsgeschenk von
6000 Ducaten.[1] Trotzdem trat aber der geldbedürftige Fürst
kurz vor seiner Abreise mit einer neuen Forderung an das
Land heran. Am 6. October, dem Tage seines Aufbruches,
unterzeichnete er ein Rescript an die vier Stände ‚unseres Erzherzogthums Österreich ob der Enns‘, worin er ihnen zu Gemüthe führt, dass er zur Ausführung seiner weitausgreifenden
Absichten auf einmal und unverzüglich grosser Geldsummen
bedürfe. Darum möchten ihm die Stände mit einem Darlehen
von mindestens 150.000 fl. zu Hilfe kommen, und zwar um so
eher, ‚als die Aufwendung dieser Kosten lediglich zu unserem
und unseres Churhauses Besten, dann eurer hiemit verknüpften
gemeinsamen Wohlfahrt abzühlet‘. Dafür war der Kurfürst erbötig, 5 Percent Zinsen zu zahlen, beziehungsweise sie von der
landschaftlichen Bewilligung pro 1742 abziehen zu lassen und
das Capital selbst auf die landesfürstlichen Gefälle zu versichern.[2]

Erst am 16. October findet sich über diese neue Forderung ein Bericht der ständischen Verordneten. Es amtierten
nunmehr: Johann Georg Propst zu St. Florian für den Prälaten-
stand, Georg Leo Freiherr von Hoheneck für den Herren-,
Johann Achaz Gottfried Willinger von der Au für den
Ritterstand und Johann Georg Gruber für die landesfürstlichen
Städte. (In einem späteren Schreiben bezeichnen sie den Freiherrn von Hoheneck, einen Sohn des berühmten Genealogen,
als ‚derzeit dirigierenden Präsidem‘.) Inzwischen waren nämlich
die Stände neuerdings zusammengetreten, um über dieses Dar-
lehensgesuch zu verhandeln. Sie zeigten indess wenig Geneigtheit, sondern rechneten durch ihre Vertreter, die Verordneten,
dem Kurfürsten vor, wie viel sie ihm schon an Hafer, Heu,
Stroh, Fleisch, Korn, Weizen und Holz geliefert hätten, was

[1] Pritz, Geschichte des Landes ob der Enns, Linz 1847, II. Bd., S. 492 ff.
[2] Karl Albrecht an die Stände, Linz, 6. October 1741. K. u. k. Haus-, Hof-
und Staatsarchiv, Fasc. 343; vgl. Anhang XIII.

Alles weit mehr als 150.000 fl. ausmache. Der pünktliche, ordnungsmässige Abzug des Gelieferten von der Landesbewilligung für 1742 (350.000 fl.) sei gar nicht durchzuführen, da aus den ständischen Magazinen zu Linz, Enns, Eferding und Waizenkirchen grosse Mengen von Fourage ohne jede Controle weggenommen worden wären, ,auch die Wägen und Zillen selbsten, sonderlich mit Heu und Stroh auf der Strassen und auf dem Wasser erweislich hinweggenommen und ausgelöhret worden sind'.[1]

Am 27. October erklärte man sich aber bairischerseits schon mit 75.000 fl. zufrieden. Am 31. October gewährten die Stände dieses Darlehen, das man nicht anders als ein Zwangsdarlehen bezeichnen kann und führten das Geld in Raten bis Ende November ab, wofür sie vom Kurfürsten 23.430 Centner Salz zu freiem Verkaufe erhielten.[2]

Die weiteren Rescripte Karl Albrechts an die Landschaft in den ersten Octobertagen betreffen nichts Wesentliches.[3]

Am Tage seines Aufbruches erliess Karl Albrecht auch noch ein Rescript an die Verordneten, in welchem er Auskunft über die der ,ehemaligen Landsherrschaft' bewilligten Summen verlangt, ,nachdeme ihr uns bereits als Eurem von Gott, der Natur und denen Rechten gesetzten rechtmässigen Erbherrn und Landsfürsten erkennt'.[4] In einer ,ausführlichen ,Hoffnotturft' vom 9. October 1741 legten die Verordneten dem Kurfürsten hierauf die Finanzlage des Landes dar (vgl. S. 337, Anm. 1).

Am 6. October hielt Karl Albrecht vor den Mauern von Linz noch Revue über die Cavalleriedivision des Grafen Segur und begab sich dann mit derselben nach Enns. Er sollte Linz

---

[1] Die Verordneten an den Kurfürsten am 16. October 1741. K. u. k. Haus-, Hof- und Staatsarchiv, Fasc. 343. 17 Seiten lange Klagen.

[2] Die Stände an den Kurfürsten am 31. October 1741. Ebenda.

[3] Je zwei eigenhändig unterzeichnete Rescripte vom 4., 5., 6. October. Die Originale ebenda, Kriegsacten. Sie enthalten Befehle bezüglich der Befestigungen auf der St. Georgs-Insel bei Enns und der Verpflegung der Truppen in Windisch-Garsten und Gmunden. Wichtiger ist nur die Verfügung vom 6. October, in welcher der Kurfürst neuerdings einschärfte, jeder commandierende Officier habe über das Empfangene ausführlich zu quittiren, behufs Abrechnung von der künftigen Landesbewilligung.

[4] Karl Albrecht an die Verordneten, Linz, 6. October 1741. Ebenda.

nicht mehr wiedersehen. An die Spitze der Verwaltung Ober-
Oesterreichs wurde als bairischer Vicestatthalter der Graf Josef
Adam von Taufkirchen gestellt.[1] Ihm unterstand als ‚Lands-
Anwalt‘, den Verkehr der bairischen Regierung mit den ständischen Verordneten vermittelnd und ihnen als politische Behörde übergeordnet, Johann Augustin Fortunat Graf Spindler.[2]
Auch verständigte der Kurfürst von Ybbs aus am 14. October
die Verordneten, dass er zur Besorgung der Cameralangelegen-
heiten ein eigenes Collegium mit dem Titel ‚Hofkammer‘ in
Linz eingesetzt habe; mit diesem hätte sich die Landschaft ins
Einvernehmen zu setzen.[3] Die Hauptlast der Geschäfte, nämlich die Sorge für Verpflegung und Einquartierung der im Lande
stehenden Besatzung, gegen Ende des Jahres 9000 Mann, grösstentheils Franzosen, lag jedoch auf dem neuen Verordnetencollegium.
Schon am 7. October wandten sie sich an den Kurfürsten mit
der Bitte um Entlassung der zur Armee gelieferten Vorspannpferde sammt Bedienung, da Manche dadurch ‚die beste Acker-
und Bauzeit zu ihrem und des Landes unwiederbringlichen
Schaden schon versaumet haben‘. Mit eigenhändig unterzeich-
netem Rescripte ddo. Ybbs, 11. October theilte der Kurfürst
mit, dass er Leute wie Vorspannpferde aus seinem Lager bereits entlassen habe. Nichtsdestoweniger wurden die Klagen
wegen drückender Vorspann nicht weniger.

Als Mitte October der Landschaft die Errichtung von drei
neuen Magazinen, zu Freistadt, Linz und Enns, aufgetragen
wurde mit dem Befehle, in dieselben 130.000 Portionen Heu,
130.000 Metzen Hafer, 500.000 ‚Schwaben‘ Stroh und 9000
Metzen Weizen zu liefern, da erklärten die Verordneten dem
Kurfürsten, sie wüssten sich nicht mehr zu rathen und zu helfen.
Sie beriefen in dieser Angelegenheit im Auftrage Karl Albrechts

---

[1] Sein Titel in einem Schreiben an die gesammten Stände vom 30. De-
cember 1741: ‚Sr. königl. Mayt. in Böheim würkhl. geheimer Rath,
Cammerer, Vice-Statthalter in Ö. o. d. E. Herr Joseph Adam des heyl.
Römischen Reichs Graf von Taufkirchen.‘

[2] Sein Titel: ‚Ihr churf. Durchl. zu Bayrn unseres gnädigsten Herrn Land-
Rath und Landsanwalt in Österreich ob der Enns, Herr Johann August
Fortunat Graf von Spindler, Frey- und Edler Herr zu Wiltenstein auf
Ihrahärding und Pollheimb in Wels.‘

[3] Karl Albrecht an die Verordneten, Ybbs, 14. October 1741. K. u. k.
Haus-, Hof- und Staatsarchiv. Ebenda.

am 30. October wieder das Plenum, und schon am 31. October liessen die gesammten Stände eine ‚Deprecation‘ an den Kurfürsten abgehen.[1] Ohnehin seien schon 82.800 Centner Heu, 62.100 Metzen Hafer und 124.200 ‚Schwaben‘ Stroh geliefert worden! Die Unterthanen seien nicht mehr in der Lage, weitere Lieferungen zu leisten, ‚weilen Sye die Hungers-Noth und ihr völliges Verderben vor Augen sehen und aus eindringender Kleinmüthigkeit ihre Häuser und Wohnungen zu verlassen sich vielfältig vernehmen lassen‘. Besonders hart sei das Zugvieh der Bauern für Vorspannzwecke hergenommen worden, so zwar, ‚dass Verschiedenen ihre Pfert und auch Ochsen auf der Strassen und zu Haus crepieret sind‘. Die Stände wiesen auch darauf hin, dass noch von der ersten Lieferung her in den bisherigen Magazinen zu Linz, Enns, Freistadt, Eferding und Waizenkirchen 23.915 Metzen Hafer, 15.695 Centner Heu und 30.433 ‚Schaub‘ Stroh vorhanden seien und baten den Kurfürsten, er möge erwägen, dass von ‚diesem mehr mit Gebürg und Waldung, als trüchtig Feld versehenen Strich Landes‘ nichts mehr zu bekommen sei. In wehmüthiger Erinnerung an frühere Zeiten schliessen sie ihr Schreiben mit den Worten: ‚wo die vorige allergnädigste Landesherrschaft bey wohl begriffener Unzuelänglichkeit deren Victualien im Land iederzeit durch die Hofkammer, Kriegscommissariat vnd Proviant-Ambter vor Mann und Pferde in allen Naturalien auch sogar mit Herauffahrung des Heu ohne landschaftlichen Entgelt die Verpflegung besorget hat‘. Obwohl die Stände am selben Tage das von Karl Albrecht begehrte Darlehen wenigstens in der Höhe von 75.000 fl. bewilligten, scheint doch ihre ‚Deprecation‘ nicht den gewünschten Erfolg gehabt zu haben, die Lieferungen nahmen ihren Anfang. Schon am 22. October, also schon 8 Tage vor dem Zusammentritte der Stände, beschwerte sich der Pfleger der Herrschaften Waldenfels, ‚Wäxenberg‘, Wildberg und Reichenau über die von ‚Josephus de Vic Sr. allerchristlichsten königl. May. Rittmeister und Hofrath, wie auch Ritter des königl. militärischen Ordens St. Ludovici, derzeit vorgesetzter Kriegscommissarius der Policey deren Auxiliar-Truppen bey der bayrischen Armee‘, aus

---

[1] Die Stände an den Kurfürsten am 31. October 1741, ‚die Deprecation der weitheren Fourage liffarung betref‘. K. u. k. Haus-, Hof- und Staatsarchiv, Fasc. 343.

gehenden drückenden Lieferungen in das Generalmagazin in Freistadt.[1]

Zum Zwecke mündlicher Verhandlungen schickte der Kurfürst seinen Conferensminister und Oberstkämmerer, Grafen Maximilian Preising, nach Linz. Dieser überraschte die Verordneten mit der weiteren Mittheilung, sein Herr wäre gesonnen, 10.000 Mann nach Ober-Oesterreich ins Winterquartier zu legen, wofür die Landschaft von Anfang November ab 30.000 fl. per Monat zu erlegen habe; sodann werde der Kurfürst selbst für die Verpflegung dieser Truppen aufkommen. Der Refrain war auch jetzt wieder: Gegen Abzug von der Landesbewilligung für 1742. Aber was stand nicht schon Alles auf dem Kerbholze derselben!

Ausserdem verlangte Preising die Beantwortung der Frage: Wie viel dürfte überhaupt an Heu, Hafer und Stroh im Lande noch aufzubringen sein?

In Bezug auf diesen Punkt verwiesen die Verordneten auf die ‚Deprecation‘ der Stände vom 31. October und stellten bei weiteren Forderungen Hungersnoth und Emigration in sichere Aussicht. Bezüglich der 30.000 fl. erklärten sie sich für incompetent; dies zu bewilligen, sei Sache der Gesammtstände und diese waren mittlerweile wieder auseinandergegangen.[2] Da aber auch die Franzosen drängten, so schlossen die Verordneten, ohne auf die Stände zu warten, am 12. November mit dem französischen Kriegscommissär Ginest einen Vertrag, dass von Seiten des Landes durch fünf Monate vom 1. December pro Mann und Tag 11 Pfennige verabreicht würden, ‚dafür sich aber die Miliz selbst das Fleisch, Zuegemüs und alles Übrige, ausser Holz, Licht vnd Fourage beyschaffen solle, Eur churfürstl. Durchlaucht aber gnädigst geruhen werden, an der Landesbewilligung die Betragnus sich gnädigst anrechnen zu lassen‘.[3]

Da Kasernen im Lande nicht vorhanden waren, so sollten die Soldaten bei der Bürgerschaft eingelegt werden und es sei

---

[1] K. u. k. Haus-, Hof- und Staatsarchiv. Ebenda.

[2] Die Verhandlungen Preising's mit den Verordneten erhellen aus dem Schreiben der Verordneten des Herren- und Ritterstandes an den Kurfürsten vom 2. November 1741. Ebenda, Kriegsacten, Fasc. 343.

[3] Die Verordneten an den Kurfürsten am 13. November 1741. Ebenda.

zu hoffen, ‚dass eine Universalordre ergeben werde, wodurch
die Soldatesca bey dem Burger mit dem gemeinschaftlichen
Feür, Holz und Liecht sich contentieren lasse'.[1]

Allgemein war der Wunsch des Landes, dass, wenn schon
Miliz nach Oberösterreich ins Winterquartier kommen sollte (‚so
Gott gnädig verhütten wolle', hiess es allgemein), wenigstens
bairisches Militär, keineswegs aber Franzosen hinverlegt werden sollten. So bitten die Ennser schon am 30. September
flehentlich (‚Euer churfürstl. Durchlaucht legen wir uns
sambt der allhiesigen Burgerschaft in tieffister Submission zu
Füessen'), mit Rücksicht auf die von jeher gewinn- und er-
werbslose Situation der Stadt, die unerschwingliche Contribution
und die unlängst von den Warasdinern ausgeübten Excesse,
er möge verfügen, dass ‚eine leidentliche Winterquarnisen, und
zwar alleinig von kurbairisch Truppen allhier gelassen
werde'[2] (vgl. S. 374). Mit bestem Willen konnte der Kurfürst
diesen Gesuchen nicht willfahren (seit 2. December z. B. lagen
in Enns 12 Compagnien vom Dragonerregiment Beaufremont),
da die Zahl der paar Tausend Baiern, die ihn auf seinem gefährlichen Zuge begleiteten, gegenüber den stattlichen französischen ‚Auxiliartruppen' stark in den Hintergrund trat und er
sich nicht ganz von seinen Landeskindern, bei denen er allein
stricte Befolgung seiner Befehle fand, trennen konnte. Schon
die Besatzung von Linz sollte aus 8 französischen, aber nur
3 bairischen Bataillonen bestehen, in die übrigen Orte kamen
fast ausschliesslich Franzosen. Für diese musste namentlich auf
Durchmärschen viel reichlicher gesorgt werden als für die weit
genügsameren deutschen Truppen. So trug die geheime Feld-
kanzlei des Kurfürsten am 20. October von Melk aus den Verordneten auf, für drei nach Baiern zurückmarschierende französische Bataillone (der Kurfürst fürchtete eine österreichische
Diversion von Tirol her) unter dem Duc de Rohan bis nach
St. Willibald an die Landesgrenze Sorge zu tragen. Jeder
Soldat sollte pro Tag 2 Pfund Brot, 1 Pfund Fleisch nebst Ge-
müse und 1·5 Mass Bier bekommen. Dort, wo Baiern und

---

[1] Promemoria der Verordneten der drei oberen Stände vom 9. November
1741. K. u. k. Haus-, Hof- und Staatsarchiv, Kriegsacten, Fasc. 343.

[2] Die Ennser an den Kurfürsten am 30. September 1741. Ebenda, Peter'sche
Sammlung.

Franzosen zusammen im Quartiere lagen und erstere mit ansehen mussten, wie letztere reichlicher verproviantirt wurden,
kam es, wie vielfach berichtet wird, nicht selten zu begreiflichen Reibereien und zur nothwendigen Trennung nach Natio-
nalitäten.

Inzwischen hatte sich den Ständen am 27. November der
neue Landescommandierende Graf Segur vorgestellt und eine
im Allgemeinen sehr höfliche, aber auch bestimmte und keine
Neigung zu Concessionen verrathende Ansprache gehalten.
Die Magazine — das war der schwierigste Punkt in dem ohnehin schon ausgemergelten Lande — müssen mit dem Nöthigen
angefüllt sein, ‚dagegen werde ich beflissen sein‘, erklärte Segur,
‚dass die Truppen in genauester Disciplin sich verhalten‘, und
ebenso‘, sprach der Graf, ‚werde ich, so lang ich die Ehre haben
werde, in diesem Lande das Commando zu führen, des Landes
Wohlseyn möglichstens beobachten und vorläufig alles dasjenige
zu befördern, was die Noblesse vergnügen kann, beflissen seyn‘.
Als Mitarbeiter im Lieferungswerke stellte der Commandant den
Verordneten einen Herrn Le Lievre vor, mit dem nach seiner
Ansicht die Stände sehr zufrieden sein würden.[1]

Segur scheint ein zwar höflicher, aber sehr bestimmter,
militärisch strenger und unerbittlicher Cavalier gewesen zu
sein.[2] Bald kam es mit ihm zu Auseinandersetzungen in Bezug
auf die Bequemlichkeit der französischen Soldaten in den Quar-
tieren. Er hatte nämlich von den Verordneten die Lieferung
von 2000 Betten, 2000 Decken, 2000 Paar ‚Laiblacher‘ im

---

[1] ‚Discurs de M. le Comte de Segur an Etats dela haute Autriche, 27 9bre
1741‘, auch in Uebersetzung beiliegend als ‚Anbringen Ihro Excell. des
Herrn Grafens von Segur an die löbl. H. H. Stände in O.-Ö.‘. K. u. k.
Haus-, Hof- und Staatsarchiv, Kriegsacten, Fasc. 343. Aus dem ‚Discours‘
ist zu entnehmen, dass in Linz und seinen Vorstädten theils schon lagen,
theils in den nächsten Tagen erwartet wurden 5 französische und 3 bairische Bataillone und das Dragonerregiment Segurs. 4 Compagnien des
Dragonerregimentes Beaufremont lagen vom 2. December an in Steyr,
der Rest (12 Compagnien) in Enns.

[2] In den Boudoirs von Versailles war er nicht beliebt. Darum das bos-
hafte Gedicht nach der Capitulation von Linz: ‚Nun höret einmal Gross
und Klein — Die neueste Geschichte fein — Die einem art'gen Herrn
passiert — Graf Segur ist er tituliert‘ etc. bei Heigel, Der österreichische Erbfolgestreit, S. 267, und als die Gemahlin Segur's eines Abends
in der grossen Oper erschien, ertönte der stürmische Ruf: ‚Linz! Linz!‘,
so dass die arme Frau vor Schrecken niedersank (ebenda).

Kostenbetrage von 63.000 Livres verlangt und sie diesbezüglich an einen Herrn Lamy gewiesen. Der Betrag würde
übrigens nach geschehener Lieferung in drei Raten vergütet werden. Dagegen nahmen die Verordneten am 1. December 1741
zu dem Grafen ‚als einen hochvernünftigen vnd die Billichkeit
liebenden Generaln und Feldherrn die Zueflucht‘ und ersuchten
denselben, sie ‚von dieser Verschaffung in natura sowohl, als
auch der kostbaren Erhandlung von Herrn Lamy loszusprechen‘.
Sie wiesen darauf hin, dass wohl in Frankreich selbst, wo die
Truppen auf den kalten Dachböden einquartiert würden, Betten
zur Winterszeit nothwendig seien, ‚allhie aber und in denen
übrigen Quartiersorten sye Truppen in denen Zimmern, deren
guett erpauthen häusern von Cavaglieren und Privat-Personen
logieret seind, wo iedem genugsames, wo nicht überflüssiges
Holz zur Erwärmbung sowohl zu Tag als auch Nachtzeit gegeben wierdet, so würde die gemeine Mannschaft deren Trouppen
mit dem Strohe sich können begnügen lassen‘. [1]

Die Gegenvorstellungen der Verordneten nützten jedoch
nichts, vielmehr erklärte dieser am 27. December, dass im Falle
neuerlicher Weigerung ‚die Better in den Clöstern und bei denen
Haus-Inwohnern ohne Unterschied wurden aufgesucht und hinweggenommen werden‘. Die darüber hocherschrockenen Verordneten erliessen hierauf noch am selben Tage ein gedrucktes
Patent des Inhaltes, die Einwohner möchten das Verlangte
liefern (auf die Stadt Enns z. B. entfielen 150 Stück Stroh-
säcke für je 2 Personen) und lieber ihren Hausleuten und
Dienstboten die Betten entziehen, als die Durchsuchung der
Wohnungen und das Wegschaffen der Betten durch die Franzosen abzuwarten, ‚wobey auch andere Mobilien gar leicht ver-
wüstet werden, oder hinweg kommen können‘. Gleichsam
flehentlich entschuldigen sie sich über dieses ihr Begehren von
den Landeskindern mit dem Hinweise auf das ‚derzeit auf das
äusserste betrangte Vaterland und Insassen‘. [2] Zur factischen
Lieferung scheint es jedoch in Folge des Einrückens Khevenhiller's nicht gekommen zu sein.

---

[1] ‚Memorial an Herrn Conte de Segur, Commandierenden Generaln der
khönigl. französischen Trouppen in landt.‘ 1. December 1741. K. u. k.
Haus-, Hof- und Staatsarchiv, Kriegsacten, Fasc. 348.
[2] Patent der ständischen Verordneten vom 27. December 1741. Ebenda,
Peter'sche Sammlung.

Segur begehrte ausserdem für die Pferde der im Lande Winterquartier nehmenden Cavallerie, sowie an Holz Lieferungen im Geldwerthe von 88.225 fl. Nicht weniger als 315.000 Portionen Heu, 315.000 Portionen Hafer, 2350 Klafter weiches Holz, ausserdem Stroh, Licht und ‚Zuegemüs‘ wurden neuerdings gefordert.[1]

Die Verordneten erklärten hierauf wohl ihren ‚geneigten Willen zu Beförderung aller Möglichkeit für den Dienst Sr. Churfürstlichen Durchlaucht‘, wiesen aber gar beweglich auf die Erschöpfung des kleinen Landes hin, das nicht anders sei ‚als wie ein ausgeschöpfter Brunnen‘. Das ganze Gebiet jenseits der Donau könne nicht zur Lieferung herangezogen werden ‚wegen deren aller orthen herumbstreifenden khönigl. hungarischen Husären‘ und sei ausserdem durch den Zug der bairisch-französischen Hauptarmee aus dem Niederösterreichischen über Mauthhausen, Prägarten, Gallneukirchen und Freistadt nach Böhmen völlig ausgesogen. Dennoch wurden in zwei Vierteln ständische Commissäre eingesetzt für Herbeischaffung der Fourage ‚nach thuenlicher Möglichkeit‘. Im Traunviertel die Freiherren Clemens Josef v. Weichs und Gustav von Pernau; im Hausruckviertel Graf Josef Anton von Seeau. Ebenso wurden alle der französischen Sprache Kundigen in verschiedenen Commissionen verwendet.[2] Viel versprachen sich die Verordneten auch von der Amtswirksamkeit des vom Kurfürsten zum ‚Ober-Land-Kriegs-Commissarius‘ ernannten ständischen Mitgliedes Grafen Philibert Fueger.[3] Zur völligen Lieferung des von Segur geforderten Proviants kam es indess zur grossen Freude des Landes auch diesmal nicht, da schon um den Sylvestertag 1741 das Zurücktreiben der Franzosen nach Linz begann. Ausdrücklich wird in der von Segur am 23. Jänner 1742 mit Khevenhiller und dem Grossherzog Franz eingegangenen Capitulation drückender Mangel an Lebensmitteln als Hauptgrund der Uebergabe angegeben.

---

[1] ‚Entwurff‘, dem obengenannten ‚Discours‘ beiliegend.

[2] ‚Antwortsschreiben von den Verordneten in Ö. o. d. E. auf das Ansinnen des command. Generals Herrn Grafen von Segur.‘ K. u. k. Haus-, Hof- und Staatsarchiv, Kriegsacten, Fasc. 343.

[3] Rescript Karl Albrechts, Ybbs, 22. October 1741. Ebenda, a. a. O.

Noch bevor Segur mit der französischen Wintergarnison in Ober-Oesterreich eingerückt war, hatte das Land Manches zu leiden gehabt. Es wurden Klagen laut über endlose Contributionen, Truppencampirungen auf bebauten Aeckern und Wiesen, Abbrechen der Planken und Zäune, Wegnahme der Lebensmittel mit Gewalt und ohne Bezahlung oder gegen ausländische unbekannte Münzen, endlich Ausplünderung der Bauernhöfe.[1] Besonders gehäuft finden sich Klagen, diesmal nicht über einen Franzosen, sondern über einen bairischen Officier, den Oberstlieutenant Baron Werneck. Man muss dem Kurfürsten die Gerechtigkeit widerfahren lassen, dass er in diesem Falle, wo es sich um einen seiner eigenen Untergebenen handelte, der Sache abhalf.

Werneck verfuhr recht kategorisch bei seinen Lieferungsforderungen. So liegt sein Befehl an den Pfleger der Leonsteiner Herrschaft, den bereits erwähnten Gresmillner vor, 40 Metzen Korn zu liefern, ‚widrigenfalls dasiger Herr Pfleger zu Leonstain zu schwerer Verantwortung und unausbleiblicher Leibesstraf gezogen werden wurde‘.[2] Besonders gespannt war das Verhältniss zwischen Werneck und dem Stifte Kremsmünster. Der Oberstlieutenant drohte dem Kloster, ‚so bisshero in villen Sachen eine saumbseligkeit erwiesen‘, mit militärischer Execution. Der Baron unternahm es sogar, historisch zu deduciren, warum das bekanntlich vom Agilolfinger Tassilo gegründete Kloster zu besonderem Eifer für die Sache Karl Albrechts verpflichtet sein müsste, da es ‚von dem churfürstlichen Hauss aus Bayern gestüfftet(!) und alles, was Sye (Kremsmünster) hat von darauss dependiert‘.[3] Als der Prälat den Klageweg gegen ihn betreten hatte, äusserte sich der Baron in einem Schreiben an einen der Kremsmünsterischen Pfleger, ‚und fichtet mich dessen Herrn Prolathen zu Crembsmünster seine vermeinte Veranstaltung wenig oder gar nichts an‘,[4] ein Ton, den man bisher nicht gewohnt war, und den die Verordneten in ihrem

---

[1] ‚Notturfft‘ der Stände vom 5. October 1741 und ‚Insinuatum‘ der ständischen Verordneten an die Landesanwaltschaft vom 11. November 1741. K. u. k. Haus-, Hof- und Staatsarchiv, Fasc. 343.

[2] Werneck an die Herrschaft Leonstein, 4. October 1741. Ebenda.

[3] Werneck aus Spital am 5. October 1741. Ebenda.

[4] Werneck, Spital am Pyrn, 11. October 1741. Ebenda.

Klaglibell an den Kurfürsten als ‚nachtheilige und schimpfliche Formalia‘ bezeichnen. [1]

Auch die Welser klagten über die ‚Exactionen des Obrist-lieutenants Herrn Baron v. Werneck‘. [2] Er zwang sie, unmensch-lich viel Korn nach Klaus und Spital zu liefern, nahm ihnen ihre städtische Artillerie, 2 Feldstücke, 9 Doppelhaken auf La-fetten, 50 Haken sammt Munition und liess sie nach Klaus schaffen. Ausserdem habe er für einen bairischen Lieutenant 6 Ducaten ‚Doucer‘ verlangt, und als die Welser nicht zahlen wollten, ging er ‚mit mündlicher beschimpfung und trohung für‘. Am 22. October indess theilte der Kurfürst von St. Pölten aus in einem eigenhändig unterzeichneten Schreiben mit, dass gegen Baron Werneck die Untersuchung eingeleitet wurde, und dass seine Abberufung ehestens bevorstehe. [3] Ueber das Re-sultat der Untersuchung findet sich nichts in den Acten.

Sehr schwierig war die Verproviantirung der im Lande verbliebenen Truppen mit Fleisch, welches zu einem fixen Preise, 4 kr. per Pfund, geliefert werden musste. Für die fran-zösischen Truppen war ein eigener ‚königl. französischer Fleisch-Provisor‘ Namens Charpentier aufgestellt, der aber, anstatt dem Lande die Lieferung zu erleichtern, seine Stellung in schänd-licher Weise zu eigener Bereicherung ausnützte. Am 25. Oc-tober 1741 richteten nämlich die Linzer Fleischhauer an die ständischen Verordneten eine Eingabe, worin sie auf den grossen Fleischmangel hinwiesen: ‚Allein dessen ohngeachtet streiffen einige Juden herumb und kauffen das Viech, wo nur ein stuckh zu erfragen vast wie man solches bieth durch eigens darzu habendte Einkauffer zusamben, vnd treiben solches auswerts, gestalten allererst dieser tag eine grosse Quantität über Efer-ding hinausgetrieben worden.‘ [4] Der eigentliche Zusammen-käufer des Schlagviehs und Exporteur desselben war jedoch

---

[1] Die Verordneten an den Kurfürsten am 14. October 1741. K. u. k. Haus-, Hof- und Staatsarchiv, Fasc. 343.

[2] Die Stadt Wels an die Verordneten, präsentirt 12. October 1741. Ebenda.

[3] Karl Albrecht an die Verordneten, St. Pölten, 22. October 1741. Ebenda. Die Verordneten bemerken: auf das hin sei auch gegen andere Officiere Anzeige beim Kurfürsten zu erstatten. Eine weitere Anzeige liegt jedoch nicht vor.

[4] Die ‚Für- und Zöchmeister‘ der Fleischhauer in Linz an die Verordneten, präsentirt 25. October 1741. Ebenda, Kriegsacten.

niemand Anderer als jener ‚königl. französische Fleisch-Provisor‘ Charpentier. Die oben angeführten Leute waren nur seine Agenten. In Eferding war er mit 78 im Lande gekauften und zum Austrieb bestimmten Ochsen ‚in flagranti‘ betreten worden, während es doch gerade seines Amtes war, für Verproviantirung der Truppen das Vieh im Lande zu erhalten. Der Grund der Handlungsweise des Charpentier lag darin, dass auswärts, z. B. in Baiern, keine bestimmte niedere Taxe für das Pfund Fleisch bestand, sondern hiefür 7 und mehr Kreuzer bezahlt wurden. Wer also in Ober-Oesterreich Fleisch zu dem von der französisch-bairischen Verwaltung festgestellten Preise von 4 kr. per Pfund oder etwas darüber zusammenkaufte und den Austrieb des Schlagviehes nach Baiern bewerkstelligte, der machte ein gutes Geschäft, wie in diesem Falle der eigene ‚Fleisch-Provisor‘ der Franzosen.[1] Dass hiedurch das lieferungspflichtige Land, von welchem gerade durch jenen französischen Beamten und seine Vorgesetzten unnachsichtlich eine grosse Anzahl Rinder zur Verproviantirung der Armee begehrt wurden (S. 382), in die ärgste Verlegenheit kam, ist selbstverständlich. Am 25. October noch hatten deshalb die Verordneten von der vorgesetzten politischen Behörde, der Landesanwaltschaft, eine exemplarische Bestrafung zwar nicht des Charpentier — dieser stand als Franzose auch dem Kurfürsten gegenüber in einer immunen Stellung — sondern seiner Unterhändler verlangt. Mit anerkennenswerther Bereitwilligkeit erklärte die Landesanwaltschaft am 9. November 1741, sie werde, falls die Schuldigen kundgegeben würden, das Nöthige veranlassen.[2] Da regte sich aber bei den Verordneten die Scheu vor einer — wenn auch in diesem Falle berechtigten — Denunciation, und sie erklärten gekränkten Tones und keineswegs zum Vortheile des Landes der Landesanwaltschaft: dass sie in dieser Hinsicht nicht zu Diensten stünden, ‚da weder das Handwerk selbsten, noch die dahin incorporierte Fleisch-

---

[1] Insinuatum der Verordneten an die Landesanwaltschaft vom 25. October 1741, ‚wobei er Fleisch-Provisor iedoch nebst seinen übrigen mit Ihme interessierten Wucherern von darumben wohl bestehen kann, weillen oben hinaus das Fleisch vor 7 kr. vnd höher dem pfundt nach ausgehacket würdet‘. K. u. k. Haus-, Hof- und Staatsarchiv, Fasc. 343.

[2] Die Landesanwaltschaft an die Verordneten am 9. November 1741. Ebenda.

hackher einer löblichen Landschaft unterworfen seindt, wür auch nicht verhoffen wollen, dass Euer Gnaden und Freundschaft vns Verordneten eine Denuntiation zuemuthen werden'.[1] Schliesslich sahen sich die Verordneten neuerdings genöthigt, die Lieferung je eines Stückes Hornvieh von 60 Feuerstätten zu geringem Preise anzubefehlen, um dem Fleischmangel abzuhelfen.[2]

Auch andere Ungehörigkeiten liefen mit unter. So kam es vor, dass Privatleute den Soldaten das ihnen aus den landschaftlichen Magazinen gelieferte Holz abkauften, wodurch die Quartiergeber zu Schaden kamen, da sie dem nunmehr frierenden Militär auch Holz verabfolgen mussten.[3]

Eine der drückendsten Lasten der Invasion war die fortwährende Lieferung von Wagen und Pferden zu Vorspannzwecken. Dies erreichte den Höhepunkt, als nach dem Abmarsche der Hauptarmee aus Nieder- durch Ober-Oesterreich nach Böhmen von Seiten des französischen Artilleriegenerals du Brocard an den Artilleriemajor du Gravier in Linz folgender kategorischer Befehl erging: ,Es wird dem Herrn du Gravier, Major bei der Artillerie, anbefohlen, alle Pferde und Wägen, so sich in der Stadt Linz und den Vorstädten befinden, hinwegnehmen zu lassen, sie mögen gehören, wem sie immer wollen.'[4]

Du Gravier selbst ging nicht gerade freudig an die Ausführung dieser drakonischen Massregel. Er übermittelte den Verordneten den Befehl des Generals mit dem Schreiben: ,Messieurs! Es ist nicht nöthig, dass ich obigem Befelch etwas hinzufüge, M. werden die Noth selbsten erkennen, in welcher mich befinde, zu gehorsamen; wider meinen guten Willen wird es sein, zur Gewalt zu schreiten gemüssiget zu werden, allein verhoffe ich, dass die löbl. H. Stände mir Gehör geben, an-

---

[1] Die Verordneten an die Landesanwaltschaft am 11. November 1741. K. u. k. Haus-, Hof- und Staatsarchiv, Fasc. 343.

[2] Patent vom 15. December 1741. Ebenda, Peter'sche Sammlung.

[3] Die Verordneten an den Stadtrichter von Enns am 1. November 1741. Ebenda.

[4] ,Copie des Befelchs, welcher von dem H. du Brocard, General d'Artiglerie, dem Herrn du Gravier, Major bey der Artiglerie zugeschickt worden,' Budweis, 27. October 1741. Ebenda, aus dem oberösterreichischen Ständearchiv 1547—1770.

nebens anbefehlen werden unter hoher Straf an alle Unterthanen, welche Pferd und Wagen haben, dass sie solche morgen,
als den 29. dieses, umb 7 Uhr in der Frühe auf allhiesigen
Statt-Platz ohnfehlbar stellen sollen.'[1] Ob und in welchem Zustande die Besitzer von Pferd und Wagen ihr Eigenthum wieder zurückerhielten, ist aus den Acten nicht ersichtlich. Am
selben 28. October verkündeten übrigens die ständischen Verordneten nicht nur für Linz, sondern für das ganze Land, dass
binnen vier Tagen 1600 Wagen sammt Bespannung für die
Franzosen zu stellen seien.[2]

Besondere Leistungen wurden von den Ennsern verlangt,
als gegen Ende October der Rückzug der Baiern und Franzosen
aus Nieder-Oesterreich und deren Abmarsch nach Böhmen erfolgte. Nunmehr wandte nämlich der Kurfürst sein Augenmerk
der Errichtung von Linien an der Enns zu, welche einen Angriff der Truppen Maria Theresias auf Ober-Oesterreich aufhalten oder ganz vereiteln sollten. Sie waren, wie die Ereignisse im December erwiesen, weder das Eine noch das Andere
im Stande; ihre Errichtung stellte aber an die Arbeitskräfte
der Gegend starke Anforderungen. Die Ennser selbst mussten
Allerlei mauern, Brücken wegreissen, ,Päumb und Stauden'
abhacken; für alle diese Geschäfte setzte der Rath auf Befehl
des in Enns commandirenden französischen Generals Mylord
Clar einen Permanenzausschuss ein.[3]

Am 28. October befahl der Kurfürst von St. Pölten aus
einer Anzahl nieder- und oberösterreichischer Herrschaften, in
der Ennser Gegend Arbeiter auszuheben mit dem zum Schanz-
baue nöthigen Werkzeuge. Bald musste von je 20 Feuerstätten
des Landes je ein Mann für diese Schanzen gestellt werden,
seit 19. December sogar von je 10 einer. So erklärt sich die
Meldung Khevenhiller's an Lobkowitz, dass zeitweilig 5000
Bauern an den Linien längs des Ennsflusses arbeiten mussten.[4]

Eine erfreulichere Nachricht konnte das ständische Patent
vom 6. November 1741 den Landesinsassen bieten, dass die
Lieferungen an Heu, Hafer und Stroh von der Landesumlage,

---

[1] K. u. k. Haus-, Hof- und Staatsarchiv, aus dem oberösterreichischen Ständearchiv 1547—1770.

[2] Circularschreiben der Verordneten. Ebenda, Peter'sche Sammlung.

[3] Ebenda.

[4] Ebenda, Kriegsacten, Fasc. 361.

und zwar speciell von dem bald fälligen ‚Weynachtsrüstgeld‘, in Abzug gebracht werden könnten.[1] Freilich mag hiedurch nur ein geringer Theil des Gelieferten gedeckt worden sein. Wie hart hergenommen das Land in Bezug auf Fourage-lieferungen war, erhellt aus dem Umstande, dass selbst das reiche Kremsmünster nicht mehr im Stande war, Heu und Holz in die Kriegsmagazine zu liefern, und durch ein ständisches Patent erklären liess, es suche diese Artikel zu kaufen, um sie abliefern zu können.[2]

Gegen Mitte November richteten sich die französischen Garnisonen in den oberösterreichischen Städten häuslich für den Winter ein, ohne freilich zu ahnen, wie bald sie mitten im tiefen Winter ihre Quartiere vor dem heranrückenden Feld-marschall Khevenhiller würden räumen müssen.

Dem Bürger brachte die Einquartierung natürlich manche Störung in der gewohnten Lebensführung. Noch liegt die Winterquartiersordnung für die Stadt Enns vor, wie sie am 19. November 1741 auf Befehl ‚Ihro Excellenz Herrn, Herrn General Mylord Clar, Comendanten alhier‘, festgestellt wurde.[3] Sie umfasst 7 Punkte.

1. Jede Correspondenz oder Gemeinschaft mit den Oester-reichern ist bei Lebensstrafe verboten.[4]

2. Bricht nächtlicher Weile ein Tumult aus und wird die Trommel gerührt, so sind alle Fenster zu beleuchten.

3. Den Soldaten darf nichts von ihrer Montur, von Ge-wehr und Munition abgekauft werden; ebenso ist verboten, ihnen Civilkleider zukommen zu lassen.

4. Keinem Soldaten darf etwas geborgt werden.

5. Für das Militär ist um 7 Uhr Zapfenstreich; nach dem-selben dürfen der Soldateska keine geistigen Getränke mehr verabreicht werden. Um $\frac{1}{4}$9 Uhr wird die Glocke geläutet als ‚Bürger-Zapfenstreich‘. ‚Ess werden alle Tag die Patrollen herumbgehen vnd die in denen Würthshäusern über vorbe-deite Zeit antreffende mit Gewald in Arrest führen.‘

---

[1] K. u. k. Haus-, Hof- und Staatsarchiv, Peter'sche Sammlung.

[2] Ebenda.

[3] Ebenda. Auch die Verordneten erliessen am 24. November 1741 eine ‚Vorsehung zu denen bevorstehenden Winterquartieren‘. Ebenda.

[4] Vgl. S. 389, Anm. 4 (Unternehmung Grezmillner's).

7. Niemand darf zur Nachtszeit ohne Laterne auf der Gasse betreten werden. Streitigkeiten zwischen Soldaten und Bürgern sollten nach einem Befehle Lord Clars durch magistratische Commissarien entschieden und geschlichtet werden.

Am 6. December erschien ein ständisches Patent, auf kurfürstlichen Befehl sei ein feierliches Tedeum zu begehen ,wegen Eroberung der böhmischen Haubt-Statt Prag'. In der Nacht vom 25. auf den 26. November hatte nämlich das französisch-bairisch-sächsische Heer Prag genommen. Kurze Zeit darauf liess sich Karl Albrecht auch in Prag huldigen. Aus den bisher ,kurfürstlichen' Städten Ober-Oesterreichs wurden nunmehr ,königliche'.

Von Prag aus erging am 8. December 1741 von Seiten des Kurfürsten ein Patent an die Oberösterreicher, worin er ,als König von Böheim und Erzherzog von Österreich ob der Enns' erklärt, er sei nicht gesonnen, Landesmitglieder in Diensten ,der Grossherzogin von Toscana' zu lassen. Wer nicht binnen vier Wochen diese Dienste verlasse, verliere Hab und Gut durch den Fiscus. Der bereits geleistete Eid gelte nichts, denn nur Karl Albrecht sei rechtmässiger Landesherr. Aufnahme und Beförderung im Dienste des Kurfürsten wird den Ueberläufern versprochen. [1]

Am 30. December liess Josef Adam Graf Taufkirchen, ,Sr. Königl. Mayt. in Böheim würklicher geheimer Rath und Vicestatthalter in Oesterreich ob der Enns', den Ständen sechs vom Kurfürsten eigenhändig unterzeichnete Exemplare des Mandates zustellen mit der Weisung, dieselben an den Rathhäusern anzuschlagen. Auch sollten sie das Mandat ihren ausser Landes befindlichen Anverwandten und Freunden zusenden ,zu ihrer Benachrichtigung und Gewahrnehmung'. Es war dies der letzte Act der bairisch-französischen Souveränitätsansprüche auf Ober-Oesterreich.

Am selben Tage, an welchem der bairische Vicestatthalter die Exemplare des Mandates den oberösterreichischen Ständen übermittelte, am 30. December, erhielt das Kartenhaus der Grossmachtsträume des unglücklichen Karl Albrecht den Stoss, der

---

[1] Entsprechend den für Böhmen bestimmten Mandata avocatoria et inhibitoria Karl Albrechts. Die Originale im k. u. k. Haus-, Hof- und Staatsarchiv, Kriegsacten, Fasc. 343. Vergl. Anhang XIV.

es ins Wanken und bald zum völligen Zusammensturz bringen sollte.

Feldmarschall Khevenhüller, der Retter Maria Theresias aus der Bedrängniss des Jahres 1741, überschritt nämlich die Enns, mit seinen 16.000 Mann die Franzosen nach Linz treibend. Am 24. Jänner 1742 hielt Franz Stephan seinen Einzug in Linz, Mitte Februar, während Karl Albrecht eben aus Frankreichs Händen zu Frankfurt a. M. die Kaiserkrone erhalten hatte, wehten die Fahnen Maria Theresias von den Wällen Münchens.

Bereits am 31. December 1741 konnte der Stadtschreiber von Enns einen ,Befelch von Ihro hochgräflichen Exc. Graf Carl zu Palfi bei seiner favente DEO nachmittags vmb 4 mit dem königl. Corpo allhier beschechenen glücklichen Ankunft' eintragen.[1]

---

[1] K. u. k. Haus-, Hof- und Staatsarchiv, aus dem Archive der Stadt Enns, Peter'sche Sammlung.

Nr. I.

Die Stände Ober-Oesterreichs an Maria Theresia anlässlich ihres Regierungsantrittes. Linz 1740, October 31.

Orig. mit acht Siegeln. K. u. k. Haus-, Hof- und Staatsarchiv in Wien, österreichische Acten, Ober-Oesterreich 1650—1749.

Die betrübteste Nachricht vnd allertraurigste Begebenheit, so Euer Khönigl. Mayt. durch allerhöchstes Rescript vom 22. von dem zu allgemeinen Leydwesen Erfolgten Todfahl des Allerdurchleichtigsten, Grossmächtigsten vnd vnüberwündlichsten Fürsten und Herrn Herrn Caroli Sexti Röm. Kaysers auch zu Hispanien, Hungarn und Böheimb Khönigs vnsers allergnädigsten Kaysers, Erbherrn vnd Landsfürsten, vns Threu gehorsambsten Ständen dieses Erzherzogthumbs Oesterreich ob der Ennss allergnädigst Mitgetheillet haben, gereichet vns zu innersten gemüeths Bestürtzung vnd khönen wür den Schmerzvollen Verlurst vnseres Allergnädigsten Lands-Fürsten vnd allermildesten Landes Vatters der Schwäre nach erforderlich Niemahlen genug Beweinen vnd Bethauern.

Allein, da alle Göttliche Anordnungen so bitter selbe auch vnss Menschen zu übertragen ankhomen, mit vollkhomener Unterwerffung anzubetten seindt, so haben wir jedoch vnserem verstorbenen Allergnädigsten Landesfürsten (welchen wür anstatt der zeitlich abgelegten, die Cron der ewig glickhseeligkeit wünschen, vnd zu höchst deroselben abgeleibten Seelenruehe die Suffragia beyzutragen nicht ermanglen wollen) die klugeste Vorsehung per Sanctionem pragmaticam in vim legis perpetuae valituram Allerunterthänigst zu danken, wodurch höchst dieselbe über deroselbe hinterlassene Erb-Khönigreich und Länder ohne Zertrennung disponiert haben. Wie wür nun Euer Königl. Mayt. von wegen des höchst empfindlichen Ableiben dero Kays. Herrn Vatters vnd vnseres Allergnädigsten Landesfürsten höchst betaurlich condolieren, also thuen wür auch zugleich

tu der vnter dem Beystandt des allerhöchsten angetrettenen Regierung
Iber die ererbte König-Reich und Erbländer aller devotest gratulieren
rnd neben vnterthänigster Dankh Abstattung vor die allergnädigste Ver-
icherung dero Khönigl. vnd Lands-Fürstlichen Hulden vnd Gnaden
.ie Ao. 1713 von Ihro Kaysl. Mayt. glorreichsten angedenkhens Statuierte
nd a. 1720 von vns Ihren gehorsambsten Ständen in Kraft vnserer
,lleruntterthänigsten Erklärung angenohmenen, bey der Erbhuldigung
. 1732 durch die anglobung feyrlichst bestättigte vnd hiemit auf die ver-
ündlichste Erneurende Thronen vnd Erbfolge mit guett und Blueth zu
erthättigen in vnveränderlicher Threu vnd Devotion allergehorsambst
ersichern, von Euer Königl. May. als nunmehro regierende Landsfürstin
ns alleruntterthänigst getrösten, dass allerhöchst dieselbe vns Ihren ge-
orsambste Stände in corpore vnd jeden in particulari bey vnseren Landes-
reyheiten vnd Herkhommen Allermildest schützen werden, gleichwie
rür nach vmbständen deren zeiten vnd der Landes Cräfften alles beyzu-
ragen vnns nochmahlen verpflichten, was den hergestelt theüren Friden
rnd die ruehe des werthen Vatterlands: Mithin Euer Königl. May. höch-
ter Dienst vnd der gesambten Erb-Königreich vnd Länder wohlfahrt auf
vnzertrennte Erhaltung erheischen mag. Womit zu Königl. v. Lands-
ürstl. Höchsten Hulden vnd Gnaden vnnss allerunterthänigst allerge-
orsambst Empfehlen.

Linz, den 31. October 1740.

Nr. H.

*Rescript Maria Theresias an die Verordneten der Landschaft des Erz-
herzogthums Oesterreich ob der Enns, in Sachen der Landesdefension.
Pressburg 1741, August 3.*

Orig. mit Siegel und eigenhändiger Unterschrift. K. u. k. Haus-, Hof- und
Staatsarchiv, Kriegsacten, Fasc. 342 ,aus der Kanzlei der Verordneten des
Erzherzogthums Oesterreich ob der Enns'.

- -,Wir haben sowohl von euch, als auch von Unserem Landshaubt-
manns und mehr anderen ohrten vernohmen, dass die Statt und das Ober-
Hauss zu Passau von denen Chur-Bayrischen Trouppen überfallen und
besetzet werden.

Da nun solcher gestalten die gefahr sich mehrers näheret, haben
wir vor nöthig ermessen, Unseren Oheim und Fürsten Feld Marschallen
Bestalten Obristen über ein Regiment zu Pferd und commandierenden

Generalen in Sibenbürgen Christian Fürsten von Lobkewiz, deme wir das Commando über Vnsere trouppen in Böheim und Oesterreich ob der Ennss anvertraut haben, ohnverweilt nacher Linz abzuschicken, umb alda nach beschaffenheit derer umbständen und etwa weiters einlauffenden Nachrichten, all-erforderliche gute anordnungen zu machen.

Wir versehen Uns darbey gänzlich, Unsere getreüeste Stände werden forderist bey dieser begebenheit ihre unveränderte devotion mit geflissensten eyfer zu erkennen geben und allem willigist die hand biethen, was zur sicherheit und rettung des Landes immer dienlich seyn mag. Unsere Regimenter, wie ihr wisset seynd im würkl. Anzug, und der ob-ernant commandirende General wird sich sorgfältigist angelegen seyn lassen mit Unserem Landshaubtmann und eüch solche anstalt abzureden, wie es die gegenwärtige gestalt der sachen und Unser wahrer Dienst erheischet.

Unter solchen Vorkehrungen dörffte die aufbiethung derer schützen und Jäger oder auch anderer wehrhafften Mannschaft aus der ursach fast ohnvermeidlich seyn, weilen Unsere Infanterie Rgmter, so aus dem Banat und Slavonien heraufziehen, vor einig Wochen nicht wohl eintreffen können, dargeg. mehr als bekant ist, dass die darobige Lands Gränizen ohne hinlängl. Fuss Volk sich nicht wohl beschützen lassen.

Solte es nun auf solchen aufboth ankommen müssen, so haben Wir allschon den befehl ertheilet, dass von Unserem darobigen Zeüghauss mit der etwo vorhandenen munition aller Vorschub geleistet, ja auch aus dem Wienerischen Invaliden-Hauss zwey bis drey hundert noch dienst taugl. alte Soldaten unverlängt hinauf gesändet werden.

Und gleich wie es hierinnen bloss umb eine interims Vorsehung zu thun ist, von welcher jedoch des Lands und eines jeden eigene sicherheit abhanget; So zweiflen wir ganz nicht, dass die gehor'ste Stände zu Verthättigung des armen Unterthans gern alles anwenden und viel geneigter seyn werden, zu erhaltung des Lands das äusserste aufzusezen, als durch eine einbrechend feindl. Macht ihre habschafften verschlingen zu sehen.

Wir werden dargeg. Unsere Mütterl. Sorgfalt dahin richten, damit diesem getreüesten Erb-Land in andere wege alle mögliche erleüchterung angedeye, folgbar dasselbe bey kräfften und Wohlstand unverlezt verbleibe, endl. auch alle diejenige, welche bey sothanen defensionswerk sich mit Patriotischen eyfer hervorthuen, Unser danknehmiges gemüth aus realen gnad bezeigungen zu erkennen ursach haben sollen; Und Wir verbleiben anbey mit König- und landsfürstl. gnaden eüch wohlgewog.

Geben auf Unserem Königl. Schloss zu Pressburg den 3. Monats Tag Augusti im 1741ten, Unserer Reiche im Ersten Jahre.

Maria Theresia m. p.

Vermerk der Verordneten: ,Bey der Canzlei aufzubehalten, vnd nach ankhunft des denominir. Commandirenden Herrn generaln mit demselben die Landes defensions anstalten zu überlegen, vnd nach befund das weither hierauf vorzukheren. Den 5. Aug. 1741.'

Nr. III.

Die ständischen Verordneten an Maria Theresia, das oberösterreichische Landesaufgebot betreffend. Linz 1741, August 19.

Concept mit dem Vermerk: Exp. den 19. August 1741. K. u. k. Haus-, Hof- und Staatsarchiv, Kriegsacten, Fasc. 342.

,Hoffs Notturfft: den landes Schützen aufbott betr. 19. Aug. 1741.'

Über die bey Eur khönigl. Mayt. um den 16. jüngsthin Erst aller-vnthgst eingereichte remonstration vnd beygelegtes Systema des pro-jectierten land Schützen aufbotts, haben wür Nunmehro auch die Ein-theilung in 13 Compagnien zusammengerichtet, wie beede Eur Khönigl. May. hiemit allerunterthgst vorlegende aufsäz von allen vier Vierttlen zaigen,[1] und der 22. dieses angesäzet, die Erste Companie zu Peyerbach, die Siben ander Companien aber in beede Hausrukh und Thraun Viertlen den 24. bis 27. huius zusammenruckhen und mustern zu lassen, — allein und gleichwie wür durch öffter allerunterth'e Vorstellung bey Euer Königl. May. selbsten, durch verschiedene Insinuata an Eur Khönigl. May. Landshhbtman, wie auch durch mehrere Pro Memoria an den com-mandierenden Khönigl. Veldtmarschall Lieut. grafen Palfi und grafen Salburg zum öfftern schon beraits erindert haben; So müssen wür, auss allerunthgster Devotion zu Eur Khönigl. May. allerhöchsten Diensten vnd auss dem natürlichen Antrieb zur Liebe gegen den Vatterlandt, dan zu erhaltung aigener Ehre und reputation allergehorst. widerhollen, welchergestalten sehr ungewis seye, ob und wan die auf den Papier stehende anzahl würkl. zusammen khomen thue, und zum gebrauch auf denen Postierungen an der gräniz und in denen vorhabenden redouten (dan im offenen Veldt der aufboth Niemahlen das geringste Nutzen khan)

---

[1] Die Auszüge der hier von den Verordneten erwähnten Actenstücke im Cap. II des Textes (,Das oberösterreichische Landesaufgebot von 1741').

in standt sein werden; Anerwogen und wan auch schon der von denen
herrschafften und Obrigkheiten beschreibende 10. Man (weren wür iedoch
sehr zweiflen) auf die ihme angewissenen Samel- und Musterungsplaz
würkhl. erscheinet, so ist iedoch der wenigste mit erfordl. ober und
seithengewöhr versehen, und sollen solches erst von hier zuegeführet und
ausgetheillet werden, wo mehrmalen zu bewaffnung der hellfte zuelängig
nicht vorhanden ist. Hbtsächlich aber ermangl. die Under und auch Ober-
Off. zur anführ und Underrichtung, ohne welchen fundament und Fus
auch eine Landmiliz so wenig als die regulierten Trouppen bestehen, und
in Ordnung auch nur wenige Zeit erhalten werden khön. Dan zu Hbt-
leuthn auss denen Landsmitgliedern sehr wenig sich angemeldet haben,
weillen iederman zwar sein guet und blueth für Eur Khönigl. May. und
das werthe Vatterlandt wihlfährig Sacrificieret, auss Mangl eigener Kriegserfahrenheit aber oder auch weilen er von dem gar nicht abgerichteten
Landvolkh verlassen zu werden billig befürchtet, Ehr und Reputation zu
ewigen Nachkhlang nicht verliehren will, welcher gfahr er unmittelbahr
underworffen ist, nachdeme im gleichen kheine taugl. leüth zu vnd. Offre,
alss Führer, Feldwöbln und Corporaln verhanden seind, bevor, da die zu
Enns befindliche Invaliden auss dem Armen-Haus zu Wien uns su
Unter-Offre von darumben nicht wollen zuegeben werden, weillen sye den
zum gwöhr ungeschickhten Paurs Man mit Schlög tractieren, mithin noch
mehr verzagt machen und zur Desertion veranlassen dörfften.

Bey welchen so offen bahren Mangl Eines fundaments und Fues
zur Militar-operation wür Nichts anderes alss Unordnung und Confusion
vermuthen khönnen, welche dahin aussbrechen dörffte, dass auf den
Ersten anfahl einer feindlichen Parthey, dass ohne deme von Natur
forchtsame Pauernvolkh die posten verlasset und auseinander lauffet,
ohne hoffnung dieselbe wiederumb zum standt bringen su khönnen, wie
solches a. 1704 erweisslich geschehen ist.

Wir wollen diss orths die Unkosten, so auf die Und'haltung dieser
Landmiliz Monathl. auf 40^m fl. und mehr gulden sich erstreckhen gar gern
übergehen, allein da hiedurch die erforderl. gelder zu anderwärtigen
aussgaben und sonderbahr vor die regulierte Miliz nach andere mit Erbauung deren redouten und mehreren angelegenheiten erforderliche Defension Unkosten aufgezöhrt werden; so müessen wür umb was und die
threü gehorste Stände bey dessen ganz ohnfehlbaren Erfolg ames aller
Verantwortung zu setzen der Sachen Beschaffenheit in seiner natürlichen
Farb entwerffen und alss ein durch Lands Mitglieder und ihre beambte
erweissl. mithin in facto ganz richtige Sache bekhenen, wie dass die
Unterthanen bey verschiedenen gros und khleinen herrschaften bey gegen-

värttig gefährl. Zeiten und Umbstanden Steür und gaben zu Raichen verwaigern, in Crafft dessen also der Landschaft das Contributionale und Einkhonfften aufbring- und bestreitung ihrer grossen obliegenheiten auf Einmahl benommen und abgeschöpfet werden. Dahero wür den die bey denen gleich in anfang der Schützen beschreibung und Zusammenrichtung sich ergebende hindernussen, anständ und Schwierigkheiten Eur. Khönigl. May. nochmahlen allervnthgst zu Füessen legen und den allerhöchst Khönigl. befelch hierüber, ob Nemblich: bey so gefährlich sich eussernden umbständen mit den so khostbahr fallenden aufrichtung deren 13 Comp. von unerfahrnen Paurnvolkh iedenoch fortzufahren haben uns alleruthgst ansbitten. —

In margine von anderer Hand: — anbey aber der Hoffnung leben, dass ihre Königl. May. unsere allergdigste Frau und Landtes Mutter in disen und allen übrigen unseren blinden Gehorsamb allermildest erkhenen und diese wiederholte Vorstellung mit königl. und Landtsfürstl. Milde ansehen werde, indeme gemeiner Landtschafft schwär und hart fallet, dass sya durch den aufbott vermeintlich taugl. Persohnen in so grosse Unkhosten und aussgaben gestürzet würdet, wovon man iedoch kheinen effect- und nutzen vor Eur. Königl. Mayt. Dienst und zu bedeckhung des Vatterlandt vor feindlichen Einfall auch dessen Abhaltung versprechen khan. Womit den zu Khönigl. und landsfürstl. allerhochsten hulden und gnaden uns allerthgst allergehorst. empfelchen.

Linz den 19. Augusti 1741.   Verordtnete.

Nr. IV.

Karl Albrecht an die oberösterreichischen Stände, Schärding 1741, September 9. Der Kurfürst kündet sein Einrücken an und fordert Anerkennung.

Orig. mit aufgedrücktem Siegel und eigenhändiger Unterschrift. K. u. k. Haus-, Hof- und Staatsarchiv, Kriegsacten, Fasc. 342.[1]

... Denenselben vnd euch wirdet aus Unserer im Truckh erlassenen vnd hiemit nochmahlen anschlüssenter weitleüffig rechtlichen deduction, dan Vnserem weiters hienach geuolgten ebenfalls hiebey ge-

---

[1] Dieses Schreibens erwähnt der Kurfürst in seinem Tagebuche (Heigel, Tagebuch Karls VII., S. 20). Bei Arneth, Maria Theresia, ist von ihm die Rede I, S. 251. Bei Heigel, Der österreichische Erbfolgestreit und

henten Manifest allerdings bekannt sein, aus was höchst wichtig: vnd best begründeten Vrsachen Wür getrungen worden, zu erlangung der Unss vnd Unserem Chur Hauss auf die bisherige Oesterreich. König Reiche, Herzog-Fürstenthumb vndt Landte so richtig angefahlener Erb-Rechten, da durch güetlichen weeg bishero Wür zu selbigen nit kommen können, die Waffen zu ergreiffen vnd zu deren bemächtigung vnd Posessions-nehmung mit Vnsern aigenen vnd Vnseren Auxiliar Trouppen in die Landte von Oesterreich einzuruckhen; Wie nun Wür Vns gegen Sye Lobl. Ständte gdst versehen, das Vns sye, was Vns vnd Vnserem Chur-Haus der Güettigiste Gott verschaffet vnd Selbigem deren Löbl. Ständten gewaste nunmehro in Gott ruhente Kaysere vnd Landts Fürsten, behalt deren Dispositionen Verordnungen und Verträgen aus mehreren trifftigsten beweg-Vrsachen in Freundtschafft- vnd erkhantlicher wohlmainung wohlbedachtlich zuegedacht aller-dings gönnen, Mithin Vns fürohin für ihren natürlichen vnd rechtmessigen Erb-Herrn erkennen vnd bereithwilligist sich mit gehorsamb und vndthänigkeit vndergeben werden; So versichern Wür solchenfahls selbige hingegen Unserer Landtsfürstl. gnade Liebe vnd für deren Wohlfarth zu tragen habenten sorgfalt mit künfftige bestättigung all dero habenten Freyheiten vnd Privilegien vnd thuet Vns layde, dass bey ersten eintritt in die Ober-Oesterreichische Landte, bey ernant Vnseren Trouppen die nöthige Verpflegungs-Verschaffung für Mann- vnd Pferdt nicht so geschwindt reguliert vnd beygebracht werden können, als Wür wohl hetten wünschen vnd gehren sehen mögen: Gleichwie aber Wür forderist die sorge tragen, dass bey Vnseren vnd denen auxiliar-Trouppen alle Vnordnung und desordres verhiettet vnd der Landtmann so vill möglich verschonet bleibe, welches wohl nit anderst als mittelst sicherstöhlung der Subsistenz sowohl für Mann als Pferdte erraichet werden kann, So kommet es dahin an, das man aintweder die Armee fouragieren, oder derselben die notturfft zu ihrer verpflegung in das Laager liferen lasse; da nun aber die fouragierung vast vnmöglich ohne des Landts grossen beschwernus ablauffen könnte; Solchemnach werden Sye Löbl. Ständte nit entgegen sein, ainige ihrer Deputierte auff Monntag den 11. diss nacher Beyrbach vmb Verabredung der sachen notthurfft abzuschickhen, beynebens aber auch die vngesaumbte anstalt zu machen, das für Vnsere armée die notturfften an Mundt: vndt Pferdt-Portionen in gueter ordtnung so lang verschaffet vnd

<hr />

die Kaiserwahl Karls VII., S. 193. — Ein Trompeter gab es am Vormittag des 10. September 1741 in Lina ab. Hierüber Cap. IV vorliegender Arbeit.

geliffert werden, bis denen vmbständten nach, sich eine abenderung vor
diser gegent heruor thuen, folgsamb die erleuchterung ergeben wirdet.
Da im gegenthaill iene, welche sich des gebührenten Verpflegungsbeytrags
vngehorsamblich waigern: vnd sich dessen durch verhetzung zu ent-
ziechen suechen solten, sich selbsten die schuld beyzumessen, wan
ainesthails der Soldat excess ausyeben — oder man die notthurfft mit
gewalt zu erhalten bemiessiget sich sehen solte, dessen Wür Sye Lobl.
Oester Raich. Ständte hiemit in Churfürstl. mildister wohlmainung Gdi'st
gewahrnen wollen. Denen Wür annebens insgesambt vnd sonders mit
Churfürstl. gnaden vnd allen gueten wühlen wohl beygethann vnd gewog.
verbleiben.

Geben in Vnserer Stadt Schärding den 9. Septemb. a. 1741.

Carl Albrecht m. p.   v. Weckhenstaller.

Vermerk der Verordneten: Dieses gdigste schreiben bey der Canzley
aufzubehalten, vnd ist Eine abschrift hieuon dem Königl. hoff mit Einer
aller vndtthänigsten anfrag Einzuschickhen vnd die Verhalts resolution
Einzuholen. Den 10. September 1741.

Nr. V.

*Aus dem Bericht des dem Kurfürsten entgegengeschickten ständischen
Commissärs Joh. Jos. Wiellinger von der Au an die Verordneten des
Landes ob der Enns. Pfarrhof Waizenkirchen 1741, September 12.*

Orig. K. u. k. Haus-, Hof- und Staatsarchiv, Kriegsacten, Fasc. 342.[1]

... Nachdem der churfürstl. General adjutant zu 2 mahlen eigens
vorausgekommen und mir bedeüttet, ob ich nicht Ihro durchleücht bey dero
anruckhung selber sprechen und in etwas entgegenkommen woite, mich
endlichen auf eine und andere 100 Schritt nebst Hn Ausschuss Secretari
Schmidtpauer fahrend hinausbegeben vnd daselbst bey erster haltmachung
Ihro durchleücht und dero gesamten generalität meine Aufwarthung mit

---

[1] Der hier bis auf einige unwesentliche Stellen wiedergegebene Bericht
Willingers ist der dritte, den er an die Verordneten nach Linz abgehen
liess. Der Kurfürst gedenkt der Begegnung mit den ‚deputés des états‘
(v. Willinger und Landessecretär Schmidtpauer) in seinem Tagebuche.
(Heigel, Tagebuch Karls VII., S. 20.) Vgl. auch Arneth, Maria Theresia I, S. 251.

dieser erinderung abgestattet habe: dass ich nebst einer kleinen Cänzley von denen zu Linz anwesenden Landschaffts-Verordneten zu diesem Ende anhero abgeschicket worden seye, damit aller unordnung und Betrangnus den armen Landsunterthanen und Insassen mit aufbringung deren sovill möglich vorhandenen Verpflegungs-requisiten vorgebogen und abgeholffen, mithin zu keinen Landschädlichen Excessen anlass genohmen werden möge; Und damit waren Ihro durchl. der Churfürst unter beständig aufmerksamen Zuhörung und (‚zu Pferd sitzend‘ in margine) abgehaltenen hut sehr wohl zufriden, erwiderten auch mit deütlicher Expression gütst: dass dieselbe solche Vorsorg N. B. deren Ständen, ich aber hab nur den Namen deren Verordneten gebrauchet, mit Verhüttung aller Excessen nachtrucklich unterstützen und nicht anderst, als ein Vatter mit seinen Kindern handlen wolle und wofern einiger excess wider Verhoffen fürfallen thäte; so solle derselbe Ihro alsogleich unmittelbar angezaiget und sich der remedirung und Ersetzung allerdings versehen werden.... Es verlautet beynebens: dass zu Passau und selbiger Gegend von französischen auxiliar trouppen alles wimmlet und erfüllet seye, mithin von dort aus nebst der artiglerie alles zu wasser folgen werde, wan vorhero die zu Land über Peurbach und wie man vermuthet, jedoch noch nichts verordnet ist, mit dem rechten Flügl und corp über Haag und Wels eingeruckhet und die Donau und Traunfluss bedecket seyn wird; Wohin aber nachmahls, wan das beständige Vorgehen nacher Wien nicht gegründet seyn solle, diese namhaffte und was hier durchgehet in lauter schönen leüthen und pferden, wie auch vast durchgehens aus teutschen Volk bestehende armée sich weiters hinwenden und ob selbe villeicht bey Stein über die Brucken, oder aber über Linz nacher Böhmen oder nach zuruckgelegten Traun- und Ennss Fluss zu wasser und Land directe nacher Wien ihren marche fortsetzen werde, ist eigentlich noch nicht zu errathen, sondern unmassgebig von allen bisherigen Verlauff nach dero erleüchten Gutbefund an die löbl. Generalität bey oder unter Ennss wie auch nacher Pressburg und an das Königl. Böheim. Kraysamt zu Pudweiss die schleunigste Nachricht zu ertheilen.

Ess gehet der Einmarche so sachte von statten, dass er vor spatter Nacht schwerlich vollendet werden kan, wan alle 15000 Mann hieher kommen und keine andere route, worvon mir noch nichts intimieret worden, genohmen werden solle; H. gr'al Schmettau befindet sich auch an der Churfürstlen seiten, und wie zu glauben, in der qualitet eines königl. Preysischen Gesandtens, ich empfehle mich etc. . . .

Am oberen Rande seines Berichtes bemerkte v. Wielinger mit Bleistift:
P. S. Bey Einruckung des Churfürstens hat der Pfleger zu Waizenkirchen

vnd dasiger ... (unleserlich) ohne mich zu fragen mit Leüttung aller glocken die Landsfürstl. Begrüssung abgestattet, welches zu Payrbach nicht geschehen sein wirdtet.

Nr. VI.

Zweiter Bericht des ständischen Commissärs Johann Joseph Wiellinger von der Au vom selben Tage wie V. an die ständischen Verordneten in Linz.[1] Pfarrhof Waisenkirchen 1741, Sept. 12.

Orig. K. u. k. Haus-, Hof- und Staatsarchiv in Wien, Kriegsacten, Fasc. 342.

Nachdeme ich bereits seit gestern und heut 3 Staffetten von Beyrbach mit relationen aller umstände und fürfallenheiten an Euer Gonst und Freundschafft abgefertiget, alhier aber keine Post-Station ist, sondern von Orth zu Orth derley Nachrichten durch Bothen geschehen muss, also erindere ich deroselben: wasmassen ich heut zur Ihro Durchleücht den Churfürsten nach geendigter Tafel beruffen worden, und daselbst die weitere Befehl dahin eingenohmen, dass der marche von hier nacher Efferding fortgehen, daselbsten auch zu wasser 9000 Mann französische Völcker darzustossen über Land aber hieher ebenfahls die französische Cavallerie nachrucken und dem haubt-Terrain der armee nachfolgen wird.

Alldieweilen aber höchstgedacht Sr. Durchl. villmehr zu guter Verpflegung für die Französische auxiliar-trouppen, als für dero eigene bedacht zu seyn sich erkläret, indeme diese Leüth Besonders von Fleisch eine grössere und vast doppelte portion resspectu denen Bayrischen praetendiren, auch denen Excessen und impertinentien mehrers ergeben seind, also ist mir von dem ad latus serenissimi Commandirenden H^en generalen Feldmarschall Grafen v. Thöring gegenwärtiger Entwurff deren Verpflegungs-Nothwendigkeiten für das morgige Lager zu Efferding, mithin vermuthlich auch für eine Richtschnur zu Linz zugestellet worden, worbey es aber schwärlich sein richtiges bewenden behalten wird, indeme alle diese Völker nur biss Freytag mit Brod und etwas von Haber aus churbayr. magazinen versehen, immittelst aber allstäts mehrere Trouppen zu wasser nach-kommen werden; Hier ist man endlich noch ziemlich zufridentlich ausgekommen und haben Ihro Durchl. selbsten die übereillung der Zeit gar wohl erkennet, auch sonsten im discurs vorläuffig zu erkennen

---

[1] In der Reihenfolge sämmtlicher Berichte Wiellinger's an die Verordneten wäre dieser Nr. 4. Vgl. Cap. 3 vorliegender Arbeit.

höchstdieselbte zu Linz mit Euer Gonst und Freündschafft
er aufhörung der contributions-raichung und Einkunfften
rgdste Frau und Landsfürstin alles abmachen, und das be-
en, auch hierinfalls sowohl als in andern Stücken das Land
en Dingen sublevieren wollen, wohlwissend: dass selbige
en hart mitgenohmen und geschröpfet seyn worden, Sie
lnschen, dass es deroseits zu dieser Extremitet niemahls
dürffen, wan man ehedessen zu einen billigen Vergleich
·Hof sich hätte verstehen wollen, Nun aber müsse es schon
, damit Sie bey Gott und dero Nachkommen keine Verant-
ch ladeten und dasjenige Recht behaubteten; welches Ihro
atur gegeben hätte.

st des Berichtes betrifft Verpflegs- und Correspondenz-
Ein Zettel Törring's liegt bei mit Angabe des für den
1741 Erforderlichen und der Bemerkung: Notandum.
für die churbayr. Trouppen alleinig zu verstehen, mithin
hs und conjunction des Französischen Kriegs Volks allent-
it mehreren Mund- und Pferdportionen, auch Holz, stroh
anzutragen, gestalten der gemeine Mann vast alles essen
wie auch das Brod mit baaren Geld bezahlet.)

Nr. VII.

n Verordneten an Maria Theresia am Tage der Besetzung
urch die Baiern und Franzosen. Linz 1741, Sept. 14.

, Haus-, Hof- und Staatsarchiv in Wien, Kriegsacten, Fasc. 342.

Khönigl. May. durch allerhöchstes rescript vom 12. dieses
laubet, die Veranstaltung fortzusötzen vnd dahin anzu-
ller ruin des landes vermindert vnd dass was man nicht
in mit ordnung beygeschafft werde, Erstatten wür aller
horsten Dankh. Diese vorgekehrte disposition hat nun
t, dass zu dato vngehindert die Churfürstl. vnd französisch.
24 Bataillons vnd escadrons bestehen vnd Morgen alhie
rg stehen, die Stadt aber besetzen werden,[1] khein Excess
bey dieser eüssersten desolation gereichet allein zu vnserer

ıng erfolgte schon am 14., der Einzug Karl Albrechts aller-
ım 15. September.

Consolation die hoffnung vnder die Sanftmüettigst österreichische Regierung bald wiederumb zu khommen.

Womit zu allerhöchst-Khönigl. vnd Landsfürstl. Hulden vnd gdn. allervnthgst allergehorst. Empflen.

Linz den 14. Sept. 1741.   Gesambte Verordnete.

Nr. VIII.

Bericht des ständischen Obercommissärs für das Viertel ober dem Manhartsberg Frans Friedrich Graf Engl an die niederösterreichischen Verordneten über die Verhältnisse in Ober-Oesterreich während der Anwesenheit des Kurfürsten Karl Albrecht mit der bairisch-französischen Hauptarmee. Schloss Mühlbach 1741, September 24.

Orig. 8 Seiten, niederösterreichisches Landesarchiv ,Land-Defension vom Jahre 1741'.

Nachdem ich verflossenen 17. dieses meinen hiesigen herrschaftlichen Taffern Würth Simon Ridler, als welcher von geburth ein oberösterreicher und 15 Jahr auch zu Linz bey mir als gutscher gedienet, in seiner Lands-Kleydung nach Bemelten Lintz zu Pferd abgeschickhet umb des Feundes wahre Beschaffenheit zu erfahren, so kamme mir derselbe gestern sehr spath wieder anhero zuruck mit Vermelden, dass er den 19. ungefragter über das gebürg, durch Arbessbach, Praegarden und der Böhmischen Freystätter Strass, Urfahr über die Pruckhen zu Lintz in Meinen Haus angekommen, auch alda einen Tag und 2 Nächt gebliben seye, allwo er sonsten durchgehends Nichts als in Urfahr eine starke Wacht nebst denen Capucinern und an den Fues der Bruken, ingleichen auch bey den Linzerischen Wasser Thor die Französisch- und Bayrische Soldaten gesehen, das Wiener oder Schmidthor allda mit Besonders starker Mannschaft besetzet, bleibet auch Nächtlicher Zeit offen, das Landhaussthor wird also ebenfalls bewachet, nach 2 tägen aber ist beederseits ein landschaftlicher Vorsteher gestattet worden. Der Churfürst wohnet noch in dem Schlos und reittet täglich abends um 5 uhr theils über die Brucken in's Urfahr, theils in das Lager gegen Enns, mit ungefähr 20 Officiers in geleittschaft. Die Donau und gebürg seynt den 20. gegen Willering recognosciert und abgemessen worden, welche Intention leicht zu erachten ist; das lager gegen Enns fanget an nebst der Donau bey dem Eckhardshoff über den Caplan-Hoff biss an den Stock und Mäderer Hoff, so in der länge eine stund, in der Breithe aber eine halbe stund austraget und

würdet auf 30^m Mann geschätzet. Es kommen noch täglich allda auf den
Wasser ville Trouppen an und werden noch mehrer Erwarttet; von einigen
Marsch allda in Böhmen würdet nichts gedachtet, noch veranstaltet, wenn
auch Feld Posten dahin ausgesetzet. Der Herr Praeses deren HH^{en} Verordneten solle biss Calvari-Berg dem Churfürsten entgegen gekommen
seyn, und ihme allda gahr wohl angeredet haben, wie er dann auch gahr
gutt angesehen seyn solte. Die Fourage und andere lifferungen werden
durch die HH^{en} Verordnete Proportionaliter angeschaffet und auf die
Zahl der einlag eingerichtet. Es würdet unter denen trouppen scharpfe
ordre gehalten und wachten aufgestellet, dass die Miliz in denen Häusseren
keine Excessen aussübe.

Es sollen sich 4 Gesante als ein Bäbstlicher, ein Französischer, ein
Sächsischer und ein Preysischer, nebst dem general Schmettau bey dem
Churfürst befinden. Eingangsgedachter Simon Ridler hat auch 140 fette
polnische Ochsen auf denen Wissen unter den Urfahr mit augen gesehen.
Der Churfürst soll dem gewesten Herrn Lands-Haubtmann sehr bethrolich
seyn, das er das Schloss völlig ausgeraumet und sich entfernet habe.
Übrigens seye die völlige Veranstaltung, so bald die mehrere trouppen
auf den Wasser ankommen, den Marsch also weither fortzusetzen. Heunt
Fruhe gleich da ich in Verfassung dieser Aussag begriffen bin, kommet
auch der von mir den 20. abgeschickte weeg Breiter Christoph Hörstl-
hoffer und meldet, dass selber den 21. darauf zu Persenbeug ankommen
und von dar gleich mit einem gewesten daselbstigen Hofschreiber Joseph
Conrad nacher Matthausen abgefahren seye; weilen sie Beede unterwegs
auf alle nachfrag von koinen Feünd etwas benachrichtiget worden, ist
ihnen doch zuegestossen, dass Sie bey einfahrung zu Matthaussen in eine
grosse Anzall Französischer officiers geratten, und von selben unter
villen ausfragen umrungen worden, Worunter nur einer deütsch geredet;
Es solten dahero selbe sich mit Ihnen zur Armée auf weithere untersuchung
begeben. Dem gutten Wegbreiter ware sehr angst bey dieser sach, weillen
er noch die von mir ihme mitgegebene Notata wohlverwahrter bey sich
hatte: Es kamme aber ungefähr von orth der Würth von grienen Baum
in Vorbeygehen, welcher auch angeschrieben wurde: Nichts deütsch Soldat
hier? welcher sodan mit der Hand hinter sich deüttend meldete — da
gleich seynt 200 Husarn, so auch in der Thatt über den Wasser in der
Au, alss von Warasdinischen Corpo zuruckgeblieben. Es ist sodann gleich
das geschroü unter ihnen aussgebrochen: Üsär; Üsär; und sprungen sodann gleich in ihre 3 zillen einer dem anderen stossend gegenüber in ihre
Au und Lager schleinigst wider abzufahren. Wordurch dann der in ängsten
gewesste Weeg Breitter indessen zeit gewuhnen zu entfliehen. Die Nach-

richt aber hat selber verlässlich mitgebracht, dass den 22. allwo er abends
umb 6 uhr angekommen, ein starkes Corpo von 20ᵐ Man von Linz umb
4 uhr Abends biss Enns angekommen und sich zwischen der Statt Enns
und Donau nebst dem Enns Flus hinauf gelagert habe. Die Schiff Bruck
über die Enns bey der Statt allda, hat sollen bey straff des aufhenkens
den 23. verfertiget seyn, umb in das V. O. W. W. einzutretten. Von
einigen ein Marsch in Böhmen dasiger orthen würdet nichts gedacht, sondern die Artillerie stehet auf Flessen und schiffen schon zu Matthausen,
mithin schon 4 Meyll weeg herunter der böhmischen strassen.

Die Frantzosen fragen auch nur, wie weith noch auf Wienn seye.
Zu Enns seynt Wegen verübter Excessen 3 Frantzosen aufgehänget worden.
Der Commandierende general zu Enns hat die errichtete schantzen über
den Fluss recognosciret, dabey aber einen grossen schrecken ausgestanden,
da die Bemelte Husaren sich gegen ihme genächeret, wie dan ein grosse
Forcht desswegen unter ihnen ist. Die Bayrisch und Franz. Trouppen
seynt personaliter einander gehässig, so dass öfftern Recontre unter
ihnen beschechen.

Die Schiffleith dürffen auch bey aufhencken sich von ihren
Fahrzeügchen nicht entfernen. Mithin dan clar genug an Tag liget, dass
nach versamlenden grösseren Corpo, wie ich schon selbsten zu Wienn
mündlich mit mehreren gemeldet habe, der Zug nach der Donau herab
also nächstens auf Crems gehen würdet, weillen aber bishero observiert
worden, dass der Churfürst aller Orten wegen der Subsistenz seiner
Armée die zeitliche Nachrichten einschicket, also würdet fileicht an Eüre
gunst und Freundschaft auch schon etwas ergangen seyn, wan nicht ein
solches wegen der in Land entgegensetzenden Miliz verhindert würdet.
Die Forcht ist hiesiger gegend ungemein und der unterthan zum anbauen
fast kleinmüthig, wo doch in Oberöstereich ungehindert des eingeruckten
Feündes, noch alles in Bearbeithung ihrer Velder begriffen ist. Vielge-
dachter Weegbreiter hat sich bei herabziehenden Feünd nicht weithers
begeben können, sondern die Veranstaltung vorgekehrt, dass der oben
benante Joseph Conrad zu Grein verbleibe, täglich einen boten des Feündes
unternehmung zu beobachten hinauf, mit der Nachricht aber gleich
wider einen anderen nacher Persenbeug, von dar der Markt Richter
einen gleichen zu Mir nacher Crems einsenden und dises also täglich
beschehen solle, Mithin auch ich die anverlangte tägliche Bericht [1] über-
machen könne,

---

[1] Solche Berichte liegen nicht vor.

In Verbleibung Euer gunst und Freundschafft

dienstschuldiger·

Franz Friedrich graff und H. Engl m.p.

Ob. Com. des V. O. M. B.

Schloss Milbach [1] den 24. September 1741.

Nr. IX.

*Bericht des oberösterreichischen Landschaftssecretärs Schmidtpaur an
die oberösterreichischen ständischen Verordneten aus dem Lager Karl
Albrechts bei Enns. Enns 1741, September 28.*

Orig. K. u. k. Haus-, Hof- und Staatsarchiv, Kriegsacten, Fasc. 362.

Obwohlen das Verfahren deren französischen Officieren und Trouppen,
solang selbige bey Linz gestanden sattsam bekant ist, so seind doch denenselben insolentien hier zu Ennss um hundert mahl grösser, indeme wir hier
weder von unserer hochen Instanz, noch von dem Churfürstl. Hof und
generalitet den geringsten Schutz hoffen können, unerachtet man unsere
Klagen auch höchsten Orth selbsten gar wohl weiss und für billig erkennt;
Gestalten die Franzosen die mehreste Magasinen eigenmächtig occupirt,
auch die mit fourage beladene wägen gleich unterwegs von der strassen
ohne Mass, ohne Zahl ohne Gewicht und ohne Quittung hinwegnehmen
und ihres Gefahlens darüber disponieren und zu der Ausgab keinen
unserigen Commissarium gedulten, sondern wohl gar zum öfftern mit
harten schlägen und gewalt tractiern uns selbsten aber auf nicht alsogleich vollziehende unmöglichkeiten mit Strang und Tod betrohen, denen
Lands-Insassen aber die Einbrechung in die Scheüren und gänzliche
Plünderung nebst anderen militarischen Greül und Execution biss auf
den laidigen hunger-Tod ebenfahls betrählich seind, also zwar: dass wir
bey solchen Verfahrungen uns andergestalten nicht mehr zu helffen oder
zu rathen wissen: als dass wir zu Bevorkhomung einer Lands verderblichen Plünder und Einäscherung und zu erhaltung grösserer Subsistenz-
mittlen selbst unverzüglich und höchst nothwendig bitten und einrathen
müssen; damit Eüer Hochwürden und Gnaden, wie auch Hochgräfl. Excellenz und hochgräfl. gnaden uns entweders mit einem namhaften Vorrath aus denen Linzer Magazinen aller gattungen gdig zu secundiren,

---

[1] Schloss Mühlbach im politischen Bezirk Oberhollabrunn. (Schweikhart,
V. U. M. B., S. 264 ff.) Graf Engl starb daselbst 1767.

oder aber neben nachdrucklicher deren noch allenfahls auständigen Lieferungen eine neue wohl ergäbige Herbeyschaffung an holz, Stroh Haber und Heu auszuschreiben und die Befolgung aus allen Cräfften zu betreiben; dan, obwohlen ich heut Vormittag dero eingeschicktes pro memoria [1] samt beeden Beylagen Ihro Excellenz dem Commandierenden H[n] generalen Grafen von Dering neben dem hiesigen geringen Magazins-Stand überreichet, und bestens recommandiret, alssdann aber auch hierüber zu Ihro Churfürstl. Durchleücht selbsten mit H[e] v. Kirchstetter berufen worden, und an diesem höchsten Orth in gegenwart hochgedcht Sr. Excellenz und des H[n] general Intendent nicht allein die unmöglichkeit der weiteren subsistenz, sondern auch alle violentien deren französ. trouppen specifice et circumstantialiter unter gnädigsten Gehör mündlich vorgestellet, so ist doch ein mehrers nicht effectuiret worden, alss was hiebey gebogene ordre des H[n] General Intendent [2] in der Übersetzung enthaltet, deme auch anheünt allenthalben nachgelebet worden und mit Inventierung deren Magazinen auch morgen continuiret werden wird, also zwar, dass uns alle französ[e] ravages für genossen und empfangen, was wir nur in etwas wahrscheinlich machen können, quittiret werden muss.

Und weilen wir diese ordre annoch vor ankunfft des gnädigen Herrn Pernauers ausgewürcket, so hat es von hoch gedacht Ihro Gnaden H[n] Baron Pernauer keine weitere Beschwärde und Vorstellung von nöthen gehabt, damit man Ihro Churfürstl. Durchleücht mit repetirten Klagen von einerley Sach nicht unangenehm werden möchte, gestalten ich derley tägliche gravamina ebenfahls erst gestern Ihro Churfürstl. Durchl[t] bey dero abendlichen Nacherhauskunfft in gegenwart der ganzen hochen generalität offentlich und ausführlich vorgetragen habe, dergleichen ich auch vorgestern gethan, und eben andurch effectuiret, dass eine über alle massen scharpfe ordre unter allen Trouppen publicieret und zugleich denen Bauren erlaubet, mir aber zur weiteren Kundmachung notificiret worden: Dass Sie Bauren die ausser dem Lager ohne Commando ausschweiffende Franzosen und Bayren auch um einer abgebrochenen Zwetschgen, Bieren, Apfels oder dergleichen Kleinigkeit gesambter hand überfallen, binden, wie auch allenfahls gar Tod schlagen und so gut möglich in das Lager zuruck lifern, dargegen aber versichert seyn sollen, dass ihnen unterthanen nicht allein nichts leides widerfahren, sondern noch ein guter recompens gereichet werden wird.

---

[1] Vom 26. September 1741.

[2] Erlass des Generalintendanten Sechelles de dato Enns, 27. September 1741, in Uebersetzung.

Im Uebrigen haben wir zu Erbauung der **Bach-Öfen** 20000 einfache Latten-Nägl, und 20ᵐ Verschlag Nägel, imgleichen auch 30 stamm Floss-Holz von Steyr kommen und erkauffen lassen müssen, worzu die Französ. Commissariy nicht allein alle hand- und Arbeits-Leuth unbezalt gebrauchen, sondern auch 160ᵐ Ziegl und noch absonderlich ville Maurstain oder in deren Ermanglung die abbrechung einiger Häuser gefordert. Ausser deme aber stehe ich in grösten sorgen, wie ich mit heü, Haber und Stroh sowohl für jezo als bey ankunfft der zahlreichen Cavallerie erklecken können werde, indeme die Magazinen vast völlig ausgelähret und die weit entlegene Herrschafften mit ihrer Liferung sehr langsam seind, und weilen es mir haubtsächlich am Heü gebricht, alss habe anheüt durch Ihro Gnaden Hⁿ Baron Pernauer den Vorschlag thuen lassen, dass man der Cavallerie nur eine halbe portion Heü und dagegen um eine halbe portion mehrers Haaber, so jedoch über zwey Tag auch nicht dauren kan, abreichen därffte, worüber die resolution erst erwarten muss, mit einem Wort: es manglet halt auf allen seiten und hat doch noch kein ansehen, dass wir von diesem Last mit passierung der Ennss vor etlichen tägen werden befreyet werden;

Inmittelst lasset der Churfürst die nächstgelegene Auen ravagiren und zusamenhauen, villeicht in der absicht, für die Bevestigung Ennss ein freyes aussehen gegen der Enns und Donau zu machen, er hat auch eine Namhaffte Fourage-Liferung in dem Unter-Österreich. Boden ausgeschriben, es ist aber biss dato nichts angekommen, vermuthlich weilen die Husaren genaue Obsicht tragen, und die strassen unsicher machen, wie sie dan gestern mit dem churbayr. starken Dragoner Commando jenseits der Ennss scharff Scharmuzziret, worbei die HHⁿ Bayrn den Verlust und Schaden zwar nicht bekennen, und nur einen husaren mit villen Schussen jedoch ohne Verletzung und ohne Pferd und kleyd gefangen eingebracht, den sobald der Husar nur etwas dumm von schussen von Pferd gefallen, haben seine Cameräden das Pferd, gwöhr und Kleydung mit sich fortgeschleppet und biss auf das hembd und hosen ausgezogen, ich habe ihn gesehen, er ist ein ansehentlicher Baumstarker Mann, und der Churfürst hat ihn mit einem doppelten Carolin beschenket und recht wohl zu halten befohlen, der Jubel dieser victori war ungemein gross, wan er auch noch so theür zu stehen gekommen wäre.

Ich empfehle mich etc.

Johann Tobias Schmidtpauer m. p.

Ennss den 28. September a. 1741.

Nr. X.

,Lista deren löbl. Ständen von Praelathen, Herrn, Ritterschafft vnd lands-
fürstl^m Stätten, so bey dem aufzug zur Huldigung in dem Schlosse
gegenwärtig seind den 2. October 1741.'

K. u. k. Haus-, Hof- und Staatsarchiv, Kriegsacten, Fasc. 343, ,aus der Kanzlei
der Verordneten des Erzhzgt. Oesterreich ob der Enns'.

Löbl. Praelathenstandt.

Crems-Münster, St. Florian, Lambach, Gärsten, Wilhering, Paumbgartten-
berg (vacat), Walthaussen, Monsee, Gleinkh, Schlögl abest infirmitatis
causa, Spittäl, Schlierbach.

Herrn und Grafenstandt.

Hr. Baron Weix Praeses der Huldigung

Hr. Graf lobgott Kueffstain

Hr. Graf Wilhelmb v. Thürheimb

Hr. Max v. Gera

Hr. Graf Otto Carl v. Hochenfeldt

Hr. Graf Norbert v. Salburg

Hr. Graf Carl von Öedt

Hr. Graf Gudakher von Thürheimb

Hr. Graf Franz Sprinzenstain

Hr. Graf Ernst Sprinzenstain

Hr. Graf Wilhelmb von Stahrmberg
vor sich vnd im Namen seines
Vatters Hn. Gundomär Joseph
Grafen von Stahrmberg.

Hr. Johann Georg Adam Freyh. v.
Hocheneck

Hr. Graf Gottlieb von Thürheim

Hr. Fridrich Graf Engl hat durch
schreiben an die Hⁿ Verordneten zwar sich Entschuldiget,
welchen aber an die Hand gelassen worden ist, durch un-
terthgstes anbringen bey ihro
churfürstl. Durchleücht sich
zu entschuldigen.

Hr. Graf Weickhart Spindler

Hr. Joseph Graf v. Seeau

Hr. Graf Augustin Spindler

Hr. leo Freyh. v. Hocheneckh

Hr. Philiberth graf Füeger

Hr. Prix von Hocheneckh Freih.

Hr. Graf Ferd. Seeau

Hr. Gustavus v. Pernauer Freyh.

Hr. Franz Joseph Graf v. Seeau

Hr. Joseph Graf v. Seeau zu Puech-
berg

Hr. Joseph von Clamb Freyherr

Hr. Ehrnberth Graf Füeger

Hr. leopoldt von Clamb Freyherr

Hr. Bernhard Graf von Röd^{en}

Hr. Niclas von Clamb Freyherr

Hr. Joseph von Ristenfels Freyhr.

Hr. Georg Joseph von Manstorff
Freyherr

Hr. Carl von Hochhaus Freyherr ·

Hr. Thadaeus v. Khautten Freyherr

Hr. Leopoldt von Eysslsperg Freyherr

Hr. Joseph von Eysslsperg Freyherr

Hr. Martin von Ehrmann Freyherr

Ritterstandt.

Hr. Johann Georg Fieger von Hirschberg	Hr. Gotfried Castner
	Hr. Gablhouer
Hr. von Hakh	Hr. N. Stibör
Hr. Hayden von Dorff	Hr. N. Stibör
Hr. von Urtstetten	Hr. Schmidauer
Hr. Achatz Wiellinger von der Au	Hr. Carl von Cronbichl
Hr. Joseph von Eysslperg	Hr. von Moll
Hr. Otto von Eysslperg	Hr. Wilhemb von Cronbichl
Hr. Joseph von Wiellinger	Hr. von Eckhardt
Hr. Gotfried Höritzer	Hr. von Springenfels

Landsfürstl⁰ Stätt.

Statt Steyr . .	Joseph v. Erb	
Linz	Stephan Pillwitzer	
Welss	Daniel Grezmüllner	
Ennss	Martin Aurpöckh	Abgeordnete
Freystatt . . .	Joseph Gubatta	
Gmunden . . .	Hr. Georg Gruber	
Vökhlöprukh .	Michael Neuhauser	

In dorso: Lista deren gesambten Vier ständen, weliche bey dem aufzug zur Huldigung in das Schlos gegenwerttig seind,

den 2ᵗᵉⁿ October 1741.

Nr. XI.

‚Beschreibung des auf den 2. October annoch Vorgehenten Huldigungs-Actus in Linz.‘ [1]

K. u. k. Haus-, Hof- und Staatsarchiv in Wien, Kriegsacten, Fasc. 343.

Nachdem hierzu alle Landts Mitglieder durch Churfürstl. eigenhändig vnderzeichnete erforderung berueffen worden, so haben an ermelten Tag des 2. October dess 1741ᵗᵉⁿ Jahrs die gesambte Ständte Versambleter im Landthauss umb halber 8 Uhr Fruhe sich einzufinden und

---

[1] Wurde nach einem ‚Memorial für die löbl. Stände in Huldigungssachen‘ (K. k. Haus-, Hof- und Staatsarchiv, Oberösterreich 1650—1749) den Ständen vom kurfürstlich bairischen Hof zugeschickt.

h daselbst in der Rathstuben abgelesener ordnung des beuorstehenden
s haben sye über den gang in die Churfürstl. anti Camera hinauf in's
loss zu Fuess sich zu begeben. Die hiesige Burgerschaft hingegen
letzmahls bey 700 Mann stark gewesen sein solle) mit ober und under
ihr klingenden Spill und fliegenden Fahnen längstens umb 7 Uhr auf-
iehen und in der Mitte des Platz sich zu stellen hat.

Es werden weithere 8 Churbayrische Grenadier-Compagnien des
tzes Rechte seithen und die Linckhe hingegen 2 Escadrons Bayrische
igoner besetzen und sambentl. also aldorth Paradiren. Nit weniger
rdet auss dem Churbayr. Leib Regmt die Spalier von der Pfarrkhürchen
durch die Pfargassen über den Plaz durch die Clostergassen und alt-
it biss am Berg dess Schlosses formirret werden.

Wenn die gesambte Ständte in der Churfrtl. Anti-Camera angelangt
i werden, würdet über ein Kurzes dem Löbl. Praelathen Standt von dem
rfrtl. Cammer Fourier Mündlichen beigebracht werden, sich Vorauss
lie Pfarrkhürchen zu begeben, umb Sr. Churfürstl. Durchl. bey dem
re ermelten Kirchen empfangen zu können.

Bald darauf haben die Churfrtl. H H Ministri und H obrist Camer die Churfrtl. Hofämbter denen Jenigen abzutreten und zu über-
en, die dises Landt Erbämter zu bedienen oder Zuuertretten haben
den.

Indessen würdet alles zur Bereithschafft dess Zuges angerichtet
l die sammentl. Statt Thor biss nach vollendten Huldigungsact gespört
bleiben, allein bey dem Kleinen Thürl under ausgesezter Wacht ienes
s und eingelassen, wass nothwendig herinn oder darauss zu thuen haben
g. Wann alles in ordnung, gehen Ihre Churftl. Durchl. vnder Be-
ithung des Hofs und gesambt Höchst Ihro Vertrettenden Erbämtern
ab über die stiegen und setzen sich auf das nechst der stiegen in Be-
hschafft stehende leib-pfert, under Darbiettung des steigbigls und
terer Hilf Leistung von dem obrist Erb-Landt Stallmeister, worauf
o Churfürstl. Durchl. in folgender Ordnung in die Pfarr Reitten;
s geben:

1. Die Lauffer
2. Die Bediente von denen Ständten und Hof-Cavalieren
3. Die Landtschaffts Trompeter und Paukher
4. Die Churfrtl. Hayduckhen
5. Die Churfrtl. Hoflaggey
6. Die Landschaffts- und Hof Bediente
7. Die abgeordnete von denen fürstl. Stätten

8. Der obrist Erblandts Pannier mit Bedeckhten Haubt und fliegenden Erblandts Pannier Fähnen

9. Der Landschaffts Canzley Syndicus

10. Der Ritterstand

11. Der Herrenstand

12. Die Churbayr. Officiers und

13. Die Churfürstl. Cammerer

14. Die Churfürstl. Geheimbe Räthe

15. Die Erbämter: Vor welchen der Herold im Wappenrokh mit dem Herolds-Scepter an Marchirret.

16. Der Erblandt Marechal zu Pferdt, mit entdeckhten Haubt, das entblöste schwerdt vor sich haltend.

17. Ihro churfürstl. Durchl. zu Pferdt mit der Wacht der Hätschieren zu Fuess beederseits umbgeben. Linkher Handt innen denen Hätschieren und negst dem Leitpferdt der obrist Erb Land Stallmeister gleichfahls zu Fuess, und etwass Ruckhwerts seiner der obrist Erblandts Schildtrager den Schild an den linkhen armb tragend.

18. Der Hätschieren Haubtmann und dessen Erster Lieuth. Ruckwerts bey der Croupe des Pferds rechter seithen: dann linkherseits der Trabanten Lieuth.

19. Hinter Solchen die anwesenden 4 Cammer und Feldt Knaben.

20. Sothaner Zug würdet von einer Compagnie Infanterie auss dem Leib Rgmt beschlossen.

21. Hinterwelchen der Chl. Leib Wagen mit 6 Pferdten nachfahret.

Gleich bey dem Kürchen Thor werden Sr. Churfrl. durchl. von denen HH⁰ Praelathen, die schon in Pontificalibus angelegt sein — und der obrist Erb Landt Hof Caplann sowohl im hinein- alss Heraussgehen das heyl. Weyhwasser praesentiren solle, biss zu dem errichteten Paldachin und darunter gesezten Bettstuhl begleittet, auf welchen Ihre Churfürstl. Durchl. sich Niederlassen und die Erbämter mit Ihren Insignien beederseiths dess Bettstulles ihrer unter sich haltenden ordnung nach, wie anliegendes Schema zaiget dich zu stellen haben; darauf der Erste H. Praelath das veni Sancte Spiritus intonieret — nach solchem das Hochambt anfanget, deme 2 H. Prelathen als assistentes beywohnen, und inn welchen der H. Praelath von Steyrgärsten alss obrist Erblandt Caplann nach dem Evangelio das Evangely Buech und bey dem Agnus Dei das Pacem ad osculandum Serᵐᵒ überbringet: so baldt das Hochambt geendet, gehet alles in voriger ordnung in Parade zuruckh in's Schloss- und in die Churfürstl. anticamera, von solcher aber sogleich Ihre Churfl. durchl. in Ihre Retirade.

Yber ein Kleines hat der obrist Erbland Cammerer den anwesenden
landschafftl. ausschluss zur audienz bey Ihro Chur. fürstl. Durchl. anzumelden, welche Sye gdist eingestehen und destwegen herauf in die anti
Camera under dem Paldachin sich verfügen werden, bey sothaner Audienz
würdet die anred von dem ältisten auss dem Herrnstandt in Namen der
Ihren gehorsambsten Ständten zu dem Endte gemacht, umb Ihre Churfürstl. Drl. gdigst geruehen mögen, sich zu denen versambleten Ständten
zu ablegung der Huldigungspflicht zu begeben, worauff Ihre Churfl.
durchl. widerumb in Ihre retirade baldt darauf aber under Vortrettung
der Erb-Ämbter in den Huldigungs-Saal sich verfüegen und vnder dem
Paldachin in den Lähnseesl auf einen in 3 Stäffeln bestehenden antritt
sich Nidersetzen: Die Erbambter hingegen auf beeden seithen in ihrer
Irdnung linkhs und rechts, die Landt Ständte aber gegenüber Ihro Churfrtl.
Durchl. sich stellen werden; gleich alss sich Ihre Churfürstl. durchl. sich
Niedergesetzet, geschicht der Vortrag von dem H. Gehaimben Raths oder
vice Cantzler, welchen Vortrag der ältiste aus dem Herrenstandt beant-
vorttet und hier auf Ser^mo seine willfährige erklärung von Mundt auss
gdist ertheillet.

Es würdet sohin von dem geheimben Raths vice-Cantzler denen
oberen H. H. Ständten bedeüttet werden, die Pflichts formul aufmerkh-
amb anzuhören und solche von Worth zu Worth mit lautter stimm nachzusprechen ... Sequitur praelectio homagij per Cancellarium vor die ober
Ständt. Gleich darauf die ablösung desselben an die abgeordnete der
Landtsfürstl. Stätten mit dem Vnderschiedt, dass diese mit aufgehoben
Fingern den aydt schwören müessen.

Hierauf würdet denen gesambten Ständten, der auf Pirament geschriebene und gefertigte Bestätigungsbrief deren Freyheiten aussge-
tändiget, so dann der Handt Kuss und die anglobung der Ständte folget.
Under welchem das erste Salva von der auf den Plaz Postierten Miliz,
wie auch auss denen auf dem Schloss und auf dem Ufer der Donau ge-
pflantzten stockhen erfolget, zugleich auch alle glockhen der Statt ge-
lüttet werden.

Sodann begeben sich Ihre Churftl. durchl. under voriger Begleittung
in die Hoff Capellen dess Schlosses in welcher das te Deum unter schenen
Music und sweyter Salva Gebung dess gross und kleinen Geschützes in-
toniert, nach solchem aber Ser^mo biss in sein Retiradezimmer zuruckh
begleittet würdet.

Gleich darauf würdet von obrist Silber Cammerer in eben dem Saal,
vorinnen der Huldigungsactus Vorgangen, die Tafel under dem Paldachin
und auf die darin schone fündige Estrade von 1 Staffl gedeckt, sohin

nach geschafften Speissen tragen werden von dem obrist Erbland Trachsess deme Jedes mahl der Stablmeister vorauss zu gehen hat, mit dennen von ihme hierzu erbettenen 24 Cavalieren die Speissen anss der Hof Kuchl aufgetragen.

Bey gerichter Tafel Thuen Sr. Churfürstl. durchl. under Vortrettung der Erbämter sich an selbe begeben, alwo der obrist Erbland Vorschneider dass Handtwasser auf zu giessen, der obrist Erbland Caplan das Benedicite zu betten, die ybrige Erbämter sich zunechst der Tafel in ordnung zu stellen und aufzuwarten haben. Wehrenter Tafel lasset sich die Music bey dem ersten Trunkh aber, welchen der oberst Erbland Mundschenkh bey zu bringen hat, die dritte und letzte Salva gesambten Geschüses hören. Wehrenten Confect hat der obrist Erbland Münzmaister auf einer silbernen Taza die Verhandene Goldt und Silbergedächtnuss Münzen Ihro Churfürstl. Durchleücht zu überreichen.

Nach der Tafel hat der obrist Erblandt Caplan das Dankh Gebett zu sprechen; Sammentl. Ämbter Ihro Churfürstl. Durchl. von der Tafel biss zu Ihrer retirada zu begleiten und endl. solche nit weniger die Ständte an die Ihnen angewiesenen Tafeln sich zu begeben.

(Mit 4 einfachen Skizzen ‚Schemata' A. ‚die Ordnung der Erbämter im Zug', B. ‚beim Gottesdienst', C. ‚bei der Huldigung', D. ‚bei der Tafel'.)

Nr. XII.

Maria Theresia an Stände und Unterthanen des Ersherzogthums Oesterreich ob der Enns. Pressburg 1741, September 28.

Gedrucktes Patent, niederösterreichisches Landesarchiv ‚Land-Defension vom Jahre 1741'. (Die Monarchin erklärt eine eventuelle Huldigung an Karl Albrecht für null und nichtig.)

Maria Theresia etc. entbieten N. allen und jeden, sonderlich aber Unseren treu-gehorsamsten Stünden - und Unterthanen Unseres Erb-Herzogthums Oesterreich ob der Enns Unsere Gnade, und geben demselben zu vernehmen: Wie uns allererst die glaubwürdige Nachricht zugekommen, dass man von Seiten des Chur-Fürsten von Bayrn über die feindliche Überziehung dieses Unseres getreuesten Erb-Landes sich sogar anmasse, die Landes-Huldigung von euch Ständen und Unterthanen durch betrohliche Circular Schreiben abzunöthigen und hierzu den zweiten nächst eingehenden Monats Octobris schon würklichen bestimmet habe; Nun versehen Wir uns zwar zu eurer unversehrten Treu, Lieb und Devotion, dass ihr derley unberechtigten Zumuthungen von selbsten kein

Gehör geben, minders Folge leisten werdet; allermassen Wir auch ein solches euch samt und sonders mit gemessenen Ernst hiemit verbieten; Solte aber deme unangesehen aus vordringenden Gewalt zu Unseren Nachtheil etwas fürgehen, so erklären wir es von nun an für das, was es an sich ist, nemlich null nichtig und unkräftig; dessen die gantze Welt um so mehrers überzeiget sein wird, da nicht nur unsere Gerechtsame offenbahr ist, sondern wir auch den Befehl ertheilet, dem Publico, welches wegen kürze der Zeit nicht eher hat beschehen können, bekannt zu machen, wie unstandhaft, grundloss und irrig alles das seye, was man Churfürstlicher Seits zur Colorirung des angebenden Successions-Rechts beyzubringen sich bemühete. Gegeben auf Unserem königl. Schloss zu Pressburg am acht und zwanzigisten Monats Tag Septembris, im Siben-zehenhundert ein- und vierzigsten Unserer Reiche im ersten Jahre

L. S.

Maria Theresia.

Philipp Ludwig Graf v. Sintzendorf.

Ad mandatum Sacrae Regiae Majestatis proprium

Carl Holler v. Doblhof.

Nr. XIII.

Karl Albrecht an die oberösterreichischen Stände; begehrt ein Darlehen von 150.000 fl. Linz 1741, October 6.

Orig. mit eigenhändiger Unterschrift und aufgedrücktem Siegel. K. u. k. Haus-, Hof- und Staatsarchiv, Kriegsacten, Fasc. 343.

Wie ihr von selbsten wohl erachten möget, ergeben sich dermahlen so vill wichtige Zuefähle, das zu ausführung Vnserer hiebei obwaltenden gerechten Absichten auf einmahl und unverzüglich grosse gelt sumen unvermeidlich seyn wollen, in welcher andringenheit Wür zu euch Vnser gästes Vertrauen sezen und von eur zu Vnser gdsten Zufridenheit und gleicher Danckhnembung Vns bezeigte gehorsambste treu und devotion Vns genedigist versehen, Ihr werdet vns hierinfahl mit einem freywilligen Darlehen von wenigist einmahl hundert-fünfzig tausent gulten behilflich an handen stehen und hiemit zu bestreittung solch' vorseyenten Lasten somehr williglich under die armb greiffn, als die aufwendung dieser Costen lediglich zu Vnserm und Vnsers Churhauses besten, dan Eurer hiemit verknüpften gemeinsamen wollfahrt abzühlet, Wür auch des Gdst. er-bittens sebst, Euch bis zu deren vollständigen Abführung hieuon das

Landes gebräuchige inte'e mit fünf per cento allweg entrichten oder an
denen Jährl. Landtschafftl. einwilligungen selbsten abziehen zu lassen,
imitls auch disen Vorschuss auf Vnserer Landtafürstl. gefähl auf das
bündiste zu versicheren. Die so antringende Umbstände wollen eine
längere der sach verzögerung nit zuegeben; Wür machen Vns also die
gänzliche Hoffnung, ihr werdet nit allein Vns hierinfahls in der haubtsach
euch willig und bereith erzaigen, sondern auch auf Verstandtene Ursache
euch bestens angelegen seyn lassen, damit dieses Darlehen ehebaldigst
an die von Vns hierzu begwaltete erlegt werden könne, und Wür müssis
so vill mehrer ursach haben mögen, Eure gehorsambiste willführigkeit mit
Chur und Landtafürstl. gd. zu erkennen, mit welchen Wür euch sonders
woll beygethan seint und zu aller Zeit gewogen verbleiben. Linz den
6. October a'o 1741.

Carl Albrecht m. p.   v. Weckhenstaller m. p.

Nr. XIV.

*Karl Albrecht an die oberösterreichischen Stände und Unterthanen:
droht mit Güterconfiscation gegen jene, die ihn nicht binnen vier Wochen
als Herrn anerkennen wollten und in Maria Theresias Diensten verbleiben. Prag 1741, December 8.*

6 Originale (gedruckt) mit eigenhändiger Unterschrift und aufgedrücktem Siegel.
K. u. k. Haus-, Hof- und Staatsarchiv, Kriegsacten, Fasc. 343.

... Demnach das Erzherzogthum Oesterreich ob der Enns mit
anderen erledigten Erblanden, wie in unserer Rechtlichen Ausführung
schon genugsam dargethan worden, Vns erblich zu gefallen, Wir jedoch
solche Unsere Erb-Königreiche und Lande wegen der so voreilig- als
ungerechten Besitz-Ergreifung ermeldter Gross-Herzogin von Toscana
mit gewaffneter Hand zu erobern und dessenthalben mit einem ansehen-
lichen Kriegs-Heer dahin einzutreten Uns gemüssiget gesehen, hierauf
Uns auch durch die Gnad und Seegen des Allerhöchsten mit getreuen
Beystand Unserer Alliirten würklich in den Besitz des Erz-Herzogthums
Oesterreich ob der Enns Uns eingesetzet haben; nun aber sich nicht gebühren will, dass ihr in Vorbesagter Gross-Herzogin von Toscana
Diensten ferner beharret, am allerwenigsten aber euch gegen Uns oder
Unsere Bunds Genossene, Freund und Verwandte, dann Unsere Stände
und Unterthanen Land und Leute in feindlichen Thaten, auf was Art es
immer, betreten lasset. Solchemnach gebieten und befehlen Wir als Erz-
Herzog von Oesterreich ob der Enns aus Lands-Fürstl. höchster Macht,

kraft diess Unseres offenen Briefs, Euch allen in vorerwehnter Gross
Herzogin von Toscana Civil- oder Kriegs Diensten und Bestallungen
stehenden Generalen, Obristen und anderen Hohen und Niederen Befehlshabern und sonsten insgemein allen Kriegs-Leuten zu Ross und Fuss,
wie imgleichen allen Civil-Bedienten, so von gedacht Unseren Erz-
Herzogl. Erb-Landen Vasallen und Unterthanen seynd, samt und sonders
bei Verliehrung all und jeder Eur habenden Privilegien, Gnaden und
Freiheiten, Rechten und Gerechtigkeiten, Haab und Güthern, Lehen und
eigen, aller Zunft und Stadt-Gerechtigkeiten, dass ihr euch alsobalden
obangedeuter Bestallung, Kriegs- und Civil-Diensten gänzlichen ent-
schlaget und davon austretet, euch auch in's künftige darzu keineswegs,
unter was Schein solches geschehen möchte, weiter bestellen, annehmen
und gebrauchen, noch euch von dem Uns schuldigen Gehorsam unterm
Vorwand geleisteter Eides-Pflicht (welche ohnedem wider Uns als euern
rechtmässigen Erb Herrn und Lands Fürsten ganz ungültig ist) abhalten
lasset, sondern, da ihr zu dienen und euer Dapferkeit und Wissenschaften in Kriegs- Staats- oder anderen Diensten zu erweisen Lust habet,
euch bei Uns oder Unseren Bunds Verwandten angebet; Gestalten wir
denn hiemit erklären, dass diejenige, welche diesem Unsern Lands Fürstl.
Geboth und Verboth der Schuldigkeit nach kommen und in denen nechsten
vier Wochen nach dessen erlangter Nachricht und Wissenschaft bey Uns
oder Unseren Bunds-Genossenen sich anmelden; und ihren Gehorsam
in dem Werk erzeigen werden, zu Gnaden aufgenommen, und ein jeder
seiner Qualitaeten und Beschaffenheit nach mit Kriegs- Staats und anderen Diensten und würklicher Beförderung wieder versehen, die aber
dieses Unseres Geboths ungeachtet in Diensten mehrermeldter Gross-
Herzogin von Toscana ungehorsamlich verharren und sich gegen Uns
oder Unsere Bunds-Verwandte, dann unsere Stände und Unterthanen
widrig gebrauchen lassen, sollen ohne weiters ihrer Haab und Güter ver-
lustiget sein und solche nach verloffener Verfallszeit von dem Fisco eingezogen werden; in welche Straf diejenige, so nach Verkündigung dieses
Unsers allgemeinen Geboths sich in würklichen feindlichen Thaten gegen
Uns, Unsere Bunds Verwandte, Kriegs-Officier, gemeine Soldaten und
Unterthanen, Land und Leute werden betreten lassen, ipso facto ohne
weitere Formalitäten eines Processes sollen verfallen seyn, Gestalten wir
deme Unserm Fisco Kraft dieses den Gewalt dahin ertheilet habe. Wornach ihr euch also zu richten wissen werdet. Geben auf Unserm Königlichen Schloss zu Prag, den Achten Monaths-Tag Decembris im Sieben-
zehen Hundert-Ein und Vierzigsten Jahre.

Carl Albrecht m. p.   Franz Andre Freyherr v. Praidlohn m. p.

446

NB. Aehnliche ‚Mandata avocatoria et inhibitoria' erliess Karl
Albrecht auch für Böhmen. Das vorliegende wurde den oberösterreichischen
Ständen durch der bairischen Vicestatthalter Grafen Taufkirchen in sechs
vom Kurfürsten unterzeichneten Originalen und einer Anzahl Nachdrucken
behufs Affichirung erst mit Note vom 30. December 1741 eingehändigt,
ein Beweis, dass die directe Verbindung zwischen der französischen Armee
bei Prag und dem Corps Segur's in Ober-Oesterreich bereits durch die österreichische Hauptarmee unter Franz von Lothringen und Neipperg abgeschnitten war. Auch zur Affichirung kam es wohl nicht, da am 30. December Feldmarschall Khevenhiller die Enns überschritt und die schnelle
Eroberung Ober-Oesterreichs und Baierns folgte.

Inhalt.

BEITRÄGE

ZUR

GESCHICHTE

DER

AISERLICHEN HOFÄMTER.

VON

FERD. MENČÍK.

Bei den deutschen Fürstenhöfen finden wir schon in früher Zeit eine Anzahl von Ministerialen, welche um die Person des Regenten sich befanden und für seinen Dienst bestimmt waren. Ueber ihre Wirkungssphäre sind wir nur spärlich unterrichtet, es lässt sich aber vermuthen, dass ihre Obliegenheiten durch besondere Satzungen geregelt waren, welche von einer Generation auf die andere übergingen und auch nach Bedürfniss und nach der Zahl der zu solchen Diensten herangezogenen Personen sich änderten.

Als Erzherzog Ferdinand die Verwaltung und nachher durch den Welser Vertrag (1522) die Regierung in den habsburgischen deutschen Erbländern angetreten hatte, war er wohl mit einem Hofstaate umgeben, über dessen Organisation wir nicht weiter unterrichtet sind. Als seinen ersten Obersthofmeister kennen wir im Jahre 1518 Freiherrn Wilhelm von Roggendorf,[1] etwas später Claude Bonton, Freiherrn von Corborun, den Pfandinhaber der Herrschaft Bruck an der Leitha (1523),[2] als Oberstkämmerer Anton de Croy; nach ihnen war ungefähr in den Jahren 1524—1536 Cyriak Freiherr von Polheim Obersthofmeister.[3] Am 1. Jänner des Jahres 1526 ernannte Erzherzog Ferdinand Leonhard von Harrach zu seinem Hofkanzler mit einer jährlichen Besoldung von 1000 Gulden.[4]

Nachdem Erzherzog Ferdinand die Kronen von Böhmen und Ungarn erworben hatte und so seinem kaiserlichen Bruder gleichgestellt war, veränderte sich natürlicher Weise auch seine Hofhaltung. Wohl befanden sich in den beiden Ländern eigene

---

[1] Meiller A., Zur Geschichte der Obersten-Hof-Aemter in Oesterreich, in: Heraldisch-genealogische Zeitschrift. Organ des Vereines „Adler‘. Wien 1871, 24.

[2] Klose C. J., Bruck an der Leitha, S. 52; Topographie von Niederösterreich II, 221.

[3] Starzer, Beiträge zur Geschichte der niederösterreichischen Statthalterei, Wien 1897, 155.

[4] Gräflich Harrach'sches Archiv.

Hofbeamte,[1] aber diese verrichteten ihre Functionen nur im
Umfange des eigenen Landes, es musste also auch für Wien,
wo der König doch die meiste Zeit verlebte, ein den neuen Verhältnissen entsprechend vermehrter Hofstaat weiter bestehen, der
schliesslich die königlichen Hofbeamten vollständig verdrängte.

Leider haben wir wenig Nachrichten über die Organisation[2]
des Hofdienstes während dieser Zeit und wissen nur so viel,
dass der Wirkungskreis der Hofämter nach dem Beispiel der
spanischen oder burgundischen Aemter, welche sich schon ziemlich entwickelt hatten, festgesetzt wurde. Auch können wir annehmen, dass der Hauptinhalt der späteren Instructionen für
sie gegolten hat, weil durch die neuen Instructionen nicht immer
etwas Neues geschaffen, sondern das Bestehende nur den Verhältnissen angepasst und nach Bedarf erweitert wurde.

Ueber die Reihenfolge der Personen, welche unter Kaiser
Ferdinand I. die einzelnen Hofämter bekleideten, besitzen wir
nur lückenhafte Nachrichten. Nach den drei oben angeführten
Personen wird Freiherr von Fels als Obersthofmeister genannt,
der das Amt bis zum Jahre 1545 bekleidet hat.[3] Aus seinem
letzten Regierungsabschnitt lässt sich Folgendes hervorheben.
Im Jahre 1559 war Verwalter des Obersthofmeisteramtes Hanns
von Trautson,[4] Freiherr zu Sprechenstein, welcher im Jahre
1548—1554 als Obersthofmarschall fungirte. Oberstkämmerer
seit dem Jahre 1548 bis 1559 war Martin de Guzman;[4] im
Sommer des Jahres 1559 hat er dieses Amt niedergelegt, und
es wurde durch den Grafen Scipio de Arco bis zum Jahre 1560
versehen.[5] Das Amt eines Oberststallmeisters bekleidete bis zum
31. Mai 1548 Don Pedro Lasso de Castilia, nach ihm Sigismund
Graf Lodron (—1554) und seit diesem Jahre Rudolf Khuen
de Belásy (—1567).

---

[1] Die böhmischen Hofbeamten sind zusammengestellt in Franz Palacký's
Přehled současný nejvyšších důstojníkův a ouředníkův, Prag 1832.

[2] Kaiser Ferdinand I. erliess am 1. Jänner 1537 ‚Der röm. K. M. Ordnung
und Instruction Deroselben hohen und niederen Hof-Aembter'. (Meiller,
S. 24.) Ueber die spätere Zeit belehrt uns Gindely: Kaiser Rudolf II. und
seine Zeit I, 35, sowie der: Status particularis regiminis S. C. Majestatis
Ferdinandi II., 1637, S. 62—72. In der k. k. Hofbibliothek.

[3] Bucholtz, Geschichte der Regierung Ferdinands I., Wien 1838, Bd. 8, S. 17.

[4] Hofschematismus vom Jahre 1559, in der Handschrift der k. k. Hofbibliothek, Suppl. 3323.

[5] Hofzahlamtsrechnungen in der k. k. Hofbibliothek (HZR.), 1560, f. 43.

Neben den vier hohen Aemtern oder Hofstäben kommt noch der Hofjägermeister vor. Als solcher wird bis zum Jahre 1554 Erasmus von Liechtenstein und nach ihm Friedrich von Stein genannt.[1] Obersthofpostmeister bis zum Jahre 1548 war Anton de Taxis, seit dem Jahre 1549 Mathias de Taxis, ihm folgte im Jahre 1560 Christoph von Taxis[2] und im Jahre 1567 Paul Wolzogen. Oberstsilberkämmerer bis zum Jahre 1567 war Julius de Salazar, nach ihm Bernhard Weltzer. Küchenstäbelmeister bis zum Jahre 1567 Hans Wolzogen zu Spiegelfeld, nach ihm Caspar Graf Lodron.[3]

Auch die Erzherzoge waren von einem Hofstaat umgeben. Im Jahre 1533 war Obersthofmeister der Erzherzoge Maximilian und Ferdinand Graf Veit Thurn,[4] seit dem Jahre 1543 Johann Gaudenz Freiherr zu Madruz, sein Oberstkämmerer Leonhard Graf Nogaroll, und Johann von Talham Oberststallmeister.[5] Als König Maximilian II. im Jahre 1548 nach Spanien reiste, befanden sich in seinem Gefolge: der Obersthofmeister Don Pedro Lasso de Castilia, der Oberstkämmerer Peter von Mollart und Oberstsilberkämmerer Caspar von Hoburg.[6]

Der Obersthofmeister des Erzherzogs Karl in den Jahren 1550—1554 war Leonhard Freiherr von Harrach, nach ihm als Verwalter dieses Amtes und des Stallmeisteramtes Jakob Graf Attems (Athemis) bis zum Jahre 1560;[7] als erzherzoglicher Oberstkämmerer in den Jahren 1549—1553 finden wir Georg Collaus, vom Jahre 1554—1560 Caspar Freiherrn von Herberstein;[8] als seinen Oberststallmeister bis zum Jahre 1556 Jakob von Windischgräts, nach ihm als Verwalter des Amtes Jakob Grafen von Attems.

Als Oberststallmeister des Erzherzogs Ferdinand von Tirol wird während dieser Zeit Alois Graf Lodron angeführt.

Kaiserin Maria Blanca, Gemahlin Kaiser Maximilians I., hatte zu ihrem Obersthofmeister Martin von Polheim († 1505), die Königin Anna, Gemahlin Ferdinands I., im Jahre 1521 Sigismund von Dietrichstein.[9]

---

[1] HZR. dieser Jahre.   [2] HZR., 1560, f. 50ᵃ.   [3] HZR., 1567.
[4] Hirn, Erzherzog Ferdinand II. von Tirol. Innsbruck 1885, Bd. I, 5, 6.
[5] HZR., 1543.
[6] Menčík F., Die Reise Kaiser Maximilians II. nach Spanien im: Archiv für österr. Geschichte, Bd. 86, S. 295.
[7] HZR., 1560, II, f. 67ᵃ.   [8] HZR., 1560, f. 39.   [9] Starzer, l. c., 144.

Ueber die Verwaltung der Hofämter während der Regierung Kaiser Maximilians II. belehren uns die von ihm erlassenen Instructionen, die uns sowohl über die Rangordnung, sowie auch über die Machtsphäre dieser Würdenträger Aufschluss geben. Seit dieser Zeit lässt sich auch eine verlässliche Reihenfolge der Inhaber dieser Aemter feststellen.

Die wichtigsten Hofämter waren: das Amt des Obersthofmeisters, des Obersthofmarschalls, des Oberstkämmerers und des Oberststallmeisters. Nach diesen kam die Würde des Oberstjägermeisters.

Der Obersthofmeister galt von Anfang an für die erste Person unter allen Beamten des königlichen, respective kaiserlichen Hofes. Dieses Amt bekleidete ungefähr seit dem Jahre 1550 Christoph Freiherr zu Eizingen und Schröttenthal, der zugleich auch Statthalter von Niederösterreich war (1554). Er starb am 16. Juli 1563.[1] In dieser Würde folgte ihm schon im Jahre 1562[2] Leonhard von Harrach, Freiherr zu Rohrau, der wohl auch damals Verwalter des Oberstkämmereramtes war. König Maximilian hat selbst mit ihm wegen der Uebernahme dieser Würde verhandelt, indem er ihm vorstellte, dass die Pflichten des Obersthofmeisters nicht so schwer seien, wie er sich vorgestellt habe, und ihm auch die Abschrift der Instruction übermitteln liess.[3] An Gehalt bezog er jährlich 2500 Rgld. und freie Tafel. Seit dem Jahre 1567 bis zum 30. Juni 1575 stand an der Spitze dieses Amtes Hanns Graf Trautson.[4]

Die Instruction, welche König Maximilian II. im Jahre 1561 erlassen hatte (Beilage 1), galt für den Freiherrn Eizinger. Sie bezog sich, wie die für die übrigen Aemter publicirten Verordnungen, nur auf die Functionäre des Königs oder der Erzherzoge, kann aber auch als allgemeine Regel für die Hofbeamten des regierenden Mitgliedes des kaiserlichen Hauses angesehen werden, wie auch thatsächlich diese Instructionen die Grundlage der Hofverwaltung bildeten.

---

[1] Starzer, l. c., 183.

[2] Aus dieser Zeit haben sich in dem Harrach'schen Archive einige Briefe K. Maximilians II. erhalten, aus welchen wir ersehen können, dass Harrach bald nach dem Jahre 1559, vielleicht schon 1560 mit diesem Amte betraut wurde.

[3] Concept des Schreibens des Harrach vom Jahre 1565 an König Maximilian II. im Harrach'schen Archive.   [4] Handschrift 13621.

Die Instruction für den Obersthofmeister umfasst 26 Absätze. Sie sagt, dass der Obersthofmeister als die erste Person bei allen feierlichen Gelegenheiten um die Person des Herrschers sich befinden, sein Amt verrichten und in seinem Namen fremde Fürsten empfangen solle. Er wurde allen Hofangestellten an die Spitze gestellt, welche ihm sowohl in Disciplinarsachen, als auch bei ihrer wirthschaftlichen Gebahrung unterstanden. Seine Amtsführung war in manchen Angelegenheiten an das Einverständniss mit dem Obersthofmarschall und dem Oberstkämmerer gebunden; mit diesem hatte er Fühlung in den Finanzsachen, mit jenem in den Gerichtsangelegenheiten.

In die Instruction wurde ein Passus aufgenommen, welcher die damaligen Religionsverhältnisse beleuchtet und sich auf die Lutherischen Lehren bezog. Es muss unentschieden bleiben, ob dabei der Einfluss König Ferdinands I. oder seiner Rathgeber mit eingewirkt hat; immerhin ist es ein ausserordentlich wichtiger Zug, da der Toleranzsinn Maximilians genugsam bekannt ist. Im Uebrigen bezogen sich auf die dem Obersthofmeister untergeordneten Beamten die Vorschriften der Polizeiordnung.[1]

Als nach dem Freiherrn von Eizingen Leonhard von Harrach zum Obersthofmeister ernannt wurde, blieb diese Instruction fortbestehen. Aus dieser Zeit stammt der erste uns bekannte Competenzstreit, wie solche bei einem grösseren Personenstand und namentlich dann, wenn einzelne Personen mehrere Würden in sich vereinigen, leicht entstehen, und Kaiser Maximilian II. selbst musste eine gütliche Vereinbarung herbeiführen. Harrach beanspruchte im Jahre 1565 als Obersthofmeister und ältester Geheimrath den Vortritt und Vorsitz an allen Orten, also auch in den Sitzungen des geheimen Rathes gegen den Präsidenten desselben, Hanns Trautson, und als ihm dieser nicht weichen wollte, nahm er sich seine Zurücksetzung derart zu Herzen, dass er seine Aemter niederlegen wollte. Dabei berief er sich auf den §. 1 der Instruction, welcher besagt: ,Unser Obriste Hofmeister solle von dem ganzen Hofstaat und Meniglich ausser der Cammer für unseren Hofmeister und für die ander Person nach Uns gehalten werden.' Im Namen des

---

[1] Die new Pollicey und Ordnung der Handwercker und Dienstvolck der niederösterreichischen Lande, Wien, Johann Syngreiner, 1527 und 1552.

Kaisers verhandelte mit Harrach Peter von Mollart, welcher am 6. Februar 1565 ihm Folgendes schrieb: ‚Ihr Kais. Majestät behalten den gehaimen Ratt mit allen Personen und in der Gestalt ohne Veränderung, wie es Kaiser Ferdinand gehalten; dass ihr aber vermaint, das Hofmaisterambt werd dardurch geringert, vermainen Ihr Majestät, wo Sie dasselbig Ambt schmellern wollten, (welches mit dem gar nit beschicht, das euch in eurem Ambt gar mit nichtig kain Eingrif beschicht aus Ursach, dass dieser Handel nur den Rath angeet), wäre der Abbruch nur Ihrer Majestät, dessen das Ambt ist, selbst.‘¹ Schliesslich wurde der Streit so beglichen, dass der Kaiser in einem besonderen Rescripte dem Freiherrn Harrach vollinhaltlich den Vorzug bestätigte, dieser dagegen auf den Vorsitz in dem geheimen Rathe freiwillig verzichtete. Es geschah dieses am 16. März 1565 mit den Worten: ‚So haben Wir mit gedachtem Unserm Obersten Hofmaister genedigst so viel gehandelt, dass er allain Uns zu unterthenigster Eern und Gefallen dem auch .. edlem Hannsen Trautson .. den Vorsitz in Unserem gehaimen Rhatt guetwillig nachzusehen, doch ime unserm Obersten Hofmaister sonst seines tragenden Ambts, auch desselben Gerechtigkhait halben, unvergriffen und unschedlich, auch dass er Unser Oberster Hofmaister auf all underweeg in actibus publicis und privatis sich von heruert seines habenden Ambts wegen seiner Praeeminenz und Vorgangs gebrauchen soll und mag.‘²

Im Jahre 1571 wurde Adam Freiherr von Dietrichstein, damals kaiserlicher Oberstkämmerer und in den Jahren 1560 bis 1562 Oberststallmeister der Kaiserin Maria,³ zum Obersthofmeister der Erzherzoge Rudolf und Ernst ernannt,⁴ bei welcher Gelegenheit ihm eine Instruction übergeben wurde, welche von der des Jahres 1561 nicht viel abweicht (Beilage 2). Dieselbe blieb in Geltung, als Rudolf II. im Jahre 1576 zur Regierung gelangte und Dietrichstein auf diese Weise zum Obersthofmeister des Oberhauptes des Kaiserhauses wurde, was er bis zum Jahre 1589 blieb.

---

¹ Schreiben im Harrach'schen Archive.   ² Ebendaselbst.
³ HZR., 1560, f. 111ᵇ; Koch, Quellen zur Geschichte des K. Maximilian II., 1857, I, 7. Vor ihm war Obersthofmeister der Kaiserin Don Francisco de Castilia (1562).
⁴ Vor ihm war Ruprecht von Stotzingen Obersthofmeister und Oberstkämmerer der Erzherzoge Rudolf und Mathias. HZR., 1576, f. 213.

Die Instruction Dietrichstein's enthält im Ganzen 23 Paragraphe gegen 26 Absätze der alten Instruction. Der §. 3 der alten Instruction wurde in derselben ausgelassen, weil bei dem Empfange der fremden Gäste nur der kaiserliche Obersthofmeister zu interveniren hatte. In §. 10 (alt 11) und §. 17 (alt 18) wurde die Aenderung vorgenommen, dass dem Obersthofmeister die Controle über das Hofstaatspersonal obliegt. Im §. 20 (alt 21) wurde das Verbot des Fleischgenusses an Fasttagen ausgelassen.

Der §. 22 der alten Instruction bezweckte, die Ueberlastung des Hofpersonals mit Geldzinsen und bei der Wohnungsmiethe hintanzuhalten, worauf sowohl der Obersthofmeister als auch der Obersthofmarschall ihre Aufmerksamkeit lenken sollten. In der neuen Instruction blieb dieser, sowie auch der 25. Absatz gänzlich weg.

Es scheint, dass im Jahre 1583 eine Revision dieser, ursprünglich für den erzherzoglichen Obersthofmeister geltenden Instruction geplant wurde, denn wir sehen in der Vorlage, dass in derselben bei den §§. 12 und 19 neue, zeitgemässe Aenderungen angedeutet wurden, die in einer neuen Instruction Aufnahme finden sollten. Thatsächlich finden wir später eine neue Instruction[1] vor, in welcher die §§. 12, 21, 23, 25 der alten Instruction ausgelassen sind, und welche am Anfang des 17. Jahrhunderts gegolten hat. Ob dieselbe auf Veranlassung Dietrichstein's zu Stande gekommen ist, lässt sich jetzt nicht mit Bestimmtheit behaupten, doch ist es wahrscheinlich.

Um eine authentische Interpretation gewisser dunkler Stellen zu veranlassen, hat Dietrichstein damals bei Kaiser Rudolf II. angefragt, ob er ihn für die erste Person nach ihm zu halten gedenke, worauf resolvirt wurde, dass darüber gegenüber fürstlichen Personen Zweifel bestehen können. Weiter wurde der §. 2 in dem Sinne erläutert, dass er sich auf feier-

---

[1] Handschrift der k. k. Hofbibliothek 14676, welche den Titel führt: Beschreibung des ganzen Burgundischen Hofstaats, wie derselbe bei dem Hause von Oesterreich in seiner Ordnung üblich und im Brauch war, was nemblich für Officier, Räthe und Diener bestellt, was die Verrichtung und dagegen Unterhaltung gewest, so viel man dessen vor achtzig Jahren hero schriftlichen Bericht und aus Erfahrenheit Nachrichtung haben kann, f. 2ᵃ—7ᵇ. Die Handschrift fällt wahrscheinlich in die letzten Regierungsjahre des Kaisers Mathias. Aehnliche Beschreibung befindet sich im Archive des Reichs-Finanzministeriums (Meiller, S. 24).

liche Krönungen, Huldigungen, Kurfürstentage, Bankette u. dgl.
beziehe.

Dietrichstein versuchte auch eine bestimmte Resolution
des Kaisers über den Silberkämmerer zu erwirken, weil in seiner
Instruction stand, dass in dessen Abwesenheit eine würdige
Person zur Verwaltung dieses Amtes bestellt werden solle. Er
selbst richtete sich darnach und bestimmte einen gewissen Edelmann Bennato dazu.[1] Auch hat er bei dieser Gelegenheit einen
Secretär verlangt, welcher die laufenden Geschäfte des Obersth-
hofmeisteramtes registrire, und hat somit schon damals die Errichtung einer selbstständigen Kanzlei befürwortet; doch wir
finden nirgends eine Notiz über diesen Secretär, so dass es als
gewiss gelten kann, dass ein solcher nicht bestellt wurde.

Nach Dietrichstein hat das Obersthofmeisteramt in den
Jahren 1587—1593 Wolfgang Rumpf Freiherr zu Wuelross
verwaltet; erst im Jahre 1594[2] sehen wir ihn als den ernannten
Obersthofmeister. Als Gehalt bezog er 3000 Reichsgulden, da
er aber auch die Oberstkämmererstelle versah und ausserdem
noch geheimer Rath war, wurden ihm noch 1000 Gulden zuerkannt.[3] Er war bei Kaiser Rudolf II. in hohen Ehren, bis er
am 28. September 1600[4] plötzlich des Dienstes entlassen wurde.
Noch im Jahre 1605 kommt Friedrich Graf von Fürstenberg
als Obersthofmeister vor,[5] welcher jedoch vielfach zu Gesandt-
schaftsreisen verwendet wurde. Neben ihm zuerst als Verwalter dieses Amtes, dann (1606) als Obersthofmeister folgte
Carl von Liechtenstein; dieser legte im Juli des Jahres 1607
selbst das Amt nieder, nachdem er gesehen hatte, dass er beim
Kaiser nicht mehr in Gnade stehe,[6] worauf dann Cardinal Franz
von Dietrichstein eine kurze Zeit das Amt versah[7] und neben

---

[1] Bericht über die Sitzung vom Jahre 1651. Gräfl. Harrach'sches Archiv,
Fasc. 24.

[2] HZR., 1594.

[3] Seit 1540—1576 betrug die Bestallung des Obersthofmeisters 2500 fl.
Dietrichstein erhielt für seine langjährigen treuen Dienste noch 1500
Reichsgulden, so dass er 4000 Reichsgulden Gehalt hatte. Handschrift
14676, f. 2.

[4] Hurter Fr., Geschichte Kaiser Ferdinands II., Schaffhausen 1851, III, 35. 33.

[5] HZR., 1605, f. 243 b, 279 b.

[6] Hurter Fr., l. c., VI, 459, Anm. 159; Falke, Geschichte des Hauses
Liechtenstein II, 142. 153.

[7] Falke, l. c., 155.

ihm als Vice-Obersthofmeister Ernst von Mollart thätig war (bis 1608).[1] Am 23. September 1608 wurde Jakob Adam Graf von Attems Obersthofmeister, und nach einem Jahre (1609) folgte demselben in dieser Stellung Georg Ludwig Landgraf von Leuchtenberg (—1612).[2]

Bei dem Erzherzog Mathias waren folgende Obersthofmeister angestellt: Heinrich von Liechtenstein (—1584),[3] dann Freiherr Strein von Schwarzenau,[4] Jakob Freiherr Breuner, zugleich Obersthofmarschall († 1606),[5] nach ihm Ernst Freiherr von Mollart[6] als Verwalter des Amtes, im Jahre 1612 bis 1617 Friedrich Graf zu Fürstenberg,[7] dann im Jahre 1617 bis 1619 Leonhard Helfried Graf von Meggau.

Der Obersthofmeister der Kaiserin Anna, Gemahlin des Kaisers Mathias, war im Jahre 1612 Graf Sigismund Lamberg.[8]

Die Reihenfolge der Obersthofmeister des Erzherzogs, späteren Kaisers Ferdinand II. ist folgende: Jakob Adam Freiherr von Attems (1582—1590),[9] Balthasar Freiherr von Schrattenbach (1590—1615), Hanns Ulrich Freiherr (später Fürst) von Eggenberg (1615—1621),[10] nach welchem dieses Amt eine kurze Zeit von Leonhard Helfried Grafen von Meggau verwaltet wurde,[11] dem auch damals vom Kaiser der Titel eines Landobersthofmeisters verliehen wurde. Im Jahre 1622 wird er nicht mehr als Obersthofmeister angeführt, dagegen wird Wolf Sigismund Graf von Losenstein als Vice-Obersthofmeister genannt.[12] Schon am 4. Jänner 1624 wurde Fürst Gundakher von Liechtenstein zu diesem Amte erhoben und besorgte es bis zum Jahre 1634,[13]

---

[1] Starzer, l. c., 206.

[2] HZR., 1611—1614, f. 304ᵃ; 1609, f. 40ᵃ.

[3] Falke, l. c., II, 106.

[4] Hurter, l. c., V, 73.

[5] HZR., 1605, f. 762. — Starzer, l. c., 220, Anm. 3.

[6] Starzer, l. c., 205. Er war in den Jahren 1593—1595 Oberstkämmerer und Obersthofmeisteramts-Verwalter des zum Statthalter in den Niederlanden ernannten Erzherzogs Ernst.

[7] Hammer-Purgstall, Khlesl's Leben, Wien 1850, III, 4.

[8] Hammer-Purgstall, l. c., 5. 6.

[9] Ilwof, Die Grafen von Attems, Graz 1897, 9.

[10] Hofstatus vom Jahre 1619, Graz vom 10. December, in der Handschrift der k. k. Hofbibliothek, Nr. 8102.

[11] Stieve, Der oberösterreichische Bauernaufstand II, 13. Anm. 6.

[12] HZR., 1622, f. 5ᵇ und 193.

[13] Falke, l. c., II, 286.

und nach ihm wieder Leonhard Helfried Graf von Meggau bis
zu dem Tode des Kaisers.[1]

Die Thätigkeit des Fürsten Liechtenstein war damals
gross und bezog sich sowohl auf die Hof- als auch auf die
Staatsangelegenheiten. Er organisirte die Hofhaltung, besonders
die Hofkammer, und setzte sich namentlich für die Errichtung
einer Ritterakademie nach französischem Muster ein. Unter
ihm fand eine Revision der obersthofmeisterischen Instruction
statt, zu welchem Zwecke er eine allerhöchste Resolution einholte, wie uns eine Erwähnung in seinem Schreiben vom 6. Juli
1625 belehrt.[2]

Damals wurde erörtert, ob die Rechnungen des Oberstkämmerers und des Oberststallmeisters unter die Controle des
Obersthofmeisters gehören. Es wurde vom Kaiser darüber
resolvirt, dass die diesen Hofstäben unterstehenden Beamten
nur von ihrem Chef abhängen, die Rechnungslegung der Kammer
nur dem Oberstkämmerer unterstehe und folglich in die Machtsphäre des Obersthofmeisters nicht gehöre; dagegen sollten die
Oberststallmeisteramts-Rechnungen in Gegenwart des Obersthofmeisters aufgenommen werden.

Ueber den zu leistenden Eid wurde beschlossen, dass die
Hofkammer- und Kriegsrathspräsidenten den Eid in die Hände
des Kaisers ablegen und nur die Reichshofräthe, welche vom
Obersthofmeister installirt werden, nach der alten Ordnung von
diesem beeidigt werden. Die ungarischen und böhmischen Hofräthe wurden ihm auch diesmal nicht unterworfen.

Die Beamten mussten der Instruction gemäss, wenn sie
verreisten, ihre Reise dem Obersthofmeister melden. Von jetzt
an konnten die wirklichen geheimen Räthe, wenn sie vom
Kaiser Urlaub erhielten, es dem Obersthofmeister melden, oder
auch nicht; für die übrigen Beamten seines Hofstabes blieb
der Meldungszwang bestehen, und nur der Obersthofmeister
der Kaiserin wurde davon ausgenommen.

Der Obersthofmeister und der Obersthofmarschall sollten
jedes Vierteljahr das Hofpersonal mustern, auf die Einhaltung
der Instructionen und Führung der Inventare ihre Aufmerksamkeit richten; der Oberstkämmerer und Oberststallmeister unter-

[1] Hurter, l. c., VI, 668.
[2] In dem Berichte über die Commission vom Jahre 1651.

standen ihnen in dieser Richtung nicht. Die Evidenz über die Beamten führte der Obersthofmeister laut §. 16 der Instruction auch jetzt noch weiter.

Alle Einkäufe mussten in Gegenwart des Hofcontrolors geschehen. Die Beamten des Obersthofmeisters, besonders der Hofcontrolor, sollten in Correspondenz mit dem Oberstkämmerer und Oberststallmeister stehen und mit ihnen Fühlung haben, und umgekehrt. Kam etwas bei Hofe vor, was den Oberstkämmerer oder den Oberststallmeister nicht anging, so hatte nur der Obersthofmeister sein Gutachten darüber abzugeben.[1]

Die Obersthofmeister Kaiser Ferdinands III. waren: Graf Thun, 1630—1633, Maximilian Graf von Trauttmanstorff bis 1650[2] und nach ihm Maximilian Fürst von Dietrichstein, welcher am 6. November 1655 verstarb.

Unter Kaiser Leopold I. waren folgende Obersthofmeister: Johann Ferdinand Fürst von Portia (1654—1665), Wenzel Eusebius Fürst von Lobkowitz (1665 bis October 1674), Verwalter dieses Amtes Franz Eusebius Graf von Pötting, seit 29. Juni 1675—1682 Johann Maximilian Graf von Lamberg,[3] 1682—1683 Albrecht Graf von Sinzendorf, 1683 bis 28. November 1698 Ferdinand Josef Fürst von Dietrichstein, 1699 bis 1705 Ferdinand Bonaventura Graf von Harrach.

Obersthofmeister des Königs Ferdinand IV. war seit dem Jahre 1650 Johann Weikhard Fürst von Auersperg.

Unter den Nachfolgern des Fürsten Liechtenstein geschah es, dass die gute alte Ordnung schon ziemlich zerfallen war und manche Unordnungen in die Verwaltung sich eingeschlichen hatten. Weil nun unterdessen auch der Hofstaat sich bedeutend vermehrt hatte, hat man nach Abgang des Grafen Trauttmanstorff die Nothwendigkeit eingesehen, an die Sanirung der Uebelstände zu denken und die Einrichtungen den Anforderungen der Zeit anzupassen. Es wurde also im Jahre 1651 einigen Hofräthen aufgetragen, die bisher geltenden Instructionen der

---

[1] Bericht über die Commission vom Jahre 1651.

[2] Koch, Geschichte des deutschen Reiches unter der Regierung Ferdinands III. Wien 1865, I, 16.

[3] Am 29. Juni hat er den Eid abgelegt. (Sein Schreiben ddo. 11. Juli 1675 an den Grafen von Harrach. Harrach'sches Archiv.) Sein Gehalt war: 7000 Gulden und auf die Freitafel 12.000 Reichsgulden. Handschrift der k. k. Hofbibliothek 12388.

vier Hofstäbe durchzugehen und darüber zu berichten, inwieweit sie einer Verbesserung bedürftig wären.

Diese Commission [1] war der Ansicht, dass es schwer sei, in den Instructionen etwas gründlich zu verbessern, und sie hielt für angezeigt, keine neuen Statuten zu verfassen, noch eine Reformation vorzunehmen, weil eine solche schwer und auch odios wäre und daraus noch grössere Schwierigkeiten entstehen könnten. Ihre Gründe hielt man für wichtig genug, so dass man die ganze Verhandlung wieder von der Tagesordnung absetzte und sich mit etlichen Zusätzen zu der alten Instruction begnügte, welche dann in Gegenwart aller Hofchargen einzeln berathen wurden.

An erster Stelle handelte man über die Instruction des Obersthofmeisters, wobei auf die Anregungen des Fürsten Liechtenstein zurückgegriffen wurde. Auch wurden dabei einige Punkte berührt, über die schon Dietrichstein eine Resolution verlangt hatte, vor allen der Punkt, ob der Obersthofmeister noch jetzt für die erste Person am Hofe gelten solle oder nicht. Kaiser Rudolf II. gab es damals zu, später jedoch, besonders unter Trauttmanstorff, wurde die Instruction häufig nicht befolgt. Jetzt beantragte die Commission, es solle bei dem alten Brauche verbleiben.

Auch in Bezug auf die §§. 2 und 3 wurde, wie schon Dietrichstein ersucht hatte, eine bestimmtere Fassung in Erwägung gezogen, da darin eine Verschiedenheit der Auffassung bestand und unter Trauttmanstorff Vieles unterlassen wurde, was aber Graf Cavriani, Obersthofmeister der Kaiserin, gegenüber dem französischen Gesandten beanspruchte. Es war zwar nicht möglich, für Alles eine Regel aufzustellen, aber in diesem Punkte war man der Ansicht, dass der Obersthofmeister nicht den fremden Fürsten entgegengehen solle, sondern, wenn diese zur Audienz kommen, solle er seiner Instruction gemäss ihnen vorangehen; dagegen solle er bei dem Empfang der Kurfürsten jedesmal die kaiserliche Entscheidung einholen.

Weil nun bei dem Empfange die verschiedensten Fälle vorkommen könnten, welche auch eine besondere Behandlung erfordern würden, beantragte man die Zusammenstellung eines

---

[1] Der Bericht mit anderen Acten in dem gräfl. Harrach'schen Archive, Fasc. 24.

Ceremoniales, in dem Alles näher specificirt sei. Es scheint auch, als ob damals wirklich ein Ceremonienbuch verfasst und so der Anfang zu dem Ceremonienamte gelegt worden wäre, welches damals der dem Obersthofmeister schon definitiv zugewiesene Secretär verwaltet hat.[1]

Was den §. 14 der Instruction betrifft, wollte die Commission beigesetzt haben, dass neben dem Obersthofmeister und dem Obersthofmarschall auch der Küchenmeister, der Controlor und Jemand von der Kammer bei der Quatemberrevision erscheinen möge.

Schon früher hat Dietrichstein die Ernennung eines Untersilberkämmerers angeregt. Dieser Vorschlag wurde jetzt aufgenommen, und zwar aus dem Grunde, dass es sich öfters ereignen kann, dass der Kaiser mit seinem Hofstaat verreist und die junge Herrschaft zu Hause bleibt, welche auch bedient werden müsse. Zu diesem Amte sollten die zum Hofdienst sich meldenden Cavaliere bestimmt werden und es der Reihe nach verwalten, bevor sie zu Kammerherren aufgenommen werden.

Der Absatz, welcher über die Beichtzettel handelt, sollte nach der Meinung der Commission bleiben, doch mit der Aenderung, dass jeder Hofstab die ihm untergeordneten Beamten überwachen und die Zettel dem Obercaplan (capellano major) einhändigen solle.

Bezüglich des Secretärs, welcher dem Obersthofmeister zur Seite gestellt wurde, beantragte man, dass dazu ein Hofsecretär mit 400 Gulden Gehalt designirt werde, dem auch die Ceremonienangelegenheiten zu übergeben seien.

Die Frage über die Zutheilung der Wohnungsräume in der Hofburg löste man so, dass der Oberstkämmerer über die kaiserliche Wohnung zu disponiren habe, der Obersthofmeister aber über die übrigen Zimmer.

Schliesslich war die Commission der Meinung, dass die zur Zeit Kaiser Rudolfs II. für Dietrichstein bestimmte Instruction, wie sie dann auch dem Grafen Trauttmanstorff eingehändigt wurde, noch weiterhin zu gelten habe, dass jedoch in einzelnen

---

[1] Aus dieser Zeit stammt das in der gräfl. Harrach'schen Bibliothek aufbewahrte Ceremonienbuch, Nr. 203: ‚Etiquetas generales que han de observar los criados de la casa de Su Majestad en el uso y exercicio de sus oficios.' (179 Blatt in Folio.)

Fällen, die nicht näher angeführt werden, der Obersthofmeister
die kaiserliche Resolution einholen solle. Thatsächlich finden
wir auch eine Abschrift der alten Dietrichstein'schen Instruction
noch im Besitze des Obersthofmeisters Grafen von Harrach.

Dass es trotzdem unter den einzelnen Würdenträgern
nicht an Reibungen wegen Ueberschreitung ihrer Competenz
fehlte, wozu auch öfters die Rivalität der einzelnen Familien
das Ihrige beigetragen hat, lässt sich leicht erklären. Schon
in den Jahren 1637—1652 hat die Hofkammer den Hmahhm-
keller, sowie die Auszahlung der Besoldungen an sich gezogen,
was unzweifelhaft in die Sphäre des Obersthofmeisters gehörte.
Es entstand dadurch eine nicht geringe Verwirrung, die um so
grösser war, als dem Obersthofmeisteramte auch die Anzahl
der vom Hofe beurlaubten und abwesenden Personen unbekannt
blieb. Im Jahre 1675 entstand wieder ein Streit darum, dass
die Hofkammer den Einkauf von Speisen und Trank ohne
Wissen des Vice-Obersthofmeisters Grafen Pötting besorgte. In
der an den Kaiser gerichteten Beschwerde wurden noch andere
Mängel berührt. Graf Pötting machte darauf aufmerksam, dass
dem Grafen Trauttmanstorff, während dessen Amtszeit Alles in
der besten Ordnung war, immer der Kostwein gebracht wurde,
der Kauf mit seinem Vorwissen abgeschlossen und der Kammer
nur die Auszahlung notificirt wurde. Weiter sagte die Beschwerde, dass das Obersthofmeisteramt, welches doch die Richtschnur sein solle, nicht einmal wisse, wer bei Hofe bedienstet
sei, weil die Abrechnung über die Absenzen, die Unterfertigung
über die gelieferten Waaren ihm nicht mehr zugestanden werden,
dass der Hofzuschrotter ohne Wissen des Hofküchenmeisters
und Controlors Passbriefe ertheile und auf solche Weise manche
Sachen von der Kammer passirt werden, welche der Obersthofmeister nicht bewilligt habe.

Die Hofkammer entschuldigte den Vorgang mit einem
durch sie abgewickelten Geschäfte, welches unter dem Obersthofmeister Fürsten Portia stattgefunden hatte, das aber nur
darum ungerügt geblieben war, weil inzwischen der Fürst verstarb (1665). Den ganzen Streit erledigte Kaiser Leopold mit
seiner Resolution vom 15. Juli 1675 auf folgende Weise: ‚Es
ist billig, dass das Obersthofmeisteramt bei seinen Prärogativen
und Rechten maintenirt werde, absonderlich dass es gehalten
werde, wie es zur Zeit des Grafen Trauttmanstorff gehalten

worden. So ist auch undisputirlich, dass alle Ordonnanzen vom Obersthofmeister ausgefertigt werden.'[1]

Während dieser Zeit gewann die Obersthofmeisterwürde auch an politischem Ansehen, was sich dadurch erklären lässt, dass der Obersthofmeister zugleich politischer Minister war. So war der Obersthofmeister Graf von Meggau als Conferenzminister thätig,[2] und dasselbe gilt auch vom Grafen Trauttmansdorff. Ueber seine Functionen wird jetzt schon ausdrücklich gesagt, dass er ‚Director des geheimen Rathes ist und Allen vorangeht‘.[3] Dasselbe sehen wir auch bei dem Fürsten von Lobkowitz (1667—1674) und bei seinem Nachfolger Grafen von Lamberg, welchem nach dessen eigenen Worten der Kaiser ‚hohe Praerogativen verliehen hat, so den ersten Platz und Praecedenz vor den Fürsten‘, und dem er gestattet hat, dass die Conferenzen in seiner Wohnung abgehalten und die politischen Depeschen ihm vom Kaiser zuerst eingehändigt werden.[4] Auch Graf von Harrach fungirte während seiner Amtsthätigkeit als erster Conferenzminister.

Das Amt des Obersthofmeisters erlosch mit dem Tode des Regenten oder mit dem des Würdenträgers. Es konnte auch niedergelegt werden, wie es im Jahre 1567 Leonhard Freiherr von Harrach gethan hat. Einige Male kommt aber auch die Amtsentsetzung vor. Im Jahre 1600 wurde Wolfgang Freiherr von Rumpf, der damals mit dem Obersthofmarschall Trautson in Ungnade fiel, seines Amtes enthoben. Auch Fürst von Lobkowitz wurde im October 1674 abgesetzt, jedoch nach vorhergegangener Berathschlagung der obersten Hofchargen mit dem Vicekanzler Hocher.

Die Functionen der Obersthofmeister der nicht regierenden Mitglieder des kaiserlichen Hauses wurden nach demselben Muster geregelt, jedoch in gewisser Hinsicht beschränkt. Dasselbe gilt auch von den Obersthofmeisterinnen der Kaiserin und der Erzherzoginnen, deren Instructionen wir nicht besitzen.

---

[1] Die betreffenden Acten befinden sich in dem Fasc. 24 des gräfl. Harrach'schen Archives.

[2] Starzer, l. c., 224.

[3] Handschrift der k. k. Hofbibliothek 7249, f. 285ᵃ.

[4] Schreiben vom 29. Juni 1675 an den Grafen von Harrach (gräfl. Harrach'sches Archiv).

Nach dem Muster der obersthofmeisterischen Instruction haben auch adelige Geschlechter für ihre Haushofmeister ähnlich lautende Verwaltungsregeln verfasst. So bestand schon seit dem Jahre 1590 eine solche Instruction in der Harrach'schen Familie.[1] Auch Fürst von Lobkowitz hat auf ähnliche Weise seine Hofhaltung eingerichtet.[2]

Die zweite Hofwürde war die des Obersten Hofmarschalls. Diese Rangordnung ist sowohl aus dem Schematismus des Jahres 1559[3] ersichtlich, sowie aus dem vom Jahre 1566,[4] welchen Kaiser Maximilian II. am 1. Februar unterzeichnet hat; auch in dem nach dem Tode Kaiser Rudolfs (1612) verfassten Schematismus ist diese Rangordnung erhalten.[5] Erst in dem Schematismus vom Jahre 1619[6] finden wir, dass der Oberstkämmerer dem Obersthofmarschall vorangeht, so dass wir annehmen können, dass diese Aenderung erst im Anfang des 17. Jahrhunderts geschehen ist. Aus denselben Quellen geht hervor, dass unter seine Ingerenz die Hofkanzlei und deren Hofräthe, der Hofkriegs- und Hofkammerrath, die verschiedenen Kanzleien (die böhmische, ungarische, deutsche, lateinische) und die Hofkammerkanzlei gehörten.

Der Obersthofmarschall besass die richterliche Gewalt über alle dem Hofstaate angehörenden Personen, über die beim Hofe verweilenden fremden Fürsten, Gesandten u. dgl.[7] Er sorgte für die persönliche Sicherheit des Herrschers und des fürstlichen Nachtlagers, dieses im Vereine mit dem Hofquartiermeister. In Abwesenheit des Obersthofmeisters verwaltete er dessen Amt; war er selbst abwesend, so wurde zur Verwaltung seines Amtes eine geeignete Person verordnet. Einige Angelegenheiten besorgte er mit dem Obersthofmeister.

In seiner Hand beruhte die richterliche und polizeiliche Gewalt über das gesammte Hofgesinde, sowie auch über die Dienerschaft des Reichshofrathes. Streitigkeiten unter dem Hof-

---

[1] In der gräfl. Harrach'schen Bibliothek. Handschrift Nr. 360.
[2] Adam Wolf, Fürst Wenzel von Lobkowitz, 1869, S. 37.
[3] Hofbibliothek, Handschrift, Suppl. 3323.
[4] In der gräfl. Harrach'schen Bibliothek. Handschrift Nr. 2.
[5] Handschrift der k. k. Hofbibliothek 13621.
[6] Hofbibliothek, Nr. 8102.
[7] Alf. Ritter v. Wretschko, Das österr. Marschallamt im Mittelalter, 165 f. Wien 1897.

gesinde des Kaisers und der Kaiserin wurden auf die Weise ausgetragen, dass der Obersthofmeister zuerst eingriff, der Oberst-hofmarschall aber entschied.

Ueber die Ausgestaltung des Hofmarschallgerichtes sind wir wenig unterrichtet; nur so viel ist klar, dass zu demselben nach Bedarf einige Räthe beigezogen wurden. Auch ein Hof-rathssecretär und ein tauglicher Schreiber konnten zu diesem Zwecke bestellt werden.

Die Stelle des Obersthofmarschalls versah unter Kaiser Ferdinand I. Philipp Freiherr von Breuner. Im Jahre 1559 finden wir in dieser Stellung Leonhard Freiherrn von Harrach, mit einer Besoldung von jährlichen 600 Gulden. Vom 1. August 1559[1] bis zum Jahre 1565 war Hanns Trautson, Freiherr zu Sprechenstein und Schrofenstein, Obersthofmarschall, dessen Ge-halt mit 400 Gulden bemessen war, und nach ihm bis zum Jahre 1575 Ludwig Ungnad, Freiherr zu Sonneck, mit einem jährlichen Gehalt von 1000 Gulden.[2] Ihm folgte unter Kaiser Rudolf II. Otto Heinrich von Schwarzenberg,[3] der, weil er zugleich Reichs-hofrathspräsident war, einen Gehalt von 1200 Gulden bezog (bis 1580). Seit dem Jahre 1581 war Paul Sixt Graf Trautson Verwalter dieses Amtes; er wurde ein Jahr später (1582) an dessen Spitze gestellt; weil er zugleich Reichshofrathspräsident war, hatte er einen Gehalt von 2000 Gulden nebst einer Zubusse von 400 Gulden. In dieser Würde verblieb er bis zum Jahre 1600, wo er zugleich mit Rumpf aus dem Hofdienste schied. Nach ihm betraute Kaiser Rudolf II. Jakob Freiherrn von Breuner mit dem Amte und nach dessen Tode (1606)[4] am 1. September Ernst Freiherrn Mollart.[5] Aber noch gegen Ende desselben Jahres finden wir den Adam Jüngeren von Waldstein als Obersthofmarschall,[6] welcher im Jahre 1610 dem Freiherrn Ernst Mollart wich, dessen Amtsführung mit dem Tode des Kaisers (1612) erlosch.[7]

---

[1] HZR., 1560, I, f. 215ᵇ, II, f. 93ᵃ; Hurter, l. c., III, 36, Anm. 86.
[2] Hofbibliothek. Handschrift 14676, f. 31.
[3] Er war bis zum Jahre 1576 Obersthofmeister der Erzherzogin Elisabeth, Königin-Witwe von Frankreich. (HZR., 1576, f. 120, 131.)
[4] Starzer, l. c., 206. — HZR., 1606, f. 215ᵃ. († 30. Juli 1606.)
[5] HZR., 1606, f. 215ᵃ, 1607, f. 115ᵃ.
[6] HZR., 1606, f. 294.
[7] HZR., 1611—1614, f. 483ᵇ.

Als Obersthofmarschall des Erzherzogs Mathias finden wir
bis zum Jahre 1588 Adam Popel von Lobkowitz,[1] dann bis
zum Jahre 1601 den Grafen Johann Wilhelm von Losenstein.
Als Mathias im Jahre 1612[2] die Kaiserwürde erlangte, war sein
Obersthofmarschall Adolf Sigismund Graf von Losenstein
(bis 1619).[3]

Unter Kaiser Ferdinand II. bekleidete diese Würde vom
Jahre 1610 an Sigismund Friedrich Graf von Trauttmansdorf,[4] im
Jahre 1619 Hanns Bernhard Graf von Herberstein[5] und nach
dessen Demission bis zum Jahre 1626 Georg Ludwig Graf von
Schwarzenberg; vom Jahre 1626 bis zu dem Todesjahre des
Kaisers (1637) war Leonhard Carl Graf von Harrach Oberst-
hofmarschall, welcher im Jahre 1639 zum Obersthofmeister des
Erzherzogs Wilhelm befördert wurde.

Während der Regierung Kaiser Ferdinands III. war (vom
Jahre 1627) bis zum Jahre 1646 Obersthofmarschall Georg
Ludwig Graf von Schwarzenberg.[6] Sein Nachfolger war Heinrich
Wilhelm Graf von Starhemberg († 1675); während seiner kurzen
Abwesenheit im Jahre 1671—1672 hat Ferdinand Bonaventura
Graf von Harrach[7] sein Amt verwaltet. Nach ihm kam Franz
Eusebius Graf von Pötting († 29. December 1678),[8] ihm folgte
Albrecht Graf von Sinzendorf mit einem Gehalt von 1382 Gul-
den und vom Jahre 1684 Ferdinand Fürst von Schwarzen-
berg.[9] Seit dem Jahre 1692 war Gottlieb Graf von Windisch-
grätz[10] Obersthofmarschall.

Die erste bekannte Instruction für dieses Hofamt stammt
aus dem Jahre 1561, ist also gleichzeitig mit der Instruction
des Obersthofmeisters (Beilage 3).

Ueber das Hofmarschallsgericht spricht sie nur allgemein,
die gerichtliche Procedur wird darin nicht einmal angedeutet.
Als Jakob Freiherr von Breuner zu diesem Amte gelangte und

[1] HZR., 1580.
[2] HZR., 1575, f. 136. — Hammer-Purgstall, l. c., III, 4.
[3] HZR., 1621, f. 105ᵃ, 1619, f. 235ᵃ.
[4] Hurter, l. c., V, 161.
[5] Handschrift der k. k. Hofbibliothek 8102. HZR., 1619, f. 594.
[6] Handschrift der k. k. Hofbibliothek 7245, f. 328. HZR., 1625—1629, f. 71ᵇ.
[7] Kaiserliches Decret im gräfl. Harrach'schen Archive.
[8] Handschrift der k. k. Hofbibliothek 7418, f. 52ᵇ, 12388, 14071, f. 146.
[9] Handschrift der k. k. Hofbibliothek 14443.
[10] Handschrift der k. k. Hofbibliothek 14209, f. 143.

mehrfache Zwistigkeiten sich ergaben, erkundigte er sich, welcher Vorgang in früheren Zeiten bei diesem Gerichte eingehalten worden war. Aus einem Schreiben[1] (Beilage 4) des Grafen Trautson, seines Amtsvorgängers, ergibt sich, dass folgende Grundsätze bei der Rechtspflege befolgt wurden.

Notorische Verbrecher, welche von dem Hofgerichte eingezogen waren, wurden dem Stadtgerichte zur Aburtheilung überstellt, dessen Sentenz dann dem Obersthofmarschall eingehändigt wurde, welcher sie dem Kaiser zur Sanction vorlegte. Wenn dagegen andere Instanzen, wie z. B. die Landofficiere in Prag, Einspruch erhoben, wurde der Process durch eine gütliche Vereinbarung mit denselben ausgetragen.

Bei nicht notorischen Verbrechern, die nicht bei der That ertappt wurden, führte das Hofmarschallgericht die Untersuchung, wozu zwei Hofräthe oder auch andere Gelehrte beigezogen wurden; qualificirte sich die Schuld zu einem Criminalverbrechen, so wurde der Schuldige dem Stadtgerichte eingeliefert, welches auch das Urtheil fällte. Das Verdict wurde vor seiner Publicirung dem Obersthofmarschall eingehändigt, welcher beim Kaiser die fernere Entscheidung einholte.

Unter dieses Gericht gehörten nicht nur alle Hofbediensteten, sondern auch die Botschafter, Agenten, Procuratoren sammt ihren Angehörigen, alle fremden Fürsten und Edelleute, welche bei Hofe zu thun hatten, ferner die Kriegsobersten und Hauptleute, die vom Kaiser oder von dem Hofkriegsrathe bestellt waren, auch die Handels- und Handwerksleute, welche zu Hofe gehörten. Die von dem Lande bestellten Militärpersonen und die herumfahrenden Leute waren unter den Schutz des Obersthofmarschalls nicht gestellt.

Weiter war es die Pflicht des Obersthofmarschalls, die Handelsleute zu erinnern, dass sie die Landesumlagen einzahlen, wenn der Landtag solche auf verschiedene Waaren bewilligte und ihm einen solchen Beschluss mittheilte. Befolgten sie seine Mahnung nicht, so trieb er die Zahlungen durch Execution oder durch Gewalt ein; besassen jedoch solche Kaufleute zugleich auch das Bürgerrecht, so ging ihn die Execution nichts mehr an. Bei Hausrevisionen, die bei den Handelsleuten vor-

---

[1] In Fasc. 24 des gräfl. Harrach'schen Archives. Eine zweite Abschrift befindet sich ebendort im Fasc. i.

genommen wurden, gab er den Landtagsverordneten, welche
solche Nachforschungen leiteten, seine Leute mit, die dann
dabei intervenirten.

Als im Jahre 1611 Kaiser Rudolf II. auf die Regierung
zu Gunsten seines Bruders Mathias Verzicht leistete, stellte er
die Bedingung, dass alle Personen, welche im engeren und
weiteren Sinne zu dem kaiserlichen Hofe gehörten, der alleinigen
Jurisdiction des Hofmarschalls unterstehen und dieser in Ausübung derselben durch Niemand gehindert werde.[1] Die Commissäre des Königs Mathias waren geneigt, seine Jurisdiction
bis zu einem gewissen Umfang anzuerkennen, wollten aber
durchaus nicht zugeben, dass der Hofmarschall direct den Bürger-
meistern und Hauptleuten in Prag irgendwelche Befehle ertheile.
Schliesslich wurde ihm doch die Jurisdiction über alle zum Hofe
gehörigen Personen, zu denen auch Gesandte fremder Mächte mit
ihrem Gefolge gehörten, ungeschmälert zugesprochen.

Die Instruction Kaiser Maximilians II. galt auch unter
dem Obersthofmarschall Grafen von Losenstein, welchem am
21. Februar 1615 ein Auszug aus derselben übergeben wurde.[2]
Die allgemeinen Regeln blieben dann bis zum Jahre 1637 in
Geltung, wie das aus der von Kaiser Ferdinand III. am 6. April
unterzeichneten Instruction ersichtlich ist.[3] Nur einige Paragraphe wurden damals ausgelassen, sonst ist der Inhalt gleich.

Bei der am 27. Februar 1651 vorgenommenen Berathung
über die Organisation dieses Amtes wurden zuerst alle auf die
Gerichtspraxis abzielenden Punkte ausgeschieden, und man
verhandelte nur über diejenigen, welche sich auf die Hofdienst-
ordnung bezogen.

Bei dem §. 5 hob selbst der Obersthofmarschall hervor,
dass derselbe nicht durchgeführt werde, da dazu keine Gelegenheit sei und er nur zu Streitigkeiten mit anderen Instanzen
führe. Deswegen beantragte er, diesen Paragraph zu streichen;
wenn er aber beibehalten werden sollte, so möge in jedem Falle
die kaiserliche Resolution eingeholt werden.

Eine weitere Erörterung gab es auch bei dem Absatz 11.
Bei der Ansagung von fremden Botschaftern ging es ziemlich

---

[1] Gindely, l. c., II, 300.

[2] K. u. k. Haus-, Hof- und Staatsarchiv, 1, F. 1.

[3] Contrasignirt vom M. Grafen Trauttmansdorff und Secretär Schidenicz.
Im gräfl. Harrach'schen Archive, Fasc. 24.

unordentlich her, weil der Obersthofmeister den Befehl des Kaisers durch die Fouriere weiter ertheilte, diese ihn dann dem Obersthofmarschall meldeten, worauf der Obersthofmarschall die Ordonnanzen ausführte. Nur wenn der Obersthofmeister abwesend war, erhielt der Obersthofmarschall direct den Auftrag vom Kaiser und ordnete das Weitere durch Hoffouriere an. Es kam auch mitunter vor, dass in Abwesenheit des Obersthofmarschalls der Oberstkämmerer die Weisung bekam und sie dann durch die Kammerfouriere den Hoffourieren auftragen liess, woraus manchmal Unzukömmlichkeiten entstanden, über welche sich das Botschaftspersonale beklagte.

Ausserdem beanstandete der Obersthofmarschall, dass der §. 18 seiner Instruction, nach welchem er der Stellvertreter des abwesenden Obersthofmeisters ist,[1] nicht eingehalten werde, und drang auf dessen Befolgung sowohl bei den Kirchengängen, als auch bei den Empfängen.

Ferner wünschte er, dass die §§. 13 und 15 über die Polizei revidirt werden. Sonst beantragte er, dass die Instruction in ihrem vollen Inhalte gelten solle, und dass in dem §. 17 der Passus über den Hofprofosen, welcher seit den Achtzigerjahren so genannt wurde, wieder eingeschaltet werde, weil er früher ausgelassen worden war.

Bei dieser Gelegenheit kamen noch andere Sachen zur Sprache. Der Obersthofmarschall machte die Commission darauf aufmerksam, dass die Hofdiener verschiedene Spiele in der Wartstube treiben. Dieses sollte in Zukunft von den Trabanten verhindert werden, und auch der Gardehauptmann wurde angewiesen, auf diesen Unfug achtzugeben. Zuletzt beantragte der Obersthofmarschall eine neue Vorschrift über das Sechserfahren.

Diese Vorschrift sollte zwei Absätze enthalten: 1. wer mit sechs Pferden in der Stadt, nach dem Hofe und in die Burg zu fahren berechtigt ist, 2. wer nur mit zwei Pferden fahren solle.

Man wollte bei dieser Frage einen Unterschied zwischen den Residenzstädten machen. In Prag, Linz und Pressburg, wo die Lage der Burg eine solche ist, dass man nicht leicht hinaufkommen kann, sollte das Sechserfahren in der Stadt und ausserhalb derselben gestattet werden. Dagegen sollte es in Wien

---

[1] Dasselbe erwähnt noch der Status regiminis vom Jahre 1687.

nur den fürstlichen Personen, den Botschaftern der gekrönten und ihnen gleich gestellten Häupter, wie z. B. den Kurfürsten u. dgl. erlaubt sein, den Abgeordneten der Reichs- und anderer Fürsten aber nicht; diesen sollte man es nur in dem Falle gestatten, wenn sie bei dem päpstlichen Nuntius oder bei den Abgesandten der gekrönten Häupter ihre Aufwartung machten.

In einzelnen Fällen konnte dieser Vorzug auch für die geheimen Räthe gelten, doch erwartete man, dass auch diese sich darin einschränken werden. Der Palatin von Ungarn und der Erzbischof[1] blieben bei ihrem bisherigen Vorrecht.

In die innere Burg sollten nur fürstliche Personen und Abgesandte der gekrönten Häupter fahren, mit zwei Pferden die geheimen Räthe, die hohen Hofofficiere, der Statthalter, der Landmarschall, der Feldmarschall und der Kriegsrathspräsident; die Kämmerer aber sollten bei Hof nur zu Ross erscheinen.

Durch die Ordnung vom Jahre 1643 wurde zwar auch den Kämmerern die Fahrt mit zwei Pferden zugestanden, aber seit dieser Zeit wuchs ihre Zahl derart an, dass sie zur Aufstellung ihrer Wagen, besonders bei feierlichen Anlässen, nicht alle Platz gefunden hätten.

Die Entscheidung über diesen letzten Punkt wurde dem Kaiser anheimgestellt und sollte dann auch in die Hofpolizei-ordnung aufgenommen werden.[2]

Schon im Jahre 1584 finden wir einen Schreiber, welcher dem Obersthofmarschall zugewiesen wurde. Damals war es Virgil Weingarten, der einen Gehalt von 120 Gulden hatte.[3] Später nannte man ihn Secretär. Als solcher wird im Jahre 1640 Peter Hilger angeführt. Ernannt wurde er von der Hofkanzlei.

Um die Gerichtspraxis dieses Amtes zu ordnen, wurde gegen Ende des 17. Jahrhunderts eine ‚Obersthofmarschallamts-Process- und Gerichtsordnung‘‘ neu verfasst, welche im Ganzen 19 Paragraphe enthält. Dieselbe ist wohl der Kammerprocess-ordnung nachgebildet und diente im Jahre 1713 als Grundlage

---

[1] Es wird nicht angegeben, welcher.

[2] Bericht der Commission vom Jahre 1651 im Fasc. 24 des gräfl. Harrach-schen Archives.

[3] HZR., 1584.

[4] Dieselbe wird im Jahre 1706 in einem Verzeichnisse der Acten des gräfl. Harrach'schen Archives erwähnt. Handschrift der gräfl. Harrach-schen Sammlung, Nr. 202.

bei der Zusammenstellung der neuen niederösterreichischen Land-
marschallgerichtsordnung. Auch jene theilen wir in ihrem vollen
Inhalte mit (Beilage 5).

Unter das Obersthofmarschallamt gehörte auch der Stabelmeister, welcher schon im Jahre 1572 mit einer Instruction
versehen wurde (Beilage 6). Diese Instruction wurde unter
Kaiser Rudolf II. geändert, indem die §§. 20 und 22 gänzlich
weggelassen wurden, dagegen ein neuer Zusatz eingeschoben
wurde, den wir unten anführen.[1]

Im Jahre 1560 war Stabelmeister Bernhard von Manesis,
Freiherr zu Schwarzenegg,[2] im Jahre 1562—1566 Caspar Graf
zu Lodron, seit dem Jahre 1572—1576 Hofrath Gabriel Strein,
Herr auf Schwarzenau, dann im Jahre 1581 Paul Sixt Graf
Trautson, welcher im nächsten Jahre zum Obersthofmarschall
vorrückte. Nach ihm wurde wahrscheinlich dieses Amt mit dem
Grafen Anton zu Arco besetzt, welcher es bis zu seinem Tode
(15. April 1608[3]) bekleidete, dann (im Jahre 1610) mit Arrideo
Bergonio. Im Jahre 1640 fungirte in dieser Würde Max Ernst
Burggraf zu Dohna.

Der Stabelmeister bediente den Kaiser bei der Hoftafel
zugleich mit den Truchsessen, beaufsichtigte das Auftragen der
Speisen, welche der Panathier auf den Tisch stellte. Er contro-
lirte die zum Dienst zugewiesenen Officiere, gab das Zeichen
zum Auftragen der Speisen und sorgte für die Ordnung. Wenn
Jemand von den fremden Personen oder von der Dienerschaft
sich unanständig benahm und der Obersthofmeister oder der
Obersthofmarschall nicht anwesend waren, liess er ihn durch
den Huissier ermahnen. Er durfte sich nicht früher aus dem
Speisesaale entfernen, als bis der Kaiser von der Tafel aufstand
und sich in seine Kammer begab. Bei der Truchsessentafel
wurde ihm der Vorsitz eingeräumt.

Seit früher Zeit war dem Obersthofmarschall auch der
Quartiermeister untergeordnet. Als solchen nennt man im Jahre
1548 Hanns Kheisler.[4] Im Jahre 1560 war Andreas Khiel-
mann[5] Quartiermeister, seit dem Jahre 1576 Hanns Jakob
Horbrath, welcher schon im Jahre 1584[6] Hofquartiermeister

---

[1] Handschrift der k. k. Hofbibliothek 14676, f. 9ᵇ—13ᵃ.
[2] HZR., 1560.　[3] HZR., 1608.
[4] HZR., 1548.　[5] HZR., 1560, II, f. 241ᵇ.　[6] HZR., 1584.

dem Grundsatz festgehalten, dass sie sich in der Nähe des Kaisers aufhalten. Mit der Instruction vom Jahre 1562 wurden auch alle früher nach dem niederländischen Gebrauche üblichen Sporteln abgeschafft.

Zu seinem Stabe gehörten: 1 oder 2 Leibärzte, 1 Wundarzt und 1 Apotheker, 4 Kammerdiener, 2 Barbiere, 1 Garderobier mit Gesellen, Kammerfourier, Heizer, Leibschneider, Schuster, Hosenschneider, Leibwäschebeschliesserin, 3—4 Kammerthür- büter.

Im Jahre 1559[1] umfasste die Kammer folgende Personen, deren Verrichtungen durch eigene Instructionen geregelt wurden: 3 Kammerdiener, 2 Garderobiere, 1 Kammerfourier, 1 Zimmer- heizer, 3 Leibärzte, 1 Apotheker, 1 Wundarzt, 2 Leibbarbiere, 4 Kammer- und Zimmerhüter, 2 Panathiere, 4 Herolde, 1 Quartier- meister, 4 Hoffouriere, 1 Stabelmeister, 3 Fürschneider, 5 Mund- schenke, 11 Truchsesse, 9 Silberkämmerer, 4 von der Kellorpartei,[2] 1 Küchenmensch,[3] 6 von der Küchenpartei, 6 Mund- und Unterköche,[4] 3 Tapissiere, 1 Lichtkämmerer,[5] 2 Wäscherinnen, 15 Trompeter, 1 Controlor,[6] dann 1 Almosenspender, 1 Prediger, 9 Capellane, 1 Capellmeister,[7] dann die ganze Capelle und die Sänger. Dieser Personenstand vermehrte sich allmälig, so dass er im 17. Jahrhundert sehr zahlreich war und einzelne Func- tionen noch getheilt wurden.

Bei der Commission im Jahre 1651 wurde die Instruction dieses Amtes nicht in Berathung gezogen, sie scheint in der ursprünglichen Fassung fortgedauert zu haben.

Als Oberstkämmerer werden angeführt: Von 1548—1559 Martin de Guzman.[8] Er hat das Amt noch im Jahre 1559 niedergelegt; schon in der zweiten Hälfte dieses Jahres hat es

---

[1] Handschrift der k. k. Hofbibliothek, Suppl. 3323.
[2] Die Instruction in der Handschrift 14676, f. 221ᵇ—238ᵃ, und zwar: 1. für den Summelier, 2. für 3 Unterkeller, für 2 Kellerschreiber und 4 Hofkellerbinder.
[3] Ebendort, f. 156ᵃ—164ᵃ die Instruction für den Küchenmeister, 171ᵇ—181 für den Küchenschreiber, 183ᵃ—188ᵃ für den Zörgadner, 189ᵇ—192ᵃ für den Zuschrotter.
[4] Instruction für den Mundkoch f. 193ᵇ—200ᵃ.
[5] Instruction f. 236ᵃ—240ᵇ.
[6] Instruction f. 209ᵃ—220ᵇ.
[7] Instruction f. 245ᵃ—249ᵃ.
[8] Sein Name ist im Schematismus vom Jahre 1559 durchgestrichen.

Scipio Graf von Arco[1] versehen, wurde jedoch schon im Jahre 1561 durch Leonhard Freiherrn von Harrach ersetzt. Dieser verwaltete dieses Amt zuerst selbstständig[2] (1561—1563), dann als Verwalter dieses Amtes an der Stelle des Adam Freiherrn von Dietrichstein, welcher nach seiner Rückkehr aus Spanien es bis zum Jahre 1575[3] innehatte.

Vom Jahre 1575 an stand an der Spitze dieses Amtes Wolfgang Freiherr von Rumpf und nach dessen Sturz im Jahre 1600 Peter Freiherr von Mollart,[4] dem Carl von Liechtenstein bis zum Jahre 1603 und seit September dieses Jahres Friedrich Graf zu Fürstenberg nachfolgte (bis 1608).[5] Der letzte Oberstkämmerer Kaiser Rudolfs II. war Ulrich Desiderius Proskowsky von Proskau, Sohn des früheren Hofkammerrathes Georg von Proskowsky (vom 1. Mai 1606 bis 1612).[6]

Verwalter des Oberstkämmereramtes des Erzherzogs Mathias vom Jahre 1601 an war Leonhard Helfried Freiherr von Meggau, der dann bis zum Jahre 1610 an der Spitze dieses Amtes stand;[7] zur Zeit der Kaiserwahl bekleidete diese Würde Maximilian Graf von Trauttmanstorff,[8] nach ihm bis zum Jahre 1619 wieder Leonhard Helfried Freiherr von Meggau, der zugleich Verwalter des Obersthofmeisteramtes war.[9]

Unter Ferdinand II. finden wir als Oberstkämmerer den Balthaser Freiherrn von Thannhausen,[10] nach ihm bis zum Jahre 1637 Johann Jakob Khiesl, Grafen zu Gottschee.[11] Dasselbe Amt versah in der ersten Regierungsperiode Kaiser Ferdinands III.

---

[1] HZR., 1560, f. 43.

[2] Koch M., Quellen zur Geschichte des Kaisers Maximilian II., S. 7. Leipzig 1837.

[3] HZR., 1576, f. 227. Handschrift der k. k. Hofbibliothek 8219, f. 71[a]. Dietrichstein, welcher bis zum Jahre 1562 Oberststallmeister der Königin Maria, Gemahlin Maximilians II. war, wurde im Jahre 1563 zum Oberstkämmerer ernannt, da er aber damals die Erzherzoge Rudolf und Ernst nach Spanien begleitete, wurde ihm dieses Amt vorbehalten.

[4] HZR., 1602, f. 281[b].

[5] Handschrift der k. k. Hofbibliothek 8219, f. 85[b], 89. — Hurter, l. c., VI, 4.

[6] HRZ., 1611—1614, f. 457[b], 285[b]. Handschrift der k. k. Hofbibliothek 14724, f. 123[a].

[7] Starser, l. c., 219; Hurter, l. c., VI, 278.

[8] Hurter, l. c., VII, 16.

[9] HRZ., 1619, f. 148[b], 256[b].

[10] Handschrift der k. k. Hofbibliothek 8120.

[11] Status regiminis vom Jahre 1637.

ann Rudolf Graf von Puecheim (bis 1650), nach ihm Maxi-
an Graf von Waldstein (1650—1654), Don Hannibal Fürst
hzaga (1655—1661), Johann Maximilian Graf von Lamberg
61—1675), seit dem 3. Juli 1675 Fürst Gundaker von Dietrich-
n mit einem Gehalt von 2000 Gulden[1] (bis 1690), nach ihm
H Graf von Waldstein, früher Obersthofmeister der Kaiserin[2]
90—1702), und Heinrich Graf von Mansfeld (bis 1705).[3]

Die vierte Hofwürde war die des Oberststallmeisters.
ch für dieses Amt erschien schon unter Kaiser Maximilian II.
e Instruction, welche bis zum Jahre 1637 in voller Geltung
blieb (Beilage 8).

Nach dieser Instruction war es Pflicht des Oberststall-
isters, auf die Stallsachen und Bedürfnisse des Stalles zu
ten, die Ankäufe für die Stallungen mit Wissen des Hofcon-
ors zu besorgen und die Verzeichnisse über den Pferdestand
führen. Ausser dem Stalle gehörte auch unter ihn die Harnisch-
t Sattelkammer, über welche selbstständige Inventare von
h Futtermeister und dem Controlor verfertigt wurden, dann
Pagerie oder die Edelknaben, für welches Institut seit jeher
e eigene Ordnung bestand.

Dem Oberststallmeister waren der Futtermeister und der
tterschreiber untergeordnet, für welche eine besondere Instruc-
i in Geltung war.[4] Sie bestellten alle für die kaiserlichen
sen nöthigen Bedürfnisse, wie z. B. Wagen und Schiffe.
ber die Reisebedürfnisse führten sie Verzeichnisse, deren
ginale dem Obersthofmeister übergeben wurden, während
Abschriften bei dem Oberststallmeisteramte behufs Controle
blieben. Was von den Sachen, welche für eine Kaiserreise
eschafft oder dem Kaiser verehrt wurden, übrig geblieben
r, wurde mit Vorwissen der beiden Würdenträger verrechnet
l behandelt.

Handschrift der k. k. Hofbibliothek 12388. Er war früher Obersthofmeister der Kaiserin.
Handschrift der k. k. Hofbibliothek 7249, f. 291ᵇ.
Im Archive des Oberstkämmereramtes sind die Oberstkämmerer nur seit
dem Jahre 1650 verzeichnet.
Die Instruction des Futtermeisters enthält die schon erwähnte Handschrift
der k. k. Hofbibliothek 14676 auf fol. 276ᵃ—291ᵃ, die des Futterschrei-
bers f. 296ᵃ—297ᵇ. Beide sind auch in dem Harrach'schen Archive,
Fasc. 34.

Vor einer jeden Reise hielten die vier Hofstäbe eine
Besprechung ab, zu welcher auch der Stabel- und der Küchenmeister beigezogen wurden. Alles Nöthige bestellte man bei dem
Futtermeister, von welchem es auch genau verzeichnet wurde.
Dabei wurde strenge Aufsicht geübt, dass die Dienerschaft nur
ihre nothwendigsten Sachen auflade und umsonst führen lasse;
wurde dabei das vorgeschriebene Gewicht und die Menge überschritten, so wurden die Sachen auf Kosten der betreffenden
Personen transportirt.[1]

Bei der Hofstallhaltung wurde die Regel eingehalten, dass
die Zahl der Knechte und Eseltreiber nach dem Stand der
Pferde und der Maulesel berechnet werde. Gewöhnlich gehörte
zur Bedienung von je drei Pferden ein Stallknecht.

Nach dem Status vom Jahre 1559 waren bei dem Hofstalle
in Verwendung: 2 Rossbereiter, 2 Futterschreiber, 1 Harnisch-
knecht, 1 Plattner, 1 Sattelknecht, 1 Schmied, 10 Lakaien, 1 Verwalter der Tragesel, ausserdem eine Anzahl von Stallknechten.

Bei der Commission im Jahre 1651 kam man darauf, dass
eine Instruction für den kaiserlichen Oberststallmeister gar nicht
vorhanden war und man sich bisher an die seinerzeit für den
erzherzoglichen Hofstaat herausgegebene gehalten hatte. Der
damals designirte Oberststallmeister Fürst Gonzaga (1651—1655)
trug sich an, sobald er in seinem Amte installirt sein werde,
eine solche zu verfassen, wobei er die von seinen Vorgängern
eingehaltene Praxis berücksichtigen wollte. Bis seine Vorlage
vom Kaiser bestätigt werde, sollte die bisherige Instruction
beobachtet werden.

Ob Fürst Gonzaga auch wirklich seinen Vorsatz ausgeführt
hat, lässt sich nicht nachweisen. Es stellte sich aber bald die
Nothwendigkeit heraus, neue Verbesserungen bei diesem Amte
einzuführen. Schon am 15. Jänner 1657 gab Kaiser Ferdinand III.
dem neuen Oberststallmeister, Franz Albrecht Grafen von Harrach, den Befehl, ihm über das Stallwesen zu berichten und zugleich die wegen Ersparung nöthigen Vorkehrungen zu treffen.

Graf Harrach kam schon am 3. Mai diesem Auftrage
nach.[2] Er berechnete den Kostenaufwand auf das Stallwesen mit

---

[1] Eine diesbezügliche Zusammenstellung ist in der Handschrift der k. k.
Hofbibliothek 14676, fol. 298—301 enthalten.
[2] Bericht im gräfl. Harrach'schen Archive, Fasc. 24.

16.000—17.000 Gulden, ausnahmsweise auch mit 24.000—25.000
Gulden,[1] und beantragte, dass, um einige Ersparnisse zu erzielen,
etliche Stallofficiere mit Provision abzufertigen wären, dass zur
Ersparung der Fuhrwerke die Hofparteien zusammen auf den
Wagen fahren sollten, und dass nicht ein Jeder eine Kalesche
für sich beanspruchen solle, wie es also auch in der Instruction
enthalten war. Ueber die Einhaltung dieser letzteren Ordnung
sollte der Hofcontrolor die Aufsicht haben.

Weitere Ersparnisse konnten bei den Handwerksleuten
erzielt werden, und der Controlor sollte auch dabei gute Nach-
schau halten, ausserdem konnte man noch viel bei der Anschaffung
der Kleidung ersparen, wenn man sie gegen Baar kaufen und
nicht überzahlen würde.

Zu der Verwaltung des Oberststallmeisters gehörten auch
die kaiserlichen Pferdegestüte. Diese befanden sich auf der von
Kaiser Maximilian II. gekauften Kammerherrschaft Pardubitz in
Kladrub, dann in Smrkowitz, welches vom Herzog von Friedland
gestiftet wurde, und in Lippiza bei Triest.[2] Auch für diese
wurde im Jahre 1693 eine neue Ordnung geschaffen, welche
Kaiser Leopold I. auf Antrag des Ferdinand Bonaventura Grafen
von Harrach den 18. Februar unterschrieb.[3]

Die Reihenfolge der Oberststallmeister ist: im Jahre 1559
Jaroslaw von Pernstein, vom Jahre 1562—1566 Wratislaw von
Pernstein;[4] neben ihm wird als Unterstallmeister Rudolf Khuen
von Belásy angeführt, welcher dann in den Jahren 1567—1576
selbst als Oberststallmeister fungirte.[5] Vom Jahre 1577—1581
und dann in den Jahren 1584—1591 war Oberststallmeister
Claudius Trivulzi, Graf zu Melz;[6] in der Zwischenzeit, als sich
Trivulzi in Spanien befand, wurde sein Amt vom Obersthofmarschall verwaltet.[7] Albrecht Graf von Fürstenberg 1594 bis

---

[1] Im Jahre 1678 betrugen die Unkosten schon 135.946 Gulden. Handschrift
der k. k. Hofbibliothek 13388.

[2] (J. Auer) Das k. k. Hofgestüt zu Lippiza 1580—1880. Wien 1880. Eine
Instruction für dasselbe vom 7. September 1658 wird ebendort, S. 22 angeführt.

[3] Gräfl. Harrach'sches Archiv, Fasc. 24.

[4] Koch, Quellen etc., I, 7. Schematismus vom Jahre 1566.

[5] Jos. Auer, Die kaiserlichen und königlichen Oberststallmeister. Wien
1889. Fol.

[6] Er starb am 31. Mai 1591. HZR., 1611—1614, f. 489°.

[7] HZR., 1585.

1599;[1] als Verwalter des Amtes wird Peter Freiherr von Mollart[2] angeführt (bis 1600), nach ihm Ulrich Desiderius Proskowsky bis Ende Mai des Jahres 1603,[3] dann wieder bis Februar 1604 Peter von Mollart[4] und bis Ende des Monats April desselben Jahres Johann Kolowrat-Libšteinský.[5] Maximilian Graf zu Salm 1604—1606, vom 1. Juli 1611—1612,[6] Adam von Waldstein 1607—1609,[7] Octavian Graf von Cavriani 1609—1611. Als Oberststallmeister Kaisers Mathias kennen wir Maximilian Grafen von Dietrichstein (1612—1619).[8]

Unter Ferdinand II. war Oberststallmeister Jakob Khiesl Graf von Gottschee 1613—1620,[9] dann Bruno Graf von Mansfeld (er war zugleich Falkenmeister) 1620—1637,[10] Maximilian Graf Waldstein 1637—1642, Georg Achazius Graf zu Losenstein 1642—1650, Don Hannibal Fürst Gonzaga 1651—1655, Franz Albrecht Graf von Harrach 1655—1657, Gundakher Fürst Dietrichstein 1658—1675,[11] Ferdinand Bonaventura Graf von Harrach 1675—1698.[12]

Die Instruction für die Edelknaben ist im Auszug in der des Oberststallmeisters enthalten, daneben wurde sie noch selbstständig und ausführlich behandelt.[13] Als Hofmeister der Edelknaben waren angestellt: 1548 Diego de Zerowe, seit dem 1. September 1548 Wilhelm von Pollenstrass, 1554—1556 M. Johann Regius, 1560 Thomas Dorner,[14] 1567 David Moser, 1576

---

[1] Wahrscheinlich schon seit dem Jahre 1591; doch fehlen uns bisher Belege. HZR., 1605, f. 544ª.

[2] HZR., 1605, f. 545ª. [3] Ebenda, f. 546ª. [4] Ebenda, f. 544ᵇ.

[5] HZR., 1605, f. 545ᵇ.

[6] HZR., 1605, f. 544; 1611—1614, f. 489ᵇ. In der Handschrift 14876, f. 276ᵇ.

[7] HZR., 1607, f. 281ª. [8] Hurter, l. c., VI, 469.

[9] Handschrift der k. k. Hofbibliothek 8120; HZR., 1619. Für Johann Jakob Khiesl Freiherrn von Kaltenbrunn als erzherzoglichen Oberststallmeister galt die Instruction vom 1. Jänner des Jahres 1613. Handschrift der k. k. Hofbibliothek 8224.

[10] HZR., 1622, f. 183ª; 1621, f. 10.

[11] Aus dieser Zeit datiren die Inventare der kaiserlichen Sattelkammer, der Zeltkammer und Büchsenkammer in der gräfl. Harrach'schen Bibliothek. Handschrift Nr. 28.

[12] Thatsächlich hat er das Amt erst im Jahre 1676 angetreten; vom Jul 1675 an wurde es verwaltet.

[13] Majlath, Geschichte des österr. Kaiserstaates II, S. 183. 185. 189.

[14] HZR., 1560, f. 47ª.

Georg Fabricius, 1580—1584 Andreas Prudencius, 1603—1607
Schotto de Bever,[1] 1610—1619 Leonhard Miseritz.[2]

Als Präceptoren der Edelknaben finden wir: 1548 Georg
Pavianner, 1549 Nicolaus Politus, 1553 Paulus Prunner und
Virgil Nagl, 1554—1556 M. Johann Regius, 1560 Michael Engel-
maier,[3] 1567—1576 Georg Fabricius, 1581 Christoph Sartorius,
1604—1608 Georg Espenhorst, 1604—1607 Johann Huttenus,[4]
1608 Leonhard Miseritz, 1611 Johann Gröschl.

Auch bei der Erziehung der kaiserlichen Edelknaben
ergaben sich vielfache Mängel, welche den Grafen Franz Albrecht
von Harrach dazu bewogen, eine neue Instruction auszuarbeiten,
welche am 13. April 1656 von Kaiser Ferdinand III. bestätigt
wurde. Die Mehrzahl ihrer Punkte bezog sich auf die Erhaltung
der Hausdisciplin (Beilage 9).

Diese Instruction galt bis in die Zeit der Amtsführung
seines Vetters, des Grafen Ferdinand Bonaventura von Harrach,
der eine neue zusammenstellte. Diese war in Capitel eingetheilt,
welche das Exercitium pietatis, den Ausgang, das Essen, die
Krankheit, das Schlafengehen und Aufstehen, die Studien, die
Exercitia, den Aufwartungsdienst, die Kleidung und die Strafen
behandelten. Als Muster wurde die Einrichtung der spanischen
und französischen Akademien benützt. Sie hatte den Zweck,
den jungen Adel auf geeignete Weise für den Hofdienst heran-
zubilden (Beilage 10).

Für den dem Oberststallmeister untergeordneten Futtermeister hat schon Kaiser Maximilian II. eine Instruction herausgegeben, welche allerdings nur für den Futtermeister der Erzherzoge Rudolf und Ernst galt. Im Jahre 1548 war Futtermeister
Georg Ettinger, nach ihm folgte Sigismund Winkler.

Der Futtermeister erhielt die Befehle von dem Oberststallmeister, in Geldsachen hing er aber von dem Obersthofmeister ab, welchem er immer die Lieferzettel zu übergeben
hatte. Sein Geschäft betraf die Futtervorräthe, die er gemeinschaftlich mit dem Hofcontrolor vervollständigte.[5]

Eine neue Instruction wurde im Jahre 1673 ausgegeben.
Sie ist von dem Obersthofmeister Fürsten von Lobkowitz unter-

---

[1] HZR., 1607, f. 281ᵇ, 1605, f. 516ᵇ.
[2] Ebenda, 1621, f. 155.   [3] Ebenda, 1560, I, f. 296ᵇ. Handschrift 14724.
[4] HZR., 1607, f. 281ᵇ.
[5] Die Instruction in der Handschrift 14676, f. 296ᵃ—301ᵃ.

zeichnet und enthält 30 Absätze gegen 23 Absätze der alten
Instruction. Der Inhalt ist ziemlich gleich geblieben.[1]

Anschliessend an diese Instruction ist diejenige für den
Sattelknecht zu erwähnen. Es waren zwei Sattelknechte angestellt,
denen nicht nur alle Wagen und Geschirre anvertraut waren,
sondern auch die Aufsicht über die Stallknechte und Pferde. In
mancher Beziehung fielen ihre Pflichten mit denen des Futtermeisters zusammen. In Abschrift kennen wir die am 15. Februar
1653 unterfertigte Instruction.[2]

Dem Futtermeister war noch der Sänftenmeister untergeordnet. Als solchen finden wir im Jahre 1655 Hanns Eder
vor. Er hatte die Aufsicht über die Sänftenknechte und das
ihnen anvertraute Geräthe und die Maulesel zu führen.[3] Ungefähr
aus derselben Zeit, wahrscheinlich aus dem Jahre 1656 stammt
auch die Instruction für die kaiserlichen Sesselträger, die auch
unter den Oberststallmeister gehörten. Als ältester Corporal
derselben wurde Nicolaus Ballastraza ernannt und ihm sowohl
die Einhaltung der Ordnung, als auch die Beaufsichtigung des
Personals anbefohlen.[4]

Neben diesen Instructionen bestanden kürzere für eine
jede Kategorie der Stall- und der anderen Diener, deren Hauptinhalt auch in die Eidesformel aufgenommen wurde.

In mancher Hinsicht wird zu den höheren Würden auch
der Oberstjägermeister gezählt. Ein solches Amt wird schon
im 14. Jahrhundert angeführt.[5] Im Jahre 1560 war Friedrich
Popel von Stein Jägermeister.[6] Eine eigentliche Instruction
haben wir nicht, doch wir vermuthen, dass seine Dienstpflichten
in der Instruction für den ,Oberstjägermeister in Steier' enthalten
sind, welche von Kaiser Leopold I. am 9. November 1694 unterzeichnet wurde[7] (Beilage 11). Sie bezieht sich nur auf Steier
wohl aus dem Grunde, weil in den anderen Ländern selbstständige Jägermeister bestellt waren. Ihr Inhalt betrifft nicht
nur die Hegung des Wildes und der Waldbestände, sowie die

[1] Gräfl. Harrach'sches Archiv, Fasc. 24.   [2] Ebenda.
[3] Die Instruction im Fasc. 24 des gräfl. Harrach'schen Archives.
[4] Die Instruction ebendort.
[5] Bucholtz, l. c., VIII, 29.
[6] HZR., 1560, f. 59ᵃ.
[7] Diese ist verschieden von der ,Neu verfassten Jägerordnung in Steier'.
Graz 1707, Wien 1716.

Pflichten der einzelnen Organe,[1] sondern umfasst wie die gewöhnlichen Jägerordnungen auch praktische Winke. Durch sie
wurde dem Oberstjägermeister die Leitung der kaiserlichen
Hofjagden, welche in diesem Gebiete noch als Regale angesehen
wurden, als erste Pflicht aufgetragen.

Als Oberstjägermeister werden angeführt: 1548—1555
Erasmus von Liechtenstein, Wolf Sigismund von Auersperg
(† 18. November) 1598; bis zum Jahre 1600 Verwalter des
Amtes Anton Schilcher, Secretär desselben Amtes. Vom 20. December 1600 Carl Freiherr von Harrach bis 19. August 1609;
vom 20. März 1610 Adam Freiherr von Herberstein bis († 31.
März) 1629; Benno Graf von Mansfeld bis († 16. September)
1644; Michael Johann Graf Altban bis († 17. Mai) 1649; Graf
Frans Albrecht von Harrach bis 20. Februar 1655; Graf Albrecht
von Zinzendorf bis 20. Februar 1666; Bernhard Graf von
Urschenbeck bis († 20. März) 1672; Wilhelm Graf von Oetting
bis 1681; Graf Khevenhüller bis 1683; Christoph Graf Altban
bis 1702; Leopold Mathias Graf (später Fürst) Lamberg bis 1708;
Josef Graf von Paar bis 1709; 5. September 1709 bis 11. April
1711 Carl Graf von Dietrichstein; 24. Jänner 1712—1724 Hartmann Fürst von Liechtenstein; seit 31. December 1724 Julius
Graf von Hardegg.[2]

Neben diesen Aemtern finden wir schon im 16. Jahrhundert
einen Obersten Falkenmeister und Hofpostmeister.

Als Hofpostmeister fungirte in den Jahren 1571—1584
Hanns Wolzogen, im Jahre 1593 Georg Püchel von Püchelberg,
um das Jahr 1611 Lamoral de Taxis,[3] dann bis 1619 Carlo
Magno.[4]

Der Obersilberkämmerer gehörte zu dem Oberstkämmerer-
amte, sowie auch der Obersthofportier, welche Stelle im Jahre
1548 Gillig von Weckhowa besorgte.

Als Ergänzung führen wir noch die Eidesformeln der
Dienerschaft des Oberstkämmereramtes an (Beilage 12), weil

---

[1] Der Personalstand im Jahre 1678 war: 6 Forstmeister, 9 reitende Jäger,
18 junge Jäger.
[2] Handschrift der k. k. Hofbibliothek 12580.
[3] HZR., 1610—1614. In dieser Zeit kommt Jeremias Penkh als böhmi-
scher Postmeister vor. Ebendort, f. 251ª. Im Jahre 1610 Hanns Straub,
HZR., 1611—1614, f. 367ª.
[4] HZR., 1619, f. 225ᵇ.

aus denselben am besten die Dienstpflichten der einzelnen Kategorien zu erkennen sind, wie sie wohl auch in den für sie geltenden Instructionen enthalten waren. Man kann besonders bei manchen veralteten Namen leichter die mit dem Amte verbundene Obliegenheit sich vorstellen.

Es haben sich folgende Eidesformeln erhalten: für den Arkebusier, die Leibwäscherin, den Hofcontrolor, Summelier,[1] Küchenschreiber, Mundbäcker, Einkaufer, Zuschrotter, Lichtkämmerer, Zörgadner, Kellerdiener, Kellerbinder, Mundkoch, Pastetenkoch, Meisterkoch, Unterkoch, Zusetzer, Küchengehilfen, Küchenthürhüter, Küchenträger, Tafeldecker, Hofkehrer, die Mundwäscherin und den Hofprofosen.

---

[1] Instruction in der Handschrift der k. k. Hofbibliothek 14676, f. 223ᵇ—228ᵃ.

Beilage 1.[1]

1561, 1. Mai, Wien.

Maximilian, der von Gottes Gnaden erwöhlter Röm. König, zu allen Zeiten Mehrer dess Reichss in Germanien, zue Hungarn und Böhaimb König, Erzherzog zue Oesterreich, Herzog zue Burgundt etc.

Instruction und Ordnung auf den Edlen unsern lieben getreuen Christoph Freyherr zue Eyzingen und Schröttenthall, Röm. Kay. Mt. Rath und Statthalter der N. O. Lande und unsern Hoffmaister, welchermassen er sich in solchem Hoffmaisterambt halten und dasselbige verrichten solle.

1. Erstlich soll er alss Hoffmaister für die erste Persohn bey Unss gehalten, und darfür von Meniglich gehöret werden.

2. Item er Hoffmaister soll auch allen Solemniteten, da unser aigener Persohn in Abwesen der Röm. Kay. M. unsers gnedigsten libsten Herrn Vattern gegenwerttig ist, es seye zu Kirchen, Einraittungen, Ladtschafften und anderer dergleichen offenen Acten, mit aigener Persohn und Hoffmaisters Staab sein Ambt vor Unser Persohn ansehentlich versehen und verrichten und alle Notturfft anschaffen.

3. Er soll auch frembden Fürsten, so je zue Zeiten an unsern Hoff kummen würden, entgegen reitten, im Feldt und an Herbergen von wegen unser empfangen, laden, verehren und ansagen, wo anderst solches je zu Zeiten durch Andern zue beschehen nicht verordnet würde.

4. Item der Staad unsers ganzen Hoffs ausserhalb unser Cammer sollen ihr Gehorsamb und Auffsehen auff ihne als Obr. Hoffmaister haben, er soll auch ernstlich darob halten, damit bey allen Aembtern, Hoffordnungen und Raittungen allen Officir ordenlich, threulich procedirt und gehandlet werde.

---

[1] Harrach citirt in seinem oben angeführten Schreiben an K. Maximilian vom Jahre 1565 diesen Absatz folgend: Unsser Obrister Hoffmaister solle von dem ganzen Unsserm Hofstatt und Menigklich ausser der Camer für Unsern Obristen Hoffmaister und für die ander Person nach Uns gehalten, erkent und das Aufsehen und Gehorsam auf im gehalten werden.

5. Er Hoffmaister soll auch alle die, so in unsern Dienst angenommen werden, mit Pflicht und Aydt gegen uns (in solchen ihren
Diensten getreu und gewerttig zu sein), wie sichss gebührt, verstrickhen.

6. Und dieselben Diener allweeg ordentlich in ein sonder Buch, so
darzue gehalten solle werden, einschreiben, dessgleichen wann einer aus
unsern Diensten hinweeg zeucht und Urlaub nimet, denselben soll er
widerumb aus*than und allweeg Tag und Zeit, wie sich gebührt, darzue
stellen lassen.

7. Und wo Jemandt von dem Hoffgesindt mit Erlaubnuss in seinen
aigenen Geschäfften ausssein würde, so soll er Hoffmaister allewegen
aigentlichen, wan er hinweg zeucht und widerkhombt, unserm Hoff Contralor, dass er dieselbe Zeit dess Weckhziehen und Widerkommens aigent-
lich vermerkhe, anzeigen lassen, welches auch folgendts unserm Hoffzahl-
und Pfeningmaister, damit er sich in der Bezahlung darnach zu richten
wisse, vermeldet werden solle.

8. Wo aber einer von dem ermelten Hoffgesindt ausserhalb dess
Hoffmaisters Vorwissen und Erlaubnuss wegziehe, so soll ihne durch gemelten Hoffmaister nit allein dieselbe Zeit seines Aussenseins rodirt,
sondern auch sonst umb die Uebertrettung der geferttigten Ordnung gegen
ihne Straff fürgenommen werden; so aber einer oder mehr in seinen
Ehafften und Nottürfften Erlaubnuss von Hoff begehren würde und ihme
die bewilliget, so soll einem Eheman zway und einer ledigen Persohn
6 Wochen einmahl im Jahr zuegelassen werden.

9. Und wo einer darüber aussblibe, soll ihme unangesehen, dass er
über die bestimbde Zeit gleich lenger Erlaubnuss von unss erlangte, doch
nicht mehr alss auff die gewöhnlich erlaubte Zeit, alss einen Eheman die
zwey Monath und einer ledigen Persohn 6 Wochen die Besoldung erfolgt
und passirt und die ander Zeit aussgethan und rodirt werden; und ob wür
selbst schon einen oder mehr anheimbst oder in seinen Sachen zu raissen
erlaubten, so wöllen wir doch, dass der oder dieselben nichts destoweniger vor ihrem Verruckhen solche unsre Erlaubnuss von Ordnung und
Richtigkheit wegen unserm Hoffmaister selbst auch anzeigen und sich bey
ihme stöllen sollen.

10. Item wo auch Jemandts von dem Hoffgesindte hohes oder niders
Standts sich ungebührlich hiellte und doch die Verwirkhung desselben
nicht so gross oder dermassen straffmessig were, dass gegen ihme mit
Gefängnuss gehandlet werden solle, ihme doch solche Ungeschickhlichkheit
nit übersehen, sondern nach Gelegenheit und mit Wissen seiner vorgesezten Obrigkheit, darunder er an unserm Hoffe dienet, darumben gestrafft und sonderlich mit Rodirung seiner Besoldung gehandlet werden.

11. Es soll auch der Hoffmaister mit sambt dem Hoffmarschalkhen jedes Quartall dene Hoffstatt übersehen und wass sie darinnen befinden sich mit Weegziehung, Erlaubung, Absterben und entgegen von newem Auffnemung, und Erseczung der vacirenden Pläcz für Verenderung zuegetragen, dasselb fleissig heraussdzihen und unserm Hoffzall- oder Pfeningmaister zuestöllen, damit er sich in der Bezahlung darnach zu richten wisse.

12. Er soll auch bedacht sein, mit sambt unserm Hoffmarschallkh zur jeden Quartallen unsers Hoffgesindts Musterung zu thun, damit gesehen werde, welcher sein Anzahl Pferdt und dass,· so ihnen zue halten aufferlegt, halte oder nicht, und so ein Abgang befunden wirdt, solches auch unserm Hoffzall- oder Pfennigmaister anzeigen, damit ihme sein Besoldung, wie billich, nicht passiert, sondern abgestrickht und darumben gestrafft oder Handlung fürgenommen werde.

13. Es soll auch der Hoffmaister nicht underlassen, bey unsern Hoffcammerräthen Anmahnung zue thuen, damit sie fleissig und zeitlich Nachtrachtung haben, dass zue jedem Quartall der fünffunddreyssig Tausent Gulden etc. unserer Hoffhaltung halben guete Verordnung beschehen möge, und wo erfunden, dass an disen bey gedachten unsern Hoffcammerräthen Mangell erscheinen wolte, folgendts uns solches berichten.

14. Dergleichen und wass er Hoffmaister auch bey den Officiren für Mangel befindet, darin sie ihren geferttigten Instructionen nicht mit Fleiss nachhandelten, sondern uns zue Nachtheil darin lässig oder saumig weren, so solle er es denjenigen, so solches thun, abzusehen undersagen, wo es aber bey ihnen nicht helffen, oder wie sich gebühret in Sorg genommen und angesehen sein wolt, soll er solches uns errinderen und dass nicht underlassen, damit wir alsdann mit Entseczung und Verkherung derselben Officiren und Aembter, in andern Weeg Wendung und Fürsehung thuen mögen; und wann an unserm Hoff ein Auffbruch verhanden, so soll er Hoffmaister, mit sambt unserm obristen Cammerer, Marschalckhen undt Stallmaister zuvor Underredt halten und berathschlagen, wass ungefahrlich nach Gelegenheit unserer vorhabenten Raisse für Fuhr, von Wägen, Schäffen oder anders nach Gelegenheit vonnötten sey und sonderlich die Officier zu sich erfordern und derohalben Erkundigung nemmen und dan ein Verzaichnuss machen, was an der Fuhr vonnöten sey, und gedachtem Stallmaister zuestöllen, dass er mit sambt Wägen, Furir und Contralor disalbe bestell und dass er Stallmaister den Ueberfluss verhütte, also dass deren nicht mehr alss die Notturfft geladen werden, und wo ihme Stallmaister hierinnen etwass beschwärliches fürfille, soll er dass wider an den Hoffmaister und Hoffmarschalkhen gelangen lassen, die sollen ihme darin-

nen der Billichkheit nach zu Erlangung solcher Wägen und Fuhr und is
ein anderweeg hülfflichen sein, und wass also die Bestallung und Verordnung der angezeigten Fuhren, von Wägen und Schüffen antrifft, soll Niemandts anderer alss unser Stallmaister damit umbzugehen, Befelch oder
Gewalt haben.

15. Wür haben auch unserm Obr. Stallmaister und Kuchlmaister
in ihren Instructionen aufferlegt und befolchen, dass sie sich nicht allweg
auff die Underambtleuth, so ihnen undergeben, verlassen, sondern sie
selbst sollen zu notturfftigen Zeiten, alss der Stallmaister im Stall, Har-
nisch- und Sattlcammer sehen, auch auff die Ambleüth gute Achtung
haben, damit ein Jeder sein Befelch und Instruction ordenlich nachkomme
und unss trewlich und nuczlich gedienet und gehandelt werde; gleiches
Falss soll es auch von unserm Kuchelmaister mit seinen undergebenen
Ambtleüthen gehalten werden, und wo sie einiche Unordnung finden,
sollen sie dasselbige abstellen und im Fall es die Notturfft erhaischen
wurde, an ihne unsern Hoffmaister gelangen lassen, der wirdt alsdan
darinnen woll wissen, die Notturfft zu handlen und Einsehung zu thuen,
damit in allen, wie sich gebüret und unser Notturfft erfordert, gehaust
werde.

16. Er soll auch von den Officiren, so etwas von Uns in Verwahrung
haben, Inventari nemmen und dieselben jährlich widerumb ernewern.

17. Und nachdem unss an Verwaltung unserer Silbercammer nit
wenig gelegen, so solle ferer der Hoffmaister sein Auffsehen haben, wan
unser geordneter Silbercammerer abwesig, dass zu Verwaltung desselben
nicht ein geringe, sondern einess solchen Ambts und Dienst würdige und
ehrliche Persohn darzue fürgenommen würde, und sonst in allen Sachen
handlen, dass einem Hoffmaister nach kays. und königl. Gebrauch zu versehen zustehet, und wo Mangel daran befunden, müglichs Fleiss nothwendige Einsehung thuen und in wass Sachen ihme etwass beschwerliches fürfille, dasselb an unss gelangen lassen, darin wir auch Wendung
thun und ihne starckhen und guetten Schucz halten sollen und wöllen.

18. Es soll auch der Hoffmaister mit sambt unserm Hoffmarschalck,
wass sie jeder Zeit in Versehung dess Hoffstatts oder in anderweeg und
Erfahrungen in den Officiren Aembter für Mängel befinden werden, dasselbig in ihren Instructionen und Ordnungen jeder Zeit nach Gelegenheit
der Sachen und wie sie das zu unserer Notturfft und Nucz für guet ansicht
(doch mit unserm Vorwissen), Verenderung, Münderung und Mehrung zu
thuen Macht haben.

19. Und damit solches soviel fruchtbarer und mit mehrerem Ernndt
geschehen mäg, so soll er auch in Sonderheit darob sein, das von unsern

Officiren zu allen Quartallen ordenliche Raittung, ihre Instruction fürgelegt und übersehen werden, und so ihme, unserm Hoffmaister, von desselben Officirs Obrigkheit einige Beschwerung, Mengel oder Uebertrettung angezeigt würdet, nach Gelegenheit entweders mit zimblicher Straff, Rodirung der Besoldung oder gar mit unsern Vorwissen, Anderen zum Exempel, entseczen, wie er dan diss sambt dem Hoffmarschalckh auch derselben Obrigkheit allein seines undergebenen Officier halber für notturftig und gueth ansichet, Wendung gethan werde.

20. Und beschlüsslichen soll Hoffmaister bedacht sein, auff alles Hoffgesindt, sovil dessen in dem ganczen Hoffstatt begriffen, ausserhalb unserer Cammer sein fleissig Auffmerckhen zu halten, damit durch Jeden seinem Dienst und Ambt mit threwem und allen Fleiss gewarttet und demselben durchauss kein Ungehorsamb zuegesehen oder gestattet werde, sondern wo sich ihren ainer über sein Einwenden ainigess Unfleiss oder Ungehorsamb oder anderer Ungeschickhlichkheit gebrauchete, dasselb uns unangezeigt nicht lassen.

21. Unser Hoffmaister soll auch auff alles Hoffgesindt sein Guettachtung, Nachforschung und Kundtschafft halten, ob sich Keiner den izt schwebenden kezerischen, verführlichen Secten und Lehren, darauss laider so vil Uebelss und Unrathss kombt, nicht thailhafftig macht, und firnemblich, ob ein Jeder nach christlicher Ordnung jährlich beicht und das hochwürdige Sacrament empfahe, und an verpottenen Tagen Fleisch essen und dergleichen, und wass und von wem er solches an unsern Hoff, Niemandten ausgeschlossen, erferet, desselben unss berichten, damit alsedan durch ine, doch mit unserm Vorwissen, mit Urlaubung seines Diensts oder in anderweg mit Straff fortgefahren werden müge.

22. Und nachdem Wir bisshero durch villfeltiger Klag und in anderweeg vermerckht und befunden, dass unser Hoffgesindt mit den Zinsen und Herbergen, und auch in anderweeg sehr und hoch beschwert und wider die Billichkheit gestaigert sein worden, so wir unserm Hoffmarschalckh derwegen ein Ordnung, wie mans in der Kay. Mt. Königreichen und Erbländern halten solle, zuegestellt, demnach sollen sie baide, der Hoffmaister, Marschalckh fürtter, wo wir hinraissen, darüber nottürfftiglich und stattlich handthaben, damit unser Hoffgesindt mit den Zinsen von den Herbergen, weil dess vorhin der Gebrauch gar nicht gwest, nicht ubersecrt und beschwert, auch sonst in der Fuetterung und Proviant kain Staigerung gemacht oder gelitten werde; und welcher von unserm Hoffgesindt darüber beschwert würde, der soll solches unserm Hoffmaister und Hoffmarschalckhen anzeigen, damit hirinnen gebührliches Einsehen und Wendung beschehen möge.

23. Und dieweil unser Hoffmaister in allen Ausgaben Ordnung gibt, soll er wochentlich mit dem Pfeningmaister raitten, allen seines wochentlichen Emfangss und Aussgebens, und wie sich die Raittung der Gebür nach befindt, soll ermelter Hoffmaister diselbe Wochenraittung underschreiben und dem Pfeningmaister zuestöllen und ein gleichlauttende Raittung durch den Pfeningmaister underschriben zu seinen Handen nemmen und alle Viertl Jahr soll er Hoffmaister von solcher Raittung Unss Bericht thuen, inmassen wir dan ihme solches in seiner Instruction, auch wie sich alle Empfang von allen Orthen, daher sie kommen, vergleichen, sehen mügen.

24. Er soll auch auff vermeldt unser Hoffgesindt fleissige Achtung haben, damit unss zu allen Sollenniteten, Kirchengäng, Hinraittung und in anderweeg am Dienen nicht Mangel erscheine und er selbst soll (wo er es anderst andere unser Geschäfft oder Handlung halben sein mag) zu Morgens, wan wir zu Endt von der Kirchen gehen, sambt dem andern Hoffgesindt bey dem Dienst gegenwertig sein und ein sonders Aufsehen darauff haben und ihnen mit Ernst undersagen, wo aber sein guettlich Vermahnung bey ihnen der Notturfft nach nicht Folg oder ein Ansehen haben wolte, mit Rodirung ihres Dienstgelts straffen und, so dem nicht helffen wolt, ihnen solches bey Troung, Urlaubung ihrer Dienst undersagen.

25. Dieweilen auch höchstgedachte Kay. May. in deroselben fünf N. Oe. Landen ein Ordnung und Pollicey von newen fertigen, ausgehen und publiciren haben lassen, welche wir durch unser Hoffgesindt, so vil dasselbe darinnen betrifft, fürnemlich wass belangt die greuliche Gottes-Lesterung, vermessige Klaidungen, das ungeschickht viechisch Zutrinckhen, unnottirfftige Köstlichkheit der Malzeiten, Pankheten, Ladtschafften, auch Ehebrüch und leichtfertige Beywohnung etc. genclich gehalten und volzogen haben wöllen, so solle demnach gedachter Hoffmaister sambt und neben unserm Hoffmarschallen sein fleissig und ernstliches Aufsehen haben, damit durch berürt unser Hoffgesindt durchauss, es sey hoches oder niders Standts, solche Policey genczlich gehalten und Niemandt Versehung hirinnen gethan, sondern so offt einer die ueberfahr nach wass wir bey einer jeden Uebertrettung vermeldt, gestrafft werde, damit also under unserm Hoffgesindt alle guete, erbahre Zucht und Sitten gepflanzt und erhalten werden mügen, inmassen wir dan solches gedachten unserm Hoffmarschalckh in seiner Instruction auch tuefferlegt und befolchen haben.

26. Und beschlüsslich, soll er in allen Sachen guet Aufsehen haben, und sich dermassen erzaigen und beweisen, wie einem getreuen Hoffmaister zu thuen gebührt, wür ihme auch gnediglichen darumben ver-

rawen, dagegen soll ihme von Meniglichen, so ihme underworffen sein,
ie Gehorsamb, wie Uns selbst, erzaigt werden, darüber wür dan genedig-
ch halten wollen.

Datum Wienn den 1 Tag May anno im ainundsechsigsten.[1]

Beilage 2.

Herrn Obristen Hofmaisters Instruction.[2]

Instruction und Ordnung auf den edlen Unsern lieben getrewen
damen von Tiedrichstain, Freyherrn zu Hollenburg, Finckhennstain unnd
alberg, Erbschennckhen in Carnnden, Unnsern Rath unnd Obristen
amerer, was er als der durchleichtigisten hochgebornnen Unnserer
reundtlichen geliebten Sonhn unnd Fuersten Ruedolfen unnd Ernnsten,
rcaherczogen zu Osterreich, Obrister Hofmaister in demselben seinem
Iofmaister-Ambt hanndlen unnd verrichten solle.

1. Erstlichen, soll er alls Obrister Hofmaister für die erst Personn
ey Iren Liebden gehalten unnd darfür vonn Meniglichen geehrt unnd
rkhenndt werden.

2. Item, Er Hofmaister soll zu allen Sollennideten, wo baide Ir
Liebden oder ains inn Sonnderhait aygnen Personen gegenwerdig sein,
s sey zu Khürchen, Einreittungen, Ladtschafften unnd anndern der-
leichen offen Acten sein Ambt vor Iren Liebdten personlich, ansehen-
ch unnd stattlich verseehen, unnd alle Notturfften anschaffen unnd
erordnen.

---

[1] Alle hier veröffentlichten Instruetionen befinden sich in dem Fasc. 24
des gräfl. Harrach'schen Archives, nur die Beilage 5 ist ausserdem noch
in dem Fasc. i demselben Archives enthalten. Die Beilagen 1, 3, 6, 7, 8
und 4 sind in einer 50 Blätter umfassenden Handschrift aus dem 17. Jahrhundert (geschrieben nach 23. Juni 1657, welches Datum auch die darin
eingetragene Hofquartiermeister-Instruction trägt) enthalten, und es
dürften diese Abschriften von den damals noch vorhandenen Originalen
zu Amtszwecken gemacht worden sein. Auf 1ª—8ª steht die Instruction
für den Obersthofmeister, 9ª—16ª die für den Obersthofmarschall, 17ª
bis 25ᵇ die für den Oberstkämmerer, 26ᵇ—39ᵇ die für den Oberststallmeister, 40ª—44ª die für den Stäbelmeister, 44ª—46ª die für den Hofquartiermeister, 47ª—50ᵇ das Schreiben des Paulus Sixt Grafen Trautson.
[2] Es ist die dem Freih. v. Dietrichstein übergebene Originalabschrift, wie
die von seiner Hand eingetragenen Anmerkungen bezeugen; sie umfasst
8 Blätter in Fol. Ausser dieser befindet sich in demselben Fasc. 24 noch
die um die Mitte des 17. Jahrhunderts verfertigte, auch 6 Blatt in Fol.
umfassende Abschrift, welche Gf. F. B. von Harrach besessen hat.

3. Item. Der ganncze Statt Irer Liebden Hofs unnd Hofgesindts soll ir gehorsamb unnd ererbiettig Auffsechen auf ine alls Hofmaister haben unnd er steif, vestigelich unnd mit Ernnst erhalten, das bey allen Ambtern, Hofordnungen unnd Raittungen aller Officier ordenlich, treulich, aufrecht unnd fleissig gehanndlt werden.

4. Wann dann Jemanndts inn Irer Liebden Hofdiennste angenomen wierdet, so sollen dieselben Personnen ime Hofmaistern in Namen unnd anstat Irer Liebden gewendliche Pflicht unnd Aidt dahin thuen, das Sy Iren Liebden in dennselben Diennsten getrew, gehorsamb unnd gwartig sein, deren Frumen, Eren unnd Nucz fürdern unnd Nachtaill warnen unnd wennden sollen unnd wellen.

5. Item. Er Hofmaister soll dieselben Dienner albeg ordenlich in ain sonnder Puech (so darczue zu halten ist) einschreiben, dessgleichen, wo ainer auss Irer Liebden Diennsten hinweckh zeucht unnd Urlaub nimbt, denselben widerumben ausstun unnd albeg Tag unnd Zeit, wann solliches beschechen, wie sich gebuert, darczue stellen lassen, damit man in Beczallung der Besoldung guetten Bericht haben khinde.

6. Unnd wo Jemanndts von dem Hofgesindt mit Erlaubnns Irer Liebden inn seinen aignen Geschefften aussein wurde, so solle Hofmaister albegen den Tag, wann er abwegg zeucht unnd widerkhumbt, Irer Liebden Conntralor, das er die Zeit desselbigen Weegziehen unnd Widerkhomens aigenntliche vermerckhe, anczaigen lassen, dessen auch volgenndts Irer Liebden Pfennigmaister (sich in der Beczallung darnach zu richten wisse) erinndern.

7. Wo aber ainer oder mer vonn ermeldtem Hofgesindt ausserhalb des Hofmaisters Vorwissen unnd Erlaubnus weggzug, so solle ime durch den Hofmaister nit allain die Besoldung vonn der gannczen Zeit seines Ausseins rodiert, sonnder auch sonnst umb der Ubertrettung willen gegen ime Straf fürgenomen werden; so aber ainer oder mer in seinen Ehehafften unnd Notturfften Erlaubnus vom Hof begern würde unnd ime die bewillig, mag ainem Eheman zway Monath und ainer ledigen Personn sechs Wochen ainmall im Jar zuegelassen werden.

8. Unnd da ainer darüber ausblib, soll ime unangesehen, ob er schon uber die bestimbte Zeit lennger Erlaubnus vonn Iren Liebten erlanngte, doch nit mehr als auf die gewonndlich erlaubte Zeidt, ainem Eheman die zway Monat und ainer ledigen Personn sechs Wochen, die Besoldung erfolgt unnd passiert, unnd die andere uberige Erlaubnuszeit mit der Besoldung ausgedänn unnd rodiert werden; unnd obschon Ire Liebten selbst ainem oder mehr annhaimbs oder in seinen Sachen zuveraisen unnd

vom Dienst abwessig zu sein bewilligten, so wellen wier doch, das der
oder dieselben nichts destoweniger vonn irem Verruckhen sollich Erlaubnus vonn Ordnung unnd Richtigkhaidt wegen ime Obristen Hofmaister
selbst auch anczaigen unnd sich personndlich zue ime verfüegen.

9. Item. Wo Jemandts vonn dem Hofgesindt, hoches oder niderss
Stanndts, sich unngebürlich hielte und doch die Verwirkhung desselben
nit so gross oder strafmessig were, dass gegen ime mit Fennckhnus zu
hanndlen, so soll auch dieselb Unngeschicklichkait nit ubersehen, sonnder
nach Glegenhait unnd mit Wisen seiner fürgesecsten Obrigkhait, darunter
er ann Ir Liebden Hof diennt, darumb gestrafft unnd sonnderlich mit
Rodierung seiner Besoldung gehanndlt und fürganngen werden.

10. Es soll auch der Hofmaister jedes Quardall denn Hofstatt uber-
seehen unnd, wass er darinen befündet, dass sich in bestimbter Zeit mit
Wegziehung, Erlaubnuss, Absterben unnd entgegen vonn neuem Auf-
nembung unnd Entsecung der vacierenden Plácz veranndert, dasselb
fleissig herausziehen unnd Irer Liebden Pfennigmaister zuestellen, damit
sich derselb in der Bezallung darnach zu richten wisse.

11. Er soll auch bedacht sein, zu jedem Quarttall under dem Hofgesindt Mussterung zu thuen, damit geseehen werde, wellicher sein Ann-
czall Pferdt unnd das, so ime zu halten aufglegt, halte oder nit, unnd wo
ain Abgang befunden wiert, solliches auch dem Pfennigmaister anczaigen,
damit ime sein Besoldung, wie billich, nit passiert, sonnder nach Glegenhait abgestrickht unnd darumben gestrafft oder sonnsten gebürliche
Handlung fürgenomben werde.

12.[1] Es soll auch vilbemelter Unnserer lieben Sönnhne Hofmaister
nit underlassen, bey unnsern Hof-Camer-Rathen Anmanung zue thuen,
damit sy fleissig unnd zeitlich Nachtrachtung haben, das zu jeder Zeit
mit dem Gelt zu Irer Liebden Hofhalttung guette Verordnung bescheehe,
und wo er befunde, dass an demselben bey gedachten Hof-Camer-Rathen
Manngl erschine, folgents Unns sollichs berichten.

13. Dergleichen und wann er Hofmaister bey den Officiern Manngl
befundt, das sy iren geferttigten Instructionen nit mit Fleiss nachhanndl-
leten, sonnder Iren Liebden zu Nachtl darinen lassig oder saumig wären,
so solle er es denjhenigen, so solliches thuen, abzusteen mit Ernnst unnd
Betroung unndersagen. Wo es aber bey innen nit helfen oder, wie sy ge-

---

[1] Dazu hat Dietrichstein angemerkt: Der Articl mag also bleiben, bis ich
mir des Deputats halben ain Gewisshait haben wir, alsdan ich mit der
Hofcamer nichts zu thuen wir haben.

bürt, in Sorg genomen unnd angeseehen sein wolte, soll er Uns dessen
erinndern, damit Wür alssdann mit Enntseeßung unnd Verkherung derselben Officiern unnd Ambter oder in annderweeg Wenndung und Für-
seehung thuenn mügen. Unnd wann an Irer Liebden Hof ain Anspruch
unnd Raiss verhannden, so soll er Hofmaister sich mit dem Obristen
Camerer und Stallmaister zeitlich unnderreden und beratschlagenn, was
unngeferlich nach Glegenhait Irer Liebden vorhabenden Raiss für Reit-
ross, Fuer unnd Wägen, Schiff unnd annders vonnetten sey unnd sonnderlich die Under-Officier zu sich erfordern unnd von innen guetten Bericht
unnd Erkhundigung nemben, unnd dann ain Aufczaichnus machen, was
an der Fuer vonnetten sey, dieselb alssdann dem Stallmaister zuestellen
unnd anczaigen, ob er mit Irer Liebden Wagen, Furier unnd Contralor
dieselben Nottwendigkhaitten richtig mache, in Vorrath bring unnd bestelle, dass auch der Stallmaister denn Uberfluss verhiet und bedacht sey,
dass mer Wagen nit gladen werden, alss sovill man unvermeidlich bedarf.
Unnd wo ime Stallmaister hierinen etwas beschwerlich fürfiel, hat er de-
selb an inne Hofmaister zu gelangen, der soll ime der Pillichait nach zu
Erlangung der Wagen unnd Fuer auch in all annderweeg, so vill müglich, verhilflich sein, sonnsten aber, wass die Bestellung unnd Verordnung der angeregten Fuer, vonn Wagen unnd Schiffen antrifft, damit
soll Niemandts als der Stallmaister umbzugeen Befelch unnd Gewalt
haben.

14.[1] Wir haben auch Irer Liebden Obristen Stallmaister unnd
Khuchenmaister in iren Instructionen auferlegt unnd befolchen, dass sy
sich nit albeg auf die unnder Ambtleith, so innen unndergeben, verlassen,
sonnder sy selbst zu notturfftigen Zeiten alls der Stallmaister in Stall,
Harnisch unnd Satl-Camer, unnd er Khuchenmaister auf sein unnder-
gebne Officier, Ambtleuth unnd Khuchlparthey seehen unnd guetter
Achtung haben sollen, damit ain Jeder sein Befelich unnd Instructionn
ordennlich nachkhome und Irenn Liebden treulich unnd nuczlich gehanndlt
werde; unnd wo sy ainige Unordnung finden, sollen sy dieselb abstellen
unnd im Faall sy daselbst nit thuen khunden oder es die Notturfft erfordert, an ine Irer Liebden Hofmaister gelanngen, der wierdt alssdann
die Gepür zu hanndlen unnd Einseehung zue thuen wissen.

15. Er Hofmaister soll auch vonn den Officiern, so ettwas vonn
Ir Liebden in Bewahrung haben, ordenliche verfferttigte Innventary nemen
unnd dieselben jarlich widerumben erneuen.

---

[1] Anmerkung Dietrichstein's: So vill den Stallmaister belangt, wirdt be-
sonder darvon tractiret werden.

16. Unnd nachdem Iren Liebden an guetter Verseehung derselben Silberkamer nit wenig glegen, so sollen ferner der Hofmaister sein Aufseehen haben, wann Irer Liebden geordtneter Silber-Camerer abwessig, dass zu Verwaltung desselben nit ain geringe, sonnder ain sollichen Ambts unnd Diennst wirdige unnd erliche Personn gebraucht werde, unnd sonnst in allen Sachen hanndlen, das ainem Hofmaister zu verseehen zuestet unnd inn was Sachen ime ettwas beschwerlichs fürfüell, dasselb an Unns glangen lassen, darinnen Wier auch Wendung thuen unnd ime dapferen unnd guetten Ruckhen halten sollen und wellen.

17. Es soll auch mer bemelter Hofmaister, was ehr jederzeit in Uberseehung des Hoffstatts und der Officier, Instruction unnd Raittungen, auch deren Diennsten unnd Verrichtungen unnd sonst inn all annderweeg für Manngl befunden unnd sonnsten in Erfarung bringen wierdet, dasselb inn iren Innstructionen unnd Ordnungen jederzeit nach Glegenhait der Sachen unnd wie er das zu Irer Liebden Notturfften unnd Nucz für guet ansieht, doch mit Unnserm Vorwissen, zu verendern, zu mündern unnd zu meren Macht haben.

18. Unnd damit sollichs so vil fruechtbarer unnd mit mererm Grundt gescheehen müg, soll er inn Sonnderhait darob sein, das vonn allen Iren Liebden Officiern zu jedem Quardal Raittungen, ire Instructionnen fürgelegt unnd ubersehen werden, unnd wo ime Hofmaister vonn denselben Officiers Obrigkhait ainige Beschwer, Manngl oder Ubertrettung angeczaigt wierdet, gegen dennselben nach Glegenhait ainwetters mit zimblicher Straf, Rodierung der Besoldung oder gar Enntseczung des Diennsts (doch mit Unnserm Vorwissen) Anndern zu ainem Exempl fürgehn.

19. Dann ferner so soll Hofmaister bedacht sein auf alles Hofgesindt, so vill des inn dem gannczenn Hofstatt begriffen, sein fleissig Aufmerckhen zu haben, damit Jeder sein Diennst unnd Ambt zu gebürlicher Zeit treulich unnd aufrecht mit Fleiss ausswarte unnd demselben durchaus khain Unngehorsamb zueseehen oder gestatten, sonnder wo sych iren ainer uber sein Anreden ainigs Unfleiss, Unngehorsamb oder annder Unngeschickhhait brauchett, dasselb Unns zu Wenndung anczaigen.

20.[1] Mer offtbemelter Unnserer freundlichen, geliebten Sohnen Obrister Hofmaister soll auch unnder dem Hofgesindt sein guette Achtung, Nachforschung unnd Khundtschafft halten, ob sich Khainer derselben

---

[1] Anmerkung Dietrichstein's: Diser Articl muess verandert werden, dann die Wuldt und Zeit jetzo vill anderst ist.

denn jeczt schwebennden kheczerischen, verfüerischen Secten unnd Lehren, daraus so vill Uebels unnd Unnraths khumbt, taillhafftig mach unnd
fürnemblich, ob ain Jeder nach cristlicher Ordnung järlich peucht unndt
das hochwierdig Sacrament empfach unnd, vonn wem er dergleichen ver-
fürische Secten unnd Laren ann Irer Liebden Hofe, Niemandt ausage-
schlossen, erfart, desselben Unns berichten, damit alsedaan durch ine
Hofmaister, doch mit Unserm Vorwissen, mit Urlaubung seines Diennsts
oder in anderweg Straf fürgenommen werden müg.

21. Unnd dieweil unnser freundlichen geliebten Sönhen Hofmaister
in allen Aussgaben Ordnung unnd Befelich zu geben hat, so soll er
wochentlich vonn dem Pfeningmaister alles seines Empfangs unnd Aus-
gabenns ordenliche Pardicular-Raittung aufnemben, unnd da sich die
Raittung der Gebür nach befindet, soll er Hofmaister diesalb Wochenraittung unnderschreiben unnd dem Pfeningmaister zuestellen, dagegen
ain gleichlauttende Abschrifft der Raittung durch den Pfeningmaister
unnderschriben zu seinen Hannden nemben, unnd alle Viertl Jar vonn
denselbenn Raittungen Unns Bericht thuen, inmassen Wier dann dem
Pfeningmaister solliches inn seiner Instruction auch aufgelegt; damit
Wier dessen ain Wissen haben unnd, wie sich die Empfanng von allen
Ortten, daheer sy khomen, vergleichen, seehen mügen.

22. Er soll auch auf vermelt Irer Liebden Hofgesindt fleissig
Achtung haben unnd dieselben anhalten, das Iren Liebden zu allen Sol-
lenideten, Khürchengang, Einreittung unnd annderweeg fleissig auf
den Dienst warten unnd denselben Dienst nit versaumben, wie dann vonn
merer Folg unnd Ansehens wegen er Hofmaister selbst (wofer es anna-
derst annderer Irer Liebden Geschäfft oder Hanndlungen halber sein mag)
zu Morgens, wann Ire Liebden zu unnd vonn der Khirchen geen, sambt
dem anndern Hofgesindt bey dem Diennst gegenwerdig sein soll, wo aber
sein güettlich Vermannung bey ainem oder mer des Hofgesindts nit Folg
oder Ansehen haben wolte, so mag er dieselben mit Rodierung Ires Diennst-
gelts straffen unnd, so das nit helfen wolte, innen solliches bey Drohung,
Urlaubung irer Diennst unndersagen, auch leczlich gar Unns selbst
anzaigen.

23. Unnd beschliesslich soll er in allen auf Unnsere geliebte Sönne,
deren ganncezn Hofstatt Hofgesindt unnd Officier sein fleissig, getrew
unnd stettigs Aufseehen haben unnd darunder alles des betrachten, ihnen
unnd fürdern, so inndert inn seinem Vermügen unnd ainem getrewen
Hofmaister gebürt, inmassen er solliches bissheer gethann, auch noch
forthin seiner sonndern Erfarung unnd Schicklichait nach woll thuen
khann, und Wier im darumben genedigelichen vertrawen. Dagegen solle

ime vonn Menigelichen, so ime underworffen sein, die Gehorsamb wie
Unns unnd Iren Liebdten selbst erczaigt werden, dariber wir dann gene-
diclich halten wellen.[1]

Beilage 3.

(1561?, Mai?) Wien.

Maximilian.

Instruction, welchermassen unser Hoffmarschall-Ambt geregirt,
gehandlet und verricht werden solle.

1. Erstlich soll gedachter unser Hoffmarschall, wer zu unserm
Hoffgesindt zu klagen hat, Verhor, Endtschidt, Recht und Straff ergehen
lassen, darzue so mag er nach Gelegenheit der Händl, so sie ansehenlich
sein würden, etliche unsere Räth und Diener erfordern, die ihm in dem
rechtlichen Beysein und Gehorsamb thuen sollen, damit under dem Hoffgesindt löbliche Ordnung, Fridt und Recht erhalten und alle frembde
Anklag verhuett werden. Im Fall aber ihme frembde Sachen fürkhömmen,
die ihm etwan beschwerlich sein wolten, soll er solches unserm Obr. Hoffmaister anbringen, der den sambt ihne und denen erforderten Persohnen
die Gebür fürzunemmen wirdt wissen.

2. Item, er soll von Räthen und allen von Adl unsers Hoffgesindts,
wo einer straffmässig wurde, persöhnlich das Gelübt ritterlicher Gefängnuss oder nit Weichung, sonders zu stellen und ander persohnlich Zusagen aufnemmen.

3. Wo sie aber dermassen straffmässig weren, dass man sie gefänglich annemmen, dass soll er dem Profossen befelchen, und der Profoss
soll die Annemung in sein des Marschalckhss Beysein thun, er soll auch
persöhnlich bey der Examinirung oder Frag dergleichen Persohnen selbst
sein und ein Process under seinem Titel uffrichten lassen; wan dan so
wichtige Handlung vorhanden, so solle unser Secretary auff sein Erfordern (wo er anderst anderer unserer Geschafft halben abkommen kan)
erscheinen, und, im Fall er nicht dabey sein kundt, einen tauglichen
Schreiber darzue verordnen.

4. Und nachdem bisshero sich etlichmal zugetragen, dass ein Jeder
seines Dieners halben, denselben einzunemmen, ausserhalb dess Hoff-

---

[1] Auf dem Umschlag stehen diese Anmerkungen, geschrieben von Leoh. v.
Harrach dem Mittleren: Herrn Oberisten Hofmaisters Instruction Herrn
Adam von Dietrichstain Freyherrn A. 83. Irer F. D. Hoffstatt sambtentliche
~~underschidliche Guettbeduncken~~ unnd ander suegehörige Schriften A. 83.

marschalckhss Vorwissen, mit unserm Profosen hat schaffen wöllen, so
solle derohalben hinfüran ausser unsers Hoffmarschalckhs Vorwissen
der Profoss auff eines Andern Begehren oder für sich selbst (wans Bitt
erleiden mag) Niemandt gefenglich einzihen, es were dan Sach, dass sich
so tödliche unverzogenliche Handlungen, alss mit muethwilligen Rumoren,
maleficzischen Verbrechen oder Diebstal, die nicht Bitt erleiten mögten,
zutrugen, in solchem Fall mag der Profoss auff eines Anderen Begehren
und für sich selbst solche Personen wol annemben und verwahren, doch
dass derjenige, so den Anderen annemmen lest, unserm Hoffmarschall
aller begangenen Handlung alssdan ohne Verzug bericht, und der Profoss
darinnen fernern Bescheidt gewartte.

5. Er soll auch im Raissen, Feldtzügen und Einreitten, auch der
Wacht unserer Persohnen halben jederzeit guete Füersorg haben, und
Ordnung fürnemmen und halten.

6. Weitter soll er auch notturfftiglich und stattlich Handthabung
thun, damit dass Hoffgesindt mit den Zinsen von den Herbergen oder
Lossamentern, wie dass vorhin der Gebrauch gar nicht gewest, nicht
übersezt oder beschwerdt, sondern desselbig bey unserer gegebenen Ordnung gelassen, auch sonst in der Füetterung und Profiandt kein Staigerung gemacht oder gelitten werde, und welcher von unserm Hoffgesindt
beschwerdt wirdt, derselb soll soliches unserm Hoffmaister und Hoffmarschallen anzeigen, damit darüber gebührliche Einsehung und Wendung
beschehen müge.

7. Wass sich aber zwischen unserm Hoffgesindt, Würdten und
anderen Persohnen für Unwillen zutregt, soll er Hoffmarschall die Sachen
verhören und jederzeit zwischen ihnen guete Ordnung und Mittel zu
finden und Einigkheit fürnemmen und erhalten.

8. Dessgleichen soll auch unser Hoffmarschall, wan wir über Landt
reissen werden, ein lauttere Verzeichnuss der Leger, so wir mit Gelegenheit nemmen mügen, fürbringen und wie wir uns derselben entschliessen,
soll ers alsdan dasselbig ins Werckh richten oder bringen, wie sich gebürt, derhalben soll der Quartiermaister sambt den Officiren in Läger und
auff der Raiss ihr Auffsehen alles auff ihne haben.

9. Und wan von Jemandts zu unserm Hoffgesindt ainen oder mehr
umb Schulden bey ihme Marschall Anklag und Ersuchung thuen würde,
und der Marschall bey unserm Pfeningmaister demselben Hoffgesindt sein
Besoldung zu Entphahung inhibiert und verpeutt, soll der Pfeningmaister
demselben Verpott zue gehorsammen und dem Beklagten solche sein Besoldung nicht erfolgen zu lassen schuldig sein, er wisse dan, dass die
Glaubiger, so die Anklag gethan, zufriden gestelt sein oder die ihme der-

halben unser Marschalckh in Sonderheit widerumben Befelch und solcher Arrestation halber Relegirung thue.

10. Item, er soll auch im Feldt mit allem Hoffgesindt guete Ordnung halten, damit zue Ehren, Schimpff und Ernst kein Nachtheil erscheine, ihme soll auch von Meniglichen, Keinen aussgenohmmen, im Feldt und sonst, was er Inhalt diser Instruction befelchen, gebieten und handlen wirdet, gehorsamblich gelaist werden, darüber wir auch mit Ernst halten und keine Uebersehung thun wöllen.

11. Er soll auch sonst unter unserm ermelten Hoffgesindt sein fleissig Achtung und Auffmerckhen haben, damit unss zu allen Solenniteten und Kirchengengen, Einreitten und anderweeg am Dienen nicht Mangl erscheine, sondern von einem Jeden nach Gestalt und Gelegenheit seines Diensts und Beruffs fleissig, wie sich gebürt, gedient werde, zu dem er dan jederzeit, wan wir Kirchgäng, Aussreitten und andere offene Actus halten wöllen, ordentlich ansagen lassen soll, und wo aber über solch ein ordentlich Ansagen und also Jemandts von Dienst fürseczlich aussbleiben und also ungehorsamb in Unfleiss verharren würde, mit Rodirung seines Dienstsgelts nach Gelegenheit dess Unfleiss straffen und, so dass auch nit helffen wolt, bey Droung dess Urlaubss seines Diensts undersagen.

12. Er soll auch darob sein, dass kein Hoffgesindt ausserhalb seines Vorwissens in unserm Raissen vor oder langsamb nachreitt, oder seine Diener und Pferdt reitten lasse, sondern wo Jemands dasselbe thette, oder sich sonst ungeschickht oder unweisslich verhielte, dass derselb nach Gelegenheit seiner Verwürckhung mit Rodirung eines oder mehr Monats, Wochen oder Tagss Besoldung oder in anderweg gestrafft werden, doch soll und mag unsers Hoffgesindts Notturfft nach in disem Fall diser Underschiedt gehalten werden, nemblichen, dass ainer, so 4 oder 5 Pferdt hat, einen Diener und die zue 2 oder 3 Pferdten haben, zusamen stossen und auch einen Diener voran schickhen mügen, doch auch an gefehrlichen Orthen solle von unserm Hoffgesindt Niemandts voran, ausserhalb dess Hoffmarschallen Wissen oder Willen ziehen, darauff er dan jederzeit ein guetes Auffmerckh halten solle.

13. Er Hoffmarschall mit sambt unserm Hoffmaister soll auch alle Quartall unser Hoffgesindt ordentlich mustern und sehen, wie ein Jeder gerist, ob er dass, so ihme gebürt, halt oder nit, und wie er die Sachen in fleissiger Musterung findet, desselben unserm Hoffzallmaister berichten, damit er die Bezahlungen der Gelegenheit darauff zu thun, oder aber denjenigen, so sein Anzall Pferdt nicht gehalten hat, abzustrickhen wissen.

14. Und darneben bey dem Hoffgesindt auch nottürfftige und schickhliche Anmanung thuen, damit sie sich vor den jezigen gefehrlichen

und verführischen Secten enthalten, sich darein gar in keinem Weeg begeben oder derselben anhengig oder verdachtig machen, bey Vermaidung unserer schweren Straff und Ungnadt, und sonderlich soll er unsern Härtschier und Trabanten-Haubtleüthen aufflegen, dass sie darob sein und Nachfrag haben, ob dieselben Härtschier und Trabanten nach christlicher Ordnung leben, und sich dem ergerlichen und verfürischen Wesen und Lehren, Disputation, Lesen frembter Bücher und in anderweeg nicht thailhafftig machen, sein fleissige Nachforschung haben; und welche sie dermassen erfahren, sollen sie die Haubtleuth solches gedachtem unserm Hoffmarschallen berichten; er soll auch darob sein, dass ein Jeder ihme zu österlicher Zeit ein Urkundt bring, dass er nach christlicher Ordnung gebeicht habe und zum Sacrament gangen sey; welcher das übertritt und sich in 8 Tagen, darin er ihnen Warnung thuen solle, sich wie einem Christenmenschen gebirt, in solchem Fall nach christlicher Ordnung nicht helt, den soll er, doch mit unsern Vorwissen, von unserm Hoff und seinem Dienst schaffen.

15. (Dieweilen dan auch die Röm. Kays. Mt. unser gnedigster gelibster Herr und Vatter in deroselben fünff N. Oe. Landten ein Ordnung und Pollicey von newen verferttigen, aussgeben und publiciren haben lassen, welche wür durch unser Hoffgesindt, so vil dasselbige darin betrifft, fürnemblich, wass belangt die greuliche Gotteslästerung, übermessige Klaidungen, dass ungeschickhte vichisch Zutrinckhen, unnotturfftige Köstlichkeit der Malzeiten und Ladschafften, auch Ehebruch und leichtferttige Beywohnung gänzlich gehalten und volzogen haben wollen,)[1] so solle demnach gedachter Hoffmarschall sambt und neben unserm Hoffmaister sein fleissiges und ernstliches Aufsehen haben, damit durch berürt unser Hoffgesindt durchaus, es sey hoches oder niders Standts, solche Pollicey genzlich gehalten und Niemandts Uebersehung gethan, sondern so offt einer die übertrette, nach Mass, wie bey einer jeden Verprechung vermelt, gestrafft werde, damit also bey und under unserm Hoffgesindt alle guete, erbahre Zucht und Sitten gepflanzt und gehalten werden mögen, inmassen wir dan solches gedachtem unserm Maister[2] in seiner Instruction auch aufferlegt und befohlen haben.

16.[3] Ferer und wo sich auch begebe, dass sich zwischen unserm hochged. Kay. Mt. und unsers gelibten Gemahl Hoffgesindt einige Zwy-

---

[1] Der Anfang des §. 15 ist in der Instruction vom Jahre 1637 ausgelassen.

[2] In der Instruction vom Jahre 1637: Hofmaister.

[3] §. 16 lautet in der Instruction vom Jahre 1637: „Verer und wo sich auch begäbe, dass zwischen Unserm und Unsrer geliebten Gemählin Hofgesind

tracht und Uneinigkheit zutrüge, so soll gedachter unser Hoffmarschall Bescheidenheit gebrauchen, nemblichen zwischen der Kay. Mt. etc., unserm Hoffgesindt, solle unser Marschall, der Kay. Mt. Hoffmarschall darvon Anzeihung thun, welcher alsdan beyde Partheyen zu seiner Gelegenheit für sich beschaiden und mit und neben ihme unserm Marschall der Notturfft nach Verhör halten, und darauff, wie sich gebürt, Beschaidt und Abschidt geben werden, aber zwischen unserm und unserer Leibhoffgesindt soll unser Marschall in Beysein deroselben unser Gemahl Hoffmaister oder Marschall die Sachen zwischen beeder Thail Hoffgesindt verhören und der Gelegenheit und Notturfft nach Beschaidt und Endtschidt geben.

17. Gleicherweiss soll er gedachter unser Marschall mit denen Persohnen, so unsers Obristen Cammerers oder Obristen Stallmaisters Jurisdiction underworffen sein, auch halten und alwegen so sich zwischen derselben einem oder mehr und dem andern Hoffgesindt Gezenckh, Rumor und Uneinigkheit erhibe, mit seiner fürgeseczten Obrigkeit als Cammerer oder Stallmaister, die Sachen verhören und die Notturfft nach Beschaidt und Antwortt geben; im Fall aber, dass sich die Sach so gar rumorisch erzeigte, die keiner Bitt, bis unser Marschall hochgedachter Kay. Mt. Hoffmarschall oder unser Gemahl Hoffmaister als obstehet anzeigen thun und verhört werden kundten, erleiden möchte, so soll der, der diejenigen Persohnen, so sich also muetwillig oder malefizisch gehalten, alssbaldt durch den Hoffprofossen, inmassen wie oben in einem anderen Articul gestelt, in Verwahrung nemben und alssdan jezt gehörter Gestalt an eines Jeden gebührlichen Obrigkeit gelangen lassen.

18. Und ob sich begeb, dass unser Hoffmaister unserer Geschafft und Ordnung halber nit am Hoff were, so soll sein Ambt und Verrichtung, wie ihme dass unser Instruction aufflegt, auff ihne Hoffmarschallen gewendt sein, also dass der Hoffmarschall dasselb in allen Dingen als wan der Hoffmaister selbst gegenwerdig were verrichten, vertretten und notturfftiglich handlen soll.

19. So sich dan zutrueg, dass gedachter Unser Hoffmarschall am Hoff nicht were, so stehet zu unserm Gefallen und Willen, ein Persohn zu Verrichtung und Verwessung solches dess Marschallambt zu verordnen, doch solle derselben Persohn die Verantworttung seiner Handlung, alss lang sie die Verwaltung hat, selbst zustehen.

<hr/>

einige Zwietracht und Uneinigkeit zuetrüge, so solle oftgedachter unser Marschall in Beisein deroselben unserer Gemahlin Hofmaister und Marschall die Sachen zwischen beeden Theilen Hofgesind verhören und der Gelegenheit nach Bescheid und Entscheid geben.'

20. Und soll neben dem Allem ermelter unser Hoffmarschall darob sein, auff dass unser Hoffgesindt unserm Quartirmaister und Fourier nicht poldern, schelten oder schmälich halten, wo aber einer oder mehr auss unserm Hoffgesindt seiner Herberg Beschwer hette, so soll er solches jederzeit ihme unserm Hoffmarschall anbringen, der soll nach Gelegenheit der Sachen gebührliche Einsehung thun.

21. Er unser Hoffmarschall soll auch allen Hofräthen ansagen lassen und in dem Hoffrath Umbfrag thun wegen der Persohnen, so im Rath alda expedirt und ausserhalb Besuchung der Kanzley mündlich abgefertigt werden solten, ihren Beschaidt ihnen ansagen.

22.[1] Dessgleichen soll der Reichshoffraths Thürhuetter auff den Hoffmarschall jederzeit sein fleissiges Auffsehen haben.

23. Er Hoffmarschall soll auch, wan wir Morgens zu und von Kirchen gehen oder in Rath gehen, selbst sambt dem anderen Hoffgesindt bey dem Dienst sein, es were dan Sach, dass er derselben Zeit anderer unser Geschäfft halben nicht künde abkommen.

24.[2] Er soll auch, wan wir Kay. oder Königl. Actus celebriren, dass Schwerdt vorführen.

25. Und in Summa, er Marschall soll Alles dass thuen und in allen Sachen sein guet Auffsehen haben, dass einem Hoffmarschall zu thuen gebürt, und nichts underlassen, dagegen soll ihme von Meniglich, so ihme underworffen sein, alle gebührliche Gehorsamb erzeigt werden, daran beschicht unser ernstlicher Willen und Meinung.

Geben in unser Statt Wienn.

Beilage 4.

1605, 6. Juli, Wien.

Schreiben, so von H. Grafen Paul Sixt Trautson an H. Jacob Breiner Freih. under dato 6. Juli Anno 1605 abgangen.

Wohlgebohrner Freyherr, insonders freundlicher, vertrauter, lieber Herr Obrister Hoffmarschall!

Dem Herrn Schwagern sein mein ganz willige Dienst jederzeit zuvoran beraitt, und thue Ihme hiemit zu wissen, dass ich sein Schreiben vor 25. diss datirt an Gestert wol empfangen und desselben Inhalt nach lengst vernommen, darauss aber so vil verstandten, dass Ihr K. Mt. aller-

---

[1] §. 21 und 22 fehlen in der Instruction vom Jahre 1637.
[2] §. 24 fehlt in der Instruction vom Jahre 1637.

gnädigst an mich begehren lassen, und der Herr Schwager mich auch ersucht, wie es von Alters hero und zur Zeit meiner Administration des Marschallambts in Gericht und Criminalssachen gehalten worden, dessen erkenn ich mich gegen Ihre May. ganz underthänigst schuldig, und gegen dem Herrn Schwagern gleichfalss ganz willig. Und ist erstlich nit weniger, dass in meiner so vil Jahr langwirigen Tragung des müheseligen Hoffmarschallambts sich allerley Feindseligkeiten in criminal und andern Sachen nicht allein zu Prag und in Böheimb, sondern auch im Reich zu Augspurg, Regenspurg auff den Reichstägen und sonsten auch alhie zu Wienn zugetragen haben. Ich hab mich zu Eingang meines Ambts fleissig erkundiget, wie es etwan zuvor und vor längen Jahren in dergleichen Fählen gehalten worden, zu dem ich gleichwol disen Vorthl gehabt, dass ich ein guette Richtschnur an meinem H. Vattern seeligen etc. haben könden, welcher vill lange Jahr bey Ihr. Kay. May. Ferdinando löbl. Gedechtnuss Obrister Hoffmarschall gwesen, dasselbige und wie mans etwan sonst ein Ambt halten solle, hab ich durch die gehaime Herrn Räth an die Kay. Mayt. unsern allergnädigsten Herrn allerunderthänigst gelangen lassen, auff welche Relation und Guetachten Ihr. Kay. May. sich dasselbigmal allergnedigst resolvirt haben, und bin ich alssdan derselben kayserlichen Resolution, solang ich in dem Ob. Hoffmarschallen-Ambt verbliben, nachgangen und es also gehalten.

Jezt nun auff diesen Puncten in specie dem Herrn Schwagern zu berichten, wie es erstlichen in Rauff, Rumorhändl und criminalibus gehalten worden, ist es also zugangen, dass jederzeit die erste Justitia, ess sey hernach die Hoff oder die andere Justitia, welche darzu kommen sein, die Thätter eingezogen, dieselben alssbaldt examinirt, wer sy sein, wohin sie gehören, dasselbig der andern Justitia oder den andern Tag oder aber auffs lengst in 24 Stundten zu wissen gethan worden, bey deroselben aber hernach gestanden, ob sie den Thätter abholen wollen lassen oder nach Gelegenheit der Umbständt, gemeiniglich aber so hab ich dieselben gefangen, durch den Profossen abfordern lassen. Es sey dan ein solches crimen gewest, dass so notorium, das es keines Ueberweisens bedörfft, so hab ich gleichwol dieselben Thätter, dieweil man in notoriis criminalibus bey dem Hoffmarschallambt nie Keinen zu dem Henkhen oder Köpffen judicirt hat, bey dem Stattgericht jedes Orth verlassen also aber, dass sie ihre crimina und Urtheil verfasst, doch aber mit keinen Executionen nit dörffen fortfahren. Sie haben mir dan das Urthl zuvor verzeichneter sambt denen Motiven zugeschickht, darauff ich mich alssdan im Nahmen Ihrer Mayt. gegen ihnen erklert oder dass sie fortfahren mügen, oder zu Zeiten Ihr. May. ein Gnad eingeworffen nach Gelegenheit der Sach, deme sie alsdan nachkommen sein. Es ist wol nit weniger, dass oben zu Prag es imer zu Zeiten Anstöss gegeben hat mit denselben Gerichten und etwan die Herrn Obristen und Officir sich dessen auch angenommen haben, ich aber hab mich dennoch der Kay. Resolution und alten Gebrauch nach verhalten, auch etlichmal selbst mit denen Obr. Herrn und Officirn geredt und tractirt, und ihnen die Sachen zu verstehen geben, sy sich auch gegen mir, wie ich nit anderst sagen kan, jederzeit beschaiden und also wol erzeigt, dass wir gar leicht für einander kommen könden. Was aber Händl und Verhafftung gewesen sein, die nit notoria hengermessig, sondern noch obscure oder dubitative criminal sein oder nit, dieselben Gefangen aber hab ich allzeit zu der Hoff-Justitia lassen nemben, darinnen procediren, soweit biss dass man gesehen, ob es criminalisch oder nit sey, zudem ich allzeit einen oder 2 auss denen Hoffräthen, zu Zeiten auch mehr, wol auch etwan andere Gelehrte, so bey Hoff sich auffgehalten, gebraucht habe. Ist es, dass die Sach nun nit pure criminalisch gewesen, so hab ich das Urthell ergehen lassen mit Vermelden, dass sie ihne zu sich nemmen, darüber gebreüchlich Urthell und eine Sentenz verfassen sollen, doch vor Eröffnung deselben ihne mir zuschikhen, damit ichs Ihrer May. anzeügen künde nnd sie hierauff beschaiden solle. Und so vil den ersten und criminalischen Puncten anlangt, alls vill mir bewust ist.

Betreffendt nun weiter den andern Puncten, wer under das Hoffmarschallambt gehörig oder gezogen solle werden, thue dem Herrn Schwägern ich hiemit dienstlich und freündtlich zu wissen, dass zuvorderist die Kay. May. unser allergnedigster Herr selbst, wie auch die Herrn gehaimbe Räth, obrister Herr Hoffmaister und ich darfür gehalten haben, dass alle die erstlichen, so in der Hoffstatt begriffen, so wollen die so in einer besondern Verzeichnuss als Handelss und Handtwerckssleüth, unnder den Hoffmarschallambt sollen sein, weiter auch alle Pottschafften, Agenten, Procuratores sambt ihren Zuegehörigen, so bey dem kay. Hoff sein und zu thun haben; item alle zue und abreisenden Fürsten, Graffen, Herrn und von Adel, wass bey dem kay. Hoff zu thun gehabt, auch die Obristen, Rittmaister und dergleichen Herrn, die zur Zeit dess Kriegs und sonst bey Ihr Kay. May. und dem Kriegsrath zu thun gehabt, ausser deren Obristen, Haubt- und Befelchsleutt, so von dem Königreich Böheimb bestelt worden, mit denen sie auch das ihrig zu thun gehabt, sonsten anderer und schweiffenden Persohnen, deren es gleichwol offt mehr als zu vil geben, solcher hab ich mich durchauss nichts angenommen, sondern mich offtermals mit den Herrn Landtofficiern verglichen, dass man solches Gesindt weckhschaffen solle; und so vil kan ich mich dises Puncten halber erinnern.

Betreffendt nun den dritten Puncten, wie es nun mit Rechnungen der Contribution gehalten werden solle, thue ich dem Herrn Schwagern zu wissen, dass wan in den behamischen Landtägen Landttagsschluss ergangen sein, darinen wan von guldenen Stuckhen, sydenen Wahren, Tüchern und dergleichen Kauffmannssachen, süssen Weinen und dergleichen, darmit die Hoffhandlessleûth gehandlet haben, etwas im Landtag anzuschlagen und zue geben schuldig gwesen, ist es gemeiniglich in dem Landttagsschluss gestanden, dass die von Hoff dasselbe mitleiden sollen, und bin ich allzeit durch die böhamische Expedition erinnert worden desselben, darauff ich sie die Hoffhandlssleuth erinnern lassen, dises oder jenes sey geschlossen worden im Landtag und ein Verzeichnus geben, dass sollen sie an die Orth, wie es in dem Landtag vermeldet wirdt, erlegen und sich selbst vor Schaden verhietten. Ist es nun beschehen, wol und guet, wo nit, so haben die Einnember derselben Sachen sich bey mir beschwerdt, dieselben genandt, welche saumig gewesen, die hab ich alssdan mit der Execution und mit Gwalt darzue gebracht, auser wo einer oder mehr Hoffhandlsleuth und dergleichen auch ein gessene Burger oder Burgerrecht gehabt, die haben sie auch selbst mügen exequiren. Wan man aber vermäg der Landtagschluss in den Gwölben, damit kein Betrug geschehe, übersehen und schäzen sollen, so bin ich allzeit durch sie, so von den Behemischen verordnet werden, dessen Zeit und Täg erinnert, in conformitet derselben Leuth hab ich auch allezeit von Hoff auss 2, 3 oder 4 Persohnen, die mit und neben ihnen, so vil die Hoff Handlessleuth anlangt, die Sachen verricht haben abgeordneten, und ist mir so woll als den Beheimbischen desselben Verlauffs Relation beschehen; und so vill von disen dritten vnd lezten Puncten.

Disen meinen gehorsambsten Bericht mag nun der H. Schwager Ihrer Kay. May. allerunderthänigst relationiren und mich deroselben beynebens, als Ihrer Kay. May. getreuen alten treuherzigisten Diener allergehorsambist befehlen. Sonsten der Zeit mehrers nichts als thue unns hiermit zu bayden Thaillen dem Schucz Gottes allmechtigen befehlen.

Datum Wienn den 29. Juni 1605.

Des Herrn jeder Zeit dienstwilliger Schwager

Paulus Sixt Trautson, Graf und Freiherr.

Beilage 5.

Obersthofmarschallsamt Process und Gerichtsordnung.[1]

Caput primum.

Welche Personen der Hofmarschalckhischen Jurisdiction unterworfen.

Der kays. Hoffmarschalckhischen Jurisdiction sollen nicht allein diejenigen unterworffen, so in Ihrer Kay. Mt. würcklichen Diensten und Bestallung sich bey Dero selben Hofflager auffhalten, sondern auch aller frembder Potentaten, item Churfürsten und anderen Ständen des heylig Römisch Reichs Bottschafften und Abgesandt, ja alle diejenige, welche den kay. Hoff besuechen und alda für sich selbsten oder ihrer Herrschaft halber in Rechts- oder andern Sachen zue thuen und zue handlen haben.

Dessgleichen sind unter die kay. Hoffmarschalkhische Jurisdiction gehörig aller obgemelten Personen Haussgesindt als Weib, Khinder, Diener, Ehehalten unnd welche sich sonsten in derselben Brott auffenthalten.

Caput 2. Von Beysitzern.

Obwoll biss anhero bey dem Obr. Hoffmarschalkhen-Ambtt nicht herkhommen oder gebrauchig gewesen, sonderbare Assessores zue haltten, sondern bey des Herrn Obr. Hoffmarschalkhen Discretion gestanden, in wichtigen und disputirlichen Rechtssachen jedem zu Verhelffung gleichmessigen Rechtens etliche auss Ihrer Mt. Reichshoffrathen zue sich zue ziehen, demnach dieweil dieselbe ohne das mit vielen hochwichtigen Sachen, Reichs- und andern kay. Geschäfften sehr beladen, insonderhait wegen der Revisionen, so von dem Obr. Hoffmarschalkhischen Amptt an Ihre Mayt. Reichs-Hoffrath respective sie ergehen, sich bisshero in dem vielfältig beschwert befunden, dass sie in erster Instanz den Urtheilen bewohnen sollen, vielfältig beschwert befunden, als sollen hinfurter drey Consulenten oder Assessores, so der Rechten gewurdiget oder aber auffs wenigist also geschickht und erfaren, dass sie derselben Stell vertreten mögen, verordnet werden.

Caput 3. Vom Amptt der Beysitzer.

Unnd sollen die verordnete Assessores ordinarie zweymahl in der Wochen, als Montag unnd Mitwochen, da dieselbe Tag nicht dies feriati

---

[1] Befindet sich im Fascikel A. 110ᵇ in dem gräfl. Harrach'schen Archive in Wien. 14 Blätter in Folio.

sein (sonsten jedesmahl auff den nachfolgenden Tag) in das Amtt zue-
samen kommen, der Partheyen Klag und Anbringen vernemen, und Alles,
was ferners bey dem Amptt einkhommen, in fleissige Beratschlagung
ziehen, darueber in Namen des Herrn Ob. Hoffmarschalckhen-Ampts
Bescheidt, oder auch nach Gelegenheit der Sachen den Rechten gemess
Urtheil verfassen und denselben zue publiciren anheimb geben.

Es sollen auch die verordnete Beysitzer sich alles Advocirens und
Procurirens in allen Sachen, so contentiosae jurisdictionis sein, sich bey
dem Amptt gentzlich enteussern, da aber einer von denselben vor der Zeit
in einer bey dem Amptt rechthängigen Sachen gedienet hette, soll dieselbe zu Verhuetung des Verdachts, so lang und viel solche Sach tractirt
und gehandelt wirt, auffstehen und sich alles Votirens und Rathgebens
darinnen enthalten, sonsten an andern Gerichtsstellen und Ortten soll
ihnen das Advociren, Procuriren unnd Partheyhandtlungen zue ueben,
so viel ohn Versaumung ihres Assessorati beschehen kan, gantz unbenommen sein.

Dieweil auch die Partheyen bissweilen selbst genaigt durch guet-
liche Unterhandtlung oder Commission sich entscheiden zue lassen, auch
dieselbe ex officio der Partheyen zum besten pflegen angeordenet zue
werden, so soll jederzeit auff das wenigist einer von obberuerten Beysitzern neben andern darzue von Hoffgesindt nach Beschaffenheit der
Sachen tauglichen Personen als Principahl-Commissarius solchen Commissionen beywohnen unnd folgenden Gerichtstag den andern Beysitzern,
was vorgelauffen neben der Mit-Commissarien Guetachten ordentlich referiren unnd in Entstehung der Guette, wofern die Sachen einiger rechtlichen Ventilation oder auch Beweiss nicht bedurffen wirt, alsbaldt ein
Urtheil darin verfassen und dem Herrn Obr. Hoffmarschalckhen ad publi-
candum heimbstellen.

Es sollen auch die complirte Acta unter den Assessoren ad referendum dergestalt aussgetheilt werden, damit sich einer vor dem Andern
nicht des Ueberhauffens zue beschweren habe. Wan sich auch zuetragen
sollte, das einer von den Assessoren in andern Geschäfften verraisen
mueste, so soll derselb einem andern von den Bleibenden oder Anwesenden
die Acta, so ihme ad referendum zuegestellt, neben Information und seinem
Guetachten zuzustellen schuldig sein, welcher auch dieselbe im Beysein
des andern Beysitzers und Ampts-Secretari, damit jedesmahl bey den End-
urtheilen, welche ein grosses praejudicium auff sich tragen und die Partheyen sich einiger privatischer mit einlauffender Affection zue beschweren
nicht Ursach haben, auffs wenigist drey Personen sein, fürderlichst referiren und expediren solle.

Caput 4. De salario adsessorum.

Es sollen die Assessores von Hoff auss jeder monatlich mit Hoff-
dieners Besoldung versehen und zue dem Ende in die Hoffstadt einge-
schrieben werden, und dieses zue mehrer Ergötzlichkheitt als ein Accidens
ihnen frey stehen, von denen Partheyen, so guetlich nach Gelegenheit
der Sachen von jedem Hundert loco sportularum ein Gwisses zue inzue-
halten und dasselbe unter sich in gleiche Thail aussthailen.

Caput 5. De advocatis.

Und weil wegen der Advocaten bisshero bey dem Ampt merckhliche
Unordnung eingerissen, indeme sich ein Jeglicher, so doch der Rechten
im wenigsten erfareu, seines Gefallens der Parthey-Handtlung ang-
masst, dahero dieselbe verführt, in Unkosten gebracht und in Schrifften
allerlay sträfflichen Schändens, Schmehens und Calumnierens sich gebraucht, als sollen hinführo mehr nicht dan acht Advocaten, die ihre
Lehr, Geschickhlichkheitt, Redtlichkheitt, ehelicher Gebuert und dass sy
der Rechten gewürdiget oder aber in examine der Rechten nicht weniger
erfahren gnuegsamb befunden und erkandt worden, zuegelassen werden.

Es solle auch hinfuro bey dem Ampt khein Schrifft angenommen,
noch darueber erkhant werden, es habe sich dan einer aus den Advocaten
auf das wönigist underschrieben, damit ins khunfftig alles Calumnieren
vermitten, und die Uebertretter nach Ermässigung des Richters unnachlässig gestrafft werden mögen.

So aber einer oder der ander von obberuerten Advocaten antweders
von hinnen sich begeben oder mit Todt abgehen wurde, solle alsdan an
dessen Stell ein anderer auff vorgehende Examination und Bescheinung
seiner Geschickhlichkheitt angenommen werden.

Weilen auch sich zum offtermahl zueträgt, dass die Advocaten in
anderen Geschäfften verraisen unnd etlich viel Wochen aussbleiben, dahero die Partheyen Occasion und Ursach Dilationes zue begehren und
ihren Gegner hierdurch auffzuehalten suechen, diesem vorzuekommen,
soll der verraisende Advocat jedesmahl schuldig sein, vor seinem Verraisen
einem Andern bis zue seiner Widerkunfft die Acta neben gueter Information bey Straff nach Ermässigung des Ampts zuezustellen, und khein
Parthey mit dergleichen Exceptionen mehr gehöret werden.

Dessgleichen wan von den Advocaten einer oder anderer mit
schwerer, langwieriger Kranckheit von Gott heimbgesuecht und dardurch
der Parthey Sachen abzuewartten verhindert wurde, soll es gleicher-
gestalt bis zue dessen Gesundtheyt auch gehalten werden.

Es sollen auch unter obberuerten Advocaten zween Notarii sein, welche bey Inventuren und andern Notariatsverrichtungen mögen und khönen auf Erforderung des Ampts gebraucht werden, darzue sie dan auch verpflicht sein sollen.

Caput 6. Von der Assessorenamptt, Secretary und andern Ampts-Personen, auch Advocaten-Aydt. Vide Cammer-Gerichts-ordnung, p. 1, Tit. 5, 7.

Es sollen auch die Assessores, Secretarius unnd andere Ampts-personen dessgleichen die Advocaten nach der Cammergerichtsordnung mit gebührlichen Aydt beladen werden.[1]

Caput 7. De causis.

Von Sachen, so für das Obr. Hoffmarschalckhamptt immediate gehören, dieweil auch vielmahln zwischen dem Herrn Obr. Hoffmarschalckhen unnd andern kayserlichen fürnembsten Officirn, als Obr. Hoffmeister, Obr. Cammerer, Obr. Stallmeister, Vice-Cantzler, Hartschier- unnd Trabanten-Hauptleuth wegen der Jurisdiction Strittigkheiten furfallen, indem ein Jeder zwischen den Personen, welchen sie in ihres kay. Diensts Verrichtungen zue commandiren, auch nach Gelegenheit unnd Versaumnussen desselben zue straffen haben, die Cognition und Jurisdiction an sich ziehen wöllen, und aber bey dem kay. Hoffe niemahln herkommen, dass ausserhalb des Obr. Hoffmarschalckhen in Sachen, welche durch ordentlichen Weg Rechtens zu entscheiden werden sollen oder muessen, jemahln einer von obbemelten Officirn und andern befelchfugten Personen den Stab gehalten, darin erkendt und gesprochen, auch zue fuerderlicher Execution der Processen unnd Urtheilen notwendige Amptspersonen gehabt, zue dem etliche obbemelten Herrn Officiern in Dienstsachen unterworffene Personen sich zue nicht geringer Verschimpffung der Obr. Hofmarschalkhischen Jurisdiction, auch Verkleinerung des Ambts Reputation anstruckhentlich vernemmen lassen, als wan sie in causis justitiae den Ob. Hoffmarschalckhischen Befelchen, decretis unnd Urtheilen wegen nicht fundirter Jurisdiction zue pariren nicht schuldig wären.

Damit nun ins khunfftig dergleichen unfürträgliche, nichtige unnd unerhebliche, freche Exceptiones abgeschnitten und alles unnöttiges Disputiren vermitten pleibe, auch sich Niemandt der Unwissenheit zu entschuldigen habe, so sollen hinfüran alle Klagen und Civilsachen ohn Unterschiedt der Personen, item alle Freuel und Criminalsachen, welche

---

[1] Hier wurde als §. 7 der Anfang des §. 8 gesetzt, jedoch durchgestrichen.

durch den ordentlichen Weg Rechtens zu entscheiden, auch von Obrigkheitt wegen zue straffen oder nach Wichtigkheitt an anderen Gerichten
zue remittiren sein, für den Herrn Ob. Hoffmarschalkhen oder für den von
demselben nidergesetzten Personen ventilirt, examinirt unnd erortert
werden, da auch irer Dienst furgesetzte Obrigkheitten eine Person an
ihre Stell darzue verordnen wolten, soll denselben solches frey heimb-
gestellt sein.

Da aber in Sachen eine oder andere Personen Dienst betreffend
ichtwas straefflich furfallen solte, wofern solches durch den ordentlichen
Weg Rechtens nicht zu entscheiden und hernacher den Rechten gemess
zue straffen wäre, solt von Herrn Obr. Hoffmarschalkhen ihren vorgesetzten Obrigkheitt khein Eingriff noch Hinderung geschehen, sonder jede
Obrigkheit ihrer Instruction gemess sich verhalten wissen.

Wan auch durch derselben Zuethuen unter ihren untergebenen Personen in der Guette die fürgefallene Strittigkheiten in causis civilibus
hingelegt werden könten, mögen sie dieselb, weil die Transactiones auch
ohn Vorwissen der Obrigkheitten in Rechten zuegelassen, woll tentiren
unnd fürnemmen lassen, sonsten in Entstehung derselben sie jedesmals
an das ordentliche Recht remittiren unndt weisen, allda dan dieselben
schleunige Hilff widerfarren solle und also die Avocationes von den Hoffmarschalckhischen Gericht hinfurter gar nicht gestattet oder zugelassen
werden sollen.

Caput 8. Vom gerichtlichen Process, welcher Gestalt darin zu verfaren.

Erstlich solle jede Parthey ihre Klag oder Supplicationes gedoppelt,
damit jedesmahls eine beym Amptt verbleibe, in Schrifften übergeben,
die andere aber der beklagten Parthey zue seiner Notturfft zuegestellt
werde, welche jederzeit vom Amptt-Secretario angenommen und den Ad-
sessoren auf Täg, so sie sitzen werden, zue berathschlagen vorlegen.

Wofern nun dieselbe die Sachen also beschaffen befinden, dass sy
auf blösser Communication beruehen, sollen sie in derselben Session sub
nomine officii ohne Molestirung des H. Ob. Hoffmarschalckhen dem Gegen-
theiln cum termino communicirt werden.

Caput 9. Von Befestigung des Kriegsrechtens.

Wen also vom klagendem Theil die Klag, Libell oder Supplication
uebergeben, so soll der Beklagte entweder seine exceptiones in termino
praefixo darauff uebergeben oder aber seine responsiones haubtsachlich
einbringen und dergestalt alsdan lis pro contestata gehalten.

Caput 10. Von Aydt für Gescheede.

Da auch klagender oder beklagter Thail den Aydt für Gescheede
begehren und denselben dem Gegenpart nicht erlassen wolt, soll solches
in nachfolgendem ersten Termin unverzuglich geschehen. Da aber die
Partheyen solches nicht begehren wuerden, soll der Process ein Weg als
den andern für cräfftn gehalten werden, im Uebrigen soll es bei gemeinen
Rechten quoad poenam jurare nolentis verbleiben.

Caput 11. De satisdationibus.

Da auch die Partheyen, es seye Kleger oder Beklagter, Burgschafft
zum Rechten oder deswegen der Expens begehrn werden, soll solches alsbaldt im ersten Termin geschehen, auch der ander Theil, von welchem sy
begert worden, wofern derselb nicht gnuegsamb angesessen oder ander-
werten beguetert, so bey Erkandtnus der Assessorn stehen soll, dieselbe
auf den nechstfolgenden Termin zu leisten schuldig sein, und darauf alsbaldt in eodem termino ohn gesuechten Auffschueb ferners; was sich der
Ordnung nach gebueren wirt, handtlen und also von Terminen zu Terminen bis zum Endtschluss utrinque verfaren werden.

Caput 12. De terminis.

Die Termin sollen ordinarie von 10 zue 10 Tagen ergehen, es wäre
dan, das die Sachen Wichtigkheitt und Beschaffenheit nothwendig ein
anders erforderte, alsdan soll es in arbitrio des Ampts den Termin zue
kurtzen oder auch zue extendiren stehen, da aber Sachen furfielen, so
kheinen Verzug leiden konten, als Arrest und andere dergleichen Sachen,
soll der Ampt-Secretarius einen oder 2 auss den Assessoren, wofern er
dieselbe haben khan, jederzeit zue sich erfordern, die Sach mit ihnen, so
viel die Zeit leiden mag, berathschlagen und alsdan dem H. Obr. Hoffmarschalckhen neben einem rechtlichen Guetachten referiren und von
demselben Resolutionem erhalten.

Caput 13. De contumacia, sowohl des Klägers als des Beklagten.

Wan auff erst angesetzten Termin der Beklagte sein Antwurt in
Schrifften nicht uebergibt, auch vor Aussgang dess Termins kheine dilation auss erheblichen Ursachen pittet, sondern denselben contumaciter
furueber gehen lässt, soll ihme zum Ueberfluss auff Anrueffen des Klägers
mehrers nicht als acht Tag pro termino praejudiciali angesetzt, auch ehe

und zuvor nicht gehöret werden, es seye dan Sach, dass er seines Aussen-
bleibens erhebliche und in Rechten beständige Ursachen, wie obvermeldt,
fur und angezaigt hette.

Solte aber ueber ergangen beschehene Decret der Beklagte ferners
ungehorsamblich aussenbleiben, so solle die Sach ohn Zuelassung einiger
fernerer dilation für beschlossen angenommen und darinnen ergehen, was
Recht ist.

Hergegen im Fall der Kläger auff des Beklagten Antwurt oder Exception ihme hinwiderumb ein Termin bestimbt wurde und er solchen
verfliessen liesse und weiter nichts handtlen wurde, solle auf des Beklagten Anhalten, wofern der Kläger nicht ehehafften Ursachen seines
Aussenpleibens furzuewenden hätte, ihme gleicher Gestalt ein terminus
praejudicialis nach Gelegenheit und der Sachen Wichtigkheitt (welches
in arbitrio des Amptts stehen solle) angesetzt werden, und, im Fall er
abermahln ungehorsamblich aussenbliebe, soll auff des Beklagten Begehren mit endtlichen Erkhantnuss verfahren und nach Gestalt der Sachen
entweder absolvirt werden, oder aber nach Befindung darinnen ergehen,
was Recht ist, und der Ungehorsamb die interim auffgelauffene Unkosten
und Expens, ehe er zue weiterer Handtlung zuegelassen wirdt, zue refun-
diren schuldig sein.

Caput 14. Von Reconvention oder Gegenklag.

Wofern auch der Beklagt den Kläger in das Wider-Recht verfassen
oder reconvenieren wollte, soll er dasselbe auff den ersten Termin, so
dem Kläger angesetzt, unnachlässig furbringen, unnd darauff zuegleich
procedirt und ein Termin umb den andern gehalten werden.

So aber solche Gegenklag hernach und doch vor Beschluss der
Sachen furgebracht wurde, alsdan sollen beede Sachen der Klag und
Gegenklag vertheilet und ein jede fur sich selbsten gehandtlet werden.

Da sich auch zuetragen solt, das des Klegers Anforderung gantz
klar und richtig, des Beklagten Gegenklag aber gar unklar, unrichtig und
auf einer ordentlichen Aussfuerung berueben und allein des Klägers liqui-
dirte Klag zue suspendiren die Reconvention angestelt wurde, solle alsdan in causa liquida ungeacht der Reconvention ein Weg als an andern
die schleunige Erkantnuss und Rechtshilff erfolgen.

Caput 15. De terminis probatoriis, von Beweiss oder Zeugnus-Fuerung.

Wan in wehrendem Process entweders dem Kläger oder aber Be-
klagtem, Zeugen oder Kundtschafft zu fueren notturfftig währe, soll

darinnen mit Uebergebung der Articul und darauff zuelässige interrogatoria vermög kays. Rechten verfahren, und die Ertheilung der Termin bey des Ampts Arbitrio stehen, und ueber drey Termin mit dem Beweyss weiters nicht zuegelassen werden.

Nach volfuerten Beweiss und Eroffnung oder Publication der Zeugen-Aussag soll der producens seine Probationsschrifft innerhalb vierzehen Tagen darauff einbringen und also mit zweyen Schrifften von vierzehen Tagen zue vierzehen Tagen verfaren und utrinque als producens replicando, der ander Thail duplicando endtlich concludiren, schliessen und zu Erkantnuss setzen, es wäre dan, das der Sachen Notturfft ein anderst erfordern wurde, welches bey Ermessigung des Ampts stehen solle.

Caput 16. De sententiis.

Wan alsdan beederseits beschlossen, sollen die Acta einem von denen verordneten Assessoren ad referendum zuegestellt werden, welcher sie mit Fleiss durchsehen, ein ordentliche Relation verfassen und hernacher die Sach in communi consilio berathschlagen, darueber ein definitiff oder End-Urtheil zue schopffen, furbringen und solche durch den Ampt-Secretarium oder auch nach Gestalt der Sachen durch den gewesten Referenten Ihrer Mt. pro confirmatione et publicatione furtragen lassen.

Caput 17. Von Execution oder Volziehung der Urtheil.

Nach aussgesprochener Urtheil, damit an der Execution khein Mangel erscheine und hinfuran Jeder seines erhaltenen Rechtens bey dem Ampt desto furderlicher Volziehung und Execution erlange, so solle der Verurtheilten innerhalb vierzehen Tagen der ergangenen Urtheil zue pariren und ein Begnuegen zue thuen schuldig sein, wofern aber solches nicht geschehen wurde, soll alsdan auff des gewinnenden Thails Anrueffen und Begehren ihme fernere Zeit bey einer nambhafften Peen, halb ins Amptt und halb dem gewinnenden Thail, zu erlegen pro arbitrio angesetzt werden, unnd nach Aussgang einer und verkündeten Executorialen soll der condemnatus in benannten Termin, ob er demselben parirt habe oder nicht, zue docirn schuldig sein und ihme weitere Frist nicht gegeben werden. Solte aber hierüber der ergangenen Executorialen khein satisfaction thuen, so solle wider denselben mit der wirckhlichen Execution entweder durch Arrest, Pfendung auch Verhoffung oder andere bequeme Executions-Mitteln nach Ermessigung des Ampts so lang und viel unnachlässige verfaren werden, biss er der Urtheil und Executorialen gehorsamblich nachkhommen, auch derselben einverleibte Peen würckhlich erlegt haben würdet.

Caput 18. Von Gerichts-Unkosten.

Die verordnete Assessores sollen in verordneten, entschiedenen und Executionsachen sondern Fleiss haben, dass die zuerkannte Expens auff Ansuchung der Partheyen nach übergebener Designation unnd vom Gegenthail darueber eingebrachte Exception (darin demselben nach der Ordnung drey Wochen Termin zuegelassen sein sollen) fürderlich taxirt und die taxirte zu schleinigen, gleichmessiger Execution verholffen werde.

Caput 19. Von Revision der aussgesprochenen Urtheilen.

Demnach bey dem Amptt bisshero grosse Unordnung gespuert, in dem die verlustigte Partheyen fast muethwillig von den ergangenen Decreten und Endturtheilen revisionem gesuecht und dardurch die Executiones fürsätzlicherweiss gespert unnd auffgezogen, solche Unordnung abzuestellen, solle hinfurter kheinem Theil gestattet unnd zuegelassen sein, von den Decreten, welche in Gestalt einer bey Urtheil ergangen und nicht vim definitivae haben oder gravamen irreparabile auff sich tragen, davon revisionem zue begehren, und da gleich solches bei einem oder anderm Theil attentirt wurde, soll doch in selbigen puncten die Execution und Verfarung der Hauptsachen nicht suspendirt, sondern wie Rechtens ist, darin ein Weg als den ander procedirt werden.

So viel aber die Endurtheil anbelangt, soll hinfuran kheine Revision, es sey dan dass die Sach ueber 35 fl. Rheinisch belauffen thue, statt haben noch zuegelassen werden.

Da aber die Sach ein mehrere Summa betreffen wurde, soll derjenige Thail, welcher die Revision begehrt, von zehen Gulden einen und also fortan zue dem Ampt deponiren und da er der Sachen in der Revision verlustigt oder auch sonst davon wider ablassen und sich anderwerts vergleichen wurde, solches Gelt dem Ampt verfallen sein, welches die Assessores und Amptt-Secretarius zue gleichen Theilen unter sich aussthailen mögen.

Da auch die Sachen nicht Gelt, sondern Injurien und dergleichen Frevel belangen wurden, sollen zwar die Revisiones denselben nicht abgestrickt sein, jedoch zu Verhuetung muetwilliger Auffzugs soll der condemnirte Theil auff den Fall, er die Sachen bey der Revision auch verlustig werden solte, alsbaldt nach gesuechter Revision fünffzehen Gulden zue deponiren schuldig sein, unnd zuvor die Revision ihme nicht gestattet oder zuegelassen werden.

Beilage 6.

1572, 1. Februar, Wien.

Instruction[1] auf den edlen unsern lieben getreuen Gabriel Strein, Herrn zu Schwarczenaw, unsern Hofrath und Stebelmaister, welchermaassen er berüerts Stäbelmeisterambt verrichten und handlen solle.

1. Anfänglich soll sich obgemelter Strein als Stäbelmaister mit sambt allen Unsern Truckhsessen befleissen, das sie sowol auff den Reisen, als am Stilligen zu der gewohnlichen Zeit und Stundt, da wir zu essen pflegen, zu Hoff bey dem Dienst erscheinen, und so er Stäbelmaister umb die Speiss gehet, solle er die Truckssessen alle mit ihne nemben und darob sein, das sie die Speissen sauber, ordentlich und, wie sich gebührt, auch mit Benembung der Cretenz aufftragen und so er Stäbelmaister einen oder andern Truckhsessen mehr als ein Speiss zu nemben und zu tragen zueaignete, das solle derselb ohne Widerredt thun und sich dessen Keiner, er seye wer da wolle, waigern; es sollen auch die Truckssessen im Aufftragen mit Unser Speiss ordentlich und zichtig nacheinander gehen und nicht neben oder hinder einander bleiben, sich vermischen oder vor- und nachlauffen, dergleichen ob sich begebe, dass eine oder mehr Speis, so in der Kuchl blieben, die in einem oder 2 Gengen nicht getragen werden möchte, so soll allweg der einer, so am jüngsten im Dienst gewesen, es sein die jezigen oder künfftigen Truckssessen, vor den Eltern umb dieselben Speyss gehen und also, wie sie nacheinander eingestandten sein, die Ordnung halten.

2. Gleicherweiss, so als vil Speyss gekocht, die in einem oder 2 Gängen nicht getragen, sondern noch ein oder mehr Gang zu thun vonnöthen sein wird, sollen die Truckhsessen auf dess Stabelmaisters Anzeigen und Begehren, alle oder zum Theil nach Gelegenheit der Speyssen, denselben Gang auch thun und ungewaigert aufftragen, derhalben so soll auch der Stäblmaister sein guete Achtung haben und darob sein, auf dass kein Speyss für Unss gekocht in der Kuchel verbleib, sondern Unss alle fürgetragen werden.

3. Ferner so ist auch Unser Befelch, dass der Mundtschenkh, an dem der Dienst ist, unser Mundtglass selbst auff und widerumb hinabtrag, und solches gar nicht durch den Sumelir beschechen lasse.

4. So wöllen Wir auch, wie der Truckssessen einer sein Speyss in der Kuchel empfacht, dass er dieselbigen biss zu Unserer Taffel tragen

---

[1] Im Fasc. 24 des gräfl. Harrach'schen Archivs. In der Handschrift der k. k. Hofbibliothek 14676, fol. 9ᵇ—13ᵃ.

und under Wägen keinem Anderen geben, noch von seinen Handen nemen lassen solle.

5. Item, es soll auch kein Truckhsess, wan er die Speiss aufftregt, dieselbigen Speisen für sich selbst auff Unser Taffel weder im ersten noch anderten Gang nicht niderseczen, sondern solche dem Pannathir in die Handt geben, der dieselbige, wie sichs gebührt, auff Unser Taffel zu seczen und ihne das Cretenz zu geben wirdt wissen; im Fahl aber dass ein Truckhsess 2 Speyssen triege, die schwer weren, so mag er dieselbe auff dem Schenckdisch zunechst dem Silbercamerer zu ruchen aufseczen, er Stäblmaister soll auch keinen Truckhsessen zulassen, dass ihme einer, der nicht im gleichen Dienst ist, die Schiesseln vor den Disch halten helffe.

6. Hiemit soll auch Kheiner seinen Dienst, oder wass ihme Inhalt desselben zu thuen gebührt, keinem Anderen, der nicht seiner Person gemess zu verstehen in gleichen ordentlichen Dienst ist, bey Unserer Taffel übergeben.

7. Und ob sichs zuetrueg, dass der Schenkh, Fürschneider oder Pannathier, an welchem der Dienst ist, aus seinem Dienst und Placz manglen und der Stäbelmaister einen Anderen an seiner statt zu dienen befehlen wirde, derselbe solle das ohne alle Waigerung thun.

8. Dergleichen, wan Wir zum Disch zurichten befehlen, so soll er Unser Stäbelmaister darob sein, damit dasselbige ohne Versaumbnuss, der Dienst von Unserm Ober- und Undern-Silbercamerer ordentlich, fleissig und sauber verrichtet und gedienet werde.

9. Und nachdem sich villeicht, wan Unser Stäbelmaister dess ersten Gangs umb die Speyss gehet oder Uns zum Disch zu kommen erinnert, bey Unserer zugerichten Taffel allerley Unförmblichkeit erzaigen möchte, so soll er Unser Stäbelmaister dem Obristen Silbercamerer oder seinem Verwalter in Unserm Nahmen aufferlegen und befehlen, dass er in solcher Zeit Niemand hinter den Tisch zu siczen oder nahent daran zu lainen gestatten, gleicherweiss soll es auch bey und mit dem Credenztisch gehalten werden.

10. So soll auch er Stäblmaister darob sein und Auffmerkhen haben, damit von den Officieren, so zur Zeit Unserer Malzeit zu dienen schuldig, aines jeden Dienst fleissig und ordentlich verricht werde, gleichesfalls auch von den Edlknaben.

11. Und sofer sich bey Unser Malzeit, es sey von fremten Personen oder Unserm Hoffgesindt, Geschrey oder andere Unzucht begabe, so soll gemelter Unser Stablmaister dieselbigen Persohnen (sofer Unser

Hoffmaister oder Marschall dieselbe Stundt nicht zuegegen were), durch
den Huschier anreden und abweisen lassen.

12. Er der Stäblmaister soll auch sein Aufsehen haben und dahin
bedacht sein, dieweil Wir die Malzeit nemmen, dass die Truckseessen nit
auff die Pünen nahendt auff die Taffel dringen, sondern beschaidenlich
darbey stehen, damit den andern und frembten Umbstehern und Persohnen
ihr Geschicht nicht genomen, sondern auch auf die Taffel sehen mügen.

13. Er soll auch der Stäblmaister nach Auffhebung dess Dischtuchss
von Unss nicht abgehen, bis die Cammerer von ihrem Essen kommen oder
Wir auss der Taffelstuben in Unser Zimer gangen sein.

14. Dergestalt soll es mit den Truckhseessen auch gehalten werden,
und sie weder nach Aufftragung der Speyss oder nach Auffhebung des
Tischtuchs nicht abtretten, sondern bis der Stäblmaister mit dem Stab
abgehet, bey dem Dienst verhahren sollen.

15. Er der Stäblmaister soll auch darob sein und nicht gestatten,
dass die Truckhseessen ainige Speyss, so man von Unser Taffel auffhebt,
ohne sein Vorwissen ausschickhen, so soll er auch für sich selbet über
ein Speyss nicht nemmen und hirinnen demnach ein Beschaidenheit gebrauchen.

16. Er soll auch Unser Stäblmaister auff dass ein mehrere Beschaffenheit, sonderlich in Gegenwarth der frembten Persohnen an der
Truckhseessentaffel gehalten werde, selbst persohnlich den maisten Thail
oder doch derjenig, so an seiner statt dient, an derselben Taffel essen,
und er sambt den Truckhseessen die Beschaidtenheit halten.

17. Wan ihnen das Handtwasser nach der Malzeit gereicht worden,
dass sie dem Nachessen Placz geben und desto ehender auffstehen, er soll
auch mit Fleiss darfür sein und nicht gestatten, dass die Truckhseessen,
unsere Taffeldiener und Officir, wie bishero bescheben, poldern noch un-
gebürlich halten.

18. Uber das Alles solle dem Stäbelmaister von Unss befohlen und
aufferlegt sein, in allweg das lasterlich schedliche Zudrinckhen, dergleichen das ungebürliche Gottslestern oder andere Unzucht und leichtfertige, unzüchtige, schandbahre Reden über der Truckhseessentaffel nicht
zu gestatten, sondern darob zu sein, damit alle guete Erbarkheit, adliche
Zucht und Sitten gebraucht und gehalten werden. Im Fall aber dass dergleichen bescheche, soll er solches nit zusehen, sondern denselben darumben anreden, wie er sich dann der Gelegenheit nach darinnen zu
halten wirdt wissen.

19. Und wo der Truckhseessen einer oder mehr von dem Dienst
aussbleiben, denselben versaumen oder sich auf sein des Stäblmaisters

Anzeigen und Befelch in obgemelten Fällen lessig oder wiederwertig erzeigen würde, so solle er den oder dieselben ernstlich darumben anreden,
und so es aber bei ihnen nicht angesehen sein wolte, unserm Hoffmaister
oder Marschalch umb gebuerliche Einsehung anzeigen oder, wo vonnöthen,
an Uns selbst gelangen lassen.

20.[1] Wann sich auch, wie dan offt beschicht, zuträgt, dass ein
Mundschenckh, Fürschneider, Pannathier, Truckhsess oder andere Persohnen, denen Unser Stäblmaister fürgesezt ist, aufgenommen wirdt,
solle Jedem in sonderheit die Aydtpflicht alle Zeit in seinem dess Stäblmaisters Beysein fürgehalten und darneben demselben von Unserm Ob.
Hoffmaister, dass sie ihme Stäblmaister (so vil Unser Dienst anlangt) allen
billichen Gehorsamb laisten sollen, auffgelegt werden.

21. So sich auch zutrueg, dass der Stäblmaister in Unsern oder
seinen Geschäften von Hoff und seinem Dienst abwesig undt Wier den
Stab mittlerzeit einem Andern zu übergeben befelchen würden, so wöllen
Wir, dass alle obgestelte Articull auff denselben auch verstanden werden
und die Truckhsessen allermassen alss dem Andern obberürte Gehorsamb
laisten sollen.

22. So haben Wir ihme auch hiemit gnädiglich bewilliget, dass
hinfüran Unser Hoffmarschall über ermelten Unsern Stäblmaister oder
sein Ambt nach ihme darein zu sprechen ainigen Gwalt nicht haben,
sondern allein auf Unss und nach Uns, auf Unsern Obristen Hoffmaister
sein Gehorsamb und Aufsehen haben solte.

23.[2] Beschliesslichen ist Unser gnediger Will und Mainung,

---

[1] Dieser Paragraph fehlt in der Handschrift 14676.

[2] Vor dem §. 23 ist in der Handschrift 14676 noch folgender Absatz, der
in der Instruction vom Jahre 1572 gänzlich fehlt: Damit auch die Taffel-
decker ihren Dienst desto schicklicher abwarten und auf Allen, so ihnen
vertraut, desto fleissiger ihre Aufsicht geben muegen, so wollen Wir,
das allein denjenigen Mundtscheucken, Furschneidern und Panathiern,
so wöchentlich umb einander dienen oder, da Wier nicht hervorn essen
und sie nit dienen, sonsten in Umbwechseelung die Ordnung auff sie
trifft, das sie gespeiset werden sollen, jedem ein Jung oder Diener zugelassen werden, die andere Diener und Knecht vor dem Zimmer verbleiben, sintemahl durch dass Hineindringen der mehrern Diener, sonderlich bey der Abendt-Malzeit, sich offtermal frembde böse Leütt mit ein-
mischen. Daraus dann erfolgt, dass nit allein die Tischservet, Löffell,
Messer und anders verzuckt, sondern auch viel Weinss unnottwendiger-
weiss aussgedruncken und verschwendet wirdt. Daruber dann Unser
Stäblmaister mit Ernst halten, diesfals keine Unordnung einschleichen
und sonderlich den Taffeldeckern, dass sie dergleichen abwehren, den
Rucken halten solle.

wann beruerter Stäblmaister von Unserm Hoffmaister[1] zu Unsern Hoff-
handlungen oder sonst, so sich nothwendige Verhörsachen ausserhalb der
täglichen Ordnung oder Hoffraittung begeben, erfordertt würde, dass er
sich bey denselben jederzeit ohne Verwiederung neben obgedachtem Unserm Hoffmaister gebrauchen lasse. Sonst auch in allem Unser Ehr,
Nucz und Frommen fürdere, wie er zu thuen wirdt wissen und Wir ihme
gnediglich vertrauen, an dem Allem erzuigt er Unss ein gnediges Gefallen,
und Wir hinwider gegen ihme in allen Gnaden haben zu erkennen.

Geben in Unser Statt Wienn den 1. Februar A. (15)72, Unserer
Reiche des Römischen in Zehenden, dess Hungarischen in neunten, und
des Böheimbischen in dreyundzwanzigisten.

Beilage 7.

1562, 2. März, Lins.

Instruction und Ordnung auf den edlen unsern lieben Getrewen
Leonhardten von Harrach, Freyherrn zue Roraw, Obristen Erbstall-
maistern in Osterreich, der Röm. Kay. Mt., unsers genedigsten geliebsten
Herrn und Vattern, gehaimber Rath und Cammerer, alss unserm Obristen
Cammerer, welchermassen er, in seinem Abwesen der Eltist under den
anderen Cammerern, so gegenwerdig sein würdet oder der, dem Wir zu
dienen befelchen werden, solch unser Obr. Cammererambt verrichten und
handlen solle.

Ordnung unsserer Leib-Camer, wie dieselb fürgesehen und unss für
Persohnen darinnen gehalten werden sollen.

1. Erstlich soll gedachter unser Obr. Cammerer jederzeit, sovil ihme
müglichen, für und für umb unser Persohn, auch wan wir schlaffen gehen
und aufstehen, gegenwertig sein, unss die Klaider und anderss ordentlich und mit gebürender Reverenz raichen.

2. Nemblichen N. unser Obr. Cammerer und in Abwessen oder
anstatt desselben sein Verwalter N. und N., so sollen wir noch etliche
und ehrliche und ansehentliche Persohnen von Graffen, Herrn oder von
Adel, alss für unsere Cämmerer halten und gemelter unser Obr. Cammerer
oder in Abwessen desselben solle dise folgende Ordnung und Befelch zu
handlen haben.

---

[1] oder Marschalch in der Handschrift 14676. Es scheint, dass dieses die
ältere Fassung der Instruction ist, da später der Stäbelmeister nur dem
Obersthofmeister untergeordnet wurde.

3. Demnach sollen dieselben, sowol auch alle und jede andere Diener und Officir bey der Cammer nach Unss, so vil unsern Dienst betrifft, ihren Respect und Auffsehen auff ihme unsern Obr. Cammerer haben und alles das, so ihne durch ihme aufferlegt wirdt, thun und verrichten, darinen der Obr. Cammerer allen Fleiss fürwenden und darob sein solle, damit durch dieselben Cammerer und andere Diener bey der Cammer unss getrewlich, ehrlich, fleissig und mit gebührlicher Reverenz und Ambt, wie sich gebürt, nachkommen und ein Genüegen thue, insonderheit aber dass dieselbigen Persohnen gehaimb und verschwigen sein, dass sie dassjenige, so sie in unser Cammer sehen und hören, nichts auss der Cammer kommen lassen und deren obbemelten Persohnen allen, so in unser Cammer gehören, soll Keiner ohne unser oder dess Obr. Cammerers Vorwissen über Nacht auss dem Leger liegen.

4. Ferrer so solle alle und jede unsere Klaider, Kleinoter und andere dergleichen Sachen von Goldt und Silber oder anderen, so wir jezo in unser Cammer haben, zu Eingang seines bemelten Obr. Camerer-Ambts zwey gleich lauttende Inventarii auffgericht, deren einss wir bey Handen haben wöllen und dass ander ihme zugestelt werden solle; nach demselbigen Inventary solle er dasselbig alles, nichts davon aussgenommen, es sey von Goldt und Silberstuckhen, auch Seiden, Leinwath, willen Gewandt, Rauchenwahren und anderen Sachen, in die Cammer und zu unsern Klaidern gehörig, zu seinen Handen empfahen, fleissig bewahren und behalten, und dermassen darauff sehen, damit er zu seiner Zeit, alss nemblich zu Aussgang eines jeden Jahrs guete, auffrichtige Rechenschafft und Verantworttung darvon thuen möge, und so nach seiner Verraittung befunden, dass von denen Sachen, so in dem Inventary begriffen, wass vergeben oder abgetragen worden, dass solle in dem Inventari aussgelassen und dagegen dassjenige, so entzwischen oder hernacher von neuen erkaufft, gemacht, geschenckht und ihme Obr. Cammerer in sein Behaltnus und Verwahrung überantwortt worden, eingelt werden.

5. Aber von allem dem Gelt, so zu seinen, unsers Obr. Camerers, Handen in unser Cammer geantwort wirdt, da soll er unss monatlich guete und ausstruckhentlich Particularraittung und Rechenschafft (von wem dass also kommen, wie und umb wass Sachen solch Gelt aussgeben und verwendt worden) zu underzeichnen, fürbringen und ja lenger nicht anstellen und alssdan solche Raittung, wo wir dieselb hinverordnen werden, antwortten.

6. Und nachdem gemelter unser Obr. Cammerer, wan die Röm. Kay. Mt. zugegen oder auch in Abwessen, bey Unss ordinari in die gehaimben und andere Räth gehen muess, so haben wir ihme gnediglich bewilliget,

das er obgedachte Raittung, die ihme hieoben zu halten auferlegt wirdt, alwegen dem eltisten Cammerdiener oder aber sonst einem, so ihne für geschickht und tauglich befunden wirdt, befelchen und übergeben müge dergestalt, dass derselbe solche Raittung in seinem dess Obr. Cammerers Nahmen verrichte, doch dass er ausserhalb seines Wissens und Befelchss keine Aussgab weder wenig oder vil nicht thue.

7. Er soll auch mehrgemelter unser Cammerer mit allem Fleiss darob und daran sein, dass die Kauff umb gulden oder silbern Stukh oder ander Sorth, Seiten oder andere Rauchwahren, mit guetem Rath beschehe, damit unss nicht verlegen Ding erkaufft oder aber ein mehrers als der Werth ist darumben gegeben werde, und wass von seiden und rauchen Wahren, auch gulden und silbern Stuckh oder anderer Sortten erkaufft und ihme in unser Cammer übergeben werden, darumben soll er, wie sichs gebürt, quittirn und jederzeit sein fleissiges Auffmerkhen halten, dass unssere Klaider in sein oder dess, den er darzue verordnet, Beywessen geschnitten und allein die Notturfft darzue genommben, und davon nichts entzogen, verwechsslet oder in anderweeg veruntrewet, sondern dassjenige, so durch den Schneider oder Kirchner über die Notturfft nicht gebraucht, widerumb mit guetter Raittung übernommen werde.

8. Er unser Obrister Cammerer solle auch guette Achtung haben, wie vil Wir zur Notturfft zue einem Rockh, gulden und silbern Stuckh oder Seitenwahren, dergleichen wass und wie vil wir den rauchen Wahren zu einem Rockh gebrauchen, damit ungefehrlich usszukommen sey, und dass alweg hirinen ein Gelegenheit gehalten, der Überfluss und, wass zuvil ist und ihnen den Handtwerckhern in der Gwalt bleibt und Nucz darauss erfolget, verhüett werde.

9. Er soll auch Alles, wass unsern Schneidern oder Kürchner zu machen durch gegeben und vertrautt wirdt, sein fleissig Auffsehen haben, damit treulich damit umbgangen, ihme auch alle Ding von ihnen widerumb mit gueter Raittung zugestelt und überlieffert werden, unangesehen dass er alle Ding, wie obsteth, wass auff unser Persohn und in unser Cammer vonnötten sein und gereicht wirdet, in seinen Empfang nemen und darumben quittiren muess.

10. Und nachdem sich auch unser Handtwerckher mit der Belohnung und in anderweg bisher fast beschwerlich und thewer gehalten, so solle unser Cammerer fürohin ein Geding machen, wass ungefehrlich von einem unserm Rockh oder anderen Stuckh, dass billich ist, gegeben werden solle, also dass es alweg darbey bleibe und wir aber etwan auff ein neuen Form oder Manier machen liessen, mag gleichwol nach Gelegenheit, ob mer Arbeitt darauff ging, nach zimblichen Dingen ein Besserung

der Belohnung gereicht werden; und in solchem allem, solle unser Ob.
Cammerer ein leidentliche und unbeschwerliche Mass und nicht so hoch,
als etwan geschehen ist, fürnemmen und darüber guete Handthabung
thun, unangesehen dass sie die Handtwerckher sonst von unns mit guten
ehrlichen Besoldungen versehen seind.

11. Und wan unss ein Rockh oder ein andere Leibskleidung gemacht werden, sollen dieselbigen alweg durch unsern Obr. Cammerer in
ein ordenlich Inventari gestelt und also nach dem Inventari die alten
und neuen ordentlich bey einander behalten, und nichts davon ausserhalb
unsers sonderen Befelches und Verordnung vergeben, sondern der inver-
melten unserer Verordnung und Ausstheilung erwartten und, wass wir
deren verschenckhen oder vergeben, durch unsern Cammerer auch darüber
ein sonder Inventari, wanen und wem und zu wass Zeiten die hingegeben
worden sein, gehalten werden.

12. Weiter sollen durch unsern Obr. Cammerer alle Cleinoder,
Silbergeschir, Verehrungen, köstliche Pücher, Antiquiteten, Instrumenta,
Kunststuck, es sey von Goldt oder Silber, Metal oder anderen Gearbeitt,
nichts aussgenommen, wass in gemelter unser Cammer geantwortt wirdt,
mit allem Fleiss auffgehebt, bewahrt und gleichermassen in ein ordenliches
Inventari gestelt und darbey auffgezeichnet werden, von wass Personen,
zu wass Zeit unss solches gegeben oder sonst erkaufft worden und gedacht
sein, dass in keinen Weeg solche Sachen, sie sein wie klein sie wollen,
verzuckht oder hindan gegeben werden, unangesehen dass uns dergleichen
Ding zu Zeiten von wegen Selczsamkheit, zu Zeiten von wegen kunst-
licher und wunderlicher Arbeith und Gemächten gancz lieb und angnem
sein, über welches alles soldt durch einen unsern Cammerdiener auch
ein Inventari, Raittung und guet Auffsehen gehalten werden.

13. Weilen auch gleiches Falss ein jeder under den Camerdienern
und Gwardaroba über dass, so ihne durch unsern Camerer von unsern
Leibsklaidern und anderen Sachen zu verwahren gegeben wirdt, sein
ordentliche Verzeichnuss umb dasselbig alles Rechenschafft und Raittung
zu geben wissen, zu halten und dan solches alles (darauff unser Camerer
sein Achtung zu geben weiss) fein, sauber und ordentlich behalten solle.

14. Wan dan so offt wir ein Kleinoth, aber ichtes anderes Köst-
liches verehren und verschenckhen, soll unser Camerer jederzeit ein
Befelch mit unserer Handt underzeichnet von unss nemen und in Raittung fürbringen.

15. Unser Camerer soll auch in allweg bey unserm Camerfuetr N.
oder, wer der jederzeit sein wirdt, Verordnung thuen und für sich selbst
Fürsichtigkeit darinnen haben, dass unser Persohn jederzeit so vil sein

mag, nicht allein mit gueten Herbergen, Zimern und Wohnungen versehen, sondern dass wir auch an Orth und Endt nach Gelegenheit logirt
werden, darinen wür für unser Persohn wol verwahrt, auch Fewers,
Einsteigen und anderer Gefehrlichkheit halben am wenigsten nicht zu
besorgen haben.

16. Und wan wir also von einem Placz, wir seyen nun kurz oder lang
dargewest, in ein ander Hofflåger verruckhen, so solle unser Cammerer
fleissig auffzeichnen und ein ordenliches Inventari darüber halten, wass
dasselbst, es sey von wass Sachen es wölle, hinder unser bleibt, damit
wir dess jederzeit guetten Bericht und Wissen haben und bekommen
mögen. •

17. Item, in unser Schlaffcamer soll ausserhalb der Cammerer und
Cammerdiener Niemandt ein Eingang haben, es werde dan einer durch
unss hinein gefordert, darob dan unser Obr. Cammerer oder in seinem
Abwesen, dem es befohlen wirdt, streng halten und sein, auff unser
Persohn, Leibbeth, Gewandt und anders fleissig und getrewes Auffsehen
haben solle.

18. Ferer soll auch unser Camerer ausserhalb unserer Diener ein
hochen Ambtern, derohalben wir ihme dan ihres Zutritts wegen und zu
wass Zeit der sein soll Bescheidt geben werden, sonst Niemandts in
unser Camer ainigen Zuetritt gestatten, er habe dan dessen von unss
ein ausstruckhlichen Befelch.

19. Unser Obr. Cammerer soll auch ferner mit allem Ernst darob
sein und denen, so Schlüssel zu unser Camer haben, unsertwegen ernstlich
einbinden, dass sie dieselbigen Schlüssel bey Tag und Nacht mit höchsten
Fleiss verwahren und keinem Menschen von Handen lassen oder vertrauen, und da es sich begeb, dass ihren einer etwan von Hoff verruckhen
oder sonst Schwachheit halben von ihren Dienst abwesig sein wirdten, so
sollen sie solche Schlüssel jederzeit ihme Obrist Camerer mitlerweil zustellen
und überantwortten.

20. Und sollen hinfürher alle Zuständt und Gerechtigkeit, deren
sich unser Cammerer oder Cammerdiener und andere Persohnen in unser
Camer nach Gebrauch dess Niderlendischen Stadts behelffen und zu ihren
Nucz suchen und bringen woiten, genczlichen auffgehebt unb abgethan
sein, und ihr Keinem in solchem Fall ichtes ferners folgen noch wie einem
darfür nichts zu thun gar nicht schuldig sein.

21. Mehr sollen nach Gelegenheit einer oder zween vertraute Leib-
Medici und ein Wundtarcz und ein geschickhter vertrautter Apotheckher
gehalten werden, deren Jeder soll sein Ambt mit getrewer embsiger Sorg-

feltigkeit und Fürsehung wartten, frisch Arcaney bey dem Tisch und in
der Camer getrewlichen verrichten und uns ad partem geschicklich
unsers Nachts waren, und sonderlich soll der Apothekher gedacht sein
und guette Fürsehung thun, dass im Jahr, wo nicht zweymal doch auffs
wenigst einmal, guete frische Stuckh und simplicia (darauff dan der Leib-
Medicus und Arzt ihr getrewes Auffmerckhen haben sollen) bestelt und
erkaufft werden, damit er jederzeit im Fall der Noth mit denselben
gefasst sein müge.

22. Unser Obrister Camerer soll auch sein fleissig Nachachtung und
Erfahrung haben, ob die Officier-Persohnen bey unser Cammer ihren
Ambt und Dienst fleissig und trewlich, wie sich gebürt, vorstehen und
verrichten oder nicht, und so er ainigen Mangel bey einem oder mehr
befünde, darin nach Gelegenheit Wendung thun, und sonderlich dass die
Straff gegen den Cammerdiener mit Rodirung einer Wochen- oder Tags-
Besoldung, lenger oder weniger nach Gelegenheit der Verwürckhung,
durch unser Hoffmaister und Hoffmarschall, denen sie der Camerdieners
Unfleiss und Übertrettung unserer Camer alwegen anzeigen sollen, fürgenommen und verordnet werden.

23. Noch sollen disse nachfolgende Persohnen in unserer Leibcammer gehalten:

> Erstlichen: 4 Camerdiener;
> mehr 2 Ober und Unter-Barbirer;
> Guardaroba und sein Mitgehülff;
> Cammer-Fourir;
> Haiczer;
> Leibschneider;
> Schuester;
> Hossenschneider;
> Leibwäschin;
> Drey oder 4 Cammerthuerhüetter sollen gehalten werden.

Die Cammerthürhietter sollen ihr Auffsehen auff unsern Obr.
Cammerer haben.

Die andern Saalthürhietter aber sollen Auffsehen haben auff den
obr. Hoffmaister und Hoffmarschallen.

24. Doch wo ein Camerthürhietter etwass straffmessiges handlete,
so solle der Obrist Camerer dasselb deme Hoffmaister oder Hoffmarschallen
anzeigen, dieselben alssdan nach Gelegenheit der Verwürckhung gegen
ihnen mit Rodirung ihrer Besoldung oder in anderweg Straffen fürzunemben wissen, doch solle solches mit Wissen unsers Obristen Cammerers
beschehen, allein die Handlung, were so gross an ihr selbst, so solle der

Obr. Camerer unss selbst solches anzeigen und unverhalten nicht lassen, so stet alsadan bey unss darinnen Mass und Ordnung, wie gehandlet und gestrafft werden solt, zu geben.

25. Beschlüesslichen, so solle der Obrist Camerer mit allem Fleiss darob sein und halten, damit alle und jede Cammer-Persohnen und Diener, Barbirer, Guardaroba und ihres gleichen, so zu Tag und nächtlicher Weil umb unss sein und in unserer Camer aus- und eingehen, allwegen und zu jeder Zeit verhanden und gegenwertig sein und jederzeit seinem Ambt, Dienst und Befelch in allweg trewlich und mit gebürlicher Reverenz auffwartte und ein Genügen thue und dass sich diesselbigen allenthalben und in allen Dingen ehrlich, züchtig und, wie sich gebürt und ihnen wol anstehet, verhalten und erzaigen und ihnen anderst nicht gestatten oder zustehen, sondern wo er ichtes, so dergleichen unzichtiges, ungebührliches, ergerliches und nachtheiliges, so einem ehrlichen Diener nicht zustehet, bey einem oder dem anderen erfahren und befunden würde, dasselbige wass Criminalsachen betreffen möchte, soll er unss vor allen Dingen und, wo vonnötten, unserm Obr. Hoffmaister anzeigen und auss unsserm Befelch, Verordnung und Beschaidt, so vil möglich, mit Fleiss abstöllen und Wendung thun, sich auch sonst in allen anderen fürfahlenden Sachen (nachdem je alles in dise Instruction nicht gestelt werden kan und sich auch die Befelch nach Gelegenheit der Zeit wenden) wass zu unserer Ehr, Reputation, Nucz und Wolfahrt geraichen müg, allenthalben dermassen fleissig, auffrichtig, gehorsamb und getrewlich erzaigen und verhalten, wie wir ihme gnediglich getrauen und einem ehrlichen aufrichtigen Obr. Camerer wol anstehet und gebürt; und ob ihme in denselben allem ichtes beschwerliches, so unss zu Schimpff, Gefehrlichkeit, Nachtheil und Schaden geraichen mögte, fürfallen wurde, dass er für sich selbst darinnen nichts handeln, verhüetten, wenden und aussrichten kunde (darinen er doch allen Fleiss und Müglichkeit gebrauchen solle), so solle er uns solches ohn allen Verzug anzeigen und von uns in Sachen Beschaidt und Befelch nemmen, und demselben folgendts nachkommen, damit also alle Gefehrlichkeit, Schimpff, Nachtheil und Schaden in allweg fürkommen und abgestellt werden, an dem thuet er unsern ernstlichen Willen und Mainung. Und wir wollen über dass Alles, so er vermög dieser unserer Instruction und aufferlegten Befelch handlen, thun und lassen wirdt, damit demselben nachkommen und guete Ordnung gehalten werde, mit allen Gnaden handthaben; wass aber für Persohnen in unser Camer gehören, da haben wir ihme einen sonderen geferttigten Camer-Statt zustöllen lassen.

Datum Linz den 1. Marty An(no) im (1)562.

Beilage 8.

(1561? Mai) Wien.

Maximilian der Ander von Gottes Gnaden König zu Böhaimb, Erzherzog
zu Össterreich etc.

Instruction und Ordnung, welchermassen und Gestalt unser Obr.
Stallmaister-Ambt gehandelt und verricht werden solle.

1. Erstlichen, soll unser Obr. Stallmaister alle und jede, gross und
klein Notturfften, so zu unserem Reutzir,[1] alse von Zeug, Sadtl, Harnisch,
Kleidung und anders zu unsern Rüstungen gehörig, nichtes ausgeschlossen, durch die Persohnen, so darzu verordnet, fleissig verwahren
lassen und, so offt wir zu raitten auffsiczen, soll er bey unns sein, seinem
Ambt mit ordenlichen Credenzen und Verwahrung vorstehen, damit wir
alweg nach Gelegenheit und Gegenwerttigkeit der Zeit zu Ehren und zu
Sicherheit versehen sein.

2. Vermelter unser Obr. Stallmaister soll täglich sein Auffmerckhen,
Achtung und guete Erforschung haben auff die Notturfft unsers Stals,
wass zu bessern und von neuem zu bestellen oder zu erzeigen nit umbgangen werden mag, wie auch dieselb Notturfft in einem zimblichen und
wolfeylen Kauff zu bekommen sein, dass solches alles zeitlich und laut der
Ordnung, so seine Underofficir hernach benent haben, fleissig vebregen
werde und an demselben kein Mangel erscheine.

3. Und wass also in unserm Stall erkaufft wirdet, sonderlich wass
etwass nambhaffts ist, bey dem soll unser Hoff-Cantralor gegenwertig
sein, sein Auffsehen haben darauff und darüber verificiren, und der Stallmaister soll ihme selbst zu gueter Richtigkeit und Verantworttung darob
sein, dass solches von dem Hoff-Cantralor volzogen werde, oder wo er
einigen Mängel in diesem Fall an dem Hoffcontralor befunde, dasselb
unserm Hoffmaister anzeigen.

4. Er soll auch durch den Fuettermaister oder Fuetterschreiber
mit sambt unserm Hoffcontralor in der Harnisch und Sadl-Cammer, was
für Sadl, Zeug, Püss, Stegraiff, Harnisch, Rockh, Panczer, Capellaun,
Püxen und allerley Wehren, Federn, auch alle andere Manss- und Rosszier und Geschmuckh, auch Zelten sambt ihren Zugehorungen, so man
jederzeit bey der Harnisch-Cammer zu halten pflegt, deessgleichen Wäldrapen und sameten Deckhen, in Summa, es sey gross oder klein, so in
unser Harnisch oder Satl-Cammer jezund vorhanden oder künfftiglichen

---

[1] In einer späteren Instruction steht: Reittergezier.

kauffsweyss oder durch Verehrung darein kommen möchten, ein ordenlich Inventari auffrichten, halten und alwegen zu Aussgang dess Jahrs
durch unsern Contralor sambt dem Fuettermaister oder Fuetterschreiber
vernewert, von welchem ihme dem Stallmaister und dan auch dem Hoffmaister gleichlauttende Abschrifften überantwortt werden sollen, mit neben
lautterer Vermeldung, wass also jederzeit in gemelte Harnisch-Cammer
kombt oder widerumb darauss gegeben oder verschenckht wirdet, zu wass
Zeit, wie, wan oder von wem dass beschehen seye und auch wie jederzeit Münderung und Mehrung mit unsern Pferdten und Tragessln in
unserm Hoffstall beschicht, in den Wochenzetlen durch den Fuettermaister lauttere Anzeigung thun lassen.

5. Dessgleichen so solle gemelter unser Stallmaister jeczo alssbaldt
unserm Hoffcontralor ein lauttere Verzeichnuss aller und jeder Pferdt,
so wir jezo in unserm Stall haben, wie die haissen und von wass Farben
die sein, zustöllen lassen, nichts weniger auch, so offt hernachmallen
gemelter Contralor solches im Jahr begehren würde, solle ihme dieselbig
Verzaichnuss auch gegeben werden, damit er jedesmals, wie viel Pferdt
im Stall vorhanden, wan oder wo die erkaufft, geschenckht oder widerumben darauss gegeben worden, aigentliches Wissen darumb haben
mügen.

6. Unser Fuettermaister und Fuetterschreiber sollen ihre Auffsehen
auff ihne alss Obrist-Stallmaister haben, ihre Ämbter und Dienst sament-
lich mit einander handlen, trewlich und in guetter Einigkheit einander
helffen, wo es dan vonnöthen, dass einer verziehen oder verraisen und
der Ander hinden bey der Lassung und Hernachbringung unserer Güetter
bleiben müesse, die Geschafft mit Wissen dess Stallmaisters abtheilen und
jeder seinen Thail trewlich und fleissig verrichten, jederzeit auff unsern
Stall die Notturfft alss Fuetter, Hew, Strew, Sattel, Pyss, Zaum, Negl,
Eysen und alles anderss, wass ungefehrlich darinnen gehört, auff An-
saigen dess Obr. Stallmaisters bestellen und solcher ihrer Ordinari und
Extraordinari Ausgaben ordenlich Wochenzetlen stöllen, wie bisshero
dan beschechen, dieselben unserm Stallmaister fürbringen und wass also
auff des Stallmaisters Verordnung für neue Arbeitt in unserm Stall bey
den Handtwerckhern gefrimbt und gemacht würdet, dass solle weder durch
den Sattelknecht noch die Rossbereütter oder andere von den Handt-
werckessleitten nicht genommen werden ohne Beysein dess Fuettermaisters
oder Fuetterschreibers, damit sie dasselbe, wan und von welchem Handtwerckher es genommen und wohin es gebraucht wirdet, fleissig auffschreiben und in Abraittung und Bezahlung der Handtwerckher-Parti-
cular derhalben guetten Bericht haben und thun mügen; und wofer

aber der Sattlkhnecht oder Bereütter wider die Ordnung ihrem Gefallen nach handlen wolten, so soll der Fuettermaister oder Fuetterschreiber solches unserm Obr. Stallmaister jederzeit berichten, damit er solches abzustöllen oder wo es nicht helffen wolte mit der Straff gegen ihnen zu verfahren wisse.

7. Es soll auch der Stallmaister derselben Handtwercker Particular selbst fleissig übersehen, ob es seinem Befelch nach gemacht und Inhalt dess Stallmaisters Ordnung bezalt worden, und so er solches ohne Mangl befindt, die Particular und nachmalss die Wochenzetl, darin sie gestelt, underschreiben.

8. Und wan dem Fuettermaister oder Fuetterschreiber durch unsern Obr. Stallmaister unser Auffbruch anzeugt und Wägen oder Schüff zu bestellen befolchen wirdt, so sollen sie dieselbigen Wägen und Schäff, so vil er ihnen anzeigen wirdt, bestellen, aber sie allein nichts, sondern zu Gegenwarth ihres Stallmaisters und Hoffcontralors der Besoldung und dess Kauffs halben beschliessen, in alweg auch, so die Wägen oder Schäf laden wöllen oder auch abladen sollen, sie solches zuvor unserm Hoffcontralor verkündten, damit derselb darbey sein und aller Ladung ein Wissenschafft haben müge, und, so sie Bezahlung der Wägen oder Schüfffuhren thun, sollen sie dieselbigen in ein sonder Parthicular einstöllen, dem Obr. Stallmaister fürtragen, so derselb das angeseichte Particular ohne Mangl befindt, soll er Stallmaister es underschreiben und alsdan der Fuettermaister und Fuetterschreiber, solches von Stallmaister underschriben Particular der Fuhren, sowol alss der Wochenzetlen, dass so ordinari und extraordinari auff dem Stall auffgangen ist, vor unserm Obr. Hoffmaister, Hoffmarschallen und darzue geordneten ordenlich verraitten und verrechnen.

9. Damit auch unser Stallmaister nicht allein, wass in unserm Stall gehört, bestelt, einkaufft und ausgeben wirdt, sondern auch, wie jederzeit mit dem Empfang, Ausgaben und Rests dess Gelts im Fuettermaisterambt gehandlet werde, ein Wissen haben, so wöllen wir, dass hinfüran so offt der Fuettermaister oder sein Gesell zum Stallgelt bedürfftig, dass sie bey unserm Stallmaister umb ein Zetl, die an unsern Hoffmaister lautet, Ansuchung thun sollen, auf welche Zetl er Hoffmaister alsdan bey unserm Hoffzallmaister die Bezahlung kunde verordnen, doch soll der Fuettermaister oder Fuetterschreiber von den Geltzetln Copien behalten und nach Empfang dess Gelts dem Stall, auf dass ers auch einschreiben kunde, darzue ein sonders Buch halte, Bericht thuen.

10. Dessgleichen so unss mit Habern Verehrung beschechen, sonderlich wan wir über Landt reissen, soll solcher Habern oder Füetterung an still bleibenden Orthen durch den Fuettermeister oder Fuetter-

schreiber als den erkaufften Habern in sein Empfang genohmen werden, es were dan Sach, dass man an einem Orth im Reissen nur über Nacht bleibe und solicher nicht aller in unserm Hoffstall verfüettert werden mögte, soll mit dem übrigen nach unserers Obristen Stallmaisters, Hoffmaisters und Hoffmarschalls Guetbedünkhen gehandlet werden.

11. Der Fuettermaister oder Fuetterschreiber, so sich in ihren Ämbtern, wie obstehet, theillen müessen, welcher alssdan in Vorzueg ist, so wür zu Landt oder Wasser raissen werden, der solle unsere Leibpferdt, Edlknaben, Bereither, Sadelkhnecht, Laggeyen, Schmidt, Stallknecht, Tragesslen und die zugehörigen Persohnen furiren.

12. Dessgleichen wan ein Auffbrug verhanden ist, solle unser Stallmaister mit sambt unserm Hoffmaister, Marschalckhen und dem Obristen Cammerer, Stebl- und Kuchelmaister zeitlich darvor berathschlagen, wass nach Gelegenheit der vorhabenden Reiss ungefehrlich für Fuhren zu Landt oder Wasser, über dass so auff die Tragesslen geladten wirdt, vonnötten sein, damit mit Bestellung solcher Fuhren durch den Fuettermaister und Fuetterschreibern zeitliche Fürsicht beschehen möge und damit allein die Notturfft und nicht übrig Wägen oder Schiff bestelt werden, so solle auss unserer Leibcammer, Kuchel, Keller, Silbercammer, Dapecerey und allen anderen Officien ordentlich Verzeichnussen durch ihre fürgesezte Obrigkeiten underschriben, wass auss einem jeden Officio dieselbe Raiss mitgeführt werden soll und vonnötten ist, unserm Stallmaister zeitlich zugestelt werden, damit er sich darnach zu richten und die Bestellung der Fuhren zu verordnen wissen; sonderlich aber solle er Stallmaister sambt dem Hoffcontralor darob sein, dass die Wägen so vil müglich nach dem Centner und nicht nach dem Ross oder Tag gedingt und dass auch kein unnöttig Fürspanen der Wagen auffgewendet werde.

13. Was aber betrifft unsers Hoffgesindts Güeter, die auff unsern Kosten Inhalt der Fuhrordnung mitgeführt werden, solle gedachtem Stallmaister zu jedem Auffbruch ein Verzeichnuss zugestelt werden, wem und wie vil er derselben neben unsern aigenen Guettern auff unsere Kosten auffladten und führen lassen soll, was aber der anderen unsers Hoffgesindts Güetter, als Truchen, Fesser, Pallen, Feleiss, Wein und anderss ist, so sie auff ihren aigenen Kosten mitzuführen schuldig seint, zu denen sollen gleichwol durch den Fuetterschreiber die Notturfft Wägen oder Schiff und gleich in dem Geding, wie für unssere Güetter bestelt, auch angelagen und gelatten werden, doch dass ein jeder Hoffgesindt, wass er zu laden hat, zu rechter Zeit, wan man unsere Güetter laden würdt, seine Stuckh auch gen Hoff bring, darauff ein Zetl seye, wem es zugehör, und dem Trabanten, so wür in Sonderheit auss unserer

Guardi verordnet haben, zuvor bauleiffig so vil Geldts auff Raittung geb,
so vil es an dass Orth, dahin erss führen lassen will, gestehen mögte,
damit gemelter Trabant, wan er mit den Güettern ankombt, die Fuhr-
leüth von Stundt an ohne Warttgelt abferttigen möge und den Partheyen
nit lang umb die Bezahlung nachlauffen muess, wie bisshero geschehen,
so aber der Trabant von einiger Parthey mehr Gelds auff Raittung em-
pfinge, als solche vorgestünde, dass solle er jeder Parthey von Stundt an
wider erlegen, entgegen auch kein Trugen noch anderss Stuckh ohne
richtige Bezahlung dess Fuhrlohnss hinaus zu geben nicht schuldig sein,
ob deme dan unser Hoffmaister und Hoffmarschall ihme Ruckhen und
Schucz halden sollen.

14. Unser Stallmaister soll auch täglichen in unserm Stall sehen,
damit alle Sachen, so noth sein, ordentlich verricht, sonderlich dass durch
einen jeden sein Abreith fleissig verbracht und verricht werde.

15. Und in Sonderheit soll unser Stallmaister guete Achtung und
Auffsehen auff unsere Edlknaben haben, damit die der Lehrnung und
gueten adlichen Wessen auffwartten, darinnen ein solche ernstliche Fürsehung thun, dass sie zu aller Forcht, Zucht und Ehrung und guetten
Sitten gehalten, dergleichen auch Wintterss Zeiten mit ihrer Klaidung
vor der Kelden bewahrt, damit ihre Edlern sehen und wahrnemen, dass
mit ihnen, darumben sie daher gelassen, aller müglicher Fleiss gebrauchet
werde und Frucht darauss komme, dass in solchem Fall durch ihne in
keineswäg einig Übersehen oder Lessigkeit geduldet oder gestatten; so
haben wir auch gemelten unsern Edlknaben ein tanglich geschickten
Hoffmaister, darzue ein tauglichen Praeceptor zuegeordnet, die ambt
gemelten Knaben ihme Obristen Stallmaister gehorsamb zu sein, bemelte
Knaben auff alle Gottesforcht, guete erbahre Zucht weissen, in allerley
ritterlichen Sachen, auch in Kinsten, der Latein und anderen Sprachen
redten und schreiben lehrnen künnen, ihr sonderlich Auffsehen auff gemelte Knaben haben sollen, damit sie kheinerley leichtfertigen Handlung
nachgehen oder auffwartten; wo sie aber solche spüren wirden, sie darumben anderen und gebürlich straffen, wo sie aber solche Straff nit annemben, sondern verachten wolten, so solle der Hoffmaister oder Praeceptor solches gemeltem Stallmaister anzeigen. Im Fall es aber auff einer
Raiss were und der Hoffmaister nicht selbst, sondern sein Gehülff oder
Praeceptor zugegen, so soll ers dem Stallmaister anzeügen, über den ersten
Ruehetag nit anstellen, der würth alssdan hirinnen weitere Wendtung
zu thuen und gebührliche Straff zu verordnen wissen.

16. Gedachter Stallmaister soll auch durch sich selbst oder durch
gemelte Zucht- oder Schuelmaister berürte Knaben jederzeit nach Gelegen-

beit dess Wessen zu unserm Dienst antheillen und anordnen, alss nemblich zu Kirchen bey dem Gottesdienst, an Panketen und Ritterspillen, bey
unser Taffel, auch alle Morgenss und Abends mit den Wintlichter auff
unss zu wartten, und wass unss ungefährlichen nach ged. Stallmaisters
Guetbedunckhen zu Ehren und ihnen zur Zucht vonnötten ist.

17. Auss obbemelten unsern Knaben sollen allezeit 8 auff unser
Taffel wartten, es sey an Stilligen, über Landtreissen oder Gejaitern, denen
solle alssdan die Speiss auss unser Kuchl und darzue ihr Ordinari Brodt
und Wein geordnet und durch ihren geordnet Diener einen bey dem Disch
gedinet und gewarttet werden; bey ihnen soll auch an ihrer Taffel ihr
Zuchtmaister oder Praeceptor siczen, ihr Speiss und Tranckh neben ihnen
haben, damit sie auffmerckhen können, auff dass sie ihr Malzeit in ehr-
bahrer, gueter Zucht ein- oder zubringen und ihnen keine Leichtfertigkeit
nit gestatten, sonst soll Niemandt anderer zu der berürten Knabentaffel
Zugang haben, allein sein dess Obristen Stallmaisters und des Obristen
Silb-Cammerers Knaben einer; sofern dieselbe Knaben auch von Adl
seint, so sollen auch diesselbe 2 Knaben in der Mahlzeit sowol als unsere
Knaben under dess Zuchtmaisters und Praeceptors Disciplin und Sorg
gehalten, ihnen so wenig alss unsern Knaben einem nichts leüchtfertiges
gestattet oder zuegelassen werden.

18. Wie vil wir dan Knaben über die gemelten 8, so zu Hoff ihr
Taffel haben, halten werden, die sollen durch ihren der Edlknaben Hoffmaister nach lauth der sondern Ordnung und Instruction, so wir
ihme dem Obristen Stallmaister zustellen lassen, gehalten und tractirt
werden, indem dan der Stallmaister sein fleissig Auffmerckhen haben soll,
damit durch denselben der Edlknaben Hoffmaister solchen genzlich gelebt und die Knaben umb dasjenig, so er von ihrentwegen einnimbt, wol
tractirt und gehalten, auch sonst mit aller Sauberkeit gedienet werde,
wie er deme zu thun wirdt wissen.

19. Nachdem unser 4 Camer-Trabandten in Zeit unsers Stilligens
nichts oder gar wenig zu thun haben, so wollen wir, dass auss denselben
4 Cammertrabandten ein Wochen umb die andere allweg 2 neben denn
vorbenanten ihren der Edlknaben Diener auff die Knaben wartten und
sich auff den dess Stallmaisters Beschaidts verhalten, doch sich mit der
Speiss selbsten versehen sollen.

20. Gedachter unser Obrister Stallmaister solle auch allezeit bey
den hernach angezeigten Persohnen under sein Ambt gehörig darob
halten, dass ihr Jeder seinen Dienst getreulich und mit Fleiss auffwartte,
nnd endlich darob sein, wo sich einer ungeschickblich oder unfleissig
hilte, es were ihn mit Warttung seines Diensts und Ambts oder in ander-

weg, wie das were, dass solches nicht übersehen, sondern nach Gelegenheit der Verwürkhung und, ob die nicht so gross were, mit Bodirung Wochen-, Tags oder halben Tags-Besoldung oder in anderenweg gestraffet werden, und wass er hierauff jederzeit denen Persohnen an ihre Besoldung zur Straf rodiren wirdt, soll er durch einen Zettel unserm Obristen Hoffmaister oder Hoffmarschallen anzeigen, die werden alssdan bey dem Hoffzahlmaister die Vollziehung derselben Straff zu verordnen wissen, damit under ihnen in allweg guete, erbahre Zucht gehalten und dasjenige, so einem Jeden zustehet und gebühret, fleissig volzogen und verricht werde.

21. Weiter soll auch unser Obrister Stallmaister darob sein, damit der schön und kestlichen Zeug und Sädl im Aussreitten über die Anzall, so auff die Pferdt, welche wir selbst oder unser Obrister Stallmaister reitten wollen, verschonet werden.

22. Dergleichen wollen wir, wan die Bereitter, Ristmaister, Understallmaister oder andere, wer die sein, sonst für sich selbst ausserhalb unser in das Feldt oder sonst in die Statt reitten, dass deren Keiner durchaus kein schönes oder kestliches Zeug oder Sadl nicht gebrauchen und sich damit sehen, sondern sich an den schlechten täglichen Zeugen begnüegen lassen sollen.

23. Unser Rossbereitter, wer und wie vil deren jederzeit sein werden, soll ein jeder die Pferdt berütten, so ihme von dem Stallmaister undergeben werden; er der Stallmaister soll auch demselben Bereitter aufflegen, damit sie bey den Schmidten und Stallknechten darob sein, auff dass den Pferdten mit Beschlagen, Arcznefen und in anderweg wol ausgewartt werde, und so sie einen Unfleiss bey den Schmidten und Stallknechten befinden, sie darumben anredten und, so sie sich nit bessern, solches ihme Stallmaister anzeugen wellen.

24. In Sonderheit und derhalben so soll er Stallmaister mit Ernst sein Auffmerkhen haben, wan durch den Hueffschmidt einen in seiner Raittung von Rossbeschlägen, Arcznefen der Ross, Hueff-Salben oder dergleichen eingestelt, darumben der Rossbereitter nit guet Wissen hette, dass derselbig Hueffschmidt nach Gelegenheit jederzeit gestrafft werde, gleichweiss solle es auch auf alle Handwerckber und Officier, so under ihme Stallmaister sein verstandten werden, damit unss nichts zur Raittung gelegt, dass uns nicht zu Nucz kommen sey:

25. Unser Sadlknecht, wer der jederzeit sein wirdt, soll auch den Stallmaister underworffen sein, die Sädl und Zeug und was zu der Reitterey gehört in seiner Verwahrung haben, die mit sondern Fleiss versehen, damit wir allerdingss versichert und versorgt sein; auch soll gemelter unser Sadlknecht jederzeit gegen den Schmidten, so die Pferdt beschlagen,

einen Gegenrabwisch [1] haben, darauff alle Wochen, wie vil Eissen auffgeschlagen werden, eingeschnidten werden, wan der Fuettermaister oder Fuetterschreiber mit dem Schmidten wochentlich abreitten wirdt, soll er mit seinem Gegenrabwisch darbey sein, auch sein Auffmerkhen haben, ob die Arczneuen, so die Schmidt rechnen und auffschreiben, allein in unserm Stall und zu unseren Pferdten gebraucht worden, auff das Alles der Fuettermaister und Fuetterschreiber auch ihr sonders fleissig Auffmerckhen haben sollen.

26. Dessgleichen der Verwalter über die Esseldreiber und Tragesslen soll dem Obristen Stallmaister auch underworffen sein, seinen Dienst und Befelch, damit unsern Tragesslen jederzeit mit der Wartt, Füetterung, Arcznei und Beschlägen wol aussgewartt und bey der Füetterung kein Unfleiss gebraucht, fleissig und embsig sein und allweg, sonderlich man still ligt, zugegen sein auch sehen, dass mit den Essl-Dekhen, Sädl, und anderer Zuegehörung guete saubere Ordnung gehalten und, wan wür über Landt reisen, die Tragesslen auff unsere Cammer-Güeter, Kuchel, Keller, Silbercamer, Capellen, Dapecerey, Lüchtcammer und dergleichen nottürfftigen Officiren, dan sonst wollen wir, dass durchaus weder ihme Stallmaister noch sonst Niemandt anderen, es sey wass oder wem da wolle, ganz und gar nichts geführt, ordentlich aussheile und über 3 Centen auff einen nicht geladten, damit sie nicht ehe der Zeit verderbt werden, und auch dessto bass fortkomen mögen; und soll bemelter Verwalter allweg mit und bey dem Auff- und Ablatten sein und mit ihnen über Landt reitten, auch soll er darob sein, dass die Esseltreiber ihren Dienst mit Fleiss treulich auffwartten und zwischen ihnen auch guete Zucht und Gehorsamb gehalten werde.

27. Und wan wir stilligen, dass auff unsern Hoffstall Habern, Hew, Streu und zu unserer Kuchl Holcz und dergleichen Sachen im Vorrath einkaufft wirdt, wöllen wir, dieweil die Tragessln so sonst ohne dass müessig stehen, und auff solche Fuhren jährlich grosser Unkosten laufft, dass zu solchen gelegenen Zeitten die Fuhr durch Ausschükung der Tragessellen hinfortan erspart werden, bey welchen der Verwalter auch allezeit, damit underweg und in Herbergen den Tragesslen recht aussgewartt und nicht überladen werden, sein und damit aussreitten soll, derhalben soll auff sein Ross die Füetterung neben den Tragesslen durch den Fuettermaister oder Fuetterschreiber geraicht und in die Wochenzetl gestellt werden, sonst solle weiter ihme noch seinen undergebenen Esslentreybern kein Ross oder Esselin in unserm Stall noch ausserhalb

---

[1] Kerbholz.

desselben gestelt oder gefüettert, noch einigerley Zustandt oder Vortel zu gebrauchen mit nichte nicht gestatt werden, darüber dan vilgenanter Stallmaister mit allem Ernst halten solle.

28. Unser Rüstmaister soll sein Ambt wie bisshero auff Anzeugen des Obristen Stallmaisters fleissig und treulich versehen und hierinen auff genanten unsern Stallmaister sein Auffsehen haben.

29. Es sollen auch in unserm Stall zween Huffschmidt, wie bisshero, gehalten werden, die Pferdt und Tragesslen beschlagen, dieselben sollen dem Obr. Stallmaister und nach ihme dem Sattelknecht gehorsamb sein, ihren Dienst mit Arczneyen und Beschlägen in unserm Stall, wie getreuen Hueffschmidten zu thuen gebühret, fleissig auffwarten, sonderlich auch wie vil sie ihren Pferdten und Esslen Eysen auffschlagen, dieselben sie jederzeit auff einen Rabisch schneiden, davon der Sattlkhnecht einen Gegentheil haben und denselben alle Wochen oder Monath unserm Fuettermaister oder Fuetterschreiber zustöllen sollen, darauff derselb die Bezahlung davon thun und alssdan in sein Raittung einstöllen müg.

30. Mehr solle gehalten werden ein Sattler, der soll jederzeit, so offt es nöth ist, auff Befelch und Anzeugen dess Stallmaisters neue Sädl machen, auch wass sonst in demselben unserm Stall an Sädlen zu pössern vonnöthen ist, dasselb treulich und fleissig Inhalt beyligender Ordnung verrichten, doch soll kein Sadl oder andere neue Arbeith zu machen bestölt noch von ihme gemachter genommen werden, dann mit Vorwissen sein des Obr. Stallmaisters und sonst keines Anderen.

31. Darzue solten gehalten werden ein Anzahl teuglicher Stallknecht nach Gelegenheit und Anzahl der Pferdt, so jederzeit in unserm Stall sein werden, also dass alweg zu Warttung dreyer Pferdt ein Knecht sey, die den grossen Rossen wol warten kündten; dieselben sollen dem Obr. Stallmaister und wem ers weiter undergibt und befilcht, gehorsamb zu sein und zu jeder Zeit sich nach desselben Befelch halten, alss getreuen Stallknechten zustehet und gebüret.

32. Und unser Obr. Stallmaister soll ernstlich darob sein, damit durch alle obgenante Ambtleüth und Diener diser unser Ordnung nachgegangen und darwider nicht gehandlet werde; wo er auch für sich selbs ichtes befunde, dass nach ihm dieselbe zu begreiffen oder zu verändern vonnöthen were, dass soll er zu jederzeit an unss gelangen lassen, damit hirinnen Fürsehung beschechen müge.

33. Und wan sich dan begab, dass aller obgemelten Stall-Officir und Diener ainer oder mehr mit anderen unsers Hoffgesindts und Diener ichtes in Uneinigkeit, Widerwillen oder Rumor kemmen, so haben wir unserm Hoffmarschall in seiner Instruction auffgeleget und befolchen, dass

er diejenigen Persohnen, so also in Unwillen stehen, für sich beschaiden, mit ihme dem Stallmaister verhören und gebührlichen Beschaidt thue geben; wo aber die Sach so gefährlich, rumorisch oder villeicht maleficzisch sich erzeugete, die keiner Bitt erleiden möchte, alssbalt dieselb Personen in frischer That durch den Hoffprofossen annemmen und in Verwahrung bringen, und folgents an ihne den Stallmaister gelangen lassen, und also neben ihme verhören solle, welches wir ihme also dessen zum Wissen und sich darnach zu richten habe hirmit anzeigen wöllen.

34. Mehr so wöllen wir auch, dass hinfüran, wan unser Obr. Stallmaister Schwachheit oder Geschafft halben seinem Ambth nicht vorstehen kan, dass allweg derjenig, so wir dieweil an sein Statt verordnen werden, die Ordnung mit der wochentlichen ordinari und extraordinari Raitung Inhalt diser Instruction allermassen, als ob er selber zugegen wer, dieselbig Zeit handlen, underschreiben, ferttigen und durch den Fuettermaister oder Fuetterschreiber folgends, wie gebreüchig, zu verraiten, überantwortten lassen solle; und demnach haben wir auch jezt gemeltem Fuettermaister in seiner Instruction aufferlegt und eingepundten, dass er hinfüran alweg zu Ausgang eines jeden Monaths sein Ambtsraittung übergeben, und dieselbe bey Rodirung eines Monathssolds, zum wenigsten über ein halbes Monath dem nechsten darnach folget, nicht anstehen lassen solle, im Fall aber dass der Saumbsall an ihme nicht erschine, dass er solches und an wem es gelegen in solcher bestimbten Zeit unserm Obr. Hoffmaister oder Marschall berichten thue, damit alssdan gegen demselben mit Rodirung angeregtes Monathssolds verfahren werden möge. Darauff weiss er unser Stallmaister mit Ernst zu halten. Und beschlüsslichen wollen wir hiemit alle Zueständt und vermeinte Gerechtigkeiten, deren sich unser Stallmaister oder seine Underambtsleüth von ihren Ämbtern nach Gebrauch des Niderländischen Statts behelffen und zu ihrem Nucz suchen und haben wolten, genczlich auffgehebt und abgethan haben und wir ihnen jedes Zugeben gar nicht schuldig oder verbunden sein.

Geben.

Beilage 9.

1656, 23. April.

Edelknabenordnung.[1]

Demnach ich Franz Graff von Harrach, der Röm. Kay. Majestät gehaimber Rhatt unnd Obrist-Stallmaister, mit sonnderlicher Befrembdtnus

---

[1] Fasc. 24 des gräfl. Harrach'schen Archives.

eine Zeit hero verspüret, dass nicht allain die althe Regel nicht observirt, sonndern unnder denen jezigen kay. Edlknaben ganz ungareimbte Insolentien unnd Müssbreuch, so in allweg zu corrigiren sein, einschlichen, seze unnd ordtne derowegen auss oberkheitlichem Gewaltt, dass hinfüro unnter ermeldten Knaben bey Verliehrung der Röm. Kays. Majestät allerhöchsten Gnadt nachfolgende Puncta ad notam gehalten unnd observirt werden sollen.

Zum Ersten, dass sich Jeder nach gewöhnlichem Abendtgebett, demselben Alle fleissig beywohnen sollen, nach seinem Bett ohne allen Rumor, Lachen, Geschwäs, Hin- unnd Widerwerffen der Sachen still zu Ruehe begeben, unnd biss widerumben zu morgigen Aufstehens-Zeit Khainer sich bey des Anndern Bett blickhen, auch die Thürn, dass zu jeder Stundt der Nacht-Hofmaister oder Praeceptor ihren freyen Eingang haben khönnen, offen stehen lassen soll.

Ratio est, dass widrigen Fahl sye Uhrsach zu underschidlichem Uebl, absonnderlichen zum Spillen unnd anndern Ungebührlichkheiten, so bey jungen Leüthen bald geschehen khan, gewühnen.

Zum Andern, soll Kainem an frembdte Orth zum Essen auszugehen erlaubet sein, es were dann Sach, dass solche Einladungen von dero Eltern, Geschwisstrigt oder negst Befreündten, unnd zwar durch einen dero aigens geschikhten unnd verthrautten Diener geschehe, damit mann versichert seye, das ein solcher sich, wie es dann zum öftern beschechen, nitt annderwertts wendte, welches doch selten geschehen soll.

Zum Dritten, dass Kainer von offentlichen, absonnderlich Kürchendiensten, allwo unnder dem ganzen Gottsdienst Alle an ihr deputirtes Orth in Angesicht ihrer hohen Obrigkheit, wie auch Hofmaisters unnd Praeceptoris stehen, fleissig und andächtig einfündten, und nicht under wehrender Zeit von einem Winckhl in den anndern oder etwan verdächtige Orth, sodann auch auf Raisen von dem kay. Leibwaagen (bey welchem sye mit sonderer Aufmerksambkheit allen vorfallenden Befelch observiren sollen) sich absentire; und da ein solcher Yberthretter von dero Hofmaister unnd Praeceptore vermerkht wurde, sollen sye bey Verliehrung dero Dienst unnd kay. allerhöchsten Gnadt alssbaldt bey dero hohen Obrigkheit ein solches anzeigen, soll auch derjenige, welcher sich von dem Waagen absentirt, alsobaldten von dem Reütten abgesezet werden.

Ratio est, dann durch dises ihnen die Gelegenhait dess yberflüssigen Drinckhens, schädlichen Obst-Essens unnd mehrer nicht rhuemblicher Sachen abgeschnitten wirdt.

Zum Viertten, da ainer von ainem oder anndern Exercitio woltte exempt sein, er dessto schärffer zu anndern angehalten werden solle.

Ratio est, damit nicht bey solcher Nachsehung ainer oder anderer verkhürzt, unnd dardurch in deren nit mehr widerbringlichen Muessigang gesezt werdte.

Zum Fünfften, dass Kainer sich unnderstehe, von ihrer hohen Obrigkheit mündliche Licenz zu begehrn, wie nicht weniger solle dises auch von denen gesambten Maisstern unnd Dienern in Obacht genomben werden, sondern sollen ihre Notthurfften durch dero vorgesezten Hofmaister anbringen lassen.

Ratio est, dann ihnen hierdurch Anlass geben wurdte, den Hofmaister in allen zu praeterirn, ihme auch zeitlichen den Respect zu nemben.

Zum Sechsten, dass die Fecht-, Danz- unnd anndere Maister nach althem Gebrauch alle Festäg zu des Hofmaisters determinirter Stundt sich in der Knaben Quarthier einfündten, unnd selbige nach Hof oder ihro hohe Obrigkhaitten bekhlayden.

Ratio est, welches dem Knaaben ihr Ansehen, höchstgedachter Obrigkheit aber die Authoritet augiren wirdt.

Zum Sybenden, dass alle Trinckhs-gesellschafften, frembde Gässte-Einladungen völlig cassirt seye, unnd so ainer voller Weins bethretten wurde, alssbaldten zu der Execution der hohen Obrigkheiten gefüehrt werden solle.

Ratio est, durch dises werden alle böse Zusambenkunfften, in welchen manch züchtiger Knaab ärgerliche Reden hören muess, unnd dann das ungesundte Vollthrinkhen abgestellt wird.

Zum Achten, dass Kainer sich, es seye die Hoffstatt wo sy wolle, von denn andern ohne Licenz des Hofmaisters oder Praeceptoris, noch weniger ohne Diener absentire.

Ratio est, durch dises ihnen vill Gelegenhaiten ihrem bösen Muettwillen oder unerbahren Schluffwinkhlen nachzugehen benomben werden.

Zum Neündten, solle weder die Wöscherin, noch dero Menscher die Wösch bringen, noch abhollen, auch sich gahr nie in der kay. Knaaben Quarthier fünden lassen, sonndern derjenige Diener, welcher den Wochendienst hat, solle verbundten sein, die salvo honore schwarze hin, unnd weisse Wösch bereinzutragen.

Ratio est, dann die ungleiche verfuehrerische Weibsbildter zu Undergang der Knaaben unnder einem solchen Vorwand unnd Occasion Böses zu thuen, herein practicirn khönnen.

Zum Zehendten, dass die Diener kainer ohne Erlaubnuss dess Hofmaisters sich von ainigem Knaaben ausser dess Hauses im geringsten schickhen lasse, sich von ihnen mit Geldt nicht bestechen, wie auch sye

selbst ohne besagte Licenz des Hofmaisters nicht aussgehen, widerigen
Fahlss dann er die Authoritet haben wirdt, einen solchen Ungehorsamben
mit Vorwissen der hohen Obrigkheit von seinem Dienste zu amovirn.

Ratio est, dass es nunmehr so weith khomben, dass die Diener sich
understanden, mit ärgerlich- unnd pocherischen Wortten den Hofmaister
anzugreiffen, unnd denen Knaaben mehrers alss erdeuthem Hofmaister
zu parirn.

Zum Ailfften, sollen der Hofmaister unndt der Praeceptor bey ob-
angezogener Straff verpflichtet sein, dass wann auf allen vorfallenden
kay. Raisen ainer von denen Knaaben sowohl Mittags, als Nachts nicht
in puncto umb die bestimbte Zeit sich bey Nidersezung zu der Tafel prae-
sentirn, sondern nach ihrem Gebrauch im Frauenzimmer oder bey etwan
Anndern ergriffen wurde, ohne allen Aufschub einen solchen zu der
hohen Obrigkheit zu führen.

Ratio est, wie dann under solcher Zeit Ainer oder der Anndere
haimblich in dergleichen Winkhlen erdappt worden.

Zum Zwölfften, so sollen auch alle diejenige, so Gewöhr bey sich
haben, es seye was Nahmens es immer wölle, nach althem Gebrauch biss
zu ihrer gebuehrendten Ausmusterung (unnd zwar dergestaldt, dass sye
biss in puncto der Ausskhlaydung allen Reglen, wie zuvor, nachleben)
solche alsobaldten dem Hofmaister in seine Verwahrung lifern.

Ratio est, dieweillen sye unnder einander in einer Hizigkheit,
welches bey ihnen offt beschehen, einen unwiderbringlichen Schaden cau-
sirn khönnen.

Unnd zum Beschluss werdtet ihr Hoffmaister undt Praeceptor
solchem offt verstandtenen einen jezt gleich Aydtenspflicht mir praestirn,
disem allem fleissig unnd punctualmente nachzukhomben.

Zu mehrer Bekräfftigung dessen habe ich dises mit aigner Handt
unnderschriben unnd mein Sigill dorfür gethruckht.

Wien den 23. Aprilis Anno 1656.

Beilage 10.

Instruction und Ordnung[1]

über der Röm. Kay. Mayt. Edlknaben, darzue sye von beyden ihren fürgeseczten Ober- unnd Unnder Hofmeister oder Praeceptorem alles embsigen

---

[1] In einer 20 Blätter enthaltenden Abschrift aus dem 17. Jahrhundert in
dem Fasc. 24 des gräfl. Harrach'schen Archives.

Fleisses angewiesen, ermahnet, auch gueter Vernunfft unnd Beschaidenheit nach gehalten sollen werden, als:

Erstlichen sollen die Edlknaben Alles mit Gott anfahen, allesambt
Morgens unnd Abents zu rechter Zeit, dass ist des Morgens umb siben,
des Abents zu acht Uhren in ihrem Zimmer zusamben kommen, ihr Gebett,
wie es ihnen befohlen wird, kniendts in Andacht stille unnd zichtig mit
Munde unnd Herzen überlaut verrichten, und under dem Gebett nicht
schwäczen, lachen oder Unzucht treiben, sondern gottsförchtig solches
vollbringen und sich dem Allmächtigen trewlich befehlen; dises soll gleichfalls, wan sie in der Kirchen unnd beym Gottsdienst seyn, auch beschehen,
neben dem hohen Altar allweil unnd nicht dahinden stehen, noch in die
Stell der Praelaten sich stellen und anlainen, noch mit den Armben sich
auf das Geländer beym Altar aufflegen, sondern fein züchtig, höflich und
mit aller Ehrerbietung, als wann sie für dem Angesicht Gottes stuhnten,
sich erzeigen, under dem Gottsdienst nicht Ungeberdt auf einicherley
Weise treiben, also auch bey den andern Meessen nicht zu hinderst,
sondern wol hervorstehen, ihr Gebett im Buech oder Rosariis vollbringen,
derowegen ein jedweder sein Bettbüchlein oder Rosarium soll bey sich
haben und allweg deren eins oder des andern sich mit Andacht gebrauchen.
Bey der Pradig sollen sie gleichfalls fein andächtig, still siczen unnd mit
allem Fleiss zuehören, Keiner ohne Vorwissen oder Willen ihrem Hofmaister aus der Kirchen gehen. Unnd welcher disem Puncten nicht nachleben wird, soll höchlich gestrafft werden.

Exercitium pietatis.

Es sollen auch der Edlknaben Hof- und Zuchtmaister darob seyn,
dass sie auch im Jahr etlichmahl, insonderheit zu den hohen Festen als
Weyhenachten, Ostern, Pfingsten, Maria Himmelfahrt, omnium Sanctorum
unnd, wann sie Gott ermahnet, beichten und sich speisen lassen, auch
die Fasttäg oder Vigilias fleissig observiren, sich zu der Confession und
Communion wol und christlich praepariren, nicht darzue und darvon
lauffen, wie unbedächtige Leuthe, sondern es mit grosser Andacht und
Aufmercken verrichten, alle Tag Ihrer Kay. Mayt. Meess, oder so die
nicht publice gelesen, bey den Capucinern umb acht Uhr hören, damit
sie zu rechter Zeit daheimb seyn unnd des Studieren abwarthen können;
welche Morgens zum Reitten gehen unnd fruher auffstehen, welches soll
im Sommer umb 4 unnd des Winters umb siben Uhr geschehen, sollen
ihre Gebett auch fleissig vollbringen, nitweniger auch vor und nach dem
Essen ein jedweder vor sich selbst betten unnd gegen Gott danckbar seyn,

nicht in die Schüsseln fahren oder von dem Tisch auffstehen, ehe das Gebett verricht ist.

Ihr Auffstehen und Nidergehen betreffent.

Morgens nach sechs Uhren sollen sie alle auffstehen, sich bald unnd sauber anlegen, welche aber zum Reitten gehen, allweg umb die Zeit, wie vorgemelt, wie ihnen dann solches den Abent zuvor von den Bereittern soll angesagt werden, sich hirzu beraiten und ihre Sachen mit dem Anlegen so anstellen, damits zu rechter Zeit allerdings ferttig seyn. Es soll auch sich Keiner über die Stundt im Beth finden lassen, er sey dan uebl auff unnd kranck, zu der Nacht umb 8 Uhr sollen sie abermallen in ihre Zimmer zusambenkommen, daselbst ihr Gebett mit Zucht und herczlicher Andacht vollbringen unnd nach Vollendung dessen sich abziehen lassen, ein Jeder wider in sein Böth, darinnen er verordnet, gehen, darinnen bleiben, still, züchtig, auch sauber seyn unnd kein Geschwäcz oder ungebührlich Ding vornemben und nach neün Uhr Keiner mehr auffseyn noch brennendt Liechter haben.

Das Studieren anlangendt.

In allweeg aber sollen sie fleissig seyn im Studiren, Morgens eh sie nach Hof gehen, was lesen oder die Lection anhören, oder sonst was lehrnen unnd nach der Meess (von welcher sie sich alssbald in ihr Hauss begeben) dem Studieren von 9 biss auf 10 Uhr embsig abwarthen, Nachmittag von 1 Uhr biss auf 2 oder solang sye ihre Lection recitirt oder damit fertig, abermahlen dem Studiren mit Fleiss obligen und, wass ihnen vorgelesen, fleissig annemmen, lehrnen und behalten, diesem Studio die ordentliche Stundt Alle durchauss in ihrem Zimmer beyeinander, sobald sie darzue berufft oder so es umb die angedeite Zeit ist, verbleiben unnd Keiner nicht vom Studieren gehen ohne sonder erhebliche Ursachen und Erlaubnus, auch still und zichtig seyn, kein Geschrey anfahen noch andere Büberey, damit die Andern unverhindert unnd ihr Praeceptor nicht confundirt werde, Keiner auch aus dem Zimmer oder vom Tisch weggehen, biss sie alle das Studiren vollbracht, sollen auch den Cathecissmos neben andern fleissig lehrnen unnd repetiren, welche aber nicht studiren wurden, deren wenig unnd billich Keiner sey, soll einen weeg alss den andern seyn unnd bleiben unnd interim was nuczliches unnd unärgerliches lesen oder schreiben, in welchem Schreiben auch alle andere sich üben sollen.

Ihre Exercitia.

Morgents sollen diejenigen, so zum Reitten verordnet, mit einander gehen unnd nicht einer vor der ander hernach, unnd darbey biss zur Meess, Winters Zeit biss zum Essen auf dem Tummelplacz verbleiben unnd sonst niergent anderst hinreitten oder gehen ohne Erlaubnus des Herrn Obristen Stallmaisters, im Reitten fleissig unnd aufmercklich seyn, auch Achtung auf sich geben, dass ihnen kein Schaden widerfahre. Nach dem Essen mögen sie zu Zeiten, doch nicht täglich, sondern wann es der Obriste Stallmaister bewilligt, mit den Rossbereittern in dass Feldt spaziren reitten, oder bey einander bleiben, auch sonderlich ihre Aufacht haben, dass sie kein Gottesdienst als Vesper, oder sonst ihre Dienst nicht versaumben, sondern zu rechter Zeit zur Stelle kommen. Nach dem Essen ihre Stunden von zwelff biss auf eins in der Musica, von 2 biss auf 4 Uhr mit Tanczen und Fechten, Keiner aussgeschlossen, fleissig unnd ordentlich zuebringen, so bald ihre Lehrmaister kommen, sich in das Zimmer oder Orth, da sie ein solches lehrnen, verfuegen unnd nicht von einander gehen, biss die bestimbte Zeit fürüber unnd ob sie gleich nicht fechten, doch darbey bleiben und zusehen unnd nicht aufhören, wann sie wollen, sondern ihre Lehrmaister. Am Donnerstag unnd Freytag mögen sie in das Ballhauss geführt werden, daselbst die Ballen unter ihnen selbst oder mit den Herrn, unnd nicht schlechten und geringen Leuthen schlagen, doch umb kein Geld, sondern allein umb die Ballen, wie ihnen dann ausserhalb disem unnd dem Schacht alle Kartten unnd Würffelspill zum höchsten verbotten unnd abgestelt seyn sollen. Welchen aber nicht mit dem Ballen zu spillen gefellig, die mögen sonst zu negst des Ballhauses ihre Kurzweill in andereweege, doch ehrlich und leidenlich, alss den Stain stossen, Stangen werffen oder springen, mit Zucht unnd stille treiben, daselbst sich zichtig und beschaidenlich verhalten. Es soll auch Keinem auss dem Ballhauss seines Gefallens weder zu Hauss noch anderswohin zu gehen ohne Vorwissen unnd Willen der Hof- und Zuchtmaister gestattet werden. Sommers Zeit können sie nach dem Studieren unter Tags und nach dem Essen zu Zeiten in das Feldt geführt werden, jedoch dass sye Alle bey einander bleiben und nahent bey ihrem Hofmaister, ausserhalb der Studia sollen sie sich auch im Hauss still und beschaidenlich in Exercitiis verhalten unnd kein Geschrey anheben, dass die Nachbarn hören unnd ärgerlich darvon reden. Sie sollen auch ihre Conversationes mit rechten Leuthen unnd nicht schlechten Persohnen haben und sich nicht gesellen zu schlechten, leichtferttigen Gesündl, noch mit ihren gemain machen, darauff die Hofmaister sonderlich Acht geben sollen.

Von ihren Diensten und Aufwarthen.

Morgens vor 8 Uhr, oder wann sie beschaiden werden, sollen sie
nach Hof gehen, Ihr Kay. Mayt. in und auss der Meess und Kirchen
belaithen, an welchen der Dienst mit deu Wundtliechtern fleissig, auff-
merklich, zichtig unnd guetter Reverenz diennen, da Ihre Mayt. publice
essen oder sonst andere Fürsten verhanden unnd ihnen auffzuwarthen
befohlen wirdt, dasselbig mit ihren Libereyen und Röcken thun, auch
fleissig und züchtig seyn vor der Taffel unnd allenthalben zu Hoff,
sonderlich in der Ritterstuben, auss welcher sie nicht herauss gehen
sollen, es wurde dann ihnen etwas hinauss zu tragen gegeben, und wann
Ihre Mayt. spacieren reitten oder auf die Jagt ziehen, allweeg die Zween,
die denselbigen Tag die Wacht haben, oder mit den Windliechtern dianan,
aussgenommen die gar Kleinen oder weme es der Herr Obriste Stallmaister
befehlen wurde, mit reitten sich bald ferttig machen, nache Hof auf den
Klepper kommen, daselbst das Felleis unnd, was sie sonst zu führen
pflegen, nemmen unnd nahendt hinter Ihr Mayt. reitten, auch was
sonsten die Knaben bedürfftig, alles ferttig haben unnd sich Alle gefast
halten, damit sie nicht die Lezten seyn. Unnd wann Ihr Mayt. in oder
ausser der Kirchen oder sonst spat von aussen kommen, allweeg mit vier
Windliechtern leichten und sonsten alle Tag dem Herrn Obristan Stallmaister zween aufwarthen, umb halber achte in sein Losament sich verfuegen, denselben nach Hof oder wohin er gehet (es wurde dann von ihme
abgeschafft), wie auch an den Feyr- und Sonntagen alle miteinander
Morgens denselben gen Hof und wider von Hof ablaitten sollen.

Von ihrem Aussgehen.

Keiner unter den Edlknaben soll auss dem Hauss weder von und
zu Hauss oder anderstwohin gehen ohne Vorwissen und Willen ihrer
Hofmaister, sondern sich hirinnen der Hofmaister Anordnung, die die
Zeit am besten wissen, gebrauchen und verhalten, über die Gassen sollen
sie allesambt mit und bey einander in guetter Ordnung allezeit zween
und zween beysamben unnd allweegen die Kleinsten voran gehen, nit
etliche, wie bisshero geschehen, weith vorhin unnd die Andern hinden,
also auch züchtig, still und langsamb, nicht schreyen und lauffen, Unzucht
oder auch Ungeberde treiben wie unbesinnte Leuthe, auch auf ihre Hofmaister Achtung geben, damit sie ihnen im Gehen gefolgen könen und
bey ihnen verbleiben; da ihnen aber vom Herrn Obristen Stallmaister zu
ihren Befreündten erlaubt wurde, sollen sie nicht allein gehen, sondern
allweg ihr Zuchtmaister einer oder so deren Keiner auss erheblichen

Ursachen nicht abkommen könte, doch ihrer Diener einer mit ihnen dahin gehen unnd bey ihnen verbleiben, nicht lang sich aufhalten, daselbst auch züchtig seyn und bey guetter Tagszeit sich widerumb heimb verfüegen.

Von ihrem Essen.

Die Knaben sollen sich auch zu rechter Zeit zu der Taffel verfüegen, bey derselben oder wo sie sonsten hinkommen und seyn werden, still und zichtig verhalten, sauber und nicht zu vil essen oder trünken, vil weniger Jemanden, er sey auch wer er wolle, mit sich darzue nemmen oder bringen oder laden, so wol auch nach der Ordnung, wie sie zu gehen pflegen, siczen, Keiner von Speiss und Tranckh ohne Wissenschafft unnd Erlaubnuss gemelter Hofmaister was wegschicken, auch beym Tisch sich aller unnüczen, unzüchtigen unnd ungebührlicher Rede unnd unnöthiges übriges Geschwäzes gänzlich endthalten; da sie etwann ihrer Befreündten einen zu der Taffel bitten wolten, soll solches mit Bewilligung ihrer Hofmaister geschehen. Es sollen auch die Hofmaister selbst keine gemeine Leuth, Herrn-Diener noch Jungen, wie die auch seyn, zu der Knaben Taffel nicht sezen lassen noch selbst laden, vill weniger solches den Knaben gestatten noch zuelassen, dass sie Jemanden in ihre Taffelstuben nicht ruefften, von der Taffel zu essen oder zu trüncken geben, Conversation oder Geschwätz zu halten.

In Kranckheiten der Edlknaben.

Da auch einer kranck were oder sonsten einen Schaden empfangen, soll ers alsbald dem Hofmaister anzeigen, damit die nothwendige Verordnung des Doctors und Barbierers geschehen könne, wass ihnen dann auch von einem oder dem andern Arzt aufferlegt wird, demselben fleissig nachkommen, und da die Kranckheit etwa gefährlich, sich bald mit Gott unserm Herrn providiren, auch die Kranckheit und Schäden nit muethwillig verursachen.

Von der Liberey.

Die Liberey unnd ihre Klayder sollen sie sauber halten und, wan sie gen Hof gehen, sowohl am Wercktag, alss auch am Sontag unnd Feyertagen in der Kirchen die sammete Röckhel tragen, die Zeit, wann sie zum Reitten oder Spaziren gehen, damit sie deren desto mehr verschonen, ihre corduwanische Göller, die ihnen darumb gemacht werden, anlegen, sonderlich Fleiss anwenden, wann sie vor Ihr Mayt. diennen, dass ihre Klayder sauber unnd ganz seyn, auch im wenigsten nichts von der Liberey, weil es dem Hofmaister (wie von altershero bräuchig) gehört, sowol auch sonst von ihren andern Klaydern weder den Rossbereittern noch Jemand andern, wer er sey, ohne Bewilligung gedachtes Hofmaisters, welcher ein Inventarium der Klayder haben soll, was hinwegschencken. Sie sollen auch allesambt under einander fridlich leben, ainig und vertrewlich seyn, mit einander nicht schlagen oder rauffen, sonder einander wie Brüeder und liebe Freündt, und nicht wie Thier tractiren, nicht einander injuriren mit verlezlichen Worten noch einigen Handtscherz treiben, daraus allerhandt Schaden und Erbitterung endtstehet, vill weniger fluchen, schweren, schelten oder Gott vergebentlich in Mund nemmen und lästern, oder sonsten unnucze, schändliche, böse Reden und Conversationes halten, noch ärgerliche Gemähl, Büchsen, Wöhren weder heimblich noch offentlich haben, noch gebrauchen unnd durchaus keinen Hund, Tauben noch Ross halten, ihre Diener mit keinen Pettschafften weder hin noch her schicken ohne Vorwissen des Hofmaisters, noch heimblich Geschwäz mit ihnen haben, dieselben auch nicht übel tractiren oder schlagen, sondern da ihnen von denselben nicht geschiecht, was billich, sich bey dem Hofmaister beklagen, fürnemblich aber den Ober- und Under Hofmaister oder Praeceptorem in allen Ehren und Respect halten, wie sich es dann gebührt, ihre Ermahnungen, Wahrnungen und Geheiss guetwillig annemmen, unnd da der Ober-Hofmaister nicht verhanden, den Unterhofmaister darfür erkennen und halten, und dem mit allem Fleiss nachkommen, was sie von ihnen geheissen und wozue sie gewisen werden, und dem Praeceptori, was er ihnen vorlesen, zeigen unnd underweisen wird, dasselbig mit Fleiss anhören, vernemmen und behalten und sie nicht verachten, verspotten oder böse Wort geben, villweniger sonsten übel oder ungebührlich antwortten oder schimpfflich tractiren weder mit Worten, Geberden oder Wercken.

Es sollen auch gleichfals beede Hofmaister und Praeceptores den Knaben gleichfahls allen gebührlichen Respect erzeigen, sie nicht ohne Ursach übel tractiren, noch sie Schelmen, Diebe, Hurenkinder oder dergleichen (wie etliche ungehobelte Bachanten im Brauch haben) schelten, sondern ihnen mit guetten Exempeln fürgehen, sie in keinerley Weiss ärgern weder mit Worten noch mit Wercken, ein züchtiges, erbares Leben und Wandel führen; da es sich aber begeben wurde, dass die Knaben dem Hofmaister und Praeceptori nicht folgen oder ihre trewe Erinnerung bey ihne nicht stath funde, sondern sich denen widersezen, böse Wort geben, in Wind schlagen und für nicht halten wolten, sollen sie, nach dem sie einmahl oder zway dessen erinnert, dem Herrn Obristen Stallmaister solches anzaigen, insonderheit da etwas hochstraffmässiges fürfselle, nicht lang verhalten oder dissimuliren, sondern laut offenbaren, damit die Notturfft vorgenommen werden möchte.

Über welche jezt erzelte Ordnung unnd was sonsten zu guetter Zucht und Erziehung der Knaben gehört, es stehe in diser Instruction oder nicht, beede Hofmaister stät und fest halten sollen, dass denselben in allen und jeden Puncten unverbrüchlich unnd unverweislich nachgelebt werde; damit aber der Herr Obriste Stallmaister nicht so offt mollestirt unnd behelligt werde, sollen hinfüran dieselbigen, so dieser Instruction nicht nachleben, von den Hofmaister auffgemerckt unnd alle Sambstag wolgedachtem Herrn Obristen Stallmaister ihre defectus unnd Verbrechen schrifftlich vorgebracht werden.

Beilage 11.

1694, 9. November, Wien.

Instruction für den Obrist-Jägermaister in Steyer.[1]

Erstlichen, solle er Obrist-Jägermaister, wo nit selbsten, wenigist doch durch dessen unterhabenten Forstmaister mit Zueziehung der benöthigten Jägerey-Pershonnen Unsere in Steier ligende Forst- und Wilpäan, wo nicht jedes, doch nach Verfliessung zway- oder drey Jahren bereidten lassen, folgents ein- unndt anderseiths, so zu Bewahr- und Högung Unserer Willpaan verordnet sein, von dennenselben die fleissige Nachricht einziehen, auch andern Orthen, wie es die Gelegenheitt geben wirdt, die nothwendige Erforschung undt Erkhindigung thuen, wie in Unsern Willpäänen, Forst und Gejaidern gehaust unndt gehandlet werde, unndt in Fahl Beschwärungen, Mängl undt Gebrechen obhanden, so Unss an Unsern Forst- und Wildpännen unndt wass deme anhengig zu Nachtl undt Schaden auch Verwüstung geraichen thetten, unndt Unsere Forstmaister unndt Jäger solches ihrer Pflicht nach nicht verhiettet noch abgestölt hetten, oder für sich selbsten nicht hätten wenden können noch mögen, so solle er Obrist-Jägermaister dem nach mit allen Fleiss unndt Ernst darob sein undt verfuegen, damit solche Unordnungen unndt Eingriff notturftiglich abgewendt unndt abgestölt werden, wie sollches zu Erhalt-, Bewahr- unndt Hägung Unserer Forst-Wildpään unndt landtsfürstlichen Gejadern für das nuzlichiste unndt nach dennen Umbständen am besten angesehen sein wirdt. Zum Fahl aber ihme Unsern Obristen Jägermaistern in Sachen zu Zeitten etwas zu schwär fahlen möchte, so für sich selbsten von dortaus nit zu remedirn wäre, sollches solle allzeit ganz furderlich bey Unsern I. Ö. Hof-Cammer (von welcher Unser jezig-

---

[1] Die Instruction ist enthalten im Fasc. A. 87 des gräfl. Harrach'schen Archives.

und khönfftiger Obrist-Jägermaister in Steuer ihr Dependenz haben undt
deroselben über sie Obrist-Jägermaister unndt das Jägerey-Weesen in
Steüer, so lang wier khein anders verordnen oder khein Landtsfürst in
Landt sich befindet, die Ober-Inspection gebühren und dahero auch sye
Obrist-Jägermaister von ihro Unserer I. Ö. Cammer der Jägerey vorge-
stölt, hingegen aber ihme Obristen-Jägermaister dasjenige, was demselben
von Rechtsweg zuständig und pro reputatione officii et decore familiae
gereichet, eingeraumbt unndt gelassen werden solle) angebracht, und die
gebührende Assistenz unndt Remedirung angesucht werden.

Unndt wann Andertens ihme Obrist-Jägermaistern von denen
Forstmaistern, Jägern, Jäger- unndt Forstknechten dergleichen Persohnen
angezaigt wurden, die Unss an Unsern Hoheithen, Wildpäänen, Forst-
undt Wildtprädt- und Reisgejadern, wie auch Waldungen, Gehülz, Auen
undt Wildprädt-Wüssen Schaden, Nachtheilkeiten oder Eingriff gethan
hetten, so solle er sich auf sollche Anzaigungen, in Sachen umb desto
sicherer zu gehen, auch bey andern unndt der Jägerey nit incorporirten
unndt auswendigen Persohnen dessen erkhundigen unndt in sichere Er-
fahrnheitt bringen, ob sollches wahr seye oder nit? undt so ehr sollche
Misshandlungen, Schäden undt Verbrechen wahr zu sein befindet, solle
er selbe Persohnen, soferen sie Burger- undt Paueralaith seind, durch
ihne Forstmaister unndt seine Instruction gemäss citirn unndt die er-
fordernde Verhandlungen unndt gebührendte Straff fürnehmben lassen,
wann sye aber von Geistlichen, oder von Herrn- undt Landtleuthen, auch
Ritter undt Adlstandt, Verwaldern unndt dergleichen wären, sollen die
gewöhnliche Zueschreiben beschechen unndt die Satisfaction begehrt
werden, in casu renitentiae aber solle er Obrist-Jägermaister sollches
Unserer I. Ö. Hofcammer alsobalden ordentlich anzaigen, welcher der
Sachen schon recht wirdet zu thuen wissen.

So vernehmben Wür auch Drittens glaubwürdig, wie dass etliche
Unsere Vasallen von geist- und weltlichen Stand, wo nit Wildprädt-
Schützen halten, doch selbigen Unterschlaiff geben sollen, unangesehen
dass wir sollches durch offtermahlige offene General- undt Mandat hiebe-
vorn zu mehrmahlen verbieten lassen; dieweillen Uns nun aber sollches
ferers zu gedulten keineswegs gemainet, als ist Unser ernstlicher Befelch,
das er Obrist-Jägermaister in defectu Unserer Forstmaister undt Jäger
anwententen Fleiss auch selbsten sich derjenigen, so diesem Unsern
gnedigisten Befelch zuwider handlen, auf alleweis erkhundige unndt darob
seye, damit dergleichen Wildprädtschützen undt Unterschlaiffgeber ohne
Verzug abgestölt unndt sollche Delinquenten secundum delicti qualitatem
bey dennen Forstämbtern gebührent abgestrafft werden.

So eraignet es sich aber auch Viertens zuweillen, dass die in Verhafft gezogene Wildprätschüzen unndt dergleichen Delinquenten von keinen Mitlen unndt nur arme Leüth seind, in solchen Fahl unndt wan sye ihr verwirkhte Straff dennen Forstmaister in Gelt zu erlegen nit vermögent sein, wollen und befelhen Wür genedigist, dass sollche Übertretter sich mit dem Forstmaister wenigist umb die Azung vergleichen unndt bezahlen, folgents aber zu Unsern Gepeüen, Stattgräben oder dergleichen wenig oder mehr Wochen und Zeith nach Beschaffenheitt des Verbrechens zu arbeiten verschafft unndt würkhlich angehalten, entlich woll auch, zum Fahl die Misshandlungen zum öfftern geschehen oder so gross weren, auf etlich Meill Weegs von Unsern Forst- unndt Wildpäänen verstossen werden sollen; casu quo aber der Delinquent auch die Äzungs-Unkhossten zu bezahlen wissentlich nit haben solte, er destwegen mit desto grösserer Straff belegt, dahingegen aber dergleichen Leuth nicht so lang mit dem Kerkher und Gefängnus gepfrengt unndt darinnen aufgehalten, noch vill weniger mit ihnen also rigoros unndt criminaliter procediert, dass sollche ohnedeme arme Persohnen nach ausgestandtenen unndt erlassenen Arrest zu ihrer Handtarbeith unndt dardurch suchenter täglicher Nahrung ganz untichtig gemacht unndt destituirt, sondern ihnen der Process fürderlich gemacht unndt sye mit der verdienten würkhlichen Bestraffung belegt werden.

Damit nun zum Fünfften gleichmessig allenthalben durch Unsere Forstmaister, Jäger, Forst- und Jägerknecht, auch andere untergebene Jägerey-Persohnen, darunter auch Unsere Otter- und Biber-Jäger verstanden sein sollen, ihre Ämbter und aufhabente Dienst desto besser observirt undt ihrer Schuldigkheitt nachgelebt werde, so solle mehr besagter Unser Obrist-Jägermaister darauf sein wachtsambes Aug tragen, auch nit unterlassen, jezuweillen sowoll bey dennen incorporirten Jägerey-, als anderen negst umbligenden Persohnen unndt Partheyen sich zu erkhundigen, wie Unsere Jägereybeambte unndt Bediente sich mit Verseh-, Hey- unndt Bedienung Unserer Först, Wildprät- und Gejaidern verhaldten, ob sye ihren Dienst gebührent obligen und aufwarten? ob nit Jemanden von ihnen vergonnt unndt haimblich zuegelassen werde, Wild zu föhlen, wie sollches dann zum öffdern wirkhlichen straffwürdig beschehen sein solle, ob sye Gelt darumben nemben? oder sye selbsten dergestalten handleten? oder sich auch in anderweg ungebührlich hielten, wie zumahlen auch glaubwürdig fürkhomben, dass die untergebene Jäger- unndt Forstknecht thails Pauern und Unterthanen, welche sonsten ins Jagen zu schickhen schuldig, dessen zu befreyen und dieselben hingegen mit einer gewissen Gelt-Anlaag unndt andern dergleichen Beschwernussen zu belegen und

von ihnen abzufordern sich anterstehen, wardurch die Andern umb desto
mehrers graviert und beschwert werden. Alss befelchen Wür gleichmessig, dass disses auf alle weise abgestölt werden und er Obrist-Jägermaister mithin der Ursach willen auf sollche, auch alle andere dergleichen
von ihnen Jägerey-Persohnen verüebende Missbrauch und Excess, in
genere fleissige Obsicht tragen solle.

Unndt sofern nun für das Sechste bey Ein- oder Andern sollches
erfunden oder auch warvon dennen Forstmaistern, Hoff-Jägern, Forst-
unndt Jäger-Knechten unndt was der Jägerey incorporiert, die wissentlichen Übertretter unndt Delinquenten nit angezaigt, vertuscht, verschwigen oder von ihnen selbsten in Unssern Wildpäänen- und Försten
Schaden gethan unnd anderst als ihr Instruction und Schuldigkheitt erfordert, gehandlet wurde, dessen er Obrist-Jägermaister dan, wie obstehet,
sonderlich bey andern auswendigen Persohnen und Partheyen sich unter
der Hand zu erkhundigen wissen wird, in sollchen Fahl solle er gegen
dennen Verbrechern, wan sye Forstknecht und dergleichen Bediente sein,
wie oben von dennen Burgern und Pauersleüthen gemeldet ist, handlen
lassen, wan sie aber Forstmaister weren, solle er sollches Verbrechen
nach Beschaffenheit der Sachen sambt seinen ämbtlichen Guetbedunckhen,
was zu thuen oder für eine Straff gegen dieselbe fürzunemben sein möchte,
Unserer I. Ö. Hofcammer zu Vorkherung des weidtern und darüber erwar-
tender Verbschaidung fürderlich berichten.

Nachdeme sich Sibentens in der Erfahrenheit zaiget, dass in
Unsern Fürst- undt Herzogthumb Steuer, alwo Wür Unsere Forst- und
Wildpäänen haben, zu denen nit geringen Abbruch und Schaden die
Waldt- und Behülzungen sehr abgemaisst, ausgebackht und abgeödet
werden, alls wollen wier erstlich, dass auf dieselbe, beforderist aber auf
alle Unsere aigene Forsthölzer, Wälder, Schachen und Auen ein fleissige
Beobacht- und Aufsehung durch die Wald- und Forstmaister, oder so
sonsten darauf bestelt sein, getragen und mit allen Ernst verfüegt werde,
damit sollche nit abgeödet, geschwend, noch unzimblicherweis vorderist
an denen guethen Orthen und Wildprädtständen ausgebackht, verwistet
noch verderblich gemacht, fürnemblich aber disser Punct von Unserem
Obr. Jägermaister wohl beobachtet werde, auf dass derselbe bey Unsern
Forst- und Waldmaister darob sein solle, damit alle Holz- Verschwent-
und Verwiestung allerseiths, zumahlen in Unsern aigenen Waldungen
und Wildprätständen dergleichen Schädlichkeiten fleissigist verhiettet,
noch vill weniger aber dergleichen straffwürdig-aigennuzige Anmassungen
von ihnen Forst- unnd Waldmaister selbsten verüebt unnd da zum Fahl
dergleichen Übertrettungen von ihnen beschechen möchten, sollches

Unserer Hoff-Cammer respectu Unserer aigenen Waldungen zur gezimbenden Bestraffung angezaigt werden sollen.

Gleichmessigen Verstand hat es Achtens mit dem Roth- und schwarzen Wildprät, dass weillen wir thails Unsere daselbst in Steuer ligende Forst und Wildpään cum reservato perpetuo reluitionis jure verkhaufft und sollche abzulösen sich die Zeith eraignen möchte, und dahero ganz billich, dass sollche ebnermassen in guetem Stand erhalden und durch die Kauffs-Partheyen zuwider der wissentlichen Waidmans-Ordnung unnd zuelässigen Gebrauch nit ausgeödet werden, wordurch zugleich Unsere negst anrainende noch wenig reservierdte landtsfürstliche Forst und Wildpään wegen Ein- und Herwechslung, auch ungewöhnlicher Föhlung des Gewilds in ebenmässigen Ruin und Schaden gerathen mäessen, dergleichen unbefuegt als jägerisch unzeitiges excessive Wildpräth-Pürsten und Föhlen abgestölt unnd mit sollchen Wildpäänen waidmanisch und verandtwortlich gehandlet werde. Als wirdet er Obrist-Jägermaister hierauf nit weniger sein wachtsambes Aug zu tragen, die excedierende Partheyen von sollchen Excessen und Unbefuegnussen zeitlichen zu dehortiern und abzuhalten, in verspührender Continuation dessen aber sein weitheres refugium pro necessaria assistentia zu Unsserer I. O. Hoff-Cammer zu nehmben wissen.

Neüntens, solle Unser Obrist-Jägermaister allen unnd jeden Unsern Forstmaistern befelchen und auferlegen, dass sye weder Forstknecht noch andere Jägerspersohnen in die Pflicht an- und aufnemben, weder selbe beschwären, noch von ihren Diensten verstossen, es geschehe dan mit Unsers Ob. Jägermaisters Vorwissen unndt Einwilligung, auch angezaigten genuegsamben Ursachen.

Zehentens, wo Jägers-Persohnen verhanden wären, welche sye auch sein mögen, wie auch bey Veränderung derer Dienste, von dennenselben solle er Ob. Jägermaister in Unsern Namben Pflicht und Ayd aufnehmben und empfangen, und wo dieselben oder andere in der Jägerstaat- unnd Zahlungsroll begriffene Persohnen zu statlicher Verrichtung ihres Dienst nit Befelch- und Instruction genuegsamb hetten, so solle er Unser Obrist-Jägermaister die Nothturfft erwegen unndt bedenkhen unnd, was nuzlich unnd gueth sein wirdet, ihnen dasselbe anbefelchen unndt daneben auch einbinden, wo ihnen was vorkhomben wurdte, so Unss an Unsern Hochheiten, Wildpaan, Gämbs- und Reisgejadern, Forsten, Waldungen, Gehölzen, Wissen und Auen zu Schaden raichen möchte, dass sye sollches keineswegs verschweigen, sondern ohne Verzug es Unserm Forstmaister anzeigen, wellcher es sodan weither ihme Unserm Obrist-Jägermaister zu hinterbringen schuldig unnd verbunden sein solle.

Anbelangent aber Äylfftens die Jägerey-Dienst-Ersezungen, solle er Unser Obr. Jägermaister den Tottfahl der Forst-, Wald- und Riedenmaister, wie auch Hoff-Jägern, anzaigen, und neben seinem Bericht unndt rätlichen Guetachten zu Unserer I. Ö. Hoffcammer erstatten, dieselbe aber die Notturfft der bisherigen Observanz gemäss ferner an Unns mit räthlichen Guetachten gelangen zu lassen, und folglich ihme Obrist-Jägermaister Unserer geschöpfften gnedigsten Resolution zu verbeschaiden wissen.

Nachdeme auch fürs Zwölffte etliche Landtleuth unnd Geistliche roth- und schwarz Wildprädt, so von Unss mit keinen Wildpaan befreyt oder wo auch Jemandts neben Unsern Wildpaan zu jagen berechtiget were, aldort aber einzujagen und die limites zu überschreiten sich unterstandten hette, solle er Obr. Jägermaister sollches Unserer Hoffcammer umbstendiglich intimieren, wellche die Edierung dess titulo unnd habenden juris von dergleichen Partheyen schon zu begehren und hierüber dass Gehörige weithers vorzukheren wissen wirdt.

So haben Wir auch Dreyzehentes genuegsambe Erfahrung, dass Unser Forst und Gehülz zu und umb tobl Unsern Wildpäuen nicht zu klainen Abbruch und Nachtbail sehr abgemaisst und geödet werden, derohalben Wir dan wollen, dass er Unser Obr. Jägermaister auf dieselben in Sonderheit auch alle andere Unsser Forsthölzer, Wälder unnd Auen sein fleissige Achtung unndt Aufsehen haben und mit allem Fleis verfüegen und darob sein, damit die nit geödet, geschwent, noch unziehlichermassen an denen gueten Wildprätständen die Orth verschlagen noch die Wechsel des Wildpräts verfehlt, warbey Wir aber gleichwollen in so weith allergnedigist verordnen und zulassen, dass die Zeün zu Verwahrung der Pauerschafft ihrer Huebgründt also moderiert und aufgeführt werden mögen unnd sollen, damit hierdurch kheine Wildprätth-Beschädigung verursachet werden möge, und weillen

Vierzehentens, ihme Obrist-Jägermaister selbst wohl bekhanndlich ist, wass massen die Wölff, Lux unndt Bern in villweeg beschwärlich und nachtheillig seindt, derohalben soll er auf alle Weiss dahin trachten unnd Verfuegung thuen, dass sowohl Winters- als Sommers-Zeitten mit Anlegung der Stachl und dergleichen gebreuchiger Instrumenten, nicht weniger auf Besuechung deren Geschleiff sollchen alt- und jungen schadhafftigen Thirn nit allein in Unsern Wildpäzen und territoriis von Unsern Jägern, sondern auch in allen andern Orthen, auch Purck- und Landtgerichtern von andern Jägerpersohnen selbigen als landtschädlichen Thieren möglichst nachgestölt, auch gefangen, vertriben und ausgetilgt werden mögen und sollen, wie er Obrist-Jägermaister es dem wohl zu thuen wais; unndt ist zum Fünffzehenten Unser gnedigister Befelch, dass er Obrist-Jäger-maister die Verordnung thue und verfuege, damit nicht allein die grosse Pazern-Hundt und Rieden, sondern auch all andere holdente, schadthafftige und dem Gewild nachsezende Hund, wan sollche in Verfolg- und Nachsesung des Wiltpräts würckhlich ertappet werden, alsobalden abgethan oder gelembet werden sollen. Undt zum Fahl Wir

Sechszehentens in Unsern noch aigenthumblich innen habenden Fürsten einige Landtgejaider ansagen und halten zu lassen, allergnedigst resolviren möchten, so solle er Obrist-Jägermaister damahlen dahin gedacht sein, dass sollche specialiter im Eyssenärzt-, Enns- unnd Palten-thall oder auch Virtl Zilly, zumahlen Wier, wie obgedacht, Unsere mehriste Fürst in Untersteyer keufflichen ausgelassen, fürgenomben und angestelt werden.

Belangent Sibenzehentens den Obrist-Jägermaisterischen Ambts-Schreiber oder Secretarium, dieweillen befindlich, dass seine Unsers Ob. Jägermaisters Antecessores die Befuegnis gehabt, dieselben nach Belieben unno Befinden selbsten aufzunemben, also khan es bey solcher Observanz auch inskünfftig bey berührter Secretariats-Erledigung (zumahlen Wir den jezigen Secretari Wolff Simon Khnopff zu dessen continuirenden Verrichtung ad dies vitae gnedigist selbst confirmiert), jedoch dergestalt sein Verbleben haben, dass hierzue jederzeit wohl tauglich unndt qualificierte Personen, welche yber alle fürfallende Amtshandlungen, actiones, ventilierendeStreittigkheitten und Verrichtungen ein ordentlich unnd ausführliches Pothocoll zu führen, wie dan à parte alle solche Acta und Handlungen, o der Obrist-Jägermaisterischen Canzley quocunque modo anhengig it ein sonderbahr haldentes Expeditbuech oder Repertorium zu allmahlig ezt unndt khunfftiger guetter Nachricht registriert und eingetragen nd hierdurch Alles in bestendige guette Ordnung gestölt und erhalten werde aufgenohmben werden sollen, massen dan zu dessen würckhliche Vollziehung offt gedacht Unsser Obrist-Jägermaister hierauf sein stethes achtsamb Aug zu tragen haben, zu dissem Ende auch alle solche Canzley-Schrifften, Acta und Ambtbuecher an einem sichern Orth und Zimerl (drumben er Unser Obrist-Jägermaister bey Unserer I. Ö. Hoffcammer einzukhommen wissen wirdet) gebührent verwahrt und also (wie obgedacht, alle Handlungen und Acta in gueter Ordnung unnd Richtigkheitt erhalten werden.

Zum Achtzehenten befelchen Wier ferrers gnedigist unnd ernstlichen, dass Unssere Forstmaister von ihren Ämbtern ohne Licenz Unser Jägermaister auf en lange Zeit, befordrist aber ausser Landts nicht abraissen, auch ihnen ohn ehehaffte Ursach die Licenz nit ertheillen, sondern vill mehrers dahin anweissen, dass sie persöhnlich bey ihren Ämbtern verbleiben und selbigen embsig und treulich vorstehen sollm.

Neunzehentens, die Befuegnus der jährlichen Wildpräts-Austhaillung unter Unsere drinige Räthe unnd Officier anbelangent, obzwar, sie hiervon nach Lauth und Inhalt Unserer gnedigist ergangenen Resolution unter dato 3. Mai des entwichenen 1678**ten** Jahres, aus damahls vor und angebrachten Ursachen auf den damahlig neu resolvierten Cammerpraesidenten selbige gnedigist transferiert, so wollen Wir aber aniezo sollde Befuegnus der jährlichen Wildpräts-Austhaillung (so vill die gewöhnliche Ordinari-Verthaillung unter Unsere I. O. Räthe unndt Officier betrift und gegen allmahliger von Unserer I. Ö. Hoffcammer über erholte Widprät- und Deputat-Verthaillung abfordernde specificierte Verzaichnus) auf das Obrist-Jägermaister-Ambt widerumben remittiert haben. Betreffent aber das schwarze Wildprät, wellches, wan es etwan in Unsern noch reservierten wenigen aigenthumblichen Wildpäänen so heuffig über Handten nemben solle und desto wegen ainiges Gejad fürzukern und stwo ein Anzahl dess besagten überflissigen schwarzen Wildpräths zu fählen für nothwendig erfunden wurte, auf sollchen Fahl er Obrist-Jägermaister wegen dessen Vertheilung bey mehrbesagter Unserer drinigen Hoffcammer sich Beschaids erhollen solle.

Nichtweniger auch zum Zwainzigisten die Besoldung betreffent, obwolen zwar vor dissen die Graffen von Thannhausen die Auszahlung derselben gehabt haben, umb dass aber von der Jägerey unterschidliche Beschwärden und Klagen fürkhomben und der Ursach willen ihnen Graffen von Thannhaussen krafft ergangener gnedigsten Resolution de dato 20. Julii 1637 benomben und an Unsere I. Ö. Hoffcammer transferiert, folgents von dort aus der Jäger-Staat ausgezahlet worden, so sollen Wir demnach aus ein- und anderer Ursach bewogen, dass der vonin practicierte modus respectu der Auszahlung deren Besoldungen (als wellcher der Zeit und juxta modernum statum Unsers drinigen Jägerstaats ohne das auf kein sonder hoches quantum sich belauffet) widerumben in vorigen Standt gesezt und sollche Auszahlung Unserm Obr. Jägermaister gnedigist anverthrauth haben der Gestalten, dass er Obrist-Jägermaister die erforderliche Besoldungs-Gelder gegen seiner Quittung aus Unserm I. Ö. Hoffpfenning-Ambt quatemberlich erheben und sollche ihnen Jägerey-Persohnen undt Bedienten jedesmahls richtig erlegen und sich hingegen auch von ihnen Jägerey-Persohnen dem alten bisherigen modo nach quittiren lassen und derselben Quittungen mit einer dahin in besagtes Unser Pfenning-Ambt hineingegebenen Interimsquittung guetter Ordnung und Richtigkheitt halben zu verwechslen rissen möge, dahin-

gegen Wir ihne Obrist-Jägermaister auch sein Deputat-Wildprät, Holz-
gelt, Wissen und was deme sonst anhengig ist, dem alten Herkomben
gemess, gnedigst geniessen lassen wollen.

Damit aber fürs Ain- und Zwainzigiste ins künfftig Unser Obrist
Erb-Landt-Jägermaister in Steuer wissen, was für ein Jurament sy abzulegen, als haben Wir gnedigist resolvirt, dass selbiges disser Instruction
inseriert werden solle folgenden Inhaldts.

Ayds-Rotl.

Ihr werdet angeloben und schwären zu Gott und allen Heilligen,
dass ihr dem allerdurchleüchtigisten, grossmächtigisten und unüberwind-
lichsten Fürsten und Herrn, Herrn Leopolden, erwehlten Römischen
Kaysser, auch zu Hungarn und Behaimb König, Erzherzogen zu Österreich, Unserm allergnedigisten Herrn und deroselben Erben getreu, gehorsamb und gewartig sein wollet, dem euch anvertrauten Obristen-Jäger-
maister-Dienst, wie euch die desswegen zuestellende Instruction auferlegt, von Zeit zu Zeith gebührlich, getreü- und gehorsamb auswarten,
höchst ernennt Ihrer Kays. Majestät Befelch und Verordnung zu jeder
Zeith gehorsamben, die kayserlichen Wildpäan, so vill möglich und an
euch sein wirdet, schuzen undt dawon nichts entziehen lassen, noch vill
weniger sollches für euch selbst thuen, auf die euch untergebene Jägerey-
Persohnen euer fleissiges Aufmerckhen, damit dieselbe ihren Dienst und
Verrichtungen ohne Klag auswarthen, halten und, so sich zwischen dennen
selben und ändern Zwispaldt erregen, gleiches Recht füren, darinen gegen
dem Armen als dem Reichen, auch den Reichen als den Armen, gebührlich
handlen und Keinem nicht Widriges verstatten, und Alles das, was allerhöchst ernennt Ihrer Kay. Mt. zu Gueten und zu Nuzen khomben solle,
besstens Vermögens thuen und handlen wollet, wie ihr sollches gegen
Gott unndt eueren Herrn unnd Landtfürsten verandtworten könnet.

Wellches jeder Zeith vor Unserer I. Ö. Reg. unnd Cammer abzulegen.

Beschliesslichen soll er Unsser Obrist-Jägermaister sich in allen
instruirtermassen geflissen, emsaig undt zum treulichisten erzaigen und
halten, wie Wir dan nit zweifflen und in ihme dass gnedigiste Vertrauen
sezen. Unnd ob Wier zwar auch ihme Obrist-Jägermaister in Steuer in
vill mehr weeg (wie es nehmblich mit Ausag unndt Schickhung in Unser
landtsfürstliche Jagen bey Ausbleib unndt Verwaigerung dessen mit denen
sowohl dits Orths, als anderseithigen Wildprät-Straffen, in Citier- und
Apprehendierung der Wildprätschüzen unndt deren Complicium unndt

interessierten, auch unterschidlichen Föhlen und anderen Begebenheiten in Jägereysachen gehalten und observiert werden solle) weitleüffiger punctatim zu instruiren hetten, so finden Wür doch, sollches umb derentwillen für unnöthig unnd überflüssig, alldieweillen alle dergleichen in dem Jägerey-Weessen mehrers erforderliche Puncta, Observationes, auch Regl und Ordnungen, wie es mit Unsern Forst-Wildpäanen unnd Jägersgerechtigkheitt zu halten ist, in der Unsern Forstmaister erthailten Instruction, ja auch in Sachen zu mehrmahlen in Unseren ausgangenen scharffen Generalien und Mandaten ausführlichen inseriert, ausgeführt und vorgeschrüben seint, in wellchen er Obrist-Jägermaister sich dan auch zu ersehen hat und dahin angehalten wirdt, dass er seinerseiths ob solch ausgeförtigten Forstmaisterischen Instruction und öffters erfrischten Jägerey-Generalien halten, selbige manuteniren und also Unserer landsfürstliche Regalien unndt Jägerey-Hohheiten in Steuer nach seinem beutten Vermögen conservieren und in guettem Standt erhalten, und was er seinen Kräfften und Vermögen nach zu Verhiettung Schadens unndt Nachtheils nit wendten unnd vom Ambt aus selbsten nicht abstöllen kan, sollches neben Annectierung seines ämbtlichen Guetbedunkhens zu Vorkherung des weitheren an Unser I. Ö. Hoffcammer, an die er ohne dass mit der Dependenz gewissen ist, gelangen lassen, und seine weithere Notturfft daselbst pro exigentia rei et causae verhandlen, wie zumahlen aber eine ausführliche Relation von dem Stand der Jägerey, auch was für Excessen fürgangen und was etwo abzustöllen oder zu verbessern sein möchte, von Jahr zu Jahr fleissig eingeben solle als khann, wellcher Uns zum Fahl selbe dennen beschehenden schädlichen Eingriffen zuefüegenden Wildpaans- und Waldungsschäden und dergleichen Inconvenientien zu steuern, auch selbsten durch ihre etwo aigene habende Mittl- und Compellierungen, ja cammerprocuratorische Actionen und Conventionen wider die renitent- und widersezliche Partheyen nichts vermöchte, schon der fernere Vertrag zu notturfftig- und gebührendten Remedierung auch gnedigsten Resolution beschehen wirdet.

Geben in Unserer Statt Wienn den 9. Novembris in sechzehnhundert vier und neunzigisten, Unnserer Reiche des Römischen im sibenund dreyssigisten, des Hungarischen im vierzigisten unnd des Böhaimischen in neun- und dreyssigisten Jahr.

Leopoldt.

Julius Frid. Gf. Wuzeleny.

Ad mandatum S. C. M. proprium:
Joh. Theo. von Weissenberg.

Eidesformeln.

Archibusier.

Ihr werdet geloben unnd schweren, dem allerdurchleüchtigsten, Unnserm allergnedigsten Herrn treu, gehorsamb unnd gewerttig zu sein, Ihrer Kays. May. Nutz unnd Frommen fürdern, Nachtheil unnd Schaden aber zu warnnen unnd zu wenden, unnd insonderheit alss ihr zu Ihr Kays. May. Archibusier unnd Diener angenommen, demselben Dienst mitt treuem, höchstem Fleiss aufzuwartten, unnd Ihr May. über Landt, auf Gassen unnd Herberg mitt euren gewöhnlichen Waffen unnd Wehren mittreitten, auch Tag unnd Nachtwacht, unnd wass euch sonst zu Zeitten von wegen Ihrer May. durch euern verordneten Haubtman oder Leütenandt angesagt unnd befohlen wirdt, demselben mitt Gehorsamb nacherzukhommen, unnd vollziehen wöllet, auch sonst thuen unnd handlen, wie einem frommen, aufrichten Archibusier unnd Diener, der seinem Herrn mitt Aydtspflicht verwandt ist, gebüehrt unnd zustehet, Alles treulich unnd ohne Gefehrde.

Leibweschin.

Ihr werdet geloben unnd schwehren, dem allerdurchleüchtigsten, Unnserm allergnedigsten Herrn treu, gehorsamb unnd gewerttig zu sein, Ihrer Kays. May. Nutz unnd Frommen fürdern, Schaden unnd Nachtheil zu warnnen unnd zu wenden, Ihrer Kays. May. Hembter unnd Leibgewandt, so für Ihr Kays. May. gehört, durch die Cammerdiener, die solches unnder Handen haben unnd zu waschen geben, mitt aigen Handen waschen unnd zusammenlegen, Niemandt Frembden damitt umbgehen lassen, wohlverwahrt truckhnen unnd damitt selbst gen Hof gehen, unnd nach der Zahl, wie Ihrs von dem Cammerdiener empfangen habt, also ohne Abgang widerumb überantwurtten, unnd sonsten Alles das thuen unnd handlen wöllet, das einer getreuen Leibwäschin bey Ehr unnd Aydt zu thuen gebüert unnd zustehet, getreulich unnd ohn Gefehre.

Hofcontralor.

Ihr werdet geloben unnd schweren, dem allerdurchleüchtigsten, Unnserm allergnedigsten Herrn treu, gehorsamb unnd gewerttig zu sein, Ihrer Kays. May. Nutz unnd Frommen zu fürdern, Nachtheil unnd Schaden warnnen unnd zu wenden, unnd sonderlich alss Ihr Kays. May. nun zu ihrem Hof-Contralohr gnedigist verordnet unnd befürdert, unnd euch derohalben ein Instruction unnd Ordnung, wie ihr solch Ambt verrichten sollet, zuegestellt werden solle, das ihr denselben mitt allem höchsten Fleiss unnd guetem Aufmerkhen wöllet nachkhommen, auch zu jeder gewöhnlichen Zeitt zu Kuchen, Keller, Ziergaden, Tafeln, Liecht-Cammer, Stall unnd auf Wägen, Fuhr unnd Schiffung, wer dieselben bestelt, euer fleissiges Aufsehen haben, damit Ihrer Kay. May. in denselben Ämptern verschwendtlich, nachtheilig unnd zu Schaden nichts gehandlet werde, wann unnd so offt Jemandt von Ihrer Kays. May. Hofgesindt, hohes oder nidern Standts, von Hofe verraisen würde, alssdann darauf euer fleissiges Aufmerckhen haben, wann der oder dieselben widerumb ankhommen, solches fleissig verzeichnen unnd aufmerckhen, den Hof- unnd Kriegszahlmaister dessen erindern, damit wegen ihrer Absent der Hofbesoldung halben von Ihrer Kays. May. oder deroselben Obersten Hofmaister Beschaidt genommen, unnd derselben Befelch unnd Ordnung nach (Inhalt aufgerichten Hofstatts) desto fleissiger nachgelebt werde, wass auch sonst durch den Obersten Hofmaister oder Vicehofmaister in Namen Ihrer Kays. May. euch würdet befohlen, demselben sollet ihr Gehorsamb laisten, so wohl wie ihr auch auf den Raissen unnd in Herbergen mitt dem Letzgelt unnd andern angeschafften Verehrungen euch sollet verhalten, von ihnen jederzeit Beschaidt nemmen, über das auch sonsten unnd nach Inhalt gedachter Instruction Alles anders thuen unnd handlen, was einem getreuen Diener seinem Herrn bey Aydt und Pflicht zu thuen schuldig unnd verbunden ist, und sich im selben von Niemandt verhindern lassen, alles treulich unnd ohne Gefehrde.

Summelier.

Ihr werdet geloben unnd schweren, dem allerdurchleüchtigsten, Unnserm allergnedigsten Herrn treu, gehorsamb unnd gewerttig zu sein, Ihrer Kays. May. Nutz unnd Frommen fürdern, Nachtheil zu warnnen unnd zu wenden, unnd sonderlich das Summelier-Ambt, darzu ihr jetz bestettigt werdet, vermög euer Instruction, die euch hernach zuegestelt werden solle, mitt getreuem Fleiss unnd Sorg zu versehen, der Kays. May. Mundtranck unnd Brodt in fleissiger, sorgfeltiger, treuer Huet zu haben unnd zu verwahren, auch wass euch sonst durch der Kays. May. Kuchelmaister unnd Contralohr, auf welche ihr euern billichen Respect haben sollet, in Ihrer Kays. May. Namen befohlen wirdt, treulich verrichten, auch sonst Alles das thuen unnd handlen, das einem getreuen Diener unnd Summelier gegen seinem Herrn bey Ehr unnd Aydts-Pflichten zu thuen gebüehrt unnd zustehet, alles treulich unnd ohn Gefehrde.

Kuchelschreiber.

Nachdem die Röm. Kays. May. Unnser allergnedigster Herr euch zu Ihrem Kuchelschreiber allergnedigst an- unnd aufgenommen, so sollet ihr darauf angloben unnd schweren, Ihrer Kays. May. treu, holdt unnd gewerttig zu sein, deroselben Nutz, Frommen unnd Bestes zu betrachten, suchen unnd zu fürdern, entgegen Schaden unnd Nachtheil nach allem euerm Vermögen zu warnnen, wenden unnd zu verhieten unnd, nachdem euch Ihr Kays. May. zum Kuchelschreiberdienst gst. befürdern, so sollet ihr euerm Ambt nach Innhalt euerer Instruction, welche euch hernach zuegestelt werden wirdt, mitt Khauffen, auch Empfang unnd Aussgeben dess Gelts treulich, erbarlich unnd redlich handlen, von solcher Handlung aber rechte ordentliche Tagzettel von euer aigenen Handt schreiben, dem Herrn Kuchelmaister unnd Hof-Contrahlorn überantwortten unnd zuestellen, sonst auch wass euch gedachter Herr Kuchelmaister unnd Hof-Contralor, vorab aber Ihrer Kays. May. Oberster- oder Vicehofmaister ferer jederzeit nach fürfallender Gelegenheit zue Ihrer Kays. May. Notturfft befehlen würden, ohn alle Verwaigerung gehorsamblich verrichten unnd handlen, in Allem, was seinem Herrn ein treuer Diener unnd Kuchelschreiber bey Ehr unnd Aydtspflichten zue thuen schuldig unnd verbunden ist, Alles treulich ohne Gefehre.

Mundbeckh.

Ihr werdet geloben unnd schweren, dem allerdurchleüchtigsten, Unnserm allergnedigsten Herrn treu, gehorsamb unnd gewerttig zu sein, Ihrer Kays. May. Nutz unnd Frommen fürdern, Nachtbeil unnd Schaden warnnen unnd zu wenden, unnd sonderlich alss Ihrer Kays. May. Mundtbeckh das Brott nach höchstem Fleiss unnd Fursichtigkeit selbst eigener Person, unnd dasselbe kheinem Diener vertrauen, auch zue demselben Gebeckh allweeg von dem allerbesten Waitzen, das schöniste unnd sauberiste Meel bey einem vertrauten Müller gemahlen beraitten lassen, dasselbe auf den Raissen unnd Stillägern in einem verwahrten Gefes sauber behalten, unnd Ihr May. Mundtbrott, welches Mundtbrott nach Gelegenheit der Wohlfeile unnd Teurung dess Weitzes durch den Hof-Contrahlor, so offt es die Notturfft erfordert, taxiert werden, dessgleichen sollet ihr auch alles ander Brodt in dem Hofkheller laut dess Summeliers schrifftlichen Instruction unnd der allhieigen Statt unnd auch an der wochentlichen Stattordnung unnd anderer Ortten, alda Ihr May. ihr Hofläger khünfftig haben möchte, nach der Zahl unnd dem rechten Gewicht überantwortten, unnd sonst Alles das thuen unnd handlen wöllet, das einem

getreuen unnd fleissigen Mundtbeckhen seinem Herrn bey Ehr unnd
Aydtspflichten zu thuen gebüehrt unnd zustehet, getreulich unnd ohn
Gefehrde.

Einkhauffer.

Ihr werdet geloben unnd schweren, dem allerdurchleüchtigsten,
Unnserm allergnedigsten Herrn, treu, gehorsamb unnd gewerttig zu sein,
Ihrer Kays. May. Nutz unnd Frommen fürdern, Nachtheil unnd Schaden
aber warnnen unnd wenden, unnd nachdem Ihr Kays. May. euch zu ihrem
Einkhauffer gnedigist befürdert, so sollet ihr euer Ambt handlen nach
Innhalt der Instruction, so euch hernach zuegestelt werden solle, unnd
wass euch Ihr Kays. May. Kuchelmaister unnd Hof-Contralohr, bevorab
aber Ihr Kays. May. Obrister-Hofmaister ferer darüeber zu khauffen erfragen, dieselben ausskhosten, hierüeber berichten unnd nach Befindung
auch weitterer Verordnung dieselben erheben, wass man von einer Zeit
zur andern begehren wirdt, sauber unnd fleissig abziehen, wohlverwahrter
aufheben unnd nach Ihrer Kays. May. Hofe befürdern, auch alle eingebrachte Wein nach der Visier unnd was auf die Füll unnd ins Ge-
leger gangen oder wer dieselben hinverwendet ordentlich verraitten unnd
sonsten Alles das thuen unnd verrichten, wass einem getreuen Keller-
maister unnd Diener gegen seinem Herrn seiner Pflicht nach aignet unnd
gebüehrt, Alles treulich, gehorsamblich unnd ohn Gefehrde.

Zuschrötter.

Ihr werdet geloben unnd schweren, dem allerdurchleüchtigsten,
Unnserm allergnedigsten Herrn, treu, gehorsamb unnd gewerttig zu sein,
Ihrer Kays. May. Nutz unnd Frommen zu fürdern, Schaden aber unnd
Nachtheil zu warnnen unnd zu wenden, unnd alss Ihrer Kays. May. Zu-
schrötter Alles das, so euch durch den Herrn Kuchelmaister, Contralohr
unnd Kuchelschreiber von Ambtwegen auferlegen unnd befehlen, gehorsamblich unnd fleissig verrichten, alles Rindt- unnd ander Kleinfleisch
mitt Wissen unnd im Beysein dess Einkauffers, so es anders die Gelegenheit erleiden mag, bestellen unnd abraitten, das Fleisch im Ziergartten
fein, sauber, luftig unnd wohlverwahrt halten, Keinem den Schliessel zu
den Gewelttern, Fleisch geben, auch Niemandts Frembden in dasselbige
gehen lassen, unnd nichts ungeschmackhs darin leiden, sonsten Alles
anders handlen unnd thuen, das einem getreuen Diener gegen seinem
Herrn bey Aydtspflicht gebürth unnd zuestehet, getreulich unnd ohn
Gefehrde.

Licht-Cammerer.

Ihr werdet geloben unnd schweren, dem allerdurchleüchtigsten, Unnserm allergsten Herrn getreu, gehorsamb unnd gewerttig zu sein, Ihrer Kays. May. Nutz unnd Frommen getreues, müglichistes Fleiss fürdern, Nachtheil unnd Schaden zu warnnen unnd zu wenden, insonderheit aber, weil euch Ihr Kays. May. zu Ihrem Liecht-Cammerer unnd Diener gnedigdst aufgenommen, solch Ambt treulich unnd fleissig versehen, unnd euerer Instruction, welche euch hernach zuegestelt werden wirdt, gemess handlen, wass euch noch darüeber von Ihrer Kays. May. Kuchelmaister nach Gelegenheit fürfallender Ihrer Kays. May. Notturfft befohlen wirdt, demselben unwaigerlich nachkhommen unnd sonst Alles das thuen, handlen unnd verrichten, was seinem Herrn ein getreuer Diener unnd Licht-Cammerer bey Ehr unnd Aydtspflicht zu thuen schuldig unnd verbunden ist, treulich unnd ohn Gefehrde.

Zörgartner.

Nachdem die Röm. Kays. May., Unnser allergnedigster Herr, euch zu Ihrem Zörgarttner allergnedigst an- unnd aufgenommen, so sollet ihr hierauf geloben unnd schweren, Derselben getreu, gehorsamb unnd gewerttig zu sein, Ihrer Kays. May. Nutz unnd Frommen fürdern, Nachtheil unnd Schaden aber warnnen unnd zu wenden unnd sonderlich alss Deroselben Zörgarttner allerley eingekhauffte Victualia, so durch den Einkhauffer unnd sonsten in Zörgartten gebracht unnd gelifert wirdt, in getreuer Verwahrung halten unnd dieselben ordentlich zu verraitten schuldig sein, auch was euch sonsten vom Kuchelmaister unnd Contralor, auf welche ihr nach dem Herrn Obristen-Hofmaister euern gebüehrenden Respect haben sollet, in Ihr Kay. May. Geschäfften befohlen wirdt, demselben gehorsamblich nachkhommen, unnd Alles anders thuen, das einem getreuen Diener gegen seinem Herrn bey Ehr unndt Aydtspflicht zue thuen gebüehrt unnd zustehet, alles treulich, gehorsamblich unnd ohn Gefehrde.

Kellerdiener.

Ihr werdet geloben unnd schweren, dem allerdurchleüchtigsten, Unnserm allergnedigsten Herrn, treu, gehorsamb unnd gewerttig zu sein, Ihrer Kays. May. Nutz unnd Frommen zu fürdern, Nachtheil unnd Schaden zu waranen, verhieten unnd zu wenden, unnd sonderlich alss Ihr Kays. May. euch zu Ihrem Kellergehilffen gnedigist aufgenommen, mitt fleissiger Warttung der Wein unnd sonsten Verrichtung aller Kellernotturfft, sowohl auch dass im Keller kheinerleyweyss Schaden entstehe oder Ver-

schwendung der Wein beschehe, guetten Fleyss unnd **Aufmerckhen** zu
haben, auch was euch jederzeit durch den Herr **Kuchelmaister** unnd
Summelier, auf die ihr euern billichen Respect haben sollet, in Ihr **Kays.**
May. Keller euers Ambts halben zue thuen befohlen unnd **geschafft** wirdt,
demselben Gehorsamb laisten unnd Alles anders treulich unnd **guetwillig**
verrichten, das einem getreuen Diener seinem Herrn bey **Ehr** unnd Pflicht
zue thuen gebüerth unnd zustehet, getreulich unnd ohn Gefehrde.

Kellerpinder.

Ihr sollet angeloben unnd schweren, dem **allerdurchleüchtigsten**,
Unnserm allergnedigsten Herrn, getreu, gehorsamb unnd **gewerttig** zu sein,
Ihrer **Kays. May.** Nutz unnd Frommen zu fürdern, Schaden unnd Nachtheil zu warnnen unnd zu wenden, unnd nachdem ihr vor diesem zu Ihrer
Kays. May. Kellerpinder aufgenommen worden seidt unnd solchem Dienst
bisshero gehorsamblich abgewarttet, so sollet ihr denselben hinfürter auch
nitt wöniger fleissig, treulich unnd embsig verrichten, allem **Mängl** unnd
Unrath in dem Keller **an** den Fässern unnd Raiffen mitt zeittlichem Voll-
werekhen unnd Pinden fürkhommen, denselben wenden unnd darauf täglich sondere Achtung geben, damit einiger Schadt nicht geschehe, sonder
derselbe gentzlich verhietet werde; insonderheit sollet ihr auch bey der
täglichen Aussspeisung, so wohl der Wein alss dess Brots, neben Andern
im Kheller alle mügliche Handlung thuen, im selben nichts verschwenden,
sondern alle überflüssige unnd verbottene Hinaussgebung bemelter Sachen,
so vil euch immer müeglich, verhieten, da euch solches von Andern beschehen würde, dasselben dem Summelier unnd Contralor zu gebüehrlicher
Abstellung anzaigen unnd sonsten Alles das, wass einem ehrlichen unnd
getreuen Kellerpinder zue thuen gebüehrt, euch auch von Ihrer **Kays.**
May. Contralor, Summelier, oder in Abwesen derselben durch den zuege-
ordneten Kellergehilffen Ihrer **May.** erhaischender Notturfft nach anbefohlen wirdt, euerm Aydt unnd Pflicht nach alssbaldt gehorsamblich,
treulich unnd fleissig verrichten.

Mundtkhoch.

Ihr werdet geloben unnd schweren, dem allerdurchleuchtigsten,
grossmechtigsten Römischen Kayser., auch zu Hungern unnd Böhaimb
Khünig, Unnserm allergnedigsten Herrn getreu, gehorsamb unnd **gewerttig**
zu sein, Ihrer **Kays. May.** Nutz unnd Frommen fürdern, Nachtheil aber
unnd Schaden zu warnnen unnd zu wenden, unnd nachdem euch **ietzo** Ihr
Kays. May. zu deroselben Mundtkhoch gnedigist **bestettigen, sollet ihr**

euch mitt Kochen unnd in andern Sachen eur Ambt unnd Dienst betrefend
nach Ihrer Kays. May. Kuchelmaister unnd Contralor, Ambts - Verwesern
richten, unnd nach seinem Befelch handeln, auch gegen derer euch undergebenen Knechten aller gebüehrenden Beschaidenheit gebrauchen, ihr
sollet auch auf sein Erfordern, so offt es die Notturfft erhaischet, bey den
Raittungen die Empfahung unnd Aussgebung der Kuchen anbelangt
gegenwerttig sein, und euch sonsten in allen euern Instructionen gemess, die euch hernach zuegestelt werden wirdt, erzaigen, auch Alles das
thuen unnd handlen, wass einem getreuen Mundtkoch unnd Diener bey
Ehr unnd Aydt zu thuen gebüehrt unnd zustehet, alles getreulich unnd
ohn Gefehrde.

Pastetenkoch.

Ihr werdet globen unnd schwehren, dem allerdurchleüchtigsten, Unnserm allergnedigsten Herrn getreu, gehorsamb unnd gewerttig zu sein,
Ihrer Kays. May. Nutz unnd Frommen fürdern, Schaden unnd Nachtheil
zu warnen unnd zu wenden, unnd Ihr Kays. May. Kuchelmaister gehorsamb zu sein, auf denselben eur Aufsehen haben, unnd euch mitt dem
Pastetenbackhen nach seinem Befelch unnd Gebott halten, wass euch
durch den Kuchelmaister befohlen, oder auch durch den Mundtkoch under
Handen gegeben wirdt, dasselbe mitt grossem Fleyss unnd Fürsichtigkeit
backen, unnd alle Pasteten unnd Tortten dem Obr. Mundtkoch ohne Abgang zuestellen, unnd sonst Alles das thuen unnd handlen, wie einem
ehrlichen Pasteten-Koch zustehet unnd gebüehrt, auch bey Aydtspflicht
schuldig unnd verbunden ist, alles getreulich unnd ohn Gefehrde.

Maisterkoch.

Ihr werdet globen unnd schwehren, dem allerdurchleüchtigsten,
Unnserm allergnedigsten Herrn treu, gehorsamb unnd gewerttig zu sein,
Ihr Kays. May. Nutz unnd Frommen fürdern, Nachtheil unnd Schaden
aber warnnen unnd zu wenden, unnd nachdem Ihr zu Ihrer Kays. May.
Koch in Deroselben Mundtkuchel gnedigst auf- unnd angenommen, so
sollet ihr, wass euch von Ihr Kays. May. Kuchelmaister, Contralorn unnd
nachmahls von dem Mundtkoch oder wer jederzeit dieselben Plätz vertritt, in Ihr Kays. May. Dienst zu verrichten befohlen oder auferlegt
wirdt, dasselbe ohn einige Widerred, mitt höchstem Fleiss gehorsamblich
laisten, thuen unnd verrichten, auch sonst euch in allem dermassen getreu unnd ehrlich verhalten wollet, wie das einem ehrlichen, getreuen
Diener unnd Koch seinem Herrn, (dem er) mit Aidt unnd Pflicht verbunden ist, unnd zuestehet, getreulich unnd ohne Gefehrde.

Underkoch.

Ihr werdet globen unnd schweren, dem allerdurchleüchtigsten, grossmechtigsten Römischen Kayser., auch zu Hungern unnd Behaimb Khönig, Unnserm allergnedigsten Herrn getreu, gehorsamb unnd gewerttig zu sein, Ihr Kays. May. Nutz unnd Frommen fürdern, Schaden unnd Nachtheil zu warnnen unnd zu wenden unnd insonderheit Ihr Kays. May. Khuchelmaister unnd nachmahls den Obr. Mundt-Koch oder wer jederzeit denselben Platz vertretten, in Allem dem, so er euch in Ihr Kays. May. Dienst befehlen oder auflegen wirdt, ohne Widersprechen mitt höchsten Fleiss Gehorsamb zu laisten, darzue Alles das zu handlen unnd zue thuen, das einem getrewen Koch unnd Diener gegen seinem Herrn, dem er mitt Aydtspflicht verbunden ist, zue thuen gebüehrt unnd zuestehet, getreulich unnd ohn Gefehrde.

Zuesetzer.

Ihr sollet geloben unnd schweren, dem allerdurchleüchtigsten Römischen Kayser, Unnserm allergnedigsten Herrn getreu, gehorsamb unnd gewerttig zu sein, Ihrer Kays. May. Nutz unnd Frommen zu befürdern, Nachtheil unnd Schaden aber zu wenden, unnd nachdem Ihr in Ihr Kays. May. Kuchel zum Zuesetzer aufgenommen worden seyet, unnd euern Dienst bisshero gehorsamblich versehen habt, so sollet ihr euren Dienst treulich, fleissig und embsig verrichten unnd abwartten, zu rechter Zeit unnd Stundt in die Kuchen khommen, mitt denen Speisen unnd andern Sachen, so euch zum Zuesetzen unnd sonst anbefohlen unnd under die Handt geben wirdt, aufs sauberist unnd rechtlichist umbgehen, durchauss nichts verschwenden noch verwahrlosen, wass auch euch sonsten euerm Aydt unnd Pflicht nach zue thuen gebüehrt oder von Ihr Kays. May. Contralor, Mundt- oder andern Maister-Köchen anbefohlen wirdt, demselben treulich, gehorsamblich unnd unverzüeglich nachkhommen.

Kuchenbueben.

Ihr sollet geloben unnd schwehren, dem allerdurchleüchtigsten, Unserm allergnedigsten Herrn getreu gehorsamb unnd gewerttig zu sein, Ihrer Kays. May. Nutz unnd Frommen fürdern, Schaden unnd Nachtheil zu warnnen unnd zu wenden unnd auch sonderlich, wass euch der Mundtkhoch oder ein Anderer, der solchen Platz vertritt, alzeitt befehlen werden, demselben mitt allem Gehorsamb ohne Widersprechen, so vil müglich, euch erzaigen unnd volziehen, auch sonst Alles das thuen unnd handlen, das einem getrewen Kuchenbueben zugehört, bey Vermeidung seines Aydts unnd Pflichts nach gebüert unnd zu thuen schuldig ist, Alles treulich unnd ohne Gefehrde.

Kuchenthürhütter.

Ihr sollet geloben unnd schwehren, dem allerdurchleüchtigsten, Unnserm allergnedigsten Herrn getreu, gehorsamb unnd gewerttig zu sein, Ihrer Kays. May. Nutz unnd Frommen fürdern, Nachtheil unnd Schaden zu warnnen unnd zu wenden, unnd nachdem Ihr Kays. May. euch jetzo zu Deroselben Kuchelthürhitter gst. an- unnd aufgenommen, so werdet unnd sollet ihr fleissig Achtung darauf haben, das ihr Niemanden, es sey wer der wölle, der nicht in die Kuchel gehörig oder darinn nichts zu thuen hatt, sonderlich aber keine verdächtige unnd frembde Personen, einlassen, sondern dieselbe ab- unnd weegschaffen, wass euch auch der Obr. Mundtkoch oder ein Anderer, der solchen Platz ettwann vertritt, allzeit befohlen wirdt, demselben mitt allem Fleyss unnd Gehorsamb ohne Widersprechen, so vil müglich, euch erzaigen, unnd solches vollziehen, auch sonsten Alles das thuen unnd handlen, wass einem getreuen Kuchelthürhüeter zugehort unnd er zu thuen schuldig ist, Alles getreullich, gehorsamblich unnd ohne Gefehrde.

Kucheltrager.

Ihr sollet geloben unnd schwehren, dem allerdurchleüchtigsten, Unnserm allergnedigsten Herrn getreu, gehorsamb unnd gewerttig zu sein, Ihrer Kays. May. Nutz unnd Frommen zu fürdern, Schaden unnd Nachtheil zu warnnen unnd zu wenden, Ihr werdet alle Notturfft in die Kuchin tragen, allezeit das Kuchingeschierr einraummen, die Kuchen saubern, unnd überlandt bey dem Kuchengeschirr bleiben, von dem bey Tag unnd Nacht nicht khommen, biss so lang die in Ihrer Kays. May. Herberg abgeladen, unnd folgendt die Truchen wohlverwahrt an ihr gehörige Ortt gebracht sein; auch die Truchen im Abladen nicht umbstürtzen, werffen oder sonsten ungeschickht damit umbgehen lassen, das Kuchelgeschirr verwahren, unnd sie zum Kochen oder an dem, darzue sie tauglich, willig unnd ohn Widerred brauchen lassen, unnd sonsten Alles dass thuen unnd handlen, das euch durch den Herrn Kuchlmaister oder Mundtkoch befohlen wirdt, mitt Fleiss hanndlen unnd verrichten, wie es einem getreuen Trager unnd Diener seinem Herrn bey Aydtspflicht zu thuen gebüehrt unnd schuldig ist, getreulich unnd ohn Gefehrde.

Cammerern- unnd Truchsassen-Tafeldöcker.

Ihr sollet geloben unnd schwehren, dem allerdurchleüchtigsten, Unnserm allergnedigsten Herrn getreu, gehorsamb unnd gewerttig zu sein, alzeit Ihrer Kays. May. Nutzen unnd Frommen befürdern, Schaden unnd Nachtheil zu warnnen unnd zu wenden, unnd alss ihr zu Ihrer Kays.

May. Cammerern (Truchsässen)-Tafeldeckher auf- unnd angenommen
worden, so sollet ihr zu ordentlicher Stundt die Tafel, wie sichs gebüehrt,
zurichten, die aufgetragene Speisen ordentlich aufsetzen, unnd nit allein
für euer Person mit Darreichung der Notturfft unnd Einschenckhen
treulich aufwarten unnd dienen, sondern auch die Andern mitt Auf-
warttende darzue halten, den Wein unnd aufgehebte Speysen nitt allein
für euer Person keinesweegs veruntreuen unnd abtragen, sondern auch
Niemandts andern solches zu thuen gestatten, in allweeg aber auf das
Silber unnd Zuigeschirr, so zue der Tafel gehören unnd euch undergeben
worden, dann auch auf das Tischgewandt, Hanndtücher unnd Saluet, so
ihr under Handen habt, euer fleyssig Aufsehen haben, damit das Silber
unnd Zuigeschirr rein unnd sauber gehalten, darvon nichts verlohren
noch veruntreut werde, unnd wass ihr von Tischgewandt zu waschen
gebet, dasselbe aufzeichnet, unnd von der Wäscherin widerumb recht,
unfehlbar und nach der aufgemerckhten Zahl empfahet, unnd sonst Alles
anders thuen, was einem ehrlichen Diener unnd Tafeldecker seinem Herrn
bey Aydtspflicht zu thuen gebüehrt unnd wohl anstehet, treulich unnd ohne
Gefehrde.

Hofkerer.

Nachdem Ihr Kays. May. euch jetzo zu Dero Hofkerer gnedigst an-
unnd aufgenommen, so werdet Ihr solchem eurem Dienst mitt fleissiger unnd
sonderbarrer Ausskherung der Ante-Camera- unnd Zimmer gehorsamblich
verrichten, auf denen Raisen bey dem Cammerwagen bleiben, unnd denen
Cammertrabanten helffen auf- unnd abladen, wass anch euch jedesweils
durch den Cammerfurier unnd Hof-Contralor, odar desselben Ambts-
Verwahltern, auf welche ihr euern billichen Respect haben sollet, in Ihrer
Kays. May. Sachen anbefohlen werden, demselben ohne Widersprechen
nachkhommen unnd solches verrichten, auch sonsten Alles das thuen, das
einem getreuen Hofkerer zugehört unnd er zuthuen schuldig ist, Alles
treulich unnd ohne Gefehrde.

Mundtwäschin.

Ihr werdet globen und schweren, dem allerdurchleuchtigsten, Unsserm allergnedigsten Herrn getreu, gehorsamb unnd gewerttig zu sein,
Deroselben Nutz unnd Frommen zu fürdern, Nachtheil unnd Schaden aber
zu warnnen unnd zu wenden, unnd nachdem euch Ihr Kays. May. zu Dero
Mundtwäschin gst. aufgenommen, die Tischticher unnd Salvet, so für Ihr
May. gehören unnd die euch Derselben Ob- unnd Undersilberanmarer
oder, wer zu jederzeit denselben Platz vertrit, zu waschen gibt, oder durch

die Silberdiener unnd Tafeldecker geben lasset, underschiedtlich unnd von anderer Wesch abgesondert, rein unnd fleyssig mitt aigenen Händen waschen, trucknen unnd zusammen legen, mitt Niemandt frembden dieselben gen Hof schickhen, sondern selbst damit gen Hof gehen, unnd nach der Zahl, wie ihrs von dem Silberdiener unnd denen Tafeldeckhern empfangen habt, also ohne Abgang widerumb überantwortten, unnd sonst Alles das thuen unnd handlen, was einer getreuen Mundtwäschin bey Ehr unnd Aydtspflicht zue thuen gebüehrt unnd zuestehet, getreulich unnd ohne Gefehrde.

Hofprofoss.

Ihr sollet geloben unnd schweren, dem allerdurchleüchtigsten, grossmechtigsten Römischen Kayser, auch zu Hungern unnd Böhaimb König, Unnserm allergnedigsten Herrn, treu, gehorsamb unnd gewerttig zu sein, Ihrer Kays. May. Frommen zu fürdern, unnd Schaden zu warnnen unnd zu wenden, insonderheit aber alss euch Ihr Kays. May. zu Dero Hof-Profosen-Ampt gnedigist für Andern befürdert unnd aufgenommen, das ihr solch Ampt mitt treuem unnd bestem Fleiss verrichten, alle Tage zu Hof aufwartten unnd zugegen sein, die ungehorsame, straffmessige Diener, so von Ihr May. oder Dero Obr. unnd Vice-Hofmaister euch in gebüehrliche Verwahrung unnd Verhafftung zu nemmen befohlen werden, solchem Befelch jederzeit gestrackhs Vollziehung thuen, unnd gegen denselben mit gebüehrender Straff fürgehen, die unzüchtige unnd ärgerliche Personen, so sich bey dem Hoffgesindt aufhalten möchten, neben gebüehrlicher Bestraffung mitt Ernst alssbaldt weegschaffen, unnd denselben ettwa unzimblichen eurs Gewins oder Nutzes halben durchauss kein Statt oder Underschleiff lassen, noch vergünstigen, auch sonst thuen unnd handlen, was einem frommen, aufrichtigen Diener unnd Hofprofossen, der seinem Herrn mitt Aydt unnd Pflicht verbunden, zu laisten schuldig ist, treulich unnd ohn Gefehrde:

Allem dem, was mir anjetzo fürgehalten worden unnd ich wohlvernommen hab, will ich so getreulich unnd fleissig nachkhommen, alls wahr mir Gött helf unnd sein heilliges Evangelium.

EIN VORLÄUFER

DES

ÄLTESTEN URBARS

VON

KREMSMÜNSTER.

VON

KONRAD SCHIFFMANN.

Die Urbarien im eigentlichen Sinne des Wortes ent-
:anden wie anderwärts so auch in den Stiftern des Landes
b der Enns erst gegen Ende des 13. und zu Beginn des
4. Jahrhunderts.

Im 10. Jahrhundert ersetzte sie das Traditionsbuch, im
1. Jahrhundert fieng man schon an, kleine Gutsbeschreibungen
nter die Traditionen aufzunehmen, im 12. Jahrhundert endlich
t ein allgemeiner Rückgang der Traditionsbücher bemerkbar,
agegen werden die Versuche systematischer Güterbeschrei-
ungen häufiger.

Diese Vorstufen zu den späteren Urbarien haben noch
:ein festes Schema und sind keine erschöpfenden Beschrei-
ungen des ganzen Gutsbestandes.

Sie sind stets noch Aufzeichnungen administrativer Natur
hne Rechtskraft.

Sehr klar hat diese Entwicklung zuletzt Šusta[1] erörtert.

Die ursprünglich halbfreien Villici, welchen die Sorge
n eine Reihe von Hufen anvertraut war, hatten immer mehr
ı Bedeutung im Laufe der Zeit gewonnen. Früher waren sie
osse Werkzeuge des Gutsherrn, dem sie den ganzen Rein-
trag des Gutes abliefern sollten. Als aber die Besitzungen
s Herrn so angewachsen waren, dass seine persönliche Be-
eiligung an der Wirthschaftsleitung einzelner Besitzungen immer
ringer wurde, lockerte sich das Verhältniss des Maiers zu
m. Er lieferte nun nur mehr eine bestimmte Abgabenquote
ı den Herrn jährlich ab. Die Versuche der Ministerialen
ıd Lehensleute, Stücke der Grundherrschaften zu allodisieren,
urden gegen das 12. Jahrhundert hin immer häufiger, und
sonders der kirchliche Besitz litt darunter.[2]

Die Urkunden und mannigfachen Klagen der Zeitgenossen
weisen, dass man auch in Kremsmünster so weit gekommen

[1] Sitzungsber. der kais. Akad. der Wissensch., phil.-hist. Cl., 188. Bd. (1898).
[2] Šusta, a. a. O., p. 47 ff.

war, dass das Stift seine eigenen Besitzungen und Rechte nicht einmal mehr genau kannte. [1]

Durch die angedeuteten Verhältnisse erklärt es sich, dass man sich gelegentlich durch schriftliche Aufzeichnung zu schützen suchte.

Nach diesen Gesichtspunkten ist auch die Entstehung des Urbarials von Kremsmünster zu beurtheilen.

Obwohl Abt Friedrich I. von Aich (1273—1325), auf dessen Veranlassung das älteste Urbar von Kremsmünster angelegt wurde, im prologus zum vollendeten Werke klagt, dass er ‚nec ex ullis scripture monimentis‘ habe entnehmen können ‚que possessiones, quid soluere debeant‘, hielt doch Abt Achleuthner die Möglichkeit nicht für ausgeschlossen, dass zur Zeit der Abfassung des Urbars doch noch irgendwelche urbariale Aufzeichnungen vorhanden waren, mit denen man die Aussagen der Unterthanen verglichen habe. [2]

Diese Vermuthung kann sich auf eine Stelle in einer alten Chronik von Kremsmünster stützen, welche lautet: ‚Et abhinc nostra ecclesia videtur abbate caruisse, ut patet in registro de possessionibus, quas Arnoldus dux vendicavit.‘ [3]

Es hat also in Kremsmünster schon vor der Abfassung des ältesten Urbars ein Register existiert, welches einen Theil des Stiftsbesitzes verzeichnete.

Loserth [4] bemerkt dazu: ‚Wie weit sie (die mit der Anlegung des Urbars betrauten Männer) sich dabei auf das ältere Besitzregister stützten, ist schwer zu sagen.‘

Diese alten Aufzeichnungen schienen ja verschollen zu sein. Da glückte es mir, im Jahre 1896 ein altes Besitzregister von Kremsmünster zu finden.

Gelegentlich einer Suche nach mittelalterlichen Schulhandschriften entdeckte ich in einem ehemaligen Gleinker Breviarium, welches die Bibl. publ. in Linz unter der Signatur

---

[1] L. Achleuthner, Das älteste Urbarium von Kremsmünster, Wien 1877, p. VIII der Einl.

[2] A. a. O., p. XI der Einl.

[3] Mon. Germ. Hist. Script. XXV, p. 631. Vgl. J. Loserth, Die Geschichtsquellen von Kremsmünster im XIII. und XIV. Jahrhundert, Wien 1872, p. 21, Anm. 6.

[4] J. Loserth, Sigmar und Bernhard von Kremsmünster. Archiv für österr. Geschichte, 81. Bd., Wien 1895, p. 358.

Γ p 19 verwahrt, auf f. 95' eine urbariale Eintragung, die ich zunächst gemäss der Provenienz des Codex für ein Gleinker Besitzregister hielt.

Nachträglich stellte sich aber heraus, dass die Aufzeichnung Besitzungen von Kremsmünster betrifft.

Das Breviarium sowohl, wie auch die urbariale Eintragung stammen aus dem 12. Jahrhundert.

Für die Annahme, dass das Güterregister im 12. Jahrhundert eingetragen worden sein müsse, spricht ausser den paläographischen Indicien auch der Lautstand in den Personen- und Ortsnamen des allerdings nicht umfangreichen Denkmals.

Es ist nämlich von der bairischen Diphthongisierung und ihren Begleiterscheinungen, welche gegen die Mitte des 12. Jahrhunderts im bajuvarischen Gebiete aufzutreten begannen,[1] darin noch keine Spur.

Wann der Codex nach Gleink gekommen, ob schon vor der Abfassung des ältesten Urbars, lässt sich wohl kaum ermitteln.

Wie schon bemerkt wurde, sind die Urbarialien des 12. Jahrhunderts in der Regel keine erschöpfenden Beschreibungen des ganzen Gutsbestandes, sondern berühren nur jene Punkte, welche momentan für den Grundherrn Interesse hatten.[2] Das sehen wir beim Baumgartenberger Theilurbar,[3] welches nur die Einkünfte verzeichnet, die aus einem Amtshofe flossen, ferner bei dem von mir identificierten und demnächst herauszugebenden Mondseer Urbariale (saec. XII) und auch bei unserem Denkmal.

Die Blattseite, auf der es eingetragen ist, füllt es aus, aber die gleichzeitigen Urkunden belehren uns, dass es nur einen Theil des damaligen Stiftsbesitzes enthält.

Aus dem Fehlen von Gütern im Verzeichnisse kann somit auf die Abfassungszeit nichts geschlossen werden, die zeitliche Zuweisung muss sich vielmehr auf die positiven Anhaltspunkte gründen, welche das Denkmal bietet. Deren sind nun allerdings sehr wenige.

Vor allen ist meines Erachtens auf den Umstand Gewicht zu legen, dass unser Denkmal eine Reihe von Gütern in der

---

[1] K. Weinhold, Mittelhochdeutsche Grammatik², Paderborn 1883, p. 99, § 105.

[2] Šusta, a. a. O., p. 50.

[3] K. Schiffmann, Quellen zur Wirthschaftsgeschichte Oberösterreichs etc. Studien und Mittheilungen aus dem Benedictiner- und Cistercienserorden, XX. Jahrg. (1899), Heft 1, p. 161 ff.

heutigen Ortschaft Weigersdorf aufzählt. Diese praedia in Wigantesdorf hatte ein gewisser Engilgerus, camerarius des Stiftes Kremsmünster, von diesem zu Lehen besessen und vor seinem Tode auf seinen Sohn, den passauischen Diakon Engilgerus, vererbt.

Das Stift machte aber seine Ansprüche geltend, und so entbrannte der Streit.

Bischof Konrad von Passau entschied ihn dahin, dass Engilgerus gegen eine seitens des Stiftes zu leistende Entschädigung auf sein ‚patrimonium' verzichten musste. Dies geschah mit Urkunde vom 27. Februar 1162.[1] Ich glaube hierin einen terminus a quo für die Abfassungszeit des Denkmals gefunden zu haben. Denn es ist doch auffallend, dass in der verhältnissmässig nicht umfangreichen Aufzeichnung gerade diese praedia in Wigantesdorf aufscheinen. Ihre schriftliche Fixierung hatte eben nach Beilegung des Streites ein Interesse für das Stift.

Einen weiteren Anhaltspunkt für die nähere Bestimmung der Abfassungszeit scheinen mir die im Denkmal gleich nach den plebani eingetragenen Namen Domina Alheit cameraria und Dominus Herwicus zu bieten. Beide Personen dienen die höchste im Verzeichnisse vorkommende Abgabe, nämlich je 2 Pfunde.

Den Beisatz ‚cameraria' halte ich nicht für den Gentilnamen, weil das Geschlecht derer de Camera in den Kremsmünsterer Urkunden erst viel später begegnet.

Ich glaube vielmehr, dass die genannte Domina Alheit eines der vier Hofämter bekleidete, dass sie cameraria, somit Ministerialin war.

Da es sich um ein Denkmal des 12. Jahrhunderts handelt, hat die Bezeichnung domina, dominus, die sich im ganzen Verzeichniss nur bei den zwei Personen findet, eine Bedeutung.

War nämlich vorher dieses Prädicat ein Vorzug des freiherrlichen Standes, so wurde es seit dem Ende des 12. Jahrhunderts zum Ehrentitel, zum Vorzugsprädicat für alle jene Personen, ganz gleichviel, ob freier oder unfreier Geburt, welche durch den Ritterschlag den höheren Rang, die Ritterwürde erhalten hatten.[2]

[1] Th. Hagn, Urkundenbuch von Kremsmünster, Wien 1852, p. 48, N. 34.

[2] O. v. Zallinger, Die Rechtsgeschichte des Ritterstandes und das Nibelungenlied. Vortrag, abgedruckt im Jahrbuch der Leo-Gesellschaft für das Jahr 1899, p. 43.

Da es in Deutschland keine freie Ministerialität gab, so ist die Vermuthung nicht abzuweisen, dass zur Zeit der Abfassung unseres Denkmals die berührte Wandlung in der Bedeutung des Prädicates ‚dominus‘ schon eingetreten gewesen sei. Wir hätten somit die Aufzeichnung wahrscheinlich gegen Ende des 12. Jahrhunderts zu setzen.

Es handelt sich nun um die Identificierung der genannten zwei Personen, vorerst der Alheit cameraria.

Die Urkunden lassen uns die Wahl zwischen der Gräfin Adelheid von Wildberg, der Gemahlin des Grafen Ernst von Hohenberg und Tochter des Vogtes Friedrich von Regensburg, und einer Alheit de Harde, die in einer Kremsmünsterer Urkunde vom Jahre 1206 als Würzburger Ministerialin und Gattin Hartwigs von Butenbach, eines Kremsmünsterer Ministerialen, genannt wird.

Adelheid von Wildberg war eine grosse Wohlthäterin des Stiftes, wesshalb ihr auch Abt Ulrich I. im Jahre 1140 die Ehre der klösterlichen Confraternität ertheilte.

In der ersten Urkunde, in welcher ihr Name erscheint, und die um das Jahr 1135 angesetzt wird, ist sie bereits vidua. Dies und der Umstand, dass sie in den Urkunden wohl als nobilis matrona, comitissa, domina, niemals aber mit ihrer im Falle der Identität mit unserer Alheit anzunehmenden Standesbezeichnung cameraria aufscheint, machen es unwahrscheinlich, dass sie im Urbariale gemeint sei.

Es ist eher anzunehmen, dass unter der Alheit und dem Herwicus unseres Verzeichnisses das Ehepaar Adelheid von Hart und Hartwig von Butenbach zu verstehen ist.

Letzterer erscheint als Kremsmünsterer Ministerial zuerst in einer Urkunde des Stiftes, die um das Jahr 1177 angesetzt wird.

Mit Urkunde vom 6. April 1206 theilten sich Bischof Heinrich von Würzburg und Abt Konrad von Kremsmünster in die Nachkommen dieses Ehepaares. So wurde auch der Sohn Konrad von Butenbach, der in unserem Denkmal mit 40 Pfennigen Dienst aufscheint, dem Stifte Kremsmünster zugetheilt.

Wenn wir die eben erörterte Möglichkeit der Identität gelten lassen, dann erklärt sich auch, dass die einer anderen, höheren Ministerialität angehörige Gattin Adelheid vor ihrem

Gemahl im Verzeichnisse angeführt ist; dann haben wir uns ferner das letztere kaum vor den Siebzigerjahren des 12. Jahrhunderts niedergeschrieben zu denken, da die beiden im Jahre 1206 mit ihren zwanzig Kindern und Enkeln, die sie damals laut Urkunde hatten, wohl 50—60 Lebensjahre zählen mussten. Ferner erscheint Chúnrat de Aschperc, den das Verzeichniss unter den Ministerialen aufzählt, in den Urkunden von Kremsmünster erst vom Jahre 1200 ab öfter als Zeuge.

Bei der Lückenhaftigkeit des urkundlichen Materiales bieten uns die gegebenen Anhaltspunkte allerdings wenig Sicherheit, so viel aber scheint mir doch festzustehen, dass unsere urbariale Aufzeichnung in das letzte Viertel des 12. Jahrhunderts zu setzen ist. Sollte sie den von Manegold, dem späteren Abte von Kremsmünster, unternommenen Versuchen, sich in den Besitz der Stiftsgüter einzudrängen,[1] ihr Entstehen verdanken?

Mit dem in der Chronik erwähnten registrum possessionum, quas Arnoldus dux vendicavit, hat unser Denkmal nichts zu thun. Denn aus jenem Registrum ging nach den Worten der Chronik hervor, dass bis zum Jahre 1040 ungefähr Kremsmünster eine Zeitlang ohne Abt war, was aus unserem Denkmal, welches einen Freidienst ad manus abbatis verzeichnet, nicht ersichtlich ist.

Wir wenden uns nun zur Besprechung der Angaben des Urbarials selbst und zum Vergleiche derselben mit dem ältesten Urbar des Stiftes.

Festzuhalten ist, dass das älteste Urbar und seine Vorstufe um ein Jahrhundert zeitlich auseinander liegen.

Die Anordnung der Dienste geschieht im Urbar nach Aemtern, in u, wie ich das Urbariale der Kürze halber im Folgenden bezeichne, noch nicht.

Der Herausgeber des Urbars verwies zum Beweise dafür, dass obiges Eintheilungsprincip auch für die Unterthanen Kremsmünsters älter sei als die Anwendung desselben im Urbar, auf eine Urkunde vom September 1249.

Mein Fund erwähnt einen villicus in Ekenperge und ein officium Engilberti in Petinbach, beweist also, dass man in

---

[1] U. Hartenschneider, Historische und topographische Darstellung von dem Stifte Kremsmünster in Oesterreich ob der Enns, Wien 1830, p. 41.

Kremsmünster schon im 12. Jahrhundert die Unterthanen unter bestimmte Amtshöfe stellte.

Oberstes Eintheilungsprincip ist aber in *u* noch die Art der Abgaben ohne Rücksicht auf die Aemter. Dies wird in der Entstehungsursache des kleinen Denkmals seinen Grund haben. Der census ecclesiarum, der dem Urbar als Anhang beigegeben ist, steht in *u* an erster Stelle.

Unmittelbar nach den Geldabgaben verzeichnet *u* ‚de Lochkirchen ferra ad 13 equos‘.

Ein Jahrhundert später erscheint dieser Dienst beinahe unverändert im Urbar: ‚De Diethalming[1] et de Setal[2] babata et seropes ad XIV equos sufferrandos.‘ In diesem Falle zeigt uns die Controle durch das Urbar, wie prägnant die Ortsnamen in *u* aufzufassen sind. Unter Lochchirchen ist nämlich hier nicht der Ort Laakirchen selbet, sondern ein Haus in der gleichnamigen Pfarre zu verstehen. Dieses sichere Beispiel bestärkt mich in der Ansicht, dass die bei den Gelddiensten angegebenen Beträge in *u* wenigstens zum Theile summarisch für mehrere praedia gemeint sind.

So erklärt sich, dass eine Vergleichung dieser summarischen Posten mit den detaillierten Angaben des Urbars zu keinem Ziele führt, zumal in *u* mehrmals statt der Höfenamen nur der Lehensträger genannt ist.

Ich glaube daher, dass beispielsweise die 5 Schillinge, die *u* ‚de Wizchirchen‘ verzeichnet, nicht von dem Orte Weisskirchen, sondern von Gütern dieser Pfarre kamen.

Die Eintragung ‚de ekenperge avena pertinet ad manus abbatis salvo iure villici‘ in *u* zeigt, dass das im Urbar vorkommende ‚officium Ekchenperg in Stainchirchen‘ schon im 12. Jahrhundert bestand, und dass dasselbe den sogenannten Freidienst an die Kammer des Prälaten zu entrichten hatte, wovon wir im Urbar nichts mehr finden.

Nun kommt in *u* der Bierdienst, das seruicium ceruisie des Urbars.

Im 13. und 14. Jahrhundert war dieser Bierdienst, wie uns das Urbar lehrt, in der Regel mit einem Korndienste verbunden, und wo der Korndienst wegfiel, ist dieses als etwas Seltenes und Ungewöhnliches besonders hervorgehoben.

---

[1] Nicklgut in Diethaming, Pfarre Laakirchen.
[2] Sedlhof am Aigen, Pfarre Wimsbach.

In *u* ist allerdings das servitium frumenti nirgends erwähnt, ich glaube aber, dass es überall dabei war und nur deshalb nicht eigens bemerkt wurde, weil es durchgehende Regel war. Bier- und Korndienst waren schon im 12. Jahrhundert Correlate.

Auch hier sticht also wieder die Prägnanz von *u* scharf von der Ausführlichkeit des Urbars ab.

Sehr auffallend weichen die Quantitäten des Bierdienstes in beiden Denkmälern auf den ersten Blick von einander ab.

Das Urbar verzeichnet z. B. ‚De Petenpach IV carrate et VI urne‘, die ältere Aufzeichnung merkt ‚de officio Engilberti Petinbach 4 urnas et sextarium‘ an. Vergleicht man die Quantitäten des Bierdienstes, beziehungsweise die Ablösungssummen, welche laut Urbar die Güter im Lindenmairamte leisten, mit den entsprechenden Ansätzen in *u*, so findet man eine ganz und gar unerklärliche Differenz, die nur zwei Annahmen zulässt. Entweder ist der Bierdienst in 100 Jahren gewaltig in die Höhe gegangen, oder das Wort urna hat in *u* die Bedeutung von carrata.

Gegen die erste Annahme spricht die im Mittelalter sonst zu beobachtende Stabilität der Dienste, die sich in dem hier anzunehmenden Grade kaum hätten erhöhen lassen, auch wenn man zugeben wollte, dass die Androhung des dispendium corporis atque rerum auf die Fassion, die dem Urbar zugrunde liegt, ziemlich eingewirkt habe.

Ich halte vielmehr die zweite Möglichkeit für höchst wahrscheinlich, dass nämlich der Schreiber von *u* das Wort urna für gleichbedeutend mit carrata gebraucht habe, obwohl dieser Gebrauch sonst unerhört ist. Für diese Annahme spricht einmal die ganz auffallende Analogie bei den Angaben des Bierdienstes vom Amtshofe in Petenbach.

Substituiert man in *u* für urna den Begriff carrata, dann ist die Schwierigkeit, die in der grossen Differenz liegt, gelöst.

Es stimmt dann auch bei den anderen Gütern die ziffernmässige Berechnung des Verhältnisses der angegebenen Quantitäten in *u* zur Ablösungssumme viel besser, ja zum Theile ganz genau.

In *u* tritt das Princip der Naturalwirthschaft noch stärker zutage, die Bierdienste sind noch bei Gütern verzeichnet, die im Urbar sich schon ganz oder theilweise mit Geld abgefunden haben.

Dass übrigens der Schreiber bei einem Unterthanen in Chrugeldorf über das Wort ‚urnam‘ 5 sol. geschrieben hat, zeigt, dass die Ablösung des Bierdienstes auch im 12. Jahrhundert schon vorkam.

Bei den Aemtern Eggenberg und Eberstallzell war im 13. und 14. Jahrhundert, wie das Urbar zeigt, mit dem Bierdienste ein Pfennigdienst verbunden.

Das ist auch in u bei zwei Unterthanen der Fall, nur lässt sich wegen Mangels der näheren Bezeichnung nicht angeben, ob sie auf Gütern sassen, die zu den genannten Aemtern später gehörten.

Ueberhaupt ist zu bedauern, dass in u eine verhältnissmässig grosse Anzahl von Unterthanen bloss mit dem Personennamen bezeichnet ist, so dass ein Vergleich mit dem Urbar unmöglich erscheint.

Andererseits treten wieder in u Ortsbezeichnungen auf, die im Urbar fehlen, beziehungsweise durch andere ersetzt sind. Ein Identificierungsversuch begegnet hier den grössten Schwierigkeiten, weil die Mittelglieder fehlen.

Wegen der äusserst geringen Anzahl von Urbarialien aus unseren Gegenden bleibt aber das hier der Veröffentlichung übergebene Denkmal sehr werthvoll.

Ich gebe die Handschrift genau wieder, habe aber die Orthographie und Interpunction insofern geändert, dass ich Orts- und Personennamen durchgehends mit grossen Anfangsbuchstaben schreibe, den im Original fortlaufenden Text auseinanderziehe und die einzelnen Posten der Uebersichtlichkeit wegen mit arabischen Ordnungszahlen versehe.

In den Anmerkungen versuchte ich unter hauptsächlicher Zugrundelegung von Achleuthner's Ortsregister zum Urbar die Reduction der Ortsnamen und setzte zum Vergleiche die entsprechenden Dienstbeträge des Urbars daneben.

Der Text der urbarialen Aufzeichnung.[a]

1. Plebanus de Chirchperc[1] 2 tal.
2. Plebanus de Ried[2] 1 tal.
3. De Viehtwanc[3] 1 tal.
4. Plebanus de Wels[4] 10 sol.
5. Domina Alhæit cameraria[5] 2 tal.
6. Dominus Hærwicus[5] 2 tal.
7. Chûnrat de Aschperc[6] 60 den.
8. De Lettindorf[7] 60 den.
9. De grûba Ellinhardi[8] 50 den.
10. De Chûnrado de Butenbach[5] 40 den.
11. De Prŏle[9] 20.
12. Rŏbertus de Grûb[10] 50 den.
13. De Liten[11] 20.
14. De beneficio Livtarii[11] 40 den.
15. De Brachramsdorf[12] 30.
16. De Molnarn[13] 3 sol.
17. De Wizchirchen[14] 5 sol.
18. De Stvda[15] 30 den.
    Summa 13 tal.[b] 20 den. minus.
    De Lochchirchen[16] ferra ad 13 equos.
    De Ekenperge[17] avena pertinet ad[c] manus abbatis salvo
        iure villici.

1.[d] De Richartingen Dietmar, Chûnrat, Herdin et Hæinricus[18]
        urnam.
2. Hæinricus et Waldman urnam.
3. Walchûn $^{1}/_{2}$ urnam.
4. Arnolt de Teniggen[19] urnam.
5. Gunther et Hæinricus de Haimpŏhspach[20] $^{1}/_{2}$ urnam.
6. Engelbertus et Chûnrat faber de Chrugeldorf[21] urnam.
7. Hæinricus de Isingesperge[22] sextarium.
8. De Plavantsperge[23] urnam.

---

[a] Die römischen Ziffern und Zahlwörter der Handschrift gebe ich im
Folgenden durch arabische Ziffern wieder.

[b] Der Schreiber hat um ein Talent zu viel herausgebracht.

[c] Das Wörtchen ad ist in der Handschrift zweimal geschrieben.

[d] Vor diesem Posten ist in der Handschrift eine Zeile frei.

9. Gotfridus de Chrugeldorf[21] urnam.[a]

10. Dietmarus de Purch[24] $^1/_2$ urnam.

11. Vidua de Sippach[25] urnam et sextarium.

12. Merboto urnam.

13. Filia sua $^1/_2$.

14. Chunrat de Hæninge[26] urnam.

15. Ortliebus urnam.

16. Phenning[27] 2.

17. Geselle sextarium.

18. Gotfrit sextarium.

19. Chunrat de Holz[28] urnam.

20. De officio Engilberti Petinbach[39] 4 urnas et sextarium.

21. Hæinricus de Pochendorf[30] $^1/_2$ urnam.

22. Marquart urnam.

23. Isengrini filius de Jvdendorf[31] $^1/_2$ urnam.

24. Marquart de Clingelbrunne[32] $^1/_2$ urnam.

25. Rv̓dmunt et Hæinricus $^1/_2$ urnam.

26. Hæinricus et frater eius de Wigandsdorf[33] $^1/_2$ urnam et

27. Albero urnam.

28. Ortwin et Herman urnam.

29. De beneficio Dietrici de Schachen[34] $^1/_2$ urnam.

30. De Burcstal[35] $^1/_2$ urnam.

31. Perhtolt de Horbach[36] sextarium et $^1/_2$.

32. Engilbert de Wels[4] urnam.

33. Albero de Hunstorf[37] $^1/_2$ sext.[b]

34. Rubertus et Amil[37] $^1/_2$ urnam et $^1/_2$ sext. et 3 den.

35. Chunrat de Churpendorf sext.

36. Item de Petinbach $^1/_2$ urnam.

37. Hæinricus de Hunstorf[37] $^1/_2$ urnam.

38. Richgerus sext.

39. Wernhart de Churpendorf[38] $^1/_2$ urnam et sext. et $^1/_2$ sext.

40. Rv̓dolf de Churpendorf[38] sext. et $^1/_2$.

41. Erchinbertus sext.

42. Arnolt de Horbach[36] sext. et $^1/_2$.

43. Vidua de Chugeldorf[c][21] 3 sext.

44. Chunrat de Chrvgeldorf[21] sext. et $^1/_2$.

---

[a] Ueber dem Worte urnam steht ‚5 sol.‘ von einer gleichzeitigen Hand geschrieben.

[b] Von hier ab bis zum Schlusse in der Handschrift eine andere Schrift.

[c] Offenbar für Chrugeldorf verschrieben.

45. Chunrat de Churpendorf[38] $^1/_2$ urnam.

46. Hæinricus de Jagarn[39] $^1/_2$ urnam.

47. Snello de Ꝟlspach[40] $^1/_2$ urnam.

48. Wipoto forstær urnam, 3 sext. et 50 den.

49. Walchûnus de Tivrwanch[41] urnam.

50. Reinbertus urnam et $^1/_2$.

51. Gerboto de Niwendorf[42] $^1/_2$ urnam.

52. Rapoto carnifex 3 sext.

53. Perngerus urnam.

54. Filius viduae sext.

55. Wæsgrinus de Gater[43] urnam et Walchẛnus.

56. Ꝟlricus Wiphil $^1/_2$ urnam.

Anmerkungen.

[1] **Kirchberg**, Dorf, Ortschaft und Filialkirche, Pfarre und Bezirk Kremsmünster.

Unter Abt Alram I. (1093—1121) wurde hier die Kirche gebaut, aber erst 1170 unter Abt Ulrich III. dem Kloster vollkommen, mit allen Einkünften incorporiert. Die Pfarrgrenzen sind bei Hagn, Urkundenbuch für die Geschichte des Benedictinerstiftes Kremsmünster etc., Wien 1852, p. 375 zu finden.

[2] **Ried**, Stiftspfarre, Bezirk Kremsmünster.

‚De hac ecclesia Ried olim dabatur tantum una carrata vini . . .‘, vgl. Hagn, l. c., p. 373. Am Feste Epiphanie hatte der Pfarrer 1 Pfund (talentum) pro Kathedratico und 9 den. zur Custodie zu entrichten.

[3] **Viechtwang**, Stiftspfarre, Bezirk Gmunden.

Stiftsbesitz seit der Gründung, dann per manus laicorum usurpiert, unter Abt Ulrich II. 1147 dem Kloster zurückgegeben. Der Abt baute eine Kirche daselbst. Zur Zeit des Abtes Friedrich I. von Aich bezog der Convent von dieser Pfarre 13 Talente, dazu 1 Talent pro Kathedratico, das an unserer Stelle hier gemeint ist.

[4] **Wels**, Stadtpfarre.

Da das Kathedraticum, zu dessen Entrichtung der jeweilige Pfarrer verpflichtet war, zur Zeit des Abtes

Friedrich I. 1 Talent betrug, in *u* aber 10 sol. verzeichnet sind, so muss der census ecclesiarum später reduciert worden sein. Die Welser Stadtpfarre war seit dem Jahre 888 dem Stifte zinspflichtig.

⁵ Vgl. darüber das in meiner Einleitung Gesagte.

⁶ Der Edelsitz dieses Geschlechtes war der gegenwärtige Asch-bergmairhof in der Nähe des Stiftes.

⁷ Lettenmairgut, Ortschaft Burg, Gemeinde und Pfarre Kematen, Bezirk Neuhofen, Amt Kremszell.

Entrichtete auch zur Zeit des Abtes Friedrich I. noch laut Urbar als servitium s. Nicolai 60 den., wie es unsere Aufzeichnung vermerkt.

⁸ Wahrscheinlich Grubergut, Ortschaft Burg, Gemeinde und Pfarre Kematen, Bezirk Neuhofen, Zehentmairamt.

U. 1299: De Grûb 50 den. (Servitium s. Nicolai).

⁹ Prielergut, Ortschaft Au, Gemeinde, Pfarre und Bezirk Kremsmünster, Amt Au.

U. 1299: (In nativ. s. Marie) an dem Prↄl et de duahus pevnt in der Au 40 den. (Servicium s. Nicolai) an dem Prↄl 12 den. Zusammen also wahrscheinlich 20 den., wie in unserem Verzeichniss.

¹⁰ Vielleicht Grubmairgut, Ortschaft, Gemeinde, Pfarre und Bezirk Kremsmünster, Amt Weinberg.

U. 1299: De curia in Grûb 60 den. (Servitium s. Nicolai).

¹¹ Unbekannt.

¹² Prachersdorf, Ortschaft Pesendorf, Gemeinde Ried, Pfarre und Bezirk Kremsmünster, Lindenmairamt.

U. 1299: De Prabensdorf 60 den. (Servitium s. Nicolai) und 20 urnae (Servitium cerevisiae).

¹³ Unbekannt.

¹⁴ Weisskirchen, Stiftspfarre, Bezirk Neuhofen.
Alter Stiftsbesitz seit der Gründung.

¹⁵ Wahrscheinlich Ottstorfmair, Ortschaft Grub, Gemeinde, Pfarre und Bezirk Kremsmünster.

U. 1299: De predio in monte et de Staudaech 60 den. (Servitium s. Nicolai).

[16] Laakirchen, Bezirk Gmunden. Hier ist sicher das Nickl-gut zu Diethaming, Pfarre Laakirchen, Amt Eberstallzell, gemeint. Vgl. meine Einleitung.

[17] Mairgut in Eckenberg, Gemeinde Fischlham, Bezirk Wels, Amtshof.

[18] Vier Güter in der Ortschaft Reichharting, Gemeinde und Pfarre Steinerkirchen a. d. Traun, Bezirk Lambach, Amt Eberstallzell.

U. 1299: De Ræichharting 2 tal. den. (Servitium den. in nat. s. Mariae). Die Ablösungssumme im Urbar ent-spricht genau der in *u* angegebenen Quantität des Bier-dienstes. In diesem Amte wurde nämlich nach einer Notiz des Urbars der Eimer um 4 den. abgelöst. Da die vier Güter zusammen 120 Eimer dienten, so gibt das 480 den. = 2 tal.

[19] Wahrscheinlich Tanningergut, Ortschaft Atzing, Gemeinde und Pfarre Steinerkirchen a. d. Traun, Bezirk Lambach, Amt Fronhofen.

U. 1299: De Toningen $^1/_2$ tal. (Serv. den. in nat. s. Mariae). De Toningen 24 den. (Serv. s. Nicolai). Die Ablösungssumme stimmt genau.

[20] Regauer und Kranzagel in Haimpersbach, Ortschaft Regau, Gemeinde, Pfarre und Bezirk Kremsmünster, Amt Au.

U. 1299: De Haimpǔchspach 1 tal. (Servitium in nat. s. Marie). Hier ist die Ablösungssumme um 60 den. höher.

[21] Krügeldorf, Ortschaft Dürrnberg, Gemeinde, Pfarre und Bezirk Kremsmünster, Lindenmairamt.

U. 1299: De Chrvgelndorf 12 sol. Da die Summe der Bierquantitäten nach *u* 117 Eimer betrug, die Ab-lösungssume für einen Eimer 6 den. war, so würde das nicht ganz 3 tal. ergeben. Da aber in *u* die 30 Eimer des Gotfrid de Chrugeldorf um 5 sol. abgelöst erscheinen, so muss auch für die anderen Unterthanen von Chrugel-dorf der Eimer niedriger berechnet worden sein, da die im Urbar angegebenen 12 sol. sonst nicht erklärlich sind.

[22] Unbekannt.

[23] Blasberg, Ortschaft Sölling, Gemeinde und Pfarre Steinerkirchen a. d. Traun, Bezirk Lambach, Amt Fronhofen.

U. 1299: De Plafensperg ¹/₂ tal. den. (Serv. in nat. s. Mariae). Die Ablösungssumme stimmt genau.

[24] Burg, Dorf und Ortschaft, Gemeinde und Pfarre Kematen, Bezirk Neuhofen, Amt Kremszell.

U. 1299: De Pvrch der Pvchchirichær 60 den. (Serv. in nat. s. Mariae). Stimmt genau, wenn der Eimer zu 4 den. berechnet wird, wozu allerdings das Urbar keine Handhabe bietet.

[25] Sipbach, Gemeinde und Pfarre Sipbachzell, Bezirk Kremsmünster.

[26] Haningmair, Ortschaft Regau, Gemeinde, Pfarre und Bezirk Kremsmünster, Amt Au.

[27] Vgl. dazu im Wilheringer Urbar (ed. O. Grillnberger, 54. Jahresbericht des Mus. Franc.-Carol., Linz 1896, Sonderabdruck) p. 26, VII, 3: Otho Denarius. Es ist also wohl auch an unserer Stelle das Wort Pfenning als Eigenname aufzufassen, da u für die Münze ,den.' gebraucht.

[28] Ein Gut in der Pfarre Steinerkirchen, Bezirk Lambach.

[29] Pettenbach, Stiftspfarre, Bezirk Kirchdorf, Amtshof.

Alter Stiftsbesitz seit der Gründung. Unter Abt Alram I. wieder dem Stifte zurückgegeben, nachdem es mehrmals demselben weggenommen worden (Hagn, l. c., p. 372). U. 1299: De Petenpach 4 carr. et 6 urnae (Serv. cerevisiae). Hier war also der Bierdienst gleich geblieben und auch nicht abgelöst worden.

[30] Pochendorf, Gemeinde, Pfarre und Bezirk Kremsmünster, Lindenmairamt.

U. 1299: De Pochchendorf 40 den. (Serv. in nat. s. Mariae). De Pochchendorf 8 urnae. Die Ablösungssumme stimmt. Ein Theil des Bierdienstes wurde nicht abgelöst.

[31] Irndorf, Ortschaft Heiligenkreuz, Gemeinde, Pfarre und Bezirk Kremsmünster, Lindenmairamt.

U. 1299: De Judendorf 3 sol. (Serv. in nativ. s. Mariae). De Judendorf 30 den. (Serv. s. Nicolai). De Judendorf 20 urnae (Serv. cerevisiae).

[32] Klingelmaier, Ortschaft Heiligenkreuz, Gemeinde, Pfarre und Bezirk Kremsmünster, Lindenmairamt.

> U. 1299: De Chlingelprunn 60 den. (Serv. in nativ. s. Mariae). De molendino in Chlingelprunn 15 den. (Serv. s. Nicolai).

[33] Weigersdorf, Gemeinde und Pfarre Ried, Bezirk Kremsmünster, Lindenmairamt.

> U. 1299: De Wæigantsdorf 14 sol. (Serv. in nativ. s. Mariae).

[34] Wintergut in Schachen, Ortschaft Weigersdorf, Gemeinde und Pfarre Ried, Bezirk Kremsmünster, Lindenmairamt.

> U. 1229: De Schachchen 1 tal. et 6 den. (Serv. in nativ. s. Mariae).

[35] Burgstall, Ortschaft Mitterndorf, Gemeinde und Pfarre Pettenbach, Bezirk Kirchdorf, gleichnamiges Amt.

[36] Harbäckergut, Ortschaft Weigersdorf, Gemeinde und Pfarre Ried, Bezirk Kremsmünster, Lindenmairamt.

> U. 1299: De Horbach $1/_2$ tal. (Serv. in nativ. s. Mariae). Die Ablösungssumme ist etwas grösser.

[37] Hundsdorfer, Ortschaft Weigersdorf, Gemeinde und Pfarre Ried, Bezirk Kremsmünster, Lindenmairamt.

> U. 1299: De Huntsdorf 7 sol. et 8 den. (Serv. in nativ. s. Mariae). Die Ablösungssumme stimmt beinahe vollständig, wenn man annimmt, dass die in *u* folgenden Unterthanen Rubertus und Amil ebenfalls unter der Rubrik Huntsdorf im Urbar einbegriffen sind.

[38] Kürzendorf, Ortschaft Weigersdorf, Gemeinde und Pfarre Ried, Bezirk Kremsmünster, Lindenmairamt.

> U. 1299: De Churpendorf 2 tal. (Serv. in nativ. s. Mariae).

[39] Jagern, Gemeinde und Pfarre Kematen, Bezirk Neuhofen.

[40] Fallsbach, Gemeinde und Pfarre Gunskirchen, Bezirk Wels.

> In den Kremsmünsterer Urkunden bei Hagn, l. c., N. 31, 47 kommen Volspacher als Zeugen vor (a. 1140, 1189).

[41] Teuerwang, Gemeinde und Pfarre Vorchdorf, Bezirk Gmunden, Amt Eberstallzell.

[42] Neudorf, Ortschaft Pesendorf, Gemeinde und Pfarre Ried, Bezirk Kremsmünster (vier Güter), Amt Stadelhof.

U. 1299: De Nevndorf 5 sol. (Serv. in nativ. s. Mariae). De Nevndorf 80 den. (Serv. s. Nicolai).

[43] Das Urbar verzeichnet zwei Güter ,bei dem Gatern', Ortschaft, Pfarre und Gemeinde Viechtwang, Bezirk Gmunden, Amt Viechtwang, die aber zusammen nur eine Summe von 10 den. zahlen, die zu der Höhe des Bierdienstes in *u* in keinem Verhältniss steht.

Archiv

für

Österreichische Geschichte.

Herausgegeben

von der

zur Pflege vaterländischer Geschichte aufgestellten Commission

der

kaiserlichen Akademie der Wissenschaften.

Achtundachtzigster Band.

Erste Hälfte.

Wien, 1899.

In Commission bei Carl Gerold's Sohn

Buchhändler der kais. Akademie der Wissenschaften.

Inhalt des achtundachtzigsten Bandes.

Erste Hälfte.

BIOGRAPHIE

DES

FÜRSTEN KAUNITZ.

EIN FRAGMENT.

VON

WEIL. ALFRED RITTER VON ARNETH,

PRÄSIDENTEN DER KAIS. AKADEMIE DER WISSENSCHAFTEN.

Im Jahre 1882 hat Alfred von Arneth für die ‚Allge meine Deutsche Biographie' (XV, 487—505) den Artikel über den Fürsten Wenzel Anton von Kaunitz geschrieben. Damals war es, dass er den Plan fasste, den Lebensgang dieses Staatsmannes in einem selbständigen Werke auf archivalischer Grundlage darzustellen. Etwa zwei Jahre lang beschäftigten ihn die Vorarbeiten zu diesem Unternehmen; dann blieben sie liegen. Erinnert man sich, mit welchem Nachdruck Arneth selbst (in der Vorrede zum zweiten Bande seiner Autobiographie) seine Abneigung ausgesprochen hat, irgend etwas von wissenschaftlicher Arbeit unvollendet zurückzulassen, so wird man nicht zweifeln, dass es gewichtige Umstände waren, die ihn jenem Plane entfremdeten. Als einen der entscheidendsten hat er im mündlichen Verkehr den bezeichnet, dass ihn die Abfassung der Biographie des Staatskanzlers bald auf ein Gebiet geführt hätte, das er schon in seinem Hauptwerke, der Geschichte Maria Theresias, zu einem grossen Theile bearbeitet hatte, so dass er, insbesondere vom Aachener Frieden an, allzu oft genöthigt gewesen wäre, sich selbst zu wiederholen.

So bot der Nachlass in druckfertiger Ausführung nur die ersten Capitel des Werkes dar. Die unterzeichnete Commission hat geglaubt, dieses Bruchstück der Oeffentlichkeit nicht vor-

1*

enthalten zu sollen. Sie zweifelt freilich nicht, dass der Verfasser, hätte er das Manuscript noch einmal vorgenommen, hie und da geändert haben würde. Sie übersieht ebensowenig, dass die Literatur der letzten fünfzehn Jahre von Einem, der jetzt an die gleiche Aufgabe heranträte, nicht unberücksichtigt bleiben dürfte. Aber sie hat sich doch andererseits nicht berufen gefühlt, die Arbeit des Meisters, wie sie vor drei Lustren aus seiner Feder geflossen ist, irgendwie zu ergänzen oder zu berichtigen. Denn diese Arbeit ist auch so, wie sie vorliegt, in keinem Punkte des grossen vaterländischen Geschichtschreibers unwürdig.

Wien, im Mai 1899.

Die Historische Commission
der
kais. Akademie der Wissenschaften.

Einleitung.

Zu allen Zeiten ist die Gabe, sich geeignete Berather, geeignete Vollstrecker ihrer Entschlüsse zu wählen, als eine der schönsten, aber auch als eine der seltensten angesehen worden, welche Monarchen nur immer beschieden sein können. Nicht jedesmal aber, wenn die getroffene Wahl sich als keine glückliche erwies, war der Tadel gegen den, der sie traf, auch gerecht, denn gar oft lag der begangene Missgriff gar nicht in seinem Verschulden. In der hohen, aber gerade deshalb auch isolirten Stellung, in welcher Monarchen sich doch immer befinden, gelangten sie insbesondere zu der Zeit, in der eine verfassungsmässige Vertretung des Volkes nur in einem einzigen Grossstaate Europas bestand, gar nicht dazu, diejenigen kennen zu lernen, deren Befähigung und Charakter sie vor Anderen geeignet gemacht hätte, dem Staatsoberhaupte mit Rath und That zur Seite zu stehen. Aber freilich ereignete es sich noch häufiger, dass die Wohldienerei, die das Letztere gemeiniglich umgibt, ihm allmälig mehr und mehr den Blick für das, was ihm selbst und dem Staate frommte, und das Urtheil über diejenigen trübte, deren Mithilfe zur Erreichung der ihm gestellten Aufgabe die erspriesslichste gewesen wäre. Festes Beharren auf der eigenen Ueberzeugung und edler Freimuth in Wort und Gesinnung werden gewöhnlich dort am wenigsten geschätzt, wo sie am eifrigsten gesucht werden sollten, indem man daselbst nur allzuleicht meinungslose Unselbständigkeit mit persönlicher Anhänglichkeit und Treue verwechselt.

Um so erfreulicher ist es und um so gewinnbringender für den Monarchen selbst, wenn er nicht nur auf seinem Lebenswege denjenigen begegnet, deren ungewöhnliche Befähigung und sonstige Eigenschaften sie in ganz besonderem Masse zur

Mitwirkung an der Besorgung der wichtigsten Geschäfte des
Staates eignen, sondern wenn er auch, nachdem er ihren Werth
erkannte, sich durch keinerlei Rücksicht auf sich selbst, auf
seine persönlichen Sympathien, ja man möchte fast sagen auf
seine Eigenliebe abwendig machen lässt, sie auf den Platz zu
stellen, auf dem sie ihm und dem Staate von allergrösstem
Nutzen sein können. Dieses Glück, die richtigen Männer zu
finden, der Scharfblick, sie als solche zu erkennen, der Eifer,
sie in der geeigneten Sphäre zu verwenden, und, man darf wohl
hinzufügen, die Selbstverleugnung, hievon auch dann nicht abzulassen, wenn diese Männer, ihren persönlichen Werth fühlend,
nicht nur mit Freimuth und Selbständigkeit, sondern auch
manchmal recht hartnäckig an ihren eigenen Anschauungen
festhielten und zu denen des Souverains in einen zuweilen
ziemlich schroffen Gegensatz traten, dies Alles war, in Oesterreich wenigstens, bei keinem Oberhaupte dieses Staates in
höherem Masse vereinigt als bei Maria Theresia. Unter den
Männern aber, die sie zu ihren vornehmsten Mitarbeitern bei
der durch sie vollbrachten Regenerirung des österreichischen
Staatswesens erkor, war ohne allen Zweifel Kaunitz bei Weitem
der erste und grösste. Ja es hiesse wohl seine Bedeutung als
Mensch und als Staatsmann ungebührlich herabdrücken, wenn
man ihn als blossen Mitarbeiter seiner kaiserlichen Herrin hin-
stellen wollte. Von dem Augenblicke an, in welchem die Leitung der auswärtigen Angelegenheiten in seine Hände gelangte,
hat Maria Theresia weit mehr unter seinem, als er unter ihrem
Einflusse gestanden. Bis zu dem Zeitpunkte, in welchem
Josef II. als Mitregent seiner Mutter die Stelle seines verstorbenen Vaters einnahm, muss diese Einwirkung des Staatskanzlers Kaunitz, wenigstens insofern sie die politische Haltung
Oesterreichs nach Aussen hin betraf, geradezu eine dominirende
genannt werden. Und da sie auch späterhin noch lange Zeit
hindurch eine sehr mächtige blieb, da sie sich ausserdem auf
fast alle Zweige des Staatslebens erstreckte und überall, wo sie
zur Geltung gelangte, dies in einem Sinne geschah, der auch
heute noch Beifall und Lobpreisung, ja man wird sogar sagen
dürfen Bewunderung verdient, so wird der Vorsatz, sein Leben
und Wirken zu wahrheitsgetreuer Darstellung zu bringen, wohl
keiner Rechtfertigung bedürfen. Nur als die Erfüllung einer
Pflicht muss der Versuch erscheinen, dem Manne, dem man

an dem Denkmale, das man soeben der grossen Kaiserin in der von ihr so sehr geliebten Stadt Wien errichtet, mit Recht den ersten Platz nach ihr einräumte, auch nach ihr ein solches in der Geschichte zu setzen. Unzertrennlich hievon und gleichsam von selbst wird sich hieraus die erneuerte Hinweisung auf die Bahnen ergeben, auf welchen die grössten und edelsten Gestalten, welche die Geschichte Oesterreichs kennt, durch die auch gegen ihre Bestrebungen sich aufthürmenden Hindernisse nicht wankend gemacht und beirrt, vorwärts schritten zum Heile des ihrer Sorgfalt anvertrauten Staates und zu unsterblichem Ruhme für sich selbst.

I. Capitel.

Die Familie Kaunitz, schon seit Jahrhunderten in Böhmen und in Mähren zu den angesehensten dieser Länder gerechnet, verlor zur Zeit des dreissigjährigen Krieges einen sehr beträchtlichen Theil ihres Besitzes, kam aber in der zweiten Hälfte des 17. Jahrhunderts durch Dominik Andreas von Kaunitz zu noch grösserem Glanze und Reichthum, als sie je früher ihr Eigen genannt hatte. 1683 in den Reichsgrafenstand erhoben, führte dieser (Dominik Andreas von Kaunitz) für Kaiser Leopold I. der Reihe nach wichtige Verhandlungen, bis er in dessen Namen 1697 den Ryswicker Frieden schloss. Im folgenden Jahre zum Reichsvicekanzler ernannt, stiftete er 1704 ein grosses Familienfideicommiss in Mähren. Nachdem er am 11. Januar 1705, wenige Monate vor seinem kaiserlichen Gönner gestorben war, ging dieser ausgedehnte Besitz auf den zweiten der ihn überlebenden Söhne, Maximilian Ulrich, über; denn der älteste, Franz Carl, hatte sich dem geistlichen Stande gewidmet und starb im Jahre 1717 als Bischof zu Laibach.

Es wird behauptet, Graf Dominik Andreas habe im Jahre 1696 den Grafen Ferdinand Maximilian von Rietberg aus dem Hause Zirksena, welches Ostfriesland beherrschte, zu dem Versprechen vermocht, seine einzige Tochter Marie, die dereinstige Erbin von Rietberg, mit Maximilian Ulrich von Kaunitz zu vermählen. In Folge dessen sei sie, von mütterlicher Seite schon seit ihrer Kindheit verwaist, nach Prag gebracht worden,

wo ihr Vater ihre Erziehung in einem Frauenkloster vollenden
liess. Die Art, in der dies geschehen sein soll, wurde in einem
Buche, das vor schon fast zwei Decennien erschien,[1] in einer
so drastischen Weise geschildert, dass die Fruchtbarkeit der
Phantasie, der diese Darstellung ihre Entstehung verdankt,
nicht weniger Verwunderung erregen muss als die Zuversicht-
lichkeit des Tones, mit welchem so handgreifliche Erfindungen
als unbestreitbare Wahrheit vorgebracht werden. So steht in
directestem Widerspruche mit ihr Alles, was über eine Verabredung der beiden Väter gesagt wird. Denn Graf Ferdinand
Maximilian von Ostfriesland und Rietberg war schon im Jahre
1687, also ein Jahr nach der Geburt seiner Tochter und elf
Jahre vor jenem Zeitpunkte gestorben, in welchem man ihm
den Abschluss einer Vereinbarung über deren zukünftige Vermählung unterschiebt. Seine Gemahlin hingegen, Johanna Franziska, geborne Gräfin von Manderscheid und Blankenheim, war
seit 1692 in zweiter Ehe mit dem Grafen Arnold von Bentheim[2] vermählt und befand sich zur Zeit der Verheiratung ihrer
Tochter erster Ehe mit Max Ulrich von Kaunitz noch am
Leben.[3]

Ebenso unwahr ist die Behauptung, das junge Paar sei
schon im Winter von 1697 auf 1698 getraut worden. Noch
existirt das Original der Ehepacten,[4] welche am 7. September
1700 zu Wien zwischen dem damaligen Kämmerer und Reichs-
hofrathe Grafen Max Ulrich Kaunitz und seiner Gemahlin Marie
Ernestine Franziska gebornen Gräfin Rietberg abgeschlossen
wurden. Die Vormünder der Letzteren waren Hermann Werner
von Wolff-Metternich zu Gracht, Bischof von Paderborn, Friedrich Christian von Plettenberg, Bischof von Münster, endlich
Valentin Ernst Graf Manderscheid, Grossvater der Braut und
Vater jenes Moriz Gustav von Manderscheid, Erzbischofs von
Prag, der sich während Maria Theresias erster Regierungszeit

---

[1] Marie Kaunitz-(Zirksena-)Rittberg (1683—1765). Ein frei skizzirtes Lebens-
und Charakterbild von Carl August Schultz. Berlin und Wriesen a. O.
Verlag von H. Riemschneider, 1867. (Unter der Ueberklebung steht
jedoch: Anklam, 1867. Wilhelm Dietze's Buchhandlung.)

[2] Graf Arnold von Bentheim zu Bentheim, am 29. Juni 1663 geboren,
starb schon am 15. November 1701.

[3] Sie starb am 24. April 1704.

[4] Im Archive zu Jarmeritz.

durch seine Parteinahme für Carl Albert von Baiern ihre volle
Ungnade zuzog.

Ausdrücklich ist in diesen Ehepacten gesagt, dass die
Trauung am 6. August 1699[1] stattgefunden habe. Die Vor-
mundschaft gewährte 4000 Gulden Heiratsgut, der Vater des
jungen Ehemannes dagegen eine Widerlage von 6000 Gulden,
4500 Gulden Morgengabe und endlich 8000 Gulden zur ersten
Einrichtung. Er versprach ausserdem, dem neuen Ehepaare
standesgemässen Unterhalt, für den Fall des Todes seines Sohnes
aber dessen Witwe 2500 Gulden jährlich zu Theil werden zu
lassen und ihr das erste Stockwerk seines Hauses in Brünn als
Witwensitz zur Verfügung zu stellen.

Interessanter sind die Dispositionen, welche für die Regierung der Grafschaft Rietberg, sowie der übrigen der jungen
Gräfin rechtmässig zugefallenen Herrschaften und Güter getroffen wurden. Sie erklärte, ihrem Gemahl die Verwaltung
und Regierung derselben, sobald er die Altersnachsicht erhalten
haben und die Sequestration der Güter aufgehoben sein werde,
bis zu dem Augenblicke zu übertragen, in welchem sie selbst
die Grossjährigkeit erreiche. Dann werde sie zwar die Regierung antreten, doch solle sie von Beiden gemeinschaftlich
geführt werden; auch die Huldigung, sowie jede Anordnung
habe gemeinschaftlich zu geschehen, es wäre denn, dass sie
sich der Last der Geschäfte völlig entschlagen und deren Leitung ihrem Gemahl allein übertragen wolle. Die Prägung der
Münzen solle jedoch unveränderlich in der Art vorgenommen
werden, dass ihre beiden Bildnisse auf denselben angebracht
würden. Und was schliesslich die Einkünfte betreffe, so stimme
sie zu, dass er über dieselben, er möge allein oder in Gemeinsamkeit mit ihr regieren, nach seinem Belieben verfüge. Doch
behalte sie sich 3000, nach Tilgung der Schulden aber 4500
Gulden als Stecknadelgeld vor.

Max Ulrich Kaunitz, am 27. März 1679 geboren, zählte
in dem Augenblicke seiner Eheschliessung erst 20, seine Gemahlin aber, am 1. August 1686 zur Welt gekommen, gar erst
13 Jahre. Es mag also wohl sein, dass man auch ein Jahr
später, nach Abschluss der Ehepacten, den ehelichen Verkehr
zwischen ihnen noch nicht zuliess. Ihr erstes Kind, eine Tochter,

---

[1] Demnach ist das Datum bei Wisgrill, V, 40, richtig.

kam denn auch nicht früher als am 18. Januar 1704 zur Welt. Ihm folgten in den kürzesten Fristen, welche die menschliche Natur nur überhaupt gestattet, noch 15 Geschwister. Erst nach vier Töchtern brachte die Gräfin am 23. Februar 1709 einen Sohn, Johann Dominik, am 2. Februar 1711 aber einen zweiten Sohn zur Welt, der in der Taufe die Namen Wenzel Anton Dominik erhielt.

Wer sich damit beschäftigt, das Leben einer geistig sehr bedeutenden Persönlichkeit zu studiren, wird den grössten Werth darauf legen, die Art und Weise ergründen zu können, in der sie, von den ersten Keimen beginnend, allmälig zu ihrer späteren Entfaltung gelangte. Bedauernd müssen wir bekennen, dass wir uns, was die Jugendzeit und den Bildungsgang des Grafen Kaunitz, was insbesondere die Personen betrifft, welche massgebenden Einfluss auf seine geistige Entwicklung nehmen mochten, vollständig im Dunklen befinden. War seine Mutter wirklich eine Frau von so viel Verstand und so scharf ausgeprägtem, ja männlichem Charakter, als welche man sie darstellt, so wird es wohl als selbstverständlich betrachtet werden müssen, dass sie auf die Art und Weise, in der ihr Sohn zum Jüngling und Manne heranreifte, nicht ohne mächtigen Einfluss blieb. Umsomehr muss man sich verwundern, dass hievon in der auf die geringfügigsten Einzelheiten sich erstreckenden Darstellung der Erziehung, die sie ihren Töchtern gegeben haben soll, gar keine Erwähnung geschieht. Zieht man freilich die Irrthümer gröbster Art, ja die offenbaren Thorheiten in Betracht, die darin vorkommen, so wird dieses Bedauern wieder ansehnlich verringert. Denn wenn beispielsweise die Behauptung vorgebracht wird,[1] die Kaiserin Elisabeth, Gemahlin Karls VI., habe der Gräfin Kaunitz für ihren Sohn Wenzel die Hand ihrer ältesten Tochter, der Erzherzogin Maria Theresia für den Fall angeboten, als sie sich nicht vielleicht doch mit derjenigen ihrer zweiten Tochter, der Erzherzogin Marianne, für ihn begnüge, und die Gräfin habe sich darauf vernehmen lassen, sie hoffe, ihr Sohn halte sich im Ernste hiefür zu gut, so muss freilich eine so unglaubliche Ungereimtheit die Lust nach ähnlichen Enthüllungen schon von vorneherein ersticken.

---

[1] S. 168.

So wenig als über den Einfluss der Mutter auf ihren Sohn wissen wir auch über den des Vaters auf ihn. Nach seinem öffentlichen Wirken zu urtheilen, scheint Graf Maximilian Ulrich Kaunitz ein wohlwollender, pflichttreuer Mann gewesen zu sein. Nicht so sehr bei den verschiedenen diplomatischen Missionen, die ihm der Reihe nach übertragen wurden, und von denen eine ihn auch nach Rom führte, trat dies hervor. Aber als Landeshauptmann von Mähren, welche Würde er durch 26 Jahre, von 1720 bis zu seinem im Jahre 1746 erfolgten Tode bekleidete, hatte er reichlichen Anlass, zu beweisen, dass er jene Eigenschaften wirklich besass. Eine nicht geringe Anzahl wohlthätiger Einrichtungen, die zumeist auf seine Anregung geschaffen wurden, fällt in seine Amtszeit. Die Versuche zur Schiffbarmachung der March, die Errichtung einer ständischen Akademie zu Olmütz, die Verbindung dieser Stadt mit der Landeshauptstadt Brünn durch eine nach damaligen Begriffen sehr gute Strasse, die Regulirung des Steuerwesens werden unter den von ihm getroffenen Massregeln in erster Linie gepriesen. Wenn hiebei neben der Vertreibung der Zigeuner aus Mähren auch noch die Beschränkung der Anzahl der Juden und die Erhöhung der Abgaben als lobenswerthe Handlungen angeführt werden, so müssen wir die Verantwortung hiefür unserem landeskundigen Gewährsmann überlassen.[1]

Von dem ältesten Sohne des Grafen Max Ulrich Kaunitz, Namens Johann Dominik Josef, wird behauptet, er habe, fortwährend kränkelnd, unverehelicht und in stiller Zurückgezogenheit in Böhmen gelebt, die Fideicommissgüter seinem nächstjüngeren Bruder Wenzel übergeben und sei im Jahre 1751 gestorben.[2] Die letztere Angabe muss jedoch irrig sein; denn schon im October 1724, als sich Graf Max Ulrich Kaunitz, damals Botschafter in Rom, zum ersten Male für seinen Sohn Wenzel bei dem Papste Benedict XIII. um Verleihung einer Präbende bewarb, bezeichnete er ihn ausdrücklich als seinen ältesten Sohn.[3]

---

[1] D'Elvert, Die Kaunitze. In Wolny's Taschenbuche für die Geschichte Mährens und Schlesiens. II. Jahrgang, 1827. S. 148.

[2] Wissgrill, V, S. 40.

[3] Dass Johann Dominik Kaunitz nicht bis zum Jahre 1751 gelebt haben könne, geht auch aus dem Decrete hervor, welches Maria Theresia am 29. Juni 1742 erliess, den Grafen Max Ulrich Kaunitz zur Aufnahme

Hieraus geht auch die Unrichtigkeit einer zweiten, gleichfalls oft wiederholten Behauptung hervor, derzufolge Wenzel
Kaunitz, ursprünglich für den geistlichen Stand bestimmt, demselben erst nach dem Tode seines älteren Bruders wieder ent-
sagt habe.[1] Denn in dem Augenblicke, in welchem der Papst
um Zuwendung einer Pfründe an ihn angegangen wurde, war
ja nach der Versicherung des eigenen Vaters ein älterer Sohn
gar nicht am Leben.

Auffallend ist es freilich, dass ein solches Begehren zu
Gunsten eines jungen Mannes gestellt wurde, welcher durch
die obwaltenden Verhältnisse gleichsam von vorneherein dazu
bestimmt zu sein schien, dereinst einen ausgedehnten Güter-
besitz zu übernehmen. Aber gerade in der Familie Kaunitz
war ja, wie wir sahen, ein solcher Vorgang schon einmal beobachtet worden, und es wäre nur eine Wiederholung des bereits Geschehenen gewesen, wenn auch noch ein zweites Mal
der ältere Sohn Priester, ein jüngerer hingegen Besitzer des
Familienfideicommisses geworden wäre.

Wie dem übrigens auch sein mochte, die ganze Bewerbung ist so bezeichnend für die Art, in welcher damals in der
‚guten alten Zeit‘ die kirchlichen Präbenden zur Versorgung
von Mitgliedern vornehmer Adelsfamilien ausgebeutet wurden,
dass es wohl gestattet sein wird, einen Augenblick bei ihr zu
verweilen.

Sie erstreckte sich zunächst auf ein Paderborn'sches, dann
aber auch auf ein Münster'sches Canonicat, und obgleich der
Knabe, um den es sich handelte, das vorgeschriebene vierzehnte
Lebensjahr noch nicht erreicht hatte, scheint ihm doch eine
der zwei erbetenen Pfründen schon im December 1724 vom
Papste zugesprochen worden zu sein. Bestätigt wird diese
Vermuthung durch den Umstand, dass die Sache schon in der
Sitzung des Domcapitels zu Münster vom 30. Mai 1725 zur
Sprache kam,[2] sowie durch zwei noch vorhandene Schreiben

---

einer Schuld von 12.000 Gulden auf seine mährischen Fideicommissgüter
zu ermächtigen. Denn er bedürfe dieser Summe, um für seinen ‚ältesten‘
Sohn Wenzel die Kosten der Einrichtung zu bestreiten, welche durch
dessen Ernennung zum Gesandten in Turin nothwendig gemacht werde.

[1] D'Elvert, S. 149.

[2] Sitzungsprotokoll vom 30. Mai 1725. Archiv zu Münster. Gef. Mittheilung des Herrn Prof. Th. Lindner.

der Freiherren von der Recke und von Schmising, Domherren zu Münster, an Maximilian Ulrich von Kaunitz. Nachdem laut seiner Mittheilung, erklären sie ihm Beide, seinem Sohne Wenzel vom Papste eine Domprăbende zu Münster verliehen worden sei, seien sie mit Freuden bereit, dem stets beobachteten Gebrauche zufolge, dessen Stammbaum beim dortigen Domcapitel zu beschwören.[1]

Parallel mit dieser Bewerbung um ein Canonicat in Münster lief auch die um ein solches in Paderborn. Im Juni 1726 richtete der Papst ein Breve an den Kurfürsten Clemens August von Köln, mit welchem er für die Verleihung des ersten Canonicates, das in Paderborn zur Erledigung käme, an Wenzel Kaunitz eintrat.[2] Graf Maximilian Ulrich wandte sich gleichfalls, und zwar bittend an den Kurfürsten. Im October 1726 antwortete der Letztere, er werde auf die Empfehlung des Papstes gewiss jegliche Rücksicht nehmen, müsse aber bei sich ereignenden Erledigungen vorerst seinen schon eingegangenen Verpflichtungen nachkommen.

Wie in Paderborn, ging auch in Münster die Sache keineswegs so glatt ab, als man in der Familie Kaunitz wohl gehofft haben mochte. Ganz eigenthümlicher Weise war es eine Art von Nationalitätstreit, welcher das Project zum Scheitern zu bringen drohte. Denn im Domcapitel zu Münster wurden einflussreiche Stimmen laut, welche behaupteten, die Familie Kaunitz könne als eine mährische nicht als dem deutschen Adel angehörig betrachtet werden. Dass der Grossvater in den Reichsgrafenstand erhoben worden, ja sogar Reichsvicekanzler war, dass die Mutter einem reindeutschen Geschlechte angehörte, liessen sie ganz ausser Acht. Sie brachten es dahin, dass am 17. December 1726 das Domcapitel den förmlichen Beschluss fasste, den Kaiser dringend zu bitten, er möge nimmermehr gestatten, dass es durch ‚Einbringung auswärtigen fremden Adels zum Präjudiz und zu nachdrücklicher Consequenz aller Erz- und Stifter wie auch ritterlichen Ordens- und Ritterschaften im heiligen Römischen Reiche teutscher Nation betrübt werde‘.[3]

---

[1] Recke und Schmising an Kaunitz. Münster, 2. Juni 1725. Jarmeritzer Archiv.

[2] Päpstl. Breve an den Kurfürsten von Köln. 11. Juni 1726. Jarmeritzer Archiv.

[3] Conclusum in Capitulo, 17ma Decembris 1726. Jarmeritzer Archiv.

In diesem Sinne schrieb nicht nur das Domcapitel an den Kaiser, sondern es legte auch noch in der nächstfolgenden Zeit den Entschluss recht deutlich an den Tag, bei seinem Widerstande gegen die Aufnahme eines ‚Fremden‘ zu beharren. Ihn zu brechen, nahm Max Ulrich die Beihilfe des Reichsvicekanzlers Grafen Schönborn mit der Bitte in Anspruch, ihn bei der Widerlegung eines so ‚chicanösen Einwandes‘ unterstützen zu wollen. Man scheint jedoch mit diesem Bestreben nicht glücklich gewesen zu sein und kein anderes Mittel mehr besessen zu haben, als an die Machtvollkommenheit des Kaisers zu appelliren. Ja sogar ein erstes Decret desselben vom 14. Februar 1727 muss unbeachtet geblieben sein, denn am 28. April wurde mit ausdrücklicher Berufung auf dasselbe der strenge Befehl des Kaisers an das Domcapitel erneuert, dem vom Papste provisorisch ernannten jungen Grafen Kaunitz gegen erfolgende statutenmässige Aufschwörung unverzüglich ‚Possession zu ertheilen‘.

Nicht früher als am 4. Juli 1727 entschloss sich das Domcapitel zum Gehorsam, aber doch auch gleichzeitig zu der Anfrage, ob denn der böhmische und der mährische Adel dem deutschen gleichzuachten sei, da ihn auch der Malteserorden nicht anerkenne.[1] Und fünf Tage später, am 9. Juli, erklärte das Domcapitel, die schon seit mehr als zwei Jahren hiezu bestimmten Domherren Friedrich Mathias Freiherrn von Korff, genannt Schmising, und Freiherrn Johann Mathias von der Recke zur Aufschwörung, welcher der junge Graf Kaunitz persönlich beizuwohnen habe, zulassen zu wollen.

Ehe dieselbe wirklich vollzogen wurde, am 25. August 1727, kam diese Angelegenheit in einer Sitzung des Domcapitels neuerdings zur Sprache. Ein Schreiben des Grafen Max Ulrich Kaunitz wurde verlesen und ausdrücklich bemerkt, dass es in sehr verbindlichen Worten abgefasst sei. Gleichwohl behielt sich das Domcapitel ‚Satisfaction‘ vor wegen der ‚herben terminis‘ in früheren Zuschriften.[2]

Am 26. August geschah endlich die Aufschwörung, aber nicht der junge Kaunitz, sondern nur sein Mandatar, der Dom-

---

[1] Sitzungsprotokoll vom 4. Juli im Archiv zu Münster. Gef. Mittheilung des Herrn Prof. Th. Lindner.

[2] Sitzungsprotokoll vom 25. August 1727. Archiv zu Münster. Gef. Mittheilung des Herrn Prof. Th. Lindner.

vicar Mus wohnte ihr bei. Nachdem er im Namen des neuen
Domherrn das katholische Glaubensbekenntniss abgelegt, sowie
den Eid der Treue und des Gehorsams auf die Statuten geleistet hatte, wurde ihm der geziemende Platz im Domchor angewiesen und die ‚völlige Possession‘ ertheilt.[1]

Aber auch mit diesen Ceremonien war der Gegenstand
noch nicht erschöpft. In der Sitzung des Domcapitels vom
15. November 1727 kam ein neuerliches Rescript des Kaisers
zur Verlesung, durch welches angeordnet wurde, die eingetretene Verzögerung dürfe dem Grafen Kaunitz nicht zum
Nachtheil gereichen. Jetzt waren auch die Mitglieder des
Capitels schon nachgiebiger gestimmt. Obgleich bisher, erklärten sie, nur der Zeitpunkt der Aufschwörung als Mass-
stab für die Vorrückung gegolten habe, so sei doch zu erwarten, dass Kaunitz sich beschweren und vom Kaiser Recht
erhalten werde. Ausserdem würden sich auch früher oder
später gewiss Streitigkeiten über die Rangordnung ergeben.
Es sei daher besser, dem Grafen Kaunitz gleich von vorneherein den Platz einzuräumen, den der Kaiser ihm zuspreche.
In Folge dessen erhielt er den Rang unmittelbar nach dem
Freiherrn von der Recke und vor Alexander von Vehlen, der
bereits am 11. April 1727 Besitz ergriffen hatte.[2]

Viel ungünstiger noch als in Münster, wo man wenigstens
schliesslich ans Ziel kam, war der Verlauf der Bewerbung für
Wenzel Kaunitz in Paderborn. Mit dem Kurfürsten Clemens
August von Köln, der anfangs auch derjenigen in Münster
widerstrebt und für Paderborn gleichfalls einen andern Candi-
daten in Vorschlag gebracht hatte, war die Vereinbarung getroffen worden, dass, wenn er sich hinsichtlich Münsters nachgiebig erweise, man ihm in Bezug auf Paderborn seinen Willen
lassen wolle. Sei aber sein Schützling einmal versorgt, dann
müsse bei der nächsten Erledigung auch in Paderborn die
Reihe an Wenzel Kaunitz kommen.

Man scheint sich jedoch keineswegs streng an diese Verabredung gehalten zu haben. Wir kennen wenigstens ein
Schreiben des Grafen Max Ulrich Kaunitz an ein Mitglied des

---

[1] Sitzungsprotokoll vom 26. August 1727. Archiv zu Münster. Gef. Mittheilung des Herrn Prof. Th. Lindner.
[2] Sitzungsprotokoll vom 15. November 1727. Archiv zu Münster. Gef. Mittheilung des Herrn Prof. Th. Lindner.

päpstlichen Hofes[1], in welchem er die Behauptung aufstellt, in
Paderborn seien nun schon mehrere Canonicate erledigt worden,
ohne dass sein Sohn Wenzel eines derselben erlangt hätte. Er bittet
nun, an dessen Stelle den jüngeren Sohn Carl treten zu lassen
und ihm ein Canonicat in Paderborn zuwenden zu wollen.
Stosse man sich jedoch vielleicht daran, dass derselbe erst dreizehn Jahre zähle, so möge man dem älteren Bruder Wenzel
gegenüber das gegebene Versprechen erfüllen und ihm, der
schon ein Canonicat in Münster besitze, ein solches auch in
Paderborn zu Theil werden lassen.

Dieses Begehren scheint jedoch hinsichtlich keines der
beiden Brüder in Erfüllung gegangen zu sein. Dagegen kam
im April 1729 die Nachricht aus Rom, Graf Carl Kaunitz habe
ein erledigtes Canonicat in Lüttich erlangt. Damit war freilich
die Begehrlichkeit des Vaters noch keineswegs beschwichtigt;
wir sehen vielmehr, wie er in Passau und in Olmütz sich um
Canonicate für seinen Sohn Carl bewirbt. Aber in so drängen-
der Weise dies auch geschah, so scheint es doch, dass diese
Bemühungen fruchtlos blieben und Carl Kaunitz neben seinem
Canonicate zu Lüttich kein anderes mehr als das zu Münster,
und zwar das letztere in Folge der im Jahre 1733 ge-
schehenden Resignation seines Bruders Wenzel auf dasselbe
erhielt.

Der frühe Tod des Grafen Carl Kaunitz, der am 29. März
1737 im 22. Lebensjahre nach kurzer Krankheit in Rom starb,
scheint den Vater zu einer neuen Bewerbung, und zwar zu
Gunsten seines jüngsten Sohnes Johann Josef um ein Canonicat
in Olmütz veranlasst zu haben. Im Sommer 1741, zu einer
Zeit, da der Johann Josef erst 15 Jahre zählte, trat Max Ulrich
Kaunitz mit ihr hervor. Während des Aufenthaltes in Press-
burg, somit in einem Augenblicke, in welchem Maria Theresia
sich in höchster Bedrängniss befand, liess er ihr durch ihre
Obersthofmeisterin und vertraute Freundin Gräfin Fuchs seine
Bitte dringend empfehlen. Die Königin bedauerte jedoch, dass
er sich nicht noch früher beworben habe, jetzt sei der erledigte
Platz schon einem jungen Grafen Kolowrat versprochen. Das
Domcapitel zu Olmütz aber machte das Versäumniss des Grafen
Kaunitz wieder gut, denn es wählte dessen Sohn Johann Josef

---

[1] Brünn, 8. April 1728. Jarmeritzer Archiv.

gleich im ersten Wahlgange mit 18 Stimmen zu seinem Mitgliede.[1] Kolowrat war fallen gelassen worden, weil er das canonische Alter noch nicht besass. Aber auch der junge Kaunitz erfreute sich seiner Domherrenstelle nicht lange. Noch nicht 17 Jahre alt, starb er am 10. März 1743, und so blieb denn von allen Brüdern nur mehr Wenzel Anton am Leben.

Gewöhnlich wird erzählt, derselbe habe die Zeit, welche auf seine Wahl zum Domherrn in Münster folgte, auf verschiedenen Universitäten zugebracht, um dort juristische und politische Studien zu treiben. Als solche werden Wien, Leyden und Leipzig genannt, während sich jedoch mit ziemlicher Bestimmtheit darthun lässt, dass er an den zwei ersteren Universitäten niemals studirt hat. Gewiss ist dagegen sein Aufenthalt in Leipzig, und merkwürdig erscheint es, dass wir das erste Zeugniss hierüber aus dem Munde jenes Königs besitzen, welchem Kaunitz fast seine ganze politische Laufbahn hindurch feindlich gegenüberstand. Mehr als ein halbes Jahrhundert später, im Mai 1783, erzählte Friedrich II. von Preussen an seiner Tafel, indem er von Kaunitz sprach und sich über dessen Eigenschaften verbreitete, er habe denselben zum ersten Male in jenem prunkvollen Feldlager gesehen, welches König August II. von Polen, Kurfürst von Sachsen, im Mai und im Juni 1730 bei Mühlberg abhalten liess, und das auch König Friedrich Wilhelm I. von Preussen mit seinem ältesten Sohne besuchte. Kaunitz sei damals Student an der Leipziger Universität gewesen.[2]

Trotz der Länge der Zeit, welche zwischen diesem Erlebnisse und dem Augenblicke verfloss, in welchem König Friedrich hievon sprach, soll doch die Richtigkeit seiner Mittheilung durchaus nicht in Zweifel gezogen werden. Aber dagegen wird doch auch erwähnt werden müssen, dass Kaunitz erst am 20. April 1731, und zwar unter dem Rectorate des Professors Christian Ludovici in Leipzig wirklich immatriculirt

---

[1] Der Dompropst Otto Graf Eck an Max Ulrich Kaunitz. Olmütz, 19. September 1741. Jarmeritzer Archiv.

[2] Tagebuch des Marquis Lucchesini über die Tischgespräche in Sanssouci, 11. Mai 1783. ‚Egli lo aveva conosciuto al campo del Rè di Polonia vicino a Lipsia l'anno 1730. Allora Kaunitz era studente all'Università.' Gef. Mittheilung des Herrn Prof. R. Koser in Berlin.

wurde.[1] Von diesem Zeitpunkte an gerechnet kann er übrigens
nicht mehr länger als durch anderthalb Semester dort verweilt
haben, denn im Herbste des Jahres 1732 muss der Abschluss
seiner Universitätsstudien schon eingetreten gewesen sein.

Erst von diesem Augenblicke angefangen erhält unsere
Kenntniss des Lebensganges des jungen Kaunitz, freilich auch
jetzt nur für einen verhältnissmässig sehr kurzen Zeitraum, eine
ganz feste Basis. In dem Familienarchiv zu Jarmeritz in
Mähren befindet sich eine sehr ausführliche Aufzeichnung, die
erste, welche wir überhaupt von der Hand des Grafen Kaunitz
kennen, über die Reise, welche er damals von Paderborn aus
über Münster und Osnabrück nach Holland und den österreichischen Niederlanden in Gesellschaft seines Hofmeisters antrat. Den Namen des Letzteren lernen wir leider nicht kennen,
aber sonst ist diese Sammlung von Briefen oder dieses Tagebuch, wie sie füglich genannt werden kann, äusserst charakteristisch, und zwar ebenso für die Persönlichkeit dessen, von
dem es herrührt, als für die eigenthümliche und mit der jetzigen
so sehr contrastirende Art, in welcher man damals zu reisen
pflegte, und in der dies insbesondere von jungen Leuten vornehmen Standes geschah.

In französischer Sprache abgefasst, ist das Tagebuch des
jungen Kaunitz in den kleinsten und feinsten Schriftzügen, die
man sich nur denken kann, fast ohne jegliche Correctur niedergeschrieben. Ueberall schenkt der Autor den Gegenden, den
Ortschaften und Städten, durch die er kommt, sowie den Menschen, mit denen er in Berührung tritt, rege Aufmerksamkeit.
Die ersteren trachtet er möglichst anschaulich zu beschreiben,
und auch über die letzteren weiss er meistens in recht bezeichnender Weise zu berichten. Nur um von der Art, in der
dies von seiner Seite geschieht, einen Begriff zu gewähren, mag
der Anfang seines Tagebuches hier Aufnahme finden.[2]

---

[1] Unter Ludovici's Rectorat ist in der Leipziger Universitätsmatrikel eingetragen: ,N. 112. B. (d. h. Bavarus). 20. April 1731. Comes de Cannitz
et Ridberg, Wenceslaus, Viennensis.' Eine Exmatrikel war damals in
Leipzig noch nicht eingeführt, es ist daher nicht mit voller Bestimmtheit
zu ergründen, wie lange Kaunitz dort studirt hat. Gef. Mittheilung des
Herrn Prof. W. Arndt in Leipzig.

[2] Es ist überschrieben: ,Voyage de Hollande et d'une partie de l'Alle-
magne, fait en 1732 par le Comte W. de Kaunitz-Rittberg, écrit de main
propre.'

‚Am 8. September 1732,‘ schreibt Kaunitz, ‚ging ich von Osnabrück weg, nachdem ich von dem Kurfürsten‘ — es war dies derselbe Clemens August von Baiern, der wenige Jahre früher sich in seine Wahl zu Münster so ungern gefügt und die zu Paderborn ganz hintertrieben hatte — ‚und dem Prinzen Ferdinand,[1] die mich Beide mit tausend Bezeigungen ihrer Freundschaft und Gnade beglückten, Abschied genommen, sowie dem Grafen Plettenberg[2] und den meisten Herren des Hofes Lebewohl gesagt hatte, um meine Reise nach Utrecht anzutreten. Ich that, wie man dies zu thun pflegt, wenn man sich nach Holland begibt und unterwegs nicht nutzlos gequält werden will. Ich verabfolgte die ganze Summe des Geldes, das ich auf jeder Station hätte bezahlen müssen, dem Postmeister zu Osnabrück, der mir dafür ein Billet ausstellt und mich bis nach Utrecht befördert. Ich gewinne dadurch, dass ich wegen der Anzahl der Pferde, die man nehmen muss, und auch in Bezug auf das holländische Geld, in dem ich bezahlen müsste, und das man sich nur mit Verlust zu verschaffen vermag, nicht geplagt werde.

‚Von Osnabrück kommt man nach Ibbenbüren — drei Meilen, wo wir schlecht zu Mittag assen, von da nach Rheine, zwei Meilen, wo Herr von Twickel Drost ist, und von Rheine nach Bentheim, Residenz der gleichnamigen Grafen, wo wir schliefen. Dieser Ort liegt auf einem Berge, und die Wege, die zu ihm hinauf führen, sind sehr steinig und schlecht. Wir wohnten im Posthause, und da wir den Postmeister mit einigen seiner Freunde und Freundinnen bei der Abendmahlzeit trafen, nahmen wir mit ihm an derselben theil. Während des Abendessens unterrichtete ich mich über viele Angelegenheiten der Grafschaft, und unmerklich wollten sie mich glauben machen, mein Oheim, Graf Bentheim, sei mit einer Gräfin Kaunitz, seiner Nichte, vermählt. Mein Hofmeister konnte sich nicht mehr zurückhalten, ihnen zu sagen, ich müsse dies besser als

---

[1] Ferdinand Adolf Graf Plettenberg, 1690 geboren, wurde 1733 erster Minister des Kurfürsten von Köln, jedoch schon 1734 entlassen. Kaiser Karl VI. ernannte ihn nun zu seinem Gesandten beim niederrheinischen und westphälischen Kreise und dann in Rom. Er starb aber vor seiner Abreise dorthin am 18. März 1737 in Wien.

[2] Wohl Prinz Ferdinand Maria von Leuchtenberg, älterer Bruder des Kurfürsten Clemens August. Er starb schon 1738.

2*

ein Anderer wissen, weil ja der Graf ein Bruder meiner
Mutter[1] und das Fräulein, um das es sich handle, meine
Schwester sei. Man musste die Ueberraschung dieser Leute
sehen. Sie wussten nicht, was sie sagen sollten und brachten
nur Ausrufe der Verwunderung und des Erstaunens hervor.
Sie erhoben sich und wollten sich vor lauter Ehrfurcht gar
nicht mehr setzen; ich hatte alle Mühe, sie hiezu zu überreden.

,Am nächsten Morgen brach ich frühzeitig auf, meine
Reise nach Delden fortzusetzen, das sieben Stunden von Bentheim entfernt ist. Die Gräfin und ihr Sohn, der jetzt sieben Jahre
zählt, wohnen in Hessen, und der Kurfürst von Köln führt als
Bischof von Münster die Verwaltung der Grafschaft,[2] die sehr
beträchtlich ist und jährlich 50.000 Thaler einträgt. Vor drei
Jahren wollte sich der König von Preussen nach dem Tode
des regierenden Grafen der Grafschaft bemächtigen, aber der
Bischof sandte drei Compagnien seiner Truppen dorthin, und
die Sache wurde wieder beigelegt. Zwischen dieser Grafschaft
und Delden befindet sich die Grenze des Landes Overijssel.
Wo Holland beginnt, sieht man ein äusserst flaches Land,
Wiesen mit Bäumen bepflanzt, und Dörfer, deren Anblick um
ihrer Reinlichkeit willen Vergnügen gewährt. Die Poststationen
sind dort überaus lang, aber man fährt trotzdem ungemein
rasch. Die gewöhnliche Post wird in grossen Karren befördert,
welche sie Polterwagens nennen, ein schreckliches Gefährt, in
dem man, ich kann mir das vorstellen, ganz elend zusammen-
gerüttelt wird.

,In Delden, wo wir zu Mittag assen, sahen wir viele Leute,
denn es war Sonntag. Bei jedem schlechten Gerichte, das die
Wirthin uns auftrug, sagte sie: „Myn heer, dat ist ein schlecker
bisgen." Nachdem wir sehr schlecht gespeist hatten, fuhren
wir weiter bis Deventer, welches acht Stunden von Delden
entfernt ist.'

---

[1] Die Mutter des Grafen Kaunitz, bekanntlich die einzige Tochter und
alleinige Erbin des letzten Grafen Rietberg, besass keinen wirklichen
Bruder. Es kann daher hier nur der Stiefbruder derselben, Graf Hermann Friedrich Bentheim gemeint sein. 1693 geboren, war er mit einer
Prinzessin von Hessen-Rheinfels vermählt und starb schon am 29. November 1731.

[2] Graf Hermann Friedrich Bentheim war hiezu untüchtig erklärt worden.

Wir widerstehen der Versuchung, diesen Auszug aus dem
Tagebuche des jungen Kaunitz noch fortzusetzen, denn wir be-
sorgen, darin schon eher zu viel als zu wenig gethan zu haben.
Wir begnügen uns daher, zu sagen, dass er in Utrecht, welche
Stadt er ausführlich beschreibt, seinen Wagen zurückliess und
auf dem Canal mit der Treckschuyte in acht Stunden nach
Amsterdam fuhr.

,So schön, so gross, so reich und so mächtig' sei diese
Stadt, schreibt Kaunitz von ihr, dass sie ,ein wahres Wunder
und die Perle aller Städte der Welt genannt zu werden verdiene'. Ausführlich beschreibt er sie sowohl im Allgemeinen,
als hinsichtlich ihrer vorzüglichsten Gebäude und Einrichtungen, und man sieht, wie sehr alles wirklich Bemerkenswerthe
seine Aufmerksamkeit fesselt, und wie eifrig er darauf ausgeht,
sich mit belehrenden Eindrücken zu erfüllen und in solcher
Art seine Reise wirklich zu dem, was sie eigentlich für ihn
sein sollte, zu einer Bildungsreise im wahrsten Sinne des Wortes
zu machen.

Nach fünftägigem Aufenthalte zu Amsterdam verfügte sich
Kaunitz, und zwar wieder zu Schiff nach Leyden, wo er am
18. September eintraf. Aus den Bemerkungen, die er über
diese Stadt und die dortige Universität macht, geht wohl unwiderleglich hervor, dass er zum ersten Male dahin kam und
sich nie früher daselbst aufgehalten haben kann. Mit den be-
rühmtesten Professoren an der Hochschule, wie mit Burman,
der über Geschichte, Beredsamkeit und griechische Sprache
vortrug, dem Rechtslehrer Vitriarius, dem Mathematiker Sgrave-
zande und dem grossen Arzte Boerhaave, der freilich damals
sein Lehramt schon niedergelegt hatte, trat Kaunitz in eine
wenngleich nur flüchtige Berührung. In einspänniger, von einem
,Harttraber' gezogener Carriole macht er einen Ausflug nach
Katwijck, die Nordsee zu sehen, und kehrt über Nordwijck nach
Leyden zurück. Von hier begibt er sich nach dem Haag, wo
er zumeist in den Kreisen der Mitglieder des bei den Generalstaaten beglaubigten diplomatischen Corps länger als eine Woche
verweilt.

Noch mehr Gelegenheit, vornehme Bekanntschaften anzu-
knüpfen als im Haag, bot sich dem Grafen Kaunitz in Brüssel
dar. Ueber Delft und Rotterdam kehrte er vorerst nach Utrecht zurück, von welcher Stadt an er sich wieder seines dort

zurückgebliebenen Wagens bediente. In der Umgebung von
Breda besuchte er ein Lager von 15.000 Mann holländischer
Truppen. In Antwerpen, wo er vor den wunderbaren Ge-
mälden, vor Allen der Kreuzabnahme von Rubens in Entzücken
gerieth,[1] wandte er auch den übrigen Kunstschätzen dieser
Stadt, insbesondere der überaus werthvollen Sammlung des
Domherrn Lichte das grösste Interesse zu. Am 2. October traf
er in Brüssel ein, wo damals die Erzherzogin Elisabeth, die
älteste Schwester des Kaisers Karl VI., als Generalstatthalterin
der Niederlande nicht gerade glänzenden Hof hielt. Noch am
Tage seiner Ankunft liess sie den jungen Kaunitz zum Hand-
kusse zu.

Diese Hofhaltung nun, die er als eine keineswegs ergötz-
liche schildert, wird gleich der Stadt Brüssel, ihren vornehmsten
Gebäuden und Kunstwerken von unserem Reisenden ziemlich
ausführlich beschrieben. Ganz besondere Aufmerksamkeit wendet er der Fabrication der Tapeten zu, deren Producte sein
lebhaftes Wohlgefallen erregen. Am meisten aber scheint er
während seines fast dreiwöchentlichen Aufenthaltes in Brüssel
von geselligen Pflichten in Anspruch genommen worden zu sein,
wenigstens ist das von ihm selbst angelegte Verzeichniss der
vornehmen Personen, mit denen er dort in Berührung trat,
ganz ausserordentlich lang.

In Löwen, wohin sich Kaunitz am Morgen des 20. October begab, wohnte er einer Ceremonie bei, die ihn lebhaft
interessirte, der gleichzeitigen Creirung von vier Doctoren der
Rechte. Jedem derselben, so behauptet er, habe die Erlangung
dieser Würde zum Mindesten 4000 Thaler gekostet. Er beschreibt die ganz eigenthümlichen Festlichkeiten, welche aus
diesem Anlasse stattfanden, meint aber, es sei ein Verbrechen,
junge Leute aus guten Häusern nach Löwen zu schicken, weil
sie bei dem verwahrlosten Zustande der Universität dort nur
das vergässen, was sie vielleicht anderswo gelernt haben
könnten.

Von Lüttich aus, welche Stadt er gleichfalls beschreibt,
besucht Kaunitz den damaligen Fürstbischof aus dem Hause
der Grafen von Berghes auf dessen Lustschlosse zu Se-

---

[1] Je ne crois pas que l'art puisse faire quelque chose de plus accompli;
pour moi, je n'ai pu me lasser de l'admirer.

raing.[1] Er erzählt die Art, in welcher derselbe zu seiner hohen
geistlichen und weltlichen Stellung gelangte, lobt seine einfache
Lebensweise und die Beliebtheit, die er sich bei seinen Unterthanen erwarb. ,Aber die Domherren,' fährt Kaunitz wörtlich
fort, ,wünschen ihn in die andere Welt, indem es sie langweilt,
ihn noch in dieser zu sehen, in der er ihnen zu nichts gut ist,
indem er nur bescheiden lebt und ihnen nicht durch Feste,
Spiele, Bälle und ähnliche Lustbarkeiten solche Vergnügungen
verschafft, wie man sie an den Höfen anderer geistlicher Fürsten
zu sehen gewohnt ist.' Aber andererseits wunderte sich Kaunitz
doch auch wieder über die geringe Vertrautheit des Bischofs
mit den Angelegenheiten seines Capitels. Er wusste nicht
einmal, dass der jüngere Bruder Carl Kaunitz Mitglied desselben sei.

Ueber Aachen, wo nicht nur die ehrwürdigen Alterthümer
aus der Zeit Karls des Grossen, sondern auch, und es ist dies
im Vergleiche mit seiner späteren Richtung bezeichnend, die
zahlreichen Reliquien seine besondere Aufmerksamkeit fesseln,
begab er sich, und zwar auf so erbärmlichen Strassen nach
Köln, dass er in Folge dessen nicht nur allerlei unliebsame
Abenteuer ausstehen muss, sondern in den Stossseufzer ausbricht, er wünsche, dass alle Landesfürsten, auf deren Gebiet
in dieser Beziehung so sträfliche Nachlässigkeit herrsche, durch
24 Stunden im Moraste ihrer eigenen Strassen rettungslos stecken
blieben. So gross waren der Aerger, welchen Kaunitz hierüber
empfand, und sein Widerstreben, neuerdings Aehnliches durch-
machen zu müssen, dass er bei seinem Aufbruche von Köln,
welche Stadt er die düsterste und traurigste nennt, die er jemals gesehen, lieber stromaufwärts zu Schiff, als auf der Strasse
und im Wagen seine Reise fortzusetzen beschloss. Er miethete
zwei Barken, welche aneinander gebunden und von einem Pferde
gezogen wurden. Auf der einen befand er sich selbst, auf der
anderen sein Wagen, und da jede Barke mit einem Dache aus
doppelter Leinwand gedeckt war, fand Kaunitz sich ebensowohl gegen die Sonne als gegen Wind und Regen geschützt

---

[1] Georg Ludwig von Berghes, 91. Bischof von Lüttich. 1662 geboren,
diente er zuerst im Kriegswesen, wendete sich 1700 dem geistlichen Stande
zu, wurde 1724 zum Bischof gewählt und starb nach 19jähriger segens-
reicher Regierung am 5. December 1743. Biogr. nat. de Belgique II,
240—247.

und war daher mit seinen Fahrzeugen ganz zufrieden. Am
Morgen des 29. October verliess er Köln und kam am selben
Abende bis Bonn, wo ihn am folgenden Tage die Gemälde-
sammlung des Grafen Plettenberg entzückte.

Nach fast viertägiger Rheinfahrt, welche Kaunitz mit solcher Genauigkeit, ja vielleicht Pedanterie beschreibt, dass er
sogar die Namen seiner vier Schiffleute aufzeichnet, langte er
am Abend des 1. November in Mainz an, wo er bei dem Kurfürsten Philipp Carl von Eltz die wohlwollendste Aufnahme
fand. Der unermessliche Reichthum des Kirchenschatzes aber
veranlasste ihn zu der Bemerkung, man müsse in früherer Zeit,
wenigstens nach dieser Richtung hin, frömmer gewesen sein
als jetzt. Ohne so viel Wesens über den Cultus zu machen,
den man den Heiligen und ihren Reliquien schulde, wie dies
gegenwärtig der Fall sei, habe man für sie ohne Zweifel weit
grössere Verehrung empfunden.

Am 5. November kam Kaunitz nach Frankfurt, dessen
grösste Merkwürdigkeiten er den Römer und die in demselben
aufbewahrte Goldene Bulle nennt. Die ausführliche Beschreibung, die er von der letzteren entwirft, bezeugt das lebhafte
Interesse, welches er diesem für Deutschland so wichtigen
Documente entgegenbringt.

Ueber Hanau und durch den Spessart begab sich Kaunitz
nach Würzburg, von da aber nach Kitzingen am Main, um
dem Bischofe Friedrich Carl von Schönborn seine Aufwartung
zu machen, der gerade in diesem Städtchen unter grossen Festlichkeiten die Huldigung seiner Unterthanen entgegennahm.
Hier bricht Kaunitz sein Tagebuch, nachdem er es genau durch
zwei Monate, vom 8. September bis zum 8. November 1732 geführt, vollständig ab, und wir wären über seine Weiterreise
ganz im Dunklen, wenn wir nicht ein von ihm angefertigtes
Verzeichniss der Personen besässen, deren Bekanntschaft er in
den grösseren Städten machte, welche er besuchte. Wir ersehen daraus, dass er sich von Kitzingen über Nürnberg und
Augsburg nach München begab, wo er bei Hof erschien und,
nach der ziemlich grossen Anzahl der Personen zu schliessen,
mit denen er in Berührung trat, sich längere Zeit hindurch
aufgehalten zu haben scheint. Im December 1732 war er noch
dort, und wir besitzen einen Brief von ihm an den Commandanten von Rietberg, Namens Dötinghem, mit dem er auf be-

sonders gutem Fusse stand und welchen er denn auch jetzt
um Geldhilfe angeht.[1] Denn er muss vom Hause aus nicht
allzu reichlich mit pecuniären Zuflüssen versehen worden sein.

Von München ging Kaunitz über Ettal und Innsbruck
nach Venedig, wo er offenbar wieder geraume Zeit verweilte,
denn von dem Dogen Carlo Ruzzini und dem kaiserlichen Botschafter Fürsten Pio angefangen figurirt fast die ganze vornehme Gesellschaft Venedigs auf seiner Liste. Und bemerkenswerth ist es, dass auch eine sehr grosse Anzahl von Musikern
sowie von Tänzern und Tänzerinnen auf derselben erscheint.

Dem gleichen Verzeichnisse nach fällt der darauf folgende
Aufenthalt des Grafen Kaunitz in Rom schon in das Jahr 1733.
Die Liste seiner dortigen Bekanntschaften ist noch um Vieles
länger als die auf Venedig bezügliche. Dass der Papst, damals
Clemens XII., aus dem Hause Corsini, dass eine grosse Anzahl
von Cardinälen, dass die Namen der vornehmsten römischen
Adelsfamilien, der Colonna, Borghese, Lanti, Altieri, Ruspoli,
Corsini Strozzi darin vorkommen, versteht sich gewissermassen
von selbst. Aber charakteristisch für die damaligen Anschauungen unseres jungen Reisenden ist es, dass er, vielleicht auch,
weil es in Rom so gebräuchlich war, den daselbst sich auf-
haltenden Prätendenten und dessen Gemahlin den König und
die Königin von England, ihren ältesten Sohn Carl Eduard
aber den Prinzen von Wales nennt. Auch jetzt wieder werden
sehr viele Musiker und andere Künstler als neue Bekanntschaften erwähnt.

Von Rom machte Kaunitz einen Ausflug nach Neapel,
von wo er nach Rom zurückkehrte und sich dann über Florenz
und Bologna nach Mailand begab, wo er in den ersten Juli-
tagen des Jahres 1733 verweilte. So wie es vor einem halben
Jahre in München der Fall gewesen, befindet er sich jetzt
wieder ohne Geld, und er bittet seinen Vertrauensmann in
Rietberg, ihm ein Darlehen von 500 Gulden nach Paris vor-
auszusenden. Ueber Turin verfügte er sich dorthin, und rück-
haltlos scheint er sich in den vollen Strudel des dortigen
genussreichen Lebens gestürzt zu haben. Sowohl aus seiner
wiederkehrenden Geldnoth, wie aus den überaus zahlreichen
Bekanntschaften, die er daselbst machte, lässt sich dies

---

[1] Kaunitz an Dötingham, 2. December 1732. Jarmeritzer Archiv.

schliessen. Nicht nur mit den hervorragendsten Staatsmännern, insbesonders dem Haupte der Regierung, Cardinal Fleury, und dem Siegelbewahrer Chauvelin, den berühmten Marschällen Villars und Berwick, den Cardinälen Polignac und Rohan, sondern auch mit zahlreichen Künstlern trat Kaunitz in Verkehr. Unter diesen finden wir wieder besonders viele Musiker, denen eine lange Reihe von Tänzern und Tänzerinnen, unter ihnen die talentvolle Camargo sich anschliesst.

Wir wissen nicht, wie lange Kaunitz in Paris verweilte, ob er mit diesem Aufenthalte seine ‚Bildungsreise‘ abschloss, oder ob er sich, wie behauptet wird, auch noch nach England begab, worüber jedoch keinerlei Aufzeichnung mehr vorhanden ist. Nur das lässt sich nachweisen, dass er im Juli 1733 auf sein Canonicat in Münster freiwillig verzichtete und nach seiner Rückkehr nach Oesterreich, wie es vor ihm sein Vater gethan und es damals von Seite der Mitglieder der vornehmsten Adelsgeschlechter, die sich dem Civilstaatsdienste widmen wollten, fast ausnahmslos geschah, gleich als Reichshofrath in die amtliche Laufbahn eintrat. Im Januar 1735 muss dies erfolgt sein. Allerdings ist das Decret seiner Ernennung nicht mehr vorhanden, aber am 25. Januar 1735 hat Kaunitz die Formel des von ihm abgelegten Diensteides unterzeichnet, und am folgenden Tage wurde er durch den Obersthofmeister des Kaisers Karl VI., Grafen Rudolf Sinzendorff, in das reichshofräthliche Collegium eingeführt. Die Erstattung einer Probe-relation scheint von Kaunitz nicht verlangt worden zu sein; wenigstens lässt sich von einer solchen keine Spur mehr entdecken. Sie sollte jedoch nur dann hinwegfallen, wenn der zu Ernennende schon in vornehmen reichsständischen Diensten gewesen oder seine Geschicklichkeit sonst bekannt war.[1]

Die in grosser Vollständigkeit erhaltenen Beschlussprotokolle des Reichshofrathes gewähren die Möglichkeit, die Art und den Grad der Betheiligung jedes einzelnen Mitgliedes an dessen Arbeiten aufs Genaueste kennen zu lernen. Man erfährt aus diesen Protokollen, an welchen Sitzungen jeder Reichshofrath theilnahm, bei welchen er fehlte, ja sogar, wann er eine Sitzung vor deren Schlusse verliess. Man kann sich über die Rechtssachen unterrichten, deren amtliche Behandlung ihm an-

---

[1] Herchenhahn, Geschichte des Reichshofrathes II, 58 f.

vertraut war, und feststellen, wann und wie oft er jede einzelne Angelegenheit vorbrachte.

Diese Protokolle ergeben nun, dass die Betheiligung des
Grafen Kaunitz an den Arbeiten des Reichshofrathes nur im
ersten Jahre seiner Anstellung eine ziemlich rege zu nennen
ist. Auch dann wird man dieses Urtheil kaum modificiren,
wenn man berücksichtigt, dass er der Herrenbank angehörte,
während es doch die Mitglieder der Gelehrtenbank waren,
welche, wie der Geschichtschreiber des Reichshofrathes sich
ausdrückt, ‚die Ehre hatten, die wichtigsten Acten zum Vortrage
zu erhalten und am meisten zu arbeiten‘.[1]

Die erste Sitzung, welcher Kaunitz beiwohnte, war die
vom 26. Januar 1735, und am 8. Juli 1740 erschien er zum
letzten Male im Collegium. Während dieser Zeit hat er in
vierzig Process- und zwei Privilegienangelegenheiten neunzig-
mal Vortrag erstattet, wobei sich freilich eine bedenkliche Ab-
nahme seiner Geschäftsthätigkeit bemerkbar macht. Denn während er im Jahre 1735 sechsundvierzigmal referirte, geschah dies
in den Jahren 1736 und 1737 nur noch zwölf- und zwanzigmal,
1738 und 1739 sieben- und fünfmal, 1740 aber gar nicht mehr.

Um den Werth dieser Ziffern richtiger beurtheilen zu
können, liessen wir uns die Mühe nicht verdriessen, auch den
Umfang der amtlichen Thätigkeit von vier seiner Collegen, und
zwar je zweier von der Herren- und von der Gelehrtenbank
festzustellen. Von der Herrenbank wurden die gleichzeitig mit
Kaunitz angestellten Grafen Carl Cobenzl und Josef Sinzendorff,
von der Gelehrtenbank aber Dr. Balthasar Wernher, früher
Professor der Rechte und Director der Universität Wittenberg,
und Heinrich Bernhard von Wucherer, früher Geheimer Rath
des Bischofs von Augsburg, ins Auge gefasst. In der Zeit von
1735 bis 1740 referirten Graf Cobenzl 241-, Graf Sinzendorff
64-, Dr. Wernher 1920- und v. Wucherer 1416mal. Hieraus
lässt sich der doppelte Schluss ziehen, dass die Reichshofräthe
von der Gelehrtenbank mehr als zehnmal so viel als die von
der Herrenbank arbeiten mussten, und dass die Thätigkeit des
Grafen Kaunitz sogar hinter der seines Collegen Cobenzl sehr
weit zurückblieb, während sie sich über diejenige Sinzendorff's
noch ein kleinwenig erhob.

---

[1] Herchenhahn II, S. 62.

Nicht ganz unerwähnt dürfen wir es lassen, dass Kaunitz auch nach seinem Eintritte in den Reichshofrath sich in recht bedrängten Vermögensverhältnissen befand. Etwa zwei Wochen nach diesem Ereignisse schreibt er wieder an Dötinghem, den er seinen einzigen Vertrauten in Rietberg nennt. Als Reichshofrath, klagt er ihm, müsse er in Wien leben und könne mit seinen kärglichen Einkünften nicht auslangen. Und nun macht er ihm den eigenthümlichen Vorschlag, er solle sich mit den einflussreichsten Landrichtern in Rietberg unterreden und sie dahin bringen, ihm als präsumtivem Erben der Grafschaft und somit künftigem Herrn ‚aus Liebe und Treue‘ jährlich 3000 Gulden vorzustrecken. Er wolle sie mit sechs Procent verzinsen und das ganze Darlehen, wenn er nur einmal zum Besitze von Rietberg gelangt sein werde, von ihrer Steuerleistung abziehen.

Unter solchen Umständen ist es fast zu verwundern, dass Kaunitz schon im folgenden Jahre ein eheliches Bündniss schloss, und das umsomehr, als die Summen der beiderseitigen Geldleistungen, die sich in dem Heiratsbriefe angeführt finden,[1] den er am 22. April 1736 der mit ihm verlobten Gräfin Ernestine Starhemberg[2] ausstellte, keineswegs auf eine ansehnliche Verbesserung seiner Vermögensverhältnisse schliessen liessen. Allerdings war der Grossvater der Braut jener reiche und auch als Staatsmann hervorragende Graf Gundaker Thomas Starhemberg, der als Conferenzminister und Präsident der Ministerial-Bancodeputation, somit als Chef des Finanzwesens eine der einflussreichsten Persönlichkeiten am Hofe Karls VI. war. Am 6. Mai 1736 wurde die Ehe vollzogen. Ihr entsprossen ziemlich rasch nacheinander sechs Söhne und eine Tochter. Die drei ältesten Söhne, Ernst, Moriz und Dominik, waren schon am Leben, als kurz nach dem Tode des Kaisers Karl VI., und zwar im December 1740, an Kaunitz der Antrag herantrat, als Gesandter der Königin von Ungarn nach Kopenhagen zu gehen. Kaunitz, der sich auch nach seiner Verheiratung, wie ein im Juli 1737 seinerseits neuerdings nach Rietberg gerichtetes Begehren um ein Darlehen be-

---

[1] Im Jarmeritzer Archiv.

[2] Tochter des Grafen Franz Starhemberg, Obersthofmeisters der damaligen Erzherzogin Maria Theresia, Grossherzogin von Toscana.

weist,[1] fortwährend in Geldverlegenheiten befand, wandte sich um Beihilfe an seinen Vater, der ihm dieselbe auch versprach, es jedoch lieber gesehen hätte, wenn sein Sohn nach Regensburg bestimmt worden wäre, weil man dort, wie er wohl mit Recht behauptete, mehr als in Dänemark Einblick in die grosse Politik erhalte.[2]

Auch die Mutter erklärte sich bereit, ihrem Sohne nach Kräften beizustehen. Ihren schwer zu entziffernden Briefen an Kaunitz ist die lebhafte Besorgniss zu entnehmen, die sie bei dem Auftreten des Königs von Preussen für ihre Grafschaft Rietberg hegte. Auch für Mähren fürchtete sie, denn sie meinte, König Friedrich werde seinen Einbruch nach Schlesien dorthin ausdehnen. ,Armes Austerlitz,‘ schrieb sie am 1. Januar 1741 ihrem Sohne, ,ich kann nicht daran denken, ohne Thränen zu vergiessen.‘[3]

Wir haben keine Kenntniss der Ursachen, welche die Entsendung des Grafen Kaunitz nach Kopenhagen vereitelten. Aber wenige Monate später, im März 1741, erhielt er eine andere Mission, indem er nach der Geburt des Kronprinzen Josef an den Papst, den König von Sardinien und die in Toscana residirende verwitwete Kurfürstin von der Pfalz, die letzte Mediceerin, abgeschickt wurde, ihnen diese Freudenbotschaft zu überbringen.

Instructionen, welche Kaunitz mit auf den Weg gegeben wurden, finden sich nicht vor, und auch die Berichte, die er, wie wir mit Bestimmtheit wissen, über die Art und Weise, in der er sie vollzog, nach Wien erstattete, konnten bisher nicht aufgefunden werden. Den Meldungen der ständigen Vertreter, welche Oesterreich damals in Turin, in Florenz und in Rom besass, lässt sich jedoch entnehmen, dass Kaunitz am 28. März in Turin eintraf und am folgenden Tage dem Könige Carl Emanuel III., seiner Gemahlin Elisabeth und dem ganzen königlichen Hause die glückliche Geburt des österreichischen Kronprinzen notificirte. Wenn man sich erinnert, dass die Königin eine Schwester des Grossherzogs Franz von

---

[1] 24. Juli 1737. Jarmeritzer Archiv.

[2] Max Ulrich an Wenzel Kaunitz. Brünn, 22. December 1740. Jarmeritzer Archiv.

[3] Jarmeritzer Archiv.

Toscana war, und dass die Mitglieder des Hauses Lothringen mit innigster Liebe an einander hiengen, so wird man wohl zugeben, dass die lebhafte Freude, welche der König und die Königin über die ihnen aus Wien zugekommene Nachricht an den Tag legten,[1] eine aufrichtige war. Der Marchese Balleotti überbrachte den Glückwunsch des Turiner Hofes nach Wien.

Ueber Florenz, wo er von der verwitweten Kurfürstin als Träger einer hochwillkommenen Botschaft mit einem kostbaren Ringe und einer goldenen Dose beschenkt wurde,[2] begab sich Kaunitz nach Rom, wo er am 16. April eintraf. Der österreichische Gesandte Graf Josef Thun, der sich später als Bischof von Gurk und schliesslich von Passau durch segensreiches Wirken hervorthat, geleitete ihn zum Papste. Als besondere Auszeichnung wurde ihm gestattet, den Degen, den er trug, bei seinem Eintritte in die päpstlichen Gemächer zu behalten. Benedict XIV. erging sich in Ausdrücken lebhaftester Theilnahme für Maria Theresia, den Grafen Kaunitz aber beschenkte er mit einer in Gold gefassten Krone aus edlem Gestein.[3]

Durch etwa zwei Wochen blieb Kaunitz in Rom, das er ebenso wie Turin und Florenz schon von früherer Zeit her kannte, und er sah dort am 30. April die Ceremonie mit an, mit welcher der Papst, erst im vergangenen Jahre zu dieser obersten geistlichen Würde der katholischen Christenheit gelangt, sich in feierlichem Aufzuge nach dem Lateran begab, um von diesem Besitz zu ergreifen. Uraltem Gebrauche nach sollte der Papst den Weg nach dem Lateran reitend zurücklegen und die ihn begleitenden Cardinäle das Gleiche thun. Prospero Lambertini hatte jedoch nie zuvor ein Pferd oder ein Maulthier bestiegen; er liess sich daher in einer Sänfte nach dem Lateran tragen, und es wurde bemerkt, dass nicht mehr als zehn Cardinäle ihn, auf Maulthieren reitend, begleiteten. Die übrigen hatten sich früher nach dem Lateran begeben, den Papst dort zu empfangen.

---

[1] Berichte des Grafen Schulenburg aus Turin vom 1. April 1741.

[2] Wienerisches Diarium vom 6. Mai 1741, S. 380.

[3] Graf Thun an Maria Theresia. Rom, 22. April 1741. ‚Prima di licenziarlo, gli regalò Sua Beatitudine una corona di pietra dura legata in oro . . .‘

Am 2. Mai verabschiedete sich Kaunitz vom Papste; am 3. verliess er Rom und kehrte über Florenz nach Oesterreich zurück.

II. Capitel.

Während der Reise des Grafen Kaunitz in Italien hatten die militärischen und die politischen Ereignisse eine für Maria Theresia sehr ungünstige Wendung genommen. Bei Mollwitz waren ihre Truppen von den Preussen geschlagen worden, und es gewann den Anschein, als ob die Folgen dieses Ereignisses für Oesterreich die verderblichsten sein würden. Dass der König von Preussen von nun an in dem unbestrittenen Besitze des grössten Theiles von Schlesien bleiben werde, musste fast als etwas Selbstverständliches hingenommen werden. Auch die jüngeren Zweige des Hauses Bourbon in Spanien und Neapel hatten nicht erst der Niederlage der Oesterreicher bei Mollwitz bedurft, um sich feindselig gegen Oesterreich zu stellen. Aber darin muss wohl die entscheidende Bedeutung des Verlustes der Mollwitzer Schlacht erblickt werden, dass er auch in Frankreich die letzten Bedenken beseitigte, welche dort vielleicht noch obwalten mochten, die vertragsmässig eingegangenen Verpflichtungen zu brechen und mit voller Macht auf die Seite derer zu treten, welche die so günstige Gelegenheit auszubeuten sich bemühten, durch Erwerbung sehr beträchtlicher Theile des österreichischen Staatsgebietes sich selbst ansehnlich zu vergrössern.

In dieser Beziehung waren die Entwürfe des Kurfürsten Carl Albrecht von Baiern sogar noch weitergehend als diejenigen des Königs von Preussen. Denn während dieser seine Begehrlichkeit wenigstens vorderhand nicht weiter als auf Schlesien erstreckte, hoffte Carl Albrecht, nicht nur der Nachfolger Karls VI. auf dem Kaiserthrone Deutschlands, sondern auch im Besitze Böhmens, des Herzogthums Oesterreich, ja vielleicht auch noch anderer österreichischer Gebietstheile zu werden. So wie Preussen durch die Eroberung Schlesiens, wäre Baiern durch diese Erwerbungen herangewachsen zu einer Macht, die nur von wenigen in Europa übertroffen worden wäre.

Gewissenhafte historische Forschung hat in neuester Zeit den Beweis zu erbringen sich bemüht, die geheimnissvollen Nymphenburger Verträge, durch welche die Bedingungen festgestellt worden sein sollten, unter denen Baiern der gewaffnete Beistand Frankreichs zugesagt wurde, seien niemals abgeschlossen worden. Dem scheint auch wirklich so zu sein; aber freilich wird hiedurch nichts an der Thatsache geändert, dass Frankreich die Sache Baierns ganz zu der seinigen machte, dass französische Hilfstruppen es waren, die den Kurfürsten nach Linz begleiteten und ihn von dort nach Wien führen zu wollen schienen. Und wenn auch Carl Albrecht zuletzt diese Absicht wieder aufgab und sich, nur mehr wenige Stunden von Wien entfernt, nordwärts nach Böhmen wandte, so nahmen doch auch jetzt wieder die französischen Streitkräfte an der Besetzung Böhmens und der Einnahme von Prag einen sehr hervorragenden Antheil. Bei dieser Unternehmung wurden sie auch noch von den Sachsen unterstützt, deren Kurfürst, welcher gleichzeitig die polnische Königskrone trug, anfangs mit Maria Theresia verbündet war, dann aber, und wohl gleichfalls in Folge der Mollwitzer Schlacht, gemeinschaftliche Sache mit denen machte, welche darauf ausgingen, die letzte Habsburgerin ihrer rechtmässig ererbten Länder zu berauben.

Traurigere, schmerzvollere Tage können im Leben einer Fürstin nicht leicht gedacht werden als diejenigen waren, während deren Maria Theresia nach dem Verluste von Prag in Pressburg verweilte. Dort war der ungarische Landtag versammelt, und dorthin hatte sie schon im September ihre Kinder vor den gegen Wien vorrückenden Franzosen und Baiern geflüchtet. Jetzt schien Alles verloren, und wenn damals, liess sich einer der getreuesten und standhaftesten Rathgeber der Königin vernehmen, in den letzten Tagen des November irgend Jemand Hoffnung gegeben hätte, dass man den Drangsalen, in denen man sich befand, noch zu entrinnen im Stande sein werde, würde er sicher verlacht worden sein. Nur Eine verlor den Muth nicht, und diese Eine war die Königin selbst.

Unwillkürlich drängt sich, wenn man ihre damalige Lage überdenkt, die Frage auf die Lippen, wo denn in jenen Tagen der Trübsal der Mann sich befand, der in späteren und gleichfalls traurigen Zeiten die festeste Stütze für Maria Theresia war? Die Antwort, die wir hierauf erhalten, ist leider keine tröstliche zu nennen. In der nächsten Umgebung der Königin ist keine Spur von Kaunitz zu entdecken, und nur einmal taucht damals sein Name, aber leider in einer Weise auf, dass wir gerne darauf verzichten würden, von ihm überhaupt zu vernehmen.

Noch war die befriedigende Art, in welcher Kaunitz seine freilich nicht eben schwierige Mission nach Italien durchgeführt hatte, in frischem Gedächtniss. Nichts war daher natürlicher, als dass man in dem Augenblicke, in welchem man in Wien daran dachte, dem österreichischen Gesandten in Turin, Grafen Schulenburg-Oeynhausen, einen Nachfolger zu geben, auf einen Mann den Blick lenkte, der gerade an jenem Hofe einen sehr guten Eindruck hervorgebracht zu haben schien. Um so schwerer fiel dieser Umstand ins Gewicht, als seither, am 3. Juli 1741, die Königin Elisabeth in Folge der Geburt eines Sohnes, des Herzogs von Chablais, gestorben und Maria Theresia hiedurch ihrer Schwägerin und treuesten Bundesgenossin am Turiner Hofe beraubt worden war. Dessen bekannte Unzuverlässigkeit liess einen feinen Beobachter und gewandten Unterhändler dort vielleicht mehr als anderswo nöthig erscheinen.

Ueber die Richtigkeit der Behauptung, dass dem Grafen Kaunitz der Posten eines österreichischen Gesandten in Turin angeboten worden sei, er ihn jedoch abgelehnt habe, liegt eine amtliche Nachweisung nicht vor, sie braucht also nicht als eine ganz unzweifelhafte Thatsache hingenommen zu werden. Aber es lässt sich auch nicht leugnen, dass sie von einem durchaus vertrauenswürdigen Gewährsmanne, dem venetianischen Botschafter in Wien, Pietro Andrea Capello herrührt. Voll Wohlwollen für Oesterreich und für Maria Theresia, voll Aufmerksamkeit für das, was um ihn her vorging, und insbesondere in dem, was die Beziehungen Oesterreichs zu den italienischen Staaten betraf, wohlunterrichtet, kann Capello in Allem, was er hierüber sagt, nur vollen Glauben beanspruchen. Er aber berichtete am 27. October 1741 an den venetianischen Senat wörtlich: ‚Graf Kaunitz, zu dem Könige von Sardinien bestimmt, bat um Entschuldigung, indem er den Mangel an hinreichendem Vermögen als Beweggrund hiefür angab. Er ist jedoch einer der Männer, die in der Ungewissheit, wer in Zukunft die Länder beherrschen wird, in denen ihre Lebensgüter liegen, sich genöthigt glauben, sich unter den gegenwärtigen Umständen in der Annahme so ansehnlicher und wichtiger Aemter Zurückhaltung aufzuerlegen. An seiner Stelle hat die Königin den Marchese Bartolomei für jenen Posten bestimmt.'[1]

Es lässt sich, wie bereits gesagt, über die Richtigkeit der Angabe Capello's kein absolut sicheres Urtheil fällen. Ist jedoch seine Behauptung wahr, dann liegt in ihr wohl das überzeugendste Merkmal der äussersten Bedrängniss, in der sich damals Maria Theresia befand. Wenn sogar ein Kaunitz in Zweifel gerathen konnte, ob er ihr oder vielleicht einem Anderen seine Dienste zu widmen sich berufen finden werde, dann darf man wohl fragen, auf wen überhaupt die Königin dann noch mit Sicherheit bauen durfte?

Aber gerade an Maria Theresia ging der fromme Spruch in Erfüllung: wo die Noth am höchsten, sei auch die Hilfe am nächsten. Freilich war es keine Hilfe von Aussen her, der sie ihre Rettung verdankte, sondern nur die, welche in ihrer eigenen Kraft und Entschlossenheit, welche in der Treue und Selbstaufopferung ihrer Unterthanen lag. Kaum war die Nachricht von dem Verluste Prags nach Pressburg gelangt, als schon nach allen Richtungen hin die Sendboten der Königin mit der Botschaft eilten, so unheilvoll auch jenes Ereigniss an und für sich sein möge, so werde man sich doch durch dasselbe keinen Augenblick abhalten lassen, gegen die in Oberösterreich zurückgebliebene französisch-bairische Streitmacht die Offensive zu ergreifen.[2] So wie in dem einmal festgestellten Plane, lasse man sich auch in der Hoffnung nicht irre machen, diese Unternehmung werde von günstigem Erfolge begleitet sein.

So geschah es denn auch wirklich. Binnen Kurzem war nicht nur ganz Oberösterreich wieder in den Händen ihrer Truppen, sondern Maria Theresia konnte dieselben über die eigene Landesgrenze hinaus nach Baiern entsenden. Unaufhaltsam drangen sie dort vor, und gerade in der Zeit, in welcher Carl Albrecht mit der deutschen Kaiserkrone geschmückt wurde, ging ein grosser Theil seines Landes mit seiner Hauptstadt an die Oesterreicher verloren. Zwar wurden sie binnen Kurzem bei Chotusitz ein zweites Mal von König Friedrich ge-

---

[1] Arneth, Geschichte Maria Theresias. II, S. 503.
[2] Schon am 2. December 1741 schrieb Graf Philipp Sinzendorff aus Pressburg eigenhändig an den Marchese Bartolomei, damals noch in Wien: ,. . . quello, ch'è successo a Praga, non impedirà una gran operazione.'

schlagen, aber diese Schlacht, wenngleich verloren, war doch auch nicht von fern einer Niederlage vergleichbar. Ja sie trug nicht wenig dazu bei, den König von Preussen zu dem Entschlusse zu bringen, dem Kriege gegen Oesterreich durch die Breslauer Friedenspräliminarien ein Ende zu machen. Hiedurch ihres gefährlichsten Feindes und durch den Frieden mit Sachsen eines zweiten Gegners entledigt, durch eine schon am 1. Februar 1742 mit Sardinien abgeschlossene Convention aber einer wenigstens vorläufigen Verständigung mit diesem Staate und dadurch eines Stützpunktes in Italien theilhaft geworden, befand sich Maria Theresia im Hochsommer dieses Jahres in einer unendlich viel günstigeren Lage, als sie selbst noch vor sechs Monaten zu hoffen gewagt haben mochte.

Es lässt sich durchaus nicht behaupten, gerade dieser Umschwung habe Kaunitz veranlasst, sich dem an ihn ergehenden Rufe nicht zu entziehen und an Stelle des Marchese Bartolomei, der wegen Irrsinns, von dem er befallen worden,[1] nicht länger auf dem Posten eines österreichischen Gesandten am Turiner Hofe belassen werden konnte, denselben zu übernehmen. Seine Entsendung dorthin war schon in den ersten Tagen des Juni 1742, also noch vor Unterzeichnung der Breslauer Friedenspräliminarien, eine feststehende Sache. Vom 29. dieses Monats ist das Instrument datirt, durch welches Maria Theresia den Grafen Max Ulrich Kaunitz ermächtigte, auf seine Fideicommissgüter in Mähren die Summe von 12.000 Gulden aufzunehmen, deren er bedürfe, um seinen Sohn Wenzel in den Stand zu setzen, den ihm verliehenen Posten eines Gesandten am Turiner Hofe auch wirklich anzutreten. Und am folgenden Tage, dem 30. Juni, wurde die Instruction ausgefertigt, mit welcher man Kaunitz versah; zu ihr trat am 11. Juli noch ein Nachtrag hinzu.[2] Um jedoch den Inhalt beider Schriftstücke recht zu verstehen, muss man sich den Zustand vergegenwärtigen, in welchem die öffentlichen Verhältnisse der italienischen Staaten sich damals befanden.

---

[1] Legationssecretär v. Mareschal an Ulfeldt; Parma, 28. Mai 1742. ‚Mit dem Herrn Marchese Bartolomei thut es sich solchermassen verschlimmern, dass die Vernunft denselben allschon von Zeit zu Zeit zu verlassen anfanget.'

[2] Die Instruction für Kaunitz und der Nachtrag zu derselben rühren von Bartenstein her.

Während ihr gleich nach ihrer Thronbesteigung und im Laufe des ersten Jahres nach derselben von so vielen Seiten zahlreiche und wahrhaft furchtbare Gegner erstanden, besass Maria Theresia in Italien zwar keinen verlässlichen Freund, aber doch auch eigentlich keinen erwähnenswerthen Feind. Denn der Papst und die Republik Venedig, so wenig sie es auch an wohlwollenden Worten für die junge Herrscherin fehlen liessen, erklärten doch, in dem Streite, der sich um deren Erbe entspann, neutral bleiben zu wollen. Von dem Könige Carl von Neapel und Sicilien, dem dritten und jüngsten Kronenträger des Hauses Bourbon, liess sich freilich nur volle Bereitwilligkeit voraussetzen, an Allem Antheil zu nehmen, wodurch der Fürstin, um deren Hand dereinst so eifrig, aber fruchtlos für ihn geworben worden war, Nachtheil zugefügt werden konnte. Aber er selbst sass doch noch seit viel zu kurzer Zeit und daher zu wenig fest auf dem erst vor einigen Jahren erworbenen Throne, sein Land war viel zu fern und seine Macht zu gering, als dass von seiner Seite allein Ernstliches zu befürchten gewesen wäre. Fand sich jedoch ein anderer, über ansehnlichere Streitkräfte verfügender Staat, der es unternahm, das Haus Oesterreich in Italien zu bekriegen, dann war die Gegnerschaft des Königs von Neapel auch nicht mehr geringschätzig zu betrachten.

Es bedurfte keines grossen politischen Scharfblickes, um sehr bald darüber im Reinen zu sein, dass schon in nächster Zukunft dieser Staat sich finden und dass es kein anderer als Spanien sein werde. Denn die Königin Elisabeth werde, dessen durfte man gewiss sein, den so überaus günstigen Augenblick nicht unbenützt vorübergehen lassen, um auch für ihren zweiten Sohn Philipp, wie es für Carl so glänzend gelungen war, ein Reich in Italien zu gewinnen. Im November 1741 landeten ansehnliche spanische Streitkräfte an verschiedenen Punkten der italienischen Küste; der Herzog von Montemar übernahm den Oberbefehl über sie.

Maria Theresia hatte die Wichtigkeit, welche der Beistand Sardiniens, des einzigen kriegstüchtigen Staates in Italien, für sie besass, nie auch nur einen Augenblick verkannt; sich dessen zu versichern, war sie schon während des ganzen Jahres 1741 bemüht. Aber sie schlug doch die Besorgnisse, mit denen nach ihrer Meinung der König von Sardinien die beabsichtigte

Gründung eines zweiten bourbonischen Reiches in Italien betrachten musste, allzu hoch an, wenn sie an die Möglichkeit
glaubte, dass sich Carl Emanuel auch ohne ein ansehnliches
Entgelt zu bewaffnetem Widerstande gegen dieselbe bereitfinden
lassen werde. Wie der Turiner Hof es von jeher gewohnt
war, pflog er auch jetzt wieder nach beiden Seiten hin lebhafte Verhandlung, um ohne irgendwelche Rücksicht auf den
rechtlichen Standpunkt dem sich zuzugesellen, von dem er
hiefür die ausgiebigsten Zugeständnisse erhielt.

Und in der That, die Anerbietungen, die ihm von Spanien
gemacht wurden, waren glänzend genug. Ihnen zufolge sollte
das ganze Ländergebiet des Hauses Oesterreich in Italien von
den Spaniern und Sardiniern erobert und zwischen Carl Emanuel
und dem Infanten Don Philipp getheilt werden.[1]

Hätte Carl Emanuel diesen Versprechungen irgendwie
trauen dürfen, so würde er wohl ohne langes Zaudern auf sie
eingegangen sein und sich ungesäumt auf die Seite Spaniens
gestellt haben. So aber zweifelte er nicht, dass durch die
völlige Vertreibung der Oesterreicher aus Italien und durch
die Errichtung eines zweiten bourbonischen Staates in jenem
Lande sein eigenes Schicksal für alle Zukunft von der Gnade
dieser übermächtigen Regentenfamilie abhängig würde. Darum
besass der geringere Preis, den er von Maria Theresia für
seinen gewaffneten Beistand zu erhalten gewärtig war, ver-
lockendere Kraft für ihn als die ungleich reicheren Versprechungen der Bourbonen. Dennoch kam es noch immer zu keiner
greifbaren Abmachung zwischen den Höfen von Wien und
Turin, bis endlich die drohende Haltung Spaniens Beide zur
Verständigung trieb. Am 1. Februar 1742 wurde in Turin die
schon erwähnte Convention unterzeichnet, derzufolge die in
Italien befindlichen österreichischen Truppen vorerst den Spaniern
entgegengehen sollten, um vor ihnen Modena und Mirandola zu
besetzen und dadurch ihr Vordringen gegen das österreichische
Gebiet zu vereiteln. Zur Unterstützung der Oesterreicher werde
Carl Emanuel ein hinreichendes Armeecorps bereithalten und ihnen
nöthigen Falles mit seiner ganzen Streitmacht zu Hilfe kommen.

Zu einer eigentlichen Gebietsabtretung an Sardinien verpflichtete sich Maria Theresia noch nicht. Dagegen forderte

---

[1] Carutti I, 190.

sie auch nicht, dass der König seinen angeblichen Rechten auf die Lombardei entsage; dieselben sollten vielmehr durch die eben zum Abschlusse gekommenen Conventionen in gar keiner Weise berührt werden. Ja es blieb ihm sogar ausdrücklich vorbehalten, sie jederzeit, sei es allein oder mit dem Beistande von Verbündeten, jedoch erst einen Monat, nachdem er die Absicht hiezu kundgegeben habe, zu verwirklichen.

In solcher Weise eines Stützpunktes in Italien theilhaft geworden, verabsäumte Maria Theresia nichts, um ihre dortigen Streitkräfte so beträchtlich zu verstärken, dass diese im Vereine mit den sardinischen Truppen den Spaniern und Neapolitanern die Spitze bieten konnten. Dass der Herzog von Modena sich für die bourbonischen Höfe erklärte, brachte in den gegenseitigen Machtverhältnissen keine grosse Veränderung hervor; gerade seine Hauptstadt wurde dadurch zum ersten Angriffsobjecte. Die Stadt Modena fiel, ohne Widerstand zu leisten; die dortige Citadelle aber ergab sich erst nach dreiwöchentlicher Belagerung am 28. Juni 1742 den vereinigten Oesterreichern und Piemontesen.

Dieser Augenblick war es, in welchem man in Wien an die Ausfertigung der Instructionen für Kaunitz schritt. Ein Hauptgedanke lag ihnen zu Grunde. Vor wenigen Wochen erst hatte man durch die Breslauer Präliminarien die Abtretung des grössten Theiles von Schlesien an Preussen vollzogen. Für diesen höchst ansehnlichen Verlust müsse sich Oesterreich in Baiern, das es damals fast ganz besetzt hielt, und in Italien entschädigen. In diesem Lande hätte es auch Ersatz für die Abtretung lombardischer Gebietstheile zu finden, ohne welche man nun einmal auf den Beistand des Königs von Sardinien nicht dauernd zählen zu dürfen glaubte.

Derjenige, auf dessen Unkosten man diesen Zuwachs zu erlangen gedachte, war natürlich kein Anderer als der freilich erst zu besiegende Angreifer, das spanische Königshaus. Die erst vor wenigen Jahren durch dasselbe erworbenen Länder in Italien sollten ihm wieder entrissen werden. Neapel hätte an die Königin von Ungarn, Sicilien aber an den König von Sardinien zu fallen, um ihn hiedurch minder begehrlich nach lombardischem Gebiete zu machen.

Es musste als ein fördernder Umstand für diese Projecte erscheinen, dass Carl Emanuel und der die Oesterreicher be-

fehligende Feldmarschall Graf Traun nach dem Falle von
Modena auch Mirandola wegnehmen konnten. Hierauf wendeten
sie sich gegen das spanische Heer, welches bei Bondeno, unweit des Po stand. Der Herzog von Montemar trat nun, ohne
seine Gegner zu erwarten, den Rückzug an. In langsamen
Märschen ging es nach Ravenna, hierauf nach Rimini und endlich nach Foligno, wo er Halt machte. Bis Cesena folgten ihm
die Oesterreicher und die Piemontesen, und hier war es, wo
Kaunitz als neu ernannter österreichischer Gesandter bei dem
Könige von Sardinien, vor welchem er nun zum dritten Male
erschien, am 8. August 1742 eintraf. Dieser Tag ist daher als
der des Beginnes einer politischen Thätigkeit zu betrachten,
die sich auf einen Zeitraum von mehr als einem halben Jahrhundert erstreckte und wohl zu den ruhmvollsten zählte, die
auf dem Gebiete, das sie umfasste, jemals entwickelt wurden.

Und in der That, wohl nur selten wurde einem Manne,
der noch in jungen Jahren und ohne viel Erfahrung zum ersten
Male das glatte Terrain diplomatischer Wirksamkeit betrat,
eine schwierigere Aufgabe übertragen, als sie jetzt Kaunitz erhielt. Er, der Anfänger, hatte es von nun an mit zwei Männern
von ungewöhnlichem Scharfsinne, von tiefer Kenntniss der politischen Zustände Europas und der Verhältnisse der einzelnen
Staaten zu einander, endlich von erprobter Gewandtheit in all
den Winkelzügen zu thun, in denen man damals die höchste
Vollendung diplomatischer Staatskunst erblickte. Diese Männer
waren Carl Emanuel selbst und sein erster Minister, der Marchese Ormea.

Der König, gerade um zehn Jahre älter als Kaunitz, stand
damals in seinem 42. Lebensjahre und seit der im September
1730 erfolgten Abdankung seines Vaters Victor Amadeus, also
seit fast zwölf Jahren an der Spitze der Regierung seines Landes. Noch nicht zwei Jahre hatte er sie geführt, als sein Vater,
des zurückgezogenen Lebens in Chambéry müde geworden, mit
der Erklärung nach Piemont zurückkehrte, die Regierung, der
sein Sohn sich nicht gewachsen erweise, sei es ganz, sei es
wenigstens in ihrem wichtigeren Theile wieder übernehmen zu
wollen. Dass Carl Emanuel dem widerstrebte und nicht selbst
zu seiner Unfähigkeitserklärung die Hand bot, ist leicht begreiflich. Die durch nichts nothwendig gemachte und deshalb
auch gar nicht zu rechtfertigende Härte, mit der er gegen seinen

Vater verfuhr, dessen strenge Kerkerhaft in Rivoli und Mon-
calieri warfen jedoch auf Carl Emanuels Charakter einen Anschein von Grausamkeit, die ihm doch eigentlich fremd war.
Nachdem er es verschmäht hatte, den dringenden Bitten seines
Vaters nachzukommen und ihn noch in seiner Todesstunde zu
besuchen, um sich mit ihm zu versöhnen, lastete das Andenken
an diese düsteren Ereignisse schwer auf Carl Emanuel. Aengst-
lich vermied er es, jemals von ihnen zu sprechen, und durch
Milde und Sanftmuth trachtete er das wieder zu sühnen, was
er an seinem Vater verbrochen hatte.

Diese Eigenschaften waren es denn auch, welche Kaunitz
an Carl Emanuel, als er zehn Jahre nach jenen Ereignissen
bei ihm beglaubigt wurde, als für ihn besonders charakteristisch
hervorhob. Gottesfürchtig nennt er ihn, gütig, freundlich, leutselig und ohne allen Stolz. Seine Liebe zu seinen Kindern,
die Mässigkeit seiner Lebensweise, seine Gelassenheit, seine
Unerschrockenheit in der Gefahr, der er keineswegs ausweiche,
finden an Kaunitz einen eifrigen Lobredner. Des Königs geistige Begabung scheint ihm zwar nicht so hervorragend, als
die seines Vaters gewesen war, aber er rühmt an ihm gesunde
Begriffe und natürlichen Verstand. Getadelt wird die Eigenschaft des Königs, dass er, Jedermann zugänglich, auch An-
gebereien sein Ohr leihe, wodurch die Zwietracht in seiner
Umgebung und insbesondere die gegenseitige Anfeindung der
Generale nicht wenig geschürt werde. Ausserdem sei er langsam in seinen Entschlüssen, und manche wichtige Massregel
werde hiedurch ungebührlich verzögert.

Grössere Sorgfalt noch als auf die Charakteristik des
Königs verwendet Kaunitz auf die seines ersten Ministers, des
Marchese Ormea. Obgleich dieser nächst seiner eigenen wahrhaft
seltenen Begabung auch der Gunst des Königs Victor Amadeus
sein Emporkommen aus geringen Lebensverhältnissen bis zur
obersten Stelle im Staatsdienste verdankte, war es doch gerade
Ormea, durch dessen Einfluss und Rathschläge sich Carl Emanuel zu seinem tadelnswerthen Verfahren gegen seinen Vater
hinreissen liess. Als Kaunitz mit ihm in nähere Berührung trat,
hatte Ormea das 60. Lebensjahr schon überschritten. Er sei
von hoher Gestalt, sagt Kaunitz von ihm, schlank und doch
dabei kräftig; sein Aeusseres müsse ein ehrfurchterweckendes
genannt werden. Eigentlich habe er weder sorgfältigen Unter-

richt genossen, noch aus eigenem Antrieb eingehende Studien gemacht, seine langjährige Routine in Geschäftssachen ersetze jedoch diesen Mangel. Bewunderungswürdig findet Kaunitz die Urtheilskraft Ormea's wie seinen Scharfsinn und seine Arbeitsamkeit; die Lebhaftigkeit seines Temperamentes arte jedoch leicht in übertriebene Hitze aus, dabei sei er rachgierig, voll Ehrgeiz und voll Verschlagenheit. Alles gehe durch seine Hände, und um seine Absichten durchzusetzen, bediene er sich jeglichen Mittels, ja selbst seiner eigenen Fehler, indem er, um seinen Gegner einzuschüchtern, sich oft aufgebracht stelle, wenn er es auch in Wirklichkeit gar nicht sei. Ebenso gut wisse er jedoch auch seine etwaige Gereiztheit zu verbergen und Gelassenheit, ja Freundlichkeit zu heucheln, wenn er auf solche Weise leichter und eher ans Ziel zu gelangen hoffe. Falsche Vertraulichkeit zu zeigen, sei bei ihm gleichfalls ein häufig angewendetes Mittel, die Gesinnungen Anderer zu erforschen. Dabei besitze er sehr viel natürliche Beredsamkeit und die Gabe, rasche und schlagende Antworten zu geben. Widerspruch bringe ihn leicht in Hitze, und gewiss gehöre nicht wenig Standhaftigkeit dazu, ihn von einer vorgefassten Meinung abbringen zu wollen. Frühere Gesandte und insbesondere Graf Traun, der wohl lieber einer Schlacht beiwohne, als sich mit Ormea in einen Wortstreit einlasse, hätten dies erfahren.

Als Staatsmann weit vorausblickend, sei er, lässt sich Kaunitz über Ormea ferner vernehmen, voll von Ideen und Entwürfen, dürfe jedoch durchaus kein Projectenmacher genannt werden. Reiflich erwäge er vielmehr alle in Betracht zu ziehenden Umstände, berechne mit Vorsicht, was etwa eintreten könne, und liebe es, sicher zu gehen. Im Dienste seines königlichen Herrn sei er eifrig, ehrlich und uneigennützig; dies schon darum, weil er die grosse Anzahl seiner Feinde und Neider kenne und sich von ihnen scharf beobachtet wisse. Ohnedies schon habe man dem Könige die Meinung beigebracht, Ormea masse sich allzuviel Autorität an und wolle ihn selbst hofmeistern, ja Alles nach seinem eigenen Willen einrichten, wodurch dem Ansehen des Königs zu nahe getreten werde. Es scheine auch, als ob dessen Liebe zu Ormea im Erkalten begriffen sei, aber er könne ihn nicht entbehren, da er Alles übersehe und Eigenschaften besitze, die kaum so leicht bei einem Anderen anzutreffen sein würden. Durch Ormea's

Abgang würde der König vielmehr einen ungemein grossen, ja unersetzlichen Verlust erleiden. Und auch für Oesterreich besitze Ormea eine ganz unschätzbare Eigenschaft. Sie bestehe darin, dass er, wohl zunächst in Folge echt italienischer Rachgier, die Franzosen wegen ihres Verfahrens während des letzten Krieges und beim Friedensschlusse hasse und ausserdem die Gefährlichkeit ihrer Anschläge richtig erkenne. Wider sie könne man sich daher seiner gewiss erfolgreich bedienen.[1]

So waren die zwei Männer beschaffen, mit denen Kaunitz zu jener Zeit vorzugsweise zu thun hatte. Seine Lage ihnen gegenüber gestaltete sich durch die für Oesterreich höchst unwillkommene Wendung, welche gerade damals die gemeinsame Kriegführung nahm, noch schwieriger. Denn während man in Wien die Feindseligkeiten mit dem grössten Nachdrucke fortsetzen und sich möglichst bald eines ansehnlichen Theiles des Königreiches Neapel bemächtigen wollte, ging Carl Emanuel von dem bisher verfolgten Plane allmälig wieder ab. Hatte er schon früher nur wenig Lust zu einer Unternehmung gegen Neapel gezeigt, so wurde er in dieser Abneigung durch die bedenklichen Nachrichten, die er aus seinen eigenen Ländern erhielt, nur noch bestärkt. Von dem Augenblicke an, in welchem sie nicht mehr daran zweifeln konnte, dass ihr Carl Emanuel bei der Vollstreckung ihrer Entwürfe nicht als Mithelfer zur Seite, sondern als Feind gegenüberstehen werde, kehrte die Königin von Spanien ihren ganzen Unwillen wider ihn. Gegen seine Länder richtete sie daher die Unternehmung, zu deren Durchführung ein zweites spanisches Heer, über welches der Infant Don Philipp den Oberbefehl übernahm, durch Südfrankreich heranzog und bald Savoyen besetzte.

Für Kaunitz war es ohne Zweifel ein peinliches Erlebniss, dass er schon den ersten Auftrag, der ihm von Wien aus für seine neue Mission mit auf den Weg gegeben worden war, das Vordringen gegen Neapel zu beschleunigen, nicht zu erfüllen vermochte. An rastloser Thätigkeit liess er es nicht fehlen. Fast täglich hatte er mit dem Könige von Sardinien und mit Ormea lange Unterredungen. Unermüdlich zeigte er sich, ihnen die Gründe für einen raschen Vormarsch gegen

---

[1] Kaunitz an Ulfeldt, 18 März 1743. Arneth, Geschichte Maria Theresia II. S. 494—496.

Neapel recht einleuchtend zu machen, und ebenso eifrig war
er, von seinem Jugendfreunde Binder, der ihn einstweilen als
Privatsecretär begleitete, hiebei ausgiebig unterstützt, in dem
Bemühen, den Wiener Hof durch häufige und ausführliche Berichte fortwährend von dem Stande seiner Verhandlungen in
genauer Kenntniss zu erhalten. Aber der übermächtigen Gewalt der Thatsachen gegenüber blieben alle seine Anstrengungen um so machtloser, als Ormea ihn nicht lang darüber im
Zweifel liess, dem Könige von Sardinien sei es um die ihm in
Aussicht gestellte Wiedereroberung Siciliens gar nicht zu thun.
Im Mailändischen allein werde er die von ihm so eifrig begehrten Gebietserwerbungen suchen. Und es müsse ihm bedenklich erscheinen, selbst mithelfen zu sollen zur Vergrösserung
der Macht des Hauses Oesterreich in Italien und dadurch auch
seinerseits dazu beizutragen, die ohnedies schon vorhandene
Gefährlichkeit dieser Nachbarschaft für sein eigenes Land noch
beträchtlich zu steigern.[1]

Erklärungen dieser Art gaben einen Vorgeschmack von
den Schwierigkeiten, die bei der zweiten Angelegenheit, welche
damals zwischen Oesterreich und Sardinien ins Reine zu bringen war, der Verwandlung der blos provisorischen in eine definitive Allianz zu überwinden sein würden.

Wer sich ein möglichst unbefangenes Urtheil über den
widerstreitenden Standpunkt zu bilden sucht, welchen die beiden
Verbündeten, Maria Theresia und Carl Emanuel einnahmen,
wird zu dem Resultate gelangen, dass sich für die Meinung
des einen wie des anderen Theiles sehr viel anführen lässt.
Maria Theresia musste es als den ersten Zielpunkt ihrer Bestrebungen betrachten, sich in dem Besitze ihrer Länder zu
behaupten und sich ihrer nicht selbst zu Gunsten eines Anderen,
wer er auch sein mochte, zu entäussern. Das war ja auch der
Hauptzweck ihrer Kriegführung, während die Erlangung eines
Schadenersatzes für das unwiderbringlich Verlorene für sie erst
in zweiter Linie stand. Darum musste sie vor Allem darauf
ausgehen, jeder nur irgendwie beträchtlichen Schmälerung der
Lombardei zu Gunsten des Königs von Sardinien vorzubeugen,
während dieser gerade darauf angewiesen war, hier und
nicht etwa in Sicilien die begehrte Vergrösserung zu suchen.

---

[1] Kaunitz an Maria Theresia. Cesena, 11. August 1742.

Was unmittelbar angrenzte an den Kern seines Staates, an Piemont, besass für ihn unschätzbaren, hingegen das, was weit davon entfernt lag und ihm noch überdies, selbst wenn er sich dessen wirklich bemächtigt hätte, durch die vereinigte See- macht Frankreichs und Spaniens jeden Augenblick wieder ent- rissen werden konnte, nur zweifelhaften Werth. Hatte ja doch sein Vater Sicilien schon einmal besessen, nur um es binnen Kurzem wieder zu verlieren.

Ueber diesen unleugbaren Gegensatz der beiderseitigen Interessen hinweg das Bündniss zwischen Oesterreich und Sar- dinien doch in ein definitives umzugestalten, lag nicht nur in dem Interesse des einen wie des anderen Staates, sondern wurde auch noch von dem angesehensten Alliirten Beider, von England, mit ganz besonderem Eifer betrieben. Denn erst, wenn jenes Bündniss, so meinte die britische Regierung mit Recht, die erforderliche Festigkeit gewinne und sich nicht jeden Augenblick in sein Gegentheil verwandeln könne, ver- möge es auch die erwünschte Wirkung hervorzubringen und den bourbonischen Höfen zu empfindlichem Nachtheil zu ge- reichen. In Wien wie in Turin arbeitete daher England mit Nachdruck auf den Abschluss der definitiven Allianz hin, aber freilich stellte es sich, was den Kaufpreis betraf, der Oester- reich hiefür zugemuthet wurde, fast rückhaltslos auf die Seite des Hofes von Turin.

Für Kaunitz, dessen kluges und besonnenes Auftreten ihm die vollste Zufriedenheit seiner königlichen ·Herrin erwarb,[1] war es ohne Zweifel ein erfreulicher Umstand, dass in Folge dieser lebhaften Theilnahme Englands die Verhandlungen zur Zustandebringung eines definitiven Bündnisses zwischen Oester- reich und Sardinien nicht in Turin, sondern zwar zum Theile in Wien, aber mehr noch in England gepflogen wurden, wo Oesterreich durch einen seiner erfahrensten Diplomaten, Ignaz von Wasner, vertreten war. Die Obliegenheit des Grafen Kaunitz erstreckte sich daher eigentlich nicht weiter, als auf

---

[1] Maria Theresia an Kaunitz, 16. September 1742. ‚Wir glauben andurch Alles zu erschöpfen, was Dir zu Deinem weiteren Verhalt zu wissen nöthig ist, auch nicht minder Unsere gnädigste Zufriedenheit mit Deinem bissherigen vorsichtigen und vernünftigen Betrag Dir sattsahm zu erkennen zu geben.‘

den König von Sardinien und Ormea im Sinne der Instructionen einzuwirken, welche Wasner von Wien aus erhielt, und
die daher gleichzeitig auch dem Grafen Kaunitz mitgetheilt
wurden. Und auch hiezu ergab sich um jene Zeit, im Spät-
herbste des Jahres 1742, nicht viel Gelegenheit. Carl Emanuel
war nach Savoyen gegangen, um an Ort und Stelle die militärischen Unternehmungen zur Vertreibung der Spanier aus
diesem Lande zu leiten. Kaunitz folgte ihm zwar, aber wegen
der Schwierigkeit, dort Unterkunft zu erhalten, wo der König
und seine Truppen sich eben befanden, musste er durch mehrere
Wochen in Aosta verweilen. Von hier begab er sich nach
Moutiers, und am 22. October sah er nach längerer Unterbrechung den König in Montmélian wieder, wo dieser, nachdem die Vertreibung der Spanier aus Savoyen gelungen war,
sein Hauptquartier aufgeschlagen hatte. In dem Dorfe Cruet,
das etwa eine Stunde von jener Stadt entfernt liegt, wohnte
Kaunitz, und fast täglich begab er sich von dort nach Montmélian, um mit Carl Emanuel zusammenzukommen, bis sie endlich Beide am 26. October in Chambéry eintrafen, wo Kaunitz
nun durch etwa zwei Monate mit wenig Unterbrechungen verweilte, während der König wieder nach seinem Hauptquartier
Montmélian zurückging.

Dorthin hatte sich also Kaunitz jedesmal zu begeben,
wenn er Carl Emanuel und Ormea sprechen und sich ihnen
gegenüber der ihm von Wien aus zukommenden Aufträge entledigen wollte. Die nachdrückliche Fortführung des Krieges
gegen Spanien und Neapel, der Abschluss des definitiven Bündnisses zwischen Oesterreich und Sardinien standen bei diesen
Erörterungen in vorderster Reihe. Aber auch noch andere
zum Theile sehr wichtige Angelegenheiten, wie das Anerbieten
Englands, ein von Graubündten zu stellendes Truppencorps zu
Gunsten der Alliirten in Sold zu nehmen, und die hiemit in
Verbindung stehende Erneuerung der mailändischen Militär-
capitulationen mit Graubündten kamen hiebei zur Sprache. Und
eigenthümlich war es, dass diese Sache nicht etwa als blosse
Geldfrage erschien, sondern dass sehr beachtenswerthe politische
und religiöse Interessen hiebei ins Spiel kamen. England wollte
diesen Anlass benützen, um für die Verbreitung des Protestantismus im Veltlin fördernde Zugeständnisse zu erlangen, während die Graubündtner selbst sich mit der Zusage, dass die

im Veltlin sowie in den Grafschaften Bormio und Chiavenna begüterten Reformirten sich dort ungehindert aufhalten dürften, sowie mit der Erwirkung einer genauen Abgrenzung der geistlichen Jurisdictionsrechte des Bischofs von Como, um etwaige Uebergriffe desselben hintanzuhalten, begnügen zu wollen schienen.

Diesem einen Begehren war Maria Theresia geneigt und redete ihm in Rom das Wort, während sie auf das andere nicht eingehen zu können erklärte. Hierin stimmte ihr der sardinische Hof in entschiedenster Weise bei, und Ormea, welcher mit dem päpstlichen Stuhle stets das beste Einvernehmen aufrecht zu erhalten suchte, wurde nicht müde, den üblen Eindruck zu schildern, den eine Erfüllung dieses Begehrens in ganz Italien hervorbringen müsste. Es scheine ihm, erklärte er dem Grafen Kaunitz, viel wünschenswerther zu sein, dass England sein Geld für sich behalte, als dass es dasselbe nur unter Bedingungen hergebe, über deren schädliche Wirkungen man sich keiner Täuschung hingeben dürfe. Auch ohne England werde man schon noch Mittel finden, an das erwünschte Ziel zu gelangen.[1]

Freilich gewinnt es den Anschein, diese von sardinischer Seite abgegebene Erklärung sei kaum ernst gemeint gewesen. Denn gerade der Turiner Hof war es ja, welcher der Kriegführung in Italien eine noch grössere Ausdehnung zu geben und sie nicht nur gegen Spanien und Neapel, sondern auch direct wider Frankreich gerichtet zu sehen wünschte, dem gegenüber er sich noch immer in einem freilich nur scheinbaren Neutralitätsverhältnisse befand. Mit um so grösserem Rechte wird es ein nur scheinbares genannt werden dürfen, als die spanischen Truppen, welche aus Savoyen auf französisches Gebiet zurückgewichen waren, dort allen nur immer erdenklichen Vorschub erfuhren, um recht bald und mit Aussicht auf Erfolg wieder die Offensive gegen das kleine Heer des Königs von Sardinien ergreifen zu können.

Hiezu kam es denn auch binnen kürzester Frist und unter Umständen, welche für Carl Emanuel recht ungünstige waren. In der unwirthlichen Hochgebirgsgegend, in der sich dieser mit seinen Truppen befand, tritt der Winter gar frühzeitig ein und

---

[1] Kaunitz an Maria Theresia. Chambéry, 21. November 1742.

bringt für diejenigen, welche kriegerische Unternehmungen durchführen sollen, vielfache Drangsale mit sich. Gegen Ende des Jahres 1742 war dies in noch höherem Masse als gewöhnlich der Fall. Schon im November herrschten eiskalte Regengüsse, denen empfindlicher Frost folgte. Die Soldaten, welche fortwährend auf der Hut vor einem etwaigen Ueberfalle des nahen Feindes sein mussten, litten schwer unter dieser Unbill des Wetters. Ihre Reihen wurden durch Krankheiten, und noch überdies durch Desertion gelichtet, welche insbesondere in den schweizerischen Regimentern sehr überhandnahm.

Die Spanier versäumten es nicht, von dieser für sie vortheilhaften Sachlage Nutzen zu ziehen. Sie standen unter dem Befehle eines tüchtigen und unternehmenden Generals, des Marques de Las Minas, der an Stelle des Grafen von Glimes, welchem man in Madrid wegen seines Rückzuges aus Savoyen grollte, an ihre Spitze getreten war. Die Vermuthung, der sich auch Kaunitz hingab, trotz dieser Veränderung im Oberbefehle sei von Seite der Spanier wenigstens vorderhand nichts zu besorgen, erwies sich als irrig. Als Kaunitz dies niederschrieb, waren die Spanier, ohne dass er darum wusste, schon in Bewegung. Um nicht in ihre Hände zu fallen, wichen Kaunitz und der englische Gesandte Villettes vorerst nach Annecy zurück,[1] dann aber begaben sie sich, von Carl Emanuel zu sich berufen, in dessen Hauptquartier nach Montmélian.

Kaunitz fand den König in grösster Bestürzung und Betrübniss, aber doch nicht entmuthigt. Er sah ein, dass er sich im Irrthum befunden habe, als er es unternahm, mit verhältnissmässig geringer Heeresmacht ein durch keine Festungen geschütztes Land den Winter hindurch gegen einen überlegenen Feind behaupten zu wollen, und dass ihm, wenn er sich nicht noch grösserem Unglücke aussetzen wolle, nichts übrig bleibe, als mit seinen Truppen nach Piemont zurückzugehen. Kaunitz, den er hierüber zu Rathe zog, vermochte gegen diesen Vorsatz gleichfalls keine Einwendung zu erheben. Er beschränkte sich

---

[1] Kaunitz an Maria Theresia. Chambéry, 17. December 1742: ‚Uebrigens hat es zwar das Ansehen bisshero gehabt, es würden die Spanier nach Ankunft ihres neuen commandirenden Generalen etwas hauptsächliches unternehmen wollen; allein da sie so lang zugewartet und annoch in ihrem alten Lager campiren, so hat es dermahlen gar kein ansehen mehr, dass etwas von ihnen zu besorgen seye.‘

darauf, der Erwartung Ausdruck zu verleihen, der König werde
die Streitkräfte, die er nun aus Savoyen zurückziehen müsse,
mit um so grösserem Nachdrucke gegen das andere spanische
Heer verwenden, das sich wider ihn im Felde befand.[1]

Am 28. December verliess Kaunitz Montmélian. Ueber
den Mont Cenis nach Turin zurückkehrend, traf er am 1. Januar
1743 daselbst ein. Zwei Tage später war auch der König wieder
in Turin.

Kaunitz stellte es nicht in Abrede und liess auch seinen
Hof nicht darüber in Zweifel, dass der savoyische Feldzug, der
so glücklich begann, als verloren gelten müsse und der König
hiebei fast den dritten Theil seiner Armee eingebüsst habe.[2]
In der Zurückziehung der sardinischen Truppen aus Savoyen
nach Piemont erblickt er jedoch kein Unglück, sondern eher
einen Vortheil. Denn so lang der König, so meinte er, in jenem
Lande festen Fuss besessen und geglaubt habe, es vertheidigen
zu können, würde er kaum dazu zu bringen gewesen sein, die
Mehrzahl seiner Streitkräfte zu offensiven Unternehmungen
gegen die spanische Hauptmacht zu wenden, welche nicht mehr
unter dem Herzoge von Montemar, sondern unter dem Grafen
von Gages um Bologna concentrirt war. Hievon aber hänge
der Ausgang des Krieges in Italien doch eigentlich ab. Gelinge
es, die Spanier aus ihren Stellungen, ja aus ganz Italien zu
vertreiben, so schliesse dies auch die Wiedergewinnung Savoyens
in sich.[3]

Allerdings riefen die Vorstellungen, welche Kaunitz in
diesem Sinne an Carl Emanuel richtete, zunächst nur dessen
analoges Begehren hervor, die Königin von Ungarn möge ihre
eigenen Streitkräfte in Italien ansehnlich verstärken und ausserdem die Hand bieten zum Abschlusse der definitiven Allianz,
dann, aber auch nur dann werde man sich sardinischerseits
den gemeinsam auszuführenden Offensivunternehmungen nicht
widersetzen.[4] Gern hätte Maria Theresia wenigstens dem ersteren
Verlangen in ausgiebigstem Masse willfahrt, aber die gleichzeitige Kriegführung in Deutschland nahm ja die Mehrzahl
ihrer Truppen vollauf in Anspruch.

---

[1] Kaunitz an Maria Theresia. Montmélian, 28. December 1742.
[2] Kaunitz an Maria Theresia. Turin, 5. Januar 1743.
[3] Kaunitz an Maria Theresia. Turin, 12. Januar 1743.
[4] Kaunitz an Maria Theresia. Turin, 23. und 26. Januar 1743.

Während dieser Erörterungen von Cabinet zu Cabinet that ein kühner Schwertstreich auf dem Kriegsschauplatze das Beste. Am 8. Februar 1743 schlug der Feldmarschall Graf Traun den gegen ihn heranziehenden Grafen von Gages bei Camposanto vollständig aufs Haupt.

Seit seiner Rückkehr aus Savoyen hatte sich Kaunitz von der üblen Wirkung, welche die dort ausgestandenen Strapazen auf seine Gesundheit ausübten, nicht recht erholen können.[1] Sonderbarerweise hatte man in Turin zwar bald die Nachricht, zwischen Traun und Gages sei eine Schlacht geliefert worden, aber längere Zeit hindurch keine Mittheilung über ihren Ausgang erhalten. In peinlichster Spannung harrte Kaunitz einer solchen, und schon begann er das Aergste zu besorgen, als endlich am 11. die Siegeskunde eintraf. Trotz der Mattigkeit, welche die kaum überstandene Krankheit bei ihm zurückgelassen hatte, eilte Kaunitz zum Könige, ihn zu beglückwünschen und um thatkräftigen Beistand anzugehen, auf dass man aus dem glänzenden Erfolge, den man errungen, auch ausgiebigen Nutzen zu ziehen vermöge. Aber weder von Carl Emanuel, noch von Ormea erhielt Kaunitz die von ihm gehoffte Antwort. Die sardinischen Truppen seien allerdings befehligt, erklärten übereinstimmend Beide, dem Grafen Traun zur Ausbeutung des Sieges behilflich zu sein und zu diesem Ende mit seinen Truppen gemeinsam dem Feinde einige Märsche hindurch auf dem Fusse zu folgen. Dann aber würden sie wieder zurückgezogen werden und sich vor Abschluss der definitiven Allianz auf Offensivoperationen nicht einlassen.[2]

Kaunitz war mit seinen Vorstellungen bei dem Könige und bei Ormea den Aufträgen zuvorgekommen, die man von Wien aus ihm zusandte, nachdem dort die Nachricht von dem Siege bei Camposanto eingetroffen war. Nach Empfang dieses Rescriptes[3] drang er neuerdings in Carl Emanuel, aber ohne besseren Erfolg.[4] Ja Kaunitz sprach seiner Regierung gegenüber die Meinung aus, so lang die Fortdauer der Kriegführung in Deutschland eine ansehnliche Verstärkung der österreichi-

[1] Kaunitz an Maria Theresia. Turin, 9. Februar 1743.
[2] Kaunitz an Maria Theresia. Turin, 16. Februar 1743.
[3] Wien, 17. Februar 1743.
[4] Kaunitz an Maria Theresia. 2. März 1743.

schen Armee in Italien unmöglich mache, sei auch nach dem etwaigen Abschlusse der definitiven Allianz eine kräftige Mitwirkung Sardiniens an Offensivoperationen gegen die spanische Armee unter Gages nicht zu erwarten.[1]

Noch weiter als Kaunitz ging der englische Gesandte Villettes, ein kleiner, verwachsener, vordringlicher Mensch, von französischen Eltern abstammend und in Piemont naturalisirt, dem Minister Ormea blindlings ergeben und von ihm mit Vorliebe als Werkzeug gebraucht. Während des Winterfeldzuges in Savoyen glaubte sich Villettes aus Anlass eines Irrthums, der sich bei der gemeinschaftlichen Ankunft in Chambéry durch Zuweisung der für ihn bestimmten Wohnung an Kaunitz zugetragen hatte, durch diesen verletzt, und er machte den Versuch, sich für die vermeintliche Zurücksetzung, die er erfahren, durch beleidigendes Benehmen an Kaunitz zu rächen. So frug er ihn einmal, als von dem etwaigen Transporte spanischer Truppen zur See die Rede war, in Gegenwart Ormea's, ob er denn glaube, dass die Kriegsschiffe des Nachts in Gasthäusern einzukehren pflegten. Aber Villettes war damit an den Unrechten gekommen; mit stolzer Kälte und mit so vernichtender Ueberlegenheit wies ihn Kaunitz in seine Schranken zurück, dass es seither nicht mehr wagte, sie ihm gegenüber neuerdings zu überschreiten. Und obgleich Kaunitz dies in Abrede stellte, scheint doch auch in seinem Gemüthe die Abneigung gegen Villettes vorherrschend gewesen zu sein; die Liste der üblen Eigenschaften, die er ihm zuschreibt, lässt wenigstens hierauf schliessen. Er nennt ihn der Reihe nach ,falsch, geizig, ränkesüchtig, geschwätzig, hochfahrend, aufbrausend, höhnisch und grob'. Intriguen anzuspinnen und durchzuführen, darin liege seine eigentliche Stärke. So unbedingt stehe er unter dem Einflusse Ormea's und auf so ,niederträchtige Art' trachte er dessen Beifall zu erwerben, dass man darauf zählen dürfe, Alles, was man ihm anvertraue, werde er baldigst an Ormea weiter berichten.[2]

Es lag nahe, auf die Vermuthung zu gerathen, dass auch das Umgekehrte der Fall sein und Ormea sich des englischen

[1] Kaunitz an Maria Theresia. Turin, 18. März 1743.

[2] Eigenhändiges Schreiben des Grafen Kaunitz an den Grafen Ulfeldt. Turin, 18. März 1743. Die auf Villettes bezügliche Stelle ist abgedruckt bei Arneth, Geschichte Maria Theresias II, S. 521.

Gesandten bedienen könnte, wenn er an irgend Jemand eine
Warnung gelangen lassen wollte, welche persönlich auszusprechen
er sich scheute. Und darum verdient es wohl besondere Beachtung, dass Villettes wiederholt die Behauptung vorbrachte,
es könne sich gar leicht ereignen, dass Carl Emanuel, wenn
Maria Theresia sich nicht zur Abtretung der vom Turiner Hofe
geforderten sehr beträchtlichen lombardischen Gebietstheile herbeilasse, sich plötzlich auf die Seite der bourbonischen Höfe
schlage und gemeinschaftlich mit ihnen auf die gänzliche Vertreibung des Hauses Oesterreich aus Italien hinarbeite.

Dass ein solches Ereigniss höchst wahrscheinlich diese
Wirkung nach sich ziehen würde, darüber gab man sich auch
am Wiener Hofe keiner Täuschung hin.[1] Aber man ging dort
von der Meinung aus, man habe schon so viel angeboten, dass
der Rest, ausser wenn man mit vollster Bestimmtheit auf den
Besitz Neapels rechnen könnte, mehr zur Last als zum Nutzen
sein würde. Und ausserdem könne ja Sardinien diesen Abfall
nicht vollziehen, ohne sich dem Joche des Hauses Bourbon
freiwillig zu unterwerfen.

Gewiss lag gerade in dieser Thatsache der Schlüssel des
ganzen bisherigen Verfahrens des Hofes von Turin. Auch Kaunitz war von der Gewalt dieses Beweggrundes durchdrungen.
So schwer es auch hielt, auf seinem schwierigen Posten und
bei den durchtriebenen Leuten, mit denen er es zu thun hatte,[2]
Ernstgemeintes von listiger Finte zu unterscheiden, so betrachtete
er doch all' die Kundgebungen, welche im entgegengesetzten
Sinne an ihn gelangten, nur als Schreckschüsse, durch welche
er vermocht werden sollte, seiner Regierung einen Parteiwechsel
des Königs von Sardinien als wahrscheinlich zu schildern und
sie hiedurch zur Einwilligung in alle Begehren desselben zu
drängen. Aber so wenig er auch an einen förmlichen Uebertritt
des Turiner Hofes zur Gegenpartei glaubte, für so wünschenswerth hielt er doch die thunlichste Befriedigung desselben.
Denn nur durch aufrichtiges Einvernehmen und thatkräftiges

---

[1] Maria Theresia an Kaunitz (von Bartenstein's Hand): „. . . wie Wir dann
ganz wohl begreifen, dass der Sardinische Absprung den Verlust Unserer
Italiänischen Länder nach sich ziehen würde.'

[2] Kaunitz an Ulfeldt. 18. März 1743: ‚Indessen erkenne ich gar wohl . . .,
dass ich es mit gefährlichen Leuthen zu thun habe und mein Gesandt-
schaftsposten eben nicht der angenehmste seye . . .'.

Zusammenwirken beider Höfe und Englands könne, meinte Kaunitz, der Krieg in der Weise zu Ende geführt werden, dass man durch ihn zu dem allseits erwünschten Ziele gelange. Hiezu sei jedoch eine Verständigung über die gegenseitig ins Auge gefassten Vortheile ganz unerlässlich. Die Erwerbung Neapels durch das Haus Oesterreich werde sich nie der aufrichtigen Sympathie Englands erfreuen. Denn es gehe ja auch nur auf seinen eigenen Vortheil aus, und da passe es ihm denn ganz in den Kram, den jüngeren Zweig des spanischen Königshauses in der Herrschaft über Neapel zu belassen. Bei dieser Gestaltung der Dinge befinde sich England fortwährend in der günstigen Lage, Spanien an einem schwachen Punkte, deren es sonst nur wenige darbiete, zu fassen und es durch stete Bedrohung zu zwingen, sich für die Wünsche Englands nachgiebig zu erweisen. Denn die herrschsüchtige Königin von Spanien werde eher diesem Lande allen möglichen Schaden zufügen, als etwas geschehen lassen, wodurch ihr Sohn Gefahr laufen könnte, aus Neapel und Sicilien vertrieben zu werden.

England scheine daher in Italien einen dreifachen Zweck zu verfolgen. Dem von ihm vollständig abhängigen Sardinien wolle es einen namhaften Machtzuwachs verschaffen. Die Königin von Ungarn trachte es in der ungewissen Hoffnung auf Erwerbung des Königreiches Neapel zu erhalten und sie hiedurch um so leichter zu beträchtlichen Abtretungen an Sardinien zu bringen. Spanien aber solle durch die Furcht, sich bald ganz aus Italien vertrieben zu sehen, zu einem für England günstigen Frieden gezwungen werden.

Sollte er sich jedoch, fuhr Kaunitz fort, in diesen Voraussetzungen täuschen und England, wie es ja fortwährend versichere, zur Vertreibung des bourbonischen Königshauses aus Neapel und Sicilien die Hand bieten wollen, dann werde es den Besitz dieser Königreiche nicht Oesterreich zudenken, sondern dahin trachten, sie anderwärts zu vergeben. Es habe hiebei wahrscheinlich den Kaiser Karl VII. und das kurfürstlich bairische Haus im Auge, dessen Stammlande hiefür Oesterreich zuzufallen hätten. Dem Kaiser sowohl als Oesterreich könnte eine solche Vereinbarung nur annehmbar sein. Dem Kaiser, weil sein Haus hiedurch eine Königskrone und seine Macht eine ansehnliche Vermehrung erhielte. Oesterreich aber, weil hiedurch sein Besitz in Deutschland ausgedehnt und sichergestellt, ein gefährlicher Nachhar und Nebenbuhler im Besitze der Kaiserkrone aber dauernd entfernt würde.[1]

In einer zweiten, nicht viel später entworfenen Denkschrift verbreitete sich Kaunitz noch weitläufiger über diesen letzteren Gedanken.[2] Jetzt sprach er es geradezu aus, es lasse sich kein vollkommenerer und besserer Friedensplan ersinnen, als der in der völligen Vertreibung des Hauses Bourbon aus Italien bestehe. Neapel und Sicilien sollten dem Kaiser zu Theil, Baiern mit Oesterreich vereinigt, die noch weitergehende Schadloshaltung für den Verlust Schlesiens und die Abtretungen in der Lombardei aber in Gebietstheilen gesucht werden, die man mit vereinigten Kräften Frankreich abnehmen müsse.

Das Hauptgewicht legte Kaunitz auf die ganz unvergleichlichen Vortheile, welche nach seiner Meinung die Erwerbung Baierns für Oesterreich nach sich zöge. Denn die Stärke und Wohlfahrt des Erzhauses beruhe, so liess er sich vernehmen, auf der Erhaltung und Vermehrung seiner deutschen Erblande. Sie müssten als der Kern der Monarchie und als die Quelle betrachtet werden, aus welcher den übrigen, entfernteren Gliedern Nahrung und Kräfte zuflössen. Nur das deutsche Land Baiern vermöge für den Verlust des deutschen Landes Schlesien einigen Ersatz zu gewähren. Allerdings wäre auch die Erwerbung Neapels nicht schon von vorneherein zu verwerfen, und zur Erreichung dieses Zieles dürfe keine Anstrengung gescheut werden; mit der von Baiern sei sie jedoch in gar keiner Weise zu vergleichen. Die Höhe der Einkünfte käme hiebei nur wenig in Betracht. Aber Neapel sei weit von den übrigen Ländern der österreichischen Monarchie entfernt, stets der Gefahr eines Angriffes von Seite der bourbonischen Mächte ausgesetzt und verwickle die Erblande selbst in eine solche. Wenn man zu berechnen vermöchte, was Neapel, so lang es unter österreichischer Herrschaft stand, gekostet und geschadet habe, so würden diese Ausgaben und Nachtheile wohl nur wenig hinter den Einkünften zurückbleiben. Um Neapel zu behaupten, bedürfe Oesterreich stets des Beistandes der britischen Seemacht, und

---

[1] Diese Denkschrift des Grafen Kaunitz ist überschrieben: ‚Rohe Gedanken und Reflexionen über den Zustand von Italien.‘ Sie liegt bei dem Berichte vom 18. März 1743.

[2] Sie liegt unter der Aufschrift: ‚Fernere Gedanken‘ gleichfalls bei dem Berichte vom 18. März 1743.

es würde sich dadurch zur fortwährenden Abhängigkeit von England verurtheilt sehen.

Aber nicht nur Oesterreich, sondern auch dem Kaiser und seinem kurfürstlichen Hause, fuhr Kaunitz voll Eifer fort, sowie England und Sardinien könnte eine solche Vereinbarung wohl nur willkommen sein. Seufze man ja doch in dem Hause Baiern längst nach einer königlichen Krone, und schon einmal, zur Zeit des Utrechter Friedens habe sogar Frankreich den Austausch Baierns gegen Neapel und Sicilien in Vorschlag gebracht. Jetzt sei Baiern erschöpft und für viele Jahre zu Grunde gerichtet; der Kaiser befinde sich zu Frankfurt in bedauernswerther Lage, und er werde allmälig einsehen, dass seine bisherigen Projecte nicht durchführbar seien. Wolle er sich aus dem Labyrinthe, in das er gerathen sei, und von dem Joche Frankreichs befreien, auch bald zu erlangende Ruhe und gewiss zu erreichende Vortheile nicht weit aussehenden chimärischen Projecten hintansetzen, endlich die Wohlfahrt des Reiches nur einigermassen beherzigen, dann sollte wohl die unzeitige Delicatesse, seinen bisherigen Bundesgenossen nicht zu verlassen, keinen Stein des Anstosses abgeben.

Das deutsche Reich zöge aus einer solchen Vereinbarung den ganz unschätzbaren Gewinn, dass es nicht neuerdings, wie dies nun binnen vierzig Jahren zweimal geschah, durch ein Bündniss Baierns mit Frankreich zerrüttet und an den Rand des Verderbens gebracht werden könnte. England und Holland würden ihren Handel nach Italien und der Levante nicht nur sicherstellen, sondern in noch weit grösseren Flor bringen können. Sardinien endlich müsste die Vertreibung des Hauses Bourbon zu grösstem Vortheil gereichen, denn ohne sie befände es sich zwischen zwei mächtigen Feinden, von denen es, wenn ihm einmal Oesterreich nicht beistehen könnte oder wollte, gar bald verschlungen werden würde. Ueberdies könnte man ihm Parma und Piacenza zuweisen und ihm hiedurch einen weit grösseren Gewinn zu Theil werden lassen, als es in der Erwerbung der Insel Sicilien fände.

Einen eigenthümlichen Verdacht sprach übrigens Kaunitz bei dieser Gelegenheit aus, welcher, wenn er sich gegründet erwiesen hätte, die ganze Combination wieder über den Haufen geworfen oder sie wenigstens für Oesterreich zu einer nachtheiligen gemacht haben würde. Ormea beschäftige sich, so meinte er, mit dem Gedanken, dem kurfürstlich bairischen Hause Neapel und Sicilien, dem Könige Carl Emanuel hingegen bei Belassung seines gegenwärtigen Besitzstandes ganz Baiern zuzuwenden. Festen Fuss in Deutschland und wohl gar eine kurfürstliche Würde zu erwerben, hiezu dürfte das Haus Savoyen wohl im Laufe von Jahrhunderten keine Gelegenheit mehr finden; es werde daher die jetzige nicht unbenützt vorübergehen lassen wollen. Aber freilich dürfe man nicht glauben, dass Ormea auf Verwirklichung eines so schwer durchzuführenden Projectes mit einiger Bestimmtheit zähle. Er werde vielmehr je nach der Gunst oder der Ungunst der äusseren Umstände sein Begehren steigern oder verringern und daher im Nothfalle auch dem Plane einer Erwerbung Baierns entsagen und sich mit einer solchen auf italienischem Gebiete begnügen.

Für nothwendig hielt Kaunitz, dass, ehe man sich noch mit Baiern einlasse und ihm Aussicht auf Erwerbung Neapels und Siciliens eröffne, man mit England und Sardinien einig werde, welches Aequivalent dieser Staat für Sicilien erhalten und wem Baiern zufallen solle. Denn gelange man hierüber nicht schon im Voraus zu feststehenden Abmachungen, so werde die Begehrlichkeit Sardiniens keine Schranken mehr kennen.

Trotz den sich mehrenden Anzeichen, dass Sardinien insgeheim auch mit Frankreich und Spanien unterhandle, blieb Kaunitz doch dabei, einen gänzlichen Abfall dieses Staates für höchst unwahrscheinlich zu halten. Er stützte seine Meinung vornehmlich auf das innige Einverständniss Sardiniens mit England und auf den unbestreitbaren Umstand, dass die britischen Handelsinteressen, welche kein Ministerium, ohne sich der grössten Verantwortlichkeit auszusetzen, vernachlässigen dürfe, einer Aenderung der bisherigen Politik Englands in Italien widerstrebten. Aber durch Alles, was von Seite Englands geschah, fühlte er sich stets neuerdings in der Ansicht bestärkt, England habe entweder nie ernstlich daran gedacht, Neapel dem Hause Bourbon zu entreissen, oder dieses Königreich sei für jemand Anderen als Maria Theresia bestimmt.[1]

In Wien war man mit der ganzen Haltung des Grafen Kaunitz, mit der Schärfe seiner Beobachtungen und mit der Klarheit seiner Berichte äusserst zufrieden. Indem man ihm

---

[1] Kaunitz an Maria Theresia. Turin, 30. März 1743.

dies kundgab und ihn aufforderte, fortzufahren in seinem bisherigen Betragen, fügte man gleichzeitig hinzu, dass selbst wenn das Gegentheil seiner Voraussetzungen eintreffe, ihm hieraus nicht die geringste Verantwortung erwachse. Denn nur zu oft ereigneten sich jetzt Dinge, die man in früheren Zeiten für unmöglich gehalten habe. Und nach wie vor betrachte man als ein kleineres Uebel, in Italien gar keinen Besitz mehr, als einen so geringen zu behaupten, dass er mehr zur Last als zum Nutzen gereichen würde.[1]

In den wärmsten Ausdrücken dankte Kaunitz für die ihm zu Theil gewordene Billigung seines Verfahrens. Seitdem ihm, schrieb er an den Hofkanzler Ulfeldt,[2] die Versicherung zugekommen sei, dass er nicht nur auf der von ihm eingeschlagenen Bahn beharren, sondern bei einem sich etwa einstellenden widrigen Ereignisse jeder Verantwortung enthoben sein solle, sei sein Gemüth ‚aller heimlichen Sorgen‘ entledigt und nur von dem eifrigen Bestreben durchdrungen, seiner königlichen Herrin nach Massgabe seiner schwachen Kräfte erspriessliche Dienste zu leisten.

Man darf sich nicht darüber wundern, dass der von Kaunitz mit so viel Eifer verfochtene Plan einer Verpflanzung des kurfürstlich bairischen Hauses nach Italien und einer Vereinigung seines Landes mit Oesterreich am Wiener Hofe den wärmsten Sympathien begegnete. Indem man ihn jedoch hier aufgriff und ihn zum Gegenstande diplomatischer Verhandlungen, vorerst mit England machte, glitt man nur allzu leicht über Bedenken hinweg, die sich doch schliesslich als entscheidend erwiesen; die Verlockung der Erlangung der Königswürde und grösserer Einkünfte konnte doch nie stark genug sein, um Karl VII. so weit zu bringen, dass er seine uralten Stammlande gegen ein Königreich vertausche, welches ihm und seinem Hause vollkommen fremd war. Und wie wäre die Beibehaltung der Kaiserwürde, die ihm einen noch höheren Rang als den eines Königs verlieh, mit völliger Besitzlosigkeit auf deutschem Gebiete zu vereinigen gewesen?

Entscheidender noch, weil von ungleich mächtigerer Seite ausgehend, war die Einsprache, welche England gegen einen

---

[1] Maria Theresia an Kaunitz. 13. April 1743.
[2] 27. April 1743.

derartigen Plan erhob. Mit seinem eigenen Interesse wäre dieser
zwar kaum in Widerstreit gerathen, aber es liess sich wohl
mit Bestimmtheit erwarten, der König von Preussen werde eher
neuerdings die Waffen ergreifen, als eine solche Vergrösserung
der Macht Oesterreichs in Deutschland zugeben. Nichts aber
meinte man in England sorgfältiger, als den erneuerten Ausbruch eines Krieges zwischen Oesterreich und Preussen vermeiden zu müssen.

Auch in Holland, das sich in der Spaltung, welche damals fast ganz Europa in zwei Lager schied, nun mit mehr Nachdruck als zuvor auf die Seite Oesterreichs und Englands stellte,
waren die gleichen Anschauungen bei Weitem überwiegend. Es
brachte also keinen Nutzen, dass Kaunitz bei Ormea ziemlicher
Geneigtheit zur Verwirklichung seines Planes begegnete. Aber
freilich erklärte sich Ormea zugleich mit sehr grosser Lebhaftigkeit gegen dessen Vermengung mit dem Abschlusse der
definitiven Allianz, welcher hiedurch eine neue und beklagens-
werthe Verzögerung erleiden würde. Durch eine solche treibe
man den König dazu, sich in die Arme Frankreichs und
Spaniens zu werfen, deren Anerbietungen wahrhaft glänzende
genannt werden müssten. Die Annahme derselben zu vereiteln,
habe er das Aeusserste gethan; lang werde jedoch sein Widerstand den Uebertritt des Königs zu den Bourbonen, wenn
Oesterreich sich nicht baldigst zur Erfüllung seiner Begehren
herbeilasse, nicht mehr aufhalten können.[1]

Auch die Zustimmung des sardinischen Hofes zu dem
Projecte einer Verpflanzung des kurfürstlich bairischen Hauses
nach Italien dauerte nicht lang. Da man die früheren Aeusserungen der Sympathie für diesen Plan nicht ableugnen konnte,
verhielt man sich, nachdem Englands Gegenerklärung bekannt
geworden, ihm gegenüber schweigend. Unter Vorwänden aller
Art trachtete Ormea jedes Zusammentreffen mit Kaunitz zu
vermeiden. Der König aber gab ihm deutlich zu verstehen,
dass er keineswegs gemeint sei, um dieser Sache willen die
Freundschaft Englands zu verscherzen.[2]

Die ungemeine Beflissenheit des Königs von Sardinien, es
nur ja nicht mit England zu verderben, mochte Kaunitz neuer-

---

[1] Kaunitz an Maria Theresia. Turin, 4. August 1743.
[2] Kaunitz an Maria Theresia. Turin, 10., 14. und 23. August 1743.

dings in der Meinung bestärken, die er immer vertreten hatte,
es sei dem Turiner Hofe nicht Ernst mit den geheimen Verhandlungen, die er ununterbrochen mit Frankreich pflog. Er
trachte durch sie nur Zeit zu gewinnen, sich besser zum Widerstande zu rüsten und gleichzeitig Maria Theresia zu möglichst
grossen Abtretungen zu drängen. Dass dies wirklich die Absicht
der sardinischen Regierung war, ist seither aus den vertraulichen
Instructionen bekannt geworden, die sie ihrem Botschafter in
Paris, dem Bailli Solaro, ertheilte.[1] Aber freilich mochte es
Ormea höchst unwillkommen sein, dass Kaunitz ihn durchschaute
und in einem Sinne nach Wien schrieb, der den so hoch gespannten Begehren Sardiniens nicht eben günstig lautete. Die
Ursache der auffallenden Bemühung Ormea's, allem Verkehre
mit Kaunitz aus dem Wege zu gehen, mochte daher ebensowohl
in persönlichem Widerwillen gegen ihn als in dem Wunsche
gelegen sein, von ihm nicht genauer beobachtet und ausge-
forscht zu werden. Denn immer näher rückte der Zeitpunkt,
in welchem schliesslich die eine der zwei parallel laufenden
Verhandlungen durch Abschluss einer Allianz beendigt und die
andere abgebrochen werden musste. Frankreich that das
Aeusserste, um das Zünglein der Wage zu seinen Gunsten zu
stellen. Man ging dort so weit, dass man erklärte, das von der
sardinischen Regierung amendirte Vertragsproject, ohne an
diesem auch nur eine Silbe zu ändern, einfach annehmen zu
wollen.

Dass wenigstens von Seite Frankreichs die Verhandlung
mit Sardinien ernst genommen worden war, lässt sich hieraus
wohl mit voller Bestimmtheit ersehen. Wer hingegen mit Kaunitz
der Meinung sein mochte, Sardinien unterhandle mit Frankreich
nur zum Scheine, der hätte sich wohl auch durch die Schritte
kaum einschüchtern lassen, die nun vom Turiner Hofe geschahen.
Der französischen Regierung erklärte er, auch die Verhandlungen mit Oesterreich und England seien bis zu dem Punkte
ihres Abschlusses gediehen. Man habe dem Könige von England versprechen müssen, sich bis zum Eintreffen der aus Wien
noch zu erwartenden Antwort nicht zu entscheiden, und man
könne daher das gegebene Wort nicht brechen. Doch habe,
um jeden Zeitverlust zu vermeiden, der bei König Georg

---

[1] Carutti, Carlo Emanuele. I, 228.

beglaubigte sardinische Gesandte Ossorio den Auft
je nach den letzten Erklärungen, die ihm von Oe
England gemacht werden würden, seinen Pariser C(
direct zu verständigen, ob er mit Frankreich a
habe oder nicht.

Nachdem dies geschehen war, entbot Ormea d
träger Villettes zu sich und theilte ihm Alles mit,
reich gegenüber veranlasst worden. Er fügte hinzu
binnen des Zeitraumes, der zwischen der Abse
Couriers und seiner Rückkehr nothwendigerweis
müsse, die Sache nicht mit Oesterreich und Engl
ins Reine gebracht sei, sich Carl Emanuel dem Al
Frankreich nicht länger entziehen könne.[1]

So gewaltig war der Eindruck dieser Erkl
Villettes, dass er in drängendster Weise nach W(
wo damals in Folge des Umstandes, dass König
England persönlich an der Kriegführung gegen Fr
deutschem Boden theilnahm, der Sitz der Verhan(
Lord Carteret, der Leiter der englischen Politik,
weder wirklich an den Ernst der Erklärung des T
und an die Möglichkeit seines bevorstehenden Ueb
Feinde, oder er gab sich wenigstens den Anschc
glauben, um Oesterreich zur Nachgiebigkeit zu 2
heftig drang er in Wasner, dass dieser schliesslich
seinen Drohungen widerstand und am 13. Septem
definitive Allianz zwischen Oesterreich, England u
auch seinerseits unterschrieb.

Durch diesen Vertrag erhielt Carl Emanue
bleibenden Beistand gegen die bourbonischen Höfe
Verzichtleistung auf seine angeblichen Ansprüche 2
Lombardei die Stadt und das Gebiet von Vigevan(
am rechten Ufer des Lago maggiore und des Tess
des Gebietes von Pavia, der unter der Bezeichn(
verstanden wurde, Bobbio und dessen Umgebung mi
die Stadt Piacenza mit ihrem Gebiete bis an die N
Grafschaft Angbiera. Schliesslich trat ihm Maria T
noch die Rechte ab, die ihr auf die Stadt und d(
von Finale noch etwa zustehen könnten.

---

[1] Carutti I, 236.

Die grösste Wichtigkeit legte man in Wien dem zweiten
geheimen Separatartikel bei, kraft dessen sich alle drei vertragschliessenden Mächte zu nachdrücklichem Zusammenwirken
anheischig machten, das Haus Bourbon aus Italien überhaupt
und insbesondere aus Neapel und Sicilien zu vertreiben. Ver-
möchten sie diese Absicht zu erreichen, dann würde Oesterreich das Königreich Neapel und den Stato degli Presidii, Sardinien aber die Insel Sicilien erhalten.

Man weiss, dass Maria Theresia höchst unzufrieden war
mit dem Inhalte dieses Vertrages, der ihr Zugeständnisse abzwang,
die für sie ungemein schmerzliche waren. Kaunitz aber blieb
schon aus dem Grunde von ihrem Unmuthe verschont, weil er
ja nie zu allzu weitgehender Nachgiebigkeit gegen Sardinien gerathen hatte. Und binnen Kurzem musste es sich zeigen, ob
durch dieselbe der Zweck auch erreicht wurde, den man ver-
folgte, als man sich zu ihr herbeiliess. Für Oesterreich bestand
er vornehmlich in der baldigen Eroberung Neapels, welche
allein noch für das Scheitern der Hoffnung, durch die Erwerbung Baierns für den Verlust Schlesiens entschädigt zu werden,
und für die ansehnlichen Abtretungen an den König von Sardinien einigen Ersatz bieten sollte.

Um das Haus Bourbon aus Neapel zu vertreiben, war
jedoch vor Allem eine ganz andere Kriegführung nöthig, als
sie bis jetzt auf italienischem Boden stattgefunden hatte. Der
Sieger von Camposanto, Feldmarschall Graf Traun, hatte aus
diesem glänzenden Erfolge keine Früchte zu ziehen gewusst.
Es mag wohl sein, dass das hauptsächliche Verschulden hieran
der Weigerung des Königs von Sardinien zur Last fiel, seine
Truppen an ferneren offensiven Unternehmungen gegen die
Spanier unter Gages theilnehmen zu lassen. Aber Traun's Unthätigkeit im Felde, die üble Geldwirthschaft, welche, wenn auch
nicht durch sein Verschulden, doch in Folge seiner zu weitgehenden Nachsicht gegen seine Umgebung nicht nur bei den unter
seinem Befehle stehenden Truppenkörpern und, was noch ver-
hängnissvoller war, bei der ihm gleichfalls übertragenen Statthalterschaft von Mailand herrschte, die übertriebene Nachgiebigkeit gegen den König von Sardinien endlich, deren man ihn
zieh, Alles dies bewirkte, dass sein Ansehen in Wien und das
Vertrauen, das man früher zu ihm gehegt hatte, immer mehr
dahinschwanden. Hatte ja doch Maria Theresia selbst von

ihm gesagt, er sei ‚alt, chagrin und schwach‘.[1] Da war es
denn kein Wunder, dass seine einflussreichen Gegner am
Wiener Hofe nach und nach die Oberhand erhielten. Der
Hofkanzler Graf Ulfeldt und der geheime Staatssecretär Frei-
herr von Bartenstein standen hiebei in vorderster Reihe. Ihrem
Zusammenwirken gelang es endlich, die Zurückberufung Traun's
und seine Ersetzung durch den Feldmarschall Fürsten Christian
Lobkowitz, Ulfeldt's Schwager, zu erwirken.

Mag man auch einräumen, dass die Stellung Traun's in
Italien unhaltbar geworden war, so muss es doch unbegreiflich
erscheinen, dass man ihm keinen geeigneteren Nachfolger als
Lobkowitz gab. Was man gegen Traun auch einwenden mochte,
unbestreitbar war es doch, dass er bei Camposanto gesiegt hatte
und sich in Folge dessen eines hohen militärischen Rufes erfreute. Lobkowitz hingegen war in dem einzigen Treffen, in
welchem er selbständig commandirte, bei Sabay, empfindlich
geschlagen worden. Seine Haltung während der Belagerung von
Prag, sein Verfahren in der Oberpfalz hatten gleichfalls scharfen
Tadel veranlasst. Und dennoch erhielt er jetzt das wichtige
Commando in Italien, eine Massregel, für welche sich nur zwei
Beweggründe anführen liessen. Einerseits mochte man hoffen,
seine übelste Eigenschaft, die Unverträglichkeit dadurch unschädlich zu machen, dass man ihm einen Posten gab, auf
welchem er keinen Vorgesetzten und keinen Gleichgestellten
mehr, sondern nur Untergebene besass. Und andererseits war
nicht zu leugnen, dass er bisher ungewöhnliche Thätigkeit an
den Tag gelegt hatte, so dass man hoffen durfte, er werde nicht
in den Fehler verfallen, den man an Traun so bitter beklagen
musste.

Der Ernennung eines neuen Oberbefehlshabers in Italien
beabsichtigte man eine beträchtliche Verstärkung der dortigen
österreichischen Truppen folgen zu lassen. Aber zur Durchführung dessen, was Maria Theresia dort vor Allem erstrebte,
bedurfte man auch des energischen Beistandes der beiden
Alliirten. Dem Einen derselben, dem Könige von Sardinien,
hatte Maria Theresia den Preis seiner Mithilfe soeben im Voraus
bezahlt, aber es schien fast, als ob der Vortheil, den sie aus
dem Wormser Vertrage ziehen sollte, eher ein negativer, die

---

[1] Arneth, Geschichte Maria Theresias. II, S. 165.

Verhütung des Uebertrittes des Turiner Hofes zu dem Feinde als der positive seiner thatkräftigen Mitwirkung an den Offensivoperationen gegen die Spanier sein werde. Carl Emanuel und Ormea hiezu anzutreiben, darin bestand von nun an die Hauptaufgabe des Grafen Kaunitz. In deren Erfüllung war er freilich, obgleich ohne sein Verschulden, keineswegs glücklich. Denn obwohl er dem ihm von Wien aus zugehenden Auftrage, gegen Ormea ,wegen derer vergangenen Grobheiten keine Empfindlichkeit zu bezeigen',[1] gewissenhaft nachkam, so vermochte er doch die sardinische Regierung nicht zu energischen Entschlüssen zu bringen. Auch dass Lobkowitz, noch bevor er die ihm in Aussicht gestellte Vermehrung seiner Streitkräfte erhielt, gegen die Stellungen der Spanier vordrang, änderte hieran nichts. Zu seiner Freude fand Kaunitz das österreichische Hauptquartier, wohin er sich in der zweiten Hälfte des October 1743 begab, um mit Lobkowitz in persönlichen Verkehr zu treten und mit ihm wichtige Verabredungen zu treffen, statt, wie er vermuthet hatte, in Bologna oder in Imola, schon in Forli, und er hoffte, es werde binnen Kurzem in Rimini sein.[2]

Dem war auch wirklich so; in Cesena und Rimini trachtete Kaunitz den Fürsten Lobkowitz in oft wiederholten Gesprächen vor Allem genau zu unterrichten, was ihm zu wissen nöthig war, und ihn insbesondere mit Rathschlägen für das gegen den König von Sardinien zu beobachtende Verfahren zu versehen. Am Abende des 6. November war Kaunitz von Turin zurück. Kurz nach seiner Ankunft erhielt er aus Wien die vertrauliche Nachricht, Maria Theresia habe ihn ausersehen, ihrer Schwester, der Erzherzogin Marianne, deren Vermählung mit dem Prinzen Carl von Lothringen nahe bevorstand, in der Beiden zu übertragenden Generalstatthalterschaft der österreichischen Niederlande mit dem Titel eines Obersthofmeisters als ihr vornehmster Rathgeber zur Seite zu stehen.[3] Am 20. November wurde diese Ernennung dem Grafen Kaunitz officiell mitgetheilt, und im Januar 1744 folgte ihr die zum wirklichen geheimen Rathe.[4]

Die Freude, welche Kaunitz über seine neue Bestimmung empfand, mochte wohl nicht wenig geschmälert werden, dass

---

[1] Königl. Rescript vom 30. September 1743.
[2] Kaunitz an Ulfeldt. Forli, 25. October 1743.
[3] Kaunitz an Ulfeldt. Turin, 17. November 1743.
[4] Dankschreiben an Maria Theresia. Turin, 25. Januar 1744.

er noch den ganzen Winter hindurch in Turin ausharren und
mit Ormea Verhandlungen fortführen musste, die diesem so
unwillkommen waren, dass er während derselben Kaunitz
gegenüber dem ganzen Ungestüm seines Temperamentes die
Zügel schiessen liess. Nicht nur der Unwahrhaftigkeit klagte
er ihn an, sondern er warf ihm auch noch die Beschuldigung
ins Gesicht, seit seiner Ankunft in Turin sei er nur ‚mit Finessen‘
gegen ihn verfahren. Gegen solche stünden ihm keine Mittel
zu Gebot; er wolle sich daher zu keiner Unterredung mit ihm
mehr herbeilassen; habe Kaunitz künftighin irgend etwas anzubringen, so möge er dies entweder schriftlich thun oder sich
direct an den König wenden. Ja so weit vergass sich Ormea
in seiner Heftigkeit, dass er in die Worte ausbrach: Kaunitz
stehe ihm zwar jetzt in einem unantastbaren Charakter gegenüber; das werde jedoch nicht immerfort dauern, und wenn er
dann noch mit irgend einem Begehren an ihn herantreten sollte,
so werde Ormea, um ihm Rede zu stehen, allzeit bereit sein,
seine Aemter niederzulegen.[1]

Diese Ausbrüche des heissblütigen Italieners brachten
Kaunitz nicht aus seiner staatsmännischen Ruhe. Da er mit
Ormea nicht mit Aussicht auf Erfolg weiter verhandeln konnte,
trug er seine Anliegen zugleich mit seinen Beschwerden gegen
Ormea dem Könige vor. Leutselig empfangen und angehört,
erhielt Kaunitz von Carl Emanuel allerdings nicht wenig be-
gütigende Worte, in der Sache aber, um die es sich handelte,
der ausgiebigen Theilnahme Sardiniens an den offensiven Operationen des Fürsten Lobkowitz gegen die Spanier, vermochte
er auch von ihm keine befriedigenden Zugeständnisse zu erlangen. Und dass dies nicht geschah, war nicht etwa durch
Uebelwollen des Königs, sondern durch dessen gegründete Besorgniss veranlasst, während der Abwesenheit eines Theiles
seiner Truppen in Unteritalien von den Franzosen und den
Spaniern in seinen eigenen Provinzen mit Uebermacht angegriffen zu werden.

Kaunitz aber gerieth, wie es scheint, in eine doppelte
Gefahr. Einerseits war zu besorgen, er werde durch sein un-
ablässiges Drängen zu gemeinsamer Kriegführung wider den
gemeinschaftlichen Feind in Turin immer unbeliebter werden

---

[1] Kaunitz an Maria Theresia. 12. Februar 1744.

und allmälig allen Boden verlieren. Dagegen schien man andererseits in Wien nicht ganz abgeneigt zu sein, ihm wenigstens
einen Theil der Schuld zuzuschieben, dass sich nicht nur die
sardinische Regierung fortwährend ablehnend verhielt, sondern
dass auch die Berathung, welche unter persönlicher Theilnahme
des die englische Escadre im Mittelmeere befehligenden Admirals
Mathews in Turin abgehalten wurde, um sich über die gegenseitigen
Massregeln zur Durchführung der Unternehmung gegen Neapel
zu verständigen, zu keinem befriedigenden Ergebnisse führte.[1]

Dass sich Kaunitz unter solchen Umständen lebhaft darnach sehnte, Turin bald verlassen zu können, ist leicht zu begreifen. Aber nicht früher als am 1. April 1744 traf sein Nachfolger Graf Richecourt, der bisher die Administration Toscanas
geführt hatte, bei ihm ein und fand die zuvorkommendste Aufnahme.[2] Da ihm Carl Emanuel selbst sein Wort dafür verpfändet hatte, Ormea werde ihn anständig empfangen,[3] stellte
Kaunitz den Grafen Richecourt persönlich dem Minister vor.
Nach dem Besuche bei Ormea, dessen Benehmen gegen Kaunitz
ein der Zusage des Königs entsprechendes war, verfügten sich
Beide zu diesem. Seine Haltung that neuerdings die Aufrichtigkeit seines Wunsches dar, Kaunitz möge Turin nicht ,unver-
gnügt' verlassen. Das gewöhnliche Abschiedsgeschenk für Gesandte, ein mit Diamanten besetztes Bildniss des Königs, wurde
ihm daher gleichfalls zu Theil. Am 20. April verliess Kaunitz
Turin und begab sich von da direct nach Wien.

---

[1] Bericht des venetianischen Botschafters Marco Contarini vom 21. März
44. Bei Arneth, Geschichte Maria Theresias. II, S. 540, Anm. 78.

[2] Richecourt an Ulfeldt. Turin, 4. April 1744.

[3] Kaunitz an Maria Theresia. Turin, 15. März 1744. So äusserte sich
der König: ,Wie Er ... zu meiner eigenen Erwägung anheimstellen
wollte, dass wie ich selbsten wohl angemercket, meine Abreise, ohne
mich bey dem Ormea zu beurlauben, grosses Aufsehen und wichtige Muth-
massungen nach sich ziehen würde. Da ihm nun der Umstand, dass
Ormea sich niemahlen bey mir wie bey andern eingefundten, ganz un-
bekant gewesen seye und keineswegs mit seiner Willensmeinung über-
einstimme, dass ich abreisen von hier abreisen solte, vielmehr ihm
überhaupt das zwischen Ormea und mir entstandene Missvergnügen nicht
anderst als unangenehm falle, so hätte Er auch dem Ersten hierin auf
eine solche Art geredet und würde es auf gleiche Weise annoch wiederholen, dass mich vor das künftige eines anständigen Betrags und Empfangs von Ormea gäntzlich zu versehen hätte, desfalls Er der König
mir das Wort gebe.'

III. Capitel.

Ehe wir mit dem Grafen Kaunitz den Schauplatz seiner neuen Bestimmung, die österreichischen Niederlande, betreten, haben wir einen Augenblick bei den Ereignissen zu verweilen, die von dem Zeitpunkte seiner Vermählung bis zu seiner Abreise nach Brüssel im Innern seines Hauses sich zutrugen. Aber freilich müssen wir bedauernd gestehen, dass wir über sie kaum mehr als die Tage wissen, an denen ihm der Reihe nach seine Kinder geboren wurden. Fünf Söhne, Ernst, Moriz, Dominik, Maximilian, Franz Wenzel kamen von 1737 an in Zwischenräumen von wenig mehr als einem Jahre, Franz Wenzel am 2. Juli 1742, also kurz vor dem Tage zur Welt, an welchem Kaunitz Wien verliess und sich, seine Mission am sardinischen Königshofe anzutreten, nach Italien begab. Dass unter solchen Umständen die Gräfin Kaunitz noch in Oesterreich zurückblieb und ihren Gemahl wenigstens vorderhand nicht begleitete, versteht sich von selbst, und in der That findet sich eine Andeutung, derzufolge sie im März 1743 in Turin eintraf.[1] Dort scheint es denn auch gewesen zu sein, wo sie ihren sechsten Sohn, Josef Clemens, am 23. November dieses Jahres gebar.

Da Kaunitz keines dieser Kinder in deren ersten Lebensjahren verlor, besass er sechs Söhne, als er in der zweiten Hälfte des Jahres 1744 seine Reise nach den Niederlanden antrat. Dass er hiebei von keinem Mitgliede seiner Familie, sondern nur von seinem treuen Freunde Binder begleitet wurde wohl zunächst dadurch veranlasst, dass die Gegenden, durch die ihn sein Weg führte, den Schauplatz der Kriegführung bildeten und daher von feindlichen wie von befreundeten Truppen unsicher gemacht wurden. Am 22. September berichtet Kaunitz aus Regensburg; von da aus folgte er fünf Märsche hindurch der österreichischen Armee, bei welcher er mit seinem neuen Chef, dem Generalgouverneur der Niederlande Prinzen Carl von Lothringen zusammentraf, in der Richtung gegen Böhmen, von wo er über Eger und das Erzgebirge am Morgen des 3. October Leipzig erreichte.[2]

---

[1] Kaunitz an Ulfeldt. Turin, 18. März 1743.
[2] Kaunitz an Ulfeldt. Leipzig, 3. October 1743.

Ohne ferner auf erwähnenswerthe Hindernisse zu stossen, gelangte Kaunitz zum Theile auf der gleichen Strasse, die wir ihn vor zwölf Jahren nach Vollendung seiner Universitätsstudien haben einschlagen sehen, über Hannover, Osnabrück und Bentheim, hierauf durch holländisches Gebiet am Abende des 17. October nach Brüssel. Hier aber fand er Alles in grösster Bestürzung, indem die Erzherzogin Maria Anna erst vor wenigen Tagen ein todtes Kind zur Welt gebracht hatte und in Folge dieser unglücklichen Niederkunft lebensgefährlich erkrankt war.

Als Kaunitz noch in Turin die erste Nachricht von der Absicht erhalten hatte, ihn nach den Niederlanden zu senden, kamen ihm auch Andeutungen zu, welche die Besorgniss in ihm wachriefen, man denke den ihm zugedachten Posten des grösseren Theiles seiner bisherigen politischen Befugnisse zu entkleiden und aus ihm mehr eine eigentliche Hofanstellung zu machen.[1] Mit beso ndererLebhaftigkeit erhob Kaunitz Vorstellungen hiegegen, und obschon wir nicht wissen, ob irgend eine und welche Antwort ihm hierauf zu Theil wurde, so scheinen doch seine Worte nicht vergeblich verhallt zu sein. Mindestens kann darüber durchaus kein Zweifel obwalten, dass er sich des vollsten Vertrauens seiner Monarchin erfreute. Mit den unzweideutigsten Worten spricht Maria Theresia dies in einem von ihrer eigenen Hand herrührenden Briefe an ihre Schwester aus, den sie Kaunitz mit auf den Weg gab.

‚Hier ist Kaunitz,‘ so lautet er, ‚welcher kommt, und den ich Dir sende, weil ich mir schmeichle, dass er Königsegg vollkommen ersetzen wird. Ich bin hievon umsomehr überzeugt, als er sich auf dem heiklen Posten in Turin meine ganze Anerkennung erwarb. Ohne an seinen eigenen Vortheil oder seine eigene Annehmlichkeit zu denken, hat er die Befehle des Hofes befolgt und sehr gut ausgeführt, sogar mit Selbstaufopferung, wofür ich ihm allzeit Dank wissen werde. Ich übersende Dir ihn in der gleichen Weise wie Frau von Belrupt, um ihn, wenn Du mit ihm zufrieden bist, zu behalten; wenn nicht, wird er

---

[1] Kaunitz an Ulfeldt. Turin, 23. November 1743: „... woraus ich keinen anderen Schluss ziehen kann, als dass nach der vorseyenden neuen Niederländischen Einrichtung der Oberhoffmeisterstelle kaum ein Schatten von denen vormahls angeklebten Verrichtungen und Ansehen übrig bleiben, solche in Geschäften wenig oder gar keinen Einfluss haben, und hauptsächlich nur in denen Hofdiensten bestehen ... würde.‘

immer seinen Platz bei mir finden, und man wird ihn nützlich
zu verwenden wissen; das wird sein Wirken beträchtlich erleichtern. Denn ich habe ihn davon verständigt, dass ich Dir
dies mittheilen werde, und er selbst bat mich dringend um
Festsetzung einer solchen Bedingung, da er durchaus nicht zur
Last fallen will. Er erklärt zwar das Möglichste leisten zu wollen,
doch überschätze er sich nicht so sehr, um Alles, was er thue,
auch für das Richtige zu halten. Wenn er fehle, werde es aus
Mangel an Kenntniss, nicht an gutem Willen geschehen. Alles,
was ich Dir sagen kann, ist, dass er mir Deines Vertrauens
würdig zu sein scheint, dass er dieses nicht missbrauchen
und sogar in Privatangelegenheiten guten Rath geben wird.
Ich habe ihn, während er hier war, vielfach und von den verschiedensten Seiten betrachtet, um über Alles Gewissheit zu
erlangen, und ich kann versichern, dass ich von ihm befriedigt
war. Ich glaube, Alles gesagt zu haben, was ich nur immer
sagen kann, und stelle das Uebrige Deinem eigenen Urtheil
anheim, sende Dir aber keine Nachrichten oder Anderes durch
ihn, denn er wird lang unterwegs sein.'[1]

Es kann leicht sein, dass Maria Theresia trotz der sehr
guten Meinung, welche sie ihren eigenen Worten zufolge von
Kaunitz hegte, sich doch mit der Absicht getragen hatte, ihm
nicht jene ausgedehnte Machtvollkommenheit einzuräumen,
welche vor ihm dem Grafen von Königsegg-Erps zu Theil geworden war. In der Zeit wenigstens, welche zwischen seiner
Ernennung zum Leiter der Regierungsgeschäfte in Brüssel und
der Ankunft der Erzherzogin Maria Anna und ihres Gemahls
innelag, war Königsegg ja ganz unbeschränkt und nur an die
Weisungen aus Wien gebunden gewesen. Dass Maria Theresia
ihrer Schwester, welche noch überdies an ihrem jungen und
thatkräftigen Gatten, dem Prinzen Carl von Lothringen, eine
verlässliche Stütze besass, und diesem selbst zum Mindesten
die gleichen Befugnisse einräumen wollte, wie sie ihre Tante,
die frühere Generalstatthalterin Erzherzogin Elisabeth genossen
hatte, ist wohl kaum zu bezweifeln. Und nachdem der Gemahl
der Erzherzogin naturgemäss auch ihr vornehmster und ver-
trautester Rathgeber war, so musste schon hiedurch die Stellung
des Obersthofmeisters eine weniger in den Vordergrund tretende

---

[1] Abgedruckt bei Arneth, Geschichte Maria Theresias. II, S. 562, Anm. 125.

werden, als sie es zur Zeit der unvermählten Erzherzogin
Elisabeth war. Aber alle diese Intentionen, so wohlbegründet
sie auch sein mochten, zerstoben doch vor der thatsächlichen
Lage der Dinge, wie Kaunitz sie in den Niederlanden vorfand,
in nichts. Die Erzherzogin war todtkrank, Prinz Carl von
Lothringen auf dem Kriegsschauplatze in Böhmen, Graf Königsegg aber im Begriffe, seinem Nachfolger den Platz zu räumen.
Da war es denn nicht zu verwundern, ja es konnte gar nicht
anders sein, als dass Kaunitz die volle Last der Geschäfte auf
seine Schultern zu nehmen hatte.

Die Umstände, unter denen dies geschah, waren keineswegs tröstliche zu nennen. Obgleich französische Truppen schon
seit fast drei Jahren gegen Maria Theresia kämpften, hatte
Frankreich doch bisher an der Fiction festgehalten, dass dies
nur in Folge des Bündnisses mit dem nunmehrigen römisch-
deutschen Kaiser Karl VII. geschehe. Erst am 26. April 1744
waren die Kriegserklärung Frankreichs an Oesterreich und in
Folge dessen der Einmarsch französischer Truppen in die Niederlande erfolgt. Die österreichischen, englischen und holländischen
Streitkräfte daselbst waren schwach und standen unter verschiedenen Befehlshabern, welche nichts weniger als einmüthig
handelten. Ihnen gegenüber hatten also die Franzosen ziemlich
leichtes Spiel. Mehrere Festungen im Süden des Landes fielen
rasch nach einander, und nur die Fortschritte der Verbündeten
auf den übrigen Kriegsschauplätzen machten denen der Franzosen in den Niederlanden einstweilen ein Ende.

Die Anwesenheit eines starken und ausgezeichnet geführten Feindes im eigenen Lande setzt wohl jede Regierung
auf eine sehr harte Probe. Das Gouvernement, das sich in
Brüssel befand, schien umsoweniger im Stande, sie zu bestehen, als sein Haupt, eine junge, unerfahrene Frau, noch überdies todtkrank war, und sich ausserdem in der Person desjenigen, der an ihrer Stelle die Geschäfte zu leiten hatte, ein
Wechsel vollzog, für welchen der Augenblick gewiss nicht
günstig gewählt war.

Dass man diese Massregel, sie mochte an und für sich
nothwendig oder auch nur nützlich erscheinen oder nicht, gerade zu einem Zeitpunkte traf, für welchen man die Niederkunft
der Erzherzogin vorhersah, ist ohne Zweifel als ein arger Mangel
an Vorsicht zu betrachten. Einige Entschuldigung hiefür wird

übrigens darin zu finden sein, dass Maria Theresia ihre eigenen,
so rasch auf einander folgenden Entbindungen immer derart
leicht überstand, dass sie unwillkürlich ein Gleiches auch bei
ihrer Schwester voraussetzen mochte. Um so tiefer war denn
auch ihre Bestürzung, als das Gegentheil eintrat; ein bisher
unbekannt gebliebener Brief, den sie in den ersten Novembertagen 1744 mit eigener Hand an Kaunitz richtete, gibt Zeugniss
von der Lebhaftigkeit der Besorgnisse, welche sie für die Erzherzogin hegte.

,Meine Unruhe über den Zustand meiner Schwester veranlasst mich,' so schrieb sie an Kaunitz, ,Ihnen Engel zu schicken,
meinen ersten Arzt, in den ich grosses Vertrauen setze. Nicht
dass ich glaubte, sie sei unrichtig behandelt worden, aber mehr
Augen sehen besser, und ausserdem kennt er die hiesige Heil-
methode und meine Schwester, welche immer nur sehr einfach
behandelt wurde, und die auch kein anderer Arzt kennt, ausser
Einem, der jedoch von allen Aerzten der wenigst glückliche
und auch der wenigst sachverständige ist. Sie werden ihn in
der Weise einführen, welche Ihnen als die zweckmässigste erscheint, und ihn zu allen Berathungen zuziehen lassen, auf dass
wir hier einen verlässlichen Bericht erhalten und mir einige
Beruhigung zu Theil werde, deren ich gar sehr bedarf. Es
könnte wohl sein, dass man nicht viel Vertrauen zu ihm besässe oder ihn nicht gerne sähe. Aber ausserdem dass seine
Absendung von hier aus veranlasst und von der Kaiserin,[1]
von Seiner Hoheit[2] und von mir genehmigt ist, um von Allem
unterrichtet zu sein, da uns gar zu viel daran liegt, wäre man
nicht gehalten, seinem Rathe allein zu folgen. Im Gegentheile,
er wird nicht abgesendet, um zu widersprechen, sondern nur
um gemeinschaftlich zu berathen, auf dass man dasjenige be-
folge, was man als das Beste ansehen wird. Ich empfehle Ihnen
daher sehr, ihn zu unterstützen und hiedurch in den Stand zu
setzen, gute Dienste zu leisten, denn ich kenne die Abneigung
der Belrupt[3] wider ihn, obgleich sie hiezu gewiss keinen Grund

---

[1] Die Kaiserin Elisabeth, Witwe Karls VI. und Mutter der Erzherzogin
Marianne, welche damals noch am Leben war und bekanntlich erst am
21. December 1750 starb.

[2] Grossherzog Franz von Toscana.

[3] Zu Ende des Jahres 1743 war die verwitwete Gräfin Maximiliana Belrupt, geborene Gräfin Wrschowetz, bisher Aja von Maria Theresias

hat, und ich fürchte, dass sie dieselbe auch den Uebrigen, welche ohnedies eifersüchtig sind, ja sogar der lieben Kranken mittheilen könnte. Sein einziger Fehler besteht in üblen Manieren und in unbedachtem Reden; er hat mir jedoch versprochen, nichts davon zu thun und die Anderen zu schonen. Ich verlasse mich einzig und allein auf Sie, und dass Sie von diesem Briefe keinen Gebrauch machen, indem ihn Niemand kennt und Niemand weiss, dass ich Ihnen diese Einzelheiten schreibe. Sie könnten sich auch in meinem Namen mit der Fürstenberg einverstehen, indem ich besorge, dass man sonst die Kranke gegen ihn einnimmt. Kein Dienst könnte mich mehr interessiren als dieser, und ich würde Ihnen wärmsten Dank dafür wissen.'[1]

Kindern, zur Obersthofmeisterin der Erzherzogin Marianne ernannt worden. Nach dem Tode dieser wurde die Gräfin Belrupt am 5. April 1745 Obersthofmeisterin der Prinzessin Charlotte von Lothringen. Sie starb am 6. December 1752.

[1] Maria Theresia an Kaunitz. Undatirt (3.? November 1744). Ganz eigenhändig. Staatsarchiv. „... l'inquietude dans laquelle je me trouve a cause de l'etat de ma soeure m'oblige de vous envoyer engel, mon premier medcins, et ausquel surtout dans ces maux j'ai beaucoup de confiance, non que je crois qu'on ne l'at bien traité, mais plus voyent mieux et puis il sait la methode d'ici et ma soeure n'ayant jamais etoit traitée que tres simplement et aucun medcin conoissant, et que le seul qui le pouroit, est le plus malheureux et le moins entendus de toutes les medcins. vous le ferez paroitre comme bon il vous semblera, le ferez intervenir a tout les consultes pour avoirs une bonne relations ici et tacher de me pouvoirs tranquiliser un peu plus, j'en ai bien besoings. ils se pouroient qu'on n'auroit pas beaucoup de confiance ou ne le verrez pas volontiers, mais outre qu'il est envoyée et approuvée d'ici, de l'Imp. de son Al. et de moy pour etre au fait de tout, y ayant trop d'interest, on ne seroit pas tenue de suivre son seul conseils. au contraire, ce n'est pas pour contredire, mais pour consulter ensemble et suivre ce qu'on trouvera le mieux qu'on l'envois. je vous le recomande dont beaucoup de le soutenir et mettre en etat de pouvoirs bien servir, car je sais l'aversion que la belrupt at contre lui et ca bien sans sujet, et pouroit craindre qu'elle pouroit comuniquer cela tant aux autres, sans ca jaloux, que meme a la chere malade. le seul defaut qu'il at d'avoirs des mauvaises façons et de parler inconsiderement, il m'at promis de n'en riens faire et de menager les autres. je me fie seul en vous et vous n'en ferez aucune usage de cette lettre, personne la sachant, que je vous ecris ce details. vous pouriez en mon nom aussi vous ontendre avec la fürstenberg, craignant qu'on ne previenne la malade contre lui. aucune service ne me peut interesser plus fort que celui et je vous en saurois tout le gré. Marie Therese.'

Gleichzeitig und in ähnlichem Sinne wie die Königin schrieb auch ihr Gemahl, der Grossherzog von Toscana, an Kaunitz. Auch er legte den Nachdruck auf die Nothwendigkeit, es zu verhindern, dass Engel sich mit den übrigen Aerzten überwerfe. Er sei nur abgesendet, um ihnen mit seinem Rathe beizustehen und über den Zustand der Kranken wahrheitsgetreuen Bericht zu erstatten. Einen solchen möge Kaunitz, trug ihm der Grossherzog auf, auch von dem Geburtshelfer abfordern und ihm zu seiner alleinigen Kenntnissnahme zusenden.[1]

Schon lang bevor Engel, der zwei Wochen auf der Reise von Wien nach Brüssel zubrachte, dem Grafen Kaunitz diesen Befehl des Grossherzogs einhändigen konnte, hatte ihn Kaunitz wenigstens insofern befolgt, dass er Tag für Tag umständliche Berichte über den Zustand der Erzherzogin an die Kaiserin Elisabeth, an Maria Theresia, den Grossherzog Franz und den Prinzen Carl von Lothringen abgeben liess. Auch an den Hofkanzler Ulfeldt schrieb er ausführlich und, insoweit es sich beurtheilen lässt, in einer Weise, welche der wirklich vorhandenen Sachlage entsprach und nicht darauf ausging, sie befriedigender darzustellen, als sie wirklich war. Aber freilich gab sich Kaunitz, insbesondere nachdem er die Kranke gesprochen hatte,[2] Hoff-

---

Von der Königin mit eigener Hand geschriebene Adresse: ‚au comte Kaunitz, grand maitre de son Al. l'archiduchesse Gouvernante des pais bas.‘

[1] Grossherzog Franz an Kaunitz. Ganz eigenhändig. Staatsarchiv. ‚a chennbron ce 3 Novanbre 1744. jay resu vos relasion les quel moret fait bocoup plus de plesire cil aure contenu quelque chose de plus agreable, met la Rene anvoyan Egle poure sa propre satisfaquesion et poure etre tranquil, je la conpanie de sete letre et souet que vous le dirigie toujoure de fasson quil ne broullieu pas les otre Medesen et ocontre les aide cil en on besouen, cela etan les entansion de la Rene com osi que lon le met ofet du vray etta de la mallade, laquel, si plet a Dieu, sera et (en) tres bon reconvalesance a son arive, quoy que je crin que sela ne sora de longe dure. met je vous prie dordone de ma pare a la coucheure Toumen de mecrire vn letre et me mande engenuman a moy seul quel suit ille croua que cela poura avoyre poure la suit sona poure avoyre des enfan ou an ce qua poure les otre acoucheman ci cela poura ou enpeche les vn ou randre les otre toujour extrememan dangereux. je luy demande cela et qui me lecrive enmediatteman a moy meme et me fas pase la letre pare elle: je suit votre tres aff^ne a vous seruir Francois.‘ Vom Grossherzog mit eigener Hand geschriebene Adresse: ‚A Monsieur Monsieur le Comte de Kaunitze.‘

[2] Bericht vom 26. October 1744.

nungen hin, deren Mittheilung die gleiche Empfindung auch in
den nächsten Angehörigen der Erzherzogin wachrufen musste.
Er spricht schon zu einer Zeit von ihrer Reconvalescenz, in
welcher die Todesgefahr, wie ja der unglückliche Ausgang bewies, noch durchaus nicht verschwunden war. Und wenn er
binnen Kurzem so weit ging, die baldige Genesung der Erzherzogin mit ziemlicher Bestimmtheit vorherzusagen, so stützte
er sich hiebei nicht nur auf das Gutachten der Aerzte, sondern
er wurde auch durch andere Umstände, wie z. B. durch den,
dass die Kranke mit eigener Hand an ihre Schwester schrieb,
zu an und für sich noch nicht hinreichend begründeten Erwartungen verleitet.[1] Dass sie es nicht waren, wurde durch die
bald wieder eintretende Verschlimmerung nur allzu deutlich
bewiesen. Immer düsterer, ja hoffnungsloser lauteten die Berichte, welche Kaunitz nach Wien sandte; trotzdem liess er
keine Vorkehrung ausser Acht, welche vielleicht doch noch
von günstiger Wirkung sein konnte. Die bedeutungsvollste bestand ohne Zweifel in der Berufung des ausgezeichneten Arztes
Gerhard van Swieten aus Leyden an das Bett der Kranken.
Schon seit fast zwei Wochen hatte Kaunitz fruchtlos darauf
gedrungen, dass dies geschehe; jetzt aber trat man gleichsam
von selbst mit einem solchen Vorschlage an ihn heran. Allsogleich
ging Kaunitz auf ihn ein und sandte einen Courier nach Leyden mit der Aufforderung an van Swieten, sich unverzüglich
nach Brüssel zu begeben.[2]

---

[1] Kaunitz an Maria Theresia. 29. October. „. . . la nuit a aussi été beaucoup
plus tranquille, S. A. 8me ayant eu des intervalles de sommeil paisible
beaucoup plus longs que les nuits précédentes. Enfin je puis avoir
l'honneur d'assurer très-humblement V. M. que l'état présent de S. A. S.
nous permet d'espérer un certain et heureux rétablissement. V. M. en
trouvera sans doute des assurances dans la lettre de main propre de
S. A. 8me que j'ai l'honneur de joindre par son ordre à cette très-humble
relation . . .'

[2] Kaunitz an Ulfeldt. 6. November. „J'avois proposé, il y a douze jours, de
faire venir le médecin van Swieten de Leyde et le plus habile chirurgien
de Paris pour s'en servir ou au moins pour les consulter sur l'état de
santé de S. A. 8me. L'idée n'en fut point approuvée alors par ceux qui
apparemment auroient voulu en être les auteurs, mais elle vient de être
proposée tout à l'heure quant à M. van Swieten, en conséquence de quoi
je lui ai déjà écrit, et le courrier que je lui envoie, va partir dans l'instant.' Dass Kaunitz es war, der die Initiative zur Berufung van Swieten's

Die Schwankungen in dem Zustande der Erzherzogin scheinen ausserordentlich grosse gewesen zu sein, denn kaum war jene Berufung an van Swieten ergangen, als Kaunitz auch schon wieder von einer auffallenden Besserung nach Wien berichten konnte. Seine Freude hierüber wurde dadurch noch erhöht, dass van Swieten, der sich eiligst nach Brüssel verfügt hatte, seine Zustimmung zu der bisherigen Behandlungsweise der Kranken erklärte und nicht geringe Hoffnung auf ihre Wiederherstellung gab. Kaunitz findet nicht Worte genug, den günstigen Eindruck zu schildern, welchen van Swieten bei diesem Anlasse auf ihn hervorbrachte.[1]

Aber eigenthümlicherweise sollten sich die Hoffnungen, welche nun auch von einem so ausgezeichneten Fachmanne wie van Swieten getheilt wurden, neuerdings als trügerisch erweisen. Nur wenige Tage hindurch konnte Kaunitz seine so günstig lautenden Nachrichten fortsetzen; bald musste er wieder von heftigeren Schmerzen, von Fiebererscheinungen, welche bei der Leidenden eingetreten waren, berichten. Und als endlich der Leibarzt Engel in der Nacht vom 16. auf den 17. November in Brüssel eintraf, hatten sich die Aussichten auf baldige Wiederherstellung der Erzherzogin sehr getrübt. Dennoch verlor man die Hoffnung nicht, und Kaunitz empfand es als erfreulichen Umstand, dass Engel nicht, wie man lebhaft besorgt hatte, mit den behandelnden Aerzten schon von vorneherein in Zwiespalt gerieth. Insbesondere werde sich, hatte man gemeint, die Schroffheit seines Wesens gegen Lebzeltern, den Leibarzt der Erzherzogin kehren, welcher nach dem Zeugnisse des Grafen Kaunitz durch seine Anhänglichkeit an die Kranke, seinen unermüdlichen Eifer und die selbstverleugnende Pünktlichkeit, mit der er die Anordnungen van Swieten's zur Ausführung brachte, dasjenige ersetzte, was ihm an ärztlicher Geschicklichkeit vielleicht abging.[2] Und auch zwischen van Swieten und

---

ergriff, bestätigt auch der in Brüssel noch anwesende Graf Königsegg-Erps an Ulfeldt vom gleichen Tage. ‚Le Comte de Kaunitz,‘ schreibt er an ihn, ‚at depeché ce soir un courier pour prier le Medecin fameux de Leiden de se rendre icy, et Mr de Figuerola et moy avons escrit au père Paul son ami pour qu'il employ tout son credit à l'engager à faire ce voyage.‘

[1] Berichte vom 11. November 1744.

[2] Kaunitz an Maria Theresia. 17. November 1744.

Engel war man auf Conflicte gefasst, denn schon war Jener
auf den Antrag eingegangen, kraft dessen er in Zukunft am
Wiener Hofe als erster Leibarzt fungiren sollte, während Engel
sich, und zwar wohl nicht ganz mit Unrecht, als Besitzer dieser
Stelle betrachtete.[1] So sehr aber mangelten ihm die Eigenschaften, deren er hiezu bedurft hätte, dass der englische Gesandte in Wien, Sir Thomas Robinson, sich das Witzwort erlauben durfte, van Swieten werde glauben, man habe Engel
nur in der Absicht nach Brüssel geschickt, um ihm zu beweisen,
wie dringend man in Wien eines guten Arztes bedürftig sei.[2]

Kaunitz empfand es als einen erfreulichen Umstand, dass
sich diese Besorgnisse wenigstens vorderhand nicht erfüllten.
Gleich nach der Ankunft Engel's in Brüssel fand an dem Kranken-
bette der Erzherzogin eine Consultation statt, bei welcher derselbe das von den Aerzten bisher beobachtete Verfahren gut-
hiess. Auch jeden Conflict zwischen Engel und van Swieten,
welcher aus der amtlichen Stellung Beider in Wien hervorgehen
konnte, trachtete Kaunitz mit Sorgfalt hintanzuhalten. Dass ihm
dies wenigstens einige Zeit hindurch gelang, schreibt er allerdings zumeist dem taktvollen Auftreten sowie dem milden und
versöhnlichen Charakter van Swieten's zu, dessen ausgezeichnete
Eigenschaften auch jetzt wieder an Kaunitz einen warmen Lobredner fanden.[3]

---

[1] Kaunitz an Ulfeldt. 17. November 1744.

[2] Ulfeldt an Kaunitz. 1. December 1744.

[3] Kaunitz an den Grafen Sylva-Tarouca. 4. December 1744: „Nos deux
Esculapes étoient assez raisonnablement ensemble pour pouvoir respirer
le même air. J'ai cependant fait encore à un chacun séparément les
exhortations qui m'ont paru les plus convenables aux vues de S. M., et
quoique celui de Vienne, qui m'avoit communiqué la lettre que la char-
mante Comtesse de Losy lui avoit écrit de la part de la Reine, ait jugé
à propos de la montrer à différentes personnes, quoique je lui eusse
conseillé de ne faire point parade de son contenu, qui devoit lui suffire
de savoir pour sa consolation et son repos, j'ai si bien tâché de réparer
le mal que pouvoit faire cette imprudence, qu'elle n'a eu aucune suite.
Le Sieur van Swieten d'ailleurs, auquel S. A. S. s'est attachée et qui La
sert jour et nuit avec une affection merveilleuse, est un homme d'un
caractère si doux et si raisonnable, que je me flatte que quant à la bonne
intelligence tout ira bien à l'avenir. C'est un homme que V. E. aimera
et estimera quand Elle le connaîtra personnellement. Il pense bien et
même avec délicatesse, preuve de quoi je ne puis point me dispenser
de lui faire part des scrupules qui l'ont agité au sujet de la vente de

Als Kaunitz dies über van Swieten niederschrieb, fügte
er kein Wort bei, aus dem sich schliessen liesse, dass sich der
Zustand der Kranken wieder verschlimmert habe. Ganz plötzlich trat nach einer Reihe zufriedenstellender Tage am 15. December eine so ungünstige Wendung ein, dass sie schon am
folgenden Tage, dem 16., den Tod der Erzherzogin herbeiführte.[1] Erschütternd ist die Schilderung, die Kaunitz von den
Umständen entwirft, unter denen sich dieses schmerzliche Ereigniss vollzog, und welche ihm folgten. ‚Heute erlebte ich,‘ schrieb
er an den Grafen Tarouca, ‚einen fürchterlichen Tag; auch bin
ich davon so aufgeregt, dass ich Fieber habe. Dieser grausame
Tod und unmittelbar darauf das schreckliche Schauspiel, indem
drei Frauen der verstorbenen Erzherzogin in Convulsionen ver-
fielen und einen der Aerzte, den alten Lopez, eine Art Schlag-
anfall traf, das Geheul von allen Seiten und nach alledem die
traurige Function, die ich zu vollziehen hatte, die Papiere und
Nippsachen zusammenzuraffen und bis 1 Uhr Nachmittags in
Gegenwart des Leichnams überall die Siegel anzulegen, dies
gehört zu jenen Dingen, welche man leichter fühlen als darstellen kann. Ich darf übrigens versichern, dass, obgleich ich
mir, Gott sei Dank, genug Festigkeit zu bewahren vermochte,
zu handeln, während sonst Niemand sich zu irgend etwas

---

sa maison à Leyden. Devant se faire incessamment et sa présence y étant
nécessaire pour qu'elle puisse se faire plus avantageusement, il s'est
prêté de la meilleure grâce du monde à abandonner ses intérêts pour
rester ici tant que S. A. S., qui souhaite qu'il reste, le souhaitera, et
comme cela étant, il n'y a point d'autre expédient que de vendre sa
maison à son beau frère qui offre de l'acheter, non content d'en faire
faire l'estimation par des gens impartiaux et jurés, il a voulu y attacher
la condition que, si dans un an il se trouve quelqu'un qui en offre
davantage, son dit beau frère soit obligé à la céder à ce plus offrant ou
à payer lui-même le surplus, le tout pour qu'il ne soit point dit qu'il
n'ait tâché de la vendre au plus haut prix possible, S. M. s'étant engagée
à lui rembourser ce qui dans cette vente il pourroit avoir perdu sur la
valeur de sa dite maison. C'est un long détail dont je demande pardon
à V. E., mais que je n'ai point pu m'empêcher de Lui faire, parce que
je ne peux point gagner sur moi de ne pas rendre témoignage à la
vertu.‘

[1] Die erste Nachricht von ihr ist in den wenigen Zeilen enthalten, welche
Kaunitz am 15. December an Tarouca schrieb. Sie lauten: ‚Nous avons
encore eu aujourd'hui après quelques jours de bon un affreux change-
ment dans la santé de S. A. S.; on a tout à craindre.‘

brauchbar erwies, ich sehr viel gelitten habe und meine peinliche Lage lebhaft empfinde.'[1]

Sie zu einer solchen zu gestalten, schien zu gleicher Zeit
Alles zusammenwirken zu wollen. Vorerst nahmen die Verfügungen, welche der Tod der Erzherzogin nothwendig machte,
und die zunächst mit den Trauerfeierlichkeiten zusammenhingen,
Kaunitz vollauf in Anspruch. Ausserdem lag nun die ganze
Last der gerade zu jener Zeit in erschreckendem Masse
sich anhäufenden öffentlichen Geschäfte ganz allein auf seinen
Schultern. ‚Ich bin nicht so leicht zu Boden zu drücken,‘ schrieb
er in jenen Tagen an Tarouca, ‚aber ich gestehe, dass sowohl
in Folge des ungeheuren Umfanges als der Natur der auf mir
liegenden Dinge mein Kopf schon in Stücke geht.'[2] Und schliesslich gesellten sich hiezu auch die Verlegenheiten und Besorg-

---

[1] Kaunitz an Tarouca. 16. December 1744: „Je compte que V. E. aura reçu
la lettre que j'ai eu l'honneur de lui écrire ce matin à onze heures par
estaffette. Environ une demi-heure après il a plu enfin à Dieu de nous
enlever notre Sérénissime Archiduchesse à jamais respectable par toutes
ses vertus et sa résignation à la volonté divine au milieu de ses souf-
frances jusqu'au dernier moment de sa vie. Certainement elle a été
servie par ses six médecins et particulièrement par M. van Swieten toujours sous nos yeux avec tout le zèle et toute la dextérité imaginable,
et je suis persuadé que, si ce mal avoit été de la nature de ceux sur lesquels l'art des hommes peut quelque chose, celui que l'on a employé
pour elle, n'auroit pas été sans effet, et malgré tous les mauvais propos
de M. Engel V. E. peut compter que ce que j'ai l'honneur de lui dire à
cet égard, est bien exactement vrai. J'ai passé aujourd'hui une bien
affreuse journée; aussi en suis-je si frappé que j'en ai la fièvre. Cette
cruelle mort, immédiatement après le spectacle affreux de trois des
femmes de feue S. A. Sme qui prirent des convulsions, un des médecins,
le vieux Loppez, que le saisissement fit tomber dans une espèce d'accès
d'apoplexie, les hurlements de tout côté et après tout cela la triste fonc-
tion que j'ai été obligé de faire, de ramasser papiers et nippes et de
mettre les scellés partout en présence du cadavre jusqu'à quatre heures
après-dîner, ce sont de ces choses qu'il est plus facile de sentir que de
peindre. Mais j'ose assurer à V. E. que, quoique grâce à Dieu j'ai con-
servé assez de fermeté pour pouvoir agir pendant que tout le monde
étoit hors d'état d'être bon à quelque chose, j'ai beaucoup souffert et
sens bien vivement tout ce qu'il y a de fâcheux dans ma situation,
beaucoup au-delà cependant tout ce qu'il y a d'affreux dans celle de nos
bons Maîtres . . .‘

[2] Kaunitz an Tarouca. 21. December. Je ne suis pas facile à accabler,
mais j'avoue cependant à V. E. qu'autant par l'immensité des objets que
par leur nature j'ai la tête toute en pièces.

nisse, in welche seine eigene pecuniäre Lage ihn versetzte. Die
Geldzuflüsse von Seite seiner Eltern scheinen nichts weniger
als reichlich gewesen zu sein, der Staat aber schuldete ihm
seit vergangenem März, somit seit neun Monaten den ganzen
Betrag seiner Bezüge. Inzwischen hatte er sein Haus in Turin
auflösen, einen Theil seiner Einrichtung dort um sehr geringen
Preis hintangeben, den anderen aber mit beträchtlichen Kosten
nach Wien bringen lassen müssen. Eine zahlreiche Dienerschaft
hatte er zu erhalten, die Reise nach Brüssel auf eigene Kosten
zurückzulegen und nun dort gewissermassen die erste Rolle zu
spielen. Aufs Dringendste bat er nicht nur um Tilgung der ihm
schuldigen Rückstände, sondern auch um Zuerkennung und Aus-
bezahlung von Bezügen, welche es ihm möglich machen würden,
sich in seiner Stellung in Brüssel mit Ehren zu behaupten.
Widrigenfalls zöge er vor, ihr ehestens zu entsagen.[1]

Dass man in Wien für seine Klagen nicht taub blieb,
konnte Kaunitz zu einigem Troste aus der ihm binnen Kurzem
zukommenden Mittheilung Ulfeldt's entnehmen, mit seiner Ernennung zum bevollmächtigten Minister würden auch seine
ökonomischen Verhältnisse von selbst geregelt werden.[2] Und
in der That hatte man sich in Wien entschlossen, Kaunitz die
dreissigtausend Gulden, welche die Besoldung des Grafen
Königsegg-Erps betragen hatte, während der Abwesenheit des
Generalgouverneurs gleichfalls zu Theil werden zu lassen; verweilte dagegen Prinz Carl von Lothringen in Brüssel, so hatte
Kaunitz nur fünfundzwanzigtausend Gulden zu beziehen. Den
Unterschied aber, der nach der Auffassung des Wiener Hofes
zwischen der früheren Stellung Königsegg's und derjenigen des
Grafen Kaunitz doch immerhin obwaltete, indem der Eine
ausnahmslos, der Andere aber nur während der Prinz abwesend
war, an der Spitze der Regierung stand, wollte man durch den
Titel, welchen man Kaunitz beilegte, zum Ausdrucke kommen
lassen. War Königsegg ‚bevollmächtigter Minister‘ gewesen, so
sollte Kaunitz nur ‚während der Abwesenheit des durchlauch-

---

[1] Kaunitz an Ulfeldt, 11. December; an Tarouca, 16. und 21. December
1744.

[2] Quant à vos arrangements oeconomiques, cela se retrouve de soy-meme
aussitôt que l'on vous donne le caracthère de Ministre Plénipotentiaire.
Ulfeldt an Kaunitz. Eigenhändig. 21. Januar 1745.

tigsten Gouverneurs ermächtigter Minister'[1] heissen. So lebhaft
und so gegründet waren jedoch die Einwendungen[2] des Grafen
Kaunitz gegen jede wenn auch nur scheinbare Herabdrückung
seiner Stellung im Vergleiche mit derjenigen, welche Königsegg
innegehabt, dass er endlich mit Rescript vom 13. Februar 1745
gleichfalls zum bevollmächtigten Minister[3] ernannt wurde.

Schwieriger war die Abhilfe, insofern sie sich auf die für
die Schultern eines Einzelnen allzu drückende Ueberlastung mit
Geschäften bezog. Diese Bürde wurde dadurch noch ansehnlich
vermehrt, dass der Feldmarschall Herzog von Arenberg, welcher
um jene Zeit, im Beginne des Jahres 1745, den grössten Theil
der in den Niederlanden befindlichen österreichischen Truppen
an den Rhein führte, um dort die Franzosen vom deutschen
Gebiete zu verdrängen, dem Grafen Kaunitz auch noch die
Leitung der militärischen Angelegenheiten übertrug, für welche
ihm jedoch, das lässt sich nicht leugnen, die hiezu erforderlichen
Eigenschaften abgehen mussten.

Ohne dieses einzugestehen, denn dazu war er ohne
Zweifel zu eitel, führte doch Kaunitz in Wien bittere Klage
über die überspannten Anforderungen, die man an ihn stellte.
Interessant ist das Auskunftsmittel, auf welches der vertraute
Freund des Grafen Kaunitz, Don Manuel Deswalls Marquis de
Poal, Mitglied des niederländischen Rathes, verfiel, um Kaunitz
die ersehnte Erleichterung zu Theil werden zu lassen. Aber
freilich wurde dieser Gedanke von dem Hauptbetheiligten selbst
mit aller Entschiedenheit verworfen.

Poal's Vorschlag lief auf die Einsetzung einer neuen Junta
oder Rathsversammlung hinaus, welche dem Generalgouverneur
und im Falle seiner Abwesenheit dem bevollmächtigten Minister
zur Seite stehen und ihm einen grossen Theil der ihm obliegen-
den Geschäftsbesorgung abnehmen sollte. Kaunitz aber meinte,
die Durchführung einer solchen Idee würde gerade die entgegengesetzte Wirkung von der hervorbringen, welche sich
Poal von ihr verspreche, ja sie würde nicht nur den Minister,
sondern auch den in Wien befindlichen niederländischen Rath
in Verlegenheiten stürzen, denen weder der Eine noch der
Andere sich so leicht wieder zu entziehen vermöchte. In der

---

[1] Ministre autorisé pendant l'absence du Sérénissime Gouverneur.

[2] Kaunitz an Maria Theresia, 26. Januar; an Ulfeldt, 29. Januar 1745.

[3] Ministre plénipotentiaire pour le Gouvernement Général des Pays-Bas.

Vereinfachung einer Regierung bestehe allzeit die grösste Erleichterung derselben, und gerade die endlosen Förmlichkeiten, deren Erfüllung derjenigen zu Brüssel obliege, seien es, durch welche sie zur schwerfälligsten in ganz Europa gemacht werde. Dadurch aber, dass man dem Generalgouverneur auch noch eine vierte Rathsversammlung an die Seite setzen wolle, werde man die Schwierigkeiten, die er zu überwinden habe, nur noch ansehnlich vermehren und keineswegs verringern. Hiezu komme noch der oft beklagte Mangel an tauglichen Individuen. Würde man die Besten derselben aus den Stellungen entfernen, die sie jetzt innehätten, um sie in den neu zu gründenden Rath zu versetzen, so würde man jene Behörden ihrer nützlichsten Kräfte berauben und dadurch ihre ohnedies nicht besonders zu lobenden Leistungen noch mehr entwerthen. Endlich könnte man die neue Junta doch niemals zu einer executiven, was allzu gefährlich wäre, sondern immer nur zu einer berathenden Behörde machen, während die Entscheidung jederzeit dem Haupte der Regierung allein vorbehalten bleiben müsste. Dadurch wäre aber jede Erleichterung seiner Arbeitslast schon von vorneherein vereitelt. Wolle man ernstlich eine solche, dann möge man den entgegengesetzten Weg einschlagen und zur Vereinfachung der Regierung die geeigneten Schritte thun.

.   Auf einen anderen, ebenfalls von Poal zur Sprache gebrachten Gegenstand übergehend, erklärte ihm Kaunitz, er sei eben daran, dem Wiener Hofe eine genaue Darstellung des Zustandes der niederländischen Finanzen zu liefern. Aus dem Umstande, dass seine beiden Vorgänger, Graf Harrach und Graf Königsegg, dieser Aufgabe nicht gerecht zu werden vermochten, dürfe man wohl auf die Schwierigkeit derselben schliessen. Denn einerseits habe man mit Leuten zu thun, deren Interesse sie abhalte, die Wahrheit ergründen zu lassen, und andererseits könne man doch auch ihren Beistand nicht entbehren. Man müsse ihnen also die wahre Absicht verbergen, von welcher man ausgehe. ‚Sie können wenigstens darauf zählen,‘ schreibt Kaunitz an Poal, ‚dass ich mein Möglichstes thun werde. Scheitere ich dabei, so müssen Sie darauf verzichten, überhaupt jemals die gewünschten Aufklärungen zu erhalten.‘

Das in diesen Worten liegende Selbstgefühl begleitet Kaunitz während seines ganzen Briefes an Poal in ungeschwäch-

tem Masse. ‚Ich werde die gleiche Aufmerksamkeit,‘ heisst es
in dem letzten Theile desselben, ‚auch den anderen Punkten
zuwenden, von denen Sie mir sprechen. Der Geist der Ordnung, mit welchem ich zur Welt kam, kann Ihnen als Bürgschaft hiefür dienen. Sie sind aber zu vernünftig, um nicht
einzusehen, dass sehr viele Dinge sich in der Theorie prächtig
ausnehmen, ohne darum in der Praxis ausführbar zu sein, und
dass, wenn man nicht eine ganze Nation gegen sich aufbringen
will, man nicht gleichzeitig die Durchführung verschiedener
vorgefasster Massregeln in die Hand nehmen darf. Ich verspreche Ihnen, dass Alles geschehen wird und geschehen kann,
aber man muss die Wahl des geeigneten Zeitpunktes dem Eifer
und der Beurtheilung desjenigen anheimstellen, der die Dinge
an Ort und Stelle und mit eigenen Augen sieht. Fortes adjuvat
ipse Deus. Unser Freund Tibull verspricht mir dies, und daraus
schöpfe ich Muth.‘[1]

Und in der That, Muth bedurfte Kaunitz allerdings in
nicht geringem Masse, um die Pflichten seiner schwierigen Stellung zu erfüllen. Vor Allem handelte es sich um die Vorkehrungen, welche zu treffen waren, der Kriegführung in den Niederlanden eine günstigere Wendung zu geben. Durch Vermehrung
der dem Feinde entgegenzustellenden Truppen, durch entsprechende Ausrüstung derselben, vor Allem aber durch Einsetzung
eines einheitlichen Obercommandos sollte dies geschehen. Aber
die Bemühungen zur Erreichung dieser Zwecke hatten doch
nur theilweisen Erfolg. In England schien man zwar grössere
Anstrengungen zu energischer Fortführung des Krieges machen
zu wollen als bisher, dagegen erwiesen sich die militärischen
Einrichtungen der Holländer als völlig erschlafft, und Maria
Theresia selbst, durch die Kriegführung in Deutschland und in

---

[1] Kaunitz an Poal. 12. Januar 1745. ‚J'aurai la même attention pour tous
les autres points que vous me suggérez. L'esprit d'ordre avec lequel je
suis né, peut vous servir de caution, mais vous êtes trop raisonnable
pour ne pas sentir que bien des choses sont magnifiques en théorie, sans
en être pour cela souvent plus praticables, et que pour ne point effa-
roucher toute une nation, on ne peut pas raisonnablement entreprendre
l'exécution de plusieurs points odieux à la fois. Je vous promets que tout
cela se fera et pourra se faire; mais il faut abandonner le choix du tems
au zèle et au discernement de celui qui voit les choses sur les lieux et
par lui-même. Fortes adjuvat ipse Deus. Notre ami Tibulle me le
promet et cela m'a encouragé.‘

Italien schon übermässig in Anspruch genommen, konnte wenigstens von diesen Kriegsschauplätzen oder aus ihren Erbländern keinen Succurs mehr nach den Niederlanden senden.

Mehr noch als die Verstärkung der verbündeten Streitkräfte entzog sich die Lösung der Erage des Obercommandos der directen Einwirkung des Grafen Kaunitz. Nach langer Verhandlung zwischen den betheiligten Regierungen einigte man sich dahin, es in die Hände des Herzogs von Cumberland, zweiten Sohnes des Königs von England zu legen. Was diesem noch sehr jungen Prinzen an Erfahrung abging, trachtete man dadurch zu ersetzen, dass man ihm den hochbetagten Feldmarschall Grafen Königsegg beigab.

Nicht allzuschwer hätte man vorhersehen können, dass sich diese Combination gegenüber der einheitlichen Führung der Franzosen, welche durch den Marschall von Sachsen befehligt wurden, als unzulänglich herausstellen werde. Auch sonst lagen alle Umstände zu Gunsten der Franzosen. Ihre Armee war weit zahlreicher als die der Verbündeten; sie bestand aus Truppen von einer und derselben Nationalität und erhielt aus Frankreich selbst ununterbrochenen Nachschub an Kriegsbedarf aller Art. Der Marschall von Sachsen schritt daher gleich beim Beginne des Feldzuges an die Belagerung von Tournay, jener starken flandrischen Festung, welche durch 9000 Mann holländischer Truppen vertheidigt wurde. Diesen Platz zu entsetzen und den Franzosen womöglich die Rückzugslinie abzuschneiden, rückten die Verbündeten an sie heran. Kaunitz versprach sich das Beste von ihrem Unternehmen,[1] aber der Angriff auf die Belagerer misslang, und in der so berühmt gewordenen Schlacht bei Fontenoy wurden die Verbündeten am 11. Mai 1745 entscheidend geschlagen.

Unter den Kanonen der Festung Ath zogen der Herzog von Cumberland und Graf Königsegg ihre besiegten Truppen wieder zusammen. Von dort aus setzte noch am Unglückstage selbst Königsegg den Grafen Kaunitz von dem Geschehenen in Kenntniss. Dem überlegenen Feuer der Franzosen, sowohl der Artillerie als der Kleingewehre, schrieb er den Ausgang der Schlacht zu.[2]

---

[1] Kaunitz an Ulfeldt. Brüssel, 7. Mai 1745.
[2] Königsegg an Kaunitz. Ath, 11. Mai 1745.

Man kann sich wohl denken, dass Kaunitz durch dieses unerwartete Ereigniss peinlichst berührt wurde. Es sei umsomehr zu bedauern, heisst es in einem seiner Briefe vom folgenden Tage, als es sich schon am Anfange des Feldzuges zutrug. Es werde nicht nur den Ruin des Landes nach sich ziehen, in welchem die Franzosen bis zur Ankunft namhafter Verstärkungen der Verbündeten ungehindert den Meister spielen würden, sondern ausser dem in der Schlacht erlittenen Verluste noch die 9000 Mann kosten, welche als Besatzung in Tournay lägen.

Was ihn selbst angehe, fuhr Kaunitz fort, dürfe man jederzeit überzeugt sein, dass er sich bei solchen Vorfällen nicht schläfrig benehmen werde.[1] Noch in dieser Nacht wolle er sich zur Armee begeben, wenn er es thun könne, ohne sich der Gefahr auszusetzen, von den feindlichen Streifpartien aufgehoben zu werden. Und obgleich aus diesem Grunde die Ausführung seines Vorsatzes wenigstens für jetzt noch unterblieb,[2] bot er doch Alles auf, was in seiner Macht stand, um die Folgen der Niederlage nicht allzu unheilvoll werden zu lassen.

Am ausgiebigsten wurde er in diesem Bestreben durch die Thatsache unterstützt, dass eine ruhigere und genauere Betrachtung der Dinge sie weniger trostlos erscheinen liess, als man dies unter dem Eindrucke der ersten Bestürzung geglaubt hatte. Die Besorgniss, welche damals Jedermann hegte, der Feind werde aus dem von ihm errungenen Siege und aus der Verwirrung, die gleich nach der Schlacht in den Reihen der Verbündeten herrschte, allen nur immer möglichen Nutzen zu ziehen wissen, sie bis Ath verfolgen und ihnen keine Zeit lassen, sich wieder zu sammeln und zu erholen, ging nicht in Erfüllung. Die Franzosen blieben bei Tournay stehen, verschanzten sich dort noch stärker als vorher und schienen sich mit der Fortsetzung der Belagerung dieser Festung begnügen zu wollen.[3] Am 22. Mai ergab sich denn auch die Stadt, die zahlreiche Garnison aber zog sich in die überaus starke Citadelle zurück. Freilich sagte Kaunitz, der so wie der Herzog von Cumberland und Königsegg über die rasche Uebergabe der Stadt Tournay sehr erbittert war, auch der Citadelle keine lange Vertheidigung vorher, denn in Folge der Capitulation der Stadt war

[1] ‚que je ne m'endors pas dans ces sortes d'occasions.‘
[2] Kaunitz an Ulfeldt. Brüssel, 4. Juni 1745.
[3] Kaunitz an Ulfeldt. 14. Mai 1745.

sie mit Menschen so überfüllt, dass schon der Mangel an Unterhalt für diese sie bald zu Fall bringen musste.[1]

Zu grosser Genugthuung gereichte es Kaunitz, dass man sich auch am Wiener Hofe durch die Schlacht von Fontenoy nicht muthlos machen liess. ‚In misslichen Umständen,' heisst es in einem von Maria Theresia selbst unterzeichneten Schreiben an ihn,[2] ‚muss sich zum standhaftesten bezeiget und der getreue Diensteifer verdoppelt werden. Ich halte mich dessen von Euch gnädigst sicher.' Sie weist ihn an, in England und in Holland auf Verstärkung der verbündeten Armee zu dringen. Da sie aber einsah, dass beide Mächte doch nicht so viele Truppen nach den Niederlanden würden absenden können, um dort das numerische Uebergewicht über die Franzosen zu erlangen, ging sie darauf aus, diese durch eine mächtige Diversion am Rhein zu zwingen, sich durch Detachirung eines ansehnlichen Theiles ihrer Streitkräfte dorthin in den Niederlanden zu schwächen. Der gemessenste Befehl, der nur immer gedacht werden kann, wurde zu diesem Zwecke an den Herzog von Arenberg erlassen.[3] ‚Weder Replik, Einwendung, noch Verzug,' schrieb ihm Maria Theresia, ‚gestatte ich hierunter Euer Liebden; sondern versehe mich der getreuen, pflichtschuldigsten Befolgung.'

Eine rasche Wirkung dieser Befehle, selbst wenn sie pünktlich vollzogen worden wären, liess sich übrigens doch nicht erwarten. Inzwischen gereichte es Kaunitz schon zu einigem Troste, dass aus England wie aus Holland nicht ganz unbeträchtliche Verstärkungen eintrafen, und dass sich auch die Citadelle von Tournay länger und tapferer vertheidigte, als man Anfangs zu hoffen gewagt hatte. Aber war schon die Unthätigkeit der Armee der Verbündeten, welche, fortwährend auf neue Zuzüge wartend, unbeweglich bei Lessines im Lager stand, nicht nach

---

[1] Kaunitz an Carl von Lothringen. Brüssel, 1. Juni 1745: ‚V. A. S. sait à présent . . que, grâces à Dieu, le mal n'a pas été si grand qu'il l'a paru d'abord. Ce seroit même autant que rien, si Tournay ne s'étoit pas défendu et rendu à la Hollandaise. M. le Maréchal et surtout le Duc de Cumberland en sont furieux. Le commandant de la citadelle a ordre de la défendre, mais par la capitulation de la ville elle est si surchargée de bouches, que je ne me flatte pas d'une longue défense.'

[2] Es ist von Bartenstein verfasst und vom 23. Mai 1745 datirt.

[3] Am 22. Mai 1745.

seinem Geschmacke, so erfüllte ihn vollends die Nachricht von
der Niederlage, welche am 4. Juni Prinz Carl von Lothringen
bei Hohenfriedberg erlitt, mit grosser Betrübniss. ‚Bei alledem,‘
schrieb er am 22. Juni, drei Tage, nachdem sich die Citadelle
von Tournay endlich ergeben hatte, an den Hofkanzler Ulfeldt,
‚hoffe ich noch das Beste, und die mächtige Hand, die sich in
weit misslicheren Umständen kräftig erzeiget, ist nicht verkürzt
und wird noch mehrere menschliche Anschläge zunichte machen.
Der anzuhoffende glückliche Ausschlag der Kaiserwahl kann
nicht anders als von grosser Folge sein. Und wenn der französische Hof sein eigenes wahres Interesse, wie es vermuthlich
von Einigen geschieht, recht erkennen will, so sollte ihm die
Affaire in Schlesien keine sonderliche Freude, sondern weiteres,
auf die Erfahrung gegründetes Nachdenken verursachen.‘

Die Stimmung, in welcher sich Kaunitz damals befand,
und seine Anschauung über die politische Lage im Allgemeinen
lassen sich am besten den vertraulichen Aeusserungen entnehmen,
in denen er sich bei Uebersendung von Depeschen aus Paris
nach Wien gegen Ulfeldt erging. Von dem Marquis Choiseul
de Stainville, dem Gesandten des Grossherzogs von Toscana in
Frankreich, rührten sie her. Trotz dem offenen Kriege zwischen
diesem Staate und Oesterreich meinte Stainville doch immer
von friedlichen Gesinnungen berichten zu dürfen, welche einflussreiche französische Staatsmänner hegten. Insbesondere war
es der Cardinal Tencin, der sich ihm gegenüber wiederholt für
baldige Beendigung der Feindseligkeiten zwischen Oesterreich
und Frankreich erklärt haben sollte.[1]

Kaunitz war nur der Uebersender dieser Depeschen und
kannte ihren Inhalt nicht, aber er war von grosser Besorgniss
erfüllt, dass dieser ein sehr unbefriedigender sein werde. Er
konnte sich nicht enthalten, auch ungefragt seine Meinung dahin auszusprechen, dass, wenn unter dem Eindrucke der beiden
Schlachten von Fontenoy und von Hohenfriedberg Frankreich
darauf ausgehe, für sich und für Preussen gleichzeitig einen
vortheilhaften Frieden zu erwirken, hievon die übelsten Folgen
für das Haus Oesterreich zu gewärtigen wären. Daher sehe er
auch, fuhr er fort, keiner Nachricht mit grösserem Verlangen

---

[1] Stainville an den Grossherzog. Paris, 15. Juni 1745. Arneth, Geschichte
Maria Theresias III, S. 437.

als der entgegen, dass sich die Verbündeten nicht vor Beendigung des Feldzuges mit Friedensgedanken beschäftigen, oder dass sie doch wenigstens nicht auf einen allgemeinen Frieden mit Einschluss Preussens verfallen würden, denn ein solcher müsste das Haus Oesterreich derart schwächen, dass es sich hievon wohl nie mehr erholen könnte.[1]

Dass er nichts für so nothwendig hielt als die möglichst energische Fortführung des Krieges, bewies Kaunitz auch durch den Eifer, mit welchem er in den Niederlanden selbst die Werbung von Soldaten zur Verstärkung der einheimischen Streitkräfte betrieb. Da es aber in Folge der dort obwaltenden eigenthümlichen Verhältnisse damit nicht so rasch vorwärts ging, als die Generalität wünschte und die Umstände verlangten, war Kaunitz schon lang auf den Gedanken verfallen, so wie es zur Zeit des spanischen Successionskrieges geschehen war, so auch jetzt wieder eine dorfweise Aushebung[2] zu veranstalten. Die Schwierigkeit, hiezu die erforderliche Einwilligung der Stände zu erhalten, die sie voraussichtlich von der Verringerung der Subsidien abhängig machen würden, die Hindernisse, welche die Verfassung des Landes der Durchführung seines Planes in den Weg legte, hatten Kaunitz bestimmt, diesen Plan wenigstens vorderhand wieder fallen zu lassen. Seitdem aber die Nachricht von der unglücklichen Schlacht bei Hohenfriedberg eingetroffen und hiedurch alle Hoffnung auf Zuzug aus Deutschland vernichtet war, kam Kaunitz auf sein früheres Project wieder zurück und nahm dessen Durchführung energisch in Angriff. Freilich bestand das günstigste Resultat, das er sich hievon versprach, in nicht mehr als einer Verstärkung der einheimischen Regimenter um etwa ein- bis fünftausend Mann.[3]

Man stellt sich gewöhnlich den Feldzug des Marschalls von Sachsen in den Niederlanden wie einen rasch dahinbrausenden, Alles vor sich niederwerfenden Siegeszug vor, in Wirklichkeit aber ging auch auf französischer Seite Alles ungemein langsam von Statten. Erst drei Wochen nach dem Falle der Citadelle von Tournay, am 11. Juli bemächtigten sich die Franzosen durch

---

[1] Kaunitz an Ulfeldt. 23. Juni 1745.
[2] ,une levée par clocher'.
[3] Kaunitz an Ulfeldt. Brüssel, 23. Juni 1745.

einen Handstreich der Stadt Gent, und nach wenigen Tagen
ergab sich ihnen die dortige Citadelle. Am 18. Juli öffnete
Brügge dem Feinde seine Thore, und am 21. fiel Oudenarde,
worauf wieder eine längere Pause in den Fortschritten des
Feindes eintrat.

Eigenthümlicherweise erfüllten die Franzosen durch diese
Art ihrer Kriegführung einen der sehnlichsten Wünsche des
Grafen Kaunitz. Da die Armee der Verbündeten durch die in
der Schlacht bei Fontenoy erlittenen und noch immer bei Weitem
nicht ersetzten Verluste, sowie durch die Besatzungen, die sie
nach Ath, Mons, Charleroi und Namur werfen musste, gar sehr
geschwächt war, bekannte sich Kaunitz zu der Ansicht, der
um so viel stärkere Feind könne ungestraft unternehmen, was
er nur wolle. Brüssel stehe in Gefahr, jeden Augenblick von
ihm weggenommen zu werden. Es sei daher dringend zu wünschen, dass der Feind seine Zeit und seine Kraft nur an die
Belagerung von Festungen wende.[1]

Aber freilich zog auch dieses Verfahren der Franzosen
sehr grosse Nachtheile für die Sache der Verbündeten nach
sich. Mit jedem Platze, den der Feind wegnahm, erweiterte
sich das Gebiet, welches ihm ausschliesslich zugänglich wurde,
in ansehnlicher Weise. Die härtesten Erpressungen nahmen die
Franzosen daselbst vor, so dass die Provinz Flandern, aus
welcher die niederländische Regierung bisher noch die verhältnissmässig meisten Einkünfte bezogen hatte, bald ganz ausser
Stande war, noch irgend einen Beitrag zur Bestreitung der durch
die Kriegführung so hoch gesteigerten Staatsausgaben zu leisten.
Auch aus den anderen Provinzen ging nur sehr wenig ein, und
in wirklich Mitleid erregenden Worten schilderte Kaunitz die
Geldverlegenheiten der Regierung, um schleunige Abhilfe bittend.
Aber trotz dieser Nothlage war er doch keineswegs für wider-
standslose Unterwerfung unter das, was zaghafteren Gemüthern
unabwendbar erschien. Ja er drang in den Grossherzog Franz,
leichte Cavallerie nach den Niederlanden abgehen zu lassen.
Denn noch befänden sich genug Plätze in den Händen der Verbündeten, um von dort aus durch verheerende Streifzüge auf
französisches Gebiet Repressalien für die von dem Feinde in
Belgien verübten Unthaten zu nehmen.

---

[1] Kaunitz an Carl von Lothringen. Brüssel, 9. Juli 1745.

Kaunitz wusste wohl, dass er durch solche Vorstellungen zwar seine Pflicht erfüllte, aber auf Gewährung seiner Bitten kaum hoffen durfte. Denn die Hilfsquellen der österreichischen Regierung waren ja lang schon erschöpft, und eine Schwächung ihrer Streitkräfte auf den übrigen Kriegsschauplätzen zu Gunsten der niederländischen schien umsoweniger thunlich, als bei der weiten Entfernung ein dorthin abgebender Succurs ohnedies kaum rechtzeitig eintreffen konnte.[1]

In der Nacht vom 2. auf den 3. August erhielt Kaunitz die vertrauliche Nachricht, am 1. seien in Gent ein grosser Kriegsrath gehalten und der Beschluss gefasst worden, die französische Armee in zwei Hälften zu theilen; die eine solle auf Termonde, die andere direct auf Brüssel losgehen und diese Stadt, wie es mit Gent geschehen war, überfallen. Kaunitz war nicht der Meinung, dass ein solches Vorhaben in Brüssel gelingen würde. Dennoch versäumte er keine Vorsicht, diese Stadt gegen einen plötzlichen Angriff sicherzustellen. Und er liess, in etwa hundert Kisten verpackt, die wichtigsten Acten der verschiedenen Behörden und ungefähr achtzig Kisten mit den kostbarsten, dem Hofe gehörigen Gegenständen nach Antwerpen abgehen. Für seine eigene Person und seine Habe zeigte er sich unbesorgt und wartete in Ruhe die Ereignisse ab.[2] Und an den Prinzen Carl von Lothringen schrieb er noch am 12. August, er hoffe nicht von Brüssel vertrieben zu werden; denn die Eifersucht und Zwietracht zwischen den französischen Generalen und insbesondere den zwei Fremden, welche jetzt in der Mode seien — Moriz von Sachsen und Löwendal — werden vielleicht doch noch der Sache der Verbündeten eine günstigere Wendung geben.[3]

An dem Tage, an welchem Kaunitz dies niederschrieb, zog Termonde die weisse Fahne auf und capitulirte. Ostende folgte noch während des Monates August, und so war um jene Zeit die Provinz Flandern ganz in den Händen des Feindes. Der Fall von Nieuport aber, das sich am 5. September ergab,

---

[1] Kaunitz an den Grossherzog. 21. Juli 1745.

[2] Kaunitz an Ulfeldt. Brüssel, 8. August 1745.

[3] „J'espère toujours qu'on ne nous obligera pas à abandonner Brusselles, et que la jalousie et le peu de concert qu'il y a entre les généraux français et les deux étrangers qui sont à la mode dans cette campagne, tournera à notre avantage.'

schloss für längere Zeit die Reihe der französischen Eroberungen auf niederländischem Gebiete. Dass dies zu einer Jahreszeit geschah, welche gerade die günstigste zur Fortsetzung der Operationen gewesen wäre, zu der eine so gewaltige Uebermacht zu Gebote stand, muss wohl zu dem entgegengesetzten Urtheile über die Kriegführung der Franzosen und des Marschalls von Sachsen leiten, als hierüber gewöhnlich gefällt wird.

Diese Unthätigkeit der so weit überlegenen feindlichen Armee konnte auf die Streitkräfte der Verbündeten und die Bevölkerung der Niederlande überhaupt nur ermuthigend wirken. Durch die Nachricht, dass am 13. September 1745 in Frankfurt die Wahl des Grossherzogs von Toscana zum römischen Könige stattgefunden habe, wurde diese Stimmung nicht wenig befestigt, denn die Menge sah hierin einen überzeugenden Beweis, die Sache des Hauses Oesterreich sei im Begriffe, den Sieg davonzutragen über die auf sein Verderben abzielenden Bestrebungen seiner Feinde.

Aber freilich war die Freude, die man hierüber in den Niederlanden empfand, und welcher Kaunitz durch glänzende Feste, die er in Brüssel veranstaltete,[1] Ausdruck verlieh, nur von sehr kurzer Dauer. Die Nachricht von der neuerlichen Niederlage, welche Prinz Carl von Lothringen, und zwar am 30. September bei Soor durch den König von Preussen erlitt, traf ungefähr gleichzeitig mit einer zweiten dort ein, welche für die Niederlande von noch grösserer Wichtigkeit war. Die glückliche Landung des Prätendenten Stuart an der schottischen Küste, die reissenden Fortschritte, die er dort machte, der vollständige Sieg, den er bei Preston-Pars über den englischen General Cope erfocht, die Besorgniss endlich vor einer Einschiffung französischer Hilfstruppen in Dünkirchen oder Ostende, Alles dies zusammengenommen zwang die britische Regierung, den grössten Theil ihrer in den Niederlanden befindlichen Streitkräfte nach England zurückzuziehen und auch den Herzog von Cumberland dorthin zu berufen. Er war bestimmt, den Oberbefehl über das Heer zu führen, welches man dem Prätendenten entgegenstellen wollte.

Bemerkenswerth ist es, dass trotz dieser ansehnlichen Verringerung der ohnedies so schwachen Streitkräfte der Verbün-

---

[1] Kaunitz an Ulfeldt. 18. September 1745.

deten in den Niederlanden sich weder der Feldmarschall
Graf Königsegg noch Kaunitz der Besorgniss hingaben, der
Feind könnte darauf ausgehen, von diesem für ihn so günstigen
Umstande noch während der Winterszeit Nutzen zu ziehen.
Königsegg übertrug das Commando über die in die Winter-
quartiere verlegten Truppen dem Feldzeugmeister Grafen Chanclos und begab sich nach Wien. Kaunitz aber berichtete dorthin, er hege nicht die geringste Befürchtung, dass der Feind
noch in diesem Winter an irgend eine Unternehmung zu schreiten
gedenke.[1]

Es scheint wohl, dass diese Meinung wenigstens in Brüssel
ziemlich allgemein getheilt wurde. Wenigstens in dem dortigen
geselligen Leben liess sich nichts von einer Besorgniss vor einer
drohenden Gefahr verspüren, und ein Vorfall, der sich in den
ersten Tagen des December 1745 in dem Hause des Grafen
Kaunitz zutrug, kann als Beweis gelten, dass sich Viele mit
ganz anderen Dingen als den politischen und den militärischen
Angelegenheiten des Landes beschäftigten.

Am Abende des 3. December war Spiel im Hause des
Grafen Kaunitz. Unter den Anwesenden befanden sich der
kaiserliche Feldzeugmeister und commandierende General der
holländischen Truppen, Fürst von Waldeck, und der Oberst
und Generaladjutant Mac'Donel. Dieser, der ein Glücksritter gewesen zu sein scheint, benahm sich bei dem Kartenspiele mit
mehreren Damen, welche den vornehmsten Kreisen angehörten,
unter ihnen die Fürstinnen von Waldeck und Chimay, in so un-
schicklicher Weise, dass ihm eine derselben dies verwies. Fürst
Waldeck stimmte dem Tadel bei, der gegen Mac'Donel ausgesprochen wurde, worauf dieser erwiderte, von ihm werde
er wohl nicht erst Höflichkeit zu lernen brauchen. Ein heftiger
Wortwechsel entspann sich; Fürst Waldeck verlangte, Mac'Donel
solle den Spieltisch verlassen, was dieser hartnäckig verweigerte.

Je mehr sich die Zankenden erhitzten, umsomehr Kalt-
blütigkeit bewahrte Kaunitz, der nun zur Schlichtung des Streites

---

[1] Kaunitz an Ulfeldt. Brüssel, 10. November 1745: „Zwar sollte der eilige
Zurückmarsch der englischen Truppen die wahrscheinliche Beysorge ver-
ursachen, dass die Feinde bey so nahmhafter Verminderung der alliirten
Armeen noch diesen Winter etwas unternehmen und uns in nicht geringe
Verlegenheit setzen würden. Ich bin aber dessfalls von aller Forcht be-
freyet und nicht die geringste Beunruhigung von diesem Winter vermuthend.‘

herbeigerufen wurde. Um nicht selbst in denselben hineingezogen zu werden, hielt er sich nur an Mac'Donel. Er hätte von
ihm, sagte er ihm, grössere Achtung für das Haus des bevollmächtigten Ministers Ihrer kaiserlichen Majestät und für dessen
Person erwartet. Und da Mac'Donel erwiderte, er werde diese
Achtung nie aus den Augen verlieren, forderte Kaunitz ihn
auf, hievon einen überzeugenden Beweis zu geben, indem er
allsogleich seinen Platz und das Spiel verlasse. Ohne Zögern
gehorchte Mac'Donel, aber er begann nun mit dem Feldzeugmeister Grafen Chanclos, der gleichfalls zugegen war, die Sache
so laut zu besprechen, dass Fürst Waldeck es hören musste.
Hiedurch sah sich Chanclos genöthigt, ihn aus der Gesellschaft
wegzuschicken und ihm Hausarrest zu geben.

Kaunitz verhehlte sich nicht, das sich auch Fürst Waldeck durch seine Heftigkeit zu verschiedenen allzu weitgehenden
Aeusserungen habe hinreissen lassen. Dessen Stellung an der
Spitze der holländischen Truppen erheischte jedoch sehr grosse
Rücksicht; Kaunitz liess daher dem Grafen Mac'Donel erklären,
er müsse sein Benehmen als eine Verletzung der Achtung ansehen, die ein kaiserlicher Officier dem Hause des bevollmächtigten Ministers schulde. Er befehle ihm deshalb, sich zur Fortsetzung seiner Haft auf Ehrenwort nach der Citadelle von Antwerpen zu begeben.

Mac'Donel weigerte sich umsoweniger, diesem Befehle
Folge zu leisten, als darin nicht von seinem Zusammenstosse mit
dem Fürsten von Waldeck, sondern nur von seinem Vergehen
wider Kaunitz die Rede war. Dieser aber fügte seinem ausführlichen Berichte nach Wien die Bitte bei, Mac'Donel möge
künftighin auf einem anderen Kriegsschauplatze Verwendung
finden.[1]

Dieser Vorfall, welcher in den Salons von Brüssel mit
grösster Lebhaftigkeit besprochen wurde,[2] ist hier nur erwähnt
worden, um das damalige Leben und Treiben in denselben zu
kennzeichnen. Freilich lässt es sich auch nicht von fern mit der
ausgelassenen Fröhlichkeit vergleichen, welche unter der Aegide
des Marschalls von Sachsen im französischen Hauptquartiere zu

---

[1] Kaunitz an Maria Theresia. 4. December 1745.
[2] Er ist auch, wenngleich hie und da unrichtig, in dem Werke von
P. Roger wiedererzählt: Mémoires et souvenirs sur la Cour de Bruxelles,
S. 55, 56.

Gent herrschte. Was man von dort hörte, hätte Kaunitz in seiner
früheren Meinung bestärken können, den Franzosen liege nichts
ferner, als noch in diesem Winter an die Wiederaufnahme der
Feindseligkeiten zu schreiten. Aber man hatte wohl auch in
Brüssel Kenntniss von den heftigen Anklagen, welche in Frankreich gegen die Unthätigkeit des Marschalls von Sachsen erhoben wurden. Mancherlei Anzeichen liessen auf seine Absicht
schliessen, plötzlich irgend eine wichtige Unternehmung ins Werk
zu setzen: es könnte vielleicht, so meinte man in Brüssel, der
Festung Luxemburg gelten, in welcher der Feldmarschall Graf
Neipperg commandirte. Auch Kaunitz neigte sich dieser Ansicht
zu, und er liess sich die rechtzeitige Verstärkung der Garnison
von Luxemburg besonders angelegen sein.[1]

In Holland war man in hohem Grade unzufrieden mit
dieser Massregel, welche naturgemäss eine weitere Verringerung
der ohnedies schon so schwachen Streitkräfte der Verbündeten
in den österreichischen Niederlanden nach sich zog. Darum
rief die Nachricht, die französischen Truppen in Gent stünden
zum Aufbruch bereit, die Besorgniss wach, ihre Absicht könnte
entweder auf Antwerpen oder auf Brüssel gerichtet sein. Kaunitz
aber war der Meinung, die zum Ausmarsche aus Gent bestimmten Truppen würden den Weg nach Ostende einschlagen, um
dort nach England eingeschifft zu werden.[2] Auch dann noch
blieb er bei seiner Meinung, die Franzosen seien weder des
Willens, noch stark genug, etwas gegen Brüssel oder Antwerpen
zu unternehmen, als die holländischen Generale, auf ihre Kund-
schaftsberichte gestützt, die entgegengesetzte Anschauung ver-
traten.[3]

Peinlich war die Nachricht, welche Kaunitz am Schlusse
des Jahres 1745 empfing, dass nicht nur die englischen Truppen,
sondern auch die in britischem Solde stehenden 6000 Hessen
aus den Niederlanden nach England eingeschifft werden sollten.
Kaunitz berief nun die Generalität, deren er sich und insbesondere des hannoverschen Generals von Ilten mit Wärme
belobte, zu einer Militärconferenz. Man einigte sich dahin, die
ganze noch vorhandene Infanterie als Besatzung in die zwei

[1] Kaunitz an Maria Theresia. 18. December 1745.
[2] Kaunitz an Ulfeldt. 25. December 1745.
[3] Kaunitz an Ulfeldt. 29. December 1745.

Städte Brüssel und Antwerpen zu legen und vorzugsweise auf deren Vertheidigung bedacht zu sein.[1]

Indem Kaunitz dieser Massregel beistimmte, hoffte er von ihr, dass durch sie wenigstens für die Winterszeit eine hinreichende Sicherstellung beider Plätze vor einem feindlichen Handstreiche herbeigeführt werden würde.[2] An dieser Meinung hielt er auch dann noch fest, als er die Nachricht von der vorbereitenden Thätigkeit erhielt, welche seit Kurzem im französischen Heerlager herrschte. Dem Verdachte, der Marschall von Sachsen könnte der so lang dauernden Waffenruhe ein plötzliches Ende bereiten, gab jedoch Kaunitz auch dann noch nicht Raum, als ein aufgefangenes Schreiben des Marschalls, in welchem von einer beabsichtigten Unternehmung die Rede war, in seine Hände gerieth. ‚Sollte aber,‘ schrieb Kaunitz um jene Zeit nach Wien, ‚eine feindliche Bewegung erfolgen, so wollte ich wünschen, dass solche auf die hiesige Stadt gerichtet und auf die wahrscheinliche Vermuthung gegründet wäre, als ob wir nebst den holländischen Truppen schlechte Contenance halten und in der ersten Bestürzung die Rettungsmittel verabsäumen würden, massen ich der gänzlichen Hoffnung lebe, dass alsdann das Gegentheil erfolgen und der Feind sich in seiner Rechnung sehr betrügen werde.‘[3]

Die Erfüllung dieses ‚Wunsches‘ des Grafen Kaunitz liess nicht mehr allzulang auf sich warten. Nach zehntägiger Vorbereitung verliess der Marschall von Sachsen am 28. Januar 1746 Gent, und nun zweifelte auch Kaunitz nicht länger, dass sein Absehen auf Brüssel gerichtet sei. Obgleich von ernstlichen Körperleiden heimgesucht und seit drei Tagen am Fieber zu Bett liegend, erklärte Kaunitz, doch in Brüssel aushalten zu wollen. Nichts werde, fügte er hinzu, verabsäumt werden, die Vertheidigung zu einer hartnäckigen zu gestalten.[4]

Mit diesem Berichte nach Wien fand jedoch auch die Correspondenz des Grafen Kaunitz mit dem Kaiserhofe für längere Zeit ein Ende. Von dem, was in und vor Brüssel vorging, konnte er erst nach dem Falle dieser Stadt Meldung

[1] Kaunitz an Ulfeldt. 1. Januar 1746.
[2] Kaunitz an Maria Theresia. Brüssel, 5. Januar 1746.
[3] Kaunitz an Ulfeldt. Brüssel, 15. Januar 1746.
[4] Kaunitz an den Präsidenten des niederländischen Rathes, Grafen Sylva-Tarouca. Brüssel, 29. Januar 1746.

erstatten; denn so lange die Belagerung dauerte, war es zwar nicht ganz unmöglich gemacht, hie und da eine sehr kurz gefasste Mittheilung nach Aussen gelangen zu lassen, von einer förmlichen Berichterstattung aber konnte nicht mehr die Rede sein.

Die erste Kundgebung, welche man als ein sicheres Anzeichen betrachten durfte, Moriz von Sachsen führe die Wegnahme Brüssels im Sinne, bestand in einem Schreiben dieses Marschalls an den Grafen Lannoy, Militärgouverneur von Brüssel.[1] Er bat ihn darin, die etwaige Verbrennung der Vorstädte dieses Platzes als eine zwar damals gewöhnliche, aber ebenso nutzlose wie barbarische Massregel zu unterlassen.

Kaunitz versichert, dass noch vor Ankunft dieses Briefes die in Brüssel versammelte Generalität die Verschonung der Vorstädte beschlossen habe. Ausserdem behauptet er, sie habe, während Brüssel vom Feinde umschlossen wurde, eine ziemlich kleinmüthige Sprache geführt und hervorgehoben, dass die Festungswerke schwach und an verschiedenen Orten leicht zu ersteigen seien, so dass die Gefahr nicht ferne liege, Brüssel könnte durch einen nachdrücklichen Angriff mit dem Degen in der Faust weggenommen werden. Die Artillerie bestünde ausser einigen, jedoch nur sehr wenigen Zwölfpfündern aus lauter kleinen Geschützen, welche dem Feinde unmöglich beträchtlichen Schaden zufügen könnten. Die Garnison aber zähle allerdings siebzehn theils holländische, theils schweizerische Bataillone, deren wirklicher Mannschaftsstand sei jedoch so gering, dass er zur Vertheidigung einer so grossen Stadt wie Brüssel bei Weitem nicht zureiche.

Es soll nicht verschwiegen werden, dass diese Betrachtungen auch auf Kaunitz einen gewaltigen Eindruck hervorbrachten und er einen Augenblick seines erst vor wenigen Wochen ausgesprochenen Vorsatzes, Brüssel standhaft zu vertheidigen, nicht mehr eingedenk gewesen zu sein scheint. Er selbst gesteht zu, eine lange Zeit im Zweifel gewesen zu sein, ob nicht die Rettung der ganzen Besatzung den Verbündeten vortheilhafter sein würde als eine Behauptung der Stadt, von welcher sich eine sehr lange Dauer doch nicht vorhersehen

---

[1] Nicht an Kaunitz, wie Weber, Moriz Graf von Sachsen, Leipzig 1863, S. 214, und Taillandier, Maurice de Saxe, Paris 1865, S. 284, irrthümlich berichten.

liesse. Er besprach sich hierüber mit dem Feldzeugmeister Grafen Chanclos und fand ihn diesem Vorschlage geneigt. Schon trafen sie unter sich die Verabredung, dass Kaunitz in Begleitung der österreichischen Husaren aus der Stadt ziehen und trachten solle, nach Antwerpen durchzukommen, da scheiterte das ganze Project an dem entschiedenen Widerstande des Generals van der Duyn, Commandanten der holländischen Truppen. Er erklärte mit Bestimmtheit, nicht auf den Ausmarsch aus Brüssel, sondern auf die Vertheidigung dieses Platzes lauteten alle seine Instructionen, und er würde sich der grössten Verantwortung aussetzen, wenn er ihnen zuwider handeln wollte.

War er auch einen Moment lang der entgegengesetzten Meinung gewesen, so begriff darum Kaunitz doch nicht minder, dass dasjenige, was man überhaupt thun wolle, mit Nachdruck und Entschlossenheit ausgeführt werden müsse. Könne man angesichts der Weigerung des Generals van der Duyn an einen Ausmarsch aus Brüssel nicht mehr denken, so müsse die Vertheidigung dieser Stadt mit um so grösserer Energie betrieben werden. Nur von dieser sprach, nur in ihrem Sinne handelte er fortan, und es darf ihm daher auch kein geringer Antheil an dem preiswürdigen Widerstande Brüssels zugeschrieben werden.

Mit so grossen Widerwärtigkeiten hatte der Feind beim Beginne der Belagerung zu kämpfen, und so schwer wurde ihm insbesondere bei dem heftigen Regenwetter, welches eingetreten war, der Transport seines schweren Geschützes gegen Brüssel, dass sich ein Schimmer von Hoffnung aufthat, das feindliche Unternehmen könnte misslingen. Die Belagerer nach Möglichkeit zu beunruhigen, legte Kaunitz in dringenden Briefen dem zu Antwerpen befindlichen General von Ilten ans Herz. Und dem Commandanten zu Mons, Grafen Nava empfahl er, sich die Schwächung der französischen Garnisonen zunutze zu machen und aus feindlichem Gebiete ansehnliche Contributionen einzutreiben.

Aber durch die Ueberzahl seiner Truppen und seine eigene Ausdauer kam der Marschall von Sachsen doch schliesslich ans Ziel. Nachdem er allen Hindernissen zum Trotze seine schwere Artillerie vor Brüssel geschafft hatte, eröffnete er in der Nacht vom 7. zum 8. Februar die Tranchéen und besog sie am folgenden Mittag mit fliegenden Fahnen und klingendem Spiel.

An demselben Tage, an welchem sich dies vor Brüssel ereignete, drang Kaunitz in die versammelte Generalität, mit hinlänglicher Streitmacht einen ernstlichen Ausfall zu unternehmen. Die Chefs der einzelnen Truppenkörper zeigten nur wenig guten Willen hiezu, aber den nachdrücklichen Vorstellungen des Grafen Kaunitz und des Generals van der Duyn gelang es endlich doch, sie zu diesem Unternehmen zu bestimmen. Als es aber am Abende des 9. Februar mit etwa 1000 Mann ins Werk gesetzt wurde, geschah dies mit so wenig Energie, dass nur etwa die Hälfte der hiezu gewidmeten Mannschaft aus dem bedeckten Wege vorrückte und sich nach kurzem Feuer, ohne etwas Erwähnenswerthes ausgerichtet zu haben, wieder zurückzog. Von diesem Augenblicke an gab Kaunitz jeden Gedanken an fernere Ausfälle auf. Man müsse sich künftighin, so meinte er, auf eine möglichst gute Vertheidigung innerhalb der Festungswerke beschränken.

Inzwischen hatte der Feind eine zweite Parallele aufgeworfen und war am 10. Februar mit dieser Arbeit so weit gekommen, dass er begann, Bomben auf die Festungswerke und in die Stadt zu schleudern. Van der Duyn liess nun gegen Kaunitz die Bemerkung fallen, man möge die Sache nicht zu weit treiben, sondern bei Zeiten auf die Rettung der Garnison bedacht sein. Kaunitz erwiderte, er habe diese immer für nützlicher als eine nur um wenige Tage längere Vertheidigung gehalten. Könne für die Besatzung noch deren freier Abzug erwirkt werden, so brauche man sich keinen Vorwurf daraus zu machen, Brüssel mit Capitulation zu übergeben; im entgegengesetzten Falle müsse man die Vertheidigung nachdrücklich fortsetzen. Die Aufpflanzung der weissen Fahne aber hätte wegen des unerwünschten Eindruckes, den sie auf Freund und Feind hervorbringen würde, um jeden Preis zu unterbleiben.

Um jedoch sein Anbringen, und zwar in unauffälliger Weise an den Marschall von Sachsen gelangen zu lassen, gab Kaunitz ein an ihn gerichtetes Schreiben einem holländischen Trompeter mit, welcher freigegebene Gefangene nach dem französischen Lager zu geleiten hatte. Fast nichts als die Ankündigung war darin enthalten, man sei zur Uebergabe bereit, wenn der Besatzung freier Abzug mit allen Kriegsehren zugestanden würde.[1]

---

[1] Kaunitz an den Marschall von Sachsen. Brüssel, 10. Februar 1746.

Je einfacher, ja lakonischer der Brief des Grafen Kaunitz, um so kunstvoller, vielleicht auch gekünstelter war die Antwort, welche Moriz von Sachsen am 11. Februar aus seinem Hauptquartier Laeken vor Brüssel hierauf ertheilte; in Frankreich wurde sie freilich, da sie für die dort so stark entwickelte Eigenliebe ungemein schmeichelhaft war, aufs Höchste bewundert.[1] Statt das von Kaunitz gestellte Begehren rundweg abzuschlagen, erklärte ihm der Marschall, er würde einer so zahlreichen und tapferen Besatzung sehr gerne freien Abzug mit allen Kriegsehren gewähren, aber Brüssel sei weder ein haltbarer Platz, noch dürfe er von irgend einer Seite her auf Entsatz hoffen. Er selbst könne im Gegentheile seine Angriffsmittel ganz nach Belieben vermehren, so dass er nur noch etwas Geduld und einige Vorsichtsmassregeln brauche, um der Stadt wenngleich noch anständige, aber immerhin ziemlich harte Bedingungen aufzuerlegen.

Er werde zwar, fuhr der Marschall fort, allsogleich die Befehle seines Hofes einholen, aber er fürchte nur seine eigenen Soldaten. Ihnen seien die Schwächen der Befestigungswerke von Brüssel wohlbekannt. Wie leicht könne es geschehen, dass sie bei einem nur etwas lebhafteren Angriffe in die Stadt eindrängen, und wären sie einmal in dieser, dann müsste er wohl zu ihrer Unterstützung herbeieilen. Die Unordnung, die Verwirrung, von welchen ein solcher Vorfall begleitet sein würde, möge man sich nur recht vorstellen. Schmerzlich würde es für ihn sein, wenn sein Lebenslauf durch ein so trauriges Ereigniss wie die Zerstörung einer Hauptstadt bezeichnet würde.

In ausführlicher, ja vielleicht sogar etwas schwatzhafter Weise ergeht sich nun Moriz von Sachsen in der Erzählung eigener Erlebnisse, durch welche er die Unwiderstehlichkeit des französischen Soldaten zu beweisen trachtet. Und er schliesst mit einer erneuerten und deutlichen Hinweisung auf die Schrecknisse, welche eine Erstürmung und darauf folgende Plünderung von Brüssel nach sich ziehen müssten.

‚Der Sachen Ausschlag habe,‘ diese einzige Bemerkung über die von dem Marschall von Sachsen erhaltene Antwort konnte Kaunitz nicht unterdrücken, ‚die beste Widerlegung

---

[1] Der Brief des Marschalls von Sachsen an Kaunitz vom 11. Februar ist abgedruckt bei Taillandier, S. 286.

einiger von ihm gebrauchter ruhmrediger Anmerkungen an die
Hand gegeben.' Er fügt ausserdem hiezu, in Brüssel habe sie die
entgegengesetzte Wirkung von der hervorgebracht, welche der
Marschall beabsichtigt haben mochte. Denn nachdem die Hoffnung
auf freien Abzug verschwunden war, habe sich die Besatzung
hiedurch nur noch mehr zur Verlängerung einer tapferen Vertheidigung ermuthigt gesehen. Sie gab diesem Vorsatze durch
Unterhaltung eines lebhaften Feuers gegen die Belagerer Ausdruck. Aber freilich wurde dieses mit solcher Heftigkeit erwidert, und die in die Stadt geworfenen Bomben richteten so
grossen Schaden an, dass Kaunitz dem Magistrate gestattete,
ihre mit seiner Erlaubniss dem Marschall schon früher durch
eine Deputation vorgetragene Bitte um Schonung der Stadt jetzt
schriftlich zu erneuern. Moriz von Sachsen schrieb am 13. Februar an General Lannoy, er werde seine zu diesem Zwecke
bereits erlassenen Befehle wiederholen. Aber widrige Zufälle
gänzlich hintanzuhalten, stehe nicht in seiner Macht.

Vom 13. bis zum 17. Februar setzte der Feind die Belagerung mit solchem Nachdrucke fort, dass er durch die Heftigkeit seines Feuers die Besatzung zwang, einen Theil des
bedeckten Weges zu verlassen und sich hinter die Traversen
zu ziehen. Das unaufhörlich spielende grobe Geschütz legte an
zwei Orten den Hauptwall in Bresche. Und zudem war die
Garnison, welche seit fast drei Wochen ununterbrochen unter
den Waffen stand, so ermüdet, dass in der Besorgniss vor
einem Sturme viele Officiere drei und mehr Tage nicht abgelöst wurden. Unter diesen Umständen beschloss der am 17. Februar vom General van der Duyn zusammenberufene Kriegsrath einstimmig, die Capitulation nicht länger zu verzögern und
Chamade schlagen zu lassen.

Fast in dem Augenblicke, in welchem Kaunitz Nachricht
von diesem Beschlusse erhielt, überbrachte ihm ein Bauer insgeheim einen vom Fürsten von Waldeck aus Antwerpen über-
sendeten Zettel, auf welchem nur die Worte standen: ,Der
Succurs wird am 20. eintreffen.' Allsogleich eilte Kaunitz zu
van der Duyn und that alles Mögliche, um die holländischen
Befehlshaber durch nachdrückliche Vorstellungen von der Ausführung der gefassten Beschlüsse abzuhalten und sie zu noch
längerer Vertheidigung zu vermögen. Ausserdem berief er die
in Brüssel anwesenden österreichischen Ingenieure und forderte

sie zu Vorschlägen auf, wie neue Werke anzulegen und die Belagerung fortzusetzen sei. Aber obgleich sich van der Duyn seinen Bemühungen anschloss, verharrte doch der versammelte Kriegsrath, unter dessen Mitgliedern wir auch den bekannten schweizerischen Namen Planta, Sprecher, Schürler begegnen, bei dem früheren Beschlusse. Den von dem Fürsten Waldeck angekündigten Succurs abzuwarten, hielt man für allzu gefährlich. Und zudem sei, so meinte man, die hiedurch erweckte Hoffnung schon aus dem Grunde als eine vergebliche anzusehen, weil Waldeck, wie er es doch so leicht hätte thun können, auch nicht von fern an die Hand gegeben habe, wie stark der Succurs sei, aus welchen Truppen er bestünde und von welcher Seite her er eintreffen solle.

Die Einwendung lag nahe, dass Waldeck die Mittheilung solcher Einzelheiten vermieden habe, weil er doch nicht mit Bestimmtheit wissen konnte, sein Bote werde nicht in feindliche Hände gerathen. Vielleicht wurde sie auch gar nicht gemacht, denn als Kaunitz die Fruchtlosigkeit seiner Bemühungen einsah, die holländischen Befehlshaber auf andere Gedanken zu bringen, verabredete er mit van der Duyn, dass kein Kriegsrath mehr zusammenberufen werde. Die Aufpflanzung der weissen Fahne werde man, sofern die anwachsende Gefahr dies zulasse, von Tag zu Tag und von Stunde zu Stunde verschieben. Habe man endlich den 19. glücklich erreicht, dann wolle man zwar die Verhandlungen beginnen, ihren Abschluss aber bis zum 20. und sogar über diesen Tag hinaus so lang verzögern, als noch irgend eine Hoffnung auf Entsatz vorhanden sei.

‚Es hat auch,' berichtete Kaunitz später nach Wien, ‚der Feind den 18. seine Arbeit nicht viel weiter erstreckt, und nur solche zu ihrer Vollkommenheit zu bringen sich angelegen sein lassen; wie er denn nach dem Urtheile der Kriegsverständigen der Stadt Brüssel allzu viel Ehre erwiesen und mit so grosser Mühe und Sorgfalt seine Werke angelegt hat, dass es vor einer regulären, starken und mit schwerem Geschütz wohl versehenen Festung nicht besser hätte geschehen können.'

Am Morgen des 19. Februar waren übrigens schon so viele Breschen gangbar oder im Begriffe, dies binnen wenigen Stunden zu werden, dass General van der Duyn den Fürsten von Waldeck benachrichtigte, die Stadt sei aufs Aeusserste gebracht, und die Capitulationsverhandlungen könnten nicht länger verzögert werden. Doch liege ihnen vorerst nur die Absicht zu Grunde, Zeit zu gewinnen und den für den 20. versprochenen Succurs zu erwarten. Aus dieser Ursache wurde denn auch die Aufhissung der weissen Fahne und die Absendung der Commissarien geflissentlich verzögert. Der Feind aber unternahm am Nachmittage des 19., und zwar mit solcher Heftigkeit einen Angriff auf das in Bresche geschossene Hornwerk vor dem Scharbecker Thore, dass der dort postirte Theil der Besatzung in Verwirrung gebracht und in das Innere der Festungswerke zurückgetrieben wurde; gleichzeitig drang eine Schaar Franzosen daselbst ein. Die Gefahr, dass die Stadt mit dem Degen in der Faust weggenommen werden könne, war aufs Höchste gestiegen. Da warf sich ein junger Hauptmann vom Regimente Waldeck mit wenigen Soldaten dem Feinde entgegen. Andere folgten ihm, und binnen kürzester Frist wurden die Franzosen mit einem namhaften Verluste von Todten, Verwundeten und Gefangenen wieder aus den Werken verjagt.

In dem diesmaligen Misslingen des Sturmes lag jedoch gar keine Bürgschaft, dass bei dessen Wiederholung der Ausgang ein gleicher sein werde. Das Gegentheil war vielmehr fast als gewiss zu betrachten, und darum wurde endlich am Abende des 19. Februar auf Befehl des Grafen Kaunitz die weisse Flagge aufgehisst und hiedurch der erste Schritt zum Beginne der Capitulationsverhandlungen gethan. Sie hätten aber im Verlaufe des 20. sehr leicht abgebrochen werden können, wenn der versprochene Entsatz vor Brüssel eingetroffen wäre. Er kam jedoch ebensowenig als irgend eine Nachricht von dem Fürsten von Waldeck.

Schon früher hatte Kaunitz den Prinzen von Stolberg, Oberst des zweiten neuwallonischen Regimentes, und das Mitglied des geheimen Rathes Herrn Obin zu Commissären für die Verhandlungen mit dem Feinde bestimmt. Oberst Planta und Major Stürler wohnten denselben als Repräsentanten der holländischen Besatzungstruppen bei.

Die Delegirten des Grafen Kaunitz hatten von ihm den Auftrag erhalten, vorerst die Bewilligung freien Abzuges für die Besatzung zu begehren. Wäre dies durchaus nicht zu erhalten, so müssten sie sich schliesslich auch in deren Erklärung zu Kriegsgefangenen fügen; die Verpflichtung aber, eine be-

7*

stimmte Zeit hindurch nicht gegen Frankreich zu dienen,
dürften sie sich durchaus nicht auferlegen lassen.

Wie Kaunitz ihnen befohlen, benützten seine Delegirten
jeden Anlass, der sich ihnen zur Herbeiführung einer Verzögerung darbot. Sie wussten es so anzustellen, dass sie erst eine
halbe Stunde nach Mitternacht bei dem Marschall von Sachsen
eintrafen, der sie mit grosser Zuvorkommenheit empfing. Aber
freilich schlug er das Begehren um freien Abzug der Besatzung
rundweg ab und beharrte darauf, dass sie als kriegsgefangen
erklärt werde. Bis etwa 3 Uhr Nachts dauerte die Hin- und
Widerrede; endlich ging man unverrichteter Dinge auseinander;
die Delegirten des Grafen Kaunitz versprachen jedoch dem Marschall, ihm am nächsten Tage, dem 20., um 10 Uhr Morgens die
Antwort zu bringen. Aber nur Obin begab sich in Begleitung
des Majors Stürler nach Brüssel zurück; die beiden Obersten
Prinz Stolberg und Planta blieben im französischen Lager.

Es ist wohl kaum zu zweifeln, dass der Marschall von
Sachsen die Absicht seiner Gegner, Zeit bis zur Ankunft des
vermeintlichen Entsatzes zu gewinnen, durchschaute. Aber er
wusste wohl, ein solcher sei keineswegs auf dem Wege, und
darum drängte er auch die Delegirten nicht besonders; dagegen beharrte er um so fester auf den von ihm ursprünglich begehrten Bedingungen. Den Delegirten blieb schliesslich
nichts übrig, als sich ihnen zu unterwerfen, und nur für die
Civilstaatsdiener, insbesondere für Kaunitz selbst gelang es ihnen,
einige Zugeständnisse zu erwirken. Kaunitz erhielt die Ermächtigung, mit dem zu ihm gehörigen Gefolge Brüssel zu verlassen
und sich frei dorthin zu begeben, wohin er von nun an seinen
Aufenthalt zu verlegen gedenke.

Bis 9 Uhr Abends hatten diese Verhandlungen gedauert;
um 11 Uhr Nachts überbrachte Obin dem Grafen Kaunitz den
vereinbarten Entwurf der Capitulation. Und nachdem ihn Kaunitz gebilligt, gedieh er in den Vormittagsstunden des 21. Februar zu förmlichem Abschlusse.[1]

Prinz Stolberg und Obin ernteten von Seite des Grafen
Kaunitz um der ‚Vorsicht und des wahrhaften Diensteifers‘

---

[1] Der Darstellung der Ereignisse in und vor Brüssel vom Beginne bis zur
Beendigung der Belagerung liegt der sehr ausführliche Bericht des Grafen
Kaunitz an die Kaiserin aus Antwerpen vom 16. März 1746 zu Grunde.

willen, mit denen sie zu Werke gegangen waren, das wärmste
Lob. ‚Wie ich denn,‘ so lauteten seine eigenen Worte, ‚hauptsächlich des Letzteren nachdrücklichen und standhaften Vorstellungen beizumessen habe, dass mir der freie Abzug, woran
ich selbst fast verzweifelt, bewilligt wurde.‘

Auch die commandirenden Generale Graf Chanclos und
van der Duyn, welcher eine Kopfwunde davongetragen hatte,
den Gouverneur Grafen Lannoy endlich erwähnt Kaunitz mit
Worten ehrendster Anerkennung der von ihnen geleisteten hervorragenden Dienste. Und ganz besonders hebt er den Eifer
der Soldaten hervor, welcher so weit gegangen sei, dass durch
ihn die Officiere angetrieben wurden, in keiner Beziehung zurückzubleiben hinter ihrer Mannschaft.

Am Frühmorgen des 25. Februar verliess Kaunitz Brüssel,
denn er wollte nicht anwesend sein, wenn daselbst, wie es für
diesen Tag bestimmt worden war, von den Franzosen das Te
Deum für die Eroberung der Stadt abgehalten würde. Im Vor-
überfahren besuchte er in Laeken den Marschall von Sachsen,
der ihm mit grösster Höflichkeit begegnete und im Verlaufe
des Gespräches mehrmals die Andeutung fallen liess, der König
von Frankreich sehne sich nach dem Frieden und mache die
äussersten Anstrengungen bei den Generalstaaten, ihn zu Stande
zu bringen. Kaunitz hingegen richtete seine Antworten um so
behutsamer ein, da er, wie er selbst sagt, seit seiner Einschlies-
sung in Brüssel von der Lage der politischen Verhältnisse gar
keine Kunde mehr erhalten hatte. Er beschränkte sich darauf,
den Marschall um Schonung der Stadt Brüssel und des sie
umgebenden Landes zu bitten.[1]

In Mecheln traf Kaunitz mit dem Fürsten von Waldeck
zusammen, der ihm nähere Aufklärungen über die Art und
Weise gab, in welcher er der Besatzung von Brüssel hatte zu
Hilfe kommen wollen. Aber diese Mittheilungen waren wohl,
wie es scheint, nicht sehr befriedigender Art. Wenigstens heisst
es in einem vertraulichen Briefe des Grafen Kaunitz aus jenen
Tagen, der Succurs würde so unzulänglich gewesen sein, dass
man Gott nicht genug loben könne, dass es gar nicht zur Ausführung dieses Projectes gekommen sei.[2]

---

[1] Kaunitz an Ulfeldt. Antwerpen, 2. März 1746.

[2] Kaunitz an Tarouca. 2. März 1746: je pense entre nous, que nous pouvons louer le Seigneur de ce que le projet n'a pas eu lieu.‘

Von Antwerpen aus erstattete Kaunitz nicht nur einen umständlichen Bericht über den Verlauf der Belagerung von Brüssel, sondern er erneuerte auch seine zuerst im verflossenen August vorgebrachte und seither mehrmals wiederholte Bitte, seines Postens in den Niederlanden enthoben zu werden. Nicht nur auf seinen höchst unbefriedigenden Gesundheitszustand, der freilich bei einem Manne von fünfunddreissig Jahren Wunder nehmen muss, hatte er sie gestützt, sondern ausserdem versichert, dass er sich, sowie körperlich nicht kräftig genug, auch geistig nicht hinreichend begabt fühle, die schwierigen Pflichten seines Amtes in befriedigender Weise zu erfüllen.[1] Und als man in Wien von seinem Begehren wenigstens Anfangs nichts hatte hören wollen, war er einen Monat später mit verdoppeltem Nachdrucke auf dasselbe zurückgekommen. ‚Ich beharre auf dem Wunsche,‘ heisst es in einem seiner Briefe an Tarouca, ‚Ihre Majestät möge mich durch Jemand ablösen lassen, der Ihres Vertrauens würdiger ist als ich, und je rascher dies geschieht, um so zufriedener werde ich damit sein, und zwar einzig und allein um der Besorgnisse willen, die ich wegen meiner schwachen Gesundheit für den Dienst der Königin hege. Es ist wahr, dass ich die ganze Arbeit verrichte, die es überhaupt gibt, und dass nichts rückständig ist, aber mir scheint das nicht genügend. Das hier bestehende System gleicht dem Zustande eines schwerkranken Mannes, der nicht nur an innerlichen Uebeln darniederliegt, sondern auch von Aussen her tiefe Wunden erhalten hat. Zu seiner Heilung bedarf es einer umständlichen Behandlung, die man nicht lang mehr verschieben darf, wenn man ihn überhaupt retten will. Ich erkenne das Uebel, aber ich fühle auch, dass es mir an der nöthigen Kraft des Körpers und des Geistes gebricht, die Heilung zu unternehmen. Sie ist aber deshalb nicht weniger dringend, und was mich angeht, so könnte ich es nie über mich gewinnen, der Königin nur halb zu dienen.‘[2]

Es würde wohl zu weit führen, wenn hier erwähnt werden sollte, wie oft und mit welch' dringenden Vorstellungen Kaunitz auf seine Bitte zurückkam. Mit verdoppeltem Nachdrucke ge-

---

[1] Kaunitz an Tarouca. Brüssel, 27. August 1745. Abgedruckt bei Arneth. Geschichte Maria Theresias. III, S. 451, 452.

[2] Kaunitz an Tarouca. Brüssel, 22. September 1745. Abgedruckt bei Arneth. Geschichte Maria Theresias. III, S. 452—454.

schah dies, nachdem die Anstrengungen und Aufregungen,
welche mit der Belagerung von Brüssel in natürlichem Zusammenhange standen, eine recht ungünstige Wirkung auf seinen
Gesundheitszustand hervorgebracht hatten. Seit zwei Tagen
liege er wieder, schrieb er am 26. März aus Antwerpen an
Ulfeldt, fieberkrank zu Bett. Er fühle es mehr und mehr, fügte
er hinzu, dass seine Gesundheit der Ueberbürdung mit Geschäften und Sorgen erliegen müsse, wenn er nicht bald von
dieser Last befreit und ihm ein Nachfolger gegeben werde.

So sehr er sich nun auch für seine Person aus den Niederlanden hinwegsehnte, so widmete doch Kaunitz den dortigen
Ereignissen das höchste Interesse, und er setzte an das, was
zu leisten ihm oblag, seine letzte Kraft. Mit unbedingter Zustimmung begrüsste er den Entschluss des Wiener Hofes, nach
der Zustandebringung des Friedens mit Preussen den Krieg
gegen Frankreich entschlossen fortzusetzen. Vor Allem müsse
dies, meinte Kaunitz, in Italien geschehen, aber er freute sich
doch auch der ansehnlichen Verstärkungen der österreichischen
Streitkräfte in den Niederlanden und der Absendung des Feld-
marschalls Grafen Batthyany dorthin, sie zu commandiren.

Der Ankunft Batthyany's in Antwerpen folgte die willkommene Nachricht, der König von England denke sich
wieder mit einer weit stärkeren Truppenanzahl an dem Kriege
gegen Frankreich zu betheiligen. Man könne sich also, meinte
Kaunitz, wohl mit der Hoffnung schmeicheln, dass der nächste
Feldzug ein glücklicherer sein werde.[1] Aber zu einem solchen
die Vorbereitungen zu treffen, erklärte er sich gleichzeitig ausser
Stande. ,Es ist gewiss,' schrieb er am 20. April 1746 an Tarouca, ,dass ich auch nicht der geringsten Arbeit mehr fähig
bin, und höchstwahrscheinlich, dass es mir das Leben kosten
wird, wenn ich während dieses Frühlings und Sommers nicht
die mir so nothwendigen Heilmittel anwenden kann. Seit länger
als acht Monaten harre ich in Geduld und Unterwürfigkeit der
Gewährung meines Entlassungsgesuches. Ohne mich entmuthigen
zu lassen, habe ich seither mit aller nur immer möglichen Ausdauer fortgearbeitet, aber das kann nicht so weitergehen, und
es ist nicht daran zu denken, dass ich noch während des bevorstehenden Feldzuges hier bleiben kann.'

---

[1] Kaunitz an Tarouca. Antwerpen, 13. April 1746.

Obgleich schon seit zwei Jahren, schreibt Kaunitz zehn
Tage später an Tarouca, von seinem Leiden heimgesucht, fühle
er doch, wie sehr dieses seit seinem Aufenthalte in Antwerpen
zugenommen habe. Im ganzen Körper, insbesondere aber im
linken Arme fühle er einen schwer zu beschreibenden, dumpfen
Schmerz, und der Arm sei so schwach, dass er sich desselben gar nicht bedienen könne. So rasch verschlechtere
sich seine Gesundheit, dass, wenn er nicht bald Ausgiebiges
für sie thun könne, er seine Laufbahn als beendigt ansehen
müsse.[1]

Die Vorstellungen endlich, welche Kaunitz am 4. Mai an
die Kaiserin selbst, an Ulfeldt, Tarouca und Bartenstein richtete,
übertrafen an Nachdruck Alles, was er bisher in seiner eigenen
Sache nach Wien geschrieben hatte. Er fühle sich zu der Erklärung verpflichtet, so lässt er sich vernehmen, dass es unnöthig sei, ihm noch ferner Aufträge zu ertheilen, denn er bekenne sich unfähig zu ihrer Vollziehung. Es werde wohl wenige
Menschen geben, welche stark genug seien, ihrer eigenen Ver-
nichtung gegenüber volle Gleichgiltigkeit zu bewahren. Er
würde jedoch in Bezug auf die seinige nicht viel Worte verlieren, wenn er nicht mit Schmerz gewahr würde, dass er ohne
alle Nothwendigkeit, ja ohne Nutzen für den kaiserlichen Dienst
zu Grunde gehen müsse. Die erste und einzige Gnade, die er
jemals verlangt habe, begehre er jetzt, und sie bestehe in
nichts Anderem als in seiner raschen Befreiung.

In einem so hilflosen Zustande befand sich Kaunitz, als
die Franzosen, aufgebracht über die Fruchtlosigkeit ihrer Bemühungen, die Generalstaaten zu einem abgesonderten Friedensschlusse zu bewegen, den Feldzug in den Niederlanden mit
sehr grosser Uebermacht begannen. Hundertundvierzig- gegen
vierzigtausend, so wurde das beiderseitige Kräfteverhältniss von
Kaunitz geschätzt, und war diese Berechnung nur annähernd
richtig, so erklärt es sich von selbst, dass sich Batthyany auf
das Wagniss einer Schlacht nicht einliess, sondern vor dem gegen
Antwerpen heranziehenden Feinde nach der holländischen Grenze
zurückwich. Im Einverständnisse mit Batthyany und durch dessen
Vermittlung verlangte Kaunitz, der sich nicht ein zweites Mal
der Einsperrung in einer belagerten Stadt aussetzen wollte, von

---

[1] Kaunitz an Tarouca. 30. April 1746.

dem Marschall von Sachsen einen Pass zur Abreise nach Aachen.
Als er eine Zeitlang keine Antwort auf dieses Begehren erhielt, liess er sich am 18. Mai aus seinem Bette nach dem
Wagen tragen und so nach Putte, einer kleinen Ortschaft un-
fern von Antwerpen, jedoch schon auf holländischem Gebiete,
bringen. Dort empfing er endlich mit einem verbindlichen
Schreiben des Marschalls den gewünschten Pass und begab
sich nun am 20. Mai über Mecheln nach Löwen. Leider gerieth
er mit seinem Wagen in die Colonnen des französischen Heeres,
und hiedurch wurde sein Vorwärtskommen unendlich verzögert
und erschwert. So abgemattet traf er in Löwen ein, dass er
zwei Tage daselbst verweilen musste, ehe er seine Reise fortsetzen konnte. Am 23. führte sie ihn nach Maestricht und am
24. nach Aachen, von wo aus er nun, insofern dies sein körperlicher Zustand und seine Entfernung aus den Niederlanden zuliessen, den Theil Belgiens, der noch nicht in französische Bot-
mässigkeit gerathen war, mit dem Beistande der Beamten, die
ihm nach Aachen folgten, zu regieren bemüht war.[1] Aber er
konnte sich irgendwelcher Ergebnisse umsoweniger rühmen, als
er neuerdings erkrankte und daher auch nach Wien fast nichts
als die dringende Wiederholung seiner Bitte um schleunige
Enthebung von seinem Posten schrieb. Nach langem Harren
wurde sie endlich erfüllt.

,Kein grösseres Vergnügen habe ich in meinem Leben
empfunden,' schrieb Kaunitz am 18. Juni an Ulfeldt, ,als da
ich endlich mit letzter Post vom Grafen Tarouca die zuver-
lässige Nachricht erhielt, dass Ihre Majestät meine Abberufung
gnädigst beschlossen und festgestellt, mithin solche keinen weiteren Veränderungen unterworfen sei.'

,Die blosse Vorstellung, wie mein schwacher Gesundheitszustand zum merklichen Nachtheile des Allerhöchsten Dienstes
gereichen würde und meine Kräfte nicht mit dem Willen über-
einstimmten, hat mich billig in die Seele geschmerzt und in
desto grössere Schwermuth versetzt, je reiner mein von Nebenabsichten befreites Verlangen ist, keinen unnützen Diener abzugeben und den Amtspflichten ein treues Genügen zu leisten.
Glücklich würde ich mich schätzen, wenn ich durch die beabsichtigte Cur meine geschwächte Gesundheit wiederherstellen

---

[1] Kaunitz an Tarouca. Aachen, 25. Mai 1746.

und dadurch in den Stand gesetzt würde, meinen Diensteifer werkthätig bezeigen zu können.'

Noch von Antwerpen aus hatte Kaunitz den Rath ertheilt, entweder den kaiserlichen Gesandten im Haag, Grafen Rosenberg, oder den bevollmächtigten Minister bei dem Kurfürsten von Köln, Grafen Carl Cobenzl, zu seinem Nachfolger zu ernennen.[1] Er war es übrigens auch zufrieden, dass auf keinen von ihnen, sondern auf den Feldmarschall und Ban von Croatien, Grafen Carl Batthyany die Wahl fiel; denn in Wien mochte man es für zweckmässig halten, wenigstens für die Dauer des Krieges die Civil- und Militärgewalt in einer einzigen Hand zu vereinigen.

An diese Mittheilung knüpfte die Kaiserin den Befehl, Kaunitz möge allsogleich den Staats- und Kriegssecretär Heinrich von Crumpipen mit den ihm beigegebenen Beamten zu Batthyany abgehen lassen. Die übrigen bei ihm befindlichen Angestellten hätten bis auf Weiteres bei Kaunitz in Aachen zurückzubleiben. Und da es nicht angehe, das Generalgouvernement auch nur kurze Zeit ohne oberste Leitung zu lassen, müsse Kaunitz diese weiterführen, bis Batthyany von seinem neuen Posten wirklich Besitz ergriffen und begonnen habe, die mit ihm verbundene Gerechtsame auch wirklich auszuüben.[2]

Durch diese Verfügung mag es verursacht worden sein, dass Kaunitz erst am 14. Juli Aachen verlassen konnte. Er begab sich vorerst nach Spaa, um dort endlich die Cur zu beginnen, von der er sich die Wiederherstellung seiner gänzlich zerrütteten Gesundheit versprach.

IV. Capitel.

Es scheint fast, als ob man in Wien den unablässig wiederholten und, man muss es gestehen, im kläglichsten Tone vorgebrachten Schilderungen, in denen sich Kaunitz über den traurigen Zustand seiner Gesundheit erging, nicht vollen Glauben beigemessen hätte. Oder man war vielleicht der Meinung, bei einem Manne von so jungen Jahren werde eine kurze Erholungs-

---

[1] Kaunitz an Maria Theresia. 4. Mai 1746.
[2] Maria Theresia an Kaunitz. 16. Juni 1746.

zeit hinreichen, um ihn in den Stand zu setzen, neue Dienste
zu leisten. Nur so lässt es sich erklären, dass, als man daran
ging, zu den Friedensverhandlungen, welche in der holländischen Grenzstadt Breda eröffnet werden sollten, einen Bevollmächtigten abzusenden, man auf Kaunitz die Augen warf; denn
man hielt ihn mit Recht für den gewandtesten Unterhändler,
der zu jener Zeit zur Verfügung stand. Schon zu Anfang des
Monats August, also kaum drei Wochen nach seiner Ankunft
in Spaa gingen Kaunitz von Seite des Hofkanzlers Ulfeldt die
ersten Eröffnungen hierüber zu. Unverzüglich antwortete Kaunitz, dass ihm zwar die Cur ziemlich gut bekommen habe, dass
er aber auch noch in Spaa wiederholt von Fieberanfällen und
anderen Uebeln heimgesucht worden und daher durchaus nicht
im Stande sei, wichtigeren und gehäufteren Geschäften mit hin-
reichender Sorgfalt vorzustehen. Wolle man ihm solche gleichwohl übertragen, so setze man sich dadurch wissentlich den sehr
üblen Folgen aus, welche seine plötzliche Wiedererkrankung
fast unfehlbar nach sich ziehen müsste.[1]

In dem gleichen Sinne schrieb Kaunitz an Tarouca.[2] Er
dankte ihm aufs Wärmste für die Erwirkung einer Summe von
sechstausend Gulden, die ihm auf seine dringende Bitte bewilligt
worden war, um ihn wenigstens einigermassen für die grossen
Verluste schadlos zu halten, die ihm hauptsächlich durch
die übereilte Verlegung seines Hausstandes von Brüssel nach
Antwerpen und von da nach dem Haag verursacht worden
waren. Auch hatte ihm die Gastfreundschaft, welche er gegen
die Generale und Oberofficiere der Armee der Verbündeten
üben musste, beträchtliche Opfer auferlegt.

Er werde, fügte Kaunitz der Mittheilung an Tarouca hinzu, sich nach Vollendung seiner Cur in Spaa auf etwa eine
Woche nach Rietberg, dem Besitzthum seines Hauses, von da
aber nach Wien begeben. Den Winter hoffe er in dem milden
Klima Italiens zubringen und dadurch seine Wiederherstellung
vollenden zu können.

Am 27. August kam Kaunitz nach Rietberg, wo er jedoch
nicht eine, sondern zwei Wochen verweilte. Er machte sich
die Zeit seines dortigen Aufenthaltes möglichst zunutzen, um

---

[1] Kaunitz an Ulfeldt. Spaa, 9. August 1746.
[2] 10. August.

seine eigenen und die ihm von seinem Vater übertragenen Verwaltungsgeschäfte von Rietberg, so gut es eben anging, zu besorgen. Denn, wie er selbst sagt, hatte er sie seit mehreren Jahren in Folge der weit wichtigeren Angelegenheiten, mit denen er sich beschäftigen musste, recht arg vernachlässigt. Am 10. oder 11. September wollte er Rietberg verlassen und sich nach Berlin begeben, um dort den Versuch zu machen, in seinem eigenen Interesse und in dem des Hauses Liechtenstein gegen die unbefugte Occupation dreier ostfriesischer Herrschaften durch den König von Preussen gütliche Vorstellung zu erheben. Erst wenn diese fruchtlos bleiben sollte, werde er die oberstrichterliche Hilfe des Kaisers in Anspruch zu nehmen gezwungen sein.[1]

Wie peinlich war jedoch Kaunitz überrascht, als ihm, wenige Stunden nachdem er dies niedergeschrieben hatte, in der Nacht vom 8. auf den 9. September ein nach dem Haag eilender kaiserlicher Cabinetscourier den Befehl überbrachte, sich unverzüglich dorthin und, wenn einmal der Friedenscongress zu Breda seinen Anfang genommen haben werde, nach dieser Stadt zu begeben, um Oesterreich als bevollmächtigter Minister zu vertreten. Sehr gern hätte sie ihm, heisst es in dem Rescripte der Kaiserin vom 3. September, längere Ruhe gegönnt. Aber theils die jetzt obwaltenden, für sie und ihr Haus so überaus wichtigen Umstände, theils das ‚ausnehmende Vertrauen‘, das sie in seinen ‚von allen Nebenabsichten gänzlich befreiten Diensteifer und seine grosse Geschicklichkeit‘ setze, seien für diese Wahl entscheidend gewesen. ‚Wir können Uns leicht vorstellen,‘ fährt die Kaiserin fort, ‚dass es Dich hart ankommen werde, Dich diesem Werke zu unterziehen. Allein Wir hoffen, dass Dein vollkommen ergebener Eifer für Uns und Deine Liebe für das Vaterland Dir dasjenige leicht machen werden, was an sich auch noch so beschwerlich ist oder scheinen möchte, absonderlich da es auf keine lange, sondern nur kurze Zeit hiebei anzukommen hat, nachdem allem menschlichen Vermuthen zufolge der Congress entweder gut oder übel, auf die eine oder die andere Weise sich bald endigen muss und Wir Dir den üblen Ausschlag keineswegs beizumessen, den guten aber als ein neues Verdienst anzurechnen gedenken.‘[2]

---

[1] Kaunitz an Ulfeldt. Rietberg, 8. September 1746.

[2] Das Concept der kais. Depesche an Kaunitz ist von Bartenstein's Hand.

‚Ich müsste,‘ antwortete Kaunitz schon am folgenden Tage
der Kaiserin, ‚die unwürdigste Creatur von der Welt sein und
alle Empfindung von Treue, Pflicht, Gehorsam und Dankbegierde
abgelegt haben, wenn ich nicht durch diese neue, unschätzbare
Gnadenbezeigung bis in die Seele gerührt und nicht bereitfertig
sein sollte, dem Allerhöchsten Befehle mit grössten Freuden
ungesäumte Folge zu leisten und zu dessen Bewirkung alle
meine Leibes- und Gemüthskräfte anzustrengen.‘

‚Allein, allergnädigste Frau, ich bin so unglücklich, dass
mein fataler Gesundheitszustand mich in die Unmöglichkeit versetzt, schon jetzt einige, wenngleich nur geringe Geschäfte besorgen zu können, wie denn seit Jahr und Tag mein ganz
ausserordentlicher Zustand, welcher nunmehr von den berühm-
testen Aerzten einem scorbutischen Geblüt zugeschrieben wird,
darin besteht, dass mir an verschiedenen Stellen Hände und
Füsse anschwellen und dabei Anfälle von Fieber sich einstellen,
welche das Blut in starke Bewegung bringen, den Kopf einnehmen, mich entkräften und zu den Arbeiten ganz untüchtig
machen.‘

Die vielfache Erfahrung, fährt Kaunitz fort, die er in
Brüssel, Aachen, Spaa und insbesondere in Antwerpen gemacht,
wo die Aerzte fast schon an seinem Aufkommen verzweifelten,
habe überzeugend dargethan, dass sein Leiden nicht etwa auf
blosser Einbildung beruhe oder er sich in Ertragung desselben
nicht stark genug zeige. Man habe vielmehr wahrnehmen
müssen, dass dasselbe durch die geringste Kopfarbeit oder Ge-
müthsbewegung gesteigert werde. Obgleich die Cur in Spaa
nicht ganz ohne günstige Wirkung an ihm vorübergegangen,
sei sie doch bei Weitem nicht so ausgiebig gewesen, um
ihm jetzt schon die Uebernahme einer so schweren und
wichtigen Aufgabe zu erlauben. Er habe sich hievon erst
vor wenigen Tagen bei Besorgung seiner eigenen Haus-
angelegenheiten, die ihm doch bei Weitem weniger am
Herzen liegen als der öffentliche Dienst, zu überzeugen Anlass
gehabt.

Kaunitz endigt seinen Bericht an die Kaiserin mit der
offenen Erklärung, dass es ihm ganz unmöglich sei, den ihm
zugedachten Posten anzutreten. Und mit ‚reinstem Gewissen‘,
fügt er hinzu, rufe er Gott zum Zeugen an, dass einzig und

allein sein Krankheitszustand und keine andere Ursache oder Nebenabsicht ihn hiezu zwinge.[1]

An Ulfeldt richtete Kaunitz zu gleicher Zeit einige vertrauliche Zeilen, in denen er dieselben Versicherungen noch eindringlicher wiederholte. Wenn es ihm nur irgendwie möglich wäre, erklärte er, die mit jenem oder einem anderen Posten verbundenen Pflichten zu erfüllen, so würde ihn sogar die Gefahr seines Lebens nicht abhalten, dem Rufe der Kaiserin zu folgen. Aber er müsste sich als den Verworfensten der Menschen betrachten, wenn er, um einem verbrecherischen Ehrgeize zu fröhnen, sich zur Uebernahme eines solchen Amtes herbeilassen sollte. Er fühle wohl, dass er sich durch seine Weigerung vielleicht des Wohlwollens der Kaiserin verlustig mache, und er würde sich Zeit seines Lebens hierüber nicht trösten können, denn da er keine Glücksgüter begehre, würde er das Einzige einbüssen, worauf er Werth lege im Leben. Aber er wolle hundertmal lieber eine Ungnade ertragen, als sie verdienen.[2]

[1] An Maria Theresia. Rietberg, 9. September 1746.

[2] Kaunitz an Ulfeldt. Rietberg, 9. September 1746. Ganz eigenhändig. ‚V. E. verra par le contenu de la très-humble dépêche cy-jointe les malheureuses raisons, qui ne me permettent pas de me charger de la commission que la clémence de S. M. me destinoit. Tout ce que je prends la liberté d'y exposer, pourroit suffire pour persuader V. E. que je suis absolument hors d'état de pouvoir vaquer à la moindre petite affaire, mais à Elle je ne puis pas m'empêcher de Lui répéter encore une fois, avec la confiance dont Elle m'a toujours permis d'user à Son égard, que, s'il étoit humainement possible que je pus remplir les devoirs de l'emploi dont il est question, ou de tout autre tel qu'il pût être, ni la nature de l'affaire, ni la situation du lieu, ni la dépense, ni le danger de vie même, enfin rien au monde ne seroit capable de me faire balancer un instant, lorsqu'il est question du service de S. M. Mais je La supplie de juger, si quelqu'un qui n'est pas une semaine sans être sur le grabat, et pas un jour en état de pouvoir d'écrire une simple lettre sans devenir enflé dans tous ses membres avec de la fièvre et un engourdissement universel, ne seroit pas le dernier des hommes, si pour satisfaire une ambition criminelle, il avait la témérité de se laisser employer dans cet état. Elle en conviendra pourvu qu'Elle puisse me croire, et pour qu'il ne Lui reste aucun doute à cet égard, je prens Dieu à témoin de l'exacte vérité de tout ce que cy-dessus, et .de la douleur amère dont je suis pénétré, de devoir être inutile à S. M. qui ne peut certainement pas s'imaginer l'étendue de mon attachement pour Elle. Je sens fort bien que cette affaire icy peut me faire perdre pour toujours Sa haute bienveillance, dont je ne me consolerai de ma vie, parce que, comme je ne

Kaunitz fügt hinzu, dass er die Absicht, wegen seiner ost-
friesischen Angelegenheiten nach Berlin zu gehen, wieder aufgegeben habe, denn seine hierauf bezüglichen Schritte würden
ohnedies erfolglos bleiben und auch schriftlich oder in anderer
Art geschehen können. Auch müsse er besorgen, bei der Ge-
müthsbewegung, in der er sich befinde, bald von einem neuen
Krankheitsanfalle heimgesucht zu werden. Er gedenke daher,
am 11. September Rietberg zu verlassen und auf geradem
Wege, d. h. über Kassel, Leipzig, Dresden und durch Böhmen
nach Wien zu gehen.

Einen Tag später, als Kaunitz dies niederschrieb, starb
ihm sein Vater, der Landeshauptmann Graf Maximilian Ulrich
Kaunitz in Brünn. Wir wissen nicht, wo den Sohn diese
schmerzliche Nachricht traf, und ob er sich, wie es wahrscheinlich ist, gleich nach ihrem Empfange nach Brünn begab, um
dort die Angelegenheiten zu ordnen, welche mit der Verlassen-
schaft seines Vaters im Zusammenhange standen.

Den testamentarischen Verfügungen Maximilian Ulrichs zufolge war dieser in dem Augenblicke seines Hinscheidens Herr
des von seinem Vater Dominik Andreas Kaunitz gestifteten
Fideicommisses, welches aus den mährischen Herrschaften
Austerlitz, Ungarisch-Brod, Mährisch-Prus und Gross-Orzechau,[1]
dann aus einem Hause in Brünn bestand, welches er aus zwei
von ihm ererbten Häusern zusammengebaut hatte. Das Allodialvermögen des Verstorbenen begriff die von ihm selbst erkauften,
gleichfalls in Mähren gelegenen Güter Wiese,[2] Nezdienitz und
Krziczanowitz,[3] dann die auf der Freiung in Wien befindlichen
Häuser in sich, welche früher in dem Besitze der Familien
Palffy und Ehrenberg gewesen und von Dominik Andreas

---

veux ni biens ni fortune, j'aurai perdu la seule chose à laquelle je sois
sensible en ce monde. Mais je mériterois une disgrâce si j'avois la témérité de me charger de ce dont actuellement je ne suis point capable,
et comme il n'y a point à balancer entre souffrir ou être coupable,
j'aime mieux cent fois éprouver une disgrâce que l'avoir méritée. Je
compte cependant beaucoup sur l'équité et la clémence de S. M., et sur
les bontés de V. A. Dieu sait que je ne suis indigne ni de l'un ni de
l'autre. Je La supplie d'en être persuadée, autant que de la vénération
respectueuse avec laquelle je serai toute ma vie ...'

[1] Mährisch-Prus gehört zu Austerlitz und Gross-Orzechau zu Ungarisch-Brod.

[2] Bei Iglau; von Max Ulrich Kaunitz im Jahre 1737 um 133.000 fl. erkauft.

[3] Nezdienitz gehört zu Ungarisch-Brod und Krziczanowitz zu Austerlitz.

Kaunitz angekauft worden waren. Sie sind jetzt in ein einziges Haus umgebaut worden, welches dem Grafen Hardegg gehört. Und schliesslich zählte auch noch der grosse Garten, welchen Graf Max Ulrich Kaunitz sammt den hiezu gehörigen Häusern in der Wiener Vorstadt Rossau besessen hatte,[1] zu dem von ihm hinterlassenen Allodialvermögen.

Alles dies ging nun, und zwar das Fideicommiss schon an und für sich an den einzigen Sohn Anton Wenzel über, welcher gleichzeitig, von seinem Vater testamentarisch zum Universalerben ernannt, auch Herr des Allodialvermögens wurde. Freilich traf ihn hiemit auch die Verpflichtung zur Uebernahme der nicht unansehnlichen, zum grösseren Theile noch von seinem Grossvater herrührenden Schulden. Da ihm aber zu Gunsten seiner Mutter, welche als Erbgräfin von Rietberg ohnedies ein höchst ansehnliches Vermögen besass, und seiner beiden Schwestern, von denen die ältere, Antonie, an den Grafen Johann Adam Questenberg und die jüngere, Eleonore, an den Grafen Rudolf Palffy vermählt war, keinerlei Lasten auferlegt werden, wird wohl Kaunitz seit dem Tode seines Vaters als ein reicher Mann angesehen werden dürfen.

Die Abwicklung dieser Erbschaftssache scheint so gewesen zu sein, welche Kaunitz einige Zeit so sehr in Anspruch nahm, dass uns seine Spur völlig verloren geht. Erst im December 1747 taucht sie wieder auf, als Kaunitz berufen wurde, den Wiener Hof auf dem Friedenscongresse zu Aachen zu vertreten.

Man weiss, dass Maria Theresia, als sie die Conferenzen zu Breda beschickte, noch an der Absicht festhielt, welche nach den Friedensschlüssen mit Baiern zu Füssen und mit Preussen zu Dresden bei ihr die leitende geworden war: auf italienischem Boden Entschädigung für die Verluste zu erhalten, welche ihr durch die Abtretung Schlesiens an Preussen und ansehnlicher lombardischer Districte an Sardinien verursacht worden waren. Würde ihr dieser Ersatz durch die Erwerbung Neapels, auf welche sie zunächst ausging, nicht zu Theil werden können, so sollten wenigstens die ihr so empfindlichen Cessionen an Sardinien wieder rückgängig gemacht werden. Und zur Durchsetzung dieser Forderungen schien ihr nichts geeigneter zu sein als die nachdrückliche Fortsetzung des Krieges auf

---

[1] Jetzt Porsellangasse 22.

niederländischem und italienischem Boden. Eine ansehnliche
Vermehrung ihrer eigenen Streitmacht stellte sie hiezu in Aussicht, und sie drang in ihre Verbündeten, ein Gleiches zu thun.
Aber der Feldzug des Jahres 1747 entsprach ihren Erwartungen nicht. In den Niederlanden ging die Schlacht bei Laveld
und nach ihr die Festung Berg op Zoom verloren; in Italien
scheiterte die Belagerung Genuas, und die kühne Waffen-
that der verbündeten Oesterreicher und Sardinier gegen die
Franzosen auf dem Col d'Assiette, sowie der kurze Streifzug
des Grafen Browne auf französisches Gebiet bildeten durchaus
kein Gegengewicht gegen das Misslingen einer Unternehmung,
welche damals die gespannte Aufmerksamkeit ganz Europas
auf sich gezogen hatte.

Die höchst unbefriedigenden Resultate dieses Feldzuges
waren es wohl zunächst, welche in den letzten Monaten des
Jahres 1747 eine grosse Veränderung in den früheren Anschauungen der Kaiserin hervorbrachten. Hatte sie bisher die Fortsetzung des Krieges gewünscht, weil sie auf diesem Wege zu
günstigeren Friedensbedingungen zu gelangen meinte, so liess
sie jetzt diese Hoffnung fahren und dachte nur mehr an baldigen Abschluss des Friedens. Auch der Umstand, dass zu jener
Zeit Graf Haugwitz, von dem sie selbst sagt, er sei ihr durch
die Vorsehung gesendet worden, bei ihr emporgekommen und
mit wichtigen Plänen hervorgetreten war, die sich auf die Umgestaltung der inneren Verwaltung und hauptsächlich auf die
Annahme eines neuen Systems zur Einbringung der Militär-
contribution bezogen, trug nicht wenig dazu bei, sie jetzt die
baldige Beendigung des Krieges dringend wünschen zu lassen.
Denn dass so weitaussehende und tiefeingreifende Reformen
nicht während der Dauer des Krieges durchgeführt werden
konnten, darüber war sie wohl keinen Augenblick im Zweifel.

Maria Theresia verleugnete die Lebhaftigkeit, welche ein
so charakteristisches Merkmal ihres Wesens bildete, auch jetzt
nicht. Alles, was zur Herbeiführung des Friedens dienen
konnte, sollte möglichst rasch geschehen; so weit ging sie darin,
dass sie in den letzten Tagen des November 1747 den Mitgliedern der Conferenz die Frage vorlegte, ob es nicht am ge-
rathensten sei, ihren Verbündeten, insbesondere England, un-
umwunden zu erklären, sie sehe sich durch den gänzlichen
Mangel an Geldmitteln völlig ausser Stande, den Krieg noch

weiterzuführen, und sie könnte sich nur dann hiezu herbeilassen, wenn England die Auslagen für die gesammte österreichische Streitmacht in den Niederlanden auf sich nehme.

Ein so demüthigender Schritt wurde der Kaiserin von der
Mehrzahl der Befragten, am entschiedensten von Bartenstein
dringend widerrathen. Aber er zeigt doch, dass Maria Theresia
eigentlich nichts Anderes mehr als den Abschluss des Friedens
im Sinne führte, und wer sich nicht in Widerspruch setzen
wollte mit ihren Tendenzen, hatte von nun an in dieser Richtung thätig zu sein. Auch Bartenstein, vielleicht mit einziger
Ausnahme des Grafen Friedrich Harrach der selbständigste
Charakter unter den Rathgebern der Kaiserin, musste sich hiezu
bequemen, obwohl er mit dem ihm eigenen Ungestüm die etwas
seltsame Meinung vertrat, niemals sei es die Unzulänglichkeit
der zu Gebote stehenden Geldmittel, sondern immer nur eine
durch andere Ursachen veranlasste Handlungsweise gewesen,
wodurch Oesterreich ins Unglück gerathen sei oder sich durch
eigenes Verschulden in dasselbe gestürzt habe.[1]

So wenig solches nun auch Bartenstein's persönlicher An-
schauungsweise entsprechen mochte, so arbeitete er doch mit
dem ihm eigenen eisernen Fleisse, aber freilich auch mit seiner
gewöhnlichen pedantischen Breite an den Instructionen für
Kaunitz. Der Sitzung der geheimen Conferenz vom 5. December
1747, in welcher ihre Grundzüge festgestellt wurden, wohnte
auch Kaunitz bei. Am 13. meldete Bartenstein, er sei mit der
Instruction fertig geworden, und wenn man in Betracht zieht,
dass sie einundzwanzig Foliobogen stark ist, so macht dies
seiner Arbeitsamkeit gewiss alle Ehre. Aber nicht weniger
als einhundertundvier Beilagen fügte er ihr hinzu; das Ab-
schreiben derselben nahm gleichfalls einige Zeit in Anspruch,
und als in der Sitzung vom 20. December ein Mitglied der
Conferenz die Bemerkung fallen liess, eine frühere Ausarbeitung der Instruction und eine raschere Absendung des Grafen
Kaunitz wären zu wünschen gewesen, nahm Bartenstein dies
als persönlichen Vorwurf und gerieth hierüber nicht wenig in
Harnisch. Voll Bitterkeit schrieb er der Kaiserin, man habe
im November 1741, als sogar die Abtretung des Königreiches
Böhmen an den Kurfürsten von Baiern anzuregen gewagt worden

---

[1] Referat vom 30. November 1747.

sei, den Muth nicht in solchem Masse sinken lassen wie jetzt.
Selbst wer schon von vorneherein Alles verloren gebe, werde
doch dafür sein müssen, dass man zum Mindesten darauf ausgehe, so viel zu retten, als überhaupt erreichbar erscheine.

Darin bestand denn nun die Aufgabe, welche die Instruction des Grafen Kaunitz diesem vorzeichnete. Ihr Vertrauen in
seine grosse Geschicklichkeit, in seine Erfahrung und seinen
ruhmwürdigen Diensteifer habe die Kaiserin vermocht, so heisst
es zu Anfang dieser Instruction, ihn vor Anderen in den gegenwärtigen ebenso verwirrten als höchst gefährlichen Umständen
zur Wahrnehmung der Interessen oder vielmehr der Wohlfahrt
ihres Erzhauses bei den bevorstehenden Friedensconferenzen
auszuersehen. Da lebhaft zu wünschen wäre, dass noch vor
Beginn des Feldzuges ein wenn auch nicht guter, so doch leid-
licher Friede zu Stande komme, möge Kaunitz seine Reise nach
Aachen thunlichst beschleunigen.

Die Natur jeder Instruction bringe es mit sich, führt diese
oder vielmehr ihr Verfasser Bartenstein fort, dass sie in zwei
Theile zerfalle. In dem ersten müsse das bisher Geschehene
und im Zusammenhange mit den zu eröffnenden Verhandlungen
Stehende erzählt werden, der zweite aber die Vorschriften enthalten, die als Richtschnur zu dienen hätten.

Was den ersten Theil der Instruction, die Darstellung des
bisher Geschehenen betraf, so erging sich Bartenstein hierüber in
so behaglicher Breite, und es wurde, was er selbst nicht erzählte,
durch die siebenundachtzig Beilagen so erschöpfend ergänzt,
dass er selbst die Ueberzeugung aussprach, Kaunitz sei nunmehr von jeder Phase der früheren Unterhandlungen so genau
unterrichtet, als ob sie insgesammt durch seine eigenen Hände
gelaufen wären. Nachdem er diese ihm als nothwendig erschei-
nende Aufgabe erfüllt hatte, wandte sich Bartenstein dem zweiten
und allein für uns wichtigen Theile der Instruction zu, durch
welchen dem Grafen Kaunitz das von ihm zu beobachtende
Verfahren vorgezeichnet wurde. Die Punkte, welche sich auf
die damals so hochgehaltenen Etikettefragen bezogen, wollen
wir ebenso wie andere von wenig entscheidender Bedeutung
übergehen und uns ausschliesslich mit Verfügungen beschäftigen,
welche die Gebiete in Italien betrafen, aus denen Compensations-
objecte gemacht werden sollten.

Die Instructionen für Kaunitz unterschieden hiebei streng zwischen einer allgemeinen Pacification und einem blossen Friedensschlusse mit Spanien. Jene als das bei Weitem wünschenswerthere Ziel sei vorzugsweise zu erstreben und daher für sie auch ein grösseres Opfer als für den Friedensschluss allein zu bringen. Käme nur dieser in Betracht, so sei darauf zu bestehen, dass der König von Neapel und Sicilien die Verzichtleistung der Kaiserin auf diese zwei Länder durch Abtretung des Stato de' Presidj an Toscana erkaufe. Die auf dem spanischen Throne sitzende ältere Linie des dortigen Königshauses, sowie kein König von Spanien überhaupt könne jemals auch über Neapel und Sicilien herrschen. Würde der jetzige König dieser zwei Länder zur Thronfolge in Spanien berufen, so erlöschen dadurch von selbst sein eigener Besitztitel und der seiner Nachkommenschaft auf die beiden süditalienischen Reiche. Den Thron dieser hätte vielmehr der jüngere Bruder Don Philipp zu besteigen. Sollten er und auch der jüngste Bruder, der Cardinal-Infant, ohne Hinterlassung männlicher Descendenz sterben und überhaupt Niemand mehr von dem spanischen Zweige des Hauses Bourbon übrig sein, der solche besässe, so hätte Neapel von selbst an das Haus Oesterreich, Sicilien aber an den jeweiligen König von Sardinien zu fallen. Gegen dieses Zugeständniss sei man zur Erneuerung der schon im Wormser Tractate versprochenen Cession Parmas und Piacenzas an den Infanten Don Philipp bereit. Die durch den eben erwähnten Vertrag an Sardinien abgetretenen Gebiete hätten jedoch an Mailand zurückzufallen, wenn es nicht gelänge, dem Kaiserhause für die Verzichtleistung auf Parma und Piacenza eine anderweitige Schadloshaltung zu Theil werden zu lassen. Um so gerechter sei ein solches Begehren, heisst es in der Instruction für Kaunitz, als es sich bei dem Könige von Sardinien um eine Vergrösserung seines bisherigen Gebietes, bei dem Hause Oesterreich aber um eine Vermeidung einer ganz unbilligen Schmälerung desselben handle. Oesterreich habe die Last des Krieges in Italien fast allein getragen, während Sardinien hiezu nur sehr wenig leistete, sich zum Mindesten höchst zweideutig betrug und häufige Gelegenheiten versäumte, dem gemeinsamen Feinde Abbruch zu thun und Oesterreich zur Erlangung des Besitzes von Neapel mitbehilflich zu sein.

Wäre hingegen Aussicht auf Zustandebringung des allgemeinen Friedens vorhanden, dann dürfe sich Kaunitz, nachdem er zuvor Alles versucht, um die Abtretung des Stato de' Presidj an Toscana zu erlangen, schliesslich hinsichtlich dieses einen Punktes nachgiebig finden lassen. Solches dürfe jedoch nur unter der Voraussetzung geschehen, dass gleichzeitig die durch den Wormser Tractat an Sardinien abgetretenen Gebietstheile wieder an die Lombardei zurückkämen.

Zu der so umfassenden Instruction für Kaunitz, welche am 19. December ausgefertigt worden war, kam zehn Tage später, am 29., noch ein Nachtrag. Doch lag ihm mehr die Absicht, Kaunitz von dem in Kenntniss zu setzen, was in der Zwischenzeit von den verschiedensten Seiten her nach Wien berichtet und von hier aus an einige Vertreter des Kaiserhofes im Auslande geschrieben worden war, als die Tendenz zu Grunde, die ihm früher ertheilten Verhaltungsvorschriften in wichtigen Punkten zu ändern. Vollinhaltlich blieben sie aufrecht, aber es mochte wenigstens die, welche so energisch auf baldigste Abreise des Grafen Kaunitz nach Aachen gedrungen hatten, unangenehm berühren, dass dieser, wohl durch Unwohlsein gehindert, erst am 12. Januar 1748 von Wien aufbrach. Und auch jetzt noch kam er nicht weit; durch Krankheit dazu gezwungen, blieb er eine Woche hindurch, vom 14. bis zum 21. Januar, in Strengberg, zwei Poststationen vor Linz, liegen. Arger Schneefall zwang ihn neuerdings zu einem mehrtägigen unfreiwilligen Aufenthalte in Linz; erst am Abend des 25. kam er nach Passau und am Morgen des 29. nach Nürnberg, wo man ihn mit den einem kaiserlichen Botschafter gebührenden Ehrenbezeigungen empfing. In dreimaliger Abfeuerung von vierzig Kanonenschüssen von den Wällen der Stadt, sowie in der Aufstellung einer Compagnie von hundert Soldaten mit fliegenden Fahnen und klingendem Spiel vor seiner Wohnung bestanden sie zunächst. Dort fanden sich auch, um ihn im Namen des Magistrates zu begrüssen, die beiden Patrizier und Mitglieder des Stadtrathes Haller und Kress ein. Am folgenden Morgen aber erhielt er das sogenannte Ehrenpräsent, einen mit neun Eimern Wein beladenen Wagen,[1] zwei andere

---

[1] Vier Eimer Rheinwein, vier Eimer Steinwein und ein Eimer süssen spanischen Weines.

Wagen mit Hafer und drei Kübel voll Fischen.[1] Da er denselben Tag schon nach Würzburg weiterging, konnten Kaunitz
und sein Gefolge dieses Geschenk unmöglich verbranchen; er
bleibt uns jedoch die Auskunft schuldig, was damit geschah.

Wie wenig die Verzögerung, die in der Reise des Grafen
Kaunitz nach Aachen eintrat, seinem Sinne entsprach, wird
man auch daraus entnehmen können, dass er frühzeitig eines
der schönsten Häuser in Aachen, das der Gräfin Goldstein, um
den für die damalige Zeit ganz beträchtlichen Preis von zehn-
tausend Gulden gemiethet hatte und dass seine Dienerschaft
schon am 21. Januar in Aachen eingetroffen war. Von Frankfurt
aus beklagte er es, dass diese beträchtlichen Opfer wenigstens
vorderhand fruchtlos gebracht wurden.[2] Und aus Rietberg, wo er
am 5. Februar ankam, erneuerte er die Versicherung, er sehe
mit Verlangen der Gelegenheit entgegen, seinen Diensteifer
‚werkthätig‘ bezeigen zu können.[3] Sehnlich wünsche er, schrieb
er vierzehn Tage später von dort nach Wien, dass sich seine
hiesige langweilige ‚Ruhe‘ binnen Kurzem in eine ‚treueifrige
Beschäftigung‘ umwandeln möge.[4] Aber noch geraume Zeit verging, ehe Kaunitz, der inzwischen in Rietberg neuerdings von
ernstlichem Unwohlsein befallen worden war, diesen Wunsch
sich erfüllen sah. Erst am 12. März verliess er Rietberg, am
14. kam er nach Düsseldorf und am 18. nach Aachen.

Kaunitz hatte sich übrigens bei seiner verspäteten Reise
nach Aachen nur nach dem Verfahren gerichtet, welches in
dieser Beziehung von den Botschaftern der übrigen Mächte
beobachtet wurde. Die Vertreter Englands und Sardiniens, Lord
Sandwich und Graf Chavanne waren kurze Zeit vor ihm eingetroffen, während die beiden Repräsentanten der Generalstaaten, Graf Bentinck und van Haaren, sowie der französische
Botschafter Graf St. Severin erst nach ihm kamen. Und noch
am 3. April musste er nach Wien berichten, die Minister Spaniens, Genuas und Modenas seien noch immer nicht angelangt.
Durch ihr Ausbleiben erleide jedoch die Eröffnung der Friedensconferenzen eine arge Verzögerung.

[1] Kaunitz an Ulfeldt. Nürnberg, 29. Januar 1748.
[2] An Ulfeldt. Frankfurt, 2. Februar 1748.
[3] An Ulfeldt. Rietberg, 8. Februar 1748.
[4] An Ulfeldt. Rietberg, 22. Februar 1748.

Vorderhand kam es freilich weniger auf die allgemeinen
Verhandlungen als auf die abgesonderten an, welche zu einem
Separatfrieden zwischen den Höfen von Wien und Versailles führen
sollten. Schon den ganzen Winter hindurch waren sie durch Vermittlung der beiden Grafen Loss geführt worden, von denen der
Eine den König von Polen und Kurfürsten von Sachsen in Wien,
der Andere ihn in Paris vertrat. Um so grösseres Gewicht legte
der Kaiserhof auf sie, als sich die Aussicht, durch Englands Da-
zwischenkunft zu einem leidlichen Abkommen mit Spanien zu
gelangen, immer mehr verdüsterte. Und man wurde hiedurch
weniger gegen den eigentlichen Feind, den Hof von Madrid, als
gegen den von Saint-James erbittert, der zwar die Rolle des Ver-
mittlers spielte, dem aber kein Opfer zu gross schien, um es nicht
mit aller Ruhe der Kaiserin aufbürden zu können. Im Vergleiche mit dem Schicksale, welches bei Beginn des Krieges
dem Hause Oesterreich gedroht hatte, musste sie ja nach dem
Ermessen der britischen Regierung immer noch froh sein, so
wohlfeilen Kaufes aus dem Kriege zu kommen. Und von einem
britischen Staatsmanne wird der charakteristische Ausspruch
nacherzählt: ,Die Kaiserin besitze keinen Kreuzer Geld und
wolle doch, dass sich Alles nach ihrem Willen richte.'[1]

Es ist nicht zu verwundern, dass der Wiener Hof unter
solchen Verhältnissen von dem mächtigsten seiner Gegner, dem
Könige von Frankreich, bessere Bedingungen als durch den
bisherigen Verbündeten, durch England, zu erreichen hoffte.
So weit waren diese Verhandlungen nach der Abreise des
Grafen Kaunitz aus Wien schon gediehen, dass man daselbst
zur Abfassung von Präliminarartikeln schritt, hinsichtlich deren
man sich mit der Hoffnung schmeichelte, sie würden wenigstens in ihren wesentlichsten Bestimmungen auf französischer
Seite Annahme finden. Sie wurden Kaunitz nach Rietberg nach-
gesendet, und bemerkenswerth sind die Ausdrücke enthusiasti-
scher Bewunderung, in denen sich Kaunitz über diese Arbeit
Bartenstein's erging.[2] ,Ich gestehe,' schrieb er noch von Riet-

---

[1] Puysieux an St. Severin. 28. April. ,que la Reine d'Hongrie n'avoit pas
un écu et qu'elle vouloit donner la loi.'

[2] Kaunitz an Ulfeldt. Rietberg, 22. Februar 1748. ,Indessen bleibet mir
genugsame Zeit übrig, die vorgängige Allerhöchste Anweisungen mit
denen neueren in vereinigte Erwegung zu ziehen, den gantzen Zusammenhang aller sowohl mit sich selbsten als mit denen veränderlichen

berg am 24. Februar an Ulfeldt, ‚dass ich nicht zu hoffen gewagt habe, die Verhandlung werde in so kurzer Zeit so grosse
Fortschritte machen. Ich besorgte vielmehr, der Dresdner Hof
werde es nicht gerade mit Befriedigung ansehen, dass wir
durch unsere am 10. von Wien abgegangene Erklärung fort-
fuhren, auf einer Zusammenkunft mit mir zu bestehen, indem
alle Schritte der Grafen Loss ihren Wunsch, die Verhandlung
nicht aus den Händen zu verlieren und die guten Dienste ihres
Hofes in glänzendem Lichte erscheinen zu lassen, deutlich darthun. Gewiss kann Niemand dies tadeln, der gleich mir nur
das Beste des Dienstes Ihrer Majestät vor Augen hat. Darum
hege ich auch den lebhaften Wunsch, der Graf Loss zu Paris
möge das Glück haben, auf Grundlage der ihm durch Ihre
Majestät die Kaiserin ertheilten Ermächtigung in ihrem Namen
die Präliminar- sammt den beiden Separatartikeln einfach unter-
zeichnen zu können. Dieses Werk ist meines Erachtens ein
Meisterstück; es wäre mir unmöglich, irgend ein Wort hinzuzufügen oder hinwegzunehmen, und es ist mit einer Weite des
vorausschauenden Blickes entworfen, dass es dem Dresdner
Hofe unmöglich wird, hievon auch nur den geringsten üblen
Gebrauch zu machen.‘ [1]

Und in der That, schon bei seinem ersten Zusammentreffen
mit Kaunitz bemühte sich der Graf von St. Severin, ihn zu
überzeugen, dass der König von Frankreich nichts sehnlicher
wünsche, als sich mit der Kaiserin vollkommen zu versöhnen.
Er habe daher, versicherte der französische Botschafter, von
seinem Hofe den bestimmten Auftrag erhalten, mit Kaunitz
aufrichtig und herzlich zu Werk zu gehen. [2]

An dem Willen Ludwigs XV., von nun an in möglichst
gute Beziehungen zu Oesterreich zu treten, braucht man nicht
zu zweifeln, wenn man gleich das Verfahren seines Repräsentanten in Aachen gegen den dortigen Bevollmächtigten Oesterreichs nicht gerade ein aufrichtiges nennen kann. Allerdings
musste der Graf von St. Severin ein solches versprechen, denn

---

Weltläuften übereinstimmenden und auf das vorsichtigste ausgemessenen
Massnehmungen zu bewundern und Mir immer mehrers in das Gedächtnuss zu prägen.‘
[1] ‚Cela est couché avec une vastité de prévoyance qui ne permet pas que
la Cour de Dresde en puisse faire le moindre mauvais usage.‘
[2] Kaunitz an Maria Theresia. Aachen, 28. März 1748.

sonst hätte er ja von vorneherein der abgesonderten Verhandlung Frankreichs mit Oesterreich allen Boden entzogen. Sie
war aber, wie wir jetzt aus den Instructionen wissen, welche
das Cabinet von Versailles seinem Vertreter mit auf den Weg
gab, nicht gerade sehr ernstlich gemeint. Denn an der Spitze
dieser Instructionen finden wir den Satz, der Friede werde
nur dann auf dauernder Grundlage zu Stande gebracht werden
können, wenn Frankreich und England sich vorläufig, und zwar
nicht nur über ihre gegenseitigen eigenen Zugeständnisse, sondern auch über die für ihre Alliirten festzustellenden Friedensbedingungen geeinigt haben würden.[1]

Auf diese Separatverhandlung mit England hatte denn
nun auch der Graf von St. Severin sein Augenmerk wenigstens
in erster Linie zu richten, wenn er auch persönlich der Meinung sein mochte, eine vorläufige Verständigung mit Oesterreich
könnte für Frankreich nur vortheilhaft sein.[2] Um so leichter
mochte es ihm daher fallen, sich gegen Kaunitz das Ansehen
zu geben, es sei ihm um nichts so sehr als um eine baldige
Vereinbarung mit Oesterreich zu thun. Und dass er sich darauf
verstand, in Aachen eine doppelte Sprache zu führen, wurde
sogar von Versailles her ausdrücklich anerkannt und belobt.[3]
Darum wurden denn auch die Verhandlungen zwischen Saint-
Severin und Kaunitz mit Eifer, aber freilich wohl nur von dem
Einen im guten Glauben an einen günstigen Ausgang geführt. Lebhaft befürwortete St. Severin bei Kaunitz das von
spanischer Seite in den Vordergrund gestellte Project, dem
Infanten Don Philipp möge Savoyen sammt der Grafschaft
Nizza zu Theil werden, während man in Wien einer derartigen
Beraubung eines freilich nur lauen Verbündeten, des Königs
von Sardinien, wenigstens nicht gleich von allem Anfange an
zustimmen zu können glaubte. Einerseits wollte man eine so
empfindliche Schädigung eines Alliirten nicht zulassen, und
andererseits besorgte man, hiedurch nicht zu dem sehnlich gewünschten Frieden, sondern weit eher zu einer Erneuerung des
Krieges zu kommen. Denn es war leicht vorherzusehen, dass

---

[1] Instruction für St. Severin. 29. Februar 1748.
[2] St. Severin an den Marquis von Puysieux. Aachen, 30. März 1748.
[3] Puysieux an St. Severin. „La manière dont vous vous êtes expliqué avec
M. le Comte de Kaunitz, me prouve que vous savez parler plus d'une
langue."

sich der König von Sardinien die Entreissung eines so wichtigen Theiles seiner Stammlande nicht ruhig werde gefallen lassen. Er werde sich ihr, so meinte man, entweder mit den Waffen in der Hand widersetzen, oder anderwärts, gewiss aber zunächst auf Oesterreichs Kosten hinreichende Schadloshaltung suchen. England werde ihm hiebei nachdrücklich beistehen, und es wäre leicht möglich, dass es den König von Preussen veranlasse, bei dem etwaigen Ausbruche eines Krieges zwischen Oesterreich und Sardinien zur Unterstützung dieses Staates neuerdings die Waffen gegen Maria Theresia zu ergreifen.

Die deutliche Erklärung des englischen Botschafters, man möge den Friedensschluss durch Annahme des Grundsatzes erleichtern und herbeiführen, dass der Wormser Vertrag im Hinblick auf den König von Sardinien in voller Kraft verbleiben, hingegen dasjenige, was darin zum Vortheile Oesterreichs festgesetzt war, schon von vorneherein als nichtig und unverbindlich angesehen werden solle,[1] macht es begreiflich, dass man sich in Wien von einem Verbündeten, dessen Repräsentant eine so verletzende Sprache führte, ärgerer Schädigung als von einem offenen Feinde versah. Die Eindrücke aber, welche derlei Kundgebungen Englands auf Kaunitz hervorbrachten, waren so mächtig und so tiefgehend, dass sie auf seine politischen Anschauungen die nachhaltigste Wirkung übten. Gross war die Erbitterung, die er deshalb gegen Lord Sandwich empfand und ebensowenig wie seine Abneigung gegen Sardinien vollständig verbarg.[2] Dennoch vermied es Kaunitz mit Sorgfalt, jetzt schon in Streit mit Lord Sandwich zu gerathen. Es würden sich ohnedies, schrieb er um jene Zeit an Ulfeldt, mehr als genug Gelegenheiten hiezu finden, und man dürfe darauf rechnen, dass er ihm zwar mit Mässigung, aber doch mit Wucher dasjenige vergelten werde, was er jetzt dem Scheine nach von ihm hinnehmen müsse.[3]

Dass sich seine Beziehungen zu Lord Sandwich so unerfreulich gestalteten und von englischer Seite so Nachtheiliges für Oesterreich zu befürchten war, liess es doppelt bedauerlich

[1] Kaunitz an Maria Theresia. Aachen, 25. März 1748.

[2] St. Severin an Puysieux. 30. März 1748. „Je remarque dans M. de Kaunitz beaucoup de défiance de la Cour de Londres, et une aversion bien décidée pour celle de Turin.'

[3] je le lui rendrai avec usure, quoique avec beaucoup de modération ...'

erscheinen, dass auch die Verhandlungen zwischen Kaunitz
und St. Severin keine befriedigenden Fortschritte machten. Sehr
gern wäre Kaunitz noch vor dem Augenblicke, in welchem das
Eintreffen sämmtlicher Friedensbevollmächtigten die Eröffnung
der allgemeinen Verhandlungen möglich gemacht hätte, zur Zustandebringung des abgesonderten Uebereinkommens zwischen
Oesterreich und Frankreich gelangt, aber noch immer zeigte
sich keine Aussicht auf Erreichung dieses Zieles. Auch näherte
sich die zur Wiedereröffnung der Feindseligkeiten günstige
Jahreszeit immer mehr, und Niemand konnte auch nur mit
einiger Bestimmtheit den Einfluss vorhersehen, welchen die
Fortführung des Krieges auf den Gang der Verhandlungen
nehmen werde.

In Wien war man äusserst betrübt, als die Franzosen
durch Umschliessung von Mastricht die Feindseligkeiten begannen, ehe die Separatverhandlungen, welche der Kaiserhof
einerseits mit Frankreich und andererseits durch Englands Vermittlung mit Spanien pflog, zu einem Resultate geführt, ja sogar ehe noch die allgemeinen Friedensconferenzen überhaupt
ihren Anfang genommen hatten. Von England versprach sich
Kaunitz freilich nichts mehr, wohl aber von Frankreich, und
noch am 26. April schrieb er an Ulfeldt, die Separatverhandlung mit Frankreich sei nicht nur nicht abgebrochen, sondern man
zeige ihm sogar den lebhaften Wunsch, zu baldigem Abschlusse
mit dem Wiener Hofe zu kommen. Und Kaunitz täuschte sich
mit dieser Wahrnehmung nicht, denn wenige Tage zuvor hatte
der Graf von St. Severin eine geheime Depesche aus Versailles
erhalten, in welcher es hiess, der König erwarte nichts mehr
von England, das nur darauf sinne, Spanien von Frankreich
zu trennen und mit dem Hofe von Madrid eine abgesonderte
Vereinbarung zu treffen. St. Severin könne nichts Besseres mehr
thun, als eine solche zwischen Frankreich und Oesterreich zu
Stande zu bringen.[1]

Es ist um so weniger einleuchtend, weshalb dies nicht
wirklich geschah, als Kaunitz gerade zu jener Zeit an den

[1] Puysieux an St. Severin. 30. April 1748. ‚Le Roi est persuadé que vous
ne ferez rien avec l'Angleterre. Cette Puissance ne songe qu'à séparer
l'Espagne de nous ... Dans ces circonstances le Roi m'ordonne de vous
mander que vous n'avez rien de mieux à faire que de tenir avec la Cour
de Vienne, si tant est qu'elle le veuille que ce soit avec sûreté.‘

Grafen St. Severin mit der Erklärung herantrat, der Wiener
Hof willige nunmehr in die Abtretung Savoyens an den Infanten Don Philipp, und er wolle für sie den König von Sardinien durch die Herzogthümer Parma und Piacenza entschädigen. Der Bevollmächtigte Frankreichs legte diese neuen
Anträge Oesterreichs seiner Regierung vor und erhielt von ihr
die Antwort, auch sie wäre zu ihrer Annahme unter der Voraussetzung einiger Erläuterungen und Veränderungen bereit.[1]

Indess hatte aber in Aachen eine weit lebhaftere Annäherung des britischen Bevollmächtigten an den des Hofes
von Versailles stattgefunden. So wie es Kaunitz gethan hatte,
legte nun auch Lord Sandwich dem Grafen St. Severin einen
neuen Entwurf von Präliminarartikeln zwischen den zwei
Mächten vor. Anfangs meinte St. Severin auch von dieser Verhandlung keine besondere Erwartung hegen zu dürfen,[2] aber
Lord Sandwich zeigte sich nun plötzlich so voll Eifer, die Sache
zum Abschlusse zu bringen, und so willfährig, die Begehren
Frankreichs zu erfüllen, dass die Verhandlung zwischen Beiden
mit immer mehr sich steigernder Lebhaftigkeit fortgesetzt wurde.

Dem Grafen Kaunitz entging es nicht, dass sich St. Severin nicht nur zur Eröffnung der allgemeinen Friedensconferenzen bereitwilliger finden liess als zuvor, sondern dass er
auch mit Lord Sandwich fast ununterbrochenen Verkehr unterhielt. Und als sie vier Tage später, am 30. April, mit den
übrigen Gesandten bei ihm speisten, bemerkte Kaunitz wohl,
dass etwas Besonderes zwischen ihnen vorgehe. Der Graf von
St. Severin entfernte sich bald, und Sandwich folgte ihm nach;
etwa drei Stunden später aber kehrte dieser zurück und theilte
Kaunitz den Entwurf der Friedenspräliminarien mit, den er soeben mit dem französischen Botschafter vereinbart hatte.

Fassen wir hier nur den Theil derselben ins Auge, welcher
Oesterreich anging, so haben wir anzuführen, dass alle Eroberungen zurückgegeben und daher auch der Herzog von Mo-

---

[1] Puysieux an St. Severin. 28. April 1748. ‚Le nouveau projet de traité
préliminaire qui vous a été communiqué par le Comte de Kaunitz, peut
être adopté à certains égards, mais il renferme des stipulations qui de-
mandent des éclaircissements et des modifications.‘

[2] St. Severin an Puysieux. 25. April 1748. ‚Je crois que, comme ce qui
intéresse le plus essentiellement l'Angleterre, ne dépend pas de nous,
cette négociation n'aura point de suite sérieuse . . .‘

dena und die Republik Genua in ihre Besitzthümer wieder
eingesetzt werden sollten. Alle von österreichischer Seite, sei
es in früherer oder späterer Zeit geschehenen Abtretungen mailändischen Gebietes an Sardinien müssten aufrecht erhalten und
die Herzogthümer Parma, Piacenza und Guastalla dem Infanten
Don Philipp für ihn und seine Erben bis zur etwaigen Erlangung des neapolitanischen Königsthrones eingeräumt werden.
Die Erwerbung Schlesiens durch den König von Preussen
sollte ebenso wie die pragmatische Sanction Gewährleistung
finden.

Auf den ersten Blick erkennt man den grellen Widerspruch zwischen dem Wortlaute dieser Präliminarien und den
Wünschen, welche der Kaiserhof im Hinblick auf den künftigen
Friedensschluss hegte. Zu dem schon Verlorenen sollte er sich
noch in neue Abtretungen fügen und jeden Anspruch auf irgendwelchen Ersatz aufgeben. Darum besann sich denn auch Kaunitz keinen Augenblick, Lord Sandwich gegenüber das gegen
Oesterreich beobachtete Verfahren in kurzen, aber nachdrucks-
vollen Worten als ein nicht zu rechtfertigendes zu erklären.
Niemals werde er zur Zustandebringung eines auf so unbillige
Bedingungen gebauten Friedens die Hand bieten können und
nie werde die Einwilligung der Kaiserin in einen solchen zu
erlangen sein.

Unverzüglich eilte Kaunitz zu St. Severin, um nicht nur
die Bestätigung der unerwarteten Nachricht zu vernehmen,
sondern auch seine gegen Lord Sandwich abgegebenen Erklärungen womöglich in noch schärferem Tone zu wiederholen.
Denn gegen den Vertreter Frankreichs war er noch weit mehr
aufgebracht als gegen den Englands, weil sich St. Severin
noch viel unaufrichtiger benommen und ihm noch vor zwei
Tagen erklärt hatte, er hoffe binnen Kurzem die Separatverhandlung mit Oesterreich zu befriedigendem Abschlusse zu
bringen.

Kaunitz behauptet, St. Severin habe ‚in seiner grössten
Beschämung‘ nichts Anderes zu seiner Entschuldigung anführen
können, als dass Frankreich wegen der schon sehr weit ge-
triebenen Verhandlungen Englands mit Spanien und in der Besorgniss, jene Höfe könnten ihm zuvorkommen, selbst zu einer
Vereinbarung mit England schreiten musste, zu welcher Sandwich
seit wenigen Tagen besonders eifrig gedrängt habe. Und mit

Oesterreich wäre es ja ohnedies zu keinem Abschlusse gekommen.[1]

Es mag sein, dass St. Severin gegen Kaunitz noch weniger offen verfahren war als Sandwich, und dass aus diesem
Grunde der persönliche Unmuth des Grafen sich mehr gegen
St. Severin als gegen Sandwich kehrte. Aber nicht dieser Ge-
sichtspunkt, sondern der des Verhältnisses von Staat zu Staat
muss als der allein massgebende angesehen werden, und von
ihm aus stellte sich Frankreich als Oesterreichs bisheriger
Feind, England aber als sein Verbündeter dar. Und in welch'
arger Weise es von diesem im Stiche gelassen worden war,
wird am unwiderleglichsten aus dem Munde eines Gegners entnommen werden können. ‚Der Wiener Hof und der König von
Sardinien,‘ schrieb am 1. Mai der Graf von St. Severin an den
französischen Minister des Aeussern, Marquis von Puysieux,
‚werden den Streich nicht so bald vergessen, den die Seemächte ihnen spielten, während ganz Europa einen überzeugenden Beweis der Treue erhalten wird, mit welcher der
König von Frankreich an seinem Worte und seinen Verbündeten festhielt.‘

Ueber Kaunitz und den sardinischen Gesandten Chavannes
lässt sich St. Severin nicht weiter vernehmen, als dass er von
ihnen sagt, man könne sich die Unzufriedenheit dieser beiden
Herren wohl vorstellen.

Die entgegengesetzte Stimmung herrschte in Versailles,
als man dort die Nachricht von der Unterzeichnung der Friedenspräliminarien erhielt. Mit echt französischer Lebhaftigkeit
beglückwünschte man sich über den errungenen Erfolg, den
man nicht weniger anschlug als diejenigen, welche die französische Armee in den Niederlanden bisher davongetragen hatte.
Und die Vorstellung von der Trübsal, welche die Nachricht von
dem, was in Aachen geschehen war, in Wien verbreiten werde,
konnte die Freude der Franzosen über jenes Ereigniss natürlicher Weise nur noch steigern.

Man kennt die naheliegende Versuchung, den Unmuth,
den man über ein unwillkommenes Ereigniss nothwendiger
Weise empfindet, wenigstens zum Theile auf den zu über-
wälzen, der in der Angelegenheit, in der es sich zutrug, unser

----

[1] Kaunitz an Maria Theresia. Aachen, 30. April 1748.

Interessen wahrzunehmen die Pflicht hatte. Wie leicht und wie vollständig ihr Maria Theresia bei aller Lebhaftigkeit ihres Temperamentes widerstand, geht schon aus dem ersten Rescripte, welches sie nach dem Eintreffen der Nachricht von dem Abschlusse der Präliminarien zwischen Frankreich und England an Kaunitz richtete, unwiderleglich hervor. Schon im ersten Augenblicke, heisst es darin, habe sich die Kaiserin nicht beigehen lassen, ihm auch nur im Geringsten die Schuld solch' widrigen Erfolges zuzuschreiben. ‚Und in dieser Unserer gnädigsten Beurtheilung,' lässt sich Maria Theresia weiter vernehmen, ‚seind Wir noch mehrers seithero durch Deinen ferneren Bericht vom 3ten und zwar vollständig gestärket worden, dergestalten, dass du den muth nicht sinken zu lassen, sondern dich vielmehr zum behuff Unsers höchsten Diensts, so viel dein treuer eyffer es nur immer gestattet, selbsten auffzumuntern hast.'[1]

In dem gleichen Sinne wie Maria Theresia sprach sich auch der Hofkanzler Ulfeldt gegen Kaunitz aus. Freilich nahm er es als ein Verdienst für sich in Anspruch, schon von Anfang an die Sache dem Kaiser und der Kaiserin so dargestellt zu haben, dass aus ihrem wenngleich unerfreulichen Verlaufe nicht der geringste Vorwurf für Kaunitz abgeleitet werden könne. Ja er sei noch weiter gegangen und habe sie zu der Erkenntniss gebracht, wie glücklich sie seien, dass nicht wie im vergangenen Jahre Graf Ferdinand Harrach, sondern Kaunitz Oesterreich bei den Friedensverhandlungen vertrete, denn Jener sei bekanntlich ganz unter dem Einflusse des holländischen Bevollmächtigten Grafen Bentinck gestanden. Kaunitz möge daher, was die Beurtheilung seines eigenen Verfahrens betreffe, ganz ausser Sorge sein.

So wie seine bisherigen, so erfreuten sich auch die ferneren Schritte des Grafen Kaunitz der vollsten Billigung seines Hofes, und sie trugen ihm, wenn sie auch wenigstens vorderhand ohne Erfolg blieben, doch fortwährend neues Lob ein.[2]

---

[1] Kais. Rescript an Kaunitz vom 14. Mai 1748.

[2] Ulfeldt an Kaunitz. 13. Mai 1748. ‚Aussi mauvaise qu'a été l'issue de nostre négociation, d'autant plus j'ai ce soin de faire envisager toutte chose à LL. MM. dans un point de vue, qu'il étoit clair que tout autre a vostre place n'auroit jamais pu se garantir plus que vous n'avés fait contre la mauvaise foy des nos ennemis et de nos alliés. Je suis allé plus loin et leurs ai fait sentir combien qu'ils etoient heureux que l'année

Man fand sich eben in Wien in voller Ueber
den Anschauungen des Grafen Kaunitz, und n
vielleicht ein Unterschied zwischen der wecl
fassung obwalten, dass, während sich Kaunitz
sentanten Englands und Frankreichs, von St. Se
wich gleichmässig betrogen erachtete,[1] nicht
dessen politische Sympathien ohnedies allzeit
England als zu Frankreich hinneigten, sonde
Theresia doch noch eher von England als von
sie Günstiges erwarten zu sollen glaubte.[2]

Diese Ansicht wurde übrigens von einflu
männern am Wiener Hofe lebhaft bestritten. /
der auswärtigen Angelegenheiten Graf Ulfel
ihnen, und er klagte gegen Kaunitz über die
seiner Bemühungen, den Kaiser davon zu ül
England nun Preussen an Stelle Oesterreichs
Continentalstaat betrachte, mit welchem es d
licbste Einvernehmen zu unterhalten und dess
daher am wirksamsten zu schützen habe. In
für Preussen wie für Sardinien erblickte Ulfeld
Ursache des sonst schwer erklärbaren Verfahren
land gegen Oesterreich beobachtet hatte. Bei
wie bei Sardinien war das Wachsthum beider
auf Kosten Oesterreichs erfolgt und deshalb die

---

passée l'on ne se soit trouvé dans le meme cas, puis
à vostre place, auroit fait de la mauvaise besoigne
dans les principes de Bentinck au dela de toutte outre
ce qui regarde votre personel, vous pouves etre ent
et n'avés lieu que de vous en affliger comme nous t
qu'il en revient à la monarchie, et rien ne prouve
conduitte que vostre relation du 6 arrivée le 12 . . .'
[1] Kaunitz an Maria Theresia. Aachen, 3. Mai 1748. ,. .
Kays. Kön. May. eigener erleuchtesten Einsicht und B
Verstellung, und dass ich es sagen darf, der Betrug
Französischen wie von dem Englischen Ministro gesch
werden können? Welches um so befremdlicher ist, da
nicht einmahl nöthig gehabt hätten, auf eine so u
Werke zu geben . . . massen ich ohnedem nicht im
einseitige Tractaten zu unterbrechen . . .'
[2] Ulfeldt an Kaunitz. 13. Mai 1748. ,L'Impératrice . . .
bien noir des Anglois . . . croit les François encore d
par où Elle doute s'il y aura quelque chose à faire.'

allzu gegründet, sie würden auch für die Zukunft nicht abweichen wollen von einer Bahn, auf der sie bereits so Vieles
erreicht hatten. England werde sie hiebei, besorgte Ulfeldt,
noch fernerhin unterstützen und dadurch Oesterreich schädigen,
während bei dem Cabinete von Versailles niemals eine ähnliche
Hinneigung, sei es zu Preussen oder zu Sardinien wahrnehmbar
geworden sei.

Man wird kaum irregehen, wenn man in diesem Wider-
streite der in Wien obwaltenden Ansichten ebenso wie in der
hohen Meinung, welche man von der geistigen Befähigung und
der diplomatischen Gewandtheit des Grafen Kaunitz hegte, die
Ursachen erblickt, in Anbetracht deren man ihm zur Weiterführung der Verhandlungen in Aachen völlig freie Hand liess.

Er habe, schrieb Kaunitz am 6. Mai nach Wien, seit dem
Abschlusse der Präliminarien sein Benehmen derart eingerichtet,
dass sowohl Freunde als Feinde wegen der von dem Wiener
Hofe zu fassenden Entschliessungen in Zweifel und Sorge ver-
setzt und hiedurch zu näheren Erklärungen genöthigt würden.
Hiedurch allein könne der Weg offen gehalten werden, zu den
Massregeln die Hand zu bieten, welche die meisten Vortheile
versprächen.

In diesem Sinne hatte Kaunitz zu handeln geglaubt, als er
am 4. Mai den Bevollmächtigten der Seemächte eine Protestation
zustellen liess, durch welche er vorerst an die Abmachungen des
Wormser Tractates und an die von den Alliirten eingegangene Verpflichtung erinnerte, nur im Einverständnisse und mit Zustimmung
Aller einen Waffenstillstand oder Frieden zu schliessen. Dennoch
wolle die Kaiserin in der Absicht, der Kriegführung ein Ende
zu bereiten, sogar auf ihre eigenen Kosten dem Infanten Don
Philipp bis zu seiner Berufung auf den Thron von Neapel oder
von Spanien einen Länderbesitz zu Theil werden lassen. Aber
dies könne nur unter der ausdrücklichen Bedingung geschehen,
dass dann die durch den Wormser Vertrag herbeigeführten
Abtretungen an den König von Sardinien als ungiltig erklärt
würden und Oesterreich wieder in den Besitz dieser Land-
striche trete.

In Wien stimmte man den Ansichten und den Schritten
des Grafen Kaunitz ebenso wie seiner ferneren Aeusserung bei,
dass Alles auf der eigentlichen Denkungsart des Hofes von
Versailles beruhe. Sie zu ergründen, sei keine Gelegenheit zu

versäumen und das ganze Augenmerk auf diesen Punkt zu lenken, der alle übrigen an Wichtigkeit weit übertreffe.

Die Hoffnung des Grafen Kaunitz und seine Tendenz, von Frankreich vielleicht doch noch günstigere Friedensbedingungen für Oesterreich zu erlangen, als in den Präliminarien enthalten waren, wurden denn auch von St. Severin geflissentlich genährt. Die soeben von ihm abgeschlossenen Präliminarien betrachte er, liess sich St. Severin in vertraulichem Zwiegespräch vernehmen, wie ein Stück weichen Wachses, aus welchem man jede beliebige Figur kneten könne. Wenn also Oesterreich der Krone Frankreich mehr Vertrauen bezeigen und sich entschliessen wollte, mit Beiseitelassung geringfügigerer Dinge auf grosse Ideen einzugehen, so liesse sich wohl noch zu Verschiedenem Rath schaffen. Aber freilich werde, fügte er gleichzeitig hinzu, er nicht zuerst mit der Sprache herausrücken, sondern geduldig abwarten, bis dies von österreichischer Seite geschehe.

Für Kaunitz, der erst vor Kurzem von St. Severin so bitter getäuscht worden war, lag die Besorgniss nahe, dass dieser auch diesmal keinen anderen Zweck verfolge, als einen vertrauensvollen Schritt, den man ihm gegenüber thue, neuerdings zu widrigen Absichten zu missbrauchen. Aber für ihn selbst und sein späteres Auftreten ist doch die Auslegung, die er den Worten des französischen Botschafters gab, von hoher Bedeutung. Unmöglich habe St. Severin, liess sich Kaunitz jetzt vernehmen, etwas Anderes sagen wollen, als dass Oesterreich von nun an sein ‚einziges und das Hauptaugenmerk auf den König in Preussen zu richten und desfalls in grosse Ideen einzugehen habe‘.[1]

Vorderhand waren dies jedoch nur ganz vage und weit ausschende Gedanken, und Niemand konnte ernstlich daran glauben, dass sie jetzt schon irgendwelche Consistenz gewinnen würden. Ja, wenn man solche Andeutungen mit einem Ausspruche vergleicht, der in einer vertraulichen Depesche St. Severin's an Puysieux enthalten ist, so tritt die Versuchung nahe. dass sowie Oesterreich bisher von England dazu missbraucht wurde, seinen Streit mit Frankreich zu Land so durchzufechten. wie England dies selbst zur See that, die französischen Staatsmänner von nun an daran dachten, sich Oesterreichs als eines

---

[1] Kaunitz an Maria Theresia. Aachen, 15. Mai 1748.

Werkzeuges zur Demüthigung Englands zu bedienen. ‚Nun ist Frankreich,‘ so lauten die Worte St. Severin's, ‚fast an den Endpunkt seines grossen Vorsatzes der Erniedrigung des Hauses Oesterreich gelangt. Von jetzt an muss es daran arbeiten, den gleichen Zweck im Hinblick auf England zu erreichen, denn dann hat es keine Macht mehr zu fürchten.‘[1]

Noch viel ungünstiger für Oesterreich lautet eine zweite, gleichfalls vertrauliche Aeusserung St. Severin's gegen Puysieux. ‚Wir können,‘ schrieb er ihm am 11. Mai, ‚den Wiener Hof durch die Könige von Preussen und von Sardinien in Respect halten, welche Beide von der Einbusse des Hauses Oesterreich Nutzen ziehen und daher Beide Gegenstand seines Neides, seiner Eifersucht und seiner Abneigung sind. Unsere Verbindung mit den Höfen von Berlin wie von Turin muss daher ebenso in ihrem wie in unserem Interesse eine innige werden.‘[2]

Puysieux stimmte zwar der Anschauung St. Severin's im Allgemeinen bei, aber er meinte doch, Frankreich würde durch die Aufnahme Preussens in die Reihe seiner Verbündeten einen Irrthum begehen. König Friedrich wünsche zwar lebhaft, die Gewährleistung Schlesiens zu erhalten, das Zustandekommen des Friedens aber nicht, und es sei zu bezweifeln, ob er auf Vorkehrungen eingehen würde, deren Zweck darin bestünde, ihn dauerhaft zu machen.[3]

---

[1] 6. Mai 1748. ‚Voilà la France presque à bout de son grand dessein sur l'abaissement de la maison d'Autriche; il faut à présent travailler à celui de l'Angleterre pour n'avoir plus de Puissances à craindre.‘

[2] ‚Nous pourrons tenir la Cour de Vienne en respect par le Roi de Prusse et par le Roi de Sardaigne, tous deux participans à la dépouille de la Maison d'Autriche, tous deux l'objet de l'envie, de la jalousie et de l'aversion de la Cour de Vienne. Notre union doit donc devenir intime avec Berlin et avec Turin autant pour leur propre intérèt que pour le nôtre.‘

[3] Diese Stelle der Depesche des Marquis von Puysieux an St. Severin vom 14. Mai mag wegen der darin vorkommenden sonderbaren Mittheilung über den König von Preussen hier Aufnahme finden. Sie lautet: ‚Vous pensez que nous pouvons nous servir utilement des Cours de Berlin et de Turin, pour tenir dorénavant celle de Vienne en respect; je le pense aussi. Je vous confierai à cette occasion qu'on m'a assuré que le Roi de Prusse avoit demandé des Missionnaires au Pape pour les répandre dans ses Etats, et qu'il avoit prié Sa Sainteté de lui en choisir deux qui fussent gens d'esprit et éclairés pour l'instruire lui-même bien à fond de notre religion. Ce trait vous fera connoître les vues de ce Prince. Il y

Es wäre unnütz, sich in Vermuthungen
lieren, welchen Eindruck diese Aeusserungen
gebracht haben würden, wenn sie daselbst be
wären. Da dies natürlich nicht geschah, trat do
mehr der Ansicht des Grafen Kaunitz entgegen
irgend einem Wege, nur durch Frankreichs
die Erlangung minder drückender Friedensbe
möglich sei. Nicht nur in Aachen, sondern auch i
Kaunitz in diesem Sinne zu wirken, und er
dortigen sächsischen Gesandten Grafen Loss eine
der Marquis von Puysieux, zu dessen Kenntu
wurde, ebenso entschieden als wohlüberlegt nan
von Frankreich, führte Kaunitz darin aus, kön
friedigt sein durch die schweren Nachtheile,
zehn Jahren dem Hause Oesterreich zugefügt
doch zu grossmüthig und zu aufgeklärt, um di
zu treiben, Oesterreich selbst wieder von sei
richten zu müssen. Und Puysieux fügt hinzu
Grafen Kaunitz sei erfüllt gewesen von Bitter
land und den Turiner Hof.

So wie in Paris, trachtete Kaunitz auch
sischen Botschafter in Aachen den Interessen O
Beachtung als bisher zu erwirken. Er trat an
dem Antrage heran, eigene Präliminarien zwisc
Regierungen abzuschliessen, und als er hiemit
Aufnahme fand, versuchte er ihn wenigstens
eines Schriftstückes zu vermögen, das er ei
Gleichgiltigkeitserklärung wegen der durch de
trag geschehenen Abtretungen' nannte.[2] Aber a

---

a longtems que l'on prétend que le système de l'A
faire prendre la place de la Maison d'Autriche dans
que nous pouvons nous servir utilement de ces conn
doivent aussi vous faire juger, que nous nous tromp
tions le Roi de Prusse au rang de nos Alliés. Il sera
la garantie de la Silésie, et fâché que la paix soi
qu'il veuille entrer en rien dans les arrangemens qu
la rendre durable.'

[1] ,une lettre très-forte mais très-réfléchie'.

[2] Kaunitz an Maria Theresia. 26. Mai 1748. Vgl. au
Beer's: Zur Geschichte des Friedens von Aachen;
chische Geschichte, 47. Bd., S. 42.

Begehren verhielt sich St. Severin ausweichend, wogegen er die Declaration zu billigen vorgab, durch welche Kaunitz die Bereitwilligkeit Oesterreichs aussprach, den Präliminarien insoweit beizutreten, als sie die Streitpunkte zwischen den im Kriege begriffenen Mächten beträfen, die sich bekanntlich ausser allem Zusammenhange mit den Bestimmungen des Wormser Vertrages befänden.[1]

,Und so wie es,' schloss die Erklärung des Grafen Kaunitz, ,allem göttlichen und menschlichen Rechte widerstreiten würde, nur eine Abtretung zu gewährleisten, ohne dies auch hinsichtlich der Clauseln und der Bedingungen zu thun, unter denen sie mit Zustimmung der vertragschliessenden Theile stattfand, kann es auch in der Absicht der Mächte, welche die Präliminarien unterzeichneten, nicht liegen, diesem Grundsatze entgegen zu handeln. Solches vorausgesetzt, widerstrebt die Kaiserin-Königin in gar keiner Weise, dass die Garantie des Dresdener Vertrages einen Theil des allgemeinen Friedensschlusses bilde, und ich bin nicht allein ermächtigt und bereit, mich gleichfalls an der Unterzeichnung der Präliminarien zu betheiligen, sondern habe sogar, um die rasche Herbeiführung eines völligen Zustandes der öffentlichen Ruhe zu beschleunigen, darauf zu dringen, dass diese Präliminarien die ganze Geltung eines definitiven Friedensvertrages erlangen, ohne dass irgend ein ferneres Begehren zu Ungunsten einer der bis jetzt kriegführenden Mächte zugelassen werde.'[2]

Die Bemerkungen, in denen sich der Marquis von Puysieux erging, als er diese Erklärung des Grafen Kaunitz erhielt, lauteten weit weniger günstig als St. Severin's mündlicher Ausspruch. Je öfter er sie lese und je mehr er über sie nachdenke, schrieb er am 28. Mai an St. Severin, um so sonderbarer finde er sie. Er halte sie für das verfänglichste Actenstück, welches jemals aus der Bartenstein'schen Werkstätte hervorgegangen sei. Er wisse nicht, ob die Seemächte mit ihr zufrieden sein würden; die Könige von Preussen und von Sar-

---

[1] ,Elle adopte sans réserve tout le contenu des articles préliminaires qui lui ont été communiqués pour autant qu'ils la regardent et concernent les différends qui d'un commun accord devoient faire l'unique objet des conférences qu'on étoit convenu de tenir en cette ville et avec lesquels les cessions du traité de Worms n'ont rien de commun.'

[2] Declaration vom 23. Mai 1748.

dinien hingegen würden es gewiss nicht sein. Die Erklärung
sei in einer Weise abgefasst, dass, indem sie scheinbar die Verträge
von Breslau, von Berlin und von Dresden billige, sie
ihnen in Wirklichkeit nicht weniger Eintrag thue als dem von
Worms.[1]

Man mag auch noch so sehr auf seiner Hut sein, sich nur
ja auf keiner zu weit gehenden Parteilichkeit für den Wiener
Hof betreten zu lassen, so wird es doch nicht leicht fallen, in
der Erklärung des Grafen Kaunitz all' die tückischen Kunstgriffe
zu entdecken, welche Puysieux in ihr erblickte. Demnach
trat die französische Regierung nicht offen in Opposition wider
sie, und ihr Vertreter schloss sich auch Lord Sandwich nicht
an, von dessen Seite dies mit gewohntem Ungestüm geschah.
Ja als auf die Nachricht hin, der sardinische Gesandte Graf
Chavannes habe den Befehl zur Unterzeichnung der Präliminarien
erhalten, sich Kaunitz gleichfalls hiezu bereit erklärte,
meinte Sandwich, dies könne nur geschehen, wenn Kaunitz die
erst Tags zuvor abgegebene Erklärung wieder zurücknehme.
Aber Kaunitz weigerte sich ,mit solch gelassener Standhaftigkeit',
wie er selbst sich ausdrückt, dies zu thun, dass sich
Sandwich, von St. Severin und dem ersten holländischen Bevollmächtigten
nicht unterstützt, schliesslich ebenfalls fügte.
Am 26. Mai fertigte Kaunitz im Namen seiner Herrin, ohne
eine weitere Bedingung hinzuzufügen, deren Beitrittserklärung
zu den am 30. April abgeschlossenen Präliminarien aus,[2] und
er that sich nicht wenig darauf zu Gute, hiemit dem sardinischen
Gesandten zuvorgekommen zu sein.[3] Am 31. Mai folgten
Chavannes und der Bevollmächtigte des Herzogs von Modena
dem Beispiele des Grafen Kaunitz, so dass bis dahin nur noch
Spanien und Genua den Präliminarien nicht beigetreten waren.

Am 2. Juni verliess St. Severin Aachen, um sich nach
Paris zu begeben, dort seiner Regierung mündlich über den

---

[1] Der Wortlaut dieses Absatzes der Depesche Puysieux' an St. Severin bei
Beer S. 43.

[2] Sie liegt dem Berichte des Grafen Kaunitz an Maria Theresia vom
26. Mai abschriftlich bei.

[3] Kaunitz an Ulfeldt. 30. Mai 1748. ,Chavannes ist sehr bestürtzet, dass
ich ihme nicht nur in der Accession bevorgekommen, sondern auch die
Declaration nicht widerrufen, noch auch Mylord Sandwich mit einer
Gegendeclaration sich verwahret hat.'

Stand der Verhandlungen zu berichten und sich von ihr neue Verhaltungsvorschriften zu erbitten. Erst am 20. Juni kehrte er nach Aachen zurück, wo während seiner Abwesenheit die Geschäfte fast ganz ins Stocken gerathen waren. Aber auch seine Wiederkehr brachte ihnen nicht viel rascheren Fortgang, insbesondere bewegten sich die langen und häufigen Besprechungen zwischen ihm und Kaunitz in dem Rahmen der glänzenden, aber von ihrer Erfüllung sehr weit entfernten Verheissungen, welche St. Severin auf die nach seiner Versicherung ungemein günstigen Gesinnungen des Königs von Frankreich für Oesterreich und Maria Theresia gründen zu dürfen erklärte. Nicht ohne tiefen Unmuth erinnere sich der König, behauptete St. Severin, zu welch' ,unanständigen und der ganzen Nation verkleinerlich fallenden Schritten' ihn sein früheres Ministerium ,gegen alle Billigkeit sowie gegen das eigene französische Staatsinteresse' verleitet habe. Nicht nur St. Severin, auch der Marquis von Puysieux, die meisten übrigen Minister, endlich Frau von Pompadour seien von der gleichen Gesinnung beseelt, die Hauptabsicht des französischen Hofes aber dahin gerichtet, sich nicht nur das vollkommene Vertrauen der Kaiserin zu erwerben und zu erhalten, sondern auch mit ihr ununterbrochen in bestem Einverständnisse zu leben. Frankreich sei sehr weit von der Absicht entfernt, das Haus Oesterreich noch mehr zu schwächen und zu entkräften. Es werde vielmehr bei jeder sich hiezu darbietenden Gelegenheit darauf ausgehen, ihm wieder zu jener Macht und jenem Ansehen zu verhelfen, welche es vor dem Erbfolgekriege besessen habe. Um dieses Vorhaben ausführen zu können, sei die französische Regierung entschlossen, die begonnenen Friedensverhandlungen baldigst zu einem gedeihlichen Abschlusse zu bringen. Erlange sie hiedurch nur erst wieder freie Hände, dann werde sie nicht zögern, das von ihr zu befolgende System nach den Grundsätzen einzurichten, welche den soeben entwickelten Anschauungen entsprächen.

Es liegt kein Anzeichen vor, dass Kaunitz diesen Versicherungen des französischen Botschafters irgendwelchen Glauben geschenkt habe. Und sollte er sich hiezu auch einen Augenblick geneigt gefühlt haben, so würde er durch den Umstand wieder zurückgeschreckt worden sein, dass sich St. Severin zwar recht fruchtbar in der Ausmalung grossartiger Zukunftspläne zeigte, sich aber gegen alle positiven Begehren des Grafen

Kaunitz, selbst wenn sie nur von geringfügiger Tra
ablehnend verhielt. Er könne sich der Besorgt
wehren, schrieb Kaunitz nach Wien, dass Fran
Oesterreich nichts Gutes im Schilde führe und
vom Zaun zu brechen suche, einen Vorgang zu b
mit seinen bisher so befriedigend lautenden Versi
Widerspruche stünde.[1]

In der vertraulichen Correspondenz zwischen
St. Severin tritt zwar nichts von einer solchen A
reichs, wohl aber dessen allmälig zunehmende I
Sardinien hervor, welche nothwendiger Weise ein
fremdung gegen Oesterreich nach sich ziehen mu
Vertreter in Aachen befand sich überhaupt in
lichen Zustande vollständiger Isolirung; wetteiferne
die Repräsentanten der bisher mit Oesterreich ver
diejenigen der Mächte, mit denen es Krieg geführ
lich gegenüber. ,Wenn Sie,' schrieb Kaunitz i
Tagen des Juli an Ulfeldt,[2] ,sich die Mühe ne
über meine Lage nachzudenken, so wird Ihnen die
lich erscheinen. Keinem der Minister, mit denen i
darf ich trauen. Sie Alle verfolgen Zwecke, die
essen entgegengesetzt sind, und besitzen Mittel, u
streitig zu machen, über welche ich nicht verfüge.
noch, dass ich jeden Augenblick auf eine neue
darauf gefasst sein muss, wieder ein Uebereinkom
zu Stande gebracht zu sehen.'

Trotz diesen wenig tröstlichen Berichten,
Kaunitz erhielt, liess man in Wien noch immer
nicht fahren, zu einer abgesonderten Vereinbarur
reich gelangen zu können. In dieser Absicht sandte
ein neues Vertragsproject zu, in welchem das S
auf zwei darin enthaltene geheime Separatartikel
Durch den ersten sollte Frankreich die Zusicher
werde etwaige Bestrebungen der Kaiserin zur Wi
der an Sardinien gemachten Abtretungen nicht
bruch ansehen; und durch den zweiten hatte es
es betrachte die in die Präliminarien aufgenomi

---

[1] Kaunitz an Maria Theresia. 30. Juni 1748.
[2] 4. Juli 1748.

leistung Preussens in dem Besitze von Schlesien nicht anders, als dass sich diese Garantie eben auch auf alle übrigen Bestimmungen des Dresdner Friedens erstrecke.

Die Hartnäckigkeit, mit der man in Wien immer wieder auf Begehren zurückkam, auf deren Annahme, welche Kaunitz ganz rückhaltslos als höchst unwahrscheinlich erklärte, man doch schon von vorneherein nicht zu zählen vermochte, wird ohne Zweifel nicht dem Willen der Kaiserin selbst, von deren geringem Vertrauen auf Frankreich bereits die Rede war, sondern dem ungestümen Andringen Bartenstein's zuzuschreiben sein. Wir wissen ja, dass Maria Theresia schon seit längerer Zeit der Kriegführung überdrüssig geworden war, und dass sie von dem Augenblicke an, in welchem Haugwitz ihre Zustimmung zu dem von ihm entworfenen neuen Militärsysteme erhalten hatte, durch welches die bisherigen Einrichtungen gründlich umgestaltet werden sollten, die Beendigung des Krieges durch einen definitiven Friedensschluss gar nicht mehr erwarten konnte. ‚Placet,' hatte sie schon im Februar 1748, als noch die abgesonderte Verhandlung mit Frankreich durch die beiden Grafen Loss im Zuge war, auf eine Ausarbeitung Bartenstein's geschrieben,[1] ‚placet, Gott gebe nur ein baldes ende. besser und nicht einmahl also wird es, wan es zwey monath dauert, geendigt werden.' Und bei dem lebhaften Wesen der Kaiserin wurde diese Stimmung durch den langsamen Gang der Verhandlungen in Aachen nur noch gesteigert. ‚Sie glauben gar nicht,' schrieb Ulfeldt am 30. Juni an Kaunitz, ‚was wir von der Ungeduld der Kaiserin zu leiden haben, welche vorerst ihre Truppen zurückhaben will, um die Ersparungen und das System des Grafen Haugwitz zu beginnen, ganz als ob es von uns abhinge, wenn Frankreich die Niederlande nicht räumen und sich nicht damit begnügen will, die Plätze von Nieuport und Ostende als Pfand zu behalten. Die Kaiserin hat mir von Mannerstorf gerade so geschrieben, als wenn wir uns durch die Complimente St. Severin's hinter das Licht führen liessen.'

Nach mehr als zwei Wochen kam Ulfeldt dem Grafen Kaunitz gegenüber neuerdings auf diesen Punkt zurück. ‚Was mich am meisten schmerzt,' schrieb er ihm am 17. Juli, ‚ist die Ungeduld der Kaiserin, ihre Truppen zurückkehren zu sehen;

---

[1] Vom 11. Februar.

denn sie fürchtet, dass durch eine Verzögerung
in der Durchführung des Systems des Grafen
anlasst werden könnte. Hiedurch aber geräth
Zeit in eine ganz schreckliche Ungeduld und au
Gedanken, wie beispielsweise auf den, die Engla
lichen für uns zu führenden Verhandlungen zu
sie hofft, auf diesem Wege den Abschluss des
die Rückkehr der Truppen zu beschleunigen.'[1]

,Ich begreife vollkommen,' antwortete Kaun
,dass Ihre Majestät über mein so langes Zögern
abzusenden, ungeduldig sein muss. Aber ich th
was menschliche Klugheit nur immer ersinnen
Ort und Stelle erworbene Kenntniss der Lage de
die Hand geben kann, um eine ihren Absichten
Lösung der Fragen herbeizuführen. Bisher gab
Mittel, irgend eine positive Zusage zu erlangen,
wohl zu bedenken, dass ich nicht der Herr v
welche von dem Willen Anderer abhängen. Ab
habe ich nicht alle Hoffnung verloren, wenigst
durchdringen zu können.'[2]

Aus dieser vertraulichen Aeusserung des
gegen Ulfeldt geht ebenso wie aus seinen amtli
an den Wiener Hof deutlich hervor, dass die
gesprochene Behauptung, er sei in dem Bann
festgehalten worden, jeder Begründung vollsta
Und ebenso unrichtig ist es, wenn an der glei
sagt wird, Kaunitz habe gehofft, schliesslich
Annahme der Vorschläge Oesterreichs zu erwirk

---

[1] Die Briefe Ulfeldt's an Kaunitz vom 30. Juni und
Arneth, Geschichte Maria Theresias. III, S. 486.

[2] An Ulfeldt. 31. Juli 1748. ,Je comprends fort bien
impatiente de ce que je tarde à dépêcher un Courrier,
ment tout ce que la prudence humaine peut imagine
sances sur les lieux peuvent me permettre pour ac
des choses selon ses intentions, mais il n'y a pas eu
d'arracher rien de positif... Je la prie en attenda
faire réflexion que je ne suis pas le maître des chose
la volonté d'autrui; je n'ai pourtant point perdu enco
de réussir au moins en partie.'

[3] Beer, Zur Geschichte des Friedens von Aachen. Arc
sche Geschichte, Bd. 47, S. 50.

seine Hoffnung war, auch nur einen Theil davon zur Annahme gelangen zu sehen, dessen hatte er nicht nur vor
Ulfeldt, sondern auch vor der Kaiserin selbst kein Hehl.
Immer wieder kehrte er auf das Begehren zurück, man möge
einen etwaigen widrigen Ausgang nicht ihm zur Last legen,[1]
worauf aus Wien stets von Neuem die Antwort erfolgte, man
sei in hohem Masse mit ihm zufrieden und durchaus nicht gemeint, ihm dasjenige anzurechnen, dessen Abänderung nicht in
seiner Macht liege. Und dass man sich auch in Wien keiner
Täuschung mehr über das zu erwartende Ergebniss der Aachener
Verhandlungen überliess, wird wohl durch die dem Grafen
Kaunitz ertheilte Vollmacht, zum Abschlusse des definitiven Friedensvertrages zu schreiten, wenn auch die beiden geheimen Separatartikel keine Aufnahme darin fänden,[2] unwiderleglich dargethan.

Lang schon gab sich Kaunitz der Besorgniss hin, dass,
wie es bei der Unterzeichnung der Präliminarien geschehen
war, auch hinsichtlich des definitiven Friedensvertrages eine
vorläufige Vereinbarung zwischen England und Frankreich
ohne Zuziehung Oesterreichs erfolgen und diesem einfach der
Beitritt zu bereits unabänderlich festgestellten Bedingungen anheimgestellt werden könnte. Aber nicht in Aachen, sondern
durch den Feldmarschall Grafen Batthyany, der diese Mittheilung von dem Commandanten der englischen Truppen in den
Niederlanden, dem Herzog von Cumberland erhalten hatte,
erfuhr Kaunitz Anfangs August zuerst, dass die Einigung zwischen Frankreich und England über den abzuschliessenden
Frieden bereits geschehen sei. Lord Sandwich, von Kaunitz
hierüber befragt, berichtigte diese Behauptung zwar dahin,
dass der Friede noch keineswegs zum Abschlusse gediehen
sei, aber er verschwieg nicht, dass er selbst und Graf Bentinck
einerseits und St. Severin andererseits an der Zustandebringung
desselben arbeiteten. Sie müssten sich auch, fügte er hinzu,
damit beschäftigen, Oesterreich wenngleich wider seinen Willen
zum Beitritte zu diesem Frieden zu vermögen. England müsse nun
einmal dem schon so lang dauernden Kriege ein Ende bereiten. Es
könne aber auch ohne grelle Verletzung von Ehre, Treue und

---

[1] An Maria Theresia. 31. Juli 1748.
[2] Maria Theresia an Kaunitz. 25. Juli 1748.

sie wurde durch die Oesterreich so feindselige Haltung Englands auf manchen so wichtigen Punkten, insbesondere in Berlin
und St. Petersburg, immer mehr bestärkt. Dieser Umstand und
die Bemühungen Frankreichs, nicht plötzlich den Boden wieder
zu verlieren, auf welchem man sich mit so grosser Anstrengung
festgenistet hatte, zogen die Wirkung nach sich, dass bald
nach der Rückkehr St. Severin's nach Aachen die dortigen
Verhandlungen wieder die früheren Bahnen einschlugen. Immer
mehr gewann es an Wahrscheinlichkeit, dass die Kaiserin auch
in den wenigen Punkten, hinsichtlich deren sie sich noch weigerte, werde nachgeben müssen.

Ein Zwischenfall wird nicht ganz mit Stillschweigen übergangen werden dürfen, nicht so sehr als ob ihm besondere Bedeutung beizumessen wäre, als der Ursache wegen, dass er
Kaunitz in einen Zustand der Aufregung versetzte, der zu seiner
sonstigen Gelassenheit in eigenthümlichem Gegensatze stand.

In jener Zeit diplomatischer Ränke und Winkelzüge, in
welcher jedes freie und offene Wort aus den Verhandlungen
der Staatsmänner ausgeschlossen zu sein und ihre grösste Kunst
darin zu bestehen schien, einander zu überlisten, war es eine
ganz gewöhnliche Erscheinung, dass sie sich im Verkehre mit
einander von Zeit zu Zeit auch untergeordneter Mittelspersonen
bedienten. Deren Aufgabe bestand zunächst darin, gleichsam
von sich selbst aus Worte fallen zu lassen, die man hinterher,
als nur ihrem eigenen Kopfe entstammend, wieder ableugnen
konnte, Aeusserungen zu hinterbringen, welche sich möglicher
Weise als nicht gesagt darstellen liessen, Anregungen zu geben,
die man je nach Belieben aufrechterhalten oder auch wieder
fallen lassen könnte. Ein solcher Zwischenträger zwischen
St. Severin und Kaunitz war der sächsische Gesandtschaftssecretär Kauderbach. Es war eine Folge der Stellung des pol-
nisch-sächsischen Hofes, der mit Oesterreich befreundet und
mit dem französischen Königshause verschwägert war, sowie
der Verhandlungen, welche seinerzeit durch Vermittlung der
beiden Grafen Loss zwischen Frankreich und Oesterreich gepflogen wurden, dass sächsische Diplomaten auch noch fernerhin von beiden streitenden Theilen als Vertrauenspersonen angesehen wurden. Und wirklich schien Kauderbach eine Zeitlang sowohl bei Kaunitz als bei St. Severin in ungewöhnlichem
Vertrauen zu stehen. Sowohl der Eine wie der Andere ging

tief mit Kaunitz ein in die Erörterung der so
und hochbedeutsamen Fragen, welche in Aache
dung kommen sollten. Mancher Bericht, welche
Wien erstattete, war zum grossen Theile angefü
licher Darlegung dessen, was Kauderbach ihm
hinterbracht hatte. Warmes Lob wird von Kauni
und gewandten Mittelsmanne gespendet, und er
in Wien für Ertheilung einer Belohnung an ihn

Wie gross war daher das Erstaunen des (
als er von seiner Regierung die Mittheilung erhie
habe seinen eigenen Hof von einer überaus wicht
St. Severin's in Kenntniss gesetzt. In nichts Ge
dem Rathe, Oesterreich möge sich vorerst der A
land vollständig versichern, und dem Anerbiete
standen, dass dann auch Frankreich zu gewaffn
bereit sei, Oesterreich Schlesien wieder zu vers
dings bedinge es sich dann eine Gebietserwei
selbst nach den Niederlanden hin, und zwar !
sogenannte holländische Flandern aus. Dageg
nicht nur die Niederlande der Kaiserin zurück
auch ausserdem in Italien freie Hand lassen, de
Philipp aber mit Savoyen und Nizza abfertig
Oesterreich dort irgendwelche Opfer zu bringen

Kauderbach fügte hinzu, er habe diese
St. Severin's dem Grafen Kaunitz hinterbracht, v
die Antwort erhalten, der ganze Plan sei so weit
greife so sehr über die ihm von seinem Hofe g
träge hinaus, dass er es nicht auf sich nehmen
auch nur vorzulegen. Es wäre ihm daher lieb
Sache durch die Vermittlung Kauderbach's und
sächsischen Regierung zur Kenntniss des Kai

Die Versuchung liegt nahe, sich der Verr
geben, in Wien, wo man den Verlust Schlesi
verschmerzt hatte, werde die von Kauderbach
deutung über die geheimen Absichten Frankrei
Eindruck hervorgebracht und die bisherigen Fri
verscheucht haben. Denn dass der König von
Schlesien nicht ohne schweren Kampf wieder e
werde, war leicht vorherzusehen. Gleichwohl we
Wien gar nicht erwarten können, an der Seit

Alliirter wie Frankreich und Russland den Kampf zu beginnen,
welcher Schlesien für Oesterreich zurückgewinnen sollte.

Aber nichts von alledem geschah. In Wien war man weit
davon entfernt, die vermeintlichen Erklärungen St. Severin's für
baare Münze zu halten, und nur höchlich verwundert, dass
Kaunitz in seinen Berichten die Eröffnungen Kauderbach's,
wenn sie ihm wirklich gemacht worden wären, so ganz mit
Stillschweigen übergangen haben sollte. Dass er dies nicht gethan hatte, hielt man nicht für einen etwa von ihm begangenen
Fehler, sondern für ein ziemlich sicheres Anzeichen, dass der
Mittheilung Kauderbach's nur ein sehr geringer Grad von Verlässlichkeit zuerkannt werden dürfe. Wahrscheinlich habe sich,
meinte man in Wien, St. Severin gar nicht in dem Sinne gegen
ihn geäussert, wie Kauderbach dies behaupte. Dass solches geschehen sei und Kaunitz, von Kauderbach ins Geheimniss gezogen, dieses seiner Regierung vorenthalten haben sollte, sei
jedoch ganz undenkbar, und auch schon aus diesem Grunde
nahm man die Mittheilung Kauderbach's, als sie nach Wien
gelangte, nur mit dem äussersten Misstrauen gegen deren Urheber auf.[1]

Mehr noch als der Kaiserhof war Kaunitz über den Bericht Kauderbach's verwundert, ja seine Empfindung kann
wohl die der Bestürzung genannt werden. Er zweifle nicht
daran, schrieb er nach Empfang der ersten Mittheilung hievon
nach Wien, dass sich St. Severin über eine Wiedererwerbung
Schlesiens durch Oesterreich niemals so entschieden geäussert
habe, als Kauderbach dies behaupte. Ausserdem würde er für
Frankreich gewiss nicht nur Ypern und das holländische Flandern, sondern auch noch Furnes, Ostende und Nieuport verlangt
haben. Und schliesslich möge man nur ja nicht glauben, er
selbst habe von Kauderbach irgend eine Mittheilung von einiger
Bedeutung erhalten, ohne sie allsogleich und treulich nach Wien
weiterzuberichten.[2]

Es musste Kaunitz zur Beruhigung gereichen, dass er aus
der Antwort seiner Regierung ersehen konnte, diese habe nie
daran gezweifelt, dass ihm durch Kauderbach nicht mehr hinterbracht worden sei, als er nach Wien gemeldet habe. Da aber

[1] Maria Theresia an Kaunitz. 17. Juli und 5. August 1748.
[2] Kaunitz an Ulfeldt. 12. und 21. August 1748.

Kauderbach fortfuhr, seiner Regierung zu schreibe
sei aufs Höchste begierig, durch Kaunitz die Antw
hofes auf seine Vorschläge zu erhalten, so mehrte
der Verdacht, den man von allem Anfange an g
bach gehegt hatte. Die bösesten Absichten mut
zu; Kaunitz aber wurde ernstlich vor ihm gewar
auch gleichzeitig beauftragt, womöglich zu ergrür
denn eigentlich die ganze Sache verhalte.[1]

Da die Wahrheit nie vollständig an den T
lassen wir hiemit diesen Zwischenfall, dessen hier
Eindruckes, den er auf Kaunitz hervorbrachte, u
um des Umstandes willen eingehendere Erwähnu
musste, dass die vermeintlichen Vorschläge St.
Jahre später greifbare Gestalt annahmen und z
jener grossgedachten politischen Combination wurd
Urheber man Kaunitz zu betrachten sich gewöh
dieser damals schon grosse Hinneigung zu ih
geht aus seinen eigenen Worten ganz deutlich h
in Wien verhielt man sich keineswegs ablehner
sondern verbarg vielmehr den lebhaften Wunsch
einst verwirklicht zu sehen.[3] Aber man begriff d

---

[1] Maria Theresia an Kaunitz. 25. August 1748.

[2] Kaunitz an Ulfeldt. 21. August 1748. ‚Mais ce dont je
c'est de ce qui m'arrive avec Kauderbach. Il n'est pas
à la vérité, si le projet est vrai et si réellement la Fra
Je crois aussi avoir conduit la chose de façon à la
voyes et à réparer le temps perdu. Mais il est certai
tous les moments sont précieux, et qu'il est toujours dif
moder une affaire gâtée. En tout cas, si Kauderbach
d'affaire par des menteries, il se trompe fort, puisq
assurément moyen de mettre la chose au clair.'

[3] Maria Theresia an Kaunitz. 9. September 1748. ‚Solch
weisung nun hat zwey haubtgegenstände, nemblichen t
digste Vollziehung derer Praeliminarien und vollkommo
Friedenshandlung, und theils die geheime einverständnu
über die dem Kauderbach beschehene öffnung. Ein obje
anderen nicht zu vermischen und vorzüglich auff das er
als von welchem das zweyte ihre folge zu seyn hat, um
söhnung vor der näheren Vereinigung nach der sachen n
muss. Doch da man sich jederzeit an die stelle dessen,
handlung gepflogen wird, zu sezen hat, so ist dieser an
liche Vorzug auff eine solche arth darzustellen und zu erl

Berechtigung der Antwort St. Severin's, mit welcher dieser
jedes Drängen nach einer näheren Erklärung von sich wies.
Vor Allem müsse man, behauptete er, die Friedensverhandlungen möglichst rasch zum Abschlusse bringen. Sei nur dies einmal geschehen, dann möge es den Regierungen selbst vorbehalten bleiben, sich einander noch mehr zu nähern und sich
über die Annahme eines neuen politischen Systems zu verständigen. Man müsse sich in Wien vollkommen klar darüber
werden, ob der Ersatz für das Verlorene auf Kosten Preussens
oder Sardiniens zu suchen sei; bei Beiden zugleich lasse sich
solches nun einmal nicht durchführen.[1]

Welcher Art nun auch die Absichten der französischen
Regierung für die fernere Zukunft sein mochten, in den zu
Aachen gepflogenen Verhandlungen trat hierüber gar nichts zu
Tage. Nach wie vor schienen sie fast ausschliesslich die Herbeiführung einer definitiven Vereinbarung mit England zum
Ziele zu haben; dass sich jetzt an ihnen ausser Sandwich
auch Robinson betheiligte, brachte vielleicht in der Form des
wechselseitigen Verkehres, aber kaum in dem Wesen der Sache
eine Veränderung hervor. Freilich wurde St. Severin auch schon
von der Form nichts weniger als angenehm berührt. ‚Täusche
ich mich nicht,' schrieb er am 28. August an Puysieux, ‚so kam
Robinson mit einer gewissen Voreingenommenheit für Oesterreich hieher, und er wird unser Werk verderben, wenn er dies
vermag. Er besitzt ganz das rauhe Wesen, das man den Engländern gewöhnlich vorwirft, ist dem Trunke ergeben und ausserdem von Wien aus gewöhnt, in herrischem Tone zu sprechen.
Er erkennt noch den Unterschied nicht, der darin liegt, mit

---

dass Frankreich auf den argwohn nicht verfallen möge, ob gedächten Wir
nach einmahl in der friedenshandlung erreichten Absicht das zweyte ob-
jectum entweder ganz ausser acht zu lassen oder doch auff die lange bank
zu schieben. So aber unsere meynung absolute nicht ist und Frankreich umb
so leichter diessfalls ruhig seyn kann, als Uns in dem fall, da diese Cron es
auffrichtig meynet, an der zweyten Handlung beförderung zum meisten
gelegen ist. So sehr Du Dich also einerseits zu hüten hast, die Vollziehung
derer Præliminarien und vollständige endschafft der Friedenshandlung
von der näheren Vereinigung mit Frankreich abhangen zu machen, so
bereitwillig hast Du Dich unter einstem zu bezeugen, dass nach mass,
als Frankreich sich näher und positiver öffnen wird, man auch hier im
mindesten gewiss nicht zurückbleiben würde.'
[1] Kaunitz an Maria Theresia. 19. September 1748.

einer Macht, die man selbst, oder mit einer solchen zu verhandeln, welche die Anderen bezahlt.'

In Folge der Anwesenheit Robinson's fand St. Severin auch
Lord Sandwich weniger entgegenkommend, als er dies bisher
gewesen war. Man wird jedoch nicht irren, wenn man die
grössere Zurückhaltung, welche die englischen Bevollmächtigten
jetzt beobachteten, nicht so sehr ihrem eigenen Impulse, als den
Andeutungen zuschrieb, welche ihre Regierung ihnen gab. Denn
auch in England fanden die Stimmen mehr Beachtung als
früher, welche weniger Hingebung für Frankreich und mehr
Rücksicht auf Oesterreich als wünschenswerth erklärten. Dennoch geschah es ohne die unterstützende Einwirkung Englands,
ja ohne dessen Vorwissen und, wie es scheint, sogar gegen
seinen Willen, dass in den letzten Tagen des September[1] zwischen Kaunitz und St. Severin eine Convention abgeschlossen
wurde, durch welche sich sowohl Oesterreich als Frankreich
anheischig machten, je 30.000 Mann aus den Niederlanden zurückzuziehen.

Der Vortheil dieser Vereinbarung lag wohl fast ausschliesslich auf Oesterreichs Seite. Schon früher ist erwähnt worden,
welch' hohen Werth Maria Theresia darauf legte, zu leichterer
Durchführung des neuen Militärsystems ihre Truppen so viel
als nur immer möglich wieder zu Hause zu haben. Ausserdem
gewährte die Verringerung der Anzahl der französischen Streitkräfte in den Niederlanden diesen durch den langen Krieg so
hart mitgenommenen Provinzen eine fühlbare Erleichterung,
während Frankreich den Gewinn verlor, den es bisher daraus
gezogen hatte, einen so beträchtlichen Theil seiner Heeresmacht
auf Kosten des fremden Landes ernähren zu können.

Inzwischen dauerten die Friedensverhandlungen zwischen
Frankreich und den Seemächten unablässig fort. St. Severin
und der ihm erst vor Kurzem beigegebene zweite Bevollmächtigte du Theil standen auf der einen, Sandwich und Robinson
auf der anderen Seite. Ausser ihnen nahm nur noch Graf Bentinck für Holland an den Conferenzen Theil. Dieser, ein
massvoller, verständiger und doch zugleich auch ein gewandter
Mann, galt als den Interessen Englands blindlings ergeben.
Dennoch, und obgleich sich Holland ganz im Schlepptau der

---

[1] Am 25. September.

englischen Politik bewegte, trat Bentinck keineswegs seinen englischen Collegen überall unbedingt bei, sondern erwies sich recht eigentlich als ein kluger Vermittler zwischen ihnen und den Franzosen. ‚Ohne den Grafen Bentinck,‘ schrieb St. Severin am 25. September an Puysieux, ‚wären die Verhandlungen schon abgebrochen worden. Hinsichtlich vieler Punkte brachte er die Engländer dazu, von ihnen abzugehen, aber freilich mussten dagegen auch wir uns zu so mancher Nachgiebigkeit verstehen.‘ Und es schien gewissermassen ein äusseres Zeichen dieser Vermittlerrolle zu sein, dass gerade in dem Hause des Grafen Bentinck, am 18. October 1748 die Unterzeichnung des definitiven Friedens von ihm und seinen holländischen Collegen, sowie von den Bevollmächtigten Englands und Frankreichs vorgenommen wurde.

Es lässt sich ebensowenig behaupten, Kaunitz sei an den Friedensverhandlungen betheiligt, als er sei von ihnen ausgeschlossen gewesen. Dass er bei den entscheidenden Besprechungen zwischen den Bevollmächtigten Frankreichs und der Seemächte gewöhnlich nicht anwesend war, lässt sich durchaus nicht bezweifeln. Dagegen ist es nicht minder gewiss, dass ihm die einzelnen Artikel, sei es von englischer, sei es von französischer Seite mitgetheilt wurden, dass er sein Gutachten abgab und gegen manchen Punkt energische Einwendungen erhob, welche wenigstens hie und da auch Berücksichtigung fanden.

In so hohem Masse und so unangenehm Kaunitz seinerzeit durch die Unterzeichnung der Präliminarien überrascht wurde, so wenig war ein Gleiches bei dem Friedensschlusse der Fall. ‚Nach allem Anschein darf man das Ende der Verhandlungen,‘ schrieb er am 8. October an Ulfeldt, ‚noch vor dem des Jahres erwarten, und ich habe meine besonderen Gründe, damit sehr zufrieden zu sein, denn meine Börse wäre nicht länger im Stande, diese Ausgabe zu bestreiten, und meine Gesundheit beginnt neuerdings die ununterbrochene Geistesarbeit aufs Schwerste zu empfinden. Gott gebe nur, dass mir das Glück zu Theil werde, mich dieser so schwierigen, ja gefährlichen Commission zur Zufriedenheit Ihrer Majestät zu entledigen; darum bitte ich ihn täglich in inständigster Weise.‘ [1]

---

[1] ‚Selon toutes les apparences l'on peut espérer la fin de tout cecy avant celle de l'année, et j'ai mes raisons particulières pour en être très-aise,

Und binnen kürzester Frist, fügte er hinzu, möglicherweise
schon in drei oder vier Tagen könnte der Friede zum Abschlusse gelangen.[1]

Sieben Tage, nachdem Kaunitz dies niederschrieb, geschah
solches wirklich. ‚Auf Eurer Majestät höchstfeierlichen Namens-
tag,‘ so liess sich Kaunitz in seinem Berichte an die Kaiserin
vom 18. October vernehmen, ‚sind die nachtheiligen Präliminarien unterzeichnet worden, und der Theresientag wurde durch
Hebung einiger der wichtigsten Anstände merkwürdig, welche
bei den Friedensverhandlungen obgewaltet hatten. Denn da ich
diesen grossen Tag sowohl mit reinstem Herzen als äusserlichen
Bezeigungen feierte und alle hier anwesenden Minister ihre
Glückwunschcomplimente bei mir ablegten, so wurden solche
in Verhandlungen verwandelt.‘ Und wirklich gelang es Kaunitz,
gleichsam vor Thorschluss noch eine wichtige Abänderung des
sechsten Artikels zu erwirken, der sich auf die allseitige Zu-
rückstellung der gemachten Eroberungen und daher auch auf
den Wiedereintritt der Kaiserin in den Besitz der österreichischen Niederlande bezog.

‚So ist endlich,‘ schrieb Kaunitz einen Tag nach dem Abschlusse an Ulfeldt, ‚der definitive Friede, mit welchem man
uns so lange Zeit hindurch bedroht, unterzeichnet. Ich halte
ihn für ein Kartenhaus, und man wird trachten müssen, in der
Folge etwas Solideres daraus zu machen, denn im jetzigen
Augenblicke wünschte Frankreich zu lebhaft den Frieden, um
auf das hören zu wollen, was seines Erachtens den Abschluss
noch hätte hinausschieben können. Was mich betrifft, so suchte
ich aus der Verlegenheit der Engländer und der Holländer den
grösstmöglichen Nutzen zu ziehen, und ich würde die Sachen
noch mehr auf die Spitze getrieben haben, wenn ich nicht besorgt hätte, dass schliesslich die französischen Minister gemeinschaftliche Sache gegen mich machen könnten, denn sie waren

car ma bourse ne seroit pas en état de soutenir plus longtems la dépense, et ma santé recommence aussi de se ressentir très-vivement des
travaux continuels de l'esprit. Dieu veuille seulement que j'aye le
bonheur de sortir à la satisfaction de S. M. de cette dangereuse et épi-
neuse commission; je lui adresse pour cela tous les jours les vœux les
plus ardents . . .‘

[1] Kaunitz an Ulfeldt. 11 October 1748. ‚V. E. peut compter que je fais
l'impossible pour obtenir quelque rectification au traité de paix, qui sera
peut-être signé dans trois ou quatre jours d'icy.‘

so ungeduldig, ans Ende zu gelangen, dass sie mich fast noch
mehr als die Engländer drängten. Ihrer überlegenen Einsicht
stelle ich anheim, zu beurtheilen, was ich besser zu machen im
Stande gewesen wäre.'[1]

Es gereichte Kaunitz zu lebhafter Genugthuung, dass
seinem Verfahren von Wien aus die unbedingteste Anerkennung
zu Theil wurde. ‚Ohne Ausnahme heissen Wir,' so lautet das
kaiserliche Rescript, welches nach Ankunft der Nachricht von
dem Abschlusse des Friedens an ihn erging, ‚Dein sehr vor-
sichtiges und kluges Betragen gnädigst gut und erkennen in
vollem Masse die vielen und grossen Schwierigkeiten, die Du
bei den fürgewalteten ganz ausserordentlichen und seltsamen
Umständen zu überwinden gehabt hast, wie denn, da der Bericht über den wirklich erfolgten Beitritt noch nicht eingelaufen,
die Hauptursache der Absendung eines Couriers an Dich ist,
Dich ungesäumt von unserer Zufriedenheit zu Deiner vollkommenen Beruhigung zu verständigen.'[2]

Kaunitz, welcher fünf Tage nach dem Abschlusse des
Friedens, am 23. October den Beitritt Oesterreichs zu demselben
erklärt hatte, dankte der Kaiserin in gerührten Worten für die
Gutheissung seines Verfahrens.[3] Und am folgenden Tage schrieb
er an Ulfeldt: ‚Ich bin durch den Beifall Ihrer Majestät aufs
Höchste erfreut und Ihnen für den Ihrigen ungemein dankbar.
Nun wünsche ich, dass die Conferenzen über die Räumung der
wechselseitigen Gebiete zur Zufriedenheit Ihrer Majestät zum
Abschlusse kämen. Sobald man sich über den Plan hiezu geeinigt haben wird, betrachte ich die Sache als beendigt, und
es kann dann kein wesentliches Hinderniss mehr obwalten.
Nach wie vor halte ich es in jeder Beziehung für nützlich, dass
dieses Werk so bald als möglich vollendet werde, um dann mit
mehr Leichtigkeit an wichtigeren Dingen arbeiten zu können.'[4]
Ich thue zu diesem Zwecke Alles, was nur immer von mir
abhängen kann, aber ich vermag es den Franzosen nicht übel
zu nehmen, dass sie in den Niederlanden sich nach dem richten
wollen, was in Italien geschehen wird. Die hiesigen Botschafter

---

[1] Im französischen Urtexte abgedruckt bei Beer, S. 89.
[2] Kais. Rescript vom 29. October 1748.
[3] Bericht vom 9. November 1748.
[4] An Ulfeldt. 10. November 1748. ‚... afin que l'on puisse travailler ensuite
avec d'autant plus de facilité à de plus grands arrangements.'

Frankreichs betrachten dies als eine Angelegenheit, welche nicht mehr in den Geschäftskreis der Congressminister gehört, und sie erklären ganz offen, dass, wenn Schwierigkeiten auftauchen sollten, wir um ihretwillen nicht hier weniger unnütz sein würden, weil es nicht von uns, sondern unmittelbar von unseren Höfen abhängt, sie aus dem Wege zu räumen. Binnen Kurzem wird man hierüber mit grösserer Bestimmtheit urtheilen können. Die Auswechslung der Ratificationen und in Folge derselben auch die Abreise der Minister werden demnächst vor sich gehen.'

Wie gross in der That die Zufriedenheit des Kaiserhofes mit Kaunitz während der ganzen Zeit seines Aufenthaltes in Aachen war, geht aus verschiedenen Anzeichen ganz deutlich hervor. Schon im Frühjahre 1748 schrieb Ulfeldt, als er sein Gutachten über die beabsichtigte Ernennung mehrerer Ritter des goldenen Vliesses abgab, an die Kaiserin: ‚Kaunitz kömmt früh dazu, er hat sich aber durch seine Fähigkeit früh hervorgethan, und ich wünschte nur, dass Eure Majestät mehr dergleichen Subjecte hätten und ein Vertrauen auf dieselben setzen würden.'[1]

Wichtiger war es, dass man in Wien, noch ehe Kaunitz seine Aufträge in Aachen zu Ende geführt hatte, schon an eine neue Verwendung für ihn dachte. Die Versuchung lag nahe, ihn wieder nach Brüssel zu senden, um ihn dort neuerdings an der Seite des Generalstatthalters Prinzen Carl von Lothringen die Regierung der im Kriege verlornen, durch den Frieden aber wiedergewonnenen belgischen Provinzen führen zu lassen. Aber Kaunitz hatte nach seiner ersten Resignation auf diesen Posten mit solcher Entschiedenheit erklärt, ihn nie wieder übernehmen zu wollen, dass man jetzt mit einem derartigen Wunsche gar nicht mehr an ihn herantrat. Wohl aber machte man ihn darauf aufmerksam, dass es demnächst nothwendig erscheinen werde, sowohl in London als in Paris kaiserliche Botschafter zu accreditiren. Man stellte ihm die Wahl zwischen diesen beiden Posten frei, aber Ulfeldt rieth ihm, dem in Paris den Vorzug zu geben, weil der dortige Aufenthalt für ihn gesünder und angenehmer als der in London sein würde.[2]

---

[1] Ulfeldt an Maria Theresia. 29. März 1748.
[2] Ulfeldt an Kaunitz. 9. November 1748.

Kaunitz nahm dieses Anerbieten so auf, als ob es gemeint wäre, er solle sich gleich von Aachen weg direct an den Ort seiner neuen Bestimmung begeben. ‚Was mich angeht,‘ antwortete er dem Grafen Ulfeldt, ‚so gestehe ich Eurer Excellenz, dass der Gedanke, mich in diesen Ländern zurückgehalten zu sehen, nachdem alle meine Collegen, welche die Erlaubniss erlangt haben, sich zu den Füssen ihrer Souveräne zu begeben, abgereist sein würden, und mich unverzüglich mit einer neuen Commission zu beladen, wie es die zu Paris oder zu London sein würde, um so schmerzlicher berührte, als sie mir von Eurer Excellenz kommt und ich mir allzeit schmeichelte, dass Sie ein wenig Güte für mich empfänden. Was England angeht, so kann von diesem Lande für mich nicht die Rede sein, weil meine Gesundheit mir nicht gestatten würde, in einem solchen Klima zu leben; es könnte sich somit nur um Paris handeln.‘

‚Sie selbst wissen am besten, was eine Botschaft sagen will, und was man braucht, um die mit einer solchen verbundenen unvermeidlichen Ausgaben zu bestreiten, in so geordneten Verhältnissen man auch sonst leben mag. Wenn jemals der Dienst Ihrer Majestät verlangte, diesen repräsentativen Charakter nicht zu erniedrigen, so ist dies jetzt der Fall. Ich weiss so gut wie irgend Einer, mich einzuschränken, sobald es sich nur um meine Person handelt. Bei den Gelegenheiten aber, in denen das Ansehen und der Dienst Ihrer Majestät ins Spiel kommen, vermöchte ich niemals den Schmerz zu ertragen, dasjenige nicht thun zu können, was die Umstände fordern.‘

‚Alle Welt kennt oder kann wenigstens den Stand meiner Angelegenheiten kennen, und ich habe schon vor einiger Zeit die Ehre gehabt, Eurer Excellenz mitzutheilen, dass ich die Ausgaben, die ich hier gemacht habe, nicht zu bestreiten vermocht hätte, wenn die hiesige Versammlung noch von längerer Dauer gewesen wäre; was ich hiemit behaupte, kann ich jeden Augenblick darthun. Seit ich hier bin, habe ich keinen Pfennig von meinen Gütern in Mähren beziehen können, und wenn ich auch die wenigen Bauten, die ich in Austerlitz vornehme, und welche das Einzige sind, das ich mir nicht versage, einstellen liesse, könnte ich von dorther nie mehr als zwei- bis dreitausend Gulden jährlich erhalten. Da ich somit nichts als die Einkünfte meiner Grafschaft Rietberg beziehe, welche in gar keiner Weise

hinreichend sind, war ich zur Eingehung von Schulden genöthigt.
Die Interessen derselben verringern wieder meine Bezüge, und
auch der Credit hat seine Grenzen, da Jedermann weiss, dass ich
nur Fideicommissgüter besitze, so dass, wenn ich mich auch
völlig zu Grunde richten wollte, ich es doch nicht könnte.
Ausserdem besitze ich, Gott sei Dank, eine zahlreiche Familie,
und meine häuslichen Interessen, die ich seit sieben Jahren,
während deren ich die Ehre habe, Ihrer Majestät in fremden
Ländern zu dienen, vollständig vernachlässigte, verlangen eine
bessere Einrichtung und meine Gegenwart, von meinem Gesund-
heitszustande gar nicht zu reden, auf den ich keinen Augenblick bauen kann. Auf Grundlage all' dieser wahren und thatsächlichen Umstände appellire ich an das eigene Urtheil Eurer
Excellenz, ob ich mich sogar bei gänzlicher Selbstaufopferung
mit der erwähnten Botschaft belasten könne, wenn nicht der
Hof die mit ihr verbundene Auslage trüge, denn was ich von
dem Meinigen hinzuthun kann, ist nur wenig. Ich würde nicht
verdienen, mit den Angelegenheiten Ihrer Majestät betraut zu
werden, wenn ich im Stande wäre, die meinigen ganz zu vergessen und mich leichtsinniger Weise auf Dinge einzulassen,
die ich nicht aufrecht zu halten vermöchte, und welche meinen
vollständigen Ruin herbeiführen würden.'

,Ihre Majestät ist zu gütig und zu gerecht, um von einem
ihrer Vasallen ein solches Opfer zu verlangen. Ich bin davon
überzeugt, und deshalb nehme ich mir die Freiheit, Sie noch
einmal um die Erlaubniss zu bitten, wenn diese Versammlung
sich trennen wird, nach Wien zurückkehren zu dürfen, wohin
ich von heute in vierzehn Tagen an meine Leute und meine
Equipagen zurückzuschicken denke.'

,Eure Excellenz sind zu billig, um nicht selbst zu empfinden, was das Publicum denken müsste, wenn ich nach Beendigung einer so wichtigen Commission nicht einmal die Gnadenbezeigung erhielte, mich vor meiner Monarchin und an ihrem
Hoflager einfinden zu dürfen. Dies würde einem anständigen
Exil gleichen, und ausserdem verlangt es der Dienst selbst,
dass ich Ihrer Majestät und meinen Vorgesetzten mündlich von
meinen Verrichtungen und über viele Dinge Rechenschaft ab-
lege, welche man schriftlich nicht auseinandersetzen kann.'[1]

---

[1] Kaunitz an Ulfeldt. Aachen, 27. November 1748.

Eine positiv lautende Antwort auf dieses Schreiben des Grafen Kaunitz findet sich nicht vor, aber es ist nicht zu bezweifeln, dass wenigstens seinem Begehren willfahrt wurde, sich vorläufig nach Wien begeben zu dürfen. Allerdings zog sich seine Abreise von Aachen sehr in die Länge; insbesondere war es die Lösung der vielfachen Fragen, welche sich auf die Räumung der Niederlande von Seite der französischen Truppen bezogen, die ihn dort weit länger festhielt, als dies bei den meisten anderen Friedensbotschaftern der Fall war. Nur der zweite französische Bevollmächtigte, Herr du Theil verweilte gleichfalls noch in Aachen; mit ihm schloss Kaunitz am 26. December 1748 eine Uebereinkunft ab, welche die näheren Bestimmungen über jene Räumung enthielt. Da diese Vereinbarung jedoch der Zustimmung der französischen Regierung nicht theilhaft wurde, musste Kaunitz, welcher am 7. Januar 1749 Aachen verliess, sich von dort nach Antwerpen begeben, um hier neuerdings mit du Theil zu verhandeln. Denn die französische Regierung wollte die Räumung der Niederlande nicht eher vollziehen, bis dasjenige ins Reine gebracht war, was sie zu Gunsten ihrer italienischen Bundesgenossen verlangen zu dürfen glaubte.

Auch hierüber einigte man sich schliesslich, und am 11. Januar kam in Brüssel, am 21. des gleichen Monats in Nizza die Uebereinkunft zu Stande, auf deren Grundlage endlich die Räumung der betreffenden Gebietstheile wirklich geschah. Am 30. Januar verliess Kaunitz Antwerpen und begab sich von dort in langsamen Tagereisen[1] direct nach Wien, um hier den Platz in der geheimen Conferenz einzunehmen, welcher gerade in jenen Tagen durch den Rücktritt und den bald darauf erfolgten Tod des Grafen Philipp Kinsky erledigt worden war. Man werde bei diesem Tausche, schrieb Ulfeldt, der ihm ungemein wohlwollte, an Kaunitz nicht wenig gewinnen.[2]

V. Capitel.

Die geheime Conferenz, dieser oberste Rath der Krone, bestand in dem Augenblicke, in welchem Kaunitz in dieselbe trat, ausser ihm noch aus fünf Personen. Der greise Obersthof-

---

[1] Am 14. Februar war er in Nürnberg.
[2] Ulfeldt an Kaunitz. 15. Januar 1749. Arneth, Geschichte Maria Theresias IV, S. 534.

meister der Kaiserin, Feldmarschall Graf Königsegg führte den Vorsitz; der Hofkanzler Graf Ulfeldt, der bekanntlich an der Spitze der auswärtigen Geschäfte stand, der oberste Kanzler von Böhmen, Graf Friedrich Harrach, der Reichsvicekanzler Graf Rudolf Colloredo und der Oberstkämmerer Graf Josef Khevenhüller waren die übrigen Mitglieder der Conferenz. Unter ihnen war ohne Zweifel Harrach der am meisten Begabte. Er mochte fühlen, dass ihm jetzt an Kaunitz ein überlegener Rival erstand, und es mag sein, dass auch aus dieser Empfindung eine gewisse Gegnerschaft zwischen den Beiden hervorging, wenn auch deren Hauptursache in der gänzlichen Verschiedenheit ihrer Ansichten über die wichtigsten Fragen gesucht werden muss, welche in den obersten Sphären des Staatslebens zur Austragung kamen.

Sowohl in den Angelegenheiten der inneren Politik, welche sich gerade damals in Oesterreich in dem Stadium grösster Gährung und durchgreifender Umgestaltung befanden, als in denen, welche sich auf die Haltung der Monarchie nach Aussen hin bezogen, zeigte sich dies. Harrach war ein standhafter, überzeugungstreuer Verfechter des Althergebrachten, Kaunitz dagegen durch und durch ein Mann der Reform. Auf dem Gebiete der inneren Fragen hielt er allerdings als ein Neuling mit seinen Meinungsäusserungen noch vorsichtig zurück; um so entschiedener und schärfer sprach er sich dagegen über Alles aus, was das politische System anging, welches Oesterreich von nun an in seinen Beziehungen zu den fremden Mächten befolgen sollte. Und die Ausführlichkeit, mit der sein Votums, das er als der Jüngste im Kreise auch zuletzt abzugeben hatte, in den Protokollen gedacht wird, kann wohl als ein Beweis des Werthes angeführt werden, den man ihm beimass.

Kaunitz konnte nur sehr kurze Zeit in Wien zurück sein, als schon, und zwar am 5. März 1749 bei Königsegg eine Sitzung der geheimen Conferenz abgehalten wurde, in welcher zum ersten Male jene Wahrnehmung gemacht werden konnte. Es handelte sich um eine Mittheilung der sächsischen Regierung über wirkliche oder vermeintliche Bemühungen des Königs von Preussen, Frankreich nicht in bessere Beziehungen zu Oesterreich treten zu lassen. Er arbeite darauf hin, eine Vereinbarung mit Frankreich herbeizuführen, welcher freilich Anfangs nur ein defensiver Charakter innewohnen solle. Aber man könne leicht vorhersehen, dass dann von diesem zur Offensive nur mehr ein Schritt sei.

Man kann nicht sagen, dass über diese Angelegenheit eine wesentliche Meinungsverschiedenheit zwischen den einzelnen Mitgliedern der Conferenz obgewaltet hätte. Alle stimmten dem Vorschlage Ulfeldt's bei, dass, nachdem die diplomatischen Beziehungen zu Frankreich noch nicht wiederhergestellt seien, man den gleichen Weg einschlagen solle, auf welchem die Mittheilung, die den Gegenstand der Berathung bilde, nach Wien gelangte. Eine Denkschrift sei zu entwerfen und die sächsische Regierung anzugehen, sie dem französischen Cabinet bekanntzugeben. Man müsse sich bemühen, durch ihren Inhalt Frankreich jenen Verdacht zu benehmen, der dort schon von vorneherein gehegt und von preussischer Seite immer mehr genährt werde.

Auch Harrach erhob gegen diesen Antrag Ulfeldt's keinen Einspruch. Gleichwohl konnte er sich der tadelnden Bemerkung nicht entschlagen, von einem politischen System, das man von nun an in den ausländischen Geschäften beobachten wolle, sei ihm gar nichts bekannt geworden. Das letzte wichtigere Actenstück, das man ihm mitgetheilt habe, sei die Instruction für den neuernannten österreichischen Gesandten in Dresden, Grafen Sternberg gewesen. Er habe aber darin nichts als eine weitläufige Anführung des schon früher Geschehenen, eine Wiederholung der von Seite Englands begangenen Fehler und als Richtschnur für die Zukunft nichts Anderes gefunden, als dass man stillsitzen und die Sachen im deutschen Reiche gehen lassen solle, wie sie eben gingen. Er wisse nicht, ob man damit weit kommen werde.

Eingehender als Harrach vertiefte sich Kaunitz in den Gegenstand der Frage, und wir werden wohl seine Auseinandersetzung hier ausführlicher erwähnen müssen, da sie die erste ist, mit der er im Schoosse der geheimen Conferenz hervortrat. Man befinde sich noch im Dunkel und in der Ungewissheit, liess er sich vernehmen, was man von der einen und der anderen europäischen Macht theils zu hoffen und theils zu befürchten habe; darum müsse man Alle rücksichtsvoll behandeln und es sorgfältig vermeiden, bei irgend einer von ihnen begründeten Anstoss zu erregen. Insbesondere möge man die

Aufmerksamkeit darauf richten, den französischen Hof nicht nur von feindseligen Handlungen abzuhalten, sondern ihm auch allen widrigen Verdacht zu benehmen oder wenigstens zu verhüten, dass er sich in einen solchen immer mehr vertiefe. Denn gleichwie er glaube, dass, wenn es gelänge, Frankreich alle Unruhe und Besorgniss wegen weitaussehender Anschläge zu benehmen, die man in Wien hege, es keine feindselige Stellung gegen Oesterreich einnehmen werde, so zweifle er doch auch nicht, dass es ohne eine solche Bemühung entschlossen sei, alle Mittel aufzubieten, um die ihm vermeintlich drohende, obschon ganz unbegründete Gefahr abzuwenden. Das Wichtigste bestünde darin, dass die Denkschrift so abgefasst werde, dass sie nirgends Anstoss erregen könne. Um so leichter sei dies zu erreichen, als man sich ja blos an die Wahrheit zu halten und darnach zu trachten brauche, von dem, was ihr entspreche, Frankreich zu überzeugen. Er rathe übrigens auch, das Verlangen des Wiener Hofes, die wiederhergestellten Freundschaftsbeziehungen zu Frankreich sorgfältigst zu unterhalten, in der Denkschrift ganz besonders zu betonen. Um so unbedenklicher sei dies, als es ja auch England an Beseigung der gleichen Gesinnung gegen Frankreich nicht fehlen lasse. Von dem Inhalte der zu entwerfenden Denkschrift wäre auch Russland zu unterrichten. Ja er gebe zu bedenken, ob nicht sogar der österreichische Gesandte in Berlin, Graf Chotek, anzuweisen wäre, bei einer sich von selbst ergebenden Gelegenheit dem dortigen Hofe den Irrthum zu benehmen, in welchem er sich befinde. Denn wenn man in Berlin die Grundlosigkeit des geschöpften Verdachtes gegen Oesterreich erkenne, werde man hievon auch in Frankreich leichter zu überzeugen sein.

Es ist eine längst bekannte Thatsache, wie hoch Bartenstein, der unermüdliche Protokollführer der Conferenz und die Seele der damaligen Leitung der auswärtigen Angelegenheiten, jedes tadelnde Wort aufnahm und durch ein solches in die grösste Aufregung versetzt wurde. Auch diesmal gerieth er durch das, was Harrach über den Mangel eines politischen Systems und darüber gesagt hatte, dass man im deutschen Reiche den Dingen unthätig freien Lauf lassen wolle, in tiefe Erbitterung. An der Hand einer umfangreichen Ausarbeitung, die er gleich nach dem Abschlusse des Aachener Friedens entwarf und welche damals nicht nur die Zustimmung der Conferenz

minister, sondern auch die des Grafen Kaunitz, der sich zu
jener Zeit noch nicht in dieser Stellung befand, und schliesslich
sogar die Genehmigung des Kaisers und der Kaiserin erhalten
hatte, wies er die Grundsätze nach, von denen man im auswärtigen Amte ausgehe. Sie bestünden darin, dass man sich
trotz den leider so sehr berechtigten Beschwerden gegen England von den beiden Seemächten nicht trennen und ihnen auch
keinen Anlass zu irgend einer begründeten Klage geben wolle.
Nach wie vor werde man sich an den Mittelweg halten, sich
weder durch die Seemächte zu einem Unternehmen gegen
Frankreich, noch von diesem zu einem Schritte wider die
Seemächte verleiten zu lassen. Man müsse sich vielmehr
ruhig verhalten, die eigenen inneren Kräfte sammeln und stär-
ken, die vorhandenen Gebrechen aber verbessern. Mit Russland müsse man aufs Engste verknüpft bleiben und durch
dessen Vermittlung die beiden Seemächte zu einem billigeren
und erfreulicheren Benehmen gegen Oesterreich vermögen. Der
feindseligen Gesinnung Sachsens gegen Preussen aber habe man
sich bei Frankreich nützlich zu bedienen, um hiedurch diese
Krone mehr und mehr von ihrer Verbindung mit Preussen abzubringen.

Auch den Vorwurf, man wolle im deutschen Reiche die
Hände unthätig in den Schooss legen, wies Bartenstein als un-
gerechtfertigt zurück. Nachdem aber durch die unglücklichen
Kriege, welche man geführt habe, durch die Uebermacht Preussens,
durch die Unordnungen, welche unter Karl VII. eingerissen
seien, und durch manche andere Ursachen der gegenwärtige arge
Verfall des Reiches herbeigeführt worden sei, erübrige nichts,
als sich künftighin durch Niemand, wer es auch sein wolle,
zur Uebernahme irgend einer Verpflichtung gegen Aussen hin
verleiten zu lassen. Man müsse sich darauf beschränken, die
Antipathie Sachsens und Hannovers gegen Preussen je nach
Massgabe der Umstände zu benutzen, die kleineren, eine Unterdrückung befürchtenden Reichsstände an sich zu ziehen und
sich übrigens von einer unparteiischen, auf die Reichsgrund-
gesetze sich stützenden Justizverwaltung durch nichts abwendig
machen zu lassen.

Auf die ferneren Auseinandersetzungen, durch welche
sich Bartenstein bemühte, die Vorwürfe Harrach's zu widerlegen
und das von dem auswärtigen Amte bisher beobachtete Ver-

fahren als ein consequentes und systemmässiges darzustellen, kann hier nicht weiter eingegangen werden. Nur das wird gesagt werden dürfen, dass am Schlusse des Referates, mit welchem die Conferenz die an Sachsen und durch dessen Vermittlung an Frankreich mitzutheilende Denkschrift der Kaiserin zur Genehmigung vorlegte, auf Grundlage der Behauptung Harrach's, es existire keine feste Richtschnur für das in den auswärtigen Angelegenheiten zu befolgende System, um baldige Vorzeichnung einer solchen dringendst gebeten wurde.[1]

,Placet,' so lautet die eigenhändig niedergeschriebene Antwort der Kaiserin, ,placet, so vill das memoire anbetrifft und die arth der puncten zu delibrirung, die allzeit in das künftige auch bey allen conferentzen also zu halten seyn wird, und selbe circuliren lassen und nachgehends von denen votis protocol abfassen und mir abzugeben. weillen aber aus disem sehe, das noch einige glaubeten, das noch kein systeme ergriffen worden, und doch höchst nöthig, das aus einen principio und maasregul zu werck gegangen werde, so solle ein jeder conferentz ministre seine meinung zu papier setzen und in 14 tagen mir zuschicken, was nach nunmehr geschlossenen friden, anscheinenden unruhen in norden gegen engeland, franckreich und dem reich vor ein systeme zu ergreiffen wäre.'

Wir wissen nicht, ob es aus eigenem Antriebe oder auf ausdrücklichen Wunsch seiner Gemahlin geschah, dass sich der Kaiser seines hohen Ranges einen Augenblick entäusserte, indem er sich gewissermassen in die Reihe der Conferenzminister stellte und geradeso wie sie über das neu anzunehmende und von nun an pünktlich zu befolgende politische System sein Gutachten abgab. Auch jetzt wieder blieb er den Anschauungen treu, zu denen er sich immer bekannt hatte; die Hinneigung zu den Seemächten, insbesondere zu England, und die Antipathie gegen Frankreich waren die Empfindungen, in denen sie wurzelten. Darum war er vor Allem dafür, dass an dem Bündnisse mit den Seemächten, sowie an demjenigen mit Russland festzuhalten sei; durch eine solche vierfache Defensivallianz werde man noch am ehesten den König von Preussen im Zaume halten können, von welchem allein und nicht auch von den zwei anderen Gegnern Oesterreichs, der Pforte oder Frankreich, unmittelbare Gefahr

---

[1] Referat vom 7. März 1749.

drohe. Aber auch mit Preussen möge man gute Nachbarschaft halten und gegen den König nicht so öffentlich den freilich nicht unberechtigten Hass zeigen, den man wider ihn hege.

Auch Frankreich möge man schonen, aber ihm doch auch niemals vertrauen und am allerwenigsten dem trügerischen Gedanken Raum geben, man könnte durch Frankreichs Beistand je wieder in den Besitz Schlesiens gelangen. Nie werde Frankreich ernstlich hiezu mitwirken und sich überhaupt niemals von Preussen loslösen, indem Eines des Anderen nur allzusehr bedürfe. Immer werde Frankreich nach nichts Anderem trachten, als Oesterreich mit seinen bisherigen Verbündeten zu entzweien und es dann in seiner Isolirung noch ärger zu schädigen, als es dies bereits gethan habe.

Auch Königsegg hob vor Allem hervor, dass die Seemächte als die ältesten Alliirten Oesterreichs anzusehen seien. Nimmermehr dürfe man sich von ihnen vollständig trennen, wenn sie sich nicht durch eine ganz unbegreifliche Verirrung auf ganz falsche Bahnen leiten liessen. Darum möge man zwar die freundschaftlichen Beziehungen zu ihnen pflegen, aber darin doch wieder nicht so weit gehen, um bei Frankreich oder irgend einer anderen Macht Verdacht zu erregen. Dennoch wäre es erfreulich, wenn es gelänge, den König von England zur Theilnahme an dem Bündnisse zwischen Oesterreich und Russland zu vermögen, welches auch künftighin die Grundlage des von Wien aus zu beobachtenden politischen Systems zu bilden habe.

Gleich dem Kaiser bezeichnete auch Königsegg die Pforte, Frankreich und Preussen als Oesterreichs Feinde. Aber die Pforte habe in der jüngstvergangenen Zeit ‚zu ewiger Schande der Christen‘ so überzeugende Proben von Treue und Glauben abgelegt, dass man wohl hoffen dürfe, sie werde den mit ihr abgeschlossenen ewigen Frieden nicht brechen. Freilich könne man sich auf eine so barbarische Nation nicht völlig verlassen. Ein kriegerischer Nachfolger des gegenwärtigen Sultans, ein brutaler Grossvezir, ja sogar der Ungestüm der Janitscharen könnten die Pforte auch wider Willen zu einem Kriege gegen Oesterreich zwingen. Das Hauptaugenmerk müsse also darauf gerichtet sein, der Türkei durch friedliche Nachbarschaft jeden Vorwand zu einem Bruche zu benehmen.

Auch gegen Frankreich empfiehlt Königsegg eine zuvorkommende Haltung. Da aber sein Hochmuth und seine Herrschsucht, sowie seine Rivalität gegen das Haus Oesterreich niemals erlöschen werden, so dürfe man in dem Vertrauen auf Frankreich nicht zu weit gehen, sondern müsse sich darauf beschränken, es zu überzeugen, dass man nicht die geringste Feindseligkeit gegen dasselbe hege.

Die grossen Rüstungen des Königs von Preussen könne man ebensowohl etwaigen Befürchtungen als neuen Eroberungsplänen zuschreiben. Was aber auch darunter verborgen sein möge, so solle man, ohne irgendwelche Besorgniss zu verrathen, doch vor ihm auf guter Hut sein, ihn schonen und ihm gleichzeitig zeigen, dass man an die Wiedergewinnung Schlesiens nicht denke.

Auch Ulfeldt war der Meinung, dass man unter den obwaltenden Umständen und so bald nach Abschluss des Friedens von keiner der europäischen Mächte eine augenblickliche Gefahr zu besorgen habe. Sein Gutachten glich überhaupt denjenigen Königsegg's in wesentlichen Punkten, aber freilich unterschied es sich auch wieder von demselben, und zwar insbesondere dadurch, dass es geringere Hinneigung zu den Seemächten und weniger Misstrauen gegen Frankreich verrieth. Er meine damit jedoch nicht, erklärte Ulfeldt ausdrücklich, dass man sich mit Frankreich in etwas Verfängliches einlassen oder mit irgend welchem Anerbieten an diese Krone herantreten solle. Man möge nur während der Dauer des Friedens eine solche Haltung einnehmen, dass man sich nicht bei der Ohnmacht Hollands im Falle eines erneuerten Friedensbruches von Seite Frankreichs und wenn England seinen bisherigen üblen Willen nicht ändere, vollkommen hilflos und dadurch gezwungen sehe, die bisher befolgte Bahn auch noch ferner zu verfolgen. Sie habe zu nichts Anderem geführt, als dass die Seemächte nach Beendigung eines Krieges die Ruhe Europas allzeit auf Oesterreichs Kosten erkauft hätten.

Nachdem er sich in einer ziemlich langathmigen Aufzählung all' der Vorwürfe ergangen hatte, die er gegen die politische Haltung Englands vom österreichischen Standpunkte aus erheben zu sollen glaubte, kehrte Ulfeldt neuerdings zu Frankreich zurück und meinte, man müsse abwarten, welche Haltung es künftighin gegen Oesterreich einnehmen werde. Sie zu einer möglichst befriedigenden zu gestalten, dürfte die bevorstehende Absendung des Grafen Kaunitz nach Paris nicht wenig beitragen. Frankreich werde ebenso leicht einsehen, woran Oesterreich am meisten liege, wie man hier sich über die Absicht nicht täusche, welche Frankreich bei einem neuen Kriege verfolgen würde. Dass sie diesmal fehlschlug, habe Frankreich dem zuzuschreiben, dass ihm der König von Preussen durch einen einseitigen Friedensschluss zuvorkam. Nie werde es ihm dies vergessen und es sich zur Warnung dienen lassen, ein zweites Mal eher sich selbst als Preussen den Nutzen zuzueignen. Solches könnte in einigen Jahren wohl geschehen und Oesterreich die einzige Gelegenheit darbieten zum Ersatze des erlittenen Verlustes.

In entschiedenem Gegensatze zu diesen Aeusserungen Ulfeldt's befanden sich diejenigen Harrach's. Dass kein europäischer Staat, so begann er sein Gutachten, er möge noch so mächtig sein, ohne Verbündete zu bestehen vermöge, werde durch das Beispiel Frankreichs am besten bewiesen; Oesterreich müsse sich gleichfalls darnach richten. Drei ,Capitalfeinde' besitze es an der Pforte, an Frankreich und an Preussen. Schon gegen Einen allein reiche seine Heeresmacht nicht zu, viel weniger gegen mehrere aus ihnen; es bleibe ihm daher nichts übrig, als Alles anzuwenden, um seine alten Allianzen aufrechtzuerhalten und das Vertrauen der Verbündeten wieder herzustellen, welches durch deren Fehltritte und die so empfindlichen Vorwürfe, die man ihnen deshalb unablässig gemacht habe, nicht wenig erschüttert worden sei. Das gute Verhältniss zu Russland, so erfreulich es auch genannt werden müsse, stehe nur auf vier, ja vielleicht nur auf zwei Augen, denn wenn heute der Kanzler Bestuschew die seinigen schliesse, was bei seinem ausschweifenden Lebenswandel leicht eintreten könne, wisse man nicht, auf welche Gedanken vielleicht ein neuer Minister die Czarin Elisabeth bringen werde. Holland befinde sich in sichtlichem Verfall, und selbst wenn es sich daraus noch zu retten vermöchte, bleibe zu besorgen, dass die Zwistigkeiten wegen Umgestaltung des Barrieretractates nicht zu völliger Erkaltung, und zwar nicht blos gegen Holland, sondern auch gegen England führen würden.

Kaum erwähnt Harrach dieses Reich, so kommt er auch schon wieder auf die Vorwürfe zurück, durch die man es

ohne Noth aufs Aeusserste erbittert habe. Diese Vorwürfe
seien entweder gegründet gewesen oder nicht. In dem einen
Falle wäre es England nicht zu verdenken, dass es sich tief
verletzt fühle, sich nach so vielen Opfern an Gut und an Blut
in solcher Weise behandelt zu sehen. In dem anderen Falle
aber dürfte England, so gerecht diese Vorwürfe auch sein
möchten, doch nicht zur Erkenntniss seines Unrechtes zu bringen sein. Aber selbst wenn dies wider Vermuthen geschehen
sollte, so würde England dann doch nur die eigenen Fehler
gegen Diejenigen zu compensiren geneigt sein, welche man von
österreichischer Seite gleichfalls begangen zu haben nicht leugnen
könne. Und nie würde sich Oesterreich allein und ohne Englands
Beistand, so viel er auch zu wünschen übrig lassen mochte, zu
retten im Stande gewesen sein.

Da nun England der einzige Staat sei, welcher Oesterreich nicht nur mit Geld zu unterstützen, sondern auch durch
seine Macht Frankreich im Zaume zu halten vermöge, so müsse
man aufs Aeusserste bemüht sein, sich mit ihm in das beste
und engste Einvernehmen zu setzen und die beabsichtigte bewaffnete Defensivallianz so bald als nur immer möglich zu
Stande zu bringen. Die Art aber, zu ihr zu gelangen, bestehe
nicht in unablässigen Vorwürfen, welche, je gegründeter sie
seien, desto mehr aufreizen, insbesondere wenn man sich ihrer
gegen eine so hochmüthige Nation wie die englische bediene,
welche Oesterreichs lang nicht so sehr bedürfe, als dies umgekehrt der Fall sei.

Er habe zwar, so schloss Harrach sein Gutachten, aus
den in der letzten Zeit von der Staatskanzlei ausgegangenen
Instructionen an die Repräsentanten Oesterreichs im Auslande
Dinge ersehen, welche ihn fast hätten abhalten sollen, mit so
grosser Aufrichtigkeit seine Meinung zu sagen. Aber die Pflicht
der Treue, die ihn an die Kaiserin und ihr Haus fessle, sei so
stark in ihm und so rein, dass, wenn auch sein Kopf darauf
stünde, dies ihn nicht abhalten könnte, insbesondere nachdem
die Kaiserin ihm befohlen habe, ihr seine Gedanken zu eröffnen,
dies mit vollster Aufrichtigkeit und ohne alle Scheu zu thun.
Er sage nicht, dass, wenn sich eine günstige Gelegenheit darbieten sollte, sich Frankreichs gegen Preussen oder Preussens
gegen Frankreich mit Nutzen zu bedienen, sie vorsätzlich
vernachlässigt werden sollte. Vor Allem aber sei ein ‚solides

Fundament' zu legen, ohne welches jedes politische wie jedes
andere Gebäude zusammenstürzen müsse. Unter diesem soliden
Fundamente verstehe er eine Allianz, bei der man ruhig zu
schlafen im Stande sei.

Das Gutachten des Reichsvicekanzlers Colloredo bietet
insofern einige Aehnlichkeit mit dem Harrach's dar, als auch
er von den drei Hauptfeinden Oesterreichs, von Frankreich,
Preussen und der Türkei spricht und es an die Spitze seiner
Ausführungen stellt, dass auf eine wirkliche Aussöhnung mit
dem Hause Bourbon, sowie auf eine dauernde und verlässliche Freundschaft mit ihm in gar keiner Weise zu bauen
sei. Aber er unterscheidet sich doch wieder von Harrach durch
die Behauptung, Oesterreich habe keinen Alliirten, dem es
völlig vertrauen könne, und er bemüht sich, dies, insofern es
England angeht, durch die Hindeutung auf dessen Verfahren
während des letzten Krieges und schon vor demselben zu beweisen. Man sehe sich daher genöthigt, den Mittelweg einzu-
schlagen und weder den früheren Feinden, mit denen man erst
Frieden geschlossen habe, Anlass zu neuen Misshelligkeiten zu
gehen, noch sich von den bisherigen Verbündeten zu trennen,
ja man solle trachten, die Zahl der Alliirten womöglich noch
zu vermehren. Insbesondere möge man über das Vergangene
den Schleier der Vergessenheit ziehen, und wenn sich auch
die Seemächte während des Krieges nicht so bundesmässig
benahmen, als sie es schuldig gewesen wären und wie es ihr
eigenes Interesse verlangte, so hätten sie doch niemals gleich
Frankreich das völlige Verderben des Hauses Oesterreich gesucht und dazu die Hände geboten. Die Fortdauer und die
noch engere Verknüpfung der Allianz mit den Seemächten und
mit Russland wird daher auch von Colloredo als das Wün-
schenswertheste erklärt.

Auch der Oberstkämmerer Graf Khevenhüller stimmte
für ein möglichst gutes Einvernehmen sowohl mit den früheren
Gegnern als mit den bisherigen Alliirten. Alle von Wien ausgehenden Kundgebungen sollten mit der grössten Vorsicht abgefasst werden, so dass man überall daraus ersehen könne,
man empfinde wegen des Geschehenen durchaus keinen Groll
mehr und sei nur von dem Wunsche, den Frieden zu erhalten,
sowie von der Absicht beseelt, sich mit dem gegenwärtigen
Besitzstande zu begnügen.

So wie es von Seite seiner Collegen geschah, wendete auch Khevenhüller der Haltung, die man von nun an gegen Frankreich beobachten solle, sein Hauptaugenmerk zu. Man möge eifrig darnach trachten, so meinte er, dem Hofe von Versailles den Verdacht zu benehmen, als ob man in Wien noch in der früheren feindlichen Gesinnung gegen ihn verharre. Mit Aufmerksamkeiten aller Art sich ihm mehr und mehr zu nähern, solle man nicht geizen, aber freilich sich auch vorder hand noch nicht tiefer mit ihm einlassen und nicht auf ein neues politisches System eingehen, dessen Grundlage in einer engeren Verbindung mit Frankreich bestünde. Denn man könne sich vernünftiger Weise unmöglich mit dem Gedanken schmei- cheln, Frankreich schon in naher Zukunft von Preussen zu trennen. Gleichwohl möge man hieran nicht völlig verzweifeln, und daher jeden Anlass benützen, der französischen Regierung das Ueberhandnehmen der Macht Preussens recht deutlich vor Augen zu führen und sie einsehen zu machen, dass sie der- einst von dort mehr als von Oesterreich zu besorgen haben dürfte.

Die Allianz mit Russland sei zwar für Oesterreich unge- mein nützlich, ja unentbehrlich, aber sie verliere dadurch an Werth, dass man sich von diesem Staate keine Geldhilfe ver- sprechen dürfe, und dass die gewaltsamen Umwälzungen, denen er ausgesetzt sei, leicht einmal in ganz unvorhergesehener Weise auch das Bündniss mit Oesterreich zertrümmern könnten. Darum solle man sich, um dann nicht allein zu stehen, auf möglichst freundschaftlichen Fuss mit den Seemächten stellen und in den Bemühungen nicht erkalten, England in die Allianz zwischen Oesterreich und Russland zu ziehen.

Bei Weitem das wichtigste aller abgegebenen Gutachten ist jedoch ohne Zweifel das, welches von dem jüngsten Mit- gliede der Conferenz, dem Grafen Kaunitz herrührt. Schon durch seine Ausführlichkeit unterscheidet es sich von den übri- gen, indem es fast das Doppelte des Raumes aller anderen Gutachten ausfüllt. Aber nicht sein Umfang, sondern sein Inhalt ist es, der ihm seinen eigentlichen Werth verleiht.

Am 11. März 1749 hatte Kaunitz den Auftrag der Kaiserin erhalten und ihm schon am 24. entsprochen. Binnen dreizehn Tagen brachte er eine Arbeit von 252 Seiten zu Stande, zu der er somit während dieses verhältnissmässig kurzen Zeitraumes rastlos thätig gewesen sein muss. Bescheiden bezeichnet er selbst die ihr zu Grunde liegende Kenntniss, welche er sich von den auswärtigen Geschäften, sei es als Gesandter, sei es als Theilnehmer an den Aachener Friedensverhandlungen erworben habe, als blosses Stückwerk. Nur im Schoosse der geheimen Conferenz könne man den ganzen Zusammenhang der Staatsgeschäfte, welche daselbst wie in einem Mittelpunkte zusammenfliessen, durch mehrjährige Erfahrung kennen lernen.

Wie es auch von anderen Mitgliedern der Conferenz geschah, theilt Kaunitz die europäischen Mächte in solche, welche als natürliche Freunde, und in andere, die als natürliche Feinde des Erzhauses Oesterreich anzusehen seien. Eine dritte und letzte Kategorie erblickt er in denen, die sich je nach den obwaltenden Umständen auf die eine oder die andere Seite schlagen dürften. Zu der ersten Gruppe rechnet er vor allen übrigen Staaten England, und es sei hiebei, so meint er, ganz besonders zu beachten, dass die allgemeine Politik der Mächte nichts von Verwandtschaft oder persönlicher Freundschaft zu wissen pflege, sondern in ihrem eigenen Interesse die Hauptrichtschnur für ihr Verfahren erblicke. Dieses bilde das stärkste Band für eine Allianz. Höfe, zwischen deren Absichten Widerstreit bestehe, würden selten durch ein wahres und dauerndes Einverständniss verknüpft sein. Wohl aber sei ein solches zwischen Staaten zu hoffen, deren Wohlfahrt auf den gleichen Grundsätzen und Hilfsmitteln beruhe.

Zwischen Oesterreich und England bestehe nun, vielleicht mit einziger Ausnahme dessen, was sich auf den niederländischen Handel und den Barriereretractat beziehe, durchaus kein Gegensatz, während ihr beiderseitiges Interesse in der Nothwendigkeit übereinkomme, der Uebermacht des Hauses Bourbon und dessen gefährlichen Unternehmungen Schranken zu ziehen. Englands eigene Wohlfahrt fordere daher, sich aufs Aeusserste zu bemühen, dass Oesterreich nicht nur von seinen Feinden nicht unterdrückt oder geschwächt, sondern dass es vielmehr in seiner Macht und seinem Ansehen erhalten und seine Kraft, dem gemeinsamen Feinde gehörig zu widerstehen, noch verstärkt werde.

Trotzdem werde seit einiger Zeit durch die leidige Erfahrung bewiesen, dass England bei sehr vielen Anlässen nicht nach diesen Grundsätzen, sondern in einer Weise gehandelt

habe, als ob seine eigene Wohlfahrt mit derjenigen Oesterreichs
in gar keinem Zusammenhange stünde. Die Hauptursache hievon liege darin, dass auch England nicht frei sei von dem gewöhnlichen Fehler, das Staatsinteresse Privatvortheilen und
persönlichen Stimmungen unterzuordnen. So komme es, dass
in oft wiederholten Fällen die übertriebene Sparsamkeit, ja man
dürfe schon sagen der Geiz der Könige aus dem Hause Hannover, der beständige Kampf der politischen Parteien in Verbindung mit dem den Engländern eigenthümlichen Ungestüm
dort in Staatsangelegenheiten den Ausschlag geben. Und man
könne nicht leugnen, dass man auch in Wien nicht sorgfältig
genug darauf bedacht gewesen sei, jedem Anlasse zu Misshelligkeiten aus dem Wege zu gehen. So habe man schon bei
der Errichtung der Ostindischen Compagnie hauptsächlich nur
den eigenen Vortheil und gar nicht in Erwägung gezogen, ob
sich denn diese Massregel mit den einmal bestehenden Verträgen vereinbaren lasse, und ob man sie ohne fremde Unterstützung nur aus eigener Machtvollkommenheit werde durchsetzen können. Mehr Rücksicht auf die Verbündeten und etwas
weniger Nichtachtung des Grundsatzes: ‚Leben und leben lassen‘
würde es immerhin möglich gemacht haben, gleichzeitig auch
den österreichischen Niederlanden grössere Handelsvortheile zuzuwenden, wozu jetzt jede Aussicht verschwunden sei. So habe
man in England und mehr noch in Holland die Abneigung der
Bevölkerung gegen Oesterreich, die sich durch diesen Staat in
ihren wichtigsten Interessen bedroht wähnte, grossgezogen, den
Minister Walpole aus einem anfänglichen Anhänger Oesterreichs
in einen versteckten Feind umgewandelt und es dahin gebracht,
dass sich seit ihm nur wenige, ja vielleicht kein einziger englischer Minister gefunden habe, welcher dem Kaiserhofe wahrhaft
geneigt und für ihn im Sinne der Allianz thätig gewesen wäre.
Ohne die Erkenntniss, dass die Erhaltung des Hauses Oesterreich
für England nicht nur nützlich, sondern nothwendig sei, hätte
sich England wohl lang schon von ihm abgewendet, und täglich zeige es sich nur allzusehr, wie sehr Walpole's Geist und
seine Grundsätze bei einem namhaften Theile der massgebenden Persönlichkeiten in England vorherrschend seien. Es könne
daher auch nicht schwer fallen, die Ursachen zu ergründen,
durch welche England veranlasst wurde, die Kaiserin zu nöthigen, das Bündniss mit Sardinien und den Frieden mit Preussen

mit so grossen Opfern zu erkaufen. Der Marquis d'Ormea habe es verstanden, England zu überreden, dass sich Sardinien, je mehr es an Macht zunehme, desto mehr von dem Hause Bourbon abwenden und an England anschliessen werde. Durch den Besitz der Häfen von Finale und Savona aber werde sich Sardinien in den Stand gesetzt sehen, England in den Genuss der einträglichsten Handelsvortheile treten zu lassen.

Was Preussen angehe, so sei es zwar richtig, dass ihm der König von England, der Prinz von Wales und das hannoversche Ministerium feindselig gestimmt seien. Aber es lasse sich auch nicht verkennen, dass es Preussen gelungen sei, sich in England einen starken Anhang zu erwerben. Es walte daher ein sehr grosser Unterschied zwischen der englischen und der hannoverschen Denkungsart vor, und oft gelinge es dem englischen Ministerium, den König durch Befriedigung seiner Habsucht zu Massregeln zu verleiten, welche mit seinen eigentlichen Anschauungen nicht im Einklange stünden.

Zahlreich seien in England die Personen, welchen der König von Preussen ein wahres Idol geworden sei. Zum Theile erkläre sich dies aus den noch herrschenden Grundsätzen Walpole's, zum Theile aber auch aus der Gleichheit der Religion, oder wie es ein hervorragender österreichischer Staatsmann richtig bezeichnet habe, der Irreligion. Endlich möge auch die glückliche Kriegführung des Königs von Preussen die Erwartung geweckt haben, sein Staat könne in dem politischen Gleichgewichte gegen das Haus Bourbon an die Stelle Oesterreichs treten; seine Vergrösserung sei daher eher zu fördern als zu hintertreiben.

Hiezu komme noch, dass dem englischen Volke die auswärtige Macht seines Königs ein Dorn im Auge sei, weil es befürchte, sie könnte bei einer sich darbietenden Gelegenheit dazu gebraucht werden, eine Abänderung der englischen Regierungsform herbeizuführen. Die Eifersucht Hannovers gegen Preussens Uebermacht vermehre also nur die Hinneigung Englands zu Preussen, das etwaige despotische Gelüste des Königs von England lahmlege und dessen hannoversches Ministerium in steter Besorgniss erhalte. Und überdies komme dem Könige von Preussen nach dem allfälligen Aussterben des Hauses Hannover das Thronfolgerecht in England zu.

Gleichwohl sei die Zuneigung Englands zu Preussen noch nicht zu dem Vertrauen gediehen, dieses werde sich vollständig von Frankreich abwendig machen lassen. Es sei daher zu vermuthen, England werde alle neuen kriegerischen Verwicklungen mit Frankreich sorgfältig vermeiden und, falls ihm hiezu Veranlassung geboten würde, lieber sich friedlich zu vergleichen trachten, als die Waffen ergreifen. An einem etwaigen Kriege Oesterreichs mit dem Hause Bourbon werde es sich wahrscheinlich gar nicht betheiligen und am allerwenigsten an einem Kampfe gegen den König von Preussen, wenn dieser auch seiner Gewohnheit nach zuerst den Frieden brechen sollte. Ohne daher den Nutzen der von England geleisteten Hilfe und das Gute und Erspriessliche verkennen zu wollen, das man sich von diesem Staate auch in Zukunft versprechen dürfe, sei doch die allgemeine Betrachtung, es müsse England nach wie vor als der natürliche Verbündete Oesterreichs angesehen werden und es müsse zur Aufrechthaltung dieser Allianz das sogenannte alte System fortbestehen, für die Gegenwart nicht mehr hinreichend zu nennen. Man habe vielmehr auf den Unterschied der Zeiten und Umstände, sowie auf die zu Tage tretenden Gebrechen gebührende Rücksicht zu nehmen.

Auch Holland zählt Kaunitz zu Oesterreichs natürlichen Alliirten. Denn auch zwischen diesen zwei Staaten bestünden mit Ausnahme dessen, was sich auf den Barrierctractat beziehe, keine einander widerstreitenden Interessen, während sie sich Beide durch die höchst gefährliche Nachbarschaft Frankreichs und Preussens gleichmässig bedroht sähen. Aber auch von Holland lasse sich wegen des sichtlichen Verfalles des dortigen Staatswesens kein ausgiebiger Beistand erwarten, vielmehr voraussehen, dass es Alles sorgfältig vermeiden werde, was es mit Frankreich oder mit Preussen in irgendwelchen Conflict bringen könnte.

Weit grösseren Werth für Oesterreich misst Kaunitz dem Bündnisse mit Russland als dem mit England und mit Holland bei, denn die beiderseitigen Interessen stünden im Hinblick auf die Pforte, auf Frankreich und Preussen, wie auch zum Theile auf Polen und Schweden in Einklang. Aber mit voller Zuversicht sei auch auf Russland nicht zu rechnen, denn der plötzliche Tod oder Sturz des Kanzlers Bestuschew könnte dort grosse Veränderungen hervorbringen. Während der letzten

Krankheit der Czarin hätten die Dinge in Russland ein recht
gefahrdrohendes Aussehen gewonnen, und man wisse ja, wie
leicht dort Verschwörungen oder andere verwegene Unternehmungen gelängen.

Hiezu komme noch die ganz falsche Bahn, welche die
Politik der russischen Regierung in der letzten Zeit eingeschlagen habe, indem sie sich mit Unternehmungen gegen Schweden beschäftige, dagegen jede Besorgniss vor Preussen ganz
ausser Acht lasse. Russland verwende seine Macht, einen ohnedies schwachen Feind wie Schweden noch mehr zu schwächen,
während es einem starken Gegner wie Preussen die Mittel an
die Hand gebe, zu noch grösserer Kraftentfaltung zu gelangen.

Auch den König von Polen in seiner Eigenschaft als
Kurfürsten von Sachsen zählt Kaunitz wegen seiner gleich-
mässigen Bedrohung durch Preussen den natürlichen Verbündeten Oesterreichs bei. Aber in Betreff Sachsens bestehe der
Uebelstand, dass es sich ausser Stande befinde, an einem
etwaigen Conflicte mit Preussen gleich Anfangs als dessen
Gegner Antheil zu nehmen, während es doch im Verhältnisse
zu dem Werthe seiner Mitwirkung aus derselben einen allzu
grossen Gewinn ziehen wolle. Am meisten Vortheil gewähre
noch Sachsens enge Verbindung mit Frankreich, deren man
sich zur Annäherung an diese Macht nützlich bedienen könne.

Hinsichtlich Hannovers behauptet Kaunitz, dass sein
Staatsinteresse in wichtigen Punkten von demjenigen Englands
vollständig abweiche und es auf seine Betheiligung an einer
gegen Preussen gerichteten Allianz hinweise. Aber er gibt auch
zu, dass aus verschiedenen Beweggründen auf Hannover in gar
keiner Weise zu rechnen sei, und wendet sich nunmehr zur
Aufzählung derjenigen Mächte, welche Oesterreich als seine
natürlichen Feinde ansehen müsse. An deren Spitze stellt er
die Pforte, meint aber, dass sich über deren zukünftige Unternehmungen kein sicheres Urtheil fällen lasse, da sie nicht durch
wohlbegründete Rücksicht auf die Interessen des eigenen Staates,
sondern durch zufällige Empörungen, Intriguen im Serail oder
durch die jeweilige Gesinnung des Grossvezirs veranlasst würden.
Die Absetzung eines friedfertigen und die Berufung eines
geizigen und kriegerischen Grossvezirs reiche hin, plötzliche
Unruhen und einen allezeit sehr gefährlichen Krieg herbeizuführen. Je weniger sich ein derartiges Ereigniss im Voraus

berechnen lasse, um so nöthiger sei es, die Möglichkeit eines
Friedensbruches von Seite der Türkei nie ganz aus dem Auge
zu verlieren; dabei komme noch in Betracht, dass sich die Pforte
wegen der grösseren Leichtigkeit, in Ungarn einen Krieg zu
führen und sich dort die nöthigen Subsistenzmittel für ihre
Streitkräfte zu verschaffen, allzeit leichter zu einem Kriege
gegen Oesterreich als zu einem solchen wider Russland entschliessen dürfte.

In so grellem Gegensatze befinde sich das Staatsinteresse
Oesterreichs zu demjenigen Frankreichs, dass dieser Staat auch
nach Abschluss des letzten Friedens theils wegen seiner eigenen
Kraft, seiner einheitlichen Regierungsform, seiner nach allen
Seiten hin gesicherten Grenzen, theils wegen seiner engen Verbindung mit anderen mächtigen Staaten, insbesondere mit der
Pforte und mit Preussen, theils endlich wegen seiner gewohnten
Treulosigkeit und seiner weitgehenden Pläne als ein höchst gefährlicher Gegner anzusehen sei. Handle es sich um deren Verwirklichung, so sei es allzeit bereit, die kräftigsten Versicherungen, die feierlichsten Friedensschlüsse und noch so theuer
erkaufte Gewährleistungen für gar nichts zu achten.

Was Frankreich seit Jahrhunderten an Oesterreich gesündigt und wie es dieses Verfahren durch seine Handlungsweise gegen Maria Theresia nur noch übertroffen habe, wird
von Kaunitz in gar keiner Weise beschönigt, sondern im Gegentheile kräftigst betont. Dennoch könne man hieraus, so meint
er, nicht auch auf die Zukunft einen ganz untrüglichen Schluss
ziehen, denn vielleicht sei gerade der jetzige Augenblick zur
Herbeiführung einer Aenderung nicht ganz ungeeignet. Der
Marquis von Puysieux, in dessen Händen die Leitung der auswärtigen Angelegenheiten liege, scheine billig, gerecht und
friedliebend, ja sogar, woraus die Franzosen ihm einen Vorwurf
machen, allzu mild zu sein. Er trachte die Entwürfe der französischen Regierung eher durch schlau gewählte als durch gewaltsame Mittel durchzusetzen. Sein Emporkommen habe er
der Marquise von Pompadour zu danken; ihr gestatte der König,
selbst nichts weniger als arbeitsam und von viel Einsicht in
die Geschäfte, grossen Einfluss auf diese und durch sie werde
Puysieux gegen den Marquis d'Argenson, das Haupt der Militärpartei, gehalten. Hiedurch könne aber eine Auffassung,
welche von derjenigen verschieden sei, die d'Argenson bisher

vertrat, allmälig mehr und mehr Boden gewinnen. Es sei daher wahrscheinlich, dass sich Frankreich, selbst des Friedens
bedürftig, mindestens während einiger Jahre nicht leicht zu
einem neuen Bruche desselben verleiten lassen werde.

Auf Spanien übergehend, meint Kaunitz, dass, so lange
der verstorbene König Philipp V. am Leben war und dessen
Gemahlin, die nunmehr verwitwete Königin Elisabeth das Staats-
ruder führte, auch dieses Reich mit vollem Rechte zu den
natürlichen Feinden des Hauses Oesterreich gezählt werden
musste. Zwar besitze die Königin-Witwe noch einigen, wenn
auch nur mittelbaren Einfluss auf die Geschäfte des Staates,
da das Ministerium vorhersehe, ihr leiblicher Sohn, König Carl
von Neapel werde dereinst den spanischen Thron besteigen.
Aber Ferdinand VI., der ihn jetzt innehabe, sei nicht von so
unruhigen und weitaussehenden Ideen erfüllt, wie sie unter der
vorigen Regierung die herrschenden waren. Er denke vielmehr
wie ein guter Spanier und erkenne ebenso wie sein Volk, dass
der vergangene Krieg sein Land auf das Aeusserste erschöpft
habe und es zu seiner Erholung dringend der Ruhe bedürfe.

Bei den Friedensverhandlungen habe es übrigens Spanien
zu nicht geringem Vortheile gereicht, dass es die Mittel besitze,
Frankreich oder England wichtige Handelsvortheile zu gewähren. Um dieser theilhaft zu werden, würden beide Staaten
allzeit grosse Rücksicht auf Spanien üben, so dass die Aufrechthaltung guter Beziehungen zu dem Hofe von Madrid besondere
Beachtung verdiene.

Nun endlich gelangt Kaunitz in seiner weitläufigen Auseinandersetzung an deren wichtigsten Punkt, das Verhältniss
zu Preussen. König Friedrich verdiene, sagt er, in der Classe
der natürlichen Feinde obenan und noch vor der Pforte gesetzt, mithin als der ärgste und gefährlichste Nachbar des
Hauses Oesterreich angesehen zu werden.

Welch' unermesslichen Nachtheil die österreichische Monarchie durch den Verlust Schlesiens erlitt, brauche nicht neuerdings in traurige Erinnerung zurückgerufen zu werden. Wenn
auch die Einkünfte aus diesem Lande noch zu verschmerzen
wären, sei doch mit Schlesien nicht etwa ein auswärtiges Glied,
sondern ein Haupttheil des Staatskörpers von Oesterreich ab-
gerissen worden; einem Feinde, welcher eine der Zahl nach über-
legene, mit Allem wohl versehene, gut einexercirte und disci-

plinirte Armee auf den Beinen und zugleich das Geld vorräthig
halte, noch einige derartige Armeen aufzurichten, sei der Weg
eröffnet worden, bei anderwärts entstehenden Unruhen, und
wenn er es seinem Interesse angemessen erachte, in das Herz
der österreichischen Erbländer einzubrechen und der ganzen
Monarchie den letzten tödtlichen Streich beizubringen.

Selbst der König von Preussen könne keinen Augenblick
daran zweifeln, dass das durchlauchtigste Erzhaus den Verlust
Schlesiens niemals verwinden und daher keine sich darbietende
Gelegenheit unbenützt lassen könne, es wieder an sich zu
bringen. Daraus folge aber von selbst, dass die Politik
Preussens, um die gemachte Eroberung festzuhalten, immer
dahin gerichtet sein müsse, Oesterreich mehr und mehr zu
schwächen und ihm hiedurch die Mittel zur Wiedergewinnung
Schlesiens zu benehmen. Es würden daher auch in Zukunft
beide Höfe in grösster Eifersucht und unversöhnlicher Feindschaft gegen einander verharren.

Von den einzelnen Staaten sich der allgemeinen politischen
Lage zuwendend, erklärt Kaunitz sie für eine völlig veränderte,
indem man auf den Beistand der Seemächte gerade dort, wo
man dessen am ehesten bedürfe, durchaus nicht mehr zählen
könne, während Oesterreich jetzt von weit mehr und viel stärkeren Feinden als früher umgeben sei. Habe es ehemals nur
von zwei Mächten, von Frankreich und der Pforte einen feindlichen Angriff zu besorgen gehabt, so drohe ihm jetzt ein solcher von vier Seiten her: ausser den schon erwähnten Staaten
auch noch von Preussen und den bourbonischen Fürsten in
Italien. Drei dieser aggressiven Nachbarn aber seien, was ihre
Machtverhältnisse angehe, Oesterreich nicht nur gleich, sondern
zum Theil sogar sehr überlegen. Einer so gefahrdrohenden Umgestaltung der äusseren Lage gegenüber genüge das Festhalten
an dem jetzt ganz unzulänglich gewordenen alten Systeme
nicht mehr, welches nur gegen das bourbonische und nicht
auch wider das brandenburgische Haus gerichtet gewesen sei:
denn dieses habe man damals zu den Alliirten gezählt. Jenes
System könne daher auch nicht mehr als allgemeine Richtschnur für das künftighin zu befolgende Verfahren aufgestellt
werden.

Schreite man aber an die Beantwortung der Frage, welches politische System für Oesterreich von nun an das erspriess-

lichste sei, so müsse als der erste und wichtigste Staatsgrundsatz vorausgeschickt werden, dass, weil der Verlust Schlesiens nicht zu ¸verschmerzen und der König von Preussen als der grösste, gefährlichste und unversöhnlichste Feind des durchlauchtigsten Erzhauses anzusehen sei, auch die erste und beständigste Sorgfalt dahin gerichtet werden müsse, wie man sich nicht nur gegen seine feindlichen Unternehmungen sicherstellen, sondern wie er geschwächt, seine Uebermacht beschränkt und das Verlorene wieder herbeigebracht werden könne.

Man müsse sich darüber klar werden, ob und auf welche Weise diese grosse Absicht erreicht werden könnte und welcher Mittel man sich hiezu bedienen solle?

Auf Offensivunternehmungen, wie die vorgeschlagene eine sei, dürfe man sich nur einlassen, wenn die Hoffnung des Gelingens die Gefahr des Scheiterns bei Weitem überwiege und nach menschlicher Beurtheilung an einem glücklichen Erfolge gar nicht zu zweifeln sei. Daher wäre auch nicht rathsam, in der gewiss irrigen Erwartung, die übrigen Mächte würden theilnahmslose Zuschauer bleiben, mit Preussen allein anzubinden. Denn die Macht Preussens wäre derjenigen Oesterreichs, wenn nicht sehr überlegen, doch mindestens gleich zu achten und die Erschöpfung der Erbländer hiebei nicht zu vergessen. Die einzige Möglichkeit, eine so grosse Absicht zu verwirklichen, könnte dadurch geschaffen werden, dass Frankreich auf die eine oder die andere Weise vermocht werde, zu einer solchen Unternehmung direct oder indirect die Hände zu bieten und hiedurch den Ausschlag zu geben.

Gewiss erscheine es fast als unmöglich, Frankreich dahin zu bringen, dass es auf ein derartiges Project eingehe, denn gerade in der Erhaltung der jetzigen Macht Preussens finde es auch für sich ansehnlichen Nutzen. Da aber für diesen Staat allzeit nur das eigene Interesse die Richtschnur seines Verfahrens bilde, sei wohl der fernere Schluss gestattet, dass, wenn Frankreich grösseren und ihm willkommeneren Gewinn bei dem Sturze als bei der Erhaltung des Königs von Preussen fände, es künftighin ebenso zu dem Einen wie bisher zu dem Anderen beizutragen sich bereit finden lassen würde. Es komme somit auf die Frage an, wie Frankreich ein solch' grösserer Gewinn verschafft werden könnte, und wenn er, Kaunitz sie zu beantworten trachte, so sei er sich wohl bewusst, dass diese

Gedanken weder neu, noch von ihm herrührend seien. Er
gründe sie vielmehr auf die Rescripte, die er von Wien aus in
Aachen erhielt, sowie auf mehrmals wiederholte versteckte Andeutungen der französischen Minister; er selbst habe nur beide
Anregungen aufs Reiflichste überdacht.

Aus den Berichten, die er aus Aachen erstattete, werde man
ersehen haben, wie sehr Anfangs Frankreich darauf drang, dass
Savoyen dem Infanten Don Philipp zu Theil werde. Allerdings
sei es plötzlich hievon abgegangen und habe sich, um das Zustandekommen des Friedens zu beschleunigen, den Vorschlägen
Englands anbequemt. Aber wiederholt sei ihm von den Repre-
sentanten Frankreichs zu verstehen gegeben worden, ihr König
wünsche seinen Schwiegersohn näher bei sich zu haben. Gern
würde er daher eine Vereinbarung eingehen, durch welche
jenem entweder ein anderer Länderbesitz in Italien oder
ein solcher in den Niederlanden zu Theil würde. Allerdings
könne man sich für die Vertrauenswürdigkeit der französischen
Minister durchaus nicht verbürgen. Aber möglich sei es ja
doch, dass ihre Aeusserungen den wahren Gesinnungen der
französischen und der spanischen Regierung entsprochen hätten.
Für diesen Fall scheine die Wohlfahrt des Kaiserhauses un-
umgänglich zu fordern, dass ein immerhin möglicher Anlass zur
Erreichung der grossen Absichten gegen den König von Preussen
nicht schon von vorneherein unbenützt bleibe. Man müsse sich
vielmehr mit ebenso viel Eifer als Vorsicht bemühen, die Sache
vorzubereiten, sie je eher desto besser zur Reife zu bringen
und die voraussichtlichen Schwierigkeiten aus dem Wege zu
räumen.

Die ganze Combination hätte darin zu bestehen, dass der
König von Sardinien vermocht werde, das Herzogthum Savoyen
dem Infanten Don Philipp abzutreten, wogegen er Mailand und
dessen Gebiet, Oesterreich aber Parma, Piacenza und Guastalla
erhielten. Sollte Don Philipp zur Nachfolge in Neapel oder in
Spanien berufen werden, so würde Savoyen an Frankreich
fallen. Dafür hätte dieser Staat die bindende Verpflichtung
zu übernehmen, wenn nicht direct und mit Anwendung seiner
ganzen Macht, so doch indirect und durch seine Verbündeten
dahin zu wirken, dass Oesterreich in den Wiederbesitz ganz
Schlesiens gelange. Geschähe dies nicht, dann hätte auch der
Anfall Savoyens an Frankreich zu unterbleiben, indem Alles

‚zu gleichen Schritten und mit gleicher Sicherheit bewerkstelligt werden müsste'.

Er bescheide sich von selbst, fährt Kaunitz fort, dass dieses Project ‚beim ersten Anblicke weit aussehend, höchst bedenklich, unthunlich und in gewissem Masse unmöglich, somit chimärisch erscheinen müsse'. Es sei auch keineswegs in Abrede zu stellen, dass auf allen Seiten sehr grosse Schwierigkeiten zu übersteigen wären. Werde jedoch die Sache näher betrachtet und nur der einzige Satz, dass Frankreich aufrichtig und ernstlich die Hände bieten wolle, als richtig angenommen, so dürften verschiedene Zweifel und Bedenken von selbst hinwegfallen und wäre ein glücklicher Ausgang nicht für ganz unmöglich zu halten.

Die Zustimmung des Königs von Sardinien zu einem Plane, durch dessen Ausführung er statt der ‚Wüstenei' Savoyen den Lustgarten der Lombardei erhielte, werde kaum schwer zu erlangen sein. Hiezu komme noch die natürliche Abneigung zwischen den Piemontesen und den Savoyarden, sowie der Umstand, dass sich Savoyen fortwährend in der Gefahr befinde, von französischen Truppen überfluthet und ausgesaugt zu werden. Jetzt sei der Länderbesitz des Königs von Sardinien von zwei Seiten her der bourbonischen Uebermacht ausgesetzt, während er durch den erwähnten Austausch auf der einen Seite ganz und auf der anderen nicht viel weniger von ihr befreit würde, da schon die Natur Savoyen von Piemont durch eine sehr hohe Gebirgskette geschieden habe. Durch Errichtung einiger Festungswerke könnte dann Piemont vor Frankreich geschützt und diesem der Einmarsch in Italien, wenn auch nicht unmöglich gemacht, so doch äusserst erschwert werden.

Allerdings sei nicht zu bezweifeln, dass der Besitz des Mailändischen für Oesterreich nützlicher als der von Parma und der zwei anderen Herzogthümer wäre. Dagegen bildeten sie mit dem Mantuanischen und dem Grossherzogthum Toscana ein ununterbrochenes Gebiet, was auch für den Aufschwung des Handels sehr vortheilhaft wäre.

Wenn Frankreich dahin gebracht werden könnte, seine Macht direct gegen Preussen zu kehren, so wäre an einem baldigen und glücklichen Ausgange wohl nicht zu zweifeln. Da aber auf einen solchen Entschluss kaum zu hoffen sei, müsste man sich mit der indirecten Mitwirkung Frankreichs und damit begnügen, dass an seiner Stelle Spanien offen wider Preussen Partei nähme und ebenso wie Frankreich ausgiebige Subsidien an Oesterreich bezahle. Ausserdem hätte Frankreich den Kunstgriff, dessen es sich so oft wider Oesterreich bediente, zum auch gegen Preussen in Anwendung zu bringen und möglichst viele Regierungen durch die Aussicht auf Erwerbung preussischer Länder zur Theilnahme an dem Kriege wider Preussen zu bewegen. Russland stehe ja ohnedies schon auf dem Sprunge, die Waffen gegen Preussen zu ergreifen. Folge ihm Oesterreich nach, so werde dies auch bei anderen Höfen die Lust wecken, sich gleichfalls auf Kosten Preussens zu vergrössern. Die Absichten Sachsens seien ja bekannt, und wenn Frankreich dem pfälzischen Hofe seine Zustimmung ausspreche und ihm ausserdem vielleicht auch noch mit Subsidien beistehe, so werde dieser mit Hinzuziehung Baierns und Kölns wohl dem bisherigen guten Einvernehmen mit Preussen entsagen und eine Vereinbarung eingehen, durch welche das Cleve'sche und Märkische an Kurpfalz fielen, wogegen es Sulzbach und Neuburg an Baiern abzutreten hätte. Und wäre nun einmal das Eis gebrochen und keine Furcht mehr vor Frankreich vorhanden, so wären wohl auch von Hannover und anderen deutschen Höfen eine gleiche Gesinnung und ein gleiches Bestreben zu erwarten.

So schwer auch die Abtretung Mailands an Sardinien der Kaiserin fallen müsste, so verschwinde doch alles Bedenken von selbst, wenn dieser Verlust nicht nur mit der Wiedererwerbung Schlesiens, sondern auch mit der von Parma, Piacenza und Guastalla verglichen würde. So ansehnlich und unbestreitbar wäre der Vortheil hievon, dass gerade durch diesen Umstand bei Frankreich das grösste Bedenken erregt werden könnte, trotz dem eigenen Gewinne die Hand zur Verwirklichung eines Planes zu bieten, der seinen althergebrachten Staatsgrundsätzen direct zuwiderliefe. Deshalb wäre auch nicht unmittelbar an Frankreich, sondern mit äusserster Behutsamkeit zunächst an Spanien und an Sachsen heranzutreten und durch die lebhafte Zuneigung, welche Ludwig XV. für seinen Schwiegersohn Don Philipp und seine Schwiegertochter, die dem sächsischen Hause entsprossene Dauphine hege, Eingang bei dem Hofe von Versailles zu suchen. Ausserdem könnte durch einen gewandten Mittelsmann auch auf Philipp selbst in einem dem Projecte günstigen Sinne eingewirkt werden. Endlich würden wahrschein-

licher Weise die am französischen Hofe herrschenden Cabalen
dazu beitragen, Vorschläge annehmbar erscheinen zu lassen,
welche zu anderen Zeiten wenig oder gar kein Gehör gefunden
haben würden. Täglich müsse das französische Ministerium von
der Militärpartei und einem grossen Theile der Nation den
sehr empfindlichen Vorwurf hinnehmen, Frankreich sei aus
einem langen und siegreich geführten Kriege, während dessen
es die ganzen Niederlande erobert und Holland in die äusserste
Gefahr gebracht habe, ohne allen directen Vortheil getreten.
Nun aber werde ihm die Aussicht eröffnet, eine ihm wohlge-
legene Provinz wie Savoyen mit einem jährlichen Einkommen
von anderthalb bis zwei Millionen Gulden ohne Theilnahme an
einer neuen Kriegführung zu erwerben. Hierin liege eine so
grosse Verlockung, dass die Heranziehung Frankreichs zur
Durchführung des Projectes gewiss im Bereiche der Möglichkeit liege. Und nachdem dieses ausserdem gar nichts enthalte, was dem Interesse der Seemächte zuwiderlaufe, so sei
nicht die geringste Wahrscheinlichkeit vorhanden, dass sie für
den König von Preussen werkthätig Partei nehmen würden.
Der Plan erscheine daher auch recht wohl mit dem Grundsatze
vereinbar, man solle sich mit den Seemächten nicht verfeinden,
sondern vielmehr das Bündniss mit ihnen anstreben.

Meinte Kaunitz, sich mit einer Mitwirkung Frankreichs
an der Durchführung seines Projectes, auch wenn sie nicht
in der activen Theilnahme an dem gegen Preussen zu führenden Kriege bestünde, begnügen zu müssen, so waren seine
Anforderungen an Russland schon höher gespannt. Wäre man,
fuhr er fort, der Verschwiegenheit des Grosskanzlers Bestuschew und ebenso derjenigen der Czarin versichert, so könnte
man ihnen überzeugend darthun, wie Russlands eigene Wohlfahrt die Schwächung des Königs von Preussen verlange,
und ihnen im tiefsten Vertrauen die Absicht der Kaiserin eröffnen, nöthigen Falles auch eine Provinz zu opfern, um hiedurch Frankreich zu erkaufen und demnächst mit Preussen
anzubinden, wenn sich Russland an dem Kampfe gegen
diese Macht gleichfalls betheiligen würde. Es müsste den
Anfang machen, Preussen mit einer Armee von mindestens
sechzig- bis siebzigtausend Mann zu bekriegen. Nur wenn man
dessen vollständig sicher und ebenso gewiss wäre, dass Frankreich und Spanien nicht blos müssige Zuschauer abgeben,

sondern allen nur immer thunlichen Vorschub leisten würden,
um dem Könige von Preussen möglichst viele Feinde auf den
Hals zu hetzen, so dass er von allen Seiten mit weit überlegener
Macht überfallen würde, sei eine Offensivunternehmung wider
ihn räthlich. Hiemit nicht allzulang zu zögern, sondern je eher
desto besser zu beginnen, sei insbesondere deshalb zu empfehlen,
weil der russische Hof bekanntlich sehr wankelmüthig, jetzt
aber gegen Preussen ungemein aufgebracht sei. Mindestens die
gleiche Rücksicht möge man auf die gegenwärtige Stimmung
des französischen Hofes nehmen. Dieser habe sich noch nicht
in neue politische Verbindungen vertieft, der Marquis de Puysieux sei kein grundsätzlicher Feind Oesterreichs, und dass
Frankreich dreimal von Preussen im Stiche gelassen wurde,
noch in frischer Erinnerung. Entscheidende Bedeutung besitze
der Zwiespalt zwischen der gegenwärtigen französischen Regierung und der dortigen Militärpartei. Jetzt sei der Einfluss
Jenes überwiegend; träte jedoch das Gegentheil ein, so wäre
nicht nur alle Hoffnung auf Verwirklichung des grossen Projectes verschwunden, sondern zu besorgen, dass Frankreich
bei einem sich hiezu ergebenden Anlasse seine Macht wieder
gegen Oesterreich wenden und hiedurch zu seinen alten Staatsgrundsätzen zurückkehren würde.

Sollte man sich nicht dazu entschliessen können, der Verwirklichung des weitangelegten Planes Mailand zum Opfer zu
bringen, so sei er doch aus dieser Ursache noch keineswegs
aufzugeben, sondern es könnte Luxemburg an Mailands Stelle
gesetzt und dem Infanten Don Philipp direct abgetreten werden.

Indem er sich dem Schlusse seiner weitläufigen Auseinandersetzung zuwendet, fasst sie Kaunitz neuerdings in die
wenigen Hauptsätze zusammen, dass man trachten müsse,
Schlesien wiederzuerobern. Da man jedoch hiezu niemals auf
den Beistand der Seemächte zählen könne, habe man sich um
den Frankreichs zu bewerben und es durch Abtretung einer
Provinz, sei es in Italien oder in den Niederlanden zu gewinnen. Nur dann dürfe man sich auf das Unternehmen einlassen, wenn nach menschlicher Beurtheilung dessen Gelingen
unzweifelhaft wäre. Und da die jetzt in Frankreich wie in
Russland obwaltenden Umstände als günstige anzusehen, aber
auch sehr leicht einer Veränderung unterworfen wären, so sei
die Ausführung des Planes nicht auf die Zukunft zu ver-

schieben, sondern je eher desto besser Hand ans Werk zu legen.

‚Der eintzige Fall,‘ sagt nun Kaunitz wörtlich, ‚ist bereits zur Genüge erläutert und erschöpfet, in welchem mit anhoffendem grossen Nutzen offensive verfahren werden könnte. Sollte aber dieser fehlschlagen oder vor unthunlich angesehen werden, so bleibet nichts anderes übrig, als alle Aufmerksamkeit, Vorsicht und Bemühen auf die Defensivam, Befestigung der Ruhe und auf die Sicherstellung vor feindlichen Anfällen zu richten.‘

Mit weit geringerer Ausführlichkeit als seinen ursprünglichen Plan bespricht nun Kaunitz dasjenige, was für den Fall seiner Verwerfung und des Entschlusses geschehen sollte, sich blos defensiv zu verhalten. Aber wie sehr ihm doch Alles auf die Hinüberziehung Frankreichs zu Oesterreich ankam, bewies er auch jetzt wieder, indem er zwar die Forterhaltung des guten Einvernehmens mit den Seemächten als wünschenswerth bezeichnete, aber doch den Abschluss förmlicher Allianzen mit ihnen eifrig widerrieth. Er kam dadurch in Gegensatz zum Kaiser, der fortwährend auf Zustandebringung eines vierfachen Bündnisses zwischen Oesterreich, Russland, England und Sachsen drang.

Was jedoch das von dem Kaiser abgegebene Gutachten betraf, so scheint es nicht der gleichen Behandlung wie diejenigen der sechs Conferenzminister unterzogen worden zu sein. Wenigstens sind es nur ihre schriftlichen Aeusserungen, welche Maria Theresia dem Freiherrn von Bartenstein, nachdem er ihrem Auftrage entsprochen hatte, gleichfalls sein Votum abzugeben, mit dem Befehle zukommen liess, eine übersichtliche Darlegung der verschiedenen Gutachten zu verfassen und klar ersichtlich zu machen, welchen Punkten einstimmig beigepflichtet werde, für welche hingegen sich blos eine Mehrheit und für welche sich gar nur eine Minderheit ausspreche.

Bartenstein's leidenschaftliches Temperament riss ihn wieder einmal so weit, dass er die Anordnung der Kaiserin nichts weniger als pünktlich befolgte. Wie der Stier das rothe Tuch, wenn dieser Ausdruck erlaubt ist, sah er nur das Votum des Grafen Harrach und den darin neuerdings ausgesprochenen Tadel des verletzenden Tones vor sich, den man in jüngster Zeit in verschiedenen österreichischen Staatsschriften gegen England angeschlagen habe. Er flehe die Kaiserin an, schrieb

er ihr, dass er sich zur „Rettung seiner Ehre und Unschuld'
gegen derlei ‚sehr harte Anklagen' vertheidigen dürfe. Und um
auch ohne ihre Genehmigung gleich Ernst hiemit zu machen,
theilte er die eingegangenen Gutachten in zwei, freilich der Zahl
nach sehr ungleiche Theile, indem er dem Votum des Grafen
Harrach die der übrigen fünf Minister gegenüberstellte. Das
eine wollte er seiner ganzen Ausdehnung nach und abgesondert,
die anderen aber zusammen und blos übersichtlich behandeln.

Mit richtigem Tacte empfand Maria Theresia, wie es
scheint, die Ungebühr, welche darin lag, dass eine Sache von
so unendlicher Wichtigkeit unter der persönlichen Gereiztheit
eines Einzelnen leiden sollte. Wie aus einer vertraulichen Vorstellung Ulfeldt's an sie hervorgeht, muss sie Bartenstein's
Schrift ohne irgendwelche Bemerkung oder Entscheidung an
die Staatskanzlei zurückgeschickt haben. ‚Vergebens ist,' so
lauten die Worte, welche sich Bartenstein's Gönner, Ulfeldt an
sie zu richten erlaubte, ‚dass Bartenstein sich mit so vielem
Schreiben die Mühe gebe, wenn Eure kaiserliche Majestät von
seiner Arbeit zu dem vorgesetzten Zwecke keinen Gebrauch
machen wollen. Das Ende der grossen Schrift kommt noch
einmal abgeschrieben hier bei, weil Eure Majestät solches vielleicht zu brauchen für rathsam erachten werden. Ich lege auch
das mir zurückgeschickte Referat noch einmal bei, weil Eure
kaiserliche Majestät leicht etwas darauf setzen könnten, was
unverfänglich wäre und dennoch bei den Acten der Staatskanzlei bleiben und hier als eine Legitimation gegen die Be-
schuldigungen des Grafen Harrach dienen könnte.'

Man sieht also, nicht so sehr aus eigenem Antriebe als
zur Beschwichtigung Ulfeldt's und Bartenstein's brachte Maria
Theresia die folgenden Worte zu Papier: ‚Der gantze unter-
strichene eingang auszulassen und des harachs votum wie die
andern zu extrahirn, ohne von seinen particular anführungen
und beklagungen was zu melden. ich verlange dises sacrifice
und werde es erkennen vor nicht einen kleinen dienst, indem
ohnedem, was noch erhalten worden, allein der gutten und
fleissigen obsorge beeden, die das werck geführt, zu danken
habe, und gar wohl mir bekant, was offt die besten sachen
echouirn gemacht.'

Auch noch ausserdem ordnete die Kaiserin an den zwei
Ausarbeitungen Bartenstein's, sowohl an derjenigen, welche sich

auf das Gutachten Harrach's, als an der zweiten, die sich auf
die Aeusserungen der anderen fünf Conferenzmitglieder bezog,
Veränderungen an, von denen hier nur einer einzigen Erwähnung geschehen soll. ‚Die vota werden nicht gesehen,' so
lautete eine von ihr herrührende Bemerkung, ‚also etwas von
der substantz des Kauniz meinung zu erwehnen.'

Zwei Schlussfolgerungen werden wohl aus diesen Worten
der Kaiserin abgeleitet werden dürfen. Die eine besteht darin,
dass es in ihrer Absicht lag, die Gutachten der verschiedenen
Minister nicht im Original und somit in ihrer ganzen Ausdehnung, sondern nur in dem von Bartenstein zu verfertigen-
den Auszuge zur Kenntniss der übrigen Minister gelangen zu
lassen. Und ausserdem wird man auch ein gewisses Wohlgefallen, das sie gerade an der Aeusserung des Grafen Kaunitz
fand, wohl aus ihnen herauslesen dürfen.

Wenngleich Bartenstein die von der Kaiserin ihm vorge-
zeichnete Richtschnur nicht ganz ausser Acht liess, so behielt
er doch die von ihm gleich Anfangs vorgenommene Gegenüberstellung des Gutachtens Harrach's und derjenigen der
fünf Conferenzminister sowohl der Form als der Sache nach
bei. Der Form nach, indem er dem Votum Harrach's eine
eigene und dem der anderen Minister eine zweite Ausarbeitung
widmete; der Sache nach, indem er die übrigen Gutachten
so darstellte, als ob diejenigen, von denen sie herrührten,
in Allem und Jedem so ziemlich der gleichen Meinung seien,
während sich doch, wie man weiss, ihre Anschauungen in wichtigen Punkten gar sehr von einander unterschieden. Der so
positiv lautenden Anträge des Grafen Kaunitz auf Wiedereroberung Schlesiens mit dem Beistande Frankreichs und
seines Rathes, möglichst bald die erforderlichen Schritte zu
thun, um dieses grosse Unternehmen vorzubereiten und in nicht
allzu ferner Zukunft an dessen Verwirklichung schreiten zu
können, geschieht in dem von Bartenstein gelieferten Auszuge
keine directe Erwähnung. Wohl aber wird darin gesagt, dass
des Königs von Preussen höchst gefährliche Umtriebe auf nichts
weniger als auf völlige Zerreissung des Bandes, welches jetzt
noch das Haupt des Römisch-deutschen Reiches mit dessen
Gliedern verbinde, und auf Unterdrückung der schwächeren
Stände ausgingen; dem Reiche könnte daher nach der Meinung
der Grafen Ulfeldt und Kaunitz kein grösserer Nutzen verschafft

werden, als wenn er wieder in die rechte reichsständische Verknüpfung gezogen würde. Da jedoch der König von Preussen für den grössten, gefährlichsten und unversöhnlichsten Feind des Erzhauses zu halten, andererseits aber ohne ‚fast moralische Sicherheit‘ eines glücklichen Erfolges nichts gegen ihn zu wagen und auf diesen Erfolg niemals zu hoffen sei, wenn es nicht früher gelänge, Frankreich von ihm zu trennen, solle nichts unversucht bleiben, dieses Ziel zu erreichen, hiebei jedoch nur mit der äussersten Behutsamkeit vorgegangen werden. Und wie Ulfeldt und Kaunitz, habe sich auch Khevenhüller dahin geäussert, dass es wohl schwer fallen, aber doch kaum ganz unmöglich sein würde, diese Loslösung Frankreichs von Preussen zu bewerkstelligen.

An der Gegenüberstellung einer Majorität von fünf und einer Minorität von einer Stimme wurde auch dann wieder festgehalten, als sich die Conferenzminister über den ihnen mitgetheilten Auszug aus ihren Gutachten neuerdings geäussert hatten. Harrach's Erklärung lautete so einlenkend als möglich, ja sie enthielt sogar seine Zustimmung, dass man Frankreich nicht nur keinen Anlass zur Entfremdung geben, sondern eine etwaige Gelegenheit, es von Preussen zu trennen, nicht unbenützt vorübergehen lassen solle.

Von Königsegg liegt über diesen allerwichtigsten Punkt kein Ausspruch vor, während Colloredo an die Möglichkeit einer Herüberziehung Frankreichs nicht glaubte und ernstlich vor dessen einschmeichelnden Kunstgriffen warnte. Demnach blieb die einmal aufgestellte Unterscheidung zwischen einer fünfstimmigen Majorität und einer nur aus einer Stimme bestehenden Minorität auch fortan aufrecht. Nur sie allein konnte Maria Theresia im Auge haben, als sie auf das betreffende Referat mit eigener Hand die Worte setzte: ‚wo nach erklärung des harach die meinungen gleich seynd, so aprobire selbe, wo aber ein unterschid, fall denen majoribus bey, wonach sich künftig zu halten, sowohl in denen berathschlagungen als expeditionen, darnach sich allzeit als ein grund zu halten.‘

Es lässt sich wohl kaum behaupten, dass die Absicht, welche durch die ganze weitläufige Berathung und die nach deren Abschluss erfolgte Entscheidung der Kaiserin erreicht werden sollte, auch thatsächlich verwirklicht worden sei. Denn ein ganz klarer Ausspruch, eine durchaus keinen Zweifel

mehr unterworfene Richtschnur für das Verfahren, das von
nun an in den auswärtigen Angelegenheiten befolgt werden
sollte, besass man auch jetzt nicht; man kann weder sagen,
Maria Theresia habe das Project des Grafen Kaunitz, Frankreich auf die Seite Oesterreichs zu ziehen, um sodann mit
seiner Hilfe Schlesien wiederzugewinnen, förmlich zur Staats-
maxime erhoben, noch sie habe es verworfen. Dies wurde
zwar einmal mit sehr grosser Zuversicht, aber, wie es scheint,
ganz ohne hinreichende Begründung behauptet.[1] Man wird vielmehr kaum irregehen, wenn man annimmt, die Kaiserin habe
es bei der unendlichen Wichtigkeit der Sache um so sorgfältiger vermieden, einen ganz bestimmt lautenden Ausspruch
zu thun, als ja der Kern der Sache, der gegen Preussen
gerichtete Offensivplan des Grafen Kaunitz, in seiner vollständigen Ausdehnung und in seinen Details sogar den meisten
Conferenzministern nicht bekannt geworden war. Nur Ulfeldt
und Bartenstein wussten wenigstens damals von ihm; dass
aber Kaunitz selbst ausdrücklich erklärte,[2] er finde in dem Auszuge Bartenstein's die Hauptgrundsätze wieder, von denen er
bei der Abfassung seines Gutachtens ausgegangen sei, und er
könne daher nur bei seiner früheren Meinung beharren, wird
wohl als schwer zu widerlegender Beweis dafür gelten dürfen,
dass er in der Gutheissung dieses Auszuges auch eine solche
seiner Anträge erblickte.

Auch noch durch einen anderen, wohl zu beachtenden
Umstand wird jeder Zweifel so ziemlich beseitigt. Im Mai 1749,
also schon nach Abschluss der ganzen ministeriellen Berathung
kehrte der Feldmarschall Graf Batthyany aus den Niederlanden
nach Wien zurück. Er wurde zum Mitgliede der geheimen
Conferenz ernannt und füllte in ihr die Lücke aus, welche
durch den am 5. Juni ganz plötzlich erfolgten Tod des Grafen
Harrach entstanden war. Wohl als die erste Aufgabe in seiner
neuen Stellung erhielt Batthyany den Auftrag, über das künftighin zu befolgende politische System gleichfalls seine Meinung
zu sagen. Man theilte ihm jedoch nicht nur den Auszug, welchen Bartenstein auf Grundlage der eingegangenen Gutachten

---

[1] Beer, Aufzeichnungen des Grafen William Bentinck über Maria Theresia. Wien, 1871 LXIX.
[2] Erklärung vom 8. Mai 1749.

verfasst hatte, sondern diese selbst mit,[1] und es blieb ihm
daher auch von den Vorschlägen und Anträgen des Grafen Kaunitz gar nichts mehr verborgen. Im Hinblick auf verschiedene
Punkte und insbesondere den, welcher das Verhältniss Oesterreichs zu Preussen betraf, schloss sich Batthyany den Anschauungen des Grafen Kaunitz an, von denen er sagt, sie seien ‚so
vernünftig, so umständlich und mit so vielem Scharfsinn' entwickelt, dass er ihnen unmöglich irgend Etwas beifügen könnte.
Und wenn er auch die Schwierigkeiten einer Loslösung Frankreichs von Preussen noch ungleich höher anschlägt, als Kaunitz
dies gethan hatte, so gelangt er doch schliesslich zu ziemlich
gleichen Schlussfolgerungen wie Jener. Er sagt nicht nur ausdrücklich, der von Kaunitz herrührende Plan, Schlesien mit dem
Beistande Frankreichs wiederzuerobern, sei mit aller nur immer
ersinnlichen Vorsicht eines so würdigen und in die Weltge-
schäfte so tief eingeweihten Staatsmannes ausgearbeitet, ‚wessent-
wegen er auch den Beyfall des gantzen Ministerij insoweit
überkommen zu haben scheinet, dass den Vorschlag auszu-
füh'en nicht unterlassen werden solle'; er erklärt ausserdem
gan.' unzweideutig, dass er den Plan des Grafen Kaunitz für
den besten Weg ansehe, um eine dreifache gute Wirkung zu
erzielen, und zwar die so wichtige Wiedergewinnung Schlesiens, eine vielleicht immerwährende Trennung Frankreichs von
Preussen und endlich die Wiederherstellung des Ansehens
Oesterreichs im Römischen Reiche, wodurch es neuerdings in
seine frühere vortheilhafte Lage versetzt würde.[2]

Wenn schon nach der vorliegenden Darstellung an der
Gutheissung des von Kaunitz ausgearbeiteten Projectes von
Seite der Kaiserin und seiner Annahme durch sie kaum mehr
gezweifelt werden kann, so wird hiefür auch noch der Umstand
in die Wagschale fallen, dass man fortwährend an dem Vorsatze
festhielt, nach der Wiederanknüpfung der diplomatischen Verbindungen mit Frankreich Kaunitz dorthin als Botschafter zu
senden. Er selbst musste ja von vorneherein als die geeignetste
Persönlichkeit erscheinen, an Ort und Stelle Gedanken Eingang
zu verschaffen, deren Verwirklichung eine vollständige Umge-

---

[1] Batthyany's Votum vom 18. Juni. ‚Die von E. K. M. Conferenzministern
allerunterthänigst überreichte und mir allergnädigst mitgetheilte Meinungen . . .'
[2] Batthyany's Gutachten vom 18. Juni 1749.

staltung der bisherigen Stellung der europäischen Mächte zu einander herbeiführen musste. Wäre hingegen, wie behauptet worden ist, der Plan des Grafen Kaunitz verworfen worden, so hätte er sich wohl kaum dazu hergegeben, das Organ einer Regierung zu sein, welche von anderen Gesichtspunkten aus ging, als die er für die richtigen hielt. Und ohne Zweifel wäre gerade der Hof von Versailles der Ort gewesen, an welchem Kaunitz eine solche Rolle am allerwenigsten gespielt haben würde.

VI. Capitel.

Es ist bekannt, dass trotz dem langdauernden Kriege doch nicht alle diplomatische Beziehung zwischen Oesterreich und Frankreich abgebrochen war. Sie wurde durch einen getreuen Anhänger des Hauses Lothringen, den Marquis Choiseul de Stainville aufrecht erhalten, welcher schon zur Zeit, als Kaiser Franz nur Grossherzog von Toscana war, diesen am französischen Hofe repräsentirte. Auch nach dem Ausbruche des Krieges blieb Stainville in Paris, und man liess es unentschieden, ob seine Beglaubigung erloschen sei oder nicht. Wenigstens stand er nach wie vor im Verkehre mit dem Minister des Aeussern, und Puysieux versäumte keinen Anlass, ihn der besten Intentionen des Königs von Frankreich und seiner Regierung für die Kaiserin Maria Theresia und ihren Gemahl, sowie für Oesterreich überhaupt zu versichern. Nichts sei natürlicher, sagte Puysieux bei einem solchen Gespräche dem Marquis de Stainville, als dass die Kaiserin nur wenig Vertrauen zu Frankreich hege, denn es habe ein solches um sie nicht verdient. Aber er hoffe darauf, dass dies bald anders sein werde und die Zeit nicht mehr fern liege, in welcher Frankreich dazu mitwirken werde, dem Hause Oesterreich seinen alten Glanz wiederzugeben. Um jedoch hiezu zu gelangen, dürfe man nichts überstürzen, müsse die Zeit wirken lassen und von den Ereignissen Nutzen ziehen. Schenke man sich gegenseitig nur volles Vertrauen, so könne die Verbindung zwischen den beiden Regierungen eine unauflösliche werden, und dies sei es, was sein König, in dessen Herzen keine Spur einer Gereiztheit oder Verstimmung zurückgeblieben sei, sehnsüchtig wünsche.[1]

[1] Stainville an den Kaiser. 30. März 1749.

Wie aber die Stellung Stainville's am französischen Hofe, welcher übrigens eine längere Dauer ohnedies nicht mehr beschieden war, auch beschaffen sein mochte, eine wirkliche Repräsentation Oesterreichs in Frankreich konnte niemals aus ihr werden. Die baldigste Wiederherstellung der diplomatischen Verbindung zwischen den zwei Mächten erschien jedoch gerade denjenigen höchst wünschenswerth, welche sich auf gleichem Standpunkte wie Kaunitz befanden. Darum arbeitete auch dieser noch von Aachen aus darauf hin, dass baldigst eine Vertrauensperson nach Paris abgesendet werde, der es zunächst obliege, die Vollstreckung der Abmachungen zu fördern, welche der eben abgeschlossene Friedensvertrag enthielt. Der österreichische Botschaftssecretär de Launay, welcher Kaunitz während seines Aufenthaltes in Aachen beigegeben war, wurde hiezu ausersehen, und um seine baldige Abreise nach Paris möglich zu machen, liess ihm Kaunitz einstweilen auf seinen eigenen Credit ein Reisegeld von 2500 Gulden verabfolgen.[1] Kaunitz versah ihn ausserdem mit einer eigenen Instruction;[2] de Launay starb aber schon wenige Tage nach seiner Ankunft in Paris, am 28. Januar 1749 ganz plötzlich am Schlagflusse.[3] Es handelte sich nun darum, ihm einen Nachfolger zu geben, welcher bis zur Ankunft des Grafen Kaunitz als einstweiliger Geschäftsträger in Paris fungiren sollte, wie denn auch die französische Regierung einen solchen Namens Blondel nach Wien geschickt hatte. Die Wahl fiel auf den Gesandtschaftssecretär von Mareschal, der im August 1749 in Paris eintraf.

In der steten Zögerung Frankreichs, seinen neuen Botschafter in Wien, den Marquis de Hautefort an den Ort seiner Bestimmung abgehen zu lassen, lag wohl die Ursache, weshalb es überhaupt zur Absendung Mareschal's nach Paris kam und warum sich nicht an seiner Stelle Kaunitz selbst, und zwar als Botschafter dorthin begab. Denn zu diesem Posten war er nach wie vor bestimmt, und schon im Juni 1749 erklärte er Blondel seine Bereitwilligkeit zur Reise nach Frankreich. Aber später als am 15. October, fügte er hinzu, könne er sie nicht mehr antreten, weil ihm seine angegriffene Gesundheit

---

[1] Kaunitz an den Banquier Nettine in Brüssel. 17. Januar 1749.
[2] Antwerpen, 19. Januar 1749 und Nachtrag vom 21. Januar.
[3] Frau de Launay an Kaunitz. Paris, 30. Januar 1749.

eine so weite Fahrt während der rauhen Jahreszeit nicht gestatte. Einem vertraulichen Briefe, welchen Kaunitz während
eines kurzen Sommeraufenthaltes in Austerlitz an Ulfeldt schrieb,
können wir jedoch entnehmen, dass er diese Aeusserung nur
gethan hatte, um Hautefort's Ankunft zu beschleunigen. Wenn
der Dienst der Kaiserin es erheische, erklärte er zu jeder
Jahreszeit reisebereit zu sein und sich durch gar kein Bedenken hievon abhalten zu lassen.[1]

Diese Bemühungen des Grafen Kaunitz blieben jedoch wenigstens vorderhand ohne Erfolg. Nichts verlautete von einer baldigen
Abreise Hautefort's nach Wien, und so blieb denn auch Kaunitz
gleichsam unfreiwillig, aber freilich nicht müssig daselbst; denn
er wohnte nach wie vor den Sitzungen der geheimen Conferenz
bei, ja man kann sagen, dass er bald in ihr die einflussreichste
Stellung einnahm. Selbstverständlich erstreckte sich sein Wirkungskreis zunächst auf die auswärtigen Geschäfte, in denen
er nun schon seit einer Reihe von Jahren so hervorragende
Dienste geleistet hatte. Eine unausbleibliche Folge davon war,
dass hiedurch auch das Gebiet berührt wurde, auf welchem
bisher Ulfeldt und Bartenstein ziemlich unumschränkt geherrscht
hatten. Durch ihr unbegrenztes Vertrauen zu Kaunitz wurde
die Kaiserin sehr häufig veranlasst, ihm Schriftstücke zur Begutachtung mitzutheilen, welche von Bartenstein ausgearbeitet
und ihr durch Ulfeldt zur Genehmigung vorgelegt worden
waren. Man muss zugestehen, dass Kaunitz mit seinem Tadel
nicht sparsam und auch nicht immer bemüht war, ihn in Worte
zu kleiden, welche des verletzenden Stachels völlig entbehrten.
Ulfeldt's Empfindlichkeit hierüber macht sich denn auch immer
deutlicher bemerkbar, und er, der während des Aufenthaltes
des Grafen Kaunitz in Aachen von Lobsprüchen desselben
überfloss, lässt sich jetzt manchmal in recht gereiztem Tone
über ihn vernehmen. Dass er auch der Kaiserin gegenüber in
einen solchen verfiel, wird wohl als ein Anzeichen gelten dürfen,

---

[1] Kaunitz an Ulfeldt. Austerlitz, 17. August 1749. Eigenhändig. „... lorsque
je dis à M. Blondel, il y a deux mois, que je partirai, si on vouloit, avant le
15 octobre, mais que ma santé ne me permettoit plus de voyager l'hyver,
cela n'a été dit que dans le dessein d'accélérer l'arrivée de l'ambassa-
deur français, et n'a pas voulu dire que je ne me préterai pas à partir
après le 15 octobre, s'il est du service de l'Impératrice que cela soit
ainsi, car en ce cas rien ne m'arrête ...‘

dass ihm ein Gefühl der Eifersucht auf die W
welche sie Kaunitz zollte, durchaus nicht fremd
„Des Grafen Kaunitz Schrift,' so lautet ein
an Maria Theresia aus jener Zeit, ‚überweiset mi
als seine frühere Anmerkung. Sie ist mit einig
und so hochtrabend geschrieben, dass sie mir Ek
Denn worin besteht der Vorschlag des Grafen
welchem er behauptet, dass er genehmigt word
demselben, was auch mein Votum und die übrigen

Auch dafür wird uns Ulfeldt als ein unverd
erscheinen, dass er mit seiner Eifersucht gegen
Wiener Hofe nicht allein stand. Man kennt die
Beziehungen, welche zwischen Maria Theresia,
während ihrer ersten Regierungsjahre, und ihre
bewährten Rathgeber in persönlichen Angelege
Grafen Sylva-Tarouca obwalteten. Von ihm e
dass er von Widerwillen gegen Kaunitz erfüllt se
über sich gewinnen könne, irgend etwas zu einen
Ziele zu führen, das von Kaunitz an ihn gelange

Aber man kann wohl sagen, dass diese
gerichteten Strömungen ohne allen Einfluss auf
blieben. Gerade aus einer Zeit, in der sie am g
fluthen schienen, besitzen wir eine vertrauliche
von ihr, welche deren gänzliche Machtlosigkeit
darthut. ‚Ich habe,' schrieb sie am 14. Mai 1750
binetssecretär Koch, dem sie eine von Kaunitz
Schrift über die Barriereangelegenheit zurücksand
von Kaunitz gelesen und war einen ganzen Ta
schäftigt, während dessen ich am Fieber und an
schmerzen litt. Aber ich kann sagen, dass, na
ans Ende gekommen, ich auch durch die Befrie
hergestellt war, die es mir gewährt, an ihm einen
und die einzige Hilfe für mein Ministerium zu
höher ich ihn schätze, umsomehr zittere ich für
Erhaltung, und umsomehr fühle ich, wie sehr e
gehen wird. Ich that jedoch noch mehr; ich sand
dem Prinzen Carl, der sie gestern las, indem

---

[1] Vom 20. März 1750.
[2] Ulfeldt an Botta. 13. Juli 1750. Bei Arneth, Geschichte
IV, S. 532, Anm. 298.

Zwecke um 5 Uhr aufstand, um sie noch vor den Ceremonien
zu beendigen. Er hat sie unendlich bewundert und ist einverstanden mit ihr, will aber dies nicht nach Aussen hin zeigen.
Er hat mir sogar noch mehr gesagt, was ich jedoch nur Kaunitz wiedererzählen werde.'[1]

In welch' hohem Masse Graf Kaunitz, wohl ohne absichtlich darauf auszugehen, den officiellen Rathgeber der Kaiserin
in den auswärtigen Angelegenheiten, den Grafen Ulfeldt, in
ihren Augen verdunkelt haben muss, geht auch aus einem
Schreiben deutlich hervor, welches Ulfeldt kurz nach der Abreise des Grafen Kaunitz nach Paris an Maria Theresia richtete.
Und noch grösseren Werth gewinnt es als Masstab des Frei-
muthes, mit welchem die Männer, die von der Kaiserin ihres
Vertrauens gewürdigt wurden, zu ihr zu sprechen sich erlauben durften.

,Unglückselig sind Diejenigen,' so lässt sich Ulfeldt ihr
gegenüber vernehmen,[2] gegen welche Eure Majestät einmal
prävenirt sind; sie müssen allzeit Unrecht haben, und Alles wird
gegen sie ausgelegt. Die Erfahrung lehrt mich leider schon seit
geraumer Zeit, dass mich dieses Schicksal betrifft, was mich
aber nicht hindern wird, so lang als es Eure Majestät werden
anhören wollen, es Ihnen unbedenklich vorzustellen, wenn Eure
Majestät sich irren.'

Aus einem mit dem venetianischen Botschafter Tron vor-
gekommenen Zwischenfalle sucht Ulfeldt der Kaiserin zu beweisen, wie sehr sie ihm Unrecht thue, indem sie ihn zu einer
Art Ehrenerklärung gegen Tron verurtheile. Sie lese, schrieb
er ihr, die Geschäftsstücke ,mit zu grosser Prävention und Eil-
fertigkeit', und daraus sei der bedauerliche Irrthum entstanden,
um den es sich handle. Was aber die gleichfalls getadelte Verletzung des Amtsgeheimnisses angehe, so werde eine eindring-
liche Untersuchung darthun, wem sie zur Last falle; ,bis dahin
werden,' sagt Ulfeldt wörtlich, ,Eure Majestät erlauben, dass
ich bei meiner vorigen Meinung bleibe. Damit aber Niemand
ungehört verdammt werde, habe ich darauf angetragen, dass
Eure Majestät den Grafen Kaunitz hierüber vernehmen. Auch
dieses haben Eure Majestät verworfen, weil er abgereist war;

---

[1] Arneth, Geschichte Maria Theresias. IV, S. 542, Anm. 398.
[2] 13. October 1750.

so vermeinte ich meiner Schuldigkeit nachzukommen, indem ich die Sache nicht mehr erwähnte, wobei ich nicht vorhersehen konnte, dass eine solche Piece Eure Majestät veranlassen werde, ihn zu entschuldigen, mich aber zu verdammen.'

,Eure Majestät wissen, dass ich mir selbst schon mein Urtheil gesprochen habe. Ich bleibe dabei, dass ich nicht zu hoffen habe, Eure Majestät könnten wieder eine bessere Meinung von mir fassen und die Prävention ablegen, dass, was von mir kommt, Unrecht sei, bis mir nicht Gott vielfältige Gelegenheiten wie diese an die Hand gibt, Eure Majestät zu überzeugen, dass ich in meinem ganzen Thun und Lassen keine andere Absicht als Eurer Majestät Allerhöchsten Dienst vor Augen habe.'

Maria Theresia liess sich jedoch durch diese und ähnliche Klagen und versteckte Hinweisungen auf ihre Vorliebe für Kaunitz nicht darin irre machen, diesen fortan als den Mann ihres ganz besonderen Vertrauens hinzustellen. Zur selben Zeit, in der sie jenes Schreiben von Ulfeldt empfing, erneuerte und verschärfte sie den schon früher ertheilten Befehl, gewisse sorgfältig geheim zu haltende Schriftstücke keinem einzigen österreichischen Repräsentanten im Auslande mitzutheilen, nur für Kaunitz müsse eine Ausnahme gemacht und ihm Alles zugesendet werden. Aber doch auch gleichzeitig darauf bedacht, den unermüdlichen Verfasser aller wichtigeren, von der Staatskanzlei ausgehenden Actenstücke nicht zu verstimmen, ja wohl gar zu entmuthigen, fügte sie hinzu: ,die arbeit ist ungemein gros vor Bartenstein und weiss nicht wie möglich, dass er es bestreitte. Wan er nur, wer es wäre, wen er wolle, findete, ihme zu helffen.'[1]

Wenn Bartenstein die von der Kaiserin hier angedeutete Erleichterung der auf ihm ruhenden Arbeitslast nicht auch wirklich zu Theil wurde, so dürfte die Hauptursache hievon kaum so sehr in dem Mangel eines geeigneten Gehilfen, als in ihm selbst zu suchen sein. Denn so scharf ausgeprägte und von der Erkenntniss des eigenen Werthes so durchdrungene Charaktere wie Bartenstein finden nicht leicht eine Persönlichkeit, der sie rückhaltslos die Fähigkeit zuerkennen, sie zu vertreten. Und bei der überaus hohen Meinung Bartenstein's von

---

[1] Beilage zu einer für Ulfeldt bestimmten Aufzeichnung Bartenstein's vom 14. October.

seinen eigenen Arbeiten würde er wohl kaum jemals zugegeben
haben, dass auch ein Anderer im Stande sei, wenigstens Aehnliches zu leisten.

Trotz der Eifersucht, welche Ulfeldt gegen Kaunitz empfand, scheint er doch eingesehen zu haben, dass es im Interesse der Monarchie, der sie ja Beide mit voller Hingebung
dienten, und in seinem eigenen lag, jene an und für sich doch
ziemlich kleinlichen Regungen nicht allzusehr die Oberhand gewinnen zu lassen. Nachdem es endlich, etwa ein Jahr später,
als es ursprünglich geplant worden war, im Herbste 1750 zur
Abreise des Grafen Kaunitz nach Paris gekommen war, sandte
Ulfeldt der Kaiserin das folgende Billet:

‚Dem grafen von Kaunitz habe vermeinet guth zu thuen,
zum ersten auf einen freundlichen fus zu schreiben, und lege
seine antworth hier allerunterthänigst bey.‘[1] Leider ist uns
keiner der beiden zwischen den zwei rivalisirenden Staatsmännern gewechselten Briefe erhalten geblieben, und ungemein
selten stossen wir während der Dauer der Mission des Grafen
Kaunitz in Paris auf eine jener vertraulichen Mittheilungen,
wie sie ihm während seines Aufenthaltes in Aachen von Seite
des Grafen Ulfeldt so häufig zugegangen waren.

Auch über die Art und Weise, in welcher Kaunitz seine
Reise nach Frankreich zurücklegte, sind wir nicht näher unter-
richtet, und wir wissen nur, dass sie ihn über Brüssel führte.
Nach einem wohl über eine Woche hinaus sich erstreckenden
Aufenthalte daselbst traf Kaunitz am 27. October, fast· zwei
Wochen später in Paris ein, als Hautefort in Wien ange-
kommen war.

Es lag nur in der Natur der Sache und entsprach der
damals herrschenden Gewohnheit, dass Kaunitz eine ziemlich
umständliche Instruction mit auf den Weg gegeben wurde.[2]
Grössere Bedeutung als ihrem Inhalte, der keineswegs als ein

---

[1] 10. October 1750.

[2] Referat vom 10. December 1750. ‚Kaunitz hat selbsten noch vor seiner
Abreiss wochentlich so unterrichtet, auch von allen pro und contra hier
vorfallenden Betrachtungen belehret zu werden gewunschen, deme zufolge das nebenanschlüssige weitschüchtige Rescript an ihn entworfen
worden, worin sich klar unterschieden befindet, was allein zu seiner geheimen nachricht oder zu weiterem Gebrauch ihme mitgetheilt wird,
obgleich diese Vorsorge in Ansehung seiner nicht just nöthig war.‘

vollkommen klarer und unzweideutiger bezeichnet werden kann,
wird der Thatsache beizumessen sein, dass ihr auf seinen eigenen Wunsch eine Abschrift jenes vor etwa anderthalb Jahren
durch Bartenstein angefertigten Auszuges aus den Gutachten
beigefügt wurde, welche die Conferenzminister damals über die
künftighin von dem Kaiserhofe zu befolgende auswärtige Politik
abgegeben hatten. Ausdrücklich wird in der Instruction gesagt,
dass dieser Auszug die nach einer langwierigen und reifen
Ueberlegung festgesetzten Grundsätze enthalte, nach denen
künftighin in den auswärtigen Angelegenheiten zu verfahren
sei. Und nachdem an demselben keinerlei Veränderung vorgenommen worden war, findet sich selbstverständlich auch die
so überaus wichtige, bereits einmal erwähnte Stelle darin vor,
dass nach der übereinstimmenden Meinung der Grafen Ulfeld
und Kaunitz die höchst gefährlichen ‚Unterbauungen‘ des Königs
von Preussen auf nicht weniger als auf völlige Zerreissung des
Bandes zwischen dem Haupte und den Gliedern des Deutschen
Reiches und auf Unterdrückung der schwächeren Mitstände
abzielten. Dem Reiche könnte daher kein grösserer Nutzen verschafft werden, als wenn man den König wieder in die rechte
reichsständische Verknüpfung zu ziehen vermöchte. Theils aus
dieser Betrachtung, theils aber weil der König von Preussen
als der ‚grösste, gefährlichste und unversöhnlichste Feind‘ des
Erzhauses Oesterreich anzusehen, ohne fast gewisse Sicherheit
eines günstigen Erfolges jedoch nichts gegen ihn zu wagen
und dieser Erfolg nur dann zu hoffen sei, wenn es zuvor
gelänge, Frankreich von ihm zu trennen, wäre zur Erreichung dieses Zweckes, welche Ulfeldt, Khevenhüller und
Kaunitz zwar für sehr schwer, aber doch nicht für ganz unmöglich hielten, nichts unversucht, aber hiebei doch auch
wieder keine nur immer erdenkliche Vorsicht ausser Acht zu
lassen.

Deutlich genug ist hiedurch der Kern der Absichten bezeichnet, welche man trotz allen gegen sie obwaltenden Hindernissen durch die Sendung des Grafen Kaunitz nach Paris erreichen zu können hoffte. Sie werden in der Instruction noch
dahin erläutert, dass die Bestrebungen des Grafen Kaunitz
vorderhand darauf zu richten seien, die französische Regierung
von der Friedfertigkeit des Kaiserhofes und von seinem aufrichtigen Verlangen zu überzeugen, mit ihr im Interesse der

allgemeinen Ruhe und des allseitigen Wohlstandes ein ganz
genaues Einverständniss und das beste Vernehmen zu pflegen.
Erst wenn dieser Grund gelegt und Frankreich jeder Zweifel
an der ‚reinsten Denkungsart‘ des Wiener Hofes benommen
sein würde, könne man nach und nach daran arbeiten, dort
den Verdacht gegen Preussen zu vermehren. Dies dürfe jedoch
nur bei sich von selbst hiezu ergebenden Anlässen geschehen,
um nicht durch allzugrossen Eifer den beabsichtigten Zweck
zu gefährden.

Bekanntlich sei der König von Preussen unermüdlich in
Verdächtigungen Oesterreichs bei Frankreich. Ihm nicht nur
entgegen zu arbeiten, sondern auch eine ihm feindselige und
Oesterreich günstige Stimmung zu erwecken, sei zwar ungemein
schwer, aber doch nicht unmöglich. Denn durch dreimaligen
Abschluss eines einseitigen Friedens habe der König von Preussen
Frankreich wiederholt und insbesondere im Jahre 1743 in grosse
Verlegenheit und höchst missliche Umstände versetzt. Da nun
der Krieg, in den es durch Preussen verwickelt worden, ohne
Nutzen für Frankreich beendigt wurde und es die üblen Nach-
wehen gar sehr empfinde, da endlich ein noch weiteres Anwachsen der Macht Preussens dem wahren Interesse Frankreichs durchaus nicht erspriesslich sein könne, sei zu erwarten,
dass diese und ähnliche Betrachtungen einigen Eindruck auf
den Hof von Versailles hervorbringen würden. Aber der Zeitpunkt, in welchem damit allmälig hervorzutreten sein würde,
und die Art und Weise, in der sie zur Geltung gebracht werden
könnten, müsse den Eindrücken, welche Kaunitz an Ort und
Stelle empfange, und seinem eigenen Ermessen anheimgestellt
werden.

Vor nicht ganz zehn Monaten, in der ersten Hälfte des
Januar 1750,[1] hatte Mareschal an Ulfeldt geschrieben, Niemand
wünsche sehnlicher als er, dass Kaunitz baldigst in Paris eintreffen möge. Er zweifle auch gar nicht, dass bei dessen Ankunft der erste Anschein recht schön und ganz geeignet sein
werde, glänzende Hoffnungen zu erwecken. Ob aber der Erfolg hiemit übereinstimmen und eine Aenderung der bisherigen
Anschauungen am Hofe von Versailles zu erwarten sein werde,
müsse erst die Erfahrung lehren. Und im Mai desselben Jahres

---

[1] 8. Januar 1750.

berichtete Mareschal nach Wien,[1] gegen Preussen sei in Frankreich nimmermehr etwas zu erreichen. Es wäre daher vielleicht
besser, sich im Hinblick auf König Friedrich ‚gleichgiltig und
gelassen‘ zu bezeigen, denn es sei zu besorgen, dass von österreichischer Seite vorgebrachte Klagen und Vorwürfe das ohnehin schon allzueng geknüpfte Freundschaftsband zwischen
Frankreich und Preussen nur noch festigen würden.

Mareschal gründete seine Besorgnisse hauptsächlich auf
den Umstand, dass man seit der Thronbesteigung des Kaisers
Franz dem Könige von Frankreich die Meinung beigebracht
habe, er werde von dem Kaiser persönlich gehasst. Anfangs
habe, fuhr Mareschal fort, diese Behauptung nicht viel Glauben
gefunden, später aber nur allzutiefen Eindruck auf ihn hervorgebracht. Denn Ludwig XV. sei ‚sehr schwach und unwissend‘,
weshalb er sich denn auch von den Personen seiner Umgebung
leicht irreleiten lasse.[2]

Man muss Mareschal die Gerechtigkeit widerfahren lassen,
es anzuerkennen, dass wenigstens seine erste Vorhersagung
buchstäblich in Erfüllung ging. Kaunitz fand zwar am französischen Hofe und bei der dortigen Regierung zuvorkommende
Aufnahme, aber über deren starke Hinneigung zu Preussen
konnte er sich nicht täuschen, und bald musste er es als höchst
unwahrscheinlich ansehen, dass sie sich mit Vernachlässigung
Preussens Oesterreich zuwenden werde.

Mit sehr grosser Genugthuung erfüllte es Kaunitz, als er
in Fontainebleau, wohin er sich gleich nach seiner Ankunft
in Paris an das damals dort befindliche Hoflager begab, von
den französischen Staatsmännern die Mittheilung erhielt, Hautefort könne sich des Empfanges, den er speciell bei dem Kaiser
gefunden habe, nicht genug rühmen. Mit so edlem Freimuthe
habe der Kaiser über seine vermeintliche Abneigung gegen
König Ludwig gesprochen und diesen Verdacht zu entkräften
sich bestrebt, dass Hautefort sich eines tiefen Eindruckes nicht
zu erwehren vermochte. Und dass auch der König einen solchen
in sich aufgenommen haben müsse, schloss Kaunitz daraus,
dass Ludwig XV. in den täglichen Gesprächen, die er während
des Aufenthaltes in Fontainebleau mit ihm pflog, wiederholt

---

[1] An Ulfeldt. 14. Mai 1750.
[2] Mareschal an Ulfeldt. 8. Januar 1750.

auf den Kaiser zu reden kam und sich das Ansehen gab, als erinnere er sich mit Vergnügen seiner persönlichen Bekanntschaft.[1] Kaunitz war umsomehr über solche Aeusserungen erfreut, als er behauptete, er kenne nichts Gefährlicheres als die persönliche Feindschaft mächtiger Fürsten gegen einander.[2]

---

[1] Kaunitz an den Cabinetssecretär Baron Koch. Fontainebleau, 7. November 1750.

[2] Kaunitz an Baron Koch. 4. December 1750.

Personenregister.[1]

---

[1] Der Name des Grafen W. A. Kaunitz wurde wegen seines häufigen Vorkommens in das Register nicht aufgenommen.

I. Capitel.

II. Capitel.

III. Capitel.

IV. Capitel.

V. Capitel.

VI. Capitel.

STUDIEN

ZU DEN

NGARISCHEN GESCHICHTSQUELLEN.

VIII.

VON

PROF. DR. RAIMUND FRIEDRICH KAINDL

IN CZERNOWITZ.

VIII.

Die Gesta Hungarorum vetera. Näheres über ihre Gestalt, ihr Entstehen, ihre Quellen und ihr Werth.

In der VII. Studie (Archiv, LXXXV. Bd., S. 431 ff.) ist bewiesen worden, dass bereits dem um 1230 schreibenden Alberich von Trium Fontium, ebenso dem gleichzeitigen Mönche Richard (De facto Hungariae magnae) und hierauf etwa vier Jahrzehnte später dem anonymen Notar und Keza eine historische Aufzeichnung über die Ungarn vorlag, die wir als ‚Gesta Hungarorum vetera‘ bezeichnet haben. Dieser Titel beruht zunächst auf der Mittheilung Richards, dass ihm ‚gesta Ungarorum Christianorum‘ vorlägen;[1] das ‚vetera‘ haben wir hinzugesetzt, um die Ursprünglichkeit der Quelle gegenüber den anderen Ungarnchroniken zu kennzeichnen. Es ist auch bereits ausgeführt worden, dass um 1300 diese Gesta vetera neben Keza bei der Herstellung der Nationalen Grundchronik oder Ofener Minoritenchronik benützt wurden. Dieselbe bestand aus Keza's Hunengeschichte, ferner dem ebenfalls von Keza herrührenden Uebergange von dieser zur Ungarngeschichte; für letztere wurden die Gesta vetera in ursprünglicher Gestalt neben dem in Keza's Werk enthaltenen Texte derselben benützt; Keza's dürre Darstellung von Coloman (bis zu welchem Könige die Gesta vetera reichten) bis auf Stephan V. wurden aus einem genauen Verzeichnisse der Krönungs- und Sterbejahre der Könige und durch einzelne, oft irrige Nachrichten erweitert; seit Ladislaus IV. folgen sodann die selbständigen Nachrichten.

Auch über die Gestalt und den Umfang dieser Quelle hat uns die citirte Untersuchung der Hauptsache nach belehrt. Auf vielfache Weise sind wir zu dem Schlusse gekommen, dass die

---

[1] Endlicher, Monumenta Arpadiana I, 248 (zweimal). Die Bemerkung im Chronicon Budense S. 93: ‚Est autem scriptum in antiquis libris de gestis Hungarorum . . .‘ bezieht sich dagegen offenbar auf eine andere Quelle; vgl. unsere Ausführungen weiter unten im Texte.

ursprünglichen Gesta Hungarorum mit einer Beschreibung der Urheimat (Skythien) der Magyaren anfingen, hierauf Mittheilungen über die Abstammung des Volkes und seiner Herrscher boten, sodann sofort auf Almus und die Erklärung dessen Namen übergingen, um hierauf die Geschicke der Ungarn von diesem Herzoge bis gegen das Ende des 11. Jahrhunderts zu erzählen.

Der Zweck der folgenden Untersuchung wird es nun sein, uns über die ursprüngliche Gestalt der Gesta näher zu belehren, die Zeit und den Ort ihres Entstehens zu bestimmen, endlich auch ihre Quellen und ihren Werth festzustellen.

Diese Untersuchungen über die Gesta vetera wollen wir mit einer Betrachtung der bisherigen Ansichten über das gegenseitige Verhältniss der verschiedenen Chroniken, welche die Gesta benützten, beginnen: also mit der Prüfung des Verhältnisses zwischen Keza, dem Anonymus und der nationalen Chronik. Es liegt nämlich auf der Hand, dass die Feststellung des richtigen Verhältnisses dieser Bearbeitungen für die oben angeregten Fragen über die ursprünglichen Gesta von höchster Wichtigkeit ist. Wir werden hiebei, gestützt auf die Ergebnisse der VII. Studie, die genannten historischen Darstellungen nicht als einheitliche Ganze, sondern in ihren einzelnen festgestellten Theilen ins Auge fassen und das Verhältniss der einzelnen Theile zu einander fixiren.

Insbesondere hat es unsere Aufgabe zu sein, die in Studie VII gewonnene und oben kurz gekennzeichnete Anschauung des Verhältnisses der Gesta vetera zu Anonymus, Keza und der Nationalchronik gegenüber anderen Ansichten zu vertheidigen. Wird uns dies gelingen, so ergibt sich unmittelbar daraus der Schluss, dass für den ältesten Theil der Ungarngeschichte (der sich mit den Gesta vetera deckt), keine von den drei genannten Darstellungen den ursprünglichen authentischen Text bietet, sondern dieser durch Vergleich der drei Darstellungen unter gelegentlicher Hinzuziehung der anderen Quellen, welche die Gesta benützten (Alberich, Richard), kritisch gewonnen werden muss. Hiermit werden wir den Pfad zur Bestimmung der ursprünglichen Gestalt der Gesta vetera gefunden haben.

Hierauf werden wir zunächst im Allgemeinen die ursprüngliche Gestalt der Gesta bestimmen, dann auch insbesondere, d. h. die einzelnen Theile, Nachrichten u. dgl. derselben feststellend, soweit dies im Rahmen dieser Studie und unter Zuhilfenahme der vorhandenen Mittel zunächst möglich ist. Denn leider muss ganz besonders bei dieser Gelegenheit beklagt werden, dass die bisherigen Ausgaben der älteren ungarischen Geschichtsquellen fast durchaus kritiklos sind. Bei dieser Arbeit wird es sich auch zeigen, dass wir den Bestand verschiedener Redactionen der Gesta vetera annehmen dürfen.

Ferner werden wir die Zeit und den Ort der Abfassung der Gesta, sowie ihren Verfasser zu bestimmen suchen. Auch über die Quellen der Gesta soll in diesem Abschnitte gehandelt werden. Hiebei werden sich, wie übrigens schon aus den früheren Ausführungen, Schlüsse auf den Werth der Quelle ziehen lassen.

Endlich werden in einem Schlusscapitel die wichtigsten Ergebnisse kurz zusammengefasst werden.

Darnach ist die Arbeit in folgende Haupt- und Unterabschnitte zu gliedern:

1. Kritik der bisherigen Ansichten über das Verhältniss der verschiedenen ungarischen Chroniken zu einander. Ihre Irrthümer und die Ursache derselben.

2. Näherer Beweis, dass die Darstellung der ältesten Geschichte der Ungarn bei Anonymus, Keza und in der Nationalchronik auf den Gesta vetera beruht.

3. Die ursprüngliche Gestalt der Gesta Hungarorum vetera.

   a) Der allgemeine Aufbau der Gesta.

   b) Orientirende Bemerkungen über die Reichhaltigkeit und Beschaffenheit des Inhaltes der Gesta.

   c) Nachweis, dass die Gesta die Annales Altahenses weit spärlicher als die Nationalchronik benutzt haben, und dass sie die Legenden Stephans, Emerichs, Ladislaus' und Gerhards nicht ausschrieben.

   d) Anmerkungen zur Herstellung der Gesta in ihrer ursprünglichen Gestalt.

   e) Verschiedene Redactionen der Gesta.

4. Zeit und Ort der Abfassung der Gesta. Ihr Verfasser. Ihre Quellen. Werth der Gesta.

5. Kurze Zusammenfassung der Ergebnisse.

ursprünglichen Gesta Hungarorum mit einer B
Urheimat (Skythien) der Magyaren anfingen,
lungen über die Abstammung des Volkes und
boten, sodann sofort auf Almus und die E
Namen übergingen, um hierauf die Geschicke
diesem Herzoge bis gegen das Ende des 11.
erzählen.

Der Zweck der folgenden Untersuchung
uns über die ursprüngliche Gestalt der Ge
lehren, die Zeit und den Ort ihres Entstehen
endlich auch ihre Quellen und ihren Werth

Diese Untersuchungen über die Gesta ve
mit einer Betrachtung der bisherigen Ansichten
seitige Verhältniss der verschiedenen Chronik
Gesta benützten, beginnen: also mit der Prüfu
nisses zwischen Keza, dem Anonymus und
Chronik. Es liegt nämlich auf der Hand, dass
des richtigen Verhältnisses dieser Bearbeitung
angeregten Fragen über die ursprünglichen Ge
Wichtigkeit ist. Wir werden hiebei, gestützt
nisse der VII. Studie, die genannten historisch
nicht als einheitliche Ganze, sondern in ihrer
gestellten Theilen ins Auge fassen und das Ver
zelnen Theile zu einander fixiren.

Insbesondere hat es unsere Aufgabe z
Studie VII gewonnene und oben kurz geke
schauung des Verhältnisses der Gesta vetera
Keza und der Nationalchronik gegenüber an
zu vertheidigen. Wird uns dies gelingen, so
mittelbar daraus der Schluss, dass für den al
Ungarngeschichte (der sich mit den Gesta vete
von den drei genannten Darstellungen den urspr
tischen Text bietet, sondern dieser durch Ver
Darstellungen unter gelegentlicher Hinzuziehu
Quellen, welche die Gesta benützten (Alberich, I
gewonnen werden muss. Hiermit werden wi
Bestimmung der ursprünglichen Gestalt der (
funden haben.

Hierauf werden wir zunächst im Allge
sprüngliche Gestalt der Gesta bestimmen, da

sondere, d. h. die einzelnen Theile, Nachrichten u. dgl. derselben feststellend, soweit dies im Rahmen dieser Studie und unter Zuhilfenahme der vorhandenen Mittel zunächst möglich ist. Denn leider muss ganz besonders bei dieser Gelegenheit beklagt werden, dass die bisherigen Ausgaben der älteren ungarischen Geschichtsquellen fast durchaus kritiklos sind. Bei dieser Arbeit wird es sich auch zeigen, dass wir den Bestand verschiedener Redactionen der Gesta vetera annehmen dürfen.

Ferner werden wir die Zeit und den Ort der Abfassung der Gesta, sowie ihren Verfasser zu bestimmen suchen. Auch über die Quellen der Gesta soll in diesem Abschnitte gehandelt werden. Hiebei werden sich, wie übrigens schon aus den früheren Ausführungen, Schlüsse auf den Werth der Quelle ziehen lassen.

Endlich werden in einem Schlusscapitel die wichtigsten Ergebnisse kurz zusammengefasst werden.

Darnach ist die Arbeit in folgende Haupt- und Unterabschnitte zu gliedern:

1. Kritik der bisherigen Ansichten über das Verhältniss der verschiedenen ungarischen Chroniken zu einander. Ihre Irrthümer und die Ursache derselben.

2. Näherer Beweis, dass die Darstellung der ältesten Geschichte der Ungarn bei Anonymus, Keza und in der Nationalchronik auf den Gesta vetera beruht.

3. Die ursprüngliche Gestalt der Gesta Hungarorum vetera.

   a) Der allgemeine Aufbau der Gesta.

   b) Orientirende Bemerkungen über die Reichhaltigkeit und Beschaffenheit des Inhaltes der Gesta.

   c) Nachweis, dass die Gesta die Annales Altahenses weit spärlicher als die Nationalchronik benutzt haben, und dass sie die Legenden Stephans, Emerichs, Ladislaus' und Gerhards nicht ausschrieben.

   d) Anmerkungen zur Herstellung der Gesta in ihrer ursprünglichen Gestalt.

   e) Verschiedene Redactionen der Gesta.

4. Zeit und Ort der Abfassung der Gesta. Ihr Verfasser. Ihre Quellen. Werth der Gesta.

5. Kurze Zusammenfassung der Ergebnisse.

1. Die bisherigen Ansichten über das Verhältniss der verschiedenen ungarischen Chroniken zu einander. Ihre Irrthümer und Ursache derselben.

Bekanntlich standen sich bisher betreffs des Verhältnisses der Chronik des Keza zu den anderen Chroniken — der Vergleich mit dem Anonymus wurde in der Regel vernachlässigt — ganz entgegengesetzte Ansichten gegenüber.[1] Bägel, Stephan Horvát und Lorenz waren der Meinung, dass die kürzere Darstellung Keza's die Grundlage aller anderen Chroniken wurde; Carl Szabó, Kerégyártó, Toldy und zuletzt Marczali wollen dagegen beweisen, dass Keza's Darstellung ein werthloser Auszug aus den weitläufigeren Chroniken sei. Etwas näher dem wirklichen Sachverhalte kam schon Zeissberg,[2] indem er für die uns erhaltenen ungarischen Chroniken eine gemeinsame ältere Quelle annahm. Dieser Ansicht folgte auch Rademacher,[3] doch glaubte er noch, dass diese Vorlage bereits auch die Hunengeschichte umfasst habe, wie er denn überhaupt zwischen den einzelnen Theilen der Chronik und ihren Redactionen noch nicht scharf schied.[4] Zu welchen

---

[1] Man vergleiche Marczali, Ungarns Geschichtsquellen, S. 47.

[2] Zeitschrift für die österreichischen Gymnasien XXVI (1875), 604.

[3] Zur Kritik ungarischer Geschichtsquellen (Forschungen zur deutschen Geschichte 1885, XXV, S. 382 ff.). Man vergleiche auch denselben Abhandlung „Die ungarische Chronik als Quelle deutscher Geschichte" (Programm des Domgymnasiums zu Merseburg 1887) und seinen Aufsatz „Aventin und die ungarische Chronik" im Neuen Archiv 1887, XII, 551 ff. Wie irrig manche Voraussetzungen Rademacher's sind, geht u. a. aus dem Umstande hervor, dass er noch in der letzten Arbeit S. 551 die Bilderchronik als die wichtigste von den verschiedenen Redactionen der ungarischen Chronik bezeichnet! Auf Einzelheiten seiner Ausführungen hoffe ich bei anderer Gelegenheit zurückzukommen. Hier sei nur gegenüber seiner Bemerkung, die sich ebenfalls in der letzten Arbeit, S. 572, findet, zunächst kurz bemerkt, dass Aventin nur aus der Bilderchronik, nicht aber aus dem Chronicon Budense geschöpft haben könnte. Viele von den Nachrichten bei Aventin finden sich nämlich nur in der Bilderchronik.

[4] Doch spricht er sich schon dahin aus, dass die Chronik kein einheitliches Werk sei (Forschungen zur deutschen Geschichte XXV, S. 391). Nur ganz unbestimmt tritt ebenda, S. 392 die Vermuthung hervor, dass „die Vorlage Keza's nur bis ca. 1070 gereicht habe und durch ein Re-

Irrschlüssen dies Anlass gab, ist zum Theile schon bei einer
früheren Gelegenheit dargelegt worden.[1] Einen Schritt weiter
machte Heinemann,[2] indem er die Hunengeschichte als ein
Werk Keza's von den ursprünglichen Gesta unterschied und
auch bereits erkannte, dass die ursprüngliche Ungarnchronik
nur bis zum Ende des 11. Jahrhunderts reichte.[3] Auf eine
nähere Untersuchung der einzelnen Theile der Chroniken und
ihrer Redactionen geht aber auch er nicht ein, in Folge dessen
viele Fragen gar nicht, nur theilweise oder auch unrichtig gelöst erscheinen.[4] Zu bemerken wäre noch, dass auch Heinemann der Ansicht ist, Keza hätte seine Vorlage (die ursprünglichen Gesta) ,ungemein flüchtig excerpiert'.[5]

Der Hauptgrund, weshalb man in dieser für die ursprüngliche Gestalt der Gesta so wichtigen Frage nur zu überaus
unsicheren Schlüssen gelangte, war der, dass man zwischen
den einzelnen Theilen der Chroniken nicht gehörig schied.
Wir werden bei der Beantwortung der angeregten Frage
sicherer gehen, nachdem wir die Bestandtheile der Chroniken
erkannt haben.

Von den Gesta Hunorum können wir[6] genau nachweisen, dass sie ein Werk Keza's seien; dieses schrieb die
Nationalchronik ab und veränderte es. In diesem Theile hat
also Keza die Priorität; für die Hunengeschichte allein gilt
also das, was Engel, Horvát und Lorenz über Keza's Verhältniss zu den anderen Chroniken behaupten, wenigstens in

---

gister von Zahlen und Namen fortgesetzt gewesen sei'. Andererseits
glaubt Rademacher, dass die dem Anonymus vorgelegene Quelle nur bis
zur Bekehrung der Ungarn reichte (ebenda, S. 391).

[1] Siehe Studie VII, S. 495 ff.

[2] ,Zur Kritik ungarischer Geschichtsquellen im Zeitalter der Arpaden'
(Neues Archiv XIII, 63 ff. und in den Mon. Germ. Script. XXIX, 523 f.).

[3] Es sei hier gestattet, auf die Bemerkungen Studie VII, S. 436 zu verweisen.

[4] Für diese Behauptung ergeben die vorliegenden Studien einen wohl ge-
nügenden Beweis. Es sei z. B. auch bemerkt, dass Heinemann (Neues
Archiv XIII, 71) der Meinung war, dass die ältesten Gesta unmittelbar
mit dem Einbruche der Ungarn in Europa begannen, während in der
Studie VII wohl unzweifelhaft festgestellt ist, dass die Beschreibung der
Urheimat und genealogische Mittheilungen vorangingen.

[5] Neues Archiv XIII, 66.

[6] Man vergleiche die Studie VII. Näheres bringt eine besondere, Keza ge-
widmete Studie.

einem gewissen Sinne. Auf eine nähere Erörte
Verhältniss der Hunengeschichte Keza's zu jene
niken brauchen wir in dieser Studie nicht ei
dies in einer besonderen, Keza gewidmeten
Der Anonymus hat nichts mit der Hunengeschic
mein; ihm ist dessen Werk eben noch gar ni

In etwas beschränkterem Masse hat Kez
von Coloman bis auf seine Zeit der Nati
Quelle gedient. Sie haben ihn nämlich zwar i
auch benützt, zum grossen Theile ist aber ihre
anderen Quellen geflossen. Wir haben darübe
falls in der Studie VII, S. 481 ff. näher gehan
onymus hat diese Partien überhaupt nicht.

Es erübrigt somit nur, das Verhältniss zwi
schiedenen Chroniken bezüglich der Ungarnge
ihren Anfängen bis zum Ende des 11.
zu bestimmen. Nach den Ergebnissen unserer
suchungen, die an der Spitze dieser Studie z
wurden, gehen in diesem Theile die verschieder
Anonymus, Keza, die Nationalchroniken — auf
garorum vetera zurück. Dieses Verhältniss ist
Studie VII, besonders S. 462—477 nachgewiese
derselben Studie (S. 499, Anm. 1) ist aber auch
verwiesen worden, dass die Nationalchronik auch
absatz von der Hunen- zur Ungarngeschichte a
entlehnt hat, und da ihrem Verfasser Keza's
Ungarngeschichte vorlag, so nahm er in dieselb
blick, wiewohl ihm dessen Quelle (die Gesta vet
vorlag.[1] Beim Anonymus findet sich auch in d

---

[1] Die Beeinflussung der Nationalchronik durch Keza
(von den Anfängen der Ungarngeschichte bis zum
hunderts) ist überaus gering, weil für den Verfass
Keza's Quelle (nämlich die Gesta) vor sich hatte,
lassung bot, Keza's Darstellung zu berücksichtigen
aber die Beeinflussung der Nationalchronik durch Ke
Theile Denjenigen gegenüber betont werden, die jed
auf die Chronik leugnen möchten. Noch mehr zeigt
Pictum durch Keza beeinflusst; doch dies ist durch
Benützung des Keza neben der Nationalchronik zu er
hat diese wie aus anderen Quellen, so auch aus K
darüber vorläufig Studie VII, S. 500 f.

keine Spur einer Beeinflussung durch Keza. Diese, wie bemerkt, schon in Studie VII gewonnenen Ergebnisse sollen, indem wir die anderen Ansichten näher prüfen und widerlegen,
durch weitere Gründe gestützt werden. Gleichzeitig wird es
uns auch möglich sein, den eigentlichen Zweck dieser Studie
zu erreichen, nämlich die ursprüngliche Gestalt der Gesta Hungarorum vetera und ihre Abfassungszeit zu bestimmen. Bei
unserer Kritik werden wir uns aber, da es sich nach der eben
vorangegangenen Erörterung nur um das Verhältniss zwischen
den verschiedenen Chroniken bezüglich der Ungarngeschichte von ihren Anfängen bis zum Ende des
11. Jahrhunderts handelt, auch nur auf die Argumente
beschränken, welche aus diesem Theile geholt sind. So hoffen
wir die Fehler früherer Untersuchungen zu vermeiden, aus
welchen nothwendigerweise Irrschlüsse gezogen wurden, weil
die Beweise aus allen Theilen der Chroniken unterschiedlos
entnommen wurden. Wie hieraus arge Irrthümer entsprangen,
ist in der Studie VII, S. 494ff. gezeigt worden.

Wir haben also zunächst zu zeigen, dass bezüglich der
Ungarngeschichte von ihren Anfängen bis gegen das Ende des
11. Jahrhunderts weder Keza den anderen Chroniken die
Quelle bot, noch er aus ihnen schöpfte: vielmehr werden wir
im Anschlusse an unsere Bemerkungen in Studie VII, S. 476f.
zeigen, dass für den bezeichneten Theil der Darstellung die
Gesta vetera die gemeinsame Quelle Keza's, des Anonymus
und der Nationalchronik sind. Der Umstand, dass etwa der
Anonymus die Quelle Keza's und der Nationalchronik gewesen
sein könnte, kommt ja gar nicht in Betracht, da sich in diesen
Quellen nichts von den dem Anonymus eigenthümlichen Anschauungen findet. Von dem Umstande, dass die Darstellung
des Anonymus nur bis zum Ende des 10. Jahrhunderts reicht,
sehen wir ab, denn es könnte uns ein unvollständiger Text vorliegen.

**2. Näherer Beweis, dass die Darstellung der ältesten Geschichte
der Ungarn bei Keza, Anonymus und in der Nationalchronik auf
den Gesta vetera beruht.**

Mit der Anschauung, dass Keza's Ungarngeschichte die
Quelle der anderen Darstellungen sei, brauchen wir uns nicht

lange zu befassen. Es genügt, darauf hinzuw
diesem Falle es z. B. unerklärlich wäre, warum
wenn er Keza's Ungarngeschichte ausschrieb, niel
der Benutzung seiner Hunengeschichte zeigt (Stud
Auch hat z. B. der Anonymus jenes Capitel üt
und die Namengebung Almus', welches wohl die
niken, nicht aber Keza aufweist (Studie VII, S.
steht der Text des Anonymus bald dem Keza, l
niken näher (man vergleiche Studie VII, S. 462—
deutlich auf eine gemeinsame Quelle aller hinwe
die Anschauung, dass Keza sowohl dem Anon
Chroniken als Vorlage diente, unrichtig. Das l
ihrer Verfechter war die Knappheit der Darst
Dass dieser Beweisgrund allein nicht genügt,
Hand, denn die knappe historische Darstellur
auch schon die ursprünglichste sein, wenn sie
sprünglichere sein könnte. Letzteres werden
sächlich von Keza's Darstellung der Ungarnges
über jener der Nationalchronik auf den folgen
anderer Gelegenheit beweisen können. Wir w
finden, dass Keza seine Vorlage im Allgemeine
licherer Form wiedergibt als die anderen Chron

Was nun die Ansicht betrifft, dass Kez
der Ungarn ein Auszug aus den betreffender
umfangreicheren Nationalchronik sei, so wird die
schon durch unsere Ausführungen in Studie VI
widerlegt. Hier wollen wir insbesondere noch
weise für dieselbe in seinen ‚Geschichtsquellen U
der Alles, was für dieses Verhältniss in die W
werden kann, gesammelt hat. Daran werden
andere Gegenbeweise geknüpft werden.

Der erste Beweis Marczali's (S. 42—
Folgendem: Sowohl bei Keza als in den Na
finden sich die Annales Altahenses [1] benutzt, un

---

[1] Bekanntlich hat schon Zeissberg in seiner Studie ‚Z
nalen von Altaich' (Zeitschrift für die österreichischen
[1875], 490 ff.) darauf hingewiesen, dass die Benutzu
sich auf die Jahre 1041—1046 beschränkt. Rademacl
aufhin zu beweisen, dass diese auf einen kurzen Zeit
Verwandtschaft zwischen den Annalen und den unga

in letzteren aus ihnen entlehnte Fülle der Nachrichten weit
grösser als jene bei Keza. Da nun dieser nur solche Berichte aus den Annalen bietet, die auch den Chroniken eigen
sind, so hat er seine Notizen aus diesen geschöpft. — Diese
Ansicht Marczali's ist irrig. Die von ihm beobachtete Thatsache ist ganz anders zu erklären, als er es thut. Wir werden
beweisen können, dass die dem Keza und der Nationalchronik
gemeinsamen Nachrichten aus den Annales Altahenses, der gemeinsamen Vorlage (Gesta Hungarorum vetera) entstammen,
während das Mehr der Nachrichten aus diesen Annalen in den
Chroniken von diesen bei einer neueren Benützung der Annalen aufgenommen wurde.[1] Die Beweise für die Richtigkeit

---

daraus zu erklären sei, dass die Chroniken nicht aus den Annalen,
sondern aus einer zeitgenössischen Quelle schöpften, welche die Ungarn-
züge Heinrichs III. bis 1045 behandelte. Diese sei auch von den Annalen benützt worden (vgl. Forschungen zur deutschen Geschichte XXV,
S. 405 und Neues Archiv XII. 565 und 573). Dagegen müssen wir bemerken: 1. dass schon die Gesta vetera die Annales Altahenses bei der
Schilderung des Kampfes Stephans gegen Gyula ausgeschrieben zu haben
scheinen, wie dies ein Vergleich der Annales anno 1003 mit Keza, §. 24,
und Chronicon Budense, S. 65, ergibt; 2. hat die Nationalchronik bei
ihrer unmittelbaren Benützung der Annales Altahenses auch schon Nachrichten über Naturerscheinungen aus den Jahren 1020 und 1021 übernommen (Chronicon Budense, S. 70 = Annales Altahenses, anno 1020
und 1021) Auf beide Stellen werden wir weiter unten, wo der Bestand
der Gesta vetera im Einzelnen besprochen werden wird, zurückkommen.
In Folge der mitgetheilten Beobachtungen halten wir daran fest, dass
den ungarischen Chronisten die Annalen selbst vorlagen,
doch nur der Abschnitt bis 1046. Man vergleiche darüber die Bemerkungen weiter unten im Texte.

[1] Darauf hat schon Rademacher (Forschungen zur deutschen Geschichte
XXV, S. 382 und 401 hingedeutet, wobei er aber 1. die Wiederbenutzung
der Altaicher Annalen erst durch den ‚Chronisten von 1358' vor sich
gehen lässt, und 2. für seine Ansicht so wenig anzuführen vermag, dass
Heinemann, Neues Archiv XIII, 66 allenfalls allzu leicht sich die
Widerlegung derselben gestatten konnte. Er hätte sich hiebei die unrichtige und leicht widerlegbare Bemerkung Rademacher's (S. 384 und
401), dass bei Keza sich nur solche Nachrichten nicht finden, die den
Annalen entstammen, nicht zu Nutze machen sollen. Das Richtige ist,
dass die Nationalchronik gegenüber Keza sowohl ein Plus an Nachrichten besitzt, die den Annalen entlehnt sind, als auch solche, die
eben aus anderen Quellen stammen. Die Nationalchronik hat sich sowohl durch die Einen, als auch durch die Anderen gegenüber ihrer und
Keza's Vorlage (Gesta vetera) bereichert.

unserer Ansicht sind folgende: Zunächst ist es
wenn die Ansicht Marczali's richtig wäre — Kez
Annalen näher stehen könnte als die Chroniker
wir einzelne Stellen, in denen Keza, wenn auch
fügigen Umständen, doch den Annalen näher st
gleiche z. B. :

Annales Altahenses, S. 35.	Chr. Budense, S. 84.	
A. 1044 ... tota nocte equitando sursum per ripam crepusculo facili vado transit.	... tota nocte equitantes sursum iuxta fluvios Raba et Rabcha, quos illucescente sole facile *transierunt*.	ta ci

Noch interessanter ist folgender Fall:

| A. 1044 (S. 34). Igitur quidam ... omnes coniuratos regi (Abae) prodidit, innotuit, quorum aliquos iussit necari ... | S. 82 ... Quidam autem ex ipsis notificavit regi in necem eius coniuratos, *ex quibus eos, quos potuit*, captos fecit interfici ... | dı liı cı fe |

Aus diesen Stellen wird es zunächst klar, ı
aus den uns vorliegenden Chroniken schöpfte,
mehr eine Vorlage benützte, welche auch von
ausgeschrieben wurde, und die ihrerseits die Aı
hatte. Damit ist Marczali's Ansicht schon wid
weiteren Ausführungen werden nun auch darleg
Chroniken thatsächlich die Annalen nochmals u
wendet wurden. Wer dies nicht zugeben wi
Allem erklären, wie Keza mit einer ganz merk
sequenz und einem ebensolchen Spürsinne aus
in vielen Fällen gerade diejenigen Nachrichte
den Annalen herstammen, weggelassen hätte. [1] ı
z. B. zunächst folgenden Fall:

---

[1] Dass bei Keza sich oft die Nachrichten der Chronik
aus den Annales Altahenses herrühren, ,treu, fast wört
während die aus ihnen stammenden zum grossen Thei
sind, hat bereits Marczali S. 45 bemerkt. Seiner Hj
hat er aber daraus nicht die nothwendigen Conseque

Annales Altahenses.

A. 1044. Interea pulus terrae nunc egatim, nunc singil tim venit et cesari se. Heinrico) victori e dedidit, qui pla ido suscepit eos ultu . . . Inde simul ergunt, Wizenburg eniunt magno comi atu, regio excepti a p aratu, ibique caesar etrum regiis fascibus estivit et manu sua ucens in sede sua estituit, et in templo eiparae virginis, ubi rat congregatio prin ipum, et regis ad opulum et populi d regem facta est econciliatio. Illis tiam petentibus con essit rex scita Teu nica, et relinquens is suorum praesi ia, ipse domum re iit et Radasponam enit . . . A. 1045. Ve iens autem Hunga iam, regio more su eptus decenter est et onorifice retentus. In psa sancta solem itate Petrus rex re num Ungariae cum incea deaurata tra idit caesari domino o coram omni po-

Chr. Budense, S. 87.

Interea Hungari congregati in unum supplices venerunt ad cesarem, veniam et misericordiam implorantes; quos cesar placido vultu et benigne suscipiens, quod rogabant, concessit. Indeque cum omni multitudine sua Albam venit, que Teutonice Weyzenburg dicitur . . . Ibi ergo cesar imperiali honore et latissime preparatu ab Hungaris est honoratus. Petrum regem regali corone plenarie restitutum et sacris insignibus . . . decoratum in regali throno manu sua deducens in basilica Genitricis Dei semper virginis Marie regaliter sedere fecit et ibidem regem Hungaris et Hungaros regi reconciliavit, concessitque petentibus Hungaris Hungarica scita servare et consuetudinibus iudicari. Hiis itaque taliter ordinatis cesar Petro rege cum presidio suorum in Hungaria relicto . . . Ratisponam rediit. Sequenti quoque anno reversus est cesar in Hungariam, cui Petrus rex in ipsa sancta solemnitate regnum Hun-

Keza, S. 82.

§. 27. Cesar ve tenta victoria d dit Alham civit ubi Petro restitu gnum et sic ta reversus et Ra nam.

ulo suo et nostro. | garie cum deaurata
ost peractum vero re- | lancea tradidit coram
io luxu convivium ob- | Hungaris simul et co-
ulit illi etiam auri pon- | ram Teutonicis, multis
us maximum ... | etiam insuper et magni-
| ficis muneribus cesar ho-
| norificatus a rege ...

Vergleicht man diese Stellen mit einander, so wird man
es ganz unglaublich finden, dass Keza's Bericht ein Auszug
aus jenem der Chronik sei, insbesondere wenn man den später
(siehe S. 226 ff.) noch näher zu erörternden Umstand in Betracht
zieht, dass Keza durchaus nicht so eilfertig seine Quelle excerpirte, wie dies ihm manche Forscher vorwerfen. Ist es
nicht wahrscheinlicher, dass Keza in seiner Vorlage einen ausführlichen Bericht überhaupt nicht vorfand und sich daher mit
der ungenauen Notiz begnügen musste, während dem Verfasser der Grundchronik neben dieser Vorlage (der Gesta vetera) auch die Annales Altahenses zur Hand waren und er aus
diesen seine Darstellung ergänzte? Und wie mit dieser Stelle,
so verhält es sich offenbar auch mit den zahlreichen anderen;
man vergleiche hiezu die Darstellung der Annalen a. 1041—1045
mit dem Chronicon Budense, S. 78 ff. und mit Keza, S. 80 ff.
Wir wollen nur noch die eine oder andere Stelle herausheben,
die unsere Anschauung noch bestimmter klarlegen wird:

Annales Altahenses.	Chr. Budense, S. 80.	Keza, S. 80.
A. 1042 ... Et ex utraque Danubii arte porrexit (Aba) erram Baioariorum poliare ... Incipientes gitur a flumine Trei-ama ... Dehinc circa ullinam civitatem ernoctantes ... re-ierunt ovantes.	... congregatoque exercitu magno *invasit* *Austriam* et Bavariam et ex utraque parte Danubii ... a flumine, quod vocant Treysama ... usque civitatem Tul-linam, in qua pernoc-tavit ... reversi sunt gaudentes.	... iratus *Austriam* et usque in fluvium Trense s liavit et post hec reversus.

Dass die Stelle bei Keza mit ihrer abweichenden Darstellung (usque in fluvium Trense) aus der auf den Annalen

beruhenden Darstellung der Chronik (a flumine) floss, ist an
und für sich unglaublich. Ferner ist zu beachten, dass bei
Keza ‚Trense‘ steht, in den Chroniken, die auch sonst den
Annalen sehr nahe stehen, wie in diesen ‚Treysama‘. Vor
Allem beachte man aber noch Folgendes: Woher kam der
Chronist (Chronicon Budense) zu seinem ganz unsinnigen
‚Austriam et Bavariam‘? Baiern hatte doch der bis nach
Tulln ausgedehnte Streifzug nicht berührt. Wenn in den An-
nales Altahenses Baiern allein genannt wird, so ist dies ver-
ständlich, weil in jener Zeit Oesterreich ein Theil Baierns
war. Ebenso ist das ‚Austria‘ allein bei Keza richtig. Der
Fehler in den Chroniken kann nur aus einer Verschmelzung
der Gesta vetera mit den Annales Altahenses entstanden sein.
Aus ersteren stammt das der Chronik mit Keza gemeinsame
invasit Austriam. — Oder man vergleiche z. B. auch folgenden Fall:

Annales Altahenses, S. 31 f. und 32 f.	Chr. Budense, S. 81.	Keza, S. 80 f.
A. 1042. Incolae (Un-riae) autem missa le-tione promisere se, icquid rex praeci-ret, velle perficere, si tantum Petrum gem suum reci-re, quod tamen x summopere vo-erat ... Postquam enim auxilium suum promisit, hoc in re-tuendo regno illi tendere cupivit; sed i adeo execrabantur, nullum se illum re-pturos faterentur. No-m ibidem civitates x deditione cepit ... is itaque Dei adiu-tio patratis rex et sui	... quod Hungari in omnibus starent ad man-datum eius, nisi quia Petrum in regem non susciperent, quod ta-men cesar summopere perficere affectabat, obligatus enim erat Petro promissione, quod ei re-gnum restitueret. Hun-gari vero nullatenus con-senserunt et missis mu-neribus, data quoque fide, quod captivos Teutonico-rum abire permitterent, cesar rediit festinanter contra insultus Gotfridi ducis Lotoringorum, filii ducis Gazzilonis ...	... legati ... pro mittebant cesari, ut i omnibus satisfaceren nisi quia Petrum i regem non suscipe rent, quod cesa summopere perfi cere affectabat, ob ligatus enim erat ei i ramento, ut ipsum i regnum Hungarie ite rato collocaret. Cu autem Hungari Petru non admitterent, missi muneribus, dataque fi de, quod captivos li bere permitterent re meare, cesar consili inductus ducis Lote ringie

redierunt ad propria
... A. 1043 ... illo (in
Boderabrunnun) ve-
nere legati Ungrorum,
pacem cum nostratibus
reformare cupientes, et
proinde ... promittunt
scilicet captivorum,
quos haberent, re-
missionem, eorum
quos reddere non
possent, coemptio-
nem ... Feldzug des
Kaisers, Friedens-
schluss (hiebei Frei-
lassung der deutschen
Gefangenen und Ge-
schenke), Rückzug ...
unusquisque domum
redit. Mox convocata
non minori multitudine
profectus est rex Ve-
sontionum, urbem
Burgundiae ...

Sequenti anno Aba rex
missis legatis ad cesarem,
que pacis sunt, querebat,

promittens captivorum
dimissionem, quos ha-
bebat, eorum vero,
quos reddere non po-
terat, condignam com-
pensationem ... Eben-
so das Weitere mit wört-
lichen Anlehnungen an
die Annalen. Aba gibt
die Gefangenen frei und
schickt Geschenke. Cesar
itaque allectus muneribus
et aliis gravioribus nego-
tiis prepeditus rediit Bi-
zantium, quod est oppi-
dum Burgundie.

et plus allectus
ribus rediit B
tiam, Burgun
vitatem.

Wenn wir diese Stellen betrachten, so ergibt es sich zu
nächst, dass sowohl die Chronik, als Keza zu den Annalen i
Beziehungen stehen. Nehmen wir nun zur Erklärung dies
Umstandes an, dass Keza aus dem uns bekannten Texte de
Chroniken floss, so stehen wir vor dem ganz unerklärliche
Umstande, wie Keza mit Hinweglassung des deutlichen un
ausführlichen Berichtes über den Feldzug vom Jahre 1043 di
Ereignisse der Jahre 1042 und 1043 gewissermassen zusammen-
schmolz. Dazu kommt noch Folgendes: Die Bemerkungen,
mit denen die Chronik die Darstellung des Jahres 1042 schliesst
(et missis muneribus ...), finden sich nicht in den Annalen;
sie stehen in der Chronik ganz offenbar auch an der unrich-
tigen Stelle; nachdem die Unterhandlungen gescheitert waren,
hat das in diesen Bemerkungen Enthaltene keinen Sinn, und
die wohl unterrichteten Annalen wissen auch nichts davon. Bei

Keza finden sich ganz offenbar dieselben Bemerkungen richtiger
mit dem Rückzuge vom Jahre 1043 verbunden, der thatsächlich unter diesen Bedingungen stattfand, wie dies auch die
Annalen und in Anlehnung an diese die Chronik erzählt. Der
Sachverhalt kann also nur dadurch erklärt werden, dass die
Chronik den ausführlichen Bericht aus den Annalen über die
Vorgänge des Jahres 1043 in die kürzere Darstellung ihrer
(bei Keza erhaltenen) Vorlage einschob, wodurch die Wiederholung der Angabe, dass die Ungarn die Gefangenen frei-
gaben und Geschenke überreichten, sich erklärt. Uebrigens
ist auch aus dieser Betrachtung hervorgegangen, dass Keza
und die Chronik eine gemeinsame Quelle ausschreiben, die ihrerseits bereits die Annalen benützt hatte. Diese sind die Gesta
vetera. — Aus unserer Betrachtung hat sich somit ergeben:
1. dass Marczali's aus der Benützung der Annales
Altahenses geholte Beweis, Keza hätte aus den Chroniken geschöpft, missglückt ist; ferner 2. dass vielmehr der Darstellung Keza's und den Chroniken eine
gemeinsame Vorlage (nämlich die Gesta vetera) zu
Grunde liegt, die schon die Annalen benützt hatte;
endlich 3. dass diese Vorlage von dem Verfasser der
Nationalen Grundchronik aus den Annalen ergänzt
worden sei. Man vergleiche übrigens auch noch die Ausführungen unten, S. 229 ff.

In sehr pomphafter Weise leitet Marczali seinen zweiten
Beweisgrund ein: ,Noch eine Stelle Kézai's,' sagt er S. 46,
,wollen wir mit den Chroniken vergleichend einschalten, die
. . . ein directes Zeugniss dafür abgibt, dass er die älteren ungarischen Quellen benutzte. Unsere einheimischen Forscher
haben schon lange die Wichtigkeit dieser Stelle erkannt, und
das beweist wieder, wie sehr unmöglich oder doch wenig erfolgreich es ist, ungarische Geschichte ohne Kenntniss der ungarischen Sprache zu studiren.' Und hierauf thut er — wie
so oft — einen argen Fehlschluss. Er verweist nämlich auf
die Stelle bei Keza, S. 75, in welcher derselbe gegen die in
den Chroniken vorhandene Erzählung polemisirt, Leel habe,
bevor er hingerichtet wurde, den Kaiser mit seinem Horne
erschlagen. Dass sich daraus nicht der Schluss ziehen lässt,
dass Keza aus den reichen nationalen Chroniken geschöpft
habe, liegt nach unseren bisherigen Ergebnissen klar zu Tage;

vielmehr lagen ihm die Gesta Ungarorum vetera vor, und gegen
deren Darstellung nimmt er Stellung. Der Nationalchronist hat
aus denselben Gesta die Sage gläubig aufgenommen.

Den dritten und letzten Beweis holt Marczali (S. 47)
aus der mangelhaften Chronologie und sonstigen Fehlern oder
Lücken bei Keza. Diese beweisen, ‚dass sein Werk nur ein
Excerpt sei‘. Dass dieser Schluss an und für sich unbe-
rechtigt ist, liegt auf der Hand. Die mangelhafte Chronologie
und sonstige Fehler können ebenso gut dem Umstande zuzuschreiben sein, dass die Quelle Keza's unvollkommen war. Ein
so nachlässiges Excerpiren, wie es Marczali und Andere von
Keza annehmen, können wir aber umsoweniger dem Manne
zutrauen, der offenbar mit der grössten Mühe die erste zusammenhängende Hunengeschichte geschrieben hat. Es ist ganz
undenkbar, dass dieser Mann zahlreiche in den Nationalchroniken vorhandene genaue Daten derart übersehen habe, dass
in Folge dessen die ärgsten Fehler entstanden. Hier zunächst
ein Beispiel aus der Geschichte des 10. Jahrhunderts. Es ist
die Stelle, welche der Schilderung des Kampfes am Lechfelde
vorangeht. Nach der Schilderung verschiedener Raubzüge,
welche sich auch beim Anonymus und Keza mit wörtlichen
Anlehnungen wiederfinden, berichten die nationalen Chroniken
(Chronicon Budense, S. 56, und die anderen an den entsprechenden Stellen): ‚(Hungari) ad propria redeuntes, annis
sedecim immobiliter in Hungaria permanserunt. Regnante vero
per Almaniam Conrado Primo decimo septimo anno Hungari egressi, quibusdam partibus Teutonie devastatis‘ u. s. w.
Wie hätte nun Keza, wenn in seiner Vorlage diese klaren und
bestimmten Zeitangaben gestanden wären, daraus Folgendes
schöpfen können (S. 74): ‚... ad propria revertuntur. Transactis igitur paucis diebus Lel et Bulchu per communitatem
Hungarorum in Teutoniam destinantur ...‘ Dazu kommt nun
aber, dass beim Anonymus, der diese Stelle auch enthält, sich
wieder eine andere Angabe findet. Es heisst nämlich S. 47:
‚... reversi sunt. Postea vero anno V regnante Counrado
imperatore Lelu, Bulsu, Botond incliti quondam et gloriosissimi
milites ... missi a domino suo partes Alemannie irrupuerunt.‘
Ist es da nicht ganz offenbar, dass in der Quelle keine Zeitangabe stand und jede der späteren Redactionen ihrer Ansicht und ihrem Wissen gemäss dieselbe zu ergänzen suchte?

Uebrigens sind die eben angeführten Stellen auch recht interessant, da aus ihnen auch klar hervorgeht, dass nicht Keza
aus den Chroniken floss, sondern diesen, ihm und dem Anonymus eine gemeinsame Quelle zu Grunde liegt. Dieser entnahm der Letztere sowohl die Erwähnung Conrads als die
Mittheilung, dass Lel und Bulsu Führer waren; Keza entnahm
ihr nur letztere Notiz; die Nationalchronik (in diesem Satze)
nur die erstere. Eine andere Erklärung ist völlig ausgeschlossen. Ein ähnlicher Fall ist bereits oben, S. 218, besprochen
worden. Auch dort sind wir zum Schlusse gelangt, dass die
chronologisch wohl unterschiedene Darstellung der Ereignisse
der Jahre 1042 und 1043, welche sich in der Chronik findet,
erst auf eine Verbesserung der Vorlage zurückzuführen ist, somit nicht Keza die Schuld trifft, diese Vorlage gekürzt und
verderbt zu haben. Und wie in diesen Fällen, so ist es in
anderen. Wir werden nochmals darauf zurückzukommen
haben. Das Angeführte wird wohl genügen, Marczali's Ansicht als unrichtig widerlegt zu haben.

Wir haben somit gesehen, dass sowohl die Ansicht, dass
Keza die Quelle der Nationalchronik sei, als auch die entgegengesetzte, Keza sei ein Auszug aus der Chronik, verfehlt
sind. Wir sind vielmehr neuerdings zur Ueberzeugung
geführt worden, dass sowohl die eine als die andere
Darstellung, wie auch insbesondere noch der Anonymus auf einer gemeinsamen Vorlage, den Gesta Hungarorum vetera, beruhen. Zugleich sind wir zur Erkenntniss gekommen, dass schon diese ursprüngliche
Darstellung im beschränkteren Masse die Annales
Altahenses benutzt hatte; daraus erklären sich die
ihren Ableitungen (Anonymus, Keza, Nationalchronik)
gemeinsamen Berichte aus diesen Annalen. Der Verfasser der Nationalen Grundchronik hat aber selbständig nochmals seine Arbeit aus den Annalen ergänzt und hiebei vielfach die ältere Darstellung erweitert und verbessert. Daraus ergibt sich auch, dass
die Nationalchronik eine Fortentwicklung der Gesta
vetera, nicht aber Keza's magerere Darstellung eine
Rückentwicklung, ein Auszug aus derselben sei.

Nunmehr können wir zur Bestimmung der ursprünglichen
Gestalt der Gesta vetera übergehen, auf welche Frage sich

auch schon die letzten Schlüsse aus unserer
Betrachtung beziehen.

3. Die ursprüngliche Gestalt der Gesta Hung:

Ueber den allgemeinen Aufbau und di
Darstellung dieser ältesten Ungarnchronik ist
Studie VII ausführlich gehandelt worden. Durc
verschiedenen Quellen, welche die Gesta veter:
— Alberich, Richard, Anonymus, Keza, Nationa
wir über den Umfang der alten Ungarnchronik z
gekommen, welche oben, S. 206, in wenigen W(
gefasst worden sind. Es sei nun gestattet, im v
schnitte, welcher die ursprüngliche Gestalt de
rorum vetera feststellen soll, zunächst etwas a:
allgemeinen Aufbau der Gesta zu besprech«
wir insbesondere auf ihren Inhalt und
Nachrichten übergehen. In diesem zweiten
Untersuchung werden wir zunächst überhaup
beantworten haben, ob die Gesta vetera etwa
an Nachrichten waren wie der entsprechende
tionalchronik, oder ob sie darin mehr Keza gli
sich die Untersuchung entsprechend unseren
machten Andeutungen für die dürftigere Gestal
schieden haben wird, wird insbesondere nac
welche besondere grössere Stoffgruppen den
Hierauf werden wir in einem weiteren Unteral
wir alle unsere bisherigen Ergebnisse zusamme
im Einzelnen Schritt für Schritt festzustellen
den uns erhaltenen Chroniken aus den Gesta h
und was spätere Interpolation oder Umarbeitun
eigentliche Herstellung des Textes der Gesta]
tera kann so lange nicht gedacht werden, als
Chronikredactionen — insbesondere auch noch
ungedruckten Chronicon Acephalum und der
Sambucus — kritische Ausgaben hergestellt sei

a) Der allgemeine Aufbau der Gesta Hung«

Aus dem Vergleiche der verschiedenen
die Gesta vetera benützt haben, also der Sch:

Richards, Anonymus', Keza's und der Nationalchronik, gelangen wir über den Aufbau dieser Gesta und ihren allgemeinen Umfang zu folgenden Schlüssen:

Die Gesta enthielten nichts von einer Hunengeschichte, welche jetzt bei Keza und den verschiedenen Redactionen der Nationalchronik der Ungarngeschichte vorangeht. Deshalb hat auch Alberichs Chronik nichts Gemeinsames mit dieser ungarischen Darstellung der Hunengeschichte (Studie VII, S. 442). In Richards Auszug unserer ‚Gesta Ungarorum Christianorum' werden die Hunen auch nicht mit einem Worte erwähnt; es kommt gar nicht ihr Name vor (Studie VII, S. 478). Noch bezeichnender ist es, dass auch der Anonymus noch gar nicht die Hunen nennt; er weiss daher auch nichts vom Stammvater Hunor, den Keza und nach ihm die Chroniken als Bruder Magor's anführen; bei ihm erscheint nur letzterer als Magog, nach dem die Magyaren genannt sind (Studie VII, S. 460). Dagegen weiss allenfalls der Anonymus schon etwas von Attila zu erzählen; er ist ihm aber noch ein Nachkomme Magog's, also ein magyarischer König (S. 3. A cuius [sc. Magog] etiam progenie regis descendit . . . rex Athila), und die wenigen Zeilen, welche er über ihn niederschrieb, können natürlich nicht als Auszug einer Hunengeschichte, wie sie bei Keza und in den Nationalen Chroniken steht, aufgefasst werden. Aus all' dem geht zur Genüge hervor, dass der gemeinsamen Quelle Alberichs, Richards und des Anonymus, also den Gesta, eine Hunengeschichte abging. Sie enthielt wohl nur etwas über Attila als Ungarnkönig. Bei dieser Gelegenheit sei hervorgehoben, dass von den Hunen auch in der um 1200 entstandenen sogenannten ungarisch-polnischen Chronik (Studie III und VI) keine Erwähnung geschieht; auch hier wird, so wie noch beim Anonymus, Attila, der in dieser Chronik bereits ebenfalls erscheint, als rex Hungarorum bezeichnet (Mon. Pol. I, S. 495, 497). Die mündliche Ueberlieferung der Ungarn wusste offenbar ursprünglich gar nichts von den Hunen; erst später erfuhr man aus abendländischen Quellen und der deutschen Heldensage zunächst etwas von Attila = Etzel (vgl. Anonymus, S. 3 und 42: Ecilburgum; Keza, S. 64: Echulburc) und machte ihn zum ersten Ungarnkönig. So noch die Gesta und der Anonymus (siehe auch unten, S. 243f.). Sein Zeitgenosse Keza hat aber schon auf gelehrter Forschung Näheres über die Geschichte

der Hunen selbst festgestellt und seine ausführli
dieses Volkes der Ungarngeschichte vorangestellt

Die Gesta begannen mit einer Beschı
thiens als der Urheimat der Ungarn. ⁄
schreibung weist Richard hin, wenn er seinen B
Worten beginnt: ‚Iuventum fuit in gestis Unga
norum, quod esset alia Hungaria maior, de qua
cum populis suis egressi fuerunt, ut habitandi quer
eo quod terra ipsorum multitudinem inhabitan⸱
non posset.‘ Mit dieser Beschreibung beginnt ⸱
nymus seine Darstellung, wobei auch er hervoı
dass die Urheimat ‚quamvis admodum sit spatioe
tudinem populorum inibi generatorum nec alere
capere. Quapropter septem principales personae
runt, ut ad occupandas sibi terras, quas incol
natali discederent solo‘. Wie mit der Beschreib
beim Anonymus jene bei Keza und den Chroı
stimmt, ergibt sich aus den Parallelstellen unten,
lich erscheint jetzt bei Keza und den ihm folgen
die Beschreibung Skythiens durch die ausführli
der Hunengeschichte von der Ungarngeschichte
ja auch schon der Anonymus in die Beschre⬛
seine wenigen Nachrichten über Attila eingesch⬛
aus dem Vergleiche aller eben citirten Quell⬛
dass die Beschreibung Skythiens nicht zur H
gehört, sondern schon an der Spitze der alten⬛
rorum stand, wie dies der Auszug Richards und⬛
aber die Darstellung des Anonymus ergibt.

An die Beschreibung Skythiens sc
die Erörterungen über den Ursprung der
ihrer Führer, insbesondere Almus'. Sod⬛
Schilderung des Auszuges aus der Urhe⸱
Zuges nach dem heutigen Ungarn. Dies ⸱
Genüge aus den in Studie VII, S. 464ff., beigebı
stellen aus dem Anonymus, Keza und der Natioı
besten hat den ursprünglichen Aufbau seiner V⬛
nymus bewahrt. Richard hat zwar, dem Zweck
entsprechend, die Erörterungen über die Ab
Ungarn und ihrer Führer nicht berührt, wohl ⸱
schon oben sahen — den Auszug aus der Urł

stimmend angegeben, und über die Wanderung nach der neuen
Heimat lautet sein Auszug ebenso übereinstimmend: ‚Qui cum
multa regna pertransissent et destruxissent, tandem venerunt
in terram, que nunc Ungaria dicitur, tunc vero dicebatur pascua Romanorum.‘ Die letztere Nachricht findet sich an der
entsprechenden Stelle auch beim Anonymus (S. 10): ‚Quia post
mortem Athile regis terram Pannonie Romani dicebant pascua
esse . . . Et iure terra Pannonie pascua Romanorum esse
dicebatur . . .‘ Bei Keza und in den Chroniken findet man
diese natürlich aus den Gesta vetera herrührende Nachricht nicht.

Den weiteren Inhalt der Gesta bildete die Eroberung Pannoniens und die weitere Geschichte der
Ungarn bis gegen das Ende des 11. Jahrhunderts
(Coloman). Dies ergibt sich aus den ausführlichen Untersuchungen in Studie VII mit völliger Gewissheit. Wir haben
den dort enthaltenen Ausführungen nichts hinzuzufügen.

Nachdem wir nun den Aufbau und Umfang der Gesta
vetera im Allgemeinen kennen gelernt haben, wollen wir
uns der speciellen Betrachtung ihres Inhaltes zuwenden.

*b) Orientierende Bemerkungen über die Reichhaltigkeit
und Beschaffenheit des Inhaltes der Gesta vetera.*

Wir wollen zunächst die Frage ganz allgemein erörtern:
waren die Gesta etwa so reichhaltig wie der ihnen entsprechende Theil der Nationalchronik, oder waren sie etwa nur
spärlich wie Keza?

Wie Marczali der von uns bereits widerlegten Ansicht
huldigt (vgl. oben, S. 213 ff.), dass Keza die Nationalchronik
kürzte, so hat Heinemann (Neues Archiv XIII, S. 66) sich
dahin ausgesprochen, dass Keza seine Vorlage, also unsere
Gesta, ‚ungemein flüchtig excerpirte‘. Für diese Behauptung hat er ‚ein bemerkenswerthes Beispiel‘ angeführt,
das aber unserer Ansicht nach durchaus nicht so ausschlaggebend ist, wie er annimmt. Er macht nämlich auf folgende
Stelle bei Keza, §. 26, aufmerksam: ‚Hungari . . . duxerunt
Cesaris exercitum sursum juxta fluvium Rebche et utraque
flumina tota nocte equitando, orto sole facili vado transierunt.‘
Dass hier offenbar ein Flussname ausgefallen ist und die Stelle

richtiger wie im Chronicon Budense, S. 84, ‚iuxt
et Rahcha' gelautet hat, ist sicher; aber erin
daran, wie schlecht uns Keza überliefert ist, so
Fall alle beweisende Bedeutung. Uebrigens be
derartige Irrthümer überhaupt wenig; dergleicl
dem aufmerksamsten und sorgfältigsten Schreibe
Auch kommt es durchaus nicht auf den Nacl
Verstösse an: auf diese kann sich nicht unsere
stützen, deren Zweck die Erörterung der Fra
alten Gesta näher der reichen Chronik oder dem
Keza standen, ob sie überhaupt in ihrer Bescl
schon gleichkamen oder vielmehr der Darstellu
des Anonymus entsprachen. In dieser Beziehu
Folgenden wohl mit genügender Sicherheit nacl
den, dass Keza die alten Gesta in ihrem
fange uns in ursprünglicherer Gestalt ül
als die Chroniken. Diese haben dageg
lage bereits bedeutend erweitert und ı
Auch der Anonymus hat überaus viele In
vorgenommen; insofern aber seine Daı
den Gesta vetera beruht, hat er deren un
Ursprünglichkeit ebenfalls genauer geı
Chroniken.

Die Gründe, welche für diese Behauptu
sind vielfacher Art.

Zunächst möge darauf hingewiesen werd
keinen Grund zur Annahme haben, Keı
mit einem eilfertigen Excerpte begnüg
aussetzung widerspricht erstens der Umstand, d
die Geschichte seines Volkes mit Interesse verf
lichst vollständig verzeichnet wissen wollte, wofü
Unvollkommenheit mühevolle Zusammenstellun
geschichte ein gewichtiger Zeuge ist. Ferner abeı
übersehen, dass Keza in seiner Einleitung sich
wendet, dass er in seinem Auftrage arbeitet.
nicht wahrscheinlich, dass er es gewagt hätte, ı

---

[1] Ebenso ist der Hinweis Heinemann's S. 70 unsich
vetera haben ganz gewiss auch über den Heidenaı
1046 und über Gerhard nicht so viel enthalten, al
muthet. Man vergleiche weiter unten die Ausführun

bekannten und verbreiteten Geschichtswerke einen gar so
schlechten Auszug zu bieten, als seine Ungarngeschichte den
Chroniken gegenüber erscheint. Wir folgern daraus, dass
Keza's Vorlage, die Gesta vetera, magerer als die Nationalchroniken waren. Zu demselben Schlusse gelangt man, wenn man die Darstellung des Anonymus
mit jener der Nationalen Chroniken vergleicht. Wiewohl der Anonymus recht willkürlich mit seiner Vorlage zu
Werke ging, so wird man doch zugestehen müssen, dass seine
Darstellung eine geordnetere und der historische Gehalt derselben ein grösserer gewesen wäre, wenn ihm die reiche Nationalchronik vorgelegen wäre.

An zweiter Stelle machen wir den Umstand geltend, dass
man vielfach nachweisen kann, dass die bei Keza vorhandenen Lücken und Ungenauigkeiten in der Chronologie nur daraus zu erklären sind, dass er eine spär-
lichere Quelle benützte, als es die Nationalen Chroniken sind. Dies gilt auch betreffs der Vorlage des
Anonymus. Ganz besonders sind jene Fälle interessant, in
denen man alle drei Quellengruppen vergleichen kann. Ein
solcher Fall ist bereits oben, S. 220, angeführt worden. Hier
folgt eine ausführlichere Vergleichung der chronologischen Angaben der einzelnen Quellen. Im Chronicon Budense, S. 54 ff.,
wird mitgetheilt, dass nach der Eroberung Pannoniens die
Ungarn sechs Jahre ruhten, hierauf fielen sie im siebenten
Jahre in Mähren und Böhmen ein; dann folgte ein Jahr der
Ruhe; sodann fand der Einfall nach Kärnten, Krain und Steiermark statt; wieder folgen drei Jahre des Friedens, denen die
Kämpfe in Bulgarien und Italien sich anreihen; hierauf werden
wieder zehn friedliche Jahre gezählt; im elften folgen Raubzüge
in Deutschland; dann verharren die Ungarn 16 Jahre in
der Heimat, worauf sie im 17. ausziehen und es zur Lechfeldschlacht kommt u. s. w. Vergleicht man diese Darstellung
mit jener bei Keza (S. 73 f.) und beim Anonymus (S. 43 und
46 ff.), so finden wir von allen diesen genauen Bestimmungen
weder bei dem Einen noch bei dem Anderen etwas. Bei Keza
heisst es: ‚tandem — post hoc — abinde — tunc — tempore item
alio (!) — post hec‘ — und schliesslich steht statt jener 16 Jahre
des Friedens vor dem Entscheidungskampfe bei Augsburg:
‚transactis igitur paucis diehus‘. Dementsprechend findet man

auch beim Anonymus keine einzige Zeitbestimmung, die jenen in den Chroniken entsprechen würde; vielmehr hält der Verfasser noch weniger als Keza die einzelnen Begebenheiten auseinander, was sich nur daraus erklärt, dass die genauen Zeitangaben in der Vorlage fehlten. Für die grosse Niederlage versucht zwar auch er einen bestimmten Zeitpunkt anzugeben (postea vero anno V regnante Counrado); aber gerade die abweichenden Angaben zwischen den drei Geschichtswerken zeigt — wie bereits früher, S. 220, hervorgehoben worden ist — dass auch an dieser Stelle ihre Vorlage, die alten Gesta, keine bestimmte Angabe boten. Und wie für das zehnte, so können wir den Mangel derartiger genauerer chronologischer Angaben in den Gesta vetera auch für das elfte nachweisen. Man vergleiche darüber die S. 218 mitgetheilten Stellen, aus denen wohl zur Genüge hervorgeht, dass Keza in seiner Vorlage nicht die genaue Auseinanderhaltung der in die einzelnen Jahre fallenden Ereignisse vorfand. Dass die grössere Genauigkeit in der Nationalchronik erst eine Folge der erneuerten Verwendung der Annales Altahenses ist, wurde bereits oben, S. 214 ff. ausgeführt.

Im Anschlusse an die vorhergehenden Bemerkungen können wir als dritter Beweis für die kürzere und weniger vollendete Gestalt der Gesta Hungarorum den Umstand anführen, dass gewisse Stellen bei Keza sich durchaus nicht als Auszüge aus dem vorliegenden Texte der Nationalchroniken erklären lassen. Es genügt z. B., die Darstellungen der Streitigkeiten zwischen Salomon und Geisa und des Eingreifens des Kaisers Heinrich in dieselben zu vergleichen. Keza erzählt hier (§. 33, S. 86) die Ereignisse in einer ganz anderen Reihenfolge. Gleich zu Anfang des Streites berichtet er: ‚Rex autem Salomon Cesarem suum socerum contra Ladislaum et Geicham per Nitriam cum exercitu maximo introduxit. Qui Vaciam perveniens, Ladislai consilio speculato, finxit se infirmum, per Posonium in Austriam est reversus ...‘ Diese Nachrichten finden sich im Chronicon Budense erst auf S. 156—158 mit wörtlichen Anklängen, während das, was Keza darauf erzählt, hier bereits auf S. 145 ff. erzählt wird. Wie eine derartige Umstellung bei einem Auszuge möglich wäre, ist schwer zu erklären. Dagegen sind die Umstellungen, Verbesserungen und Erweiterungen, welche wir in

den Chroniken gegenüber Keza finden, leicht als Merkmale
eines mit reicheren Hilfsmitteln arbeitenden Interpolators zu
erkennen. Den Nachweis zahlreicher Interpolationen in der
Nationalchronik werden wir übrigens noch bei verschiedenen
Gelegenheiten erbringen.

Ferner kommt der Umstand in Betracht, dass die Nationalchronik ausdrücklich eine Erweiterung ihrer
Vorlagen ankündigt. In den verschiedenen Chronikredactionen findet sich nämlich folgende Stelle:[1] ‚Nos enim ea potius,
que ab aliis scriptoribus pretermissa sunt, breviter ac summatim
scribere intendimus.‘ Diese Worte besagen doch ganz offenbar,
dass der Chronist mehr bieten wolle als die verschiedenen ihm
vorliegenden Quellen, und er muss hiebei doch besonders an
die Erweiterung der ihm unzweifelhaft vorliegenden Gesta gedacht haben, wenn auch der Gedanke ihm nicht fern gelegen
sein mag, mehr als die von ihm benützten Legenden und
sonstigen Quellen zu bieten.

Wir gelangen hiermit schliesslich zum letzten, aber auch
höchst wichtigen Beweise. Es lässt sich nämlich überzeugend
darlegen, dass die Nationalchronik die ursprünglichen
Gesta durch eine Reihe von Nachrichten aus verschiedenen Quellen erweitert haben. Dies ist bezüglich
einer Reihe von Stellen, die aus den Annales Altahenses neu
von der Nationalchronik übernommen worden sind, bereits oben
dargelegt worden. Die weiteren bezüglichen Ausführungen
findet man im nächsten Unterabschnitte, in welchem wir uns
mit dieser Frage insbesondere beschäftigen werden.

Somit haben wir zur Genüge festgestellt, dass der Inhalt der Gesta im Allgemeinen ein spärlicherer war,
als jener der Nationalchronik ist.

*c) Nachweis, dass die Gesta vetera sowohl die Annales Alta-
henses weit spärlicher als die Nationalchronik benützt haben,
und dass sie die Legenden Stephans, Emerichs, Ladislaus' und
Gerhards nicht ausschrieben.*

Schon die Gesta Hungarorum vetera haben die Annales
Altahenses benützt. Wir sind aber schon oben, S. 213ff., zur

[1] Chronicon Budense, S. 62 und die anderen an den entsprechenden
Stellen.

Ueberzeugung gekommen, dass die Nationalchronik zu den bei
Keza bezeugten Entlehnungen der alten Gesta aus den genannten deutschen Jahrbüchern eine Reihe neuer genauerer
Stellen aus diesen hinzufügten. Dass auf die erneuerte Benützung der Annales Altahenses die genauere, chronologisch
geordnetere Darstellung der Nationalchronik zurückzuführen
ist, wurde bereits ebenfalls oben, S. 218 und 228, bemerkt.
Ausser diesen Einflüssen der Annalen liessen sich noch manche
andere anführen. So ist z. B. bei Keza, §. 28, S. 83, zu lesen:

> Tunc tres fratres Albensem ingressi civitatem
> ab omnibus episcopis, nobilibus omnique populo
> cum summa laude sunt suscepti, et Andreas evo
> potior in regni solium sublimatur.

Wenn nun dem gegenüber die Nationalchronik (Chronicon
Budense, S. 101) Folgendes bietet:

> Porro dux Andreas a perturbationibus hostium
> securus effectus, in regia civitate Alba regalem co-
> ronam est adeptus; a tribus tantum episcopis,
> qui in illa magna strage christianorum eva-
> serunt, coronatus est . . .,

so ist der Einfluss der Annales Altahenses völlig klar. Diese
haben nämlich folgende Nachricht (a. 1046, S. 43):

> A tribus ergo pontificibus, qui residui
> erant, accepit ille regalem ordinationem . . .

Auch noch einen zweiten ähnlichen Fall ergibt die Geschichte Andreas'. Keza berichtet über dessen Kriege Folgendes
(§. 30, S. 84):

> Cum igitur Andreas diadema regni suscepisset,
> cum Noricis, Boemis et Polonis guerram dicitur te-
> nuisse, quos superans debellando tribus annis fecisse
> dicitur censuales. Propter quod Heinricus imperator
> descendens usque Bodoct V mensibus Albam obsedit
> civitatem . . . Es folgt eine sagenhafte Ueberlieferung
> über die Niederlage der Deutschen.

Keza erzählt also nur von einem Feldzuge des Kaisers
und weiss überdies nur ungarische Ueberlieferung zu berichten.
Anders dagegen die Nationalchronik. Diese Redaction (Chronicon Budense) bietet zwar ebenfalls S. 102 die Nachricht:

Tribus idem annis Polonos, Bobemos et Australes
suis armis Hungaris fecit censuales . . .

Dann aber folgen (S. 104—107) allerlei Nachrichten über
andere Begebenheiten, die sich zum Theile gegenüber der Darstellung bei Keza deutlich als Einschübe erweisen,[1] und sodann (S. 108) berichtet das Chronicon Budense zum Theile in
Uebereinstimmung mit den Annales Altahenses über zwei Feldzüge des Kaisers in aufeinanderfolgenden Jahren; insbesondere
weiss es wie diese (a. 1052) über die vergebliche Belagerung
von Pressburg zu erzählen; erst dann berichtet es (S. 108),
dass der Kaiser ‚appropinquavit montibus Bodouch‘, worauf
wieder in ziemlicher Uebereinstimmung mit Keza dessen Erzählung folgt. Die Verbesserungen sind ganz offenbar in den
Chroniken erst auf die erneuerte Verwendung der Annalen
zurückzuführen. Vieles hieher Gehörige ist bereits auch oben,
S. 214 ff., ausgeführt worden; Anderes wird unten bei der Feststellung des Bestandes der Gesta vetera noch besprochen werden (S. 276 ff.). Wir bemerken nur noch, dass bei diesen unseren
Untersuchungen leider der Anonymus nicht in Betracht gezogen werden kann, weil seine Darstellung bekanntlich das
11. Jahrhundert nicht mehr umfasst, für welches die Annales
Altahenses benützt wurden. Dasselbe gilt leider auch für die
folgenden Betrachtungen, die eben insgesammt die Geschichte
des 11. Jahrhunderts umfassen. Wir müssen uns mit dem Vergleiche von Keza und der Nationalchronik begnügen. Aber es
ist wohl unzweifelhaft, dass, wenn bei Keza sich irgend eine
Quelle nicht benützt findet, welche in den Chroniken ausgeschrieben erscheint, man unmöglich annehmen kann, Keza hätte
die aus dieser Quelle herrührenden Nachrichten seiner Vorlage
— der Gesta — nicht berücksichtigt. Vielmehr ist nur der
Schluss möglich, dass sie in diesen nicht vorhanden waren,
sondern erst durch den Verfasser der Nationalen Grundchronik
oder Ofener Minoritenchronik aufgenommen wurden. Wir
können auf diesem Wege nachweisen, dass in den Gesta die
Stephanslegenden, ferner jene Emerichs, Ladislaus’ und Gerhards

---

[1] So ist z. B. die Erzählung S. 104 über die nachträgliche Berufung
Belas ein jüngerer Einschub, denn nach der Darstellung Keza's (§. 27
und 28, S. 83) kamen alle drei Brüder (Andreas, Bela und Leventha)
zusammen nach Ungarn. Das Nähere vgl. unten S. 234.

nicht benützt wurden, während dieselben in der Nationalchronik sämmtlich benützt oder auch ausdrücklich genannt
erscheinen. [1]

Was zunächst die Stephanslegenden betrifft, so zeugen
folgende Umstände dafür, dass dieselben in der Vorlage Keza's,
also in den Gesta, nicht benützt worden waren. In den Legenden [2] wird ausdrücklich der Kampf Stephans gegen die
Aufständigen (unter Leitung Cupan's) in den Anfang seiner
Regierung und vor die Königskrönung gesetzt. Bei Keza
lesen wir dagegen, §. 24, S. 77: ‚Sanctos namque rex Stephanus
coronatus et tandem duce Cuppan interfecto, Iula avunculo suo
cum uxore . . .‘ Die Nationalchronik (Chronicon Budense), die
sich, S. 61, bereits ausdrücklich auf eine ‚Legenda sancti Stephani regis‘ beruft, erzählt zunächst, S. 63 f., den Kampf gegen
Cupan, erwähnt sodann, S. 65, die Krönung ‚Porro beatus Ste-
panus, postquam regie celsitudinis coronam divinitus est adeptus‘
und erzählt erst hierauf den Kampf gegen Gyula. Dass diese
Richtigstellung auf den Einfluss der Legende zurückzuführen
ist, kann nicht zweifelhaft sein. Ueber die Erbauung der Kirche
zu Stuhlweissenburg berichtet Keza, §. 24, S. 78: ‚. . . quam
fundasse perhibetur.‘ Diese von einer gewissen Unsicherheit
zeugende Ausdrucksweise müsste jede Quelle vermieden haben,
welche die Legenden kannte. Dementsprechend heisst es auch
im Chronicon Budense, S. 66: ‚quam ipse fundaverat.‘ Drittens
möge darauf verwiesen werden, dass nach Keza, §. 25, S. 79,
Peter der Sohn von Gisellas Schwester ist (Regina vero
Kysla consilio iniquorum Petrum Venetum filium sororis sue . . .).
Dieser Fehler wäre wohl in seine Darstellung nicht hineinge-
rathen, wenn ihm oder seiner Vorlage der klare Bericht in den
Legenden Stephans vorgelegen wäre, dass Peter der Sohn der
Schwester Stephans sei (Vita maior, §. 15: ‚. . . primum
cum eis tractavit de substituendo pro se rege, Petro videlicet
sororis sue filio, quem in Venetia genitum . . .‘; vgl. Hartwich,
§. 22). Die Nationalchronik (Chronicon Budense, S. 75), deren

---

[1] Darauf hat schon Rademacher in den Forschungen zur deutschen Geschichte XXV, S. 388 f. in Kürze hingewiesen. Heinemann, Neues
Archiv XIII, 69 f. schliesst sich nur theilweise dieser Ansicht an. Vgl.
weiter unten im Texte die Ausführungen über die Gerhardlegende.

[2] Vita maior, §. 6 und 9 (bei Florianus, Fontes I, 15 ff.); Vita von Hartwich ebenfalls §. 6 und 9 (ebenda, S. 39 ff.).

Verfasser offenbar beide Nachrichten (Gesta vetera und die Legende) vorliegen, weiss sich nicht Rath zu schaffen; er macht einerseits Peter zum Bruder Gisellas, weiss aber auch bereits — wie die Legende — dass dieser ein Sohn von Stephans Schwester sei. [1]

Weniger bestimmt lässt sich der Beweis erbringen, dass dem Verfasser der Gesta nicht die Emerichslegende vorlag. Dieselbe bietet leider viel zu wenig greifbares Material und viel zu viel Phrasen, als dass sich ihr Einfluss genau nachweisen liesse. Was aber bei Keza (S. 78) über Emerich zu lesen ist, scheint uns gegenüber den Lobpreisungen in der Legende und den auf dieser beruhenden Ausführungen in der Nationalchronik (Chronicon Budense, S. 70; vgl. auch S. 61, wo die Emerichslegende ausdrücklich citirt wird) etwas zu kühl zu sein, als dass es auf der Legende beruhen würde. Wie dem aber auch sein mag, sicher ist es, dass der Verfasser der Nationalchronik die Emerichslegende kannte (vgl. Chronicon Budense, S. 61: ‚quique enim hoc scire voluerit, ex legenda eiusdem beatissimi confessoris plenam sanctissime eius conversationis noticiam habere potuerit) und aus dieser sich für den Heiligen zu seinen Lobpreisungen begeisterte.

Dass sich von der Ladislauslegende bei Keza noch keine Spur findet, haben bereits auch Rademacher und Heinemann [2] festgestellt. Wir brauchen darauf also nicht näher einzugehen. Dass Keza nicht aus der Ladislauslegende etwa in die Gesta vetera geflossene Stellen aus diesen entfernte, liegt klar am Tage. [3]

Von hoher Bedeutung ist die Untersuchung über die Gerhardslegende. Auch bezüglich der Nachrichten über Gerhard soll sich nämlich Keza überaus bedeutende Kürzungen

---

[1] Nach der Chronik findet nämlich folgendes verwandtschaftliches Verhältniss statt:

Wilhelm von Venedig

1. Gemahlin: Gertrud   2. Gemahlin: die Schwester Stephans

Königin Gisella   Peter

[2] Vgl. S. 232, Anm. 1.

[3] Sicher lag die Ladislauslegende bereits dem Verfasser der Nationalen Grundchronik vor. Ueber die nochmalige Benützung in späteren Redactionen der Chronik ist zu vergleichen Studie VII, Anm. 28.

zu Schulden kommen lassen. Heinemann (Neue
S. 70f.) ist der Ansicht, dass in der Vorlage K
Nachrichten über den Heiligen gestanden seien,
die Legende desselben geflossen sei; Keza hä
richten weggelassen; in den Nationalen Chroni
neben diesen stehen gebliebenen Nachrichten
noch neuerdings die Legende benützt worden
Ansicht richtig wäre, so hätte sich Keza allenf
zungen schuldig gemacht. Aber vergebens frag
nächst nach einem Grunde, warum er von d
wissenswerthen Nachrichten, welche die Leger
die angeblich in den Gesta vetera gestanden
wenig behielt?! Was konnte ihn doch wohl
haben? Ferner erscheint es uns doch sehr un
innerhalb der jedenfalls verhältnissmässig knapp
der Gesta so viele Nachrichten über Gerhard j
funden hätten, als sie Heinemann's Ansicht vor
kommt nun aber Folgendes: Unter dem We
Keza über Gerhard vor seinem Auftreten geg
wird, erfahren wir, dass er ,monachus prius
censi abbatia' (§. 29, S. 84). Dieselbe Nachrich
der Nationalchronik (Chronicon Budense, S. 97)
daher auch sicher in der gemeinsamen Quelle.
Legende aus derselben floss, warum erwähnt
richt gar nicht? Es ist doch sehr unglaublich
gendenschreiber, der alles Andere den Gesta en
soll, diese Nachricht ausgelassen hätte. — Ebe
werth ist folgender Umstand. Nach Keza (§. 27
kommen auf die Einladung der ungarischen (
mit Peter unzufrieden waren, sofort alle drei je
pathen weilenden Brüder (Andreas, Bela und I
Ungarn. Nach der Darstellung der Vita s.
der Nationalchronik (Chronicon Budense, S. 92 u
dagegen nur die beiden älteren zurück, währe
erst später nachfolgt. Es ist augenscheinlich, da
chronik aus der Vita die Mittheilungen ihrer
Gesta — verbessert. Ganz willkürlich erschein
nahme, dass die Vita trotz ihrer abweichenden

---

[1] Endlicher, Monumenta Arpadiana I. 227.

den Gesta vetera beruht. — Schliesslich vergleiche man noch folgende Stellen:

Legende, S. 226.	Keza, S. 81.	Chr. Budense, S. 82.
Alba comes palacii . sanctis quadragene diebus honestisnos quosque sui conü viros fustibus et lis velut jumenta seu uta animalia ausus i interficere.	(Alba) viros quinquaginta consiliandi causa in unam domum evocavit, quibus in eadem inclusis crimen non confessos nec convictos legibus caput fecit detruncari.	Cum enim rex Cha nadini Quadragesimaı celebraret, in eaden Quadragesima circite quinquaginta viros no biles sub pretextu con siliandi in quadam d mo inclusit et ab a matis milibus fecit eo obtruncari nec contrı tos nec confessos.

Wir constatiren, dass 1. zwischen der Legende und Keza sich gar keine wörtlichen Anklänge finden, was doch an dieser Stelle, die dasselbe gleich ausführlich erzählt, bei gemeinsamer Quelle ganz unerklärlich wäre; und 2. in den Nachrichten sich eine ganz merkwürdige Divergenz zeigt: die Vita führt die Zeit an, Keza die Anzahl der Erschlagenen; die Vita bezeichnet die Ermordeten als Räthe Abas, Keza spricht nur vom Vorwande einer Rathsversammlung; die Vita erzählt die Art der Ermordung, Keza hebt hervor, dass die Ermordeten keine Schuld gestanden hätten und auch keiner auf gesetzlichem Wege überwiesen worden wäre. Da ist doch offenbar keine Spur derselben directen Quelle! Die Nationalchronik hat dagegen offenbar die Nachrichten der Gesta Hungarorum vetera, welche auch Keza vorlagen, mit jenen der Vita, welche aber sicher nicht auf die Gesta zurückgeht, verbunden, wobei er in unsinniger Weise die Bemerkung der Gesta über die nicht stattgefundene gerichtliche Ueberführung der Getödteten auf Beichte und Communion auslegt.[1] Wir dürfen also als unzweifelhaft annehmen, dass die Gesta sehr wenig über Gerhard enthielten; was jetzt in der Nationalchronik über ihn steht, kam herein durch die Benützung der Vita s. Gerhardi durch den Verfasser der Ofener Minoritenchronik.

---

[1] So fasst bereits Muglen die Stelle in der Nationalchronik auf: „. . . vnd liess sie gar enthaubten an alle peicht‘ (S. 43).

Aus unseren Ausführungen geht es somit hervor, dass
den ursprünglichen Gesta Hungarorum vetera gegenüber den nationalen Chroniken eine Reihe von Stellen
aus den Annales Altahenses und den ungarischen Legenden (Stephan, Emerich, Ladislaus und Gerhard)
fehlten. Ihrer Reichhaltigkeit nach standen sie also
sicher viel näher Keza als den Chroniken; Einzelnes
hat Keza allenfalls vielleicht ausgelassen, wie er andererseits
auch Einzelnes hinzufügte. Die Nationalchronik hat die ursprünglichen Gesta aus den eben genannten Annalen, den Legenden und wohl auch anderen Quellen, wie auch aus der
Ueberlieferung bedeutend erweitert.

*d) Anmerkung zur Herstellung der Gesta Hungarorum vetera
in ihrer ursprünglichen Gestalt.*

Entsprechend unserem früher entwickelten Plane schreiten
wir nun daran, im Einzelnen Schritt für Schritt festzustellen,
was in den uns erhaltenen Chroniken aus den Gesta herrühren
könne, und was spätere Interpolation oder Umarbeitung sei.
Unsere Absicht kann es hiebei nicht sein, eine eigentliche Herstellung des Textes der Gesta zu versuchen, weil noch die
nöthigen kritischen Ausgaben der verschiedenen Chronikredactionen nicht zur Verfügung stehen. Wohl aber werden in diesen
Paragraphen manche Winke und Vorarbeiten für dieses Unternehmen Platz finden. Bei dieser Gelegenheit werden wir auch
vielfach Gelegenheit haben, unsere früheren Ergebnisse zu er-
proben und zu stützen.

Die an der Spitze der Gesta befindliche Beschreibung
Skythiens als Urheimat der Magyaren (vgl. oben, S. 224) hat

Regino.	Anonymus.
A. 889. A Scythicis regnis et a paludibus, quas Thanais sua refusione in immensum porigit. — Scythia, ut aiunt, in oriente extensa includitur ab uno latere Ponto, ab al-	S. 2 ff. Scithia igitur maxima terra est, que *Dentumoger* dicitur, *versus orientem*. Finis cuius ab *aquilonali* parte extenditur usque ad nigrum *pontum*. A tergo autem habet flu-

sowohl der Anonymus (S. 2—4) als Keza (S. 56—57) selbständig benützt, indem sie zahlreiche Aenderungen und Interpolationen vornahmen. Die Nationalchronik (Chronicon Budense,
S. 10—12) hat mit Keza's Hunengeschichte auch dessen Umarbeitung der Beschreibung Skythiens, und zwar wieder mit
Aenderungen, übernommen; hiebei wurde offenbar der Text
der Gesta, wiewohl diese dem Verfasser der Chronik vorlagen,
nicht berücksichtigt, weil sich nirgends eine grössere Verwandtschaft zwischen dem Texte der Chronik und dem Anonymus
zeigt, als sie Keza aufweist. Dass die verschiedenen Darstellungen in der Beschreibung Skythiens so sehr abweichen,
ist leicht erklärlich. Es lagen hierüber die verschiedenartigsten
Quellen vor, darunter auch schon die Ergebnisse der Forschungen des 13. Jahrhunderts, aus denen die wahrscheinlich
knappe Schilderung der alten Gesta ergänzt werden konnte.
Die gemeinsamen, auf die Gesta zurückgebenden Stellen dieser
Beschreibung beim Anonymus, Keza und der Chronik sind
schon zum Theile in Studie VII, S. 462—465, zusammengestellt
worden. Dort ist auch unzweifelhaft bewiesen worden, dass
die Schilderung in den Gesta vetera auf Regino beruhte. Um
nun einerseits den gemeinsamen, auf die Gesta zurückgehenden
Kern, dann aber auch das Verhältniss zu Regino besser zu beleuchten, folgt eine ausführlichere Zusammenstellung der Parallelstellen. Es genügt, besonders den Anfang derselben genau
zu beobachten, um aus den gesperrt gedruckten Citaten zu
erkennen, dass Anonymus und Keza = Chronik aus den Gesta
schöpfen: nur so erklärt sich der Umstand, dass bald jener,
bald diese dem Regino näher stehen, alle drei Ableitungen
aber Gemeinsames haben, was dem Regino fehlt (*cursiv* Gedrucktes).

Keza.	Chr. Budense.
S. 57. Scithicum enim re-gnum . . . in regna tria divi-ditur principando, scilicet in Barsaciam, *Dentiam et Mogoriam.*	S. 10. Scitia enim . . . in tria regna dividitur principando, sci-licet in Barsaciam, *Denciam et Mogoriam.*
S. 56. Scitica enim regio in Europa situm habet, exten-ditur enim *versus orientem*; ab	S. 10. Scitia enim regio in Europa situm habet et exten-ditur *versus orientem:* ab uno

tero montibus Ripheis, a
tergo Asia et Ithasi flumine.
Patet autem multum in
longitudinem et latitudi-
nem. Hominibus hanc in-
habitantibus inter se nulli
fines. — Ipsi perpetuo ab alie-
no imperio aut inacti aut in-
victi mansere. — Habundant
vero tanta multitudine populo-

rum, ut eos genitale solum non
sufficiat alere. Septentrio-
nalis quippe plaga quanto magis ab estu solis remota est
et nivali frigore gelida, tanto
salubrior corporibus hominum
et propagandis gentibus
coaptata ... ad exquiren-

das, quas possent incolere,
terras sedesque statuere vale-
dicentes patriae iter aripiunt.

men, quod dicitur Thanais,
cum paludibus magnis ...
Scithica autem terra multum
patula in longitudine et
latitudine. Homines vero,
qui habitant eam, vulgariter
Deutumoger dicuntur usque
in hodiernum diem, et nullius unquam imperatoris pote-
state subacti fuerunt ... Sci-

thica enim terra quanto a torrida zona remotior est,
tanto propagandis generi-
bus salubrior. Et quamvis
admodum sit spatiosa, tamen
multitudinem populorum inibi
generatorum nec alere suffi-
ciebat *nec capere*. Quapropter

septem principales persone, qui
hetumoger dicti sunt ... con-
stituerunt, ut ad occupandas
sibi terras, quas incolere
possent, a natali discederent
solo.

Die vorstehenden Parallelstellen ergeben den Kern
der Beschreibung Skythiens in den Gesta. Da wir
annehmen dürfen, dass die verschiedenen Ableitungen doch
nur wenig Wesentliches übereinstimmend ausliessen, so darf
man folgern, dass aus den vorstehenden Stellen der Bestand
der Gesta sich ziemlich vollständig ergibt. Das in den einzelnen Ableitungen enthaltene Mehr an Nachrichten wird man

uno vero latere *ponto aquilo-*
nali, ab alio montibus Ri-
feis includitur... De oriente
quidem Asia iungitur ... duo
magna flumina, uni nomen Etul.
Longitudo siquidem Scitice
regionis stadiis CCC et LX
extendi perhibetur, latitudo
vero CXC. Situm enim natu-
ralem habet tam munitum ...
propter quod nec Romani ce-
sares, nec magnus Alexander
... potuerunt in eam introire.
S. 56. Scithica enim regio ...
a torrida zona distans.

latere *ponto aquilonari,* ab
alio vero Ripheis montibus
includitur, cui de oriente
Asya, et de occidente fluvius
Etul, id est Don.

ganz ähnlich wie bei Keza.

S. 56. In gentem validissi-
mam succrescere ceperunt, *nec*
capere eos potuit ipsa regio et
nutrire.

S. 10. In gentem validissi-
mam crescere ceperunt, *nec eos*
capere ipsa regio poterat, aut
nutrire.

S. 57f. Igitur in etate sexta
seculi multiplicati Huni in Scitia habitando ut arena ... uno
corde occidentales occuperent
regiones.

S. 14. In sexta igitur etate
seculi multiplicati sunt Huni in
Scitia ut arena ... occidentales regiones invadere decre-
verunt.

also wenigstens zum grössten Theile Erweiterungen zuzuschreiben haben. So waren vor Allem den Gesta eine
Anzahl von Stellen fremd, welche Anonymus, wie dies
F. Rühl in den Forschungen zur deutschen Geschichte XXIII,
S. 601f., nachgewiesen hat, aus den von demselben Forscher
in den Jahrbüchern für classische Philologie 1880, Bd. 26 (= 121),
herausgegebenen Auszügen aus einer auf Cassiodor be-

ruhenden gothischen Urgeschichte entnommen hat. Es
genügt hier zunächst, auf dessen allenfalls nicht ganz richtige
Parallelstellenverzeichniss zu verweisen. Zusätze des Anonymus
sind auch die Namen der in Skythien vorkommenden Pelz-
thiere (S. 2), Einzelnes von den hier eingeschobenen Mittheilungen über Attila (S. 3)[1] und andere Kleinigkeiten. Die Bemerkung des Anonymus, S. 2 und 3, dass in den Flüssen
des Landes Edelsteine und Gold gefunden werden,
wird kaum aus Guido de Columna entnommen sein, wie Marczali[2] und Rühl[3] meinen. Die Erwähnung der Edelmetalle
und Edelsteine wurde vielmehr durch die eben erwähnten Auszüge veranlasst, die Angabe der Flüsse als Fundort rührt aber
aus den Gesta her, welche nach dem Ausweise des Anonymus
und der Chronik an einer späteren Stelle ganz Aehnliches von
Siebenbürgen behaupteten.[4] Uebrigens wusste Anonymus ab

---

[1] Insbesondere stand auch nicht die Angabe darinnen, dass Attila ,a. den.
inc. CCCCLImo de terra Scithica' auszog. Kesa, §. 6, setzt nämlich
diesen Auszug ,anno dom. septingentesimo'; die Chronik (Chronicon Budense, S. 14) ,CCC vicesimo octavo'. Was darin von den Nachrichten
über Ofen stand, ist schwer zu entscheiden. Vgl. unten den Text S. 244.

[2] Forschungen zur deutschen Geschichte XVII, S. 632.

[3] Ebenda XXIII, S. 603; doch vergleiche S. 608.

[4] Die Stelle bei Guido lautet nach Marczali: ,. . . ditissimus auro et
gemmis, que in flumine Tigri et Euphrate crebrius inveniuntur.' Diese
Stelle hat mit Anonymus nichts mehr als den Gedanken, dass Flüsse
der Fundort von Gold u. s. w. sind, gemein. Aehnliches behaupten bekanntlich auch andere Schriftsteller: Isidor, Originum, lib. XVI, cap. II,
§. 4: ,Mittunt eam (sc. galactitem, d. i. einen weissen Edelstein) Nilus
et Achelous amnes.' — Plinius, Nat. Hist., lib. IV, 115: ,Tagus aurifera
harenis celebratur; lib. XXXIII, 66: ,Aurum invenitur tribus modis: fu-
minum ramentis, ut in Tago Hispaniae, Pado Italiae . . .' Daraus folgt
noch nicht, dass Anonymus aus ihnen schöpfte. Seine Stelle beruht
vielmehr ganz offenbar zunächst auf den Auszügen und auf den Gesta.
Man vergleiche:

Anonymus.	Auszüge.	Gesta.
S. 2. Nam ibi habundat aurum et argentum et inveniuntur in fluminibus terre illius preciosi lapides et gemme.	1. Auszug (Codex Laurentinianus), Zeile 140: aurum et argentum nimis sicut lapidis ibidem invenitur et multa alia gemmarum diversitas.	Bei Anonymus, §. 25: Quod terra illa (Ultrasilvana) irrigatur optimis fluviis . . . in arenis eorum aurum colligeret.

Ungar sicher, dass aus dem Sande der Flüsse Gold gewaschen werde. Schliesslich bemerken wir noch, dass die in Keza und der Chronik gegebenen näheren geographischen und ethnographischen Erläuterungen gewiss erst auf den Ergebnissen der Forschungen beruhen, die kurz vor dem Niederschreiben dieser Chroniken stattfanden. Aus der Betrachtung der Parallelstellen ergibt sich aber auch zur Genüge, dass bereits die Gesta Regino benützt haben. Ausschlaggebend ist hiefür das dem Anonymus und Keza gemeinsame ‚a torrida zona remotior (distans)‘, was nur durch Vermittlung der Gesta erklärt werden kann, denen hiefür Regino's Bericht ‚ab estu solis remota‘ vorlag. Bezüglich einzelner Stellen, an denen Anonymus dem Regino näher steht als die Anderen, kann entweder angenommen werden, dass dies aus einer selbständigen Benützung des Regino durch den Anonymus zu erklären sei, was sich für gewisse spätere Nachrichten thatsächlich nachweisen lässt;[1] oder man kann annehmen, dass diese Stellen so schon in den Gesta standen, von Keza aber geändert worden sind und daher auch in der Chronik, die in dieser Partie dem Keza folgt, so erscheinen.[2]

Wir übergehen nun zur Erzählung vom Ursprunge der Ungarn und ihrer Führer, besonders Arpads. Nach dem Ausweise des Anonymus gehören die ausführlichen gelehrten Mittheilungen über die Entwicklung des Menschengeschlechtes nicht den Gesta an; sie sind vielmehr erst von Keza (§. 2 und 3) aus den verschiedenen mittelalterlichen Schriftstellern zusammengetragen worden. Wohl enthielten

---

| §. 3. Aurum et argentum et gemmas habebant (Scythae) sicut lapides, quia in fluminibus eiusdem terre inveniebantur. | 2. Auszug (Codex Bambergensis) Zeile 127: aurum et gemmas sicut lapides habebant. | Im Chronicon Budense, S. 65: Erdeel, quod irrigatur plurimis fluviis, in quorum arenis aurum colligitur. |

[1] Siehe weiter unten besonders über die Darstellung der Kriege zur Zeit Ottos des Grossen.

[2] Die Chronik hat nämlich die bei Keza zur Hunengeschichte gezogene Beschreibung Skythiens mit dieser Hunengeschichte aus Keza übernommen. Siehe oben, S. 237. Dies erschwert hier unsere Arbeit, weil wir nicht drei, sondern nur zwei selbständige Ableitungen aus den Gesta besitzen.

aber bereits die Gesta die Nachricht, dass Japhets Nachkomme, Magog, der Stammvater und Namengeber der Magyaren war. Dass diese im Mittelalter weit verbreitete Ansicht[1] auch dem Verfasser der alten Gesta bekannt war, ergibt sich aus dem Umstande, dass alle Ableitungen sie enthalten. Man vergleiche:

Anonymus.	Keza.	Chr. Budense.
§. 1. Et primus rex Scithie fuit Magog filus Japhet, et gens illa a Magog rege vocata est Moger. — Scithia igitur maxima terra est, que Dentumoger dicitur.	§. 2. Menroth (filius Thana ex semine Japhet) duos filios Hunor scilicet et Mogor . . . generavit, ex quibus Huni sive Hungari sunt exorti. §. 5. Sciticum enim regnum . . . in regna tria dividitur, scilicet in Barsaciam, Dentiam et Mogoriam.	S. 7. Nemroth (Tana ex duos filios Hunor licet et Magor . . neravit, ex quibus sive Hungari egressi. S. 10. . . . in tria regna ditur principand licet in Dentiam et M riam. S. 35. Eleud . . . in Mo genuit filium. S. 36 vulgariter Magy sive Huni, latine Hungari.

Aus den vorstehenden Stellen ergibt sich wohl zur Genüge, dass die Nachricht: Magog — Magor — Mogor sei Stammvater der Magyaren, schon in den Gesta stand.[2] Hunor war dagegen in diesen noch nicht genannt; daher weiss Anonymus nichts von demselben, wie er auch nichts von den

---

[1] Sie steht sowohl z. B. bei Isidor, Originum lib. IX, cap. II, §. 27 (Magog, a quo Scythas et Gothos traxisse originem), und ebenda, lib. XIV, cap. III, §. 31 (Scythia sicut et Gothia a Magog filio Japhet fertur cognominata), als auch in den oben erwähnten Auszügen: Codex Laurentinianus, Zeile 136: ,Magog filius Jafeth eam incoluit . . . Gog et Magog nuncupantur' (vgl. Zeile 160); Codex Bambergensis, Zeile 123: ,primum in ea habitavit Magog filius Jafet.

[2] Was Marczali darüber in den Geschichtsquellen, S. 92, ausführt, ist ganz irrig; er übersah, dass sowohl bei Keza als in der Chronik Mogor als Stammvater genannt wird.

Hunen erzählt, ja nicht einmal ihren Namen nennt; erst Keza nahm neben Mogor auch Hunor als Stammvater der Hunen auf (vgl. oben, S. 223). Bei Anonymus dürfte also die Stelle in ziemlich ursprünglicher Gestalt stehen. Auch seine folgende Behauptung (S. 3): ‚A cuius (Magog) etiam progenie regis descendit nominatissimus atque potentissimus rex Athila qui anno dom. inc. CCCCLIo de terra scithica descendens cum valida manu in terram Pannonia venit et fugatis Romanis regnum obtinuit‘ dürfte bereits in den Gesta angedeutet gewesen sein. Hiefür lassen sich verschiedene Gründe anführen. Zunächst muss hervorgehoben werden, dass auch z. B. in den anderen Ableitungen Attila als Stammvater der Arpaden erscheint.[1] Auch ist, wie bereits oben, S. 223, hervorgehoben wurde, schon in der ungarisch-polnischen Chronik Attila als erster Ungarnkönig, von dem die folgenden abstammen, angeführt. Erinnern wir uns, dass dieser Chronik eine unseren Gesta verwandte Quelle vorlag (Studie VI, S. 526 f.), so kommen diese Umstände um so mehr in Betracht. Attila muss aber wohl auch deshalb in den Gesta bereits genannt worden sein, weil die übereinstimmenden Aeusserungen der Ableitungen insgesammt dahin gehen, dass die Ungarn Pannonien als Erbe Attilas in Besitz nahmen. Wenn Anonymus an einer Stelle (§. 9) dies mit den Worten zum Ausdrucke bringt:[2] ‚Post mortem Athile regis terram Pannonie Romani dicebantur pascuam esse ... et iure terra Pannonie pascua Romanorum esse dicebantur‘, so finden wir hierin auch enge Beziehung zu Richard's Notiz (siehe oben, S. 225): ‚... tandem venerunt in terram, que nunc Ungaria dicitur, tunc vero dicebatur pascua Romanorum.‘ Dass dieses Verhältniss sich aber nur aus der gemeinsamen Quelle, den Gesta, erklären lässt, ist wohl unzweifelhaft. Wir dürfen also wohl annehmen, dass schon die Gesta Attila als König der Ungarn und einstigen Beherrscher von Pannonien nannten. Ihnen gehört auch die Bezeichnung Pannoniens als ‚pascua Romanorum‘

---

[1] Vgl. unten, S. 245.

[2] Siehe auch §. 11: ‚que etiam primo fuisset terra Athile regis. Et mortuo illo preoccupassent Romani principes terram Pannonie ... Vgl. §. 14, S. 15: ‚Dux Arpad ... respondit dicens: Licet proavus meus potentissimus rex Athila habuerit terram, que iacet inter Danubiam et Thysciam.‘ Ebenso, §. 19.

an. Näheres über Attila und die weiter
der Hunen, wie sie bei Keza, §. 6—15
Chronik (Chronicon Budense, S. 14—3?
werden, enthielten aber die Gesta ganz
Zu dem an früheren Stellen (vgl. besonders obe?
über Gesagten mag hier nur noch betont we
besondere auch eine Zeitangabe über den Aus
der Hunen aus der Urheimat in den Gesta n?
halb stimmen darin die verschiedenen Ableit?
überein:[2] nach den Angaben der Chronik· vers?
Attila und der Einwanderung der Ungarn nach
550 Jahre, nach der Angabe des Anonymus
jener Keza's nur etwa 180 Jahre, so dass sche
wieder in Pannonien einwanderte. Erwähnt ma
Umstand werden, dass die ungarisch-polnisch
keine Unterbrechung im Besitze Pannoniens d?
eintreten lässt und zwischen Attila und Gei?
dichtete Könige (Coloman, Bela) setzt. Beim A?
wir aber vergebens nach einer Aufklärung ?
wie es denn kam, dass die Magyaren, mit d?
Attila nach Ungarn kam, später wieder aus Ost
Die wenigen Bemerkungen, die sich sonst nocl
schichte beim Anonymus S. 3 finden, beziehen
‚regalem locum‘, der ‚per linguam hungarica?
Buduvar et a Teothonicis Ecilburgum[1] vocatur‘.
lung findet ihr Gegenstück bei Keza[3] und ko?
auch in den Gesta gestanden sein, obwohl
kenntniss natürlich sowohl dem Anonymus als ?
eine Quelle zugeschrieben werden kann. Al
bemüssigt, anzunehmen, dass der Anonymus.
sie in den Text seiner Vorlage einschob, de?
dem obigen Citate folgendermassen fort: ‚Quid

---

[1] Dass dagegen im Schlussparagraphe der Hunengesc?
und Chronicon Budense, S. 32 f.) bereits Einiges ?
nommen ist, wurde bereits in Studie VII, S. 469, b
gleich darauf bei der Eroberungsgeschichte zurückk?

[2] Siehe oben, S. 240, Anm. 1.

[3] S. 64: „... Teutonici interdictum formidantes eam E?
Huni vero usque hodie ... eandem vocant Oubuda?
Chronicon Budense, S. 24, wo die Form ‚Buda Vara‘

storis teneamus. Longo autem post tempore de progenie eiusdem regis Magog descendit Ugek, pater Almi ducis, a quo
reges et duces Hungarie originem duxerunt, *sicut in sequentibus dicetur.'* Diese Fortsetzung der Genealogie folgt in §. 3.[1]
Hier setzt der anonyme Notar ganz offenbar wieder den Bericht
der Gesta fort: ‚Anno dom. inc. DCCCXVIIII Ugek, sicut
supra diximus, longo prius tempore de genere Magog regis
erat quidam nobilissimus dux Scithie, qui duxit sibi uxorem in
Dentumoger, filiam Ennedubeliani ducis, nomine Emesu. De
qua genuit filium, qui agnominatus est Almus. Sed ab eventu divino quia matri eius . . .' (es folgt die wahrscheinlich echte ungarische Volkssage über den Namen Almus'). Dass diese
Geschichte von der Abstammung und dem Namen
Almus' in den Gesta stand, geht unzweifelhaft aus
dem Umstande hervor, dass die Chronik diese Erzählung auch hat (S. 35), und zwar mit wörtlichen Anklängen: ‚Porro Eleud, filius Ugek, ex filia Ennodbilia in Mogor
genuit filium, qui nominatur Almus ab eventu, quia matri eius
in somnio innotuerat avis, quasi in forma asturis veniens . . .'
Allenfalls ist hier die Stammfolge schon etwas geändert, indem
zwischen Ugek und Almus ein Eleud eingeschoben erscheint;
auch weiss der Chronist bereits eine geschlossene Stammreihe
bis auf Attila anzugeben (Almus — Eleud — Ugek — Ed —
Chaba — Attila), ja er setzt sogar diese Reihe bis auf Japhet
und Noë fort. Da nun bei Keza ebenfalls einerseits die Reihe
(§. 19) Arpad — Almus — Elad — Uger sich findet, andererseits
(§. 15) aber auch die Reihe Ethele — Chaba — Ed, so ist wohl
unzweifelhaft, dass die ausführliche Reihe bereits in der Keza
und der Chronik gemeinsamen Quelle stand. Die Keza und
der Chronik gemeinsame Abweichung (Eleud!) und die grössere
Ausführlichkeit gegenüber Anonymus ist nun wohl nicht so zu
erklären, dass der Anonymus aus der gemeinsamen Vorlage
etwas ausliess, sondern man darf hier wohl mit Sicherheit annehmen, dass Keza und die Chronik eine andere, bereits etwas
erweiterte Gestalt der Gesta vetera benützten. Wir werden darüber noch unten mehr zu sagen haben. Man könnte aber hier
noch die Frage aufwerfen, ob nicht die Chronik die angeführten

---

[1] Was dazwischen steht, ist Einschub des anonymen Notars. Vgl. die
folgende Studie über denselben.

Skythien stand schon wohl in den Gesta. Hiefür spricht
der Umstand, dass alle drei Ableitungen an dieser Stelle éin
ziemlich übereinstimmendes Jahr nennen. Die kleinen Abweichungen sind vielleicht aus Abschreibefehlern zu erklären:
Anonymus, §. 7: ‚DCCCLXXXIIII'; Keza, §. 18: ‚DCCCLXXII';
Chronicon Budense, S. 36: ‚octingentesimo octuagesimo octavo'.
Wie es scheint, gehen die Zahlen auf Regino zurück, bei dem
zum Jahre ‚DCCCLXXXVIIII' über den Einbruch der Skythen
berichtet wird. Anonymus verweist an der betreffenden Stelle
geradezu auf seine Vorlage oder seine Vorlagen (Gesta und
Regino) durch die Worte: ‚sicut in annalibus continetur cro-
nicis'. Die von ihm angegebene Jahreszahl konnte leicht durch
Ausfall des ‚V' aus jener bei Regino entstehen. Die sieben
Führer beim Auszuge wurden gewiss schon in den
Gesta genannt, denn alle Ableitungen führen sie, wenn auch
mit Abweichungen, an (vgl. Studie VII, S. 464 ff.).

Den Zug nach Ungarn schilderten die Gesta wohl
in knapper Form, wie dies bei Keza und in der Nationalchronik stattfindet. In den Hauptzügen stimmt hierin auch Anonymus überein (Studie VII, S. 466 f.), nur hat er hier wie
sonst zahlreiche Erweiterungen vorgenommen. Die Gesta haben
nur kurz berichtet, dass der Zug durch die Gebiete der Kumanen und Ruthenen (Kiew, Susdal) ging; ob auch die
Petschenegen (Bessen) erwähnt wurden, ist zweifelhaft, sie erscheinen nur bei Keza und in der Chronik.[1]

Die Feststellung des Berichtes der Gesta über die Niederlassung in Ungarn gibt Veranlassung zu vielen wichtigen
Betrachtungen. Vor Allem scheint es ganz sicher zu sein,
dass die Gesta die Nachricht enthielten, die Ungarn
seien von Nordosten her über die Karpathen ins Land
gekommen. Anonymus und Keza, die direct von einander
völlig unabhängig sind, bringen diese Nachricht ganz übereinstimmend, also auf Grundlage der Gesta. Man vergleiche:

---

[1] In der Hunengeschichte, §. 7, woselbst Keza den Marsch der Hunen
schildert, indem er ganz offenbar auch den eben erwähnten Bericht der
Gesta über den Ungarnzug vor Augen hat, werden Bessen, weisse Kumanen, Susdal, Ruthenia und die schwarzen Kumanen genannt. Ebenso
Chronicon Budense, S. 14, auf Keza gestützt.

§. 12. Tunc VII principales
persone, que Hetumoger dicuntur, . . . consilio et auxilio
Ruthenorum Galicie sunt ingressi in terram Pannonie. Et
sic venientes per silvam Houos
ad partes Hung descenderunt
. . . §. 13. Dunc dux Almus et
sui primates . . . ad castrum
Hung equitaverunt, ut caperent eum . . . dux Almus ipso
vivente filium suum Arpadium
ducem ac preceptorem constituit. Et vocatus est Arpad dux
Hungarie, et ab Hungu (vgl.
auch §. 2 und 39) omnes sui
milites vocati sunt Hungari
secundum linguam alienigenarum et illa vocatio usque ad
presens durat per totam mun-
dum. §. 14. Anno dom. inc.
DCCCCIII Arpad dux missis
exercitibus suis totam terram
inter Thisciam et Budrug usque
ad Ugosam . . . preoccupavit . . .
et milites Salani ducis . . . in
castrum Hung duci precepit.

§. 19. Hic igitur Arpad (filius
Almi) cum gente sua Ruthenorum alpes prior perforavit et in
fluvio Ung primus fixit sua castra. §. 18. Et deinde in fluvio
Hung vocato, ubi castrum fundavere, resederunt. A quo quidem fluvio Hungari a gentibus
occidentis sunt vocati. Cumque
et alia VI castra post hunc fun-
davissent, aliquamdiu in illis
partibus permansere. §. 16.
Hunc (sc. Zuataplug filium Morot) quidem Hungari de fluvio
Hung . . . peremerunt et sic Pannonie populis . . . inceperunt
dominari.

Aus den vorstehenden Parallelstellen geht unzweifelhaft
die Richtigkeit unserer obigen Bemerkung hervor. Nach den
Gesta kamen also die Ungarn aus Galizien über die
Karpathen nach Ungarn und setzten sich zunächst in
dem Gebiete an der oberen Theiss fest; nach Ungvár
erhielten sie ihren Namen. Wenn demgegenüber die
Chronik (Chronicon Budense, S. 36 f.) behauptet, dass die
Ungarn sich nach wunderlichen Abenteuern zunächst in Siebenbürgen niederliessen, welches Land nach den daselbst errichteten sieben Burgen seinen Namen erhielt, so ist dies bereits
eine Neuerung. Veranlassung hiezu bot die auf den Gesta be-

ruhende und allgemein wiederholte Nachricht, dass die Ungarn
sieben Heerführer hatten. Bei Keza findet sich schon der
Bericht, dass sie ausser Ungvár noch sechs Burgen bauten.
Der Chronist denkt nun an Siebenbürgen und lässt daher die Ungarn zuerst in dieses Land gelangen. Die Ableitung des Namens
von sieben Burgen ist nun bekanntlich falsch: das Land hat
seinen Namen vielmehr von der Cibin- oder Sibinburg, d. i.
Hermannstadt. An diesen richtigen Sachverhalt konnte man erst
vergessen haben, seit der Name Hermannstadt für Sibenburg
allgemeiner geworden war und man mit dem Schwinden des
letzteren Namens vergass, dass nicht von sieben Burgen, sondern
von der Sibenburg das Land den Namen führe. Da nun der
Name Hermannstadt 1223 zuerst erscheint, so hatte der Verfasser der Gesta, die um 1230 schon sicher vorhanden waren,
gewiss nicht die oben angeführte falsche Etymologie aufgenommen.[1] Mit dieser vom Chronisten vorgenommenen Aenderung hängen nun noch weitere zusammen. Weil er die Ungarn
nicht bei Ungvár, sondern in Siebenbürgen zunächst lagern
lässt, so musste er die oben citirte Stelle aus Keza über die
Besiegung Svatoplug's ‚de fluvio Hung' folgendermassen ändern:
‚Hunc quidem Hungari de Erdeel (d. i. Siebenbürgen) et (!)
de flumine Ungh, muneribus variis explorantes' etc. (S. 32).
Ferner musste der Chronist die Ableitung des Namens der
Ungarn von Hung fallen lassen, und daher heisst es bei ihm:
‚vulgariter Magyari sive Huni, latine vero Hungari denuo ingressi sunt . . .' (S. 36).

Eine weitere Frage betrifft die Nachricht der Gesta über
die Person des Führers, unter dessen Leitung die Ungarn nach
Pannonien eindrangen. Nach den Gesta kamen die Ungarn
offenbar unter Almus nach Ungarn. Dies ergibt sich aus
folgender Betrachtung. Nach der oben angeführten Stelle des

---

[1] Interessant ist, dass nach dem Wortlaute der Stelle im Chronicon Budense der deutsche Name des Landes — wie es der oben angegebenen
Ableitung entspricht — ursprünglich Siebenburg, nicht aber Siebenbürgen lautete, wie es die Erzählung des Chronisten erfordern würde.
So widerlegt er selbst seine Ausführungen. Die Stelle lautet nämlich
(S. 37): ‚Qua propter Teutonici partem illam ab illo die Siebenburg, id
est: Septem Castra vocaverunt.' Bezüglich der oben gebrachten Mittheilungen über Cibin vergleiche man Rösler, Rumänische Studien,
S. 132 f.

Anonymus kamen die Magyaren unter der Führung Almus' ins
nordöstliche Ungarn. Nach der übereinstimmend in den ungarischen Quellen (Anonymus, Chronik) vorhandenen, also auf
den Gesta beruhenden genealogischen Reihe: Almus — Arpad
— Zoltan — Toxun — Geisa würde somit der letztgenannte
Herzog der fünfte von Jenem sein, der die Einwanderung
leitete: Deshalb nennt auch Anonymus, §. 57 ‚Geysam quintum
ducem Hungarie'. Nun ist es bekannt, dass auch die grössere
Stephanslegende (Vita maior, §. 2) Geisa bezeichnet als ‚princeps quintus ab illo, qui ingressionis Ungarorum in Pannonia
dux primus fuit'. Erst die spätere Legende von Hartvich nennt
ihn den ‚quartus', was der Mittheilung, wie sie bei Keza in
der oben, S. 248, citirten Stelle zu lesen ist, entsprechen würde.
Da es nun auch bei Alberich auf Grundlage der Gesta zum
Jahre 893 heisst: ‚Hiis diebus gens Hungarorum sub primo
duce suo nomine Alino (richtiger Almo) ex Scithia egressa
Pannoniam inhabitare cepit', so ist wohl kein Zweifel, dass
nach der älteren Ueberlieferung Almus die Ungarn in ihre neue
Heimat hineinführte. Erst nach einer jüngeren Version geschah
dies unter Arpad. Der Chronist, dem beide Versionen bekannt
waren, denn ihm lagen sowohl die Gesta als Keza vor, hat
offenbar sich bestrebt, dieselben auszugleichen: nach ihm wären
die Magyaren wohl nach Siebenbürgen unter Almus' Führung
gekommen; dann aber setzt er fort: ‚Almus in patria Erdeel
occisus est, non enim potuit Pannoniam introire'; somit kamen
sie erst unter Arpad nach Pannonien. [1]

Sicher haben die Gesta neben Almus auch von
anderen sechs Führern, zusammen von sieben, Nachrichten enthalten. In Richard's oft genannter Schrift ‚De
facto Ungariae Magnae' heisst es: ‚Inventum fuit in gestis
Ungarorum Christianorum, quod esset alia Ungaria maior, de
qua VII duces cum populis suis egressi fuerant...' Anonymus
nennt sie wiederholt (§. 1 und 7) die ‚Hetumoger', d. h. ‚sieben
Ungarn' (hét = magyarisch: sieben) und zählt sie auch auf
(§. 6). Ebenso ist bei Keza die Rede von den sieben Lagern, den

---

[1] Andere Erklärungen der abweichenden Angaben ‚quintus—quartus' (vgl.
besonders Büdinger, Oesterreichische Geschichte I, S. 394) sind verfehlt. Auf Phalitzis, als einen der Herzoge hat die ungarische Ueberlieferung offenbar nicht Rücksicht genommen. Vgl. Büdinger auch
Studie VI, S. 524, Anm. 2.

sieben Heeren und den sieben Capitänen, die auch aufgezählt
werden (§. 18 und 19). Dasselbe ist auch in der Chronik (Chronicon Budense, S. 37, 40ff. und 45)[1] der Fall. Zwischen den
einzelnen Quellen finden sich in der Angabe der einzelnen
Hauptleute Abweichungen, die aus den Parallelstellen Studie VII,
S. 464ff., ersichtlich sind. Der wichtigste Unterschied ist allenfalls der, dass der Anonymus zumeist noch die Väter (in einem
Falle sogar den Grossvater) jener Männer nennt, welche bei
Keza und in der Chronik erscheinen. Wir finden hier also
etwas Aehnliches wie bezüglich Almus' und Arpads. Die Erklärung für diesen bemerkenswerthen Umstand ist aber folgende:
der Anonymus nennt die Männer, unter deren Leitung die Ungarn aus Skythien aufbrachen; bei Keza und in der Chronik
werden dagegen jene Männer genannt, die von diesem Lande
Besitz ergriffen. So ist der Abstand um eine Generation leicht
erklärt. Deshalb lässt der Anonymus auch sofort nach der
Eroberung von Hung an die Stelle Almus' seinen Sohn Arpad
treten, und ebenso lässt die Chronik Almus schon in Siebenbürgen sterben; bei Keza kommen aber die Ungarn geradezu
schon unter Arpad über die Karpathen. Der bei Keza und in
der Chronik als einer der Führer genannte Werbulchu erscheint bei Anonymus nicht unter den Sieben genannt. Wohl
aber findet man beim Anonymus, §. 53, den bekannten
ungarischen Feldherrn des 10. Jahrhunderts Bulsu mit dem
Beinamen ‚vir sanguineus‘, was der bei Keza, §. 19, gegebenen
Charakterschilderung des Werbulchu entspricht (vér = magia-
risch: Blut).[2] Besonders bemerkenswerth ist noch vor Allem
der Umstand, dass in den Gesta neben den sieben
Führern und ihren Geschlechtern die Anderen nirgends
als gleichberechtigt genannt wurden. Dies ergibt sich
aus folgender Betrachtung: In der Chronik (Chronicon Budense, S. 44ff.) wird, nachdem über die sieben Führer berichtet worden ist, Folgendes ausgeführt: ‚Alie vero generationes, que genere sunt pares istis et consimiles, acceperunt

---

[1] Zur letzteren Stelle ‚Hét Magiar‘ vgl. die Ausführungen unten, S. 252f.
[2] Auch Keza sagt von diesem Führer: ‚. . . quod quorundam quoque
sanguinem bibit sicut vinum‘; doch leitet er den Namen ganz unsinnig
von lateinisch ‚veru‘ = Spiess ab (plures Germanicos assari fecit super
veru). Es ist ganz unzweifelhaft, dass die echte ungarische Ueberlieferung auf ‚vér‘ = Blut hinwies.

sibi loca et descensum ad eorum beneplacitur
codices quidam contineant, quod isti capitanei
niam introierint et Hungaria ex ipsis solis edita
unde ergo venit generatio Akus, Bor, Abe' u.
sind nun diese Codices? Ganz offenbar die Vor
nisten, die Gesta. Thatsächlich findet sich beim
keine ähnliche Bemerkung wie in der Chronik;
der sieben Führer folgt gar keine Erwähnung d
schlechter, wenn er auch bei späteren Gelegenh
schiedene Geschlechter aufzählt, die sich bei
auszeichneten oder Landbesitz erhielten. Kez
gleich nach der Aufzählung der sieben Geschlech
‚Isti quidem capitanei loca descensumque, ut supe
sibi elegerunt. Similiter et generationes alie,
Von einer Gleichwerthigkeit der Geschlechter
aber noch keine Spur. Aus dem Bemerkten fol
dass die hierauf bezüglichen Bemerkungen im
dense, S. 44—46, und an den entsprechenden
anderen Redactionen erst Erweiterungen des C
mit denen er die alte Ueberlieferung von den
ragenden Geschlechtern zu entkräftigen sucht.
führungen erst einem Zeitpunkte angehören, d
geschlecht dahinsank, möchte man wohl mit
Umstande schliessen, dass durch dieselben
Adelsgeschlecht diesem gleichgestellt wird.
ausser der oben citirten Stelle (pares istis et c
die Bemerkungen, Chronicon Budense, S. 46: ‚
manifestum est ex hoc, non solum septem ca
niam conquestrasse, sed etiam alios nobiles qu
cum illis de Scitia descendisse; unde in ipsis c
rari potest nomen dignitatis plus aliis et pote
vero equaliter.' Wenn nun aber auch diese
aller Geschlechter auf eine jüngere Zeit deutet,
Geschichte von den sieben von der Lechfelds
kehrten Ungarn, mit denen der Chronist den B
sieben aus Skythien eingewanderten Hauptleu
will, nicht von ihm erst erfunden. Schon Alber
lich zum Jahre 957 Folgendes zu erzählen:[1] ‚E

---

[1] Mon. Germ. Script. XXIII, 767, anno 957.

Ungaris, qui (in der Lechfeldschlacht) remanserunt, unus ab
eis factus est rex. Hii venientes in terram suam totum populum,
qui non exierat cum eis ad bellum in servitutem redegerunt;
qui autem ex istis septem nati sunt, ipsi sunt modo viri nobiles
in terra Ungarie, quamvis eorum nobilitas magne servituti sub-
iaceat.' Diesen Bericht hat Alberich gewiss nicht den Gesta
vetera entnommen, sondern vielmehr aus der ungarischen Ueberlieferung, und zwar im Anschlusse an Ottos von Freising entsprechende Bemerkungen. Dieser berichtet nämlich in seiner
Chronik VI, S. 20, über die Niederlage am Lechfelde und bemerkt hiezu:[1] ,Barbari vero, quod etiam credibile videtur,
usque ad internecionem, septem tantum residuis, omnes deleti
dicitur.': An diese Nachricht Ottos, die Alberich mit der ausdrücklichen Einleitung: ,Episcopus Otto hoc factum ita atte-
statur' citirt, schliesst sich seine oben angeführte Bemerkung
,Et de illis septem' etc. an. Der Schluss dieser Bemerkung
über die gedrückte Lage des ungarischen Adels entspricht
aber vollständig der Schilderung Ottos von diesen Verhältnissen, die er in seinen Gesta Friderici I, §. 31, aus eigener
Anschauung gibt.[2] Dass Alberich aber auch über die ungarische Ueberlieferung belehrt sein konnte, ist unzweifelhaft,
denn einerseits hatte er sicher viele seiner Nachrichten über
Ungarn von dort erhalten,[3] und andererseits geht es aus den
gleich zu erwähnenden Nachrichten über die auf die sieben
Ungarn am Ausgange des 13. Jahrhunderts verbreiteten Lieder
hervor, dass die Ueberlieferung noch damals lebendig war. In
den Gesta vetera stand aber hierüber wohl nichts, weil erstens
weder Anonymus noch Keza hierüber erzählen, und zweitens,
weil nach der Darstellung der Gesta die Regierung des Herzogs
Toxun wahrscheinlich schon als ganz friedlich zu gelten hat,[4]
während nach der einzigen in der Nationalchronik überlieferten
ungarischen Version der Sage von den sieben Ungarn diese
Begebenheit sich an einen Kriegszug zur Zeit dieses Königs
knüpft. Diese Erzählung von den sieben Ungarn kann
also in den Gesta nicht gestanden sein,[5] und mithin hat

---

[1] Mon. Germ. Script. XX, 238.   [2] Ebenda, XX, 368 f.
[3] Vgl. Studie VII, S. 438 f.
[4] Vgl. unten im Texte.
[5] Ob die Sage thatsächlich auf ein Ereignis vor Toxun's Zeit sich bezieht
— etwa auf den Kampf vom Jahre 933 oder 955 (vgl. S. 271, Anm. 1)

die Nationalchronik sie aus der Ueberlieferung ge
selbe erzählt, dass in einer in die Zeit Toxu
Schlacht bei Eisenach alle ungarischen Krieger m
von sieben getödtet worden wären, welche sodann
zurückkehrten. Wenn aber der Chronist daran die
knüpft, dass diese sieben Flüchtlinge aus dem We
anlassung von der Erzählung geworden wären, d
Osten blos sieben Führer gekommen wären, so
tendenziöse Bemerkung, um die Ueberlieferung vo
hervorragenden Geschlechtern zu entkräftigen, wi
oben bemerkt wurde. Ebenso ist es eine tendenziö
recht ungeschickte Neuerung, wenn ferner in der
Gegensatze zu Alberich behauptet wird, jene si
linge wären in Ungarn zu schmählicher Armuth v
der Name ‚Het mogoriek‘[1] wäre ihnen zur Schm
worden, die über sie verbreiteten Lobgesänge hä
auf sich selbst gesungen. Alle diese Bemerkunge
unglaubwürdig. Der Name ‚Het mogoriek‘, d. 1
Ungarn, kann kein Schimpfwort gewesen sein, w
das ‚Hetu moger‘ beim Anonymus nicht ist.[2]

Die Ausführungen über die fremden E
nach Ungarn, welche Keza seinen Gesta angeh
die sich in der Nationalchronik bereits in dem (
selben aufgenommen finden (Chronicon Budense,
gehörten nicht den Gesta an. Der Anonym
auch nichts davon.

Die Eroberung und Besetzung Pannoni
nach den Gesta von Hung aus (vgl. oben, S. 24{
Nach Anonymus wurde dieser nördliche Theil
Salanus, nach Keza und der Nationalchronik de
entrissen; auf welcher Seite die Abweichung von
lichen Gesta liegt, ist schwer zu entscheiden. I

— ist gleichgiltig: die mit den Kämpfen zur Zeit Toxu
Erzählung kann in den Gesta nicht gestanden haben, v
dieser Herrscher keine Kämpfe führte.

[1] Diese richtige Form bietet das Chronicon Posoniense, Cap
die Bemerkungen des Herausgebers Florián an der be
zu vergleichen sind (Fontes IV, S. 25 f.).

[2] Ausführlicher werde ich über die sieben Ungarn in e
Studie handeln.

stimmung Keza's mit der Nationalchronik kann entweder durch
die ihnen vorliegende Redaction der Gesta oder durch die Benützung Keza's durch die Chronik veranlasst sein. Alle —
Anonymus, Keza und die Chronik — verweisen auf die von
den Ungarn bei dieser Erwerbung angewendete List. Keza
sagt allenfalls nur kurz (§. 16): ‚Hunc (Zuataplug) quidem Hungari de fluvio Hung variis muneribus allectum et nuntiis explorantes, considerata illius militia immunita, ipsum Zuataplug
irruptione subita... peremerunt... et sic Pannonie populis...
inceperunt dominari.' Dieser kurze Bericht ist aber unverkennbar ein Auszug aus der schönen Volkssage über den
symbolischen Kauf Ungarns, von dem der Anonymus, S. 15f.
und 32, und die Chronik, S. 38f., erzählt. Die Sage könnte
also schon in den Gesta angedeutet gewesen sein; insofern sie
aber der lebendigen Volksüberlieferung entnommen ist, kann
sie auch jeder der Chronisten aus dieser geschöpft oder doch
ergänzt haben. Daher erklären sich auch die abweichenden Formen beim Anonymus und in der Chronik. Sicher
berichteten die Gesta auch über die Besitznahme einzelner Gebietstheile durch die einzelnen Führer und
Geschlechter, wie dies sehr ausführlich der Anonymus
(S. 16ff.), kürzer Keza (S. 72f.) und die Chronik (Chronicon
Budense, S. 40—43) berichten. Auf die einzelnen Abweichungen,
welche sich hierin besonders zwischen der Darstellung des Anonymus einerseits und jener bei Keza und in der Chronik
andererseits finden, kann hier nicht eingegangen werden. Des
Anonymus Erzählung beruht hier ganz offenbar auf Sagen,
Namensdeutungen, wohl auch auf seiner Kenntniss der da-
maligen Grundbesitzverhältnisse u. dgl. Diese weitschweifige
Erzählung ist gegenüber der knappen bei Keza und in der
Nationalchronik deutlich als Erweiterung der ursprünglichen
Gesta gekennzeichnet. Doch sind die Berührungspunkte, welche
auf diese gemeinsame Quelle deuten, in allen Ableitungen vor-
handen.[1] Mit dem §. 53, wo sich die Darstellung den äusseren
Kämpfen zuwendet, verlassen den Anonymus zum grossen
Theile seine der ungarischen Ueberlieferung, Localsage und
Ortskenntniss entnommenen Nachrichten, die Erzählung wird
wieder knapper, und nun stellen sich sofort die engeren Be-

[1] Vgl. hiezu Studie VII, S. 468f.

die Nationalchronik sie aus der Ueberlieferung geschöpft. Dieselbe erzählt, dass in einer in die Zeit Toxun's fallende Schlacht bei Eisenach alle ungarischen Krieger mit Ausnahme von sieben getödtet worden wären, welche sodann nach Ungarn zurückkehrten. Wenn aber der Chronist daran die Behauptung knüpft, dass diese sieben Flüchtlinge aus dem Westen die Veranlassung von der Erzählung geworden wären, dass aus dem Osten blos sieben Führer gekommen wären, so ist dies eine tendenziöse Bemerkung, um die Ueberlieferung von den sieben hervorragenden Geschlechtern zu entkräftigen, wie dies schon oben bemerkt wurde. Ebenso ist es eine tendenziöse, und zwar recht ungeschickte Neuerung, wenn ferner in der Chronik im Gegensatze zu Alberich behauptet wird, jene sieben Flüchtlinge wären in Ungarn zu schmählicher Armuth verdammt und der Name ‚Het mogoriek'[1] wäre ihnen zur Schmach beigelegt worden, die über sie verbreiteten Lobgesänge hätten sie aber auf sich selbst gesungen. Alle diese Bemerkungen sind völlig unglaubwürdig. Der Name ‚Het mogoriek', d. h. die sieben Ungarn, kann kein Schimpfwort gewesen sein, wie dies auch das ‚Hetu moger' beim Anonymus nicht ist.[2]

Die Ausführungen über die fremden Einwanderer nach Ungarn, welche Keza seinen Gesta angehängt hat, und die sich in der Nationalchronik bereits in dem Contexte derselben aufgenommen finden (Chronicon Budense, S. 46—54), gehörten nicht den Gesta an. Der Anonymus hat daher auch nichts davon.

Die Eroberung und Besetzung Pannoniens begann nach den Gesta von Hung aus (vgl. oben, S. 248, die Citate). Nach Anonymus wurde dieser nördliche Theil dem Fürsten Salanus, nach Keza und der Nationalchronik dem Svatopluk entrissen; auf welcher Seite die Abweichung von den ursprünglichen Gesta liegt, ist schwer zu entscheiden. Die Ueberein-

---

— ist gleichgiltig: die mit den Kämpfen zur Zeit Toxun's verbundene Erzählung kann in den Gesta nicht gestanden haben, weil nach diesen dieser Herrscher keine Kämpfe führte.

[1] Diese richtige Form bietet das Chronicon Posoniense, Cap. 29, wozu auch die Bemerkungen des Herausgebers Florián an der betreffenden Stelle zu vergleichen sind (Fontes IV, S. 25 f.).

[2] Ausführlicher werde ich über die sieben Ungarn in einer besonderen Studie handeln.

▓▓mung Keza's mit der Nationalchronik kann entweder durch ▓▓ ihnen vorliegende Redaction der Gesta oder durch die Be- ▓▓▓ung Keza's durch die Chronik veranlasst sein. Alle — ▓▓onymus, Keza und die Chronik — verweisen auf die von ▓▓ Ungarn bei dieser Erwerbung angewendete List. Keza ▓▓t allenfalls nur kurz (§. 16): ‚Hunc (Zuataplug) quidem Hun- ▓▓ri de fluvio Hung variis muneribus allectum et nuntiis ex- ▓▓rantes, considerata illius militia immunita, ipsum Zuataplug ▓▓ptione subita . . . peremerunt . . . et sic Pannonie populis . . . ▓▓ceperunt dominari.‘ Dieser kurze Bericht ist aber unver- kennbar ein Auszug aus der schönen Volkssage über den symbolischen Kauf Ungarns, von dem der Anonymus, S. 15 f. und 32, und die Chronik, S. 38 f., erzählt. Die Sage könnte also schon in den Gesta angedeutet gewesen sein; insofern sie aber der lebendigen Volksüberlieferung entnommen ist, kann sie auch jeder der Chronisten aus dieser geschöpft oder doch ergänzt haben. Daher erklären sich auch die abweichen- den Formen beim Anonymus und in der Chronik. Sicher berichteten die Gesta auch über die Besitznahme ein- zelner Gebietstheile durch die einzelnen Führer und Geschlechter, wie dies sehr ausführlich der Anonymus (S. 16 ff.), kürzer Keza (S. 72 f.) und die Chronik (Chronicon Budense, S. 40—43) berichten. Auf die einzelnen Abweichungen, welche sich hierin besonders zwischen der Darstellung des An- onymus einerseits und jener bei Keza und in der Chronik andererseits finden, kann hier nicht eingegangen werden. Des Anonymus Erzählung beruht hier ganz offenbar auf Sagen, Namensdeutungen, wohl auch auf seiner Kenntniss der da- maligen Grundbesitzverhältnisse u. dgl. Diese weitschweifige Erzählung ist gegenüber der knappen bei Keza und in der Nationalchronik deutlich als Erweiterung der ursprünglichen Gesta gekennzeichnet. Doch sind die Berührungspunkte, welche auf diese gemeinsame Quelle deuten, in allen Ableitungen vor- handen.[1] Mit dem §. 53, wo sich die Darstellung den äusseren Kämpfen zuwendet, verlassen den Anonymus zum grossen Theile seine der ungarischen Ueberlieferung, Localsage und Ortskenntniss entnommenen Nachrichten, die Erzählung wird wieder knapper, und nun stellen sich sofort die engeren Be-

---

[1] Vgl. hiezu Studie VII, S. 468 f.

A. 901. Anno dom. inc. DCCCCI gens Hungarium Longobardorum fines ingressa caedibus, incendiis ac rapinis crudeliter cuncta devastat. Cuius

violentiae ac beluino furori cum terrae incolae in unum agmen conglobati resistere conarentur, innumerabilis multitudo ictibus sagittarum, periit, quam plurimi episcopi et comites trucidati sunt. Liudwardus episcopus Vercellensis ecclesiae Caroli quondam imperatoris familiarissimus et consiliarius a secreto, assumptis secum opibus atque incomparabilibus thesauris quibus ultra, quam estimari potest, habundabat, cum effugere eorum cruentam ferocitatem omnibus votis elaboraret, super eos inscius incidit ac mox interficitur; opes, quae secum ferebantur, diripiuntur. Eodem anno Stephanus comes, frater Walonis, cum in secessu residens nocturnis horis alvum purgaret, a quodam per fenestram cubiculi sagittae toxicatae ictu gra-

§. 53. Et per forum Julii in marchiam Lombardiæ venerunt, ubi civitatem Paduam cedibus et incendiis et gladio et rapinis magnis crudeliter devastaverunt. Ex hinc intrantes Lombardiam multa mala facere ceperunt. Quorum violentie ac belluyno furori cum terre incole in unum agmen conglobate resistere conarentur, tunc innumerabilis multitudo Lombardorum per Hungaros ictibus sagittarum periit, quam plurimis episcopis et comitibus trucidatis. Tunc Lutuardus episcopus Vercellensis ecclesie, vir nominatissimus, Caroli minoris quondam imperatoris familiarissimus amicus ac fidelissimus a secreto, hoc audito assumptis secum opibus atque incomparabilibus thesauris, quibus ultra quam estimari potest habundabat, cum omnibus votis effugere laboraret eorum cruentam ferocitatem, tunc inscius super Hungaros incidit et mox ab eis captus interficitur, et thesaurum estimationem humanam transcendentem, quam secum ferebat, rapuerunt. Eodemque tempore Stephanus frater Waldonis comi

res corruissent ... Kriegs-pläne Conrads ... Kampf mit den **Bulgaren.** Tempore item alio per Forum Julii intrant Lombardiam, ubi Lui-

ad nullas partes perrexerunt. Anno autem quarto **Bulgariam** invaserunt.) ... Postquam autem memorata regna deicerunt, per Forum Julii usque in marchiam Longobardie intraverunt, **ubi civitatem Paduam** igne ac gladio consumserunt. Ex hinc intrantes

tardum, Wercellane civitatis episcopum, imperatoris Caroli **consiliarium** fidissimum occidentes, ex ipsius ecclesia thesaurum maximum rapuerunt; *totaque pene Lombardia demolita cum maxima preda in Pannoniam revertuntur.* Post

Longobardiam Linthar Vercelline civitatis episcopum, imperatoris Caroli **consiliarium** fidissimum occidentes, ex ipsius ecclesia thezaurum maximum rapuerunt, *totamque pene Longobardiam spoliantes, cum maximo spolio in Pannoniam cum victoria redierunt.* Post

viter vulneratur, ex quo vulnere eadem nocte extingitur.

tis cum in secessu residens super murum castri in nocturnis aluum purgare vellet, tunc a quodam Hungaro per fenestram cubiculi sui sagitte ictu graviter vulneratur, de quo vulnere eadem nocte extingitur. §. 54. Dein-

A. 907. Bawarii cum Ungariis congressi multa cede prostrati sunt. A. 908. Ungarii ... Saxoniam et Turingam vastaverunt. A. 909. Ungarii Alamanniam ingressi sunt. A. 910. Franci in confinio Bawariae et Franciae Ungariis congressi miserabiliter aut victi aut fugati sunt.

de *Lotorigiam* et Alemaniam devastaverunt Francos quoque orientales in confinio Franconie et Bavarie

multis milibus eorum cesis ictibus sagittarum in turpem fugam converterunt. Et omnia bona eorum accipientes ad ducem Zultam in Hunga-

A. 911. Cuonradus . . . in regno successit. A. 912. Ungari . . . Franciam et Turingam vastaverunt. A. 913. Ungarii partes Alamanniae vastave-

riam reversi sunt. §. 55. Postea vero anno V (richtiger II) regnante Counrado imperatore Lelu, Bulsu, Botond . . . missi a domino suo partes Alamannie irripuerunt et multa bona eorum acceperunt. Sed tandem Bavarorum et Aleman-

hec **Saxoniam, Thuringiam,** Sueviam Reno circa Maguntiam transpassato orientalem Franciam et *Burgundiam* demoliti ecclesias etiam plures destruxerunt. Et cum Renum in Constantia in reditu pertransissent et cum maximo honore venissent in **Bavariam** *circa castrum Abah Alamannicus exercitus ipsos invadit ex abrupto.* Quibus viriliter resistentibus prelio confecto Teutonici **sagittis** devincuntur, ubi capitur Hertindus de Suarchumburc imperatoris marischalcus, id est militie sue princeps, et alii quamplures nobiles cum eodem . . . perforantur. Et sic tandem cum victoria et preda maxima ad propria revertuntur. §. 21. Transactis igitur paucis diebus Lel et Bulchu per communitatem Hungarorum in Teutoniam destinantur *et*

cum Augustam pervenissent ultra fluvium Lyh . . .

hec (decem annis repausantes anno undecimo) **Saxoniam, Turingiam,** Sveviam, **Francosque orientales,** *id est Burgundos,* demoliti in con-

finiis Bavarie *ultra castrum Abah* circa Danubium *Almanorum exercitus ipsos ornatos in reditu invaserunt ex abruptu;* quos [S. 56] **Hungari in fugam turpiter converterunt, cesis multis millibus ex eisdem.** (In quo quidem conflictu ex Hungaris tria millia virorum perierunt); qui vero evaserunt ad

propria redeuntes (annis sedecim) immobiliter in Hungarios permanserunt. Regnante vero per Almaniam **Conrade** primo (decimo septimo anno) Hungari egressi quibusdam partibus Teutonie devastati *cum ad urbem Augustam per-*

runt et iuxta In fluvium a
Bawariis et Alamannis occisi
sunt.

norum nefandis fraudibus Lelu
et Bulsuu capti sunt et iuxta
fluvium Hin in patibulo su-
spensi occiduntur. Bo-

tondu et alii Hungarorum milites . . . audacter et viriliter
steterunt . . . victores suos . . .
vicerunt et gravissima cede pro-
straverunt. Felix igitur Hungarorum embola . . . totam Bavariam et Alemaniam ac
Saxoniam et regnum

A. 915. Ungarii totam Alamanniam igne et gladio vastaverunt, sed totam Turingam
et Saxoniam pervaserunt et
usque ad Fuldam monaste-
rium pervenerunt. A. 917. Ungarii per Alamanniam in Alsatiam et usque ad fines Lotha-
riensis regni pervenerunt.
Erchanger et Berahtold
decollantur. A. 924. Ungarii
orientalem Franciam vastaverunt. A. 926. Ungari totam
Franciam, Alsatiam, Galliam
et Alamanniam igne et gladio
vastaverunt. A. 932. Ungarii
per orientales Francos et Alamanniam multis civitatibus igne
et gladio consumptis iuxta
Wormatiam Rheno transito

Lathariense igne et gladio
consumpserunt et Erchange-
num atque Bertoldum duces
eorum decollaverunt. Hinc
vero egressi Franciam et Galliam expugnaverunt et dum

Quos (Lel et Bulchu) cesar iudicio suspendii condemnando Ratispone fecit occidi in patibulo. Quidam vero ipsos aliter dampnatos fabulose asseverant, quod cesari presentati unus illorum cum tuba in caput ipsum cesarem occidisset feriendo. Que sane fabula verosimili adversatur... Verum quidem est et libri continent Cronicarum ... ut Hungari audierunt, ut cesar sic ipsos occidisset, omnes captivos teutonicos tam mulieres quam parvulos usque ad XX milia iugularunt. §. 22. *Alius vero exercitus, qui distabat ab Augusta,* macht viele Deutsche zu Gefangenen: Quos quidem ut ceperunt, omnibus caput detruncarunt pro exsequiis sociorum. Fuerant autem numero milites et scutiferi quasi VIII milia, quorum capita sunt truncata. Abinde egressi postmodum Danubii fluvium in Ulma transierunt et ad Wiltense cenobium cum venissent, thesaurum magnum exinde rapuerunt. Et post hoc tota Suevia [demolita] Renum Wormatie transierunt, ibique duos duces, scilicet Lotharingie et Suevie, cum maximo exercitu contra eos venientes invenerunt. Quibus devictis et fugatis tandem Franciam intra-

venissent...ex una parte fluvio Lili ... ähnlich wie bei Keza, doch wird hier die Geschichte von der Tödtung des Königs durch einen der Gefangenen (Lel) mittelst seines Hornes ohne jede zweifelnde Bemerkung erzählt.

fehlt.

S. 57. *Alius autem exercitus*... ähnlich wie bei Keza, doch wurden die Gefangenen (deren Zahl nicht angegeben ist) nicht getödtet, sondern (cum quibus socios suos Ratispone detentos redemerunt). Ipsi

vero exinde tali fortuna eis occurrente monasterium de Fulda combussere, ubi multum de auro haurientes abinde ... Reno [S. 58] transpassato Lotoringensem ducatum igne et gladio vastaverunt, ubi circa Strozburg in quodam prelio Ekbardum ducem Lotoringe et Pertoldum ducem Brabancie, qui ei venerat in auxilium, captivantes decollarunt. Inde usque ad mare oceanum Galliam devastantes per Italiam redierunt. A. 934. Heinricus rex Ungarios multa caede prostravit, pluresque ex eis conprehendit.

A. 954. Ungarii ducentibus inimicis regis in

quadragesima Rheno transito pervadentes

Galliam inaudita mala in ecclesias Dei fecerunt et per

inde victores reverterentur ex insidiis Saxonum magna strage perierunt. Qui autem ex ipsis evaserunt, ad propria redierunt (Trauer über den Tod Lelu's und Bulsu's; Zorn gegen die Deutschen; Geburt Toxun's).

§. 56. *Eodem anno* inimici *Athonis* regis *Theotonicorum in necem eius detestabili facinore machinabantur. Qui cum per se nichil mali ei facere potuissent, auxilium Hungarorum rogare ceperunt . . . Tunc illi inimici Athonis regis Teothonicorum miserunt nuncios suos ad Zultam ducem . . . Dux vero Zulta . . . misit exercitum magnum contra Athonem regem Teothonicorum . . . Qui cum egressi essent a duce Zulta rursum Bavariam, Alemanniam et Saxoniam atque Turingiam in gladio percusserunt. Et exinde egressi in* quadragesima transierunt Renum *fluvium et regnum Latariensem in arcu et sagittis exterminaverunt.* Universam quoque Galliam atrociter affligentes, ecclesias dei crudeliter intrantes spoliaverunt. Inde per abrupta Senonensium, per populos aliminos (?), ferro sibi viam et gladio aperuerunt. Superatis ergo illis bellicosissimis genti-

verunt, ubi christianìs et ce-
nobitis persecutio valida facta
est per eosdem. Exinde autem
egressi usque fluvium Rodanum
venientes duas

vero **Galliam atrociter affligentes, crudeliterque in ecclesiam** dei sevientes Metense,
Treverense et Aquisgranense
territoria igne devastarunt. Deinde **per abrupta** Montium **Senonensium per populos** eter-
ni Martis **viam sibi gladio**

Italiam

redierunt.

bus ... montes Senonum transcenderunt et Segusam ceperunt civitatem. Deinde egressi Taurinam civitatem opulentissimam expugnaverunt. Et postquam planam regionem Lambardie aspexerunt, totam pene Italiam bonis omnibus affluentem et exuberantem concitatis cursibus spoliaverunt. Deinde ... felici victoria fruentes ad propria regna revertuntur.

A. 955. Ungarii cum tam ingenti multitudine exeuntes, ut non, nisi terra eis dehisceret vel caelum eos obrueret, ab aliquo se vinci posse dicerent, ab exercitu regis apud Lichum fluvium tanta cede Deo prestante prostrati sunt, ut nunquam ante apud nostrates victoria talis audiretur aut fieret. Cuonradus

Tunc Hoto rex Teothonicorum posuit insidias iuxta Renum fluvium et cum omni robore regni sui eos invadens multos ex eis inter

itates, scilicet Segusam et
urinam, spoliarunt, per Alpes
lie sibi viam preparando. Et
n planum

aperientes paraverunt. Ubi siquidem Segusam Taurinamque
civitates destruxerunt, montes-
que prefatos perforantes planum

lissent Lombardie concitatis
sibus spolia multa rapuerunt,
sic tandem

Longobardie cum vidissent, totam pene provinciam concitatis
cursibus vastavere, et ita ad

propria revertuntur. Seither
seit dem Tode Lel's und
lehu's — gehen die Ungarn
Furcht alle Einfälle nach
utschland auf bis auf die
iten Stephans I.

proprium regnum cum victoria
revertuntur.

dafür wird hier in beiden
Quellen (Keza, §. 23, und
Chronicon Budense, S. 59) mit
wörtlichen Anklängen (vgl.
*sicut gygans emittitur —
sicut gigas emissus; parva
hora in luctando — parva
hora dimicantes; ad sua
palatio perrexerunt—per-
gentes ad palacium; au-
rum, gemmas, armenta in-
finita — aurum, gemmas
et armenta infinita*) der
Zug nach Constantinopel und
die Heldenthat des Botond erzählt, welche Anonymus an
einer früheren Stelle (§. 42)
mit den Worten zurückweist:
‚Sed ego quia in nullo codice
historiographorum inveni, nisi
ex falsis fabulis rusticorum
audivi, ideo ad presens opus
scribere non propusui.'

quendam dux ibi occiditur.	fecit. Botond et Vrcun ac reliqui exercitus ... in eodem bello **quendam magnum ducem, virum nominatissimum interficiunt** ... Tod des Botond nach der Heimkehr. Sed istud notum sit omnibus scire volentibus, quod milites Hungarorum hec et huiusmodi bella usque ad tempora **Tucsun** ducis gesserunt.
	§. 57. Zultas letzte Regierungsjahre sind friedlich. Tocsun wird als Friedensfürst geschildert. Thocsun vero dux cum omnibus primatibus Hungarie potenter et pacifice per omnes dies vite sue obtinuit omnia iura regni sui. Et auditá pietate ipsius ...

Aus dem Studium der vorstehenden Stellen ergibt sich, dass die Gesta vetera über die Zeit der Raubzüge Folgendes erzählten: Sie berührten, auf Regino gestützt, die Kämpfe mit den Bulgaren und Mährern, dann die Einfälle nach Karantanien und den Raubzug nach Oberitalien, wobei ihnen der Bischof Liutward zum Opfer fiel; auch haben die Gesta zu erzählen gewusst, dass Padua gebrandschatzt wurde.[1] — Sodann haben sie, auf Regino's Fortsetzung gestützt, über die seit 907—912 erfolgenden Einfälle nach Sachsen und Thüringen, dann Süddeutschland berichtet, wobei aber die einzelnen

---

[1] Diese Nachricht stand sicher in den Gesta, weil sie Anonymus und die Nationalchronik enthalten, welche sonst unabhängig sind. Keza liess diese Nachricht seiner Vorlage aus. Die Stelle ist mit ein Beweis, dass der Chronik die Gesta im Originale vorlagen (neben Keza).

§. 23. ... Communitas itaque Hungarorum cum suis capitaneis seu ducibus ... usque tempora ducis Geiche hinc inde huic mundo spolia et pericula dinoscitur intulisse.

vgl. oben den Schluss von §. 22.

S. 60. ... Communitas itaque Hungarorum cum suis capitaneis sive ducibus hec et alia huiusmodi usque ad tempora **Toxun** ducis gessisse perhibetur.

S. 44 f. (Accidit autem temporibus Toxun Hungarorum exercitum versus Galliam pro accipiendis spoliis ascendisse. Qui cum in reditu, Reno transmeato, divisi forent in tres partes, due sine honore, una cum honore in Hungariam descendebat: quam dux Saxonie apud Isnacum civitatem sine septem Hungaris omnino interfecit.)

Züge nicht auseinandergehalten,[1] sondern vielmehr in Einen zusammengezogen wurden. Besonderes Gewicht wurde hiebei nur auf die bei Regino zum Jahre 910 erzählte Niederlage der Deutschen im Grenzgebiete von Baiern und Franken gelegt, welche nach Keza und der Chronik heim ‚castrum Abah‘ stattgefunden haben soll.[2] Letztere Nachricht, sowie die Erwähnung

---

[1] Die Hinzufügung Lothringens an dieser Stelle fällt wohl erst dem Anonymus zur Last; Burgund stand aber wohl schon in der Keza und der Nationalchronik vorgelegenen Redaction der Gesta, wie überhaupt vieles Keza und der Chronik Gemeinsame (siehe die *gesperrt cursiv* gedruckten Stellen) auf diese Weise zu erklären sein wird. Siehe unten im Texte, S. 270.

[2] Aus der Chronik hat Aventin zum Jahre 907 diese Nachricht (Leipziger Ausgabe von 1710, S. 451). Vgl. Rademacher, Aventin und die ungarische Chronik (Neues Archiv XII, S. 562).

Burgunds an dieser Stelle dürfte in der vom Anonymus benützten Redaction der Gesta noch nicht gestanden sein; dagegen gehört sie wohl schon der Redaction an, aus welcher
Keza und die Nationalchronik schöpften. Hätte nämlich letztere
die Nachricht erst aus Keza entlehnt, so wäre sie ihm auch
im sonstigen Wortlaute der Mittheilungen gefolgt, während die
Chronik hier grössere Verwandtschaft mit Anonymus, als mit
den Gesta, zeigt als Keza (man beachte die fettgedruckten
Stellen!). Auch hätte der Chronist dann doch etwas von den
in dieser Partie vorkommenden selbständigen Nachrichten Keza's
entlehnt, was ebenfalls nicht der Fall ist (siehe die unterstrichenen
Stellen). — Hierauf erzählten die Gesta, indem sie offenbar wieder die Ereignisse nicht schieden, von einer grossen Niederlage
der Ungarn zur Zeit Konrads,[1] vom Tode Lel's und Bulsu's,
von den Rachekämpfen der Ungarn, die sofort ein deutsches
Heer vernichten, ihren Plünderungen in Deutschland (wobei
Fulda und Worms genannt wurden[2]), in Lothringen und Frankreich und über die Rückkehr durch Italien nach Ungarn. Diese
ganze Darstellung war offenbar in den Gesta ohne alles chronologische Gefühl niedergeschrieben, alle Ereignisse zu einem
grossen Raubzuge zusammengezogen. Die Veranlassung, die
grosse Niederlage der Ungarn in die Zeit Konrads zu verlegen,
war offenbar die von Regino zum Jahre 913 erwähnte erste
grosse Niederlage der Ungarn. Der alte Schreiber der Gesta
kannte aus der Ueberlieferung nur eine entscheidende Niederlage der Ungarn (am Lech bei Augsburg), nach der auch Lel
und Bulsu ihren Tod am Galgen fanden. Sobald er nun in seiner
Vorlage (Regino) beim Jahre 913 auf die erste Erwähnung einer
Niederlage der Ungarn stiess, glaubte er diese mit der ihm aus
der Ueberlieferung bekannten identificiren zu können; dass Regino hier von einer Niederlage am Inn spricht, störte ihn nicht,
wie er überhaupt die weiter bei Regino noch erwähnten Niederlagen (anno 934 und 955) nicht mehr beachtet.[3] Was nämlich

---

[1] Sowohl Anonymus als die Chronik nennt Konrad. Die Zeitangabe beim
   Anonymus lässt sich sogar mit jener bei Regino (anno 913) in Einklang
   bringen, wenn man die oben, S. 260, angedeutete Correctur der ,V' in
   ,II' gelten lässt. Keza hat die Erwähnung Konrads unterlassen.
[2] Man vergleiche die Parallelstellen S. 260f.
[3] Sollte vielleicht die Notiz bei Regino zum Jahre 955 ,Cunzelinus
   quondam dux ibi occiditur' zu der Sage, dass König Konrad nach

jetzt bei Anonymus darüber steht, ist ganz gewiss einer directen Benützung des Regino durch den Notar entsprungen. Er hat erst wieder den Kampf zu Konrads Zeit (anno 913) an den Inn verlegt, hielt aber daran fest, dass damals Lel und Bulsu hingerichtet wurden; er hat auch erst die Niederlage von 934 und die Kämpfe und die Niederlage zur Zeit Ottos aus Regino aufgenommen. In den Gesta stand von diesen Ereignissen nichts, wie dies sich aus der Betrachtung unserer Parallelstellen deutlich ergibt.[1] Dagegen haben sie (wie bereits oben erwähnt wurde) die anderen Raubzüge von 915—954 als eine zusammenhängende grosse Unternehmung geschildert, wobei sie bereits viele Einzelheiten boten, die bei Regino sich nicht finden (man vergleiche besonders die Mittheilungen über den Rückzug durch Italien). — Die in diesen Zeilen enthaltene Volkssage vom Horne des Lel scheint in den Gesta nicht gestanden zu haben. Diese Erzählung von der Ermordung des Königs Konrad durch Lel berührt Anonymus nämlich gar nicht; Keza sagt von ihr: ‚quidem . . . fabulose asserverant‘ und stellt eine andere Nachricht mit den Worten: ‚Verum quidem est et libri continent cronicarum‘ entgegen, was voraussetzt, dass er die Sage in keiner Chronik fand, sondern aus mündlicher Ueberlieferung kannte; auch finden sich keine näheren Beziehungen zwischen Keza's bezüglichem Texte und der Erzählung in der Nationalchronik:[2] diese scheint also die Sage aus der mündlichen Ueberlieferung, vielleicht durch Keza aufmerksam gemacht, aufgenommen zu haben, weil sie ihr

---

der Schlacht am Lechfelde von Lel getödtet wurde, in Beziehung stehen?

[1] Die bereits oben, S. 252 f., besprochene Nachricht der Nationalchronik über die Niederlage der Ungarn bei Eisenach und von den sieben Ungarn hat diese nicht in die zusammenhängende historische Erzählung einzureihen versucht. Sie rührt gewiss nicht aus den Gesta her, wie bereits oben, S. 253, bemerkt wurde. Allenfalls dürfte aber die Sage in der Niederlage in Sachsen oder in jener am Lechfelde ihren Ursprung genommen haben; an ersteres Ereigniss knüpft sie Aventin (S. 458), der sie aus der Chronik entlehnt, an letzteres Alberich und Otto von Freising (oben, S. 252 f.). Vgl. Rademacher, Forschungen zur deutschen Geschichte XXV, S. 395 f., Anm., der aber Alberichs Mittheilungen und jene Ottos von Freising nicht kennt.

[2] Ueber die mögliche Veranlassung der Entstehung dieser Sage siehe S. 270, Anm. 3.

glaublich erschien. — Aus unseren Parallelstelle⟨
schliesslich, dass die Erzählung vom Zuge nach ⟨
und der Heldenthat des Botond wenigstens in de⟨
mus vorgelegenen Redaction der Gesta nicht stan⟨
zwar berührt, aber ausdrücklich bemerkt, er hab⟨
Aufzeichnung gefunden. Dementsprechend lässt e⟨
den nach seiner Rückkehr aus Deutschland sofo⟨
sterben. Dagegen mag sie in der Redaction, wel⟨
der Verfasser der Nationalchronik benützten, ber⟨
gewesen sein. Doch kann auch das Vorkommen⟨
beiden letzteren mit wörtlichen Anklängen so er⟨
dass Keza die Sage aus der Ueberlieferung aufna⟨
fasser der Nationalchronik aber bei seiner Arbeit⟨
Uebrigens ist es bekannt, dass die Ungarn nach ⟨
schlacht thatsächlich noch mehrere Raubzüge (96⟨
Griechenland unternahmen, bis auch diesen das g⟨
erstarkende oströmische Reich ein Ende setzte.[1] —⟨
ist zu betonen, dass in den Gesta vetera gewiss s⟨
wurde, dass nach der grossen Niederlage die⟨
friedlichere Politik zu verfolgen begannen. Dem⟨
betont Anonymus, dass seit jenem Ereignisse Zu⟨
Sohn Toxun friedlich regierten, und Keza beri⟨
dass wenigstens nach Westen fortan kein Einfal⟨
fand. Der entgegengesetzte Bericht der National⟨
noch zur Zeit Toxun's die Ungarn nach dem V⟨
züge unternahmen, ist offenbar nicht den Gesta,⟨
Ueberlieferung entlehnt.[2] Dass die bei Anonymi⟨
in der Nationalchronik vorkommende Bemerkung⟨

---

[1] Was Marczali in den Geschichtsquellen, S. 87.—91, ü⟨
führt, beweist die späte Anknüpfung der Sage an die⟨
ihre Fixierung in der uns vorliegenden Form. Wenn e⟨
ausdrücklichen Bemerkung des Anonymus, dass er von ⟨
that vor Constantinopel nirgends in einer geschriebene⟨
richt fand, das Gegentheil annimmt, so kann man ih⟨
folgen. Die späte Sage stand eben noch nicht in den⟨
Gesta. Wenn Botond der heldenmüthige deutsche Graf ⟨
Altahenses, anno 1060), so kann die Namensübertragung⟨
zwei Menschenalter später erfolgt sein. Der Verfasser de⟨
wohl schon ein Zeitgenosse Colomans gewesen. Sieh⟨
im Texte.

[2] Vgl. hiezu oben, S. 253, und die Anm. 1, S. 271.

‚Dies also waren die Kriege, welche die Ungarn bis zur Zeit Toxun's führten', den Gesta angehörte, ist ganz unzweifelhaft; und zwar wurde in derselben sicher Toxun genannt, wie bei Anonymus und in der Nationalchronik, nicht aber Geisa, was offenbar erst eine Neuerung Keza's ist, der Toxun, wie auch seinen Vater Zulta überhaupt nicht nennt.

Aus unserem Parallelstellenverzeichnisse ergeben sich ferner auch zum grossen Theile die Aenderungen und Zusätze, welche von den verschiedenen Bearbeitern der Gesta vetera herrühren. — Der Anonymus hat neben den schon auf Regino beruhenden Gesta nochmals Regino benützt, wie dies aus den in stehender Schrift gesperrt gedruckten Stellen zu ersehen ist. Hiebei hat er z. B. in ganz unsinniger Weise auch die Geschichte des Stephanus Frater Waldonis übernommen, die doch gar nicht mit den Ungarn in Beziehung steht. Es sei noch bemerkt, dass die grössere Anlehnung des Notars in einzelnen Worten und Sätzen an Regino immerhin auch daraus erklärt werden kann, dass er hierin den Gesta enger folgte, oder dass er eine ursprünglichere Redaction derselben benützte; aber die eng an Regino angelehnten umfangreichen Nachrichten, welche Keza und der Chronik fehlen (vgl. die näheren Berichte über Liutward und den eben erwähnten Stephanus, ferner den Kampf am Inn, jenen von 933/4 und 954/5) sind ohne Zweifel direct entlehnt. Ausserdem hat der Anonymus einzelne ihm allein eigenthümliche Zusätze gemacht; sie sind durch *cursive* Schrift bezeichnet. — Gegenüber dem Anonymus enthalten Keza und die Nationalchronik viele gemeinsame Nachrichten, die Jenem fehlen; dieselben sind durch *cursiv gesperrten* Druck bezeichnet. Es ist schon oben angedeutet worden, dass für das gemeinsame Vorkommen dieser Stellen in Keza und in der Chronik gegenüber der Darstellung des Anonymus verschiedene Erklärungen möglich sind. Hie und da wird vielleicht der Anonymus aus den Gesta etwas ausgelassen haben, was die anderen Ableitungen übernahmen. In anderen Fällen wird wohl das Mehr an gemeinsamen Nachrichten bei Keza und in der Chronik daraus zu erklären sein, dass ihnen bereits eine erweiterte Redaction der Gesta vorlag (man vergleiche besonders die obigen (S. 269 f.) Bemerkungen zum Kampfe bei Abah und jene über Botond (S. 272). Da schliesslich dem Verfasser der Chronik gewiss auch Keza's Gesta vorlagen, aus denen er die Hunengeschichte schöpfte, so ist es nicht ausgeschlossen, dass gewisse der Chronik mit Keza gemeinsame Nachrichten in der Ungarngeschichte aus Keza's Bearbeitung flossen (vgl. hiezu oben, S. 210). — Weiters bemerken wir Stellen, die nur Keza eigenthümlich sind; dieselben sind durch Unterstreichung ausgezeichnet. Es sind vorzüglich zwei Nachrichten über Rheinübergänge (bei Mainz und Constanz), eines Ueberganges über die Donau bei Ulm, dann genauere Nachrichten über verschiedene Grausamkeiten der Ungarn gegenüber deutschen Kriegsgefangenen. Alle diese Nachrichten scheinen wegen ihrer Zusammengehörigkeit doch wohl irgend einer deutschen Quelle entsprungen zu sein, die Keza zugänglich war.[1] — Endlich bemerken wir Nachrichten, sie sind zwischen ( ) gesetzt, welche nur in der Nationalchronik sich finden. Zu denselben gehören die bestimmten Zeitbestimmungen, die freilich nichts weniger als verlässlich sind. Man vergleiche hiezu auch oben, S. 227 f.

Nach jener bereits oben (S. 273) besprochenen Bemerkung des Inhalts: ‚Dies also sind die Kriege, welche die Ungarn bis zur Zeit Tocsun's führten', setzten die Gesta vetera ganz offenbar mit der Genealogie seit Toxun weiter fort. Nach dem Ausweise des Anonymus und der Chronik wurde hier gewiss Toxun als Vater Geisas und also als Grossvater Stephans des Heiligen genannt.[2] Keza führt dagegen auch an dieser Stelle Toxun nicht an, nachdem er bereits in der eben angeführten Bemerkung statt Toxun bereits Geisa genannt hat, wie dies S. 273 besprochen wurde. Die sonstigen genealogischen Daten und der Wortlaut der Stelle lassen sich aus Keza und der Chronik leicht bestimmen. Zu dem ursprünglichen Texte der Gesta vetera gehört vor Allem

---

[1] Die eine dieser Nachrichten von der Ermordung von 20.000 deutschen Gefangenen hätte Rademacher (Aventin und die ungarische Chronik, Neues Archiv XII, S. 575) gar nicht mit Aventin's Mittheilung von der Niedermachung der mehr als 20.000 Menschen in Italien zusammenstellen sollen. Die betreffende Stelle bei Aventin steht in der mir zugänglichen Leipziger Ausgabe von 1710, S. 446.

[2] Anonymus, §. 57: ‚Dux vero Thocsun genuit filium Geysam, quintum ducem Hungarie . . . ad tempora sancti regis Stephani, nepotis ducis Tocsun.' — Chronicon Budense, S. 61: ‚Porro Toxun genuit Geycham . . . Geycha vero . . . genuit sanctum Stephanum regem.'

auch die Nachricht, dass Sarolta die Mutter des heiligen Stephan war. Dies ergibt sich nämlich aus dem Umstande, dass sich die Nachricht beim Anonymus und in der Chronik findet, die bekanntlich direct einander nicht beeinflussten. Keza hat diese Nachricht wie manches Andere in der genealogischen Reihe ausgelassen.[1]

Anonymus, §. 27.	Keza, §. 24.	Chr. Budense, S. 61.
.. Geula genuit duas s, quarum ... al- Saroltu; et Sarolt mater sancti regis phani.	Anno vero Dominice incarnationis DCCCCLXVII Geicha dux divino premonitus oraculo genuit sanctum regem Stephanum.	Geycha vero divin premonitus oraculo au no Dominice incarna tionis DCCCCLX non ... genuit sanctum Ste phanum regem ex Sa rolth filia Gyule.

Ferner dürfte auch die Angabe des Geburtsjahres Stephans bereits den Gesta angehört haben. Die kleine Abweichung zwischen Keza und der Chronik dürfte sich leicht aus einem Schreibfehler erklären. Dass beim Anonymus die Zahl fehlt, darf nicht als Gegenbeweis angeführt werden, weil das Citat aus Anonymus einer vorgreifenden Bemerkung desselben entnommen ist; sein Werk bricht vor der eigentlichen Behandlung der Geschichte Stephans ab. Wenn aber an der oben auspunktirten Stelle im Citate aus der Chronik daselbst die Worte stehen ‚quemadmodum in Legenda sancti Stephani regis scriptum est‘, so ist diese Bemerkung nicht etwa so aufzufassen, als ob diese Nachricht erst aus einer Vita s. Stephani entnommen worden sei. Bekanntlich führt übrigens keine der Biographien Stephans das Geburtsjahr desselben an.[2] Die Mög-

---

[1] Doch nennt auch er, §. 24, Jula den avunculus Stephans. Die Veranlassung, das verwandtschaftliche Verhältniss zu bestimmen, boten den Gesta übrigens bereits die Annales Altahenses. Vgl. S. 276, Anm. 2.

[2] Die Ansicht Podhracsky's in der Ausgabe des Chronicon Budense, S. 62, als ob der Chronist insbesondere das Geburtsjahr Stephans aus einer Legende desselben entnommen habe, und dass daher an eine verlorene Legende zu denken sei, ist sicher unrichtig. Alle Nachrichten über Stephan, welche sich sonst in der Chronik finden, sind — wenn sie nicht den Gesta angehören — in den bekannten Vitae nachweisbar. Der Chronist hat eben seinen Verweis auf die Legende an unrichtiger Stelle eingeschoben.

lichkeit, dass aber die Chronik diese Nachricht erst aus Keza entnommen haben könnte, darf uns weder hier noch in ähnlichen Fällen — wo uns die Controle durch den Anonymus fehlt — ohne zwingenden Grund zur Annahme bewegen, dass die betreffende Nachricht nicht schon in der Quelle des Keza, also in den Gesta, vorhanden war. Allenfalls dürfen wir es uns nicht verhehlen, dass für das 11. Jahrhundert unsere Forschung sehr dadurch erschwert wird, dass uns der Anonymus nicht mehr zur Seite steht; seit Toxun bietet er eben nur in wenigen vorgreifenden Bemerkungen noch Vergleichsmaterial. — Andererseits sind (wie bereits oben, S. 232f., gezeigt wurde) gewisse auf den Legenden Stephans und Emerichs beruhende Nachrichten der Chronik nicht in den Gesta enthalten gewesen. Erst die Nationalchronik hat diese aus den Legenden entnommen, wie sie auch auf dieselben ausdrücklich hinweist. Mit den Worten ,Nos enim ea potius, que ab aliis scriptoribus pretermissa sunt, breviter ac summatim scribere intendimus' [1] deutet der Verfasser der Nationalchronik gleich im Anfange seiner Darstellung der Geschichte Stephans die Absicht an, seine Vorlage zu vervollständigen. Wie die Chronologie des Aufstandes, den Cupan unternahm, von der Chronik gegenüber Keza durch die Benützung der Legende richtiggestellt wurde, ist schon oben, S. 232, mitgetheilt worden. Die Gesta haben ganz gewiss diesen ersten Aufstand gegen Stephan nicht ausführlich geschildert. Die Chronik hat für ihre Darstellung hier ausser der Stephanslegende auch Keza's ,De nobilibus advenis' benützt, woher die Nachricht über Hunt und Pazman entnommen wurde. Die Jahreszahl (1002) des Kampfes gegen Gyula scheint den Gesta fremd gewesen zu sein und wurde von dem Verfasser der Nationalchronik wohl erst aus einer anderen Quelle (wahrscheinlich den auch sonst von ihm benutzten Annales Altahenses) eingesetzt; [2] Keza hat diese Zahl nicht, und aus dem Vergleiche seiner Darstellung mit jener der Chronik geht überhaupt hervor, dass die Gesta nicht annalistische Daten enthielten. Die

---

[1] Chronicon Budense, S. 62.

[2] Sie haben diese Nachricht zum Jahre 1003. Ueber die Benützung der Annalen durch den Verfasser der Nationalchronik siehe oben, S. 229 f., und weiter unten. Schon die Gesta beruhten aber hier auf den Annales Altahenses. Man vergleiche:

an dieser Stelle in der Chronik enthaltene Beschreibung
Siebenbürgens (Chronicon Budense, S. 65) gehört dagegen
nach dem Ausweise des Anonymus (§. 25) bereits den Gesta
an. Der Kampf gegen die Bulgaren und die damit verbundenen Ereignisse sind in den Gesta sicher nicht so ausführlich
erzählt worden, wie sie die Chronik schildert (Chronicon Budense, S. 66—68); man vergleiche dagegen Keza's knappe
Darstellung. Dass sich auch hier in der Darstellung der
Chronik der Einfluss der Stephanslegende deutlich zeigt, ist
bereits oben, S. 233, bemerkt worden; Keza sagt noch, dass
Stephan die Marienkirche in Stuhlweissenburg ‚fundasse perhibetur‘; in der Chronik wird bereits in Uebereinstimmung mit
der Stephanslegende bestimmt gesagt: ‚quam ipse fundaverat‘.
Durch die Stephanslegende kamen auch in die Darstellung der
Chronik wohl erst die mildernden Bemerkungen über Gisela; [1]
bei Keza ist von dergleichen nicht die Rede, und Alberich,
der bekanntlich auch die Gesta benützt hat, berichtet ebenfalls
über die Königin nichts Günstiges. [2] Die Nachrichten über die
merkwürdigen Naturerscheinungen zum Jahre 1022, welche sich
in der Chronik finden, sind sicher erst späterer Zusatz; sie
fehlen nicht nur bei Keza, sondern auch noch in dem Chronicon Posoniense, wo allenfalls eine Kürzung stattgefunden
haben dürfte; den Gesta waren sie sicher fremd, weil diese
überhaupt solche annalistische Aufzeichnungen nicht enthalten
zu haben scheinen. Der Verfasser der Nationalchronik hat sie,

Annales Altahenses.	Keza.	Chr. Budense.
A. 1003. Stephanus rex Ungaricus super avunculum suum Julum regem cum exercitu venit, quem cum adprehendisset cum uxore ac duobus eius filiis, regnum vi ad christianismum compulit.	§. 24. Jula avunculo suo cum uxore et duobus filiis de septem castris in Hungariam adducto.	S. 65. Bellum gessit contra proavunculum suum ... anno ... millesimo secundo ... cepit Gyulam ducem cum uxore et duobus filiis suis et in Hungariam transmisit.

[1] Vgl. Chronicon Budense, S. 68, über die Freigebigkeit der Königin
gegen ungarische Kirchen. Hiezu Vita maior s. Stephani, §. 10, und
Vita von Hartwich, §. 11.

[2] Mon. Germ. Script. XXIII, 779: ‚. . . sed illa Gisla regina, ut dicunt
(Hungari), multas malitias in terra illa fecit . . .‘

wie manches Andere, wahrscheinlich direct den Annales Altahenses entlehnt. Man vergleiche:

Annales Altahenses.	Chr. Budense.
A. 1020. In multis terrarum locis multa et magna incendia. A. 1021. Ingens terrae motus IIII. Idus Mai hora X. diei feria sexta post ascensionis Domini, quasi duo soles visi X. Kal. Julii.	S. 70. Anno Domini millesimo vigesimo secundo, in multis locis incendia multa et magna facta sunt; ingens etiam terre motus contigit quarto Idus Maii decima hora diei sexta feria post ascensionem Domini, quasi duo soles visi sunt decimo Kalendas Julii.

Auch die den König wegen seines Verhältnisses zu Wazul
entschuldigenden Bemerkungen (Chronicon Budense, S. 72:
,quem recluserat rex propter iuvenilem lasciviam et stulti-
tiam, ut corrigeretur; . . . sed impediente egritudinis molestia
debitam penam malefactoribus impendere non potuit') sind
sicher erst späteren Ursprungs: sie rühren bereits aus einer
Zeit her, da die Wärme für den heiligen König nicht
mehr genügt, um alle Handlungen desselben zu legalisiren.[1]
Die Dauer der Regierungszeit Stephans (46 Jahre)
findet sich bei Keza und in der Chronik und stand somit
sicher auch in den Gesta. Zu lesen ist wahrscheinlich
,XLIV', wie auch das Königsverzeichniss anführt (Studie VII,
S. 443), was den Jahren von 995—1038 entspricht, wenn man
Anfangs- und Endjahr mitzählt. Buda, den die Chronik als
Rathgeber und Helfer Giselas und Peters wiederholt nennt
(Chronicon Budense, S. 72, 75 und 78), erscheint bei Keza
nirgends genannt. Von Buda stand also wohl in den
Gesta nichts, vielmehr nahm die Nationalchronik ihn erst
bei der erneuerten Benützung der Annales Altahenses auf.
Man vergleiche:

Keza.	Chr. Budense.	Annales Altahenses.
§. 24. Quo audito ysla regina habito	S. 72. Audiens autem hoc Keysla regina iniit	

---

[1] Man vergleiche damit die Zusätze des Schreibers des Pester Codex (um
1200) der Stephanslegende von Hartwich, §. 19 (quod ob terrorem incu-
ciendum reliquis, zelo eum iusticie fecisse credendum est) und §. 22
(digna eos multavit sententia). Vgl. dazu unsere Studie I, S. 344.

silio infidelium misit
nitem Sebus, qui re-
nuntium preveniens,
azul oculos effoderet,
resque eius plumbi
nsione obturaret, fu-
retque abinde in Bo-
miam.

§. 25. Regina vero
ysla consilio iniquo-
m Petrum Venetum
ium sororis sue . . .
§. 26. Petro itaque
) regno effugato illi
ranni, quorum con-
lio afflicti erant Hun-
ri, sunt detecti. Ex
iibus unum in frustra
conciderunt, oculos
iorum filiorum eius-
m eruentes; alios
ro in manganis fer-
is confregerunt, quos-
m lapidibus obruen-
s. Sebus vero, qui
'azul oculos eruerat,
idibus confractis ac
anibus in rota pere-
erunt.

consilium cum Buda viro
nephando et festinantis-
sime misit nuncium no-
mine Sebus, filium ipsius
Buda, ad carcerem, in
quo Vazul detinebatur.
Sebus itaque proveniens
nuncium regis, effodit oculos Vazul et concavitates
aurium eius plumbo ob-
turavit et recessit in Bo-
hemiam.

S. 75. At regina Keysla
cum Buda satellite Petrum
Alemanum vel potius Ve-
netum . . .
S. 78. Petro itaque per
fugam de manibus Hun-
garorum elapso, Hungari
sceleratissimum Budam
barbatum omnium ma-
lorum intentorem, cuius
consilio Petrus Hunga-
riam afflixerat, in frustra
concidentes interfe-
cerunt, et duorum filio-
rum suorum oculos effo-
derunt. Sebus autem, qui
oculos Vazul eruerat, confractis manibus et pedi-
bus peremerunt, quosdam
vero lapidibus obruentes,
alios autem in manganis
ferreis ceciderunt vastan-
tes.

A. 1041. Quo per-
specto principes illius
regionis unanimiter
inierunt consilium, ut
interficerent quendam
illi fidelem, nomine Bu-
donem, horum omni-
um malorum aucto-
rem, cuius omnia fe-
cerat consilio . . . mox
eum comprehendentes
interfecerunt ipsum
in frustra concidentes
tes et duobus parvulis
eius oculos eripientes.

Aus den vorstehenden Parallelstellen geht es wohl zur
Genüge hervor, dass in der Vorlage Keza's Buda nicht genannt war; er hätte doch nicht an allen Stellen seinen Namen
ausgelassen. Vielmehr ist leicht zu erkennen, dass die Chronik

aus den Annalen bei deren wiederholter Benüt
entnahm und ihn an mehreren Stellen einsetzt
gleich sich an einer Stelle auch mehr dem W
nalen nähert: Das ‚omnium malorum intent(
kann erst mit der Erwähnung Buda's aus d
nommen worden sein. In der Darstellung d
Giselas nach dem Tode Stephans, wie sie die
(Chronicon Budense, S. 75), sind schon oben,
der Umarbeitung, veranlasst durch die Benützu
legende, nachgewiesen worden. Die in der Ch
Budense, S. 77) stehenden Schmähungen gege
Italiener sind wohl auch neuen Datums; Keza,
davon.

Dass die Ereignisse 1041—1045 in (
spärlicher behandelt wurden als in der Cl
oben, S. 214ff. und 229ff., gezeigt worden. Do
wiesen, dass gegenüber dem der Darstellung
bar näher stehenden Keza die Chronik ihre)
directe Benützung der Annales Altahenses
Bezüglich der Buda betreffenden Nachrichten
ist dies soeben ausführlich gezeigt worden. I
der Darstellung zum Jahre 1042. Man vergle
bereits oben, S. 216f., Gesagten noch auch d;
der Chronik (Chronicon Budense, S. 80) ‚Rex
a. D. millesimo quadragesimo secundo r
cesarem, ut perquireret, an inimicaretur
pacem stabilem cum eo posset habere' m
henses: ‚A. 1042 (Obo) misit legationem talei
retur, an certas inimicicias sperare deber(
pacem.' Da Keza (§. 26) nur die Notiz hat:
scivisset, nuntios mittens ad cesarem probavit,
posset ordinare vel minime', so ist kein Z
Chronik für ihren Text die Annalen selbstät
und insbesondere aus ihnen die Jahreszahl he;
gehören hieher die dasselbe ergebenden Aus
S. 217f., die schon auch in das Jahr 1043 g
überhaupt auch die Darstellung der Chronik f
Ereignisse bis zur Uebergabe der goldenen Li
an Heinrich III. (1045) erst durch die Wied
Annales Altahenses ihre gegenwärtige Gesta

ergleiche hiezu oben, S. 214 ff.; ferner sind noch in Betracht
u ziehen: Annales Altahenses, a. 1044: ,Et ecce turbo vehe-
iens ex parte nostratium ortus pulverem nimium adversario-
im ingessit obtutibus' verglichen mit der Chronik (Chronicon
Budense, S. 84): ,Tradunt autem Teutonici ... turboque vehe-
iens ... terribilem pulverem obtutibus ingessit Hungarorum';
rner Annales, a. 1044: ,Denique caesar discalciatus et laneis
d carnem indutus ante vitale crucis lignum procidit, idemque
opulus una cum principibus fecit, ipsi reddentes honorem et
loriam, qui illis dederat tantam victoriam, tam mirificam, tam
cruentem ...' mit der Chronik (Chronicon Budense, S. 85):
Cesar autem reversus ad castra ante sacrosanctum lignum
alutifere crucis se humiliter ac devote prostravit, discalceatus
d pedes, cilicio ad carnem indutus, una cum omni populo suo
misericordiam Dei glorificavit, que ipsum illo die liberavit de
manibus Hungarorum.' [1] Zu der eben behandelten Partie sind
och folgende Bemerkungen zu machen: Die Mittheilungen
ber die Niederlage der Ungarn durch ,Gotfridus Austrie mar-
hio', welche sich bei Keza, §. 26, und sonst nur im Chronicon
Pictum, S. 148, findet, gehört sicher nicht in dieser Form den
Gesta an; man vergleiche darüber Studie VII, S. 500 f. An
em an dieser Stelle gefundenen Ergebnisse, dass dieser Wort-
aut der Nachricht erst von Keza herrührt und von diesem in
las Chronicon Pictum überging, werden wir bei dem Umstande,
lass alle ursprünglicheren Chronikredactionen [2] einen anderen

---

[1] Für einzelne Einschiebungen der Chronik aus den deutschen Annalen
ist die Bemerkung: ,Tradunt autem Teutonici' (S. 84) oder ,que (Alba)
Teutonice Weyzenburg dicitur' (S. 86) bezeichnend. Zu ersterer Bemerkung sieht sich der Chronist veranlasst, weil er die betreffende Geschichte von der Naturerscheinung den Annalen, a. 1044, entnimmt, zu
letzterer, weil er in den Gesta den Namen Alba, in den Annalen an
der betreffenden Stelle (a. 1044) aber Wizenburg fand. Interessant ist
auch, wie der Chronist die aus den Annalen, a. 1044, entnommene Nachricht über das Dankgebet Heinrichs III. für den unblutigen Sieg und
die geringen Verluste seines Heeres mit der bereits in den Gesta (siehe
Keza!) stehenden Sage über die Niedermetzelung der Deutschen verbindet. Er lässt Heinrich beten, weil Gott ,ipsum illo die liberavit de
manibus Hungarorum' (Chronicon Budense, S. 85).

[2] Nach Florian III, S. 53, und Lucius, Inscriptiones, S. 83, fehlt im Vat.
der Satz ,Gottfridus ... marchiones'; ebenso im Aceph., Bl. 4a, Sam.,
Bl. 21a, und in den anderen Chroniken. Mit dem Pictum hat sie nur
dessen Auszug (Chronicon Monacense, S. 233) gemein. Hiebei ist zu

Wortlaut aufweisen, festhalten müssen; obwohl andererseits zugestanden werden wird, dass schon die Gesta vetera auf Grundlage der Annales Altahenses, a. 1042, über den Einfall der
Ungarn nach Kärnten berichtet haben werden und auch vielleicht Gottfrieds Namen aus ihnen übernahmen. Diesen hätte
dann Keza beibehalten, indem er Gottfried zu einem Markgrafen
von Oesterreich machte und daran die Bemerkung knüpfte:
‚Tunc enim Austria non duces, sed habebat marchiones‘; die
Nationalchronik hat dagegen offenbar den Namen Gottfried
nicht aufgenommen, und deshalb entbehren desselben alle Redactionen bis auf das Pictum (und dessen Auszug das Chronicon Monacense), welches ihn wie Anderes aus Keza übernahm. An einer anderen Stelle scheint allenfalls Keza eine
bereits in den Gesta vorhandene Nachricht aus den Annales
Altahenses weggelassen zu haben. Man vergleiche:

Keza.	Chr. Budense.	Annales Altahenses.
S. 81. Cesar igitur ... cum exercitu No‘co et Bohemico Au·riam introivit, dissi·ulans se in Hunga·iam intraturum.	S. 84. Cesar igitur ... cum exercitu Norico et Bohemico et Flandris aulicorum suorum bel·licosissimis venit in Mar·chiam Austriae, dissimu·lans se ...	A. 1044. Porro enim rex ... gemina tantummodo duces exercitum Noricum Boiemicum. De r quis regni sui partib nullos nisi aulic suos habebat.

In der Chronik zeigt sich also ein kleines Plus an Nachrichten, die allenfalls auf die Annalen deuten, auf denen aber
nach dem Ausweise des Keza bereits der Text der Gesta überhaupt beruhte. Da nun der Text der Chronik hier dem Keza
sonst ganz nahe steht und sich durch die Satzconstruction der
Annalen gar nicht beeinflusst zeigt, so ist es sehr wahrscheinlich, dass die Worte ‚et Flandris ... bellicosissimis‘ aus den
Gesta herrühren; Keza hätte sie dann ausgelassen, nicht aber
die Nationalchronik sie erst aus den Annalen entlehnt. Schliesslich ist noch zu bemerken, dass schon in dieser Partie die Einschübe aus der Vita s. Gerhardi beginnen (Chronicon Budense,
S. 82), worüber bereits oben, S. 235, die Rede war.

beachten, dass das Pictum von der ursprünglichen Redaction am weitesten absteht.

Für die Zeit der inneren Wirren boten die Gesta
recht spärliche Nachrichten. So ist zunächst ihre Erzählung über die im Auslande lebenden arpadischen Prinzen
Andreas, Bela und Leventha und das Auftreten des Planes
ihrer Rückberufung durch die unzufriedenen Ungarn wohl nur
so knapp gewesen, wie sie sich bei Keza, §. 27, findet, während
die ausführlicheren Mittheilungen in der Chronik (Chronicon
Budense, S. 88—91) wohl erst durch Interpolationen herbeigeführt wurden. Als Quelle mögen hiebei wie bei anderen Erweiterungen in dieser Partie dem Verfasser der Nationalchronik
die von ihm (Chronicon Budense, S. 93) citirten ‚antiqui libri
de gestis Hungarorum‘ gedient haben, von denen wir keine
näheren Nachrichten haben. Auch über Gerhard ist in den
Gesta vetera wenig enthalten gewesen. Die Chronik hat zur
Erweiterung ihrer Erzählung von der Legende des heil. Gerhard reichlich Gebrauch gemacht, wozu ausser den Ausführungen oben, S. 233 ff., noch Folgendes zu vergleichen ist.
Die ausführlicheren Mittheilungen der Chronik über die Botschaft der Ungarn an die arpadischen Brüder in Polen (Chronicon Budense, S. 91) beruhen auf der Legende. Man vergleiche:

Kesa.	Chronik.	Vita s. Gerhardi.
§. 27. Tunc in Che- d omnes in unum venerunt, consilio- habito communiter filiis Zar Ladislai nsmittunt, unde ad num remearent. Qui n in Pest advenis- t . . . statim . . . per ntios trium (!) fra- rum proclamatur, d. . . . §. 28. Tunc s(!) fratres Alben- n ingressi civitatem	Chr. Budense, S. 91. Tunc nobiles Hungarie . . . in Chanad in unum convenerunt consilioque habito totius Hungarie, nuntios miserunt so- lemnes in Rusciam ad Andream et Levente di- centes eis, quod tota Hun- garia eos fideliter expecta- ret . . . Cum autem venis- sent (nur Andreas und Bela!) ad Novum Castrum . . .	§. 19. Ungari miserunt solempne nuntios post filios W zul: Endre, Bela et L venthe . . . petentes eo ut de Polonia ad Ung riam venirent. Sicq Bela ibidem remanent Endre et Leventhe (ad Ungariam veneru . . .

Aus den vorstehenden Stellen ersieht man leicht, dass die
Chronik die Darstellung der Gesta, wie sie uns bei Keza

entgegentritt, aus der Gerhardlegende interpolir
aus ihr sowohl einzelne Ausdrücke entnimm
ursprüngliche Darstellung, dass alle drei Brü
Ungarn zogen, dahin berichtet, dass nur Andre
zunächst Polen verbessen, der dritte Bruder ab
— Wenn nun bei Keza, §. 27, das Meiste der
stellung in der Chronik (Chronicon Budense,
dieses Plus an Nachrichten aber wiederholt
ziehungen zu der Legende aufweist, so sin
Weise auch alle diese Nachrichten den Gesta
und erst aus der Legende in die Chronik ge
gehört die breite Erzählung von dem Wie
Heidenthums, S. 92—94 (bis: . . . ecclesias d
die den Mittheilungen in der Legende, S. 228
sias destruxere), entspricht; im Heidenführer V
erkennen wir den Bacha der Legende wied
von den hier enthaltenen Mittheilungen hat d
anderen Quelle entnommen, aus der vielleicl
andere selbständige Nachricht, besonders in di
rührt. Der Chronist sagt hier nämlich unter
autem scriptum in antiquis libris de gestis Hu
omnino prohibitum erat Christianis, uxorem
sanguineis Vata et Janus . . .‘ Diese Nachricl
keiner der uns sonst bekannten ungarischen C
nicht den Gesta vetera entstammt, ist augen
weitere Erzählung im Chronicon Budense, S.
offenbar aus dem bei Keza aufbewahrten Text
der Legende zusammengeschmolzen. Man ver

Keza.	Chronik.
	Chr. Budense, S. 94.
	Deinde contra Petrum
	regem rebellantes univer-
	sos Teutonicos et Latinos,
(Siehe unten!)	qui in officiis diversis pre-
	fecti per Hungariam sparsi
	fuerant, turpi neci tradi-
§. 27. . . . statim in	derunt. Mittentesque in
curia Petri regis una	Petri castra in equis velo-
nocte in equis veloci-	cissimis nocte tres pre-

: per nuntios trium
:rum proclamatur,

»d omnes Teutonici
Latini, ubicunque
enti perimantur et
umatur ritus paga-

:mus. Mane ergo
:to scistitatus Petrus
:ti causam pro certo
:cognovit, ipsos esse
: Hungaria. Et licet
:menso dolore tactus
:set, se letum demon-
:rabat. Tunc clam mit-
:ns suos nuncios ut
:lbam occuparent, re-
:lato consilio Hungari
:r omnia loca inci-
:nnt rebellare, occi-
:ntes uno tempore
:eutonicos et Latinos,
:ulieribus quoque in-
:ntibus et sacerdoti-
:ns, qui per Petrum
:erant prepositi pleba-
: et abbates, non par-
:ntes. Et cum in Albam
:quisset introire . . .

cones, qui deberent pro-
clamare edictum et ver-
bum dominorum Andree
et Leventhe, ut ipsi
episcopi cum clero
sint necati; decimator tru-
cidetur; traditio resuma-
tur paganisma; penitus
obolenda sint collecta;
cum suis Teutonicis et Latinis Petri pereat me-
moria in eternum et
ultra. Mane igitur facto
sciscitatus est rex rei
factum et certissime ex-
periens, quod isti fratres
redissent eorumque intui-
tu sui prefecti per Hun-
garos fuissent trucidati,
non se ostendit perterri-
tum de rumoribus, sed
letum se demonstrans et
suo castro de loco remu-
tato transivit Danubium in
Sitva-Tu Albam cupiens
introire. Hungari autem
prescientes eius velle pre-

(Siehe oben!)

venerunt occupantes cam-
panilia et turres civitatis
et seratis ianuis excluse-
runt.

destruere, et prec
proclamare edic
Endree et Le
the, ut episcopi
clericis et mon:
et Christianis in

ciantur et mem
eorum pereat in
num et ritus pa
nostrorum reass
tur. Quo audito .

Bei Keza folgt nun auf die eben abgedruckte Stelle sofort die Nachricht von Peters Flucht nach Musun-Wiesel-
burg und Stuhlweissenburg, von seiner Gefangennehmung, Blen-
dung und seinem Tode; sodann wird in §. 28 der Einzug der
drei Brüder in Stuhlweissenburg und die Krönung Andreas'

— doch ohne die Jahreszahl — erzählt. Diese
in der Chronik von den eben mitgetheilten N
den ersten missglückten Zug nach Alba du
Nachrichten über den Märtyrertod des heil. (
denselben begleitenden Umstände getrennt.
der Chronik (Chronicon Budense, S. 95—99)
Vergleich der Legende Gerhards, S. 228 ff., zei
Theile auf dieser. Mit Keza's fünf Zeilen umfas
über diese Ereignisse (§. 29) hat die Chronil
gemeinsam (Gerhardus monachus prius
censi abbatia), welche der Legende fehlt. Di
mit kurzen Bemerkungen über Gerhard
Keza bietet, gehörte also den Gesta an.
der Nationalchronik lagen übrigens auch hi
Altahenses wieder vor. Viel konnte er ihne
nehmen, wiewohl auch sie diese Episode r
zum Jahre 1046 schildern. Diesen entnahm
Jahreszahl der Krönung Andreas', die (wie eben
nach dem Ausweise Keza's den Gesta gefehlt
setzt jedoch die Krönung zum Jahre 1047, wä
Annalen zum Jahre 1046 gemeldet wird.[1] D
nahm er auch die Nachricht, dass der graus
nur drei Bischöfe entronnen seien und Andrea
krönt worden sei (Annales, a. 1046 = Chr
S. 101). Sehr interessant ist folgende Betra
an die Krönung anschliessenden Bemerkung
stammung Andreas' und seiner Brüder. Nach
Nachricht Keza's (§. 24, S. 77 und 78; §. 27
Chronik (Chronicon Budense, S. 61, 72 und 1
Abstammungsreihe:

Toxun

Geycha   Mic
Stephan   Calvus Ladizlaus
         Andreas   Bela   Lever

Nun findet sich bei Keza (§. 28) und
(Chronicon Budense, S. 102) folgende überein

---

[1] Vgl. über solch' eine kleine Schwankung auch ob
und S. 278. Hiezu ist noch unten, S. 293 f., zu ver

Keza.

Quidam autem istos fratres ex duce Wazul progenitos asseverant ex quadam virgine de genere Tatun non de vero thoro oriundos et pro tali missitalia illos de Tatun nobilitatem invenisse. Frivolum pro certo est et pessime enarratum. Absque hoc namque nobiles sunt et de Scitia oriundi, quia isti sunt filii Zar Ladislai.

Chronik.

Tradunt quidam istos tres fratres filios fuisse Vazul ducis ex quadam puella de genere Tatun non de vero thoro ortos esse et ob hanc coniunctionem illos de Tatun nobilitatem accepisse. Falsum pro certo est et pessime enarratum; absque namque hoc sunt nobiles, quia isti filii sunt Calvi Ladislai.

Der Kampf gegen die Ansicht, dass die drei Brüder Söhne Wazul's seien, fand sich also offenbar schon in der gemeinsamen Quelle Keza's und der Chronik, d. i. in den Gesta vetera, in welchen, nach dem Ausweise Keza's und der Chronik, bereits auch ihre Aufzählung als Söhne Ladislaus', des Bruders Wazul's, sich befand. Die Nachricht, dass Wazul der Vater der drei Brüder war, ist hiemit älter als die Gesta; diese Nachricht finden wir aber auch in der Vita s. Gerhardi — vgl. oben, S. 283 — welche gewiss in den ältesten Theilen bis ins 11. Jahrhundert hineinreicht. Von Ladislaus weiss diese Vita dagegen nichts. Die eben mitgetheilte Beweisführung der Gesta vetera gegen diese ältere Ansicht steht ganz offenkundig auf sehr schwachen Füssen: sie stellt dieser blos eine andere gegenüber. In Rücksicht auf diese Umstände wird man wohl nicht mit Unrecht vermuthen dürfen, dass Wazul-(Basilius-)Ladislaus dieselbe Person sei; solche Zweinamigkeit kommt nämlich in der älteren ungarischen Geschichte wiederholt vor: man vergleiche ,Dewix-Geisa, Waic-Stephan, König Geisa I. und II. = Deuca, jüngere Gylas = Procui,[1] Bela I. = Pugil = Benin[2] und Aba = Samuel.[3] Diese Annahme würde den Widerstreit zwischen

---

[1] Die Nachweise in meiner Schrift: ,Beiträge zur älteren ungarischen Geschichte', S. 14, Anm. 82. Zu Gylas-Procui vgl. jetzt auch Balzer, Genealogia Piastów (Krakau 1896), S. 550, und meine Gegenbemerkung in ,Mittheilungen aus der historischen Literatur' XXV, S. 175.

[2] Vgl. Studie VII, S. 440.

[3] Anonymus, §. 32. Vgl. hier auch §. 27 ,Caroldu' und ,Saroltu'.

den älteren Nachrichten — den Quellen der Gesta vetera und
der Vita s. Gerhardi — und den jüngeren Berichten der Gesta
(erhalten bei Keza und in der Chronik) erklären. Damit
sind aber noch nicht alle Schwierigkeiten gelöst: nach den
Annales Altahenses, a. 1041, war der Vater[1] der verblendeten
Prinzen geblendet worden, welche Nachricht auf Wazul passt
(Keza, §. 24; Chronicon Budense, S. 72); dieser Vater war aber
ebenfalls nach den Annalen ein Sohn des Bruders Stephans
(filium fratris sui . . . cecavit es parvulos eiusdem exilio relega-
vit), darnach müsste Michael (Wazuls Vater) als Bruder Stephans
aufgefasst werden, nicht aber als Vetter (Vaterbruder) desselben,
wie dies Keza und die Chronik thut. Wir fügen noch hinzu, dass
der Anonymus nichts von Michael weiss, sondern (§. 57) nur
Geisa als Sohn Toxun's anführt;[2] hingegen nennt auch er, §. 15,
Andreas einen Sohn ‚calvi Ladisl y‘, wobei er natürlich den
Gesta vetera folgt. — Die Mittheilung der Chronik über den
frühen Tod Leventa's und die nun folgende Berufung des in
Polen zurückgebliebenen Bela (Chronicon Budense, S. 100 und
104) kann in den Gesta vetera sicher nicht so gestanden sein,
weil nach diesen — wie wir oben, S. 284, sahen — alle drei
Anu[...]ur zusammenkamen. Bei Keza steht auch nichts davon.
nahe[...]nta lässt die ungarisch-polnische Chronik, die mit den
nu[...]a eine gemeinsame Quelle hatte, sechs Monate regieren;[3]
k[...]Nachricht von dem frühen Tode Leventa's könnte
S. [...] auch den Gesta angehört haben und wäre vermutlich
nicht aufgenommen worden. Die Nachricht, dass Andreas
das Kloster Tyhon gründete (Chronicon Budense, S. 107),
gehört auch den Gesta an, denn auch Keza sagt, §. 51:
‚Andreas autem obiit . . . et in Tyhon monasterio propter . . .

---

[1] Der Name wird nicht genannt.

[2] Die ungarisch-polnische Chronik, welche für die Lösung dieser Frage
noch hätte herbeigezogen werden können, ist leider so verdorben, dass
sie nicht berücksichtigt werden kann. In derselben (§. 11 und 12) erscheinen Leventa, Bela und Peter als Söhne Stephans. Im Titel zu
§. 10 heisst es gar: ‚De successione Albae in regnum post mortem patris.‘
Ich citire nach der Ausgabe in Bielowski's Mon. Pol. hist. I; Ke-
trzynski's neu edirter Text ist ein jüngerer Auszug (vgl. studie VI,
besonders S. 534).

[3] Mon. Pol. hist. I, S. 512: ‚Post sex menses nuntiant sibi Leventam iam
mortuum.‘

litur.[1] Die Nachricht, dass Andreas mit einer ruthe-
hen Fürstentochter vermählt war (Chronicon Bu-
e, S. 107), stand wohl schon in den Gesta vetera,
diese Nachricht zwar nicht bei Keza, wohl aber beim
nymus in einer vorgreifenden Bemerkung sich wiederfindet
15). Von den Söhnen Andreas' werden in beiden Ablei-
en Salomon und David genannt (Keza, §. 31; Chronicon
ense, S. 107), von jenen Belas kommen ebenso Geisa und
islaus vor; diese nannten also auch die Gesta
ra. Alle diese Nachrichten, welche im Chronicon Bu-
e, S. 102—107, sich vorfinden, stehen hier an unrichtiger
le und werden vielmehr in den Gesta, soweit sie in den-
en standen, an der dem §. 31 Keza's entsprechenden Stelle
etzen sein. Die Chronik hat offenbar die diesem Para-
phen Keza's entsprechenen Nachrichten der Gesta vetera,
m sie dieselben erweiterus, an einer früheren Stelle eingeben. Hiefür sprechen folgende zwei Umstände: Erstens
en wir in der Chronik an einer späteren, dem §. 31 Keza's
sprechenden Stelle (Chronicon Budense, S. 115, und voll-
diger in dem ursprünglicheren Chronicon Posoniense, §.
elne dieser Nachrichten wieder,[2] und dies ist ein Fin icht
, dass sie wohl hier alle vereint standen. Zweitens ben,
ch diese Nachrichten der Chronik (Chronicon Bude br-
03—107) die zusammengehörige Erzählung über die Kämp n
A Deutschen in den Fünfzigerjahren zerrissen. Betrach era
nämlich Keza's Darstellung dieser Kämpfe im §. 30, so
os klar, dass seine Nachrichten über die ersten glücklichen
npfe der Ungarn mit den Norikern, Böhmen und Polen ganz
nbar sich auf den für die Deutschen unglücklichen Feldzug
1051 beziehen; damals führte Heinrich thatsächlich auch
ern, Böhmen und Polen nach Ungarn.[3] Aber auch die
teren Mittheilungen ‚Propter quod Heinricus imperator . . .'

Der citirten Nachricht bei Keza entspricht Chronicon Budense, S. 115.
— Die Nachricht von der Gründung dieses Klosters durch Andreas findet
sich auch in der Vita s. Gerhardi, §. 21.
Hier det sich die Nachricht über Tyhon und Andreas' Sohn David in
derselbet Weise wie bei Keza, §. 31. Ueber die Ursprünglichkeit des
Chronicon Posoniense siehe Studie VII; Näheres in einer künftigen
Arbeit.
Vgl. Huber, Geschichte Oesterreichs I, S. 192.

beziehen sich ganz unzweifelhaft auf diesen Feldzug, denn die von Keza gemeldete Belagerung Albas und die Erwähnung von Bodoct (Bodouch) kann nur auf den 1051 von Südwesten erfolgten Angriff auf Ungarn Bezug haben. In der Chronik erscheinen nun ganz unpassend die Bemerkungen (Chronicon Budense, S. 102) über jene Kämpfe mit Böhmen, Polen und Oesterreichern (statt Norikern) von der weiteren Erzählung des Feldzuges von 1051 (Chronicon Budense, S. 108) durch die oben erwähnte Interpolation der Rückberufung Belas (S. 104) und durch die anderen erwähnten Notizen (S. 107) zerrissen.

Was nun die Schilderung der Kämpfe anlangt, so ist diese in der Chronik ausführlicher als bei Keza, aber man erkennt sofort die verwirrenden Interpolationen. Gewiss war schon der Text der Gesta vetera über diese Kämpfe in den Fünfzigerjahren dürr und sehr mangelhaft; dies sieht man klar aus Keza's Erzählung. Er weiss nur von der schon erwähnten und erklärten Besiegung von Norikern, Böhmen und Polen zu erzählen. Daran fügt er die Mittheilung, dass in Folge dieses Sieges die Ungarn durch drei Jahre die Oberherren der Besiegten wurden, worunter wahrscheinlich deren glückliche Erfolge bis 1054 zu verstehen sind. Heinrich versucht, hiefür die Ungarn durch einen Kriegszug zu strafen. Was über diesen Kriegszug erzählt wird (Belagerung von Alba, Hungersnoth, die Sage vom Mons Barsunus), bezieht sich offenbar auf den Zug vom Jahre 1051. Mit diesem wird auch schon die Vermählung (traderet in uxorem) des ungarischen Prinzen Salomon mit Sophie in Verbindung gebracht, während doch erst die Verlobung 1058 stattfand.[1] Ueber den zweiten Zug vom Jahre 1052 und die Belagerung Pressburgs weiss Keza nichts zu erzählen. Dem Verfasser der Nationalchronik standen nun gewiss ausser den Gesta auch andere Nachrichten zur Verfügung. Woher er sie schöpfte, wissen wir nicht bestimmt: die Annales Altahenses lagen ihm hiefür offenbar nicht mehr vor. Die letzten der Chronik mit diesen gemeinsamen Nachrichten gehören nämlich dem Jahre 1046 an (siehe oben, S. 230), und es scheint somit die Annahme richtig, dass bei 1046 in den Annales Altahenses ein Abschnitt zu machen ist:[2] nur der

---

[1] Uebrigens ist Salomon nach den Annales vet. Ung. erst 1053 geboren.

[2] Vgl. darüber die gesammelten Notizen bei Rademacher in ‚Forschungen zur deutschen Geschichte‘ XXV. S. 408.

Theil bis 1046 war den ungarischen Geschichtsschreibern zugänglich geworden; für die folgenden Jahre können wir weder bei Keza, noch in der Chronik überhaupt die Verwendung der Annalen nachweisen, also waren sie auch nicht in den Gesta vetera verwendet worden. So erklärt sich die geringe Geschichtlichkeit der Ausführungen bei Keza, ebenso aber in der Chronik. Wie diese einen Theil des zum Feldzuge von 1051 gehörenden Berichtes losgelöst hat, ist bereits oben mitgetheilt worden. Ebenso unrichtig ist die Erwähnung der Belagerung von Pressburg v o r der Fortsetzung des Feldzuges von 1051 angesetzt (Chronicon Budense, S. 108), denn diese Belagerung gehört erst zum zweiten Feldzuge von 1052. Auch sonst hat die ganze Erzählung einen verworrenen, sagenhaften Charakter. Statt der Sage vom Mons Barsunus findet sich hier jene vom Orte Vertes-Hegye (Chronicon Budense, S. 110). Beide sind nach der ausdrücklichen Bemerkung bei Keza (usque hodie) und in der Chronik (usque modo) der lebendigen ungarischen Volksüberlieferung entnommen. In den Gesta stand wohl nichts davon.[1]

Verhältnissmässig richtig sind die Bemerkungen der Chronik über die Vermählung Salomons mit Sophie (Chronicon Budense, S. 113). Unrichtig ist die Bemerkung, dass Andreas erst nach dieser Vermählung krank wurde, denn nach den Annales vet. Ung. ist dies schon 1057 geschehen. Ebenso ist es unrichtig, dass die Königskrönung Salomons erst nach der Vermählung stattfand (Chronicon Budense, S. 114); sie fällt nach den Annales vet. Ung. ebenfalls schon in das Jahr 1057.[2] Das Fehlen dieser mehr detaillirten, dabei freilich zum Theile ungenauen

---

[1] Anonymus, § L, zeigt an einer vorgreifenden Stelle ebenfalls Bekanntschaft mit der in der Chronik enthaltenen Sage (que n u n c vertus vocatur propter clipeos Theotonicorum inibi demissos). Natürlich kann auch er sie aus der lebenden Sage entnommen haben, worauf das ‚nunc‘ deutet.

[2] Die Zeitbestimmungen des Chronisten lassen sich allenfalls erklären. Er setzte die Krönung Andreas' in das Jahr 1047 (statt 1046); nun fand er in den Gesta vetera (siehe unten im Texte) die Bemerkung, die Königskrönung Salomons sei ‚anno imperii XII‘ des Königs Andreas geschehen, als dieser ‚confectus senio‘ war. Aus diesen Zeitangaben ergab sich ihm das Ende des Jahres 1058 oder 1059, und da er wohl die Vermählung in seiner Quelle zum Jahre 1058 vorgemerkt fand, setzte er die Krankheit des alten und die Krönung des jungen Königs nach diesem Ereignisse an.

Berichte bei Keza ist ein Fingerzeig, dass sie
vetera nicht so ausführlich standen. Was über
krönung Salomons und ihre näheren Um
Chronik (Chronicon Budense, S. 114f.) erzählt
knappen, offenbar auf den Gesta beruhen
Keza's in §. 31 geradezu entgegengesetzt. Nac
stellung geschah die Krönung des jungen Pri
stimmung Belas, des Bruders Andreas', und e
stimmung der Söhne Belas.[1] Die Darstellung i
ist dagegen durchaus zu Ungunsten Andreas'
Chronist des ausgehenden 14. Jahrhunderts kan
rung nur auf Grundlage einer zweiten Quelle
haben.[2] Näheres wissen wir freilich nicht übei
lässt sich nur vermuthen, dass aus ihr auch i
der Chronik eigenthümliche Nachricht floss, und
leicht mit jenen von der Chronik ausdrücklich g
qui libri de gestis Hungarorum' zusammenzust
oben, S. 284). Was hier über den Kampf And
und den Untergang des Ersteren erzählt wird —
darüber — deutet wie andere Anzeichen dara
‚antiqui libri' eine beachtenswerthe Quelle ware

    Unstreitig gehören den Gesta vetera
§. 31, und in der Chronik (Chronicon Bude
stehenden Zeitbestimmungen an. Dieselb
uns ganz besonders, und daher wollen wir bei
stande etwas länger verweilen. Dass diese Zahl
Gesta angehören, geht aus dem Umstande hervo
bei Keza und in der Chronik finden, ferner auc
mit geringen Abweichungen vorhanden sind.[3]
diese Angaben näher handeln zu können, wol
nächst anführen:

Keza.	Chr. Bt
§. 31. Post mortem itaque sancti regis Stephani transacti	S. 113. Eben

---

[1] Dies könnte man auch aus der Darstellung der Annal
und 1060, folgern.

[2] Das Chronicon Pictum, S. 163, hat beide Berichte,
die Nationalchronik und Keza benützt.

[3] Vgl. Studie VII, S. 444. Die Abweichungen bei A
S. 454 erklärt.

sunt anni XI menses IV usque
ad annum primum imperii Andree regis. Interea vero Petrus
rex primo et secundo regnavit
annis quinque et dimidio. Aba
vero regnavit annis tribus.

Andreas autem confectus se-   S. 114. Ebenso.
nio anno imperii sui XII filium
suum Salomonem . . . regem
constituit.

Ipse autem obiit anno regni   S. 115. Fehlt; dafür bietet
sui XV.   Alberich die Bemerkung, dass
Andreas 14 Jahre regierte
(1047—1060).

Daran knüpfen wir folgende Bemerkungen: Beide Ableitungen bieten als Abstand von Stephan bis auf Andreas
11 Jahre und 4 Monate; also stand dies sicher schon in den
Gesta vetera. Die Zahl scheint irrig zu sein, aber sie wird
sofort völlig richtig, wenn wir die so leichte Verschreibung von
‚XI‘ statt ‚IX‘ annehmen.[1] Die Zahl entspricht dann nicht nur
den mit $5^1/_2 + 3$ angegebenen Regierungsdauern Peters und
Abas,[2] sondern auch dem historisch feststehenden Zeitraume
von 1038—1046, vom Tode Stephans bis zur Krönung Andreas',
wobei Anfangs- und Endjahr mitgezählt erscheinen. Aber auch
die Angabe, dass Salomon im 12. Jahre von seinem kranken
Vater auf den Königsthron erhoben wurde, stimmt mit den
historischen Thatsachen überein: von 1046—1057 sind nämlich,
wenn man Anfangs- und Endjahr mitzählt, 12 Jahre. Weiter
stimmt ebenso die Angabe der 15jährigen Regierungsdauer,
nämlich 1046—1060. Wir sehen also, dass die Angaben richtig
sind: aber sie stimmen nur, wenn man das Jahr 1046 in Rechnung zieht, welches auch aus den Annales Altahenses feststeht,
nicht das Jahr 1047, das die Chronik jetzt bietet (vgl. oben,

---

[1] Vgl. hiezu oben, S. 278, die Bemerkungen über Stephans Regierungsdauer.

[2] Vgl. hiezu die in Studie VII, a. a. O., angeführten Specialangaben, doch
ist hier aus Chronicon Budense, S. 100, nachzutragen: ‚(Petrus) vitam
. . . finivit . . . anno tertio regni sui', die bei Keza, §. 27, fehlt; auch die
Notizen der Annales vet. Ung. sind zu vergleichen.

S. 286). Diese Jahreszahl (1047) gehört eben nicht den
Gesta an, wie überhaupt dieselben alle derartigen Angaben fast ganz entbehrten.[1] Dagegen müssen wir betonen, dass ihre Angaben über Dauer u. dgl. der Regierungen verlässlich erscheinen.

In der Erzählung über die Regierung Belas hat die
Chronik vorzüglich die Schilderung des zweiten Heidenaufstandes sehr erweitert (Chronicon Budense, S. 119). Auch diese
ausführlicheren Nachrichten mögen jenen ‚antiqui libri de gestis
Hungarorum‘ entstammen, denen der Verfasser der Nationalchronik auch nähere Angaben über den ersten Heidenaufstand
entnahm (vgl. oben, S. 284). Ebendaher dürften die Nachrichten über die Todesursache Belas herrühren. Die ungarische
Erklärung des Klosternamens Sceug Zard, die sich bei Keza,
§. 32, findet, ist erst ein Zusatz: Diese Erklärung findet sich
in keiner der anderen Chronikredactionen, mit Ausnahme des
Pictums (S. 168), das sie aus Keza wie manche andere Nachricht entnahm.

Die verhältnissmässig bedeutendsten Interpolationen erfolgten in der nun folgenden Partie über Salomons Regierung
und den Thronstreit, der dieser ein Ende setzte. Keza's Darstellung, §. 33, ist überaus unvollkommen und spärlich; ganz
gewiss hätte er dieselbe nicht so gestaltet, wenn ihm eine
auch nur im Entferntesten so reichliche Erzählung, wie sie die
Chronik bietet (Chronicon Budense, S. 123—159), vorgelegen
wäre. Aus der Darstellung, wie sie die Chronik umfasst, konnte
aber gar nicht Keza's Erzählung entstehen, denn wir werden
sehen, dass die Ereignisse bei Keza in ganz anderer Reihenfolge erzählt werden als in der Chronik. Ganz gewiss boten
also die Gesta vetera hier nur spärliche Nachrichten,
und erst der Verfasser der Nationalchronik hat sie aus einer
über diese Ereignisse besonders ausführlich handelnden Quelle
erweitert. Die Vermuthung, dass es dieselben ‚antiqui libri‘
waren, welche der Chronist als eine seiner Quellen bei früheren
Erweiterungen über die Heidenführer V a t a und J a n u s (Chronicon Budense, S. 93) nannte, liegt nahe. Dazu kommt noch
folgender Umstand. In einer der jetzt zu besprechenden Er-

---

[1] Nur die Jahreszahl über den Einzug der Ungarn und über Stephans I.
Geburt scheinen sie enthalten zu haben. Ueber Ladislaus s. unten, S. 301.

weiterungen (Chronicon Budense, S. 125) wird über ein Ereigniss berichtet, das mit jenem Heidenführer Vata zusammenhängt. Es wird nämlich behauptet, dass Salomon und sein
Bruder David deshalb keine Kinder hatten, ‚quia quando Andreas primo in Hungariam reversus est cum Leventhe fratre
suo propter hoc, quod ipse regnum posset obtinere, permisit
Vatham prophanum et alios pessimos multorum sanctorum sanguinem fundere‘. Ferner haben die Erweiterungen in dieser
Partie wie mit vielen der früheren das Gemeinsame, dass sie
Ereignisse behandeln, welche Bela und seine Nachkommen betreffen, dass sie ferner diesen geneigt sich zeigen, dagegen
Andreas und seiner Familie feindlich gesinnt sind. — Wir
gehen nun daran, die Unterschiede in beiden auf uns gekommenen Darstellungen (Keza und Chronik) festzustellen.

Entsprechend seiner Nachricht, dass Andreas seinen Sohn
Salomon mit Zustimmung Belas und dessen Söhnen krönte,
berichtet Keza bekanntlich auch nichts über den Kampf
zwischen Andreas und Bela. Daher beginnt er auch seine
Darstellung über den Thronstreit nach dem Tode Belas
mit den Worten: ‚Tandem vero inter Salomonem, Ladislaum
et Geicham gravis discordia suscitatur, alumpni patriae inter
se dividuntur. Quidam enim Salomoni, aliqui Ladislao et Geiche
adheserunt.‘ Nun folgt die Erzählung über das Eingreifen
Heinrichs IV. zu Gunsten Salomons. Ein Vergleich der Darstellung Keza's mit jener der Chronik lehrt, dass bei Keza
sich nur die Schilderung des zweiten Unternehmens Heinrichs
(1074) findet, dagegen das erste (1063) gar nicht erwähnt wird;
es fehlt somit bei Keza die Darstellung des Chronicon Budense,
S. 122 f., ferner auch Alles, was sich in der Chronik über das
Verhältniss Salomons zu den Söhnen Belas und über sonstige
Ereignisse bis zum Ausbruche der Streitigkeiten findet, welche
die zweite Intervention Heinrichs herbeiführten (Chronicon Budense, S. 123—144). Aber auch das, was sich bei Keza über
die zweite deutsche Intervention findet, ist nicht nur gegenüber
der Erzählung in der Chronik sehr spärlich, sondern weicht
von derselben auch überaus ab. Insbesondere wird Vieles, was
in dieser der Intervention vorangeht, bei Keza derselben nach-
gesetzt. Aus der folgenden Zusammenstellung wird man, wenn
man die Seitenzahlen in Betracht zieht, sowohl über die Spär-
lichkeit der Nachrichten bei Keza gegenüber jenen in der

Chronik, als auch über die erwähnte Umstellung der Nachrichten Näheres ersehen.

Keza.	Chronik (Chr. Budense).
S. 86, §. 33. Rex autem Salomon Cesarem suum socerum contra Ladislaum et Geicham	S. 156. Imperator ergo verbis Salomonis permotus cum magno exercitu intravit in Hungariam (2. Feldzug; über den 1. siehe S. 122) ... Cum venisset imperator ad flumen Vag, Salomon ... equitavit ... super
per Nitram cum exercitu ma-	Nitriam. — S. 157. Quesivit (imperator) itaque a Salomone, si apud Geysam et Ladislaum essent multi tam boni milites ... si ita est, talibus militibus repugnantibus non recuperabis regnum. Rex autem Geysa audiens imperatorem pervenisse Vaciam ... S. 159.
ximo introducit. Qui Vaciam perveniens Ladislai exercitu speculato finxit se infirmum, per Posonium in Austriam est reversus, dimisso de Boemis et Noricis sufficienti auxilio Salomoni. Tunc Cesare retrogresso prelium in Munorod inter ipsos est commissum. Et quid ultra? Salomon devincitur, prostrantur Teutonici et Boemi. Et dum se suosque devictos cognovisset, fugam iniit. Danubium in Scigetfeu pertransiens inde in Musunium se collegit. In prelio autem	Cesar autem ... simulans se Salomoni in posterum auxiliaturum, destructis navibus in Teutoniam reversus est. — Teutonici und Bohemi werden als Theilnehmer an den ungarischen Kämpfen, S. 144, genannt.[1] — Hierauf folgt schon, S. 145, der Kampf am Berge Monyorod. — S. 150. Rex autem Salomon fere omnibus suis interfectis aufugit in Zigetfeu Danubium transiens ... venit tandem in Musun ad matrem suam et uxo-

---

[1] Doch stehen nach der Chronik die Deutschen auf Seite Salomons, die Böhmen auf der seiner Gegner. Deshalb heisst es auch weiter, S. 146: ‚Ceduntur Teutonici, fugiunt Latini‘ (von letzteren weiss Keza nichts); und ebenso S. 150: ‚Teutonici aut Latini ceciderunt‘, während hier bei Keza ‚Teutonici aut Boemi‘ steht.

Munorodino non solum Teutonici aut Boemi ceciderunt, sed etiam maior pars de militia regni periit. Salomon ergo metuens fratres suos cum tota familia in Stiriam introivit, ubi in Agmund monasterio familia sua derelicta in Musunium est reversus, volens colligere exercitum iterato. Sed cum de die in diem deficeret (S. 87) illorumque processus reciperet felicia incrementa, confusus rediit ad Cesarem adiutorium petiturus. Et licet pro militia solidanda affluentem pecuniam tradidisset, Teutonici ob timorem Hungarorum recipere noluerunt.

rem ... In praefato namque prelio non solum Teutonici aut Latini ceciderunt, sed maior pars milicie regni Hungariae dicitur corruisse. — S. 155. Postea autem rex Salomon metuens Geysam regem et ipsius fratrem cum rebus et familia Stiriam introivit et in claustro Agmund matre et uxore relictis in Musun est reversus volens collecto exercitu invadere ambos fratres. Cumque de die in diem Salomon deficeret, sed illorum processus reciperet felicia incrementa, confusus ad Cesarem direxit gressus suos, requirens eum, ut ei auxilium tribueret in Hungariam revertendi. Et licet pecuniam dedisset affluenter pro militibus solidandis, Teutonici tamen et Latini cum ipso ob metum non venerunt Hungarorum. S. 156/9. Folgt nun die Schilderung des 2. Feldzuges; Salomons Rückzug nach Pressburg; Geisa wird König; Versöhnungsanstalten; Tod Geisas; Salomons Versuche dauern in der Zeit der Regierung Ladislaus' weiter fort (S. 165—169). — Bei Keza findet sich dagegen die kurze Notiz über Geisas Königsherrschaft erst §. 34, sonst ist hier aber von allen eben aufgezählten Ereignissen nichts enthalten. Andererseits findet

Unde spe omni destitutus rediit in Agmund ad reginam, cum qua dies aliquos cohabitans in veste monachali deinde Albam venit. Et cum Ladislaus frater eius in porticu ecclesie Beate virginis manibus propriis pauperibus eleemosynam arogaret, ipse ibi inter eos dicitur accepisse. Quem mox cognovit Ladislaus ut inspexit. Reversus autem Ladislaus a distributione eleemosine inquiri fecit diligenter, non quod ei nocuisset. Sed ille malum presumens ab eodem secessit inde versus mare Adriaticum, ubi in civitate Pola usque mortem in summa paupertate in penitentia finiens vitam suam, in qua et iacet tumulatus, nunquam rediens ad uxorem usque mortem. Regina vero Sophia uxor eius in maxima castitate perseverans . . . (man vergleiche darüber Studie VII, S. 499) . . . migravit ad dominum et in prefato monasterio tumulata sicut sancta veneratur.

S. 87, §. 34. Post Salomonem vero regnavit Geicha annis tribus et mortuus est. Vacie, quam fundasse dicitur, tumulatur.

sich in der Chronik nichts von seiner zweiten Reise nach Admont. Das Wiedererscheinen in Ungarn wird, S. **169**, in die Zeit Colomans verlegt (Visus est etiam semel in Hungaria tempore regis Colomani; sed statim delituit, nec unquam amplius comparuit).

S. **169**. Aehnlich.

Weiss davon nichts, sondern hat nur, S. **169**, die Notiz: ‚Uxor autem eius et mater in Agmund requiescunt' (siehe Studie VII, S. 499).

Vgl. die Bemerkungen oben.

Die Schilderung bei Keza umfasst also nur die S. 86 und 87 in der Ausgabe bei Florianus, während die entsprechende Erzählung in der Chronik die S. 144—159 und 165 bis 169 umfasst, wobei freilich die zahlreichen Anmerkungen Podhradczky's in Abschlag zu bringen sind. Auch ersieht man

aus der Reihenfolge der Citate aus der Chronik, dass diese
eine ganz andere Reihenfolge der Begebenheiten aufweist, und
zwar ist, das muss ausdrücklich betont werden, die Darstellung
in der Chronik auch eine verhältnissmässig verlässliche. Dies
ist nach unserer oben begründeten Annahme aus der Benützung einer ungarischen Quelle zu erklären, die wahrscheinlich mit den im Chronicon Budense, S. 93, ausdrücklich genannten ‚antiqui libri de gestis Hungarorum' identisch ist. Zu
diesen Erweiterungen gehört auch die beachtenswerthe Nachricht über die Petschenegen, S. 154. Sie stand nicht in den
Gesta, deshalb hat auch Keza nichts darüber. Anonymus hatte
aber etwas über diese Petschenegen und ihren Führer Zolta
gehört und setzt sie daher in die Zeit des Grossherrn Zulta
(§. 57). [1]

Ein Theil der besprochenen, auf dieser Quelle beruhenden Erweiterungen (S. 165—169) fällt bereits in die Darstellung
der Regierung Ladislaus', welche im Chronicon Budense
die S. 161—178 umfasst. Neben den eben erwähnten, auf
Salomon bezüglichen Erweiterungen enthält aber die Chronik
auch noch andere, von denen sich bei Keza nichts findet, umfasst doch seine Schilderung der Regierung Ladislaus' im §. 35
kaum sieben Zeilen! Davon gehören übrigens mehr als fünf
— die Schilderung des Kampfes am Berge Kyrioleis [2] — noch
in die Zeit vor Ladislaus' Regierungsantritt, und dementsprechend
wird im Chronicon Budense hierüber schon S. 128 f. erzählt,
was übrigens wieder ein Beweis der starken Umarbeitung dieser
Partie auf Grundlage einer ausführlichen Quelle ist. Aus dieser
flossen neben den auf Salomon bezüglichen Erweiterungen offenbar auch die Nachrichten über die Eroberung von Dalmatien
und Kroatien. Anderes hat die Chronik der späten Legende

---

[1] Was Marczali darüber in den Geschichtsquellen, S. 92 f., sagt, ist kaum
geeignet, den nöthigen Sachverhalt klarzulegen. Aus der Chronik hat
Anonymus doch seine abweichende Nachricht nicht geschöpft. Für das
‚nahe Verhältniss des Anonymus zur Chronik', eigentlich zu der gemeinsamen Quelle beider, lassen sich andere und zahlreichere Daten
anführen. Man vergleiche unsere Zusammenstellung in Studie VII und
VIII.

[2] Man beachte den Umstand, dass Keza hier von Bessen spricht, während
die Chronik (Chronicon Budense, S. 128) von Cunen — Cumanen berichtet. Doch werden die Kämpfe mit den Bessen gleich darauf erzählt.

des Königs entnommen, so die Deutung seines Namens (Chronicon Budense, S. 161, = Legenda St. Ladislai, S. 236, bei
Endlicher); ferner die Aufzählung seiner Tugenden (Chronicon
Budense, S. 163, = Legende, S. 237); auch die Nachricht, dass
Ladislaus Aussicht hatte, auf den deutschen Königsstuhl erhoben zu werden, hängt wohl mit der Mittheilung in der Legende zusammen, dass die ‚duces Francorum, Lothoringorum
et Allemanorum, idem peregrinacionis iter convoventes, pium
regem Ladislaum sibi suisque ducem et preceptorem fore con-
corditer pecierunt‘ (S. 240f.). Unzweifelhaft ist es dagegen,
dass die nationale Grundchronik aus der Legende nicht auch
die Nachrichten über den Böhmenzug Ladislaus’ und über
seine Erkrankung auf demselben aufgenommen hatte. [1] Die
Angabe des Todesjahres Ladislaus’ rührt nicht aus
den Gesta vetera her. Man vergleiche darüber die Bemerkungen weiter unten im Texte.

Auf die dürren Notizen über Ladislaus folgen bei Keza
reichliche Mittheilungen über Colomans erste (nur über diese)
Regierungsjahre. Dieselben sind durchaus zutreffend, wiewohl
sie zum grossen Theile auswärtige Angelegenheiten betreffen.
Diese Ausführungen hat auch die Chronik. Zwischen ihrem
und Keza’s Texte sind nur wenige Abweichungen zu nennen.
So meldet Keza mit keinem Worte etwas Abfälliges von Coloman; die betreffenden Mittheilungen, welche sich in den verschiedenen Redactionen der Nationalchronik finden, sind bei
ihm nicht vorhanden. Diese abfälligen Berichte über
Coloman standen daher offenbar auch nicht in seiner
Vorlage; Keza erzählt an dieser Stelle gerade sonst breiter
als die Chronik und theilt Manches mit, was dieser fehlt. Man
vergleiche z. B.:

Keza, §. 36.	Chr. Budense, S. 181.
Iste quoque in regnum Dal-	Iste Dalmacie regnum, oc-
matie misso exercitu occidi	ciso suo rege Petro nominato
fecit regem Petrum, qui Hun-	in montibus Petergazia, Hun-

---

[1] Man vgl. Studie VII, S. 489, Anm. 2. Doch musste ich mir die endgiltige
Entscheidung bis zur Einsicht der Redactionen Vat., Sam. und Aceph.
vorbehalten. Bei der Correctur sei nun constatirt, dass Aceph., Bl. 22a,
Sam., Bl. 39a und Vat. nach Lucius, Inscriptiones, S. 88, jene Entlehnungen nicht enthalten.

garis in montibus, qui Gozd
dicuntur, occurrens est devictus
in montibus memoratis et occisus. Unde iidem montes
usque hodie in Hungarico Patur Gozdia nominantur. Sedes
enim huius regis in Teneu erat
civitate. Hoc ergo facto et
regno Dalmatie conquistato galeas naves et teritas cum Ve-
netis solidavit...

garie adiunxit. Galeas quoque
Venetorum et naves solidans
...

In einem ähnlichen Verhältnisse stehen auch die folgenden
Mittheilungen Keza's zu jenen in der Chronik. Da er also
sichtlich bestrebt ist, hier ausführlich zu erzählen, so hätte er
sicher nicht jene Bemerkungen über Colomans Schattenseiten
vermieden, wenn sie in seiner Vorlage gestanden wären; nach
mehr als anderthalb Jahrhunderten können ihn ohnehin keine
besonderen Rücksichten hiezu bewogen haben. Von den Bemerkungen, welche nur bei Keza sich finden, ist die Notiz
‚Unde iidem montes usque hodie in Hungarico Patur Gozdia
nominantur‘ sicher seine Einschiebung. Auch sein Zeitgenosse
Anonymus kennt diesen Namen für jenen Gebirgszug im Süden.[1]
Mit den genauen Ausführungen über Colomans erste
Regierungsjahre schlossen die Gesta vetera.

Am Schlusse unserer Bemerkungen über die ursprüngliche Gestalt der Gesta vetera — denn mit den eben behandelten reichlichen Mittheilungen über Colomans erste Regierungsjahre brechen dieselben ab — möge noch betont werden, dass
dieselben seit Stephan die Dauer der einzelnen Regierungen angaben. Eine Zusammenstellung der betreffenden Daten aus Keza und der Chronik ist Studie VII, S. 442 ff.
geboten. Dagegen gehören die Jahreszahlen nach Christi Geburt nicht den Gesta an. Man vergleiche hiezu die Bemerkungen oben, S. 293 f. Mit der Angabe des genauen Todesdatums des heil. Ladislaus (1095) beginnt die Chronik bereits
ihre Mittheilungen aus dem ausführlichen Königsregister, dem

---

[1] Cap. 43: ‚Bulsuu, Lelu et Botond hinc egressi silvam, que dicitur Peturgoz, descendentes, iuxta fluvium Culpe castra metati sunt.‘

sie auch die weiteren genauen Daten über Anfang und Ende
der Regierungen jedes folgenden Königs entnimmt (Studie VII,
S. 486).

e) Verschiedene Redactionen der Gesta.

Am Schlusse unserer Ausführungen über die ursprüngliche
Gestalt der Gesta möge noch Folgendes bemerkt werden: Man
darf nicht vergessen, dass diese nicht gerade in ihrer ursprünglichen Gestalt von den Schriftstellern des 13. Jahrhunderts benützt wurden. In der Zeit von ihrem Entstehen bis zur Herstellung jener Chroniken, aus deren Vergleiche wir auf den Inhalt der
alten Gesta schliessen, können diese in Einzelheiten manche Aenderung erfahren haben. Mit diesem Umstande muss man stets
rechnen, bevor man aus einzelnen Ausdrücken oder Angaben
weitgehende Schlüsse ziehen wollte. Auf einzelne Nachrichten,
welche als Erweiterungen einer jüngeren Redaction der Gesta
aufgefasst werden können, ist z. B. oben, S. 245, 255, 272 und
273, aufmerksam gemacht worden. Die Auffindung dieser Nachrichten ist mit einiger Gewissheit jedoch nur für diejenigen
Partien möglich, für welche uns noch der Anonymus zur Seite
steht. In diesem fehlende Nachrichten, welche gemeinsam bei
Keza und in der Chronik vorkommen, können Erweiterungen
der den letzteren vorliegenden Redaction der Gesta sein, wenn
nicht etwa auf Seite des Anonymus eine Kürzung vorliegt oder
die Chronik die Nachricht aus Keza entnahm. Unsere Forschung wird überhaupt sehr dadurch erschwert, dass des Anonymus Arbeit nicht das 11. Jahrhundert umfasst. Alberich
und Richard bieten leider bei diesen Studien wenige Anhaltspunkte, weil sie die Gesta nur in beschränktem Masse benützten. Ebensowenig bietet der Vergleich mit der ungarisch-
polnischen Chronik, weil diese uns in einer völlig verderbten
Gestalt vorliegt. Man vergleiche darüber die Bemerkungen in
Studie VI, S. 527, und Studie VII, S. 443. Die an letzter Stelle
gemachte Bemerkung, dass Alberich in gewissen Nachrichten
der ungarisch-polnischen Chronik näher steht als die anderen
ungarischen Chroniken, ist mit ein Beweis für das Vorhanden-
sein verschiedener Redactionen der Gesta. Ein anderer Beweis
hiefür ist, dass z. B. nur der Anonymus mit Richard den Ausdruck ‚pascua Romanorum‘ (siehe oben, S. 243) gemein hat,

während derselbe sowohl Keza als der Nationalchronik fehlt;
offenbar benützten also die beiden Ersteren eine andere (ältere)
Redaction der Gesta. Andererseits hat z. B. der Anonymus
auch mit der polnisch-ungarischen Chronik die Bezeichnung
von Gran und Saros als Grenzpunkte gegen Polen gemein (vgl.
Studie III, S. 617f., und die §. 17, 18 und 34 beim Anonymus),
was ebenfalls auf die Benützung einer ursprünglichen Redaction der Gesta deutet.

4. Zeit und Ort der Abfassung der Gesta. Ihr Verfasser. Ihre Quellen. Werth derselben.

Wir wenden uns nun der Abfassungszeit der Gesta
zu. Wie bei der Erörterung anderer Fragen, so war es auch
bei der Behandlung dieser verhängnissvoll, dass man zwischen
den einzelnen Theilen der Chronik nicht scharf unterschied.
Wir haben bereits in der Studie VII darüber gehandelt, indem
wir die Gründe prüften, welche die Abfassung der Chronik überhaupt erst um 1200 oder noch viel später wahrscheinlich machen
sollten. Wir sind dort zum Schlusse gekommen, dass diese
Gründe wohl mit Bestimmtheit beweisen, dass die Gesammt-
redactionen der Chroniken thatsächlich in so späte Zeit fallen;
ist doch diejenige Keza's überhaupt die erste vollständige Darstellung dieser Art. Für die Entstehungszeit der einzelnen
ursprünglichen Theile der Chroniken seien aber jene Gründe
nicht massgebend, weil sie eben erst auf Nachrichten der Chroniken beruhen, die als spätere Zusätze u. dgl. zu erklären
seien. So haben wir schon nachweisen können, dass jene vom
Chronicon Pictum und von Muglen für die Geschichte der ersten
Jahrzehnte des 12. Jahrhunderts benützte Quelle eine zeitgenössische war. Ebenso glauben wir annehmen zu dürfen, dass
die Gesta Hungarorum vetera am Anfange des 12. Jahrhunderts vielleicht noch unter Coloman verfasst wurden. Unsere Gründe für diese Annahme sind folgende:
Bereits in der Studie VII und nun auch oben, S. 300f., ist
genügend hervorgehoben worden, dass die ursprünglicheren
Redactionen der Chroniken, also z. B. Keza und das Chronicon
Budense, nachdem sie die ersten Regierungsjahre Colomans
noch sehr ausführlich behandelt haben, plötzlich abbrechen.

Schon vom Durchzuge der Kreuzfahrer durch Ungarn ist keine
Rede. Nur von Colomans Tode und der Beerdigungsstätte
geben noch die Chroniken Kunde, wobei sie jedoch bereits
aus anderen Quellen schöpfen. Der Verfasser der Gesta Hungarorum vetera hat also seine Darstellung mit einer verhältnissmässig sehr ausführlichen Schilderung der ersten Regierungsjahre Colomans geschlossen. Aber diese Schilderung ist auch
so genau, dass selbst der kritische Geschichtsschreiber ihr un-
beirrt zu folgen sich veranlasst sieht. Sie kann also nur von
einem Zeitgenossen herrühren.

Zu demselben Schlusse führt uns die Beobachtung, dass
bei Keza, der hierin wie sonst die Gesta vetera getreuer bewahrt haben wird, kein Wort der Missbilligung oder Schmähung
gegen den König Coloman sich findet, wie sie auf Grundlage
anderer Ueberlieferung in den anderen Chronikredactionen erscheint. Dies deutet darauf hin, dass der Verfasser der Gesta
noch zur Zeit dieses Königs schrieb, vielleicht noch vor
dessen abscheulichem Wüthen gegen seinen Bruder Almus und
dessen Sohn Bela, welche Schreckensthat nicht zum geringen
Masse die späteren Schmähungen gegen diesen König veranlassten.

Dass die Gesta bereits um diese Zeit aufgezeichnet wurden, wird ferner durch den Umstand sehr wahrscheinlich gemacht, dass in ihnen — wie mit voller Bestimmtheit oben,
S. 232f., nachgewiesen wurde — keine Spur der Benützung der
Stephanslegende sich nachweisen lässt. Dies können wir nur
aus dem Umstande erklären, dass dem Verfasser der Gesta
die Legenden noch nicht zugänglich waren, was aber nur
denkbar ist, wenn er zu der von uns angenommenen Zeit
schrieb. Auch nur wenige Jahre später hätte jedem literarisch
thätigen Manne in Ungarn die durch den König Coloman veranlasste Biographie von Bischof Hartwich bekannt sein müssen,[1]
und ebenso sicher ist es, dass sie dann in den Gesta Verwendung gefunden hätte.

Ferner ist noch auf folgenden Umstand zu verweisen.
Bekanntlich wird noch in der Vita s. Stephani maior, §. 2,
Geisa als ,princeps quintus ab illo, qui ingressionis Ungaro-
rum in Pannonia dux primus fuit' bezeichnet, während bereits

---

[1] Die anderen Biographien haben in Ungarn geringe Verbreitung gefunden.

in der Vita von Hartwich an derselben Stelle Geisa als
‚quartus‘ bezeichnet wird. Dieselbe merkwürdige Schwankung finden wir nun auch in den ungarischen Chronikredactionen, doch augenscheinlich so, dass man nachweisen kann,
in den ursprünglichen Gesta sei Geisa als der fünfte aufgeführt gewesen, und erst in den jüngeren abweichenden Bearbeitungen sei die der Vita von Hartwich entsprechende Aenderung vorgenommen worden. Um den Sachverhalt klarzulegen, müssen wir zunächst die Berichte der Chroniken kennen
lernen:

Beim Anonymus (§. 12 und 13, S. 13f.) wird noch ausdrücklich Almus als derjenige bezeichnet, unter dessen Führung
die Ungarn über die Karpathen in ihre Heimat kamen. Er
berichtet nämlich: ‚Et sic venientes per silvam Houos ad partes
Hung descenderunt . . . Dunc dux Almus et sui primates . . .
ad castrum Hung equitaverunt et caperent eum . . . Quarto autem
die inito consilio et accepto iuramento omnium suorum, dux
Almus ipso vivente filium suum Arpadium ducem et preceptorem constituit, et ab Hungu omnes sui milites vocati sunt Hungari secundum linguam alienigenarum.‘ Da nun auf Almus in
den ungarischen Chroniken bekanntlich Arpad, Zoltan, Toxun,
Geisa folgen, so ist nach dem Anonymus Geisa thatsächlich
der ‚quintus‘, was er auch im §. 57, S. 51 in dem Satze: ‚Dux
vero Thocsun genuit filium nomine Geysam, quintum ducem
Hungarie‘ ausdrücklich constatirt.

Bei Keza finden wir nun auch sowohl im Schlusscapitel
(§. 16) der Hunengeschichte, als auch im ersten Capitel (§. 18)
der Ungarngeschichte (hier natürlich an der ursprünglichen,
den alten Gesta entsprechenden Stelle) erwähnt, dass sich die
Ungarn am Flusse Hung niederliessen, ‚a quo quidem fluvio
Hungari a gentibus occidentis sunt vocati‘. Aber wir finden
andererseits bereits den Bericht (§. 19): ‚Arpad, filius Almi,
. . . cum gente sua Ruthenorum alpes prior perforavit et in
fluvio Hung primus fixit sua castra.‘ In dieser Darstellung
findet sich augenscheinlich die Ansicht wieder, der schon Hartwich durch seine Aenderung des Textes der Vita maior Rechnung trug, und die seither zur allgemeinen Ueberzeugung geworden zu sein scheint.

Auch die Nationalchronik hat nämlich diese Anschauung
zu der ihrigen gemacht. In ihrer Darstellung haben wir aber

auch den besten Beweis, dass nicht etwa Keza, sondern der
Anonymus den älteren Bericht der Gesta uns bietet. In der
Nationalchronik finden wir nämlich ganz unzweideutige Spuren,
dass ihr derselbe Bericht vorlag, wie ihn der Anonymus uns
bietet, und dass sie diesen mit der neueren Anschauung,
welcher der Notar aus irgend einem Grunde keine Rechnung
getragen hatte, in Einklang. zu bringen sucht.   Daher setzt
die Chronik (Chronicon Budense, S. 32) da, wo Keza am Ende
der Hunengeschichte den Aufenthalt der Ungarn am Flusse
Hung erwähnt, hinzu: ,de Erdeel' (Siebenbürgen); sodann berichtet er (S. 37), dass die Ungarn unter Almus nach Erdeel-
Siebenbürgen kamen, wo dieser ,occisus est non enim poterat
Pannoniam introire'; erst unter seinem Sohne geschah dies.
Dass diese Darstellung nur den Zweck hat, welchen wir ihr
beilegen, ist offenbar unzweifelhaft.   Daraus ergibt sich aber,
dass in den Gesta vetera noch Almus als derjenige bezeichnet
wurde, unter dem die Magyaren nach Ungarn kamen;[1] dies
entspricht aber noch der Anschauung, wie sie in der Vita
maior, nicht aber mehr in der Vita von Hartwich sich geltend
machte und seither allgemeine Anerkennung fand.   Daraus
folgt, dass die Gesta vetera, wenn sie schon nicht älter als die
Vita von Hartwich sind, doch nicht viel jünger sein können.
Dies stimmt somit völlig mit dem überein, was wir oben aus
dem Bestande der letzten Nachrichten der Gesta vetera schlossen.
Auch hat wohl der Umstand etwas für sich, dass ebenso wie
die ungarische Umarbeitung der Vita s. Stephani, so auch die
Abfassung der ersten zusammenfassenden Ungarngeschichte in
die Zeit des bücherkundigen Königs oder doch bald nachher
zu setzen sei.

Schliesslich muss noch betont werden, dass das Fehlen
näherer Ausführungen über die Hunen (siehe oben, S. 223 und
242 f.) in den Gesta darauf hindeutet, dass diese Quelle früh auf-

---

[1] Warum in der ursprünglichen naiveren Ueberlieferung die Ungarn
schon unter Almus nach Ungarn kommen, ist offenbar daraus zu erklären, dass diese Erzählung sich die Wanderung von der Urheimat nach
Ungarn als verhältnissmässig rasch vollendet vorstellte. Die jüngere Erzählung corrigiert diese Auffassung. In dieser Hinsicht ist wohl zu
beachten, dass der Anonymus, §. 6, als Gefährten Almus' beim Auszuge
die Väter jener Männer nennt, die nach der Chronik sich mit Arpad in
Ungarn festsetzten. Vgl. oben, S. 251.

gezeichnet worden ist. Im Laufe des 12. Jahrhunderts hat sich die Anschauung von der Zusammengehörigkeit beider Völker immer mehr ausgebildet und erscheint zunächst in der ungarisch-polnischen Chronik (um 1200) fixirt.[1]

Man wird nun vielleicht gegen diese Ansicht einwenden, dass ein etwa um 1115 lebender Chronist weit mehr über die Geschichte der letzten Vorgänger seines zeitgenössischen Königs hätte wissen müssen, als nach dem Ausweise Keza's die Gesta vetera enthalten zu haben scheinen. Dieser Einwurf muss jedoch überhaupt als unhaltbar zurückgewiesen werden. Er setzt voraus, dass dem Schreiber die besten Ueberlieferungen, weitläufige Mittheilungen vorlagen, dass er die nöthigen Kenntnisse und die Absicht hatte, ausführlich und genau zu erzählen. Muss denn dies immer der Fall sein? Werden sich doch auch gegenwärtig, wo die Zeitungen und Bücher in ganz anderer Weise als vor Jahrhunderten die Kunde der Tagesereignisse verbreiten, doch wohl nur Wenige finden, die nach einer Reihe von Jahren ein genaueres Bild der Ereignisse werden bieten können. Der Verfasser der Gesta verfügte ganz offenbar nicht über die nöthigen Hilfsmittel und Kenntnisse, um die schwierigen, ineinander geschachtelten Begebenheiten der Regierungen Salomons, Geisas und Ladislaus' zu behandeln. Dass er kein besonderer Kopf war, dafür zeugt schon die Art, wie er die ihm vorliegende Chronik Regino's und die Annales Altahenses (bis 1146) benützt hat. Seit der ihm vorliegende Theil der letzteren versiegte, ist er jedes sicheren Führers beraubt gewesen. Erst die Begebenheiten der letzten Jahre standen ihm klar vor Augen und boten auch nicht die eben hervorgehobenen Schwierigkeiten. Um übrigens von der Unrichtigkeit der Anschauung sich zu überzeugen, dass jeder Chronist sich wenigstens über die Begebenheiten der letzten Jahrzehnte gut unterrichtet zeigen müsse, genügt eine Durchsicht dessen, was Keza um 1275 über die letzten ent-

---

[1] Dem eben Mitgetheilten widerspricht durchaus nicht der oben, S. 243, hervorgehobene Umstand, dass Attila bereits in den Gesta genannt sei. Attila ist schon im 11. Jahrhunderte in die ungarische Ueberlieferung aufgenommen worden (vgl. Marczali, Geschichtsquellen, S. 55, Anm. 19); aber erst seit etwa 1200 finden wir über ihn in ungarischen Quellen Näheres.

schwundenen Jahrzehnte zu erzählen weiss! Auch möge man
die Bemerkungen in Betracht ziehen, die oben, S. 302,
Abschnitt e), gemacht worden sind. Mancher Irrthum mag
sich erst in die späteren Redactionen der Gesta eingeschlichen
haben.

Ueber den Ort, wo etwa die Gesta vetera verfasst wurden, und über ihren Verfasser finden sich keine bestimmten
Anhaltspunkte. Hervorgehoben wurde schon bei anderer Gelegenheit — Studie VI, S. 528 f. —, dass die der ungarisch-
polnischen Chronik und den Gesta gemeinsame dürftige Quelle
auf Gran hinweist. Auch ist dort die Vermuthung ausgesprochen
worden, dass, wo diese ursprünglichen spärlichen Nachrichten
aufgezeichnet worden sind, durch Verbindung mit anderen
Quellen auch die ausführlichere Quelle, also die Gesta vetera,
entstanden ist. Zur Stütze dieser Vermuthung ist auch der
Umstand angeführt worden, dass Alberich seine ungarische
Quelle (die Gesta) wahrscheinlich über Gran erhielt. Indess
ist natürlich dies Alles recht unsicher. Wir finden freilich
auch keine Kennzeichen, die mit grösserer Bestimmtheit auf
einen anderen Ort deuten würden. Sehr auffällig ist der Mangel
an ausführlichen localen Mittheilungen; Nachrichten zur Geschichte der Kirchenfürsten, Klöster u. dgl. fallen höchst spärlich aus. Daraus dürfen wir wohl schliessen, dass der Verfasser kein Geistlicher war. Die auf einen solchen weisenden
Züge kamen in die ungarische Chronik erst durch den Verfasser der nationalen Grundchronik, die im Ofener Minoritenkloster entstanden ist. Noch bei Keza findet sich weit weniger davon.

Ueber die Quellen unserer Gesta Hungarorum vetera
ist bereits an früheren Stellen wiederholt gehandelt worden,
so dass wir hier nur die früheren Ergebnisse zusammenzu-
fassen brauchen. Für den ersten Theil seiner Darstellung, also
von der Beschreibung der Urheimat bis zum Ausgange der
Raubzüge, diente Regino und dessen Fortsetzung als Hauptquelle. Man vergleiche darüber die Bemerkungen in Studie VII,
S. 463 und 471, und vor Allem oben, S. 236 ff. und 256 ff. Aus
unseren Parallelstellen ergibt sich auch, wie nachlässig diese
gute Quelle in den Gesta benützt worden sein mag. Aus der
wohlgeordneten chronologischen Darstellung des deutschen Chronisten ist kaum mehr als ein wirrer Auszug geworden. Dazu

kommen allerlei Willkürlichkeiten und Missverständnisse. Als
ein Beispiel der letzteren mag nur auf die Art verwiesen werden, wie die Gesta die Hinrichtung der Herzoge Erchanger und
Bertold mit den Ungarneinfällen zusammenbringen (S. 262 f.).
Für die folgende Zeit standen dann die oben erwähnten Graner
Aufzeichnungen zur Verfügung, die von Stephan bis Ladislaus reichten und wohl noch dem 11. Jahrhunderte angehörten (vgl. Studie VI). Sie enthielten allenfalls nur spärliche
Aufzeichnungen und waren gewiss nicht annalistischen Charakters, sondern gaben höchstens die Dauer der Regierungen
u. dgl. an (Studie VI, S. 525 f.). Hiezu kam für das 11. Jahrhundert vor Allem ein Theil der Annales Altahenses, die
aber ähnlich wie Regino überaus nachlässig benützt wurden,
worüber die Ausführungen oben, S. 214 ff., genügend Auskunft
ertheilen. Besonders betont muss werden, dass in den Gesta
allenfalls nur der Theil der Annalen bis 1046 benützt wurde
(S. 286), doch nicht etwa nur eine die Jahre 1041—1045 umfassende Quellschrift derselben (vgl. S. 212, Anm. 1). Dazu
kam vor Allem noch die Ueberlieferung, die damals noch
lebendig war, und aus der eine Fülle von Nachrichten besonders über die Heldenzeit des Volkes floss. Schliesslich zeigen
die Nachrichten über Coloman zeitgenössischen Charakter.

Aus den vorstehenden Bemerkungen über die Benützungs-
art der Quellen, aus denen die Gesta schöpften, sowie aus den
Ausführungen S. 236—302 ergibt sich zur Genüge, dass die
Gesta eine ziemlich minderwerthige Quelle waren.

5. Kurze Zusammenfassung der Ergebnisse.

Am Schlusse wollen wir alle bisherigen Ergebnisse über
die Gesta Hungarorum vetera kurz zusammenfassen.

Die Gesta vetera sind wahrscheinlich noch zur Zeit Colomans oder doch nicht viel später, und zwar vermuthlich in
Gran entstanden. Ihrem Verfasser standen ausser älteren
Graner Aufzeichnungen, die später vom Verfasser der ungarisch-polnischen Chronik benützt wurden und bis auf Ladislaus
reichten, noch Regino und die Annales Altahenses (bis 1046)
zur Verfügung. Die deutschen Quellen wurden schon von

diesem Chronisten vielfach entstellt; die Benützung der Annales Altahenses scheint überdies nur eine verhältnissmässig spärliche gewesen zu sein. Ausser aus den genannten schriftlichen Quellen schöpfte der Chronist aus der Ueberlieferung. Die ungarischen Legenden sind von ihm nicht benützt worden. Die Gesta begannen mit einer Beschreibung der Urheimat der Ungarn (Skythiens), enthielten sodann Mittheilungen über die Abstammung des ungarischen Volkes und seiner Herrscher, besonders über Almus und seinen Namen, und erzählten hierauf die Wanderung nach dem Westen, die Niederlassung in Ungarn und die fernere Geschichte bis etwa auf Colomans erste Regierungsjahre. Warum der Verfasser hier seine Darstellung abbrach, ist uns unbekannt. Die Quelle, von der es übrigens wohl verschiedene Redactionen gab, haben um 1230 Richard und Alberich benützt; etwa 40 Jahre später hat der anonyme Notar und Keza sie ausgeschrieben; und wieder etwa 30 Jahre später wurde sie vom Verfasser der nationalen Grundchronik (Minoritenchronik) neben Keza benützt. Richard hat uns den Namen der alten Quelle, ‚Gesta Ungarorum [vetera]‘, aufbewahrt;[1] sonst bringt er nur in wenigen Schlagworten einen ganz kurzen Auszug derselben bis auf Stephan.[2] Alberich benützte sie schon im ganzen Umfange, bringt aber nur wenige Nachrichten aus derselben.[3] Der Anonymus hat sie nur bis auf Geisa benützt und aus ihrem weiteren Inhalte nur einige vorgreifende Nachrichten in seine Erzählung eingefügt.[4] Keza[5] und der Verfasser der nationalen Grund-

---

[1] Endlicher, Mon. Arpadiana, S. 248.

[2] Vgl. besonders Studie VII, S. 478 f.

[3] Ebenda, S. 438 ff. und 442 ff.

[4] Siehe oben, S. 275 und 289. Näheres darüber in einer besonderen Studie über den Anonymus. Derselbe verweist an zwei Stellen — wenn auch nicht ganz bestimmt — auf unsere Gesta: §. 7 (sicut in annalibus continetur cronicis), wozu oben, S. 247, zu vergleichen ist; ferner §. 42 (quia in nullo codice historiographorum inveni), wozu oben, S. 272, nachzulesen wäre. In beiden Fällen müssen wir die Gesta in die vom Anonymus benützten allgemeinen Ausdrücke für seine schriftlichen Quellen eingeschlossen denken.

[5] Bei diesem findet sich nirgends ein directer Hinweis auf die Gesta. Die §. 21 genannten libri cronicarum sind nicht diese Quelle. Siehe oben, S. 271.

chronik[1] haben sie im ganzen Umfange, und zwar wohl erschöpfend, ausgenützt. Jeder von den letztgenannten drei Chronisten hat Erweiterungen vorgenommen, im geringsten Masse Keza. Nur durch Vergleichung aller Ableitungen lässt sich ein annähernd richtiges Bild der alten Gesta gewinnen. Aus dieser Betrachtung ergibt sich, dass dieselben eine ziemlich spärliche Quelle von geringem Werthe waren.

---

[1] Verweise auf die Gesta finden sich im Chronicon Budense, S. 44 (Cum igitur codices quidam . . .; vgl. oben, S. 252); ferner S. 62 (que ab aliis scriptoribus pretermissa sunt . . .; vgl. oben, S. 229). — Hingegen bezieht sich der Verweis S. 93 (in antiquis libris de gestis Hungarorum) nicht auf die Gesta vetera. Vgl. oben, S. 283, 284, 292, 294 f. und 299.

Archiv

für

österreichische Geschichte.

Herausgegeben

von der

zur Pflege vaterländischer Geschichte aufgestellten Commission

der

kaiserlichen Akademie der Wissenschaften.

Achtundachtzigster Band.

Zweite Hälfte.

Wien, 1900.

In Commission bei Carl Gerold's Sohn

Buchhändler der kais. Akademie der Wissenschaften.

Archiv

für

österreichische Geschichte.

———

Herausgegeben

von der

zur Pflege vaterländischer Geschichte aufgestellten Commission

der

kaiserlichen Akademie der Wissenschaften.

———

Achtundachtzigster Band.

Wien, 1900.

In Commission bei Carl Gerold's Sohn

Buchhändler der kais. Akademie der Wissenschaften.

Inhalt des achtundachtzigsten Bandes.

EIN

HOCHVERRATHSPROCESS

AUS DER ZEIT DER

GEGENREFORMATION

IN

INNERÖSTERREICH.

NACH DEN ACTEN DES K. U. K. HAUS-, HOF- UND STAATSARCHIVS IN WIEN
UND DES STEIERMÄRKISCHEN LANDESARCHIVS IN GRAZ

VON

J. LOSERTH,

CORRESP. MITGLIEDE DER KAIS. AKADEMIE DER WISSENSCHAFTEN.

Wenn man die von katholischer Seite ausgegangenen Rechtfertigungsschriften über das Vorgehen Ferdinands II. gegen den innerösterreichischen Protestantismus, deren bedeutendste von dem Stainzer Propste Jakob Rosolenz herrührt, durchliest, so findet man in ihnen mit mehr oder minder starker Betonung als angebliche Thatsache in den Vordergrund gestellt, dass Ferdinand II. zu diesem seinem Vorgehen genöthigt war, weil der Gehorsam gegen die Obrigkeit allenthalben im Lande schier erloschen war und man unter den Protestanten nichts fand als Widersetzlichkeit, ,Tumult und Rebellion'. Das ist ja schliesslich die Ansicht Ferdinands, ja schon die seines Vaters, des Erzherzogs Karl II., gewesen. Schon in der Motivirung seines Decretes vom 10. December 1580, in welchem · er die Anordnung traf, dass in allen landesfürstlichen Städten und Märkten ausschliesslich die katholische Religion ausgeübt werden dürfe, klagt er, dass der Landesfürst ,bey ir vilen und vilen die schuldig gehorsamb schier durchaus verloren . . .', dass man nicht blos mit eigenwilligen Leuten, sondern auch mit den Verordneten ,disputieren und sich gleichsam von inen in ihrem thuen syndicieren lassen müsse, als wann er ein gemalter oder papierner landtsfürst wäre'.[1] Trotz aller Widerlegungen seitens der steiermärkischen Landschaft[2] und wiewohl die Sache an sich ganz haltlos ist,[3] findet sich der Vorwurf auch später in Correspondenzen und geschichtlichen Werken wieder: so in

---

[1] Acten und Correspondenzen zur Geschichte der Gegenreformation in Innerösterreich unter Erzherzog Karl II. Fontes rer. Austr. L, 79.

[2] Die eingehende Erwiderung darauf (,auf solche schimpfliche Reden', die man dem Landesfürsten ,einbilde') S. 92.

[3] Loserth, Geschichte der Reformation und Gegenreformation in Innerösterreich im 16. Jahrhundert, S. 384. Loserth, Der Huldigungsstreit nach dem Tode Erzherzog Karls II. (Forschungen zur Verfassungs- und Verwaltungsgeschichte der Steiermark II, 2), S. 23, und Beziehungen der steiermärkischen Landschaft zu den Universitäten Wittenberg etc., S. 17.

einem höchst interessanten Schreiben Ferdinands II. an den
Herzog Maximilian I. vom 7. Mai 1601. Der bairische Herzog
hatte nach Graz berichtet, wie übel dem Erzherzoge im Reiche
seine Religionsreformation von den Unkatholischen ausgelegt
werde. Da antwortet Ferdinand II.: ‚Diese Leute kennen den
Grund der Sache nicht. Er habe dies zur Salvierung seines
Gewissens und vorkommender Unzukömmlichkeiten wegen thuen
müssen. Er habe lange genug über die Anmassung der Prädicanten Geduld getragen; von den wider die katholischen
Fürsten und andere auf den Kanzeln ausgesprochenen Schmähungen wolle er nichts sagen und nur so viel bemerken, dass
sie in allen Städten und Märkten den Bürgern den Ungehorsam gegen die Obrigkeit eingebildet, dass sich an mehreren
Orten Rebellion erzeigt, und wenn es der Allmächtige nicht
verhütet hätte, hätte Blutvergiessen erfolgen können. Es wurde
uns kein Respect mehr erzeigt, als wären wir nur ein gemalter Landesfürst.[1] Es war also kein anderes Mittel, als
diese Prädicanten und ungewaschenen Aufbläser, die auch mit
nichten der Augsburgischen Confession anhängig, sondern Secten
angehören, auszuschaffen . . .‘[2] Man weiss heute, dass es diese
viel verrufenen Prädicanten und mit ihnen der in seiner unentwegten Treue gegen das angestammte Herrscherhaus so sehr
und so unrecht verdächtigte Herren- und Ritterstand gewesen
ist, der ein Blutvergiessen verhindert hat, und dies in einer Zeit
und unter Umständen, die für ein etwaiges Vorgehen mit den
Waffen in der Hand nicht günstiger liegen konnte — ich will
hier nur vorgreifend, denn die Sache soll an anderer Stelle behandelt werden, an das Jahr 1609 erinnern, in welchem die
Lage Erzherzog Ferdinands eine derart kritische war, dass er
in dringenden Schreiben sich an Erzherzog Maximilian nach
Tirol um Geld- und bewaffnete Hilfe wandte. Nichtsdestoweniger hat man auch damals den Herren- und Ritterstand in
seiner Treue verdächtigt, und diese in Correspondenzen und
Acten vorkommenden Anwürfe haben ihren Weg in die Geschichtswerke alter und neuerer Zeit gefunden.[3] Von einer

---

[1] Somit genau dieselben Worte, die sein Vater zwei Decennien früher gebraucht hatte.

[2] Original im Staatsarchiv zu München 30/14.

[3] Ich will aus dem ‚Gründlichen Gegenbericht‘ des Rosolenz nur eine Stelle
herausheben: ‚Ich hab im ersten Thail dises meines Gegenberichts nach

Widersetzlichkeit gegen die Verfügungen der Obrigkeit ist seitens der Herren, Bürger und Bauern keine Rede, wenn man etwa von den ‚groben Ennsthalern' absieht, die in ungeschickter Weise von den Commissären gereizt wurden und diese 1587 ‚mit gewehrter Hand' empfingen.[1] Am wenigsten haben die Herren und Ritter an einen Aufstand gedacht. Es kommt im ganzen Verlaufe der Gegenreformation ein einziger Fall vor, wo Verhaftungen von Bediensteten der steiermärkischen Landschaft vorgenommen wurden, weil der Verdacht des Hochverrathes vorlag. Dass dieser Verdacht begründet war, konnte selbst von einem so ausgesprochenen Anwalt der Gegenreformation in Innerösterreich, wie es Friedrich von Hurter war, nicht erwiesen werden;[2] es ist dies der Fall mit dem innerösterreichischen Agenten am kaiserlichen Hofe in Prag Hans Georg Kandelberger und dem steiermärkischen Landschaftssecretär Hans Adam Gabelkofer, die im Juni, beziehungsweise October 1599 gefangen genommen und einem peinlichen Verhöre unterzogen wurden. Selbst der hierüber geführte Process hat den Beweis nicht erbringen können, dass diese Männer in der That, wessen man sie beschuldigte, versuchten, den Erzherzog Ferdinand II. und seine Familie aus dem Lande zu jagen, ja zu tödten. Der Fall ist als solcher dunkel genug.

---

lengst angesaigt, wie man in Städten und Märkten, wie auch auf dem Lande, der neuen Religion halber tumultuiert, rebelliert, Conspirationes und verbottene Verbündnussen gemacht, vil Aufruhr erweckt und sich dermassen ersaigt, als wöll man L F. D. keinen gehorsam mehr ersaigen.' Eine wirkliche Rebellion wünschte z. B. der Nuntius Malaspina: ‚Damit,' sagte er, ‚wollten wir gar bald unsere Schulden bezahlen.' Sieh den Brief Hoffmann's an die Verordneten von Steiermark de dato Strechau, 1587 August 29 in den Acten und Correspondenzen zur Geschichte der Gegenreformation' in Innerösterreich, S. 628. Hoffmann weist S. 626 ganz richtig auf den principiellen Unterschied hin, der hierin zwischen der A. C. und den Calvinern obwaltet. Zur Frage der Haltung des Herren- und Ritterstandes ist auch sein Brief von Ende Mai 1587 (ebenda, S. 615) belangreich.

[1] Sieh meine Geschichte der Reformation und Gegenreformation, S. 522 ff.

[2] Geschichte Kaiser Ferdinands II., IV, S. 224. Es ist ganz falsch, wenn ihn Hurter, Maria, Erzherzogin zu Oesterreich, Bild einer christlichen Fürstin, S. 270, zum Abgeordneten blos des unkatholischen Theiles der Landleute, oder wenn er ihn (ebenda, S. 299) eine Hauptperson der unkatholischen Partei nennt. Das war Kandelberger mit nichten.

Was Hurter und neuestens Schuster[1] hierüber bringen, klärt die Sache nicht auf. Völlig aufgehellt wird sie auch durch die unten folgenden Acten nicht, die dem k. u. k. Haus-, Hof- und Staatsarchiv und dem steiermärkischen Landesarchiv entnommen sind. Namentlich ist das völlige Verschwinden Kandelberger's seit dem Jahre 1602 schwer zu erklären. So viel dürften sie aber erkennen lassen, dass von einem Verbrechen Kandelberger's nicht geredet werden darf.

Kandelberger — es ist derselbe, der 1587 in Geschäften in Padua weilte, noch ein junger Mann,[2] denn in einem unten folgenden Actenstücke wird ,von seinem noch jungen Leib' gesprochen — war einer jener Agenten, wie sie seit den Tagen Erzherzog Karls II. in Prag gehalten wurden, um am kaiserlichen Hofe die Einlieferung der vom Reiche von Zeit zu Zeit bewilligten Türkenhilfe zu betreiben. Seine adelige Herkunft, die Dienste, die sein Vater dem Erzherzoge Karl II. als dessen Kammerrath und er selbst in verschiedenen Stellungen geleistet, werden in der unten mitgetheilten ,Intercession' vom 8. December 1600 (Beilage Nr. 15) mit gebührendem Lobe hervorgehoben. Am 19. August 1598 sandte ihm die Landschaft noch ein Dankschreiben ,wegen der überschickten kaiserlichen Resolution bezüglich der 6000 Gulden, die von der Landschaft für Proviantzwecke dargeliehen worden waren'. Er wird sich, als die Verfolgung der Protestanten ausgebrochen war und die Landschaft sich an den kaiserlichen Hof um Vermittlung gewandt hatte, in diesem Sinne auch bei den Vertretern der protestantischen Reichsstände bemüht haben. — Ebenso wie Kandelberger hatte sich Gabelkofer im Dienste der Landschaft hervorgethan. Er weilte mit der innerösterreichischen Gesandtschaft

---

[1] Martin Brenner, S. 419. Die in der Note dort gemachte Mittheilung könnte leicht die Ansicht hervorrufen, dass im steiermärkischen Landesarchive über die Einkerkerung und peinliche Untersuchung Kandelberger's andere Acten vorhanden seien als jene, die unten mitgetheilt werden. Dies sind die einzigen. Andere finden sich meines Wissens daselbst nicht.

[2] Wie ich den Aufzeichnungen Prof. v. Luschin's entnehme, erscheint Johannes Georgius Kandelberger Styrus als Procurator der deutschen Juristen zu Padua, und zwar von Ende Juni 1587 bis Ende November 1588. Er verweilte noch 1591 in Padua, wo er am 8. Februar als Abgesandter der Nation in Angelegenheiten zweier anderer Steirer beim Dogen vermittelte.

die durch den Seckauer Bischof Martin Brenner und den Landmarschall von Krain Herwart von Auersperg vertreten war, am
Reichstage in Regensburg, um vom Reiche eine ausgiebige Hilfe
gegen die Türken zu erlangen. Am 1. Februar 1598 theilte er
den Verordneten ‚die Beschaffenheit des werdenden Reichstags‘
mit.[1] Drei Wochen später bestätigen sie ihm ‚den Empfang der
Reichstagsbewilligung‘. Noch war damals die Katastrophe über
das protestantische Kirchenwesen in Steiermark nicht hereinge-
brochen. Daher vermahnen sie ihn auch noch, ‚nach einem
tauglichen Pastor (für Graz an Stelle des verstorbenen Pastors
Zimmermann) fleissig Umschau zu halten‘.[2] Für seine in Regensburg erworbenen Verdienste wurde er am 24. März 1598 zum
Obersecretär der steirischen Landschaft ernannt.[3] Als dann
seit den Augusttagen dieses Jahres die offene Verfolgung der
Protestanten in Steiermark, Kärnten und Krain platzgriff, ent-
sandten sie ihn in der ersten Novemberwoche an den kaiserlichen Hof nach Prag, um dort eine Intercession in diesen
kirchlichen Dingen zu erhalten.[4] Sie theilten dies am 10. November den Kärntnern mit der Frage mit, ob sie sich nicht
dem Schritte anschliessen möchten. Wie die Dinge in Graz
lagen, musste die Sendung daselbst ‚geheim‘ bleiben.[5] Am
18. November schreiben ihm die Verordneten, dass man mit
Verlangen seiner ‚Commissionsverrichtung‘ entgegensehe.[6] Wenn
man bedenkt, dass dazumal das evangelische Kirchen- und
Schulministerium in Graz schon ganz aufgelöst war, so musste
es, falls dieser Brief mit anderen, wie es wahrscheinlich ist,
saisirt wurde, einen schlimmen Eindruck machen, dass man
darin auch den Auftrag fand, 200 Gulden an Dr. Schleipner
zukommen zu lassen, dem man die Pastorsstelle in Graz zugedacht hatte.[7] Am 25. November berichtete er nach Graz,
‚wie er das Schreiben an I. K. M. wegen der steirischen Re-
ligionspersecution überliefert‘ und was ‚hinc inde fürgeloffen
und vorgenommen wurde‘. Letzteres würde man ja gern wissen,

---

[1] Registratur.
[2] Ebenda. ‚Der allmächtige Gott,‘ heisst es in einem gleichzeitigen Berichte, ‚gebe Gnade, dass uns der Gabelkofer einen gelehrten und treuen
Pastorem herabbringe.‘
[3] Ebenda.
[4] Sieh unten Beilage Nr. 3.   [5] Ebenda.
[6] Registratur.   [7] Ebenda.

denn darin scheint das Motiv seiner späteren]
legen zu sein. Einstweilen konnte er sich ung
Heimat zurückbegeben. Am 18. December war
heim und fragte bei den Verordneten an, ob er
nach Voitsberg begeben oder sie, da der Landtag :
sei, in Graz erwarten solle.[1] Im Februar 1599 f
Hochzeit. Der Sitte der Zeit und des Landes
hatte er die Verordneten hiezu eingeladen un:
Landmarschall Hans Friedrich Hoffmann gebeten,
Secretärs Gabelkofer's Hochzeit von E. E. Lan:
gebrauchen zu lassen'.[2] Als neuerliches Zeich
kennung seiner Verdienste überliessen sie ihm ei:
lichen Garten gegen den mässigen Zins von 30
Kandelberger im Juni eingezogen wurde, hatte (
wiss noch die weitläufige Correspondenz, welch
legenheit hervorrief, zu führen.

Noch hatte Kandelberger in den letzten Mo
Verordneten correspondirt. Aber diese Corresp
nur jene geschäftlichen Dinge, um derentwillen
gesendet worden war. Am 3. März hatte er :
richtet, ,wasmassen die Erledigung oder Anschaffi
stelligen Petrinischen Profiantrestes von der He
K. M. geschehen'.[4] Die Landschaft hatte alle:
seiner Thätigkeit zufrieden zu sein. Da erscholl :
Male die Nachricht, dass er in Prag eingezoge:
7. Juni 1599 schreiben die Verordneten an Hans]
herrn von Herberstein, dass Hans Georg Kandelt
,gefänglich eingezogen und verwahrter allher au:
bracht worden sei'.[5] Tags darauf wurde Ernreic
hievon verständigt und um ein Gutachten gebe
seinetwegen bei der F. D. anbringen solle. Zu,
,etliche Herren und Landleute zur Berathschlag
Sachen und sonderlich des eingezogenen Kandelb
nach Graz erfordert'. Herberstein antwortete an
schon am 10. wurde ein vorläufiges Gesuch an F
dinand um Befreiung Kandelberger's gerichtet.
wusste die Landschaft nicht, um welche Sache :

---

[1] Registratur.   [2] Ebenda.   [3] Ebenda.   [4] Eb:
[5] Ebenda und so auch das Weitere.

handle. [1] Verschiedene Gerüchte schwirrten umher, deren
Niederschlag wir in einem späteren Schreiben Kepler's und
jenem Jöchlinger's noch begegnen werden. Bald war Alles erfüllt von der angeblichen Thatsache, man sei einer Verschwörung auf die Spur gekommen, die nichts Geringeres als die
Entfernung, wo nicht geradezu die Ermordung des Erzherzogs
bezweckt habe. Ob sich Kandelberger etwa in Gesprächen mit
den Gesandten protestantischer Reichsstände in Prag etwas un-
vorsichtig geäussert, entzieht sich nach dem uns vorliegenden
Actenmateriale der genauen Berechnung. Es fragte sich, wie
die steiermärkische Landschaft die Sache aufnehmen würde.
Im steiermärkischen Verordnetencollegium kam die Angelegenheit wegen Kandelberger's am 10. Juni zur Sprache. [2] Der
Landeshauptmann mahnte zur Vorsicht: man könnte sonst vielleicht in der ersten Hitze etwas zu viel thun. Kandelberger
habe nichts Anderes zu thun gehabt, als die Reichshilfe zu
sollicitiren. Was er gesündigt, wisse man nicht. Man müsse
eine ‚Fürschrift‘ an den Hof senden und darin betonen, dass
er nur zu diesem Dienste bestellt gewesen und ihn zur allgemeinen Zufriedenheit verrichtet habe. Mit Betrübniss habe man
vernommen, dass viele seiner Briefe aufgerissen, er selbst verhaftet und hiehergeführt worden sei. Man spreche die Hoffnung aus, ‚Erzherzog Ferdinand werde als ein sanftmüthiger
Herr von Österreich mit l. f. Gnade gegen ihn procedieren und
ihn zu seiner Verantwortung kommen lassen‘. Wilhelm von
Gera hält für gut, dass alle drei Länder für Kandelberger eintreten, da er von allen dreien bestellt gewesen sei. Amman
weist auf die Instruction hin, die er gehabt. In Bezug auf das
gegen ihn eingeschlagene Verfahren sei zu bemerken, dass die
Herren von Oesterreich bisher niemals gleich mit thätlicher
Hand dreingefahren. Gottfried von Stadl bringt die Sache mit
der Religionsfrage zusammen. Der Erzherzog soll vermeldet
haben: Man möge nur ja nicht denken, dass er einen Landmann
evangelischer Religion befördern werde. Im Sinne der gefallenen
Worte wurde dann der Beschluss gefasst, ‚mit einer bescheidenen Intercession einzukommen, damit Kandelberger auf freiem

---

[1] Am 19. Juni wusste auch Erzherzogin Maria über die Motive der Verhaftung noch nichts; siehe Hurter, Maria, S. 270: ‚Mein Kind, was wird
das für ein Handel sein mit dem Kandelberger.‘
[2] V.-Prot.

Fusse seine Verantwortung thun könne'. Die Bittschrift ging denn auch mit dem Datum des 10. Juni an den Hof.[1] Wenige Wochen später — am 3. Juli 1599 — überreichten die Verordneten ein zweites Bittgesuch,[2] damit der Gefangene auf freien Fuss gesetzt und seine Verantwortung billiger Weise thun könne. Die Geschäfte, die Kandelberger in Prag zu besorgen hatte, übergaben sie an Dr. Heher und überreichten, da die bisherigen zwei Bittgesuche ohne Antwort geblieben waren, am 20. Juli ein drittes[3] mit dem Bemerken, der Erzherzog möge noch vor seinem Verreisen Hans Georg Kandelberger des unverdienten' Gefängnisses erledigen, und zwar ,auf Wiederstellung'. Auch dieser Schritt war wie alle bisherigen ohne alles Ergebniss. Nun tagte in der ersten Augustwoche ein Ausschuss zu Radkersburg, der nicht blos über seine eigentliche Aufgabe, ,die Landmusterung', berathschlagte, sondern die jüngsten Vorkommnisse in kirchlichen Dingen in Erwägung zog. Man hatte eben in Erfahrung gebracht, dass Magister Holzer wegen einer ,beim Leichenbegängnisse eines Fräuleins Stürckh verrichteten Danksagung' an die Erschienenen ins Gefängniss gelegt und der Kanzleischreiber Neff vor die Regierung citirt wurde. Dies Alles eingehend zu erwägen, legte man den Verordneten nahe, namentlich aber mögen sie Kandelberger's halber eine neuerliche Eingabe machen.[4] Das geschah am 10. August.[5] Endlich am 16. sandte der Erzherzog, der sich in Eisenerz aufhielt, seine Resolution an die Verordneten.[6] Sie fasste alle diese Punkte zusammen und enthielt bezüglich Kandelberger's die ausweichende Antwort: Kandelberger sei nicht auf seinen, sondern auf Befehl des Kaisers verhaftet worden. Demgemäss richteten die Verordneten nunmehr ein Bittschreiben an Rudolf II., ,Hans Georg Kandelberger als wirklichen Diener der Landschaft des Gefängnisses mit Gnaden zu beruhigen, weil er laut Decret des Erzherzogs Gefangener Sr. Majestät sein

---

[1] Registratur. [2] Ebenda.

[3] Ebenda. Noch immer hat auch die Erzherzogin nichts Näheres über die Schuld Kandelberger's erfahren können: ,Wie warte ich,' schrieb sie am 28. Juli, ,so sehnsüchtig, zu vernehmen, was der Kandelberger pfeifen wird.' Hurter, l. c., S. 282.

[4] Bericht der Verordneten an den Landmarschall Ernreich von Saurau, de dato 7. August. Registratur.

[5] Ebenda. [6] Ebenda.

soll'. Im gleichen Sinne wurde an die kaiserlichen Geheim-
räthe und andere Persönlichkeiten in Prag geschrieben.[1] Wenige
Tage später wurde von den Verordneten ein grösserer Ausschuss,
bestehend aus den Herren und Landleuten Rudolf von Teuffenbach, Georg Christoph von Stubenberg, Hans Adam Schratt,
Hans Christoph von Gera, Wilhelm von Rottal, Karl von
Herberstorff, Christoph Galler, Christoph von Stadl, Hans Jakob
von Stainach, Wolf Wilhelm von Herberstein, Otto von Herber-
torff, Sigmund von Saurau und Hans Rindschaidt, zusammenberufen. Er trat mit den Verordneten am 2. September zusammen. Wie es scheint, sind es die ‚Raitscommissäre‘, die
‚erfordert‘ worden waren. Wenigstens geht von diesen unter
dem Datum des 2. September ein Intercessionsschreiben für
Kandelberger an den Erzherzog ab, damit der Gefangene ‚nicht
allein zu gebürlicher Verantwortung, sondern auch gegen genugsame Bürgschaft auf freien Fuss gelassen werde‘.[2] Wie dem
auch sei, die Versammelten hatten vier Punkte auf ihre Tagesordnung gesetzt: die Hauptresolution, die Frage, was mit den
Kirchen- und Schuldienern zu geschehen habe, die Processe
gegen Kandelberger und Holzer und militärische Angelegenheiten.
Heben wir aus der Debatte heraus, was in der Kandelbergerfrage gesagt wurde. Teuffenbach betont, man müsse dessen
Freiheit verlangen. Wäre Kandelberger, lässt sich Georg von
Stubenberg vernehmen, der die Reichshilfe zu betreiben hatte,
nicht frei, so bliebe diese stecken. Amman meint, aus all' den
Verkommnissen müsse man entnehmen, dass ein ‚Imperium‘
gegen des Landes Freiheiten aufgerichtet werde. Das Resultat
der Berathung war die obenerwähnte Intercession.[3] Während
noch diese Angelegenheit Kandelberger's bei dem Erzherzog
Ferdinand II. und Kaiser Rudolf II. betrieben wurde, vernahm
man eine fast noch schmerzlichere Nachricht: Am 4. October
melden die Verordneten dem Landeshauptmanne und den beiden
Mitverordneten, dass der Landschaftssecretär Hans Adam Gabelkofer plötzlich verhaftet worden sei.[4] Zwei Tage später sind
schon die Verordneten Sigmund von Wagen und Hans Adam
Schratt nach Leibnitz unterwegs, um sich seinetwegen bei dem

---

[1] 1599 August 28. Ebenda.   [3] Ebenda.
[2] L.-P. 1599 September 2.
[4] Registratur.

Obersthofmeister Balthasar Schrattenbach ar
Bittgesuch, das sie Gabelkofer's wegen eing
weislich beschieden;[2] an demselben Tage
Herren und Landleute' avisirt, dieweilen so
vorkommen, am 13. October in Graz zu ersch
selben 6. October ist ein Brief des Kammer₁
gang Jöchlinger an Erzherzog Ferdinand dat
etwas Licht in die immer noch mysteriöse Ss
wohl Kandelberger als Gabelkofer seien von
lich ,wieder besprecht' worden. Jener habe
Punkte seiner früheren ,peinlichen Aussage'
genommen, nämlich, dass er darauf ausgeg₁
herzog zu fangen oder zu tödten, auch die ver
Maria sammt der jungen Herrschaft gefangen
dass man sich zu diesem Ende ,des durch der
gesuchten fremden Regimentes und der G
wollte'. Kandelberger sagte weiter aus, die fi
nisse seien ihm ,aus übriger Peinigung' erpresst
kofer soll ziemlich glaubwürdige Aeusserunge
wie ihm die Commissäre mittheilten. Heute -
— sei der Scharfrichter abermals hinaufgegang₁
gebunden und ihm die Tortur gezeigt worde
der Absicht, ihn foltern zu lassen. Man werd
Schriften wegen' examiniren. Die Verordnete
erschienen und hätten gefragt, ob man G
eigenen oder wegen angeblicher Verbrechen
eingezogen. Er habe sie an den Erzherzog ge
viel gemeldet, dass es sich um Privatverbrec
handle. Aus dem Berichte Jöchlinger's geh
klar hervor: dass Kandelberger seine ihm v
erpressten Aussagen widerrief und Gabelk₀

---

[1] Registratur.
[2] Ebenda. ,I. F. D. Bescheid auf der Verordneten Ein
fangenen Gabelkofer.'
[3] Registratur.
[4] Sieh unten Beilage Nr. 5.
[5] ,Den eingegangenen Tractat'; das lässt auf die A₁
lichen Verschwörung schliessen.
[6] Man kann demnach mit Hurter, IV, S. 224, nicht ss
Tortur nur geseigt worden.

würdige Entschuldigung vorbrachte. Die ganze Anklage stand somit auf schwachen Füssen und stellte sich schon jetzt als haltlos heraus.[1] Gleichwohl waren in der Stadt alle Vorsichts-massregeln getroffen, als ob es sich thatsächlich um eine Ver-schwörung handeln würde: ‚Die zwei Stadtthore seien gesperrt worden, allenthalben in Stadt und Schloss wird fleissig Wacht gehalten, dies erzeigt an allen Orten grosse Furcht und viel Nachdenken.' Auch der Landeshauptmann sei bei Jöchlinger gewesen und habe ihm ‚eine Apologie seiner Unschuld entdeckt', die er dem Erzherzoge nach seiner Hieherkunft vortragen will. Die Kunde von den Grazer Vorgängen hatte auch in Kärnten und Krain grosse Bestürzung erweckt.[2] Die Sicherheit der Correspondenz war unterbrochen,[3] und in Graz selbst sah man den Berathungen, die von den Herren und Landleuten Mitte October gepflogen werden sollten, mit Spannung entgegen. Die vielen in den letzten Tagen vorgefallenen schroffen Verletzungen

---

[1] Leider vermochte ich nicht alle jene Briefe aufzufinden, auf die sich Hurter, IV, S. 224, besieht. Weder die Aussage des dort erwähnten Dänen, noch die Briefe Casals sind mir zu Gesicht gekommen. Dass sie aber nicht einmal so viel Licht in die Sache bringen wie der einzige unten mitgetheilte Brief Jöchlinger's, ist aus den weiteren Ausführungen Hurter's zu entnehmen, welcher sagt: ‚Indess waltet über dieser Sache ein Dunkel. Wir wissen blos, dass ein schriftlicher Befehl des Kaisers vorlag, Kandelbergern gütlich und peinlich zu befragen, und dass der Erzherzog unter dem 10. November jenem eigenhändig die Anzeige machte, der Verhaftete habe sich in seinen Anzeigen widersprochen. Vermuthlich lauteten sie so, dass sie zu keinem bestimmten Geständnisse führten, auch sonstige Beweise nicht beigebracht werden konnten. Denn wäre eine auffallende Strafe erfolgt, so würde sich gewiss von derselben Kunde erhalten haben.' Die Sache steht eben so, dass Jemand, peinlich befragt, in den meisten Fällen gesteht, was man will, beziehungsweise die genau formulirten Fragen wollen; gütlich befragt, alle seine früheren Aussagen als Unsinn erklärt. In den Briefen der Erzherzogin Maria, die Hurter gedruckt, findet sich einer de dato Belica (Bielitz), 15. October 1599. Dort heisst es: ‚Von dem Harrer habe ich mit Freuden und Verwunderung Nachricht empfangen, wie es mit dem Kandelberger steht. Dem ewigen Gott sei Lob, dass dir Gott deine Feinde in die Hände gibt. Du bist ihm viel zu danken schuldig, wie wir alle. Das wär' ein Haushalten gewesen. Ich erwarte mit grossem Verlangen, wie der Gabelkofer pfeifen wird. Sofern es ist, wie der Kandelberger sagt, fürchte ich, er werde weit springen; insonderheit der Oberst, dem wird der Pelz zittern.' Hurter, IV, S. 300.

[2] Sieh unten Beilagen, Nr. 6, 9, 10.   [3] Ebenda.

von Mitgliedern des protestantischen Herrenstandes, das Vergehen der Regierung gegen die protestantische Stiftskirche, endlich nicht am wenigsten die Behandlung landschaftlicher Beamten hatten nämlich den Landeshauptmann und die Verordneten bewogen, für den 13. October eine Anzahl steirischer Herren und Landleute zu einer Sitzung einzuberufen. Auf die Tagesordnung wurden fünf Punkte gestellt. Nur mit dem letzten haben wir uns hier näher zu beschäftigen: ‚Puncto Secretari Gablkovers Einziehung, was bisher seinethalben fürgegangen und was ferrer zu thuen, auch des Kandelberger halben.'[1] Das Wort ergriff zuerst der Landeshauptmann. Es seien gewichtige Gründe, um derenthalben man die Herren und Landleute beschrieben habe. Was die Stiftskirche betreffe, sei dahin zu wirken, dass die Drohungen des Hofes, sie einzuziehen, nicht ausgeführt werden. Diese Kirche sei nicht in gewaltthätiger Weise, sondern durch Kauf in den Besitz der Landschaft gekommen. Es werde gut sein, die Eggenberger, von denen man sie erkauft habe, anzugehen. Da der Sohn dieses Eggenberger's bei Hof in hohem Ansehen stehe, dürfe man gewärtigen, er werde etwas helfen. Der Erzherzog habe ohnedies gestattet, die Conditionen des Kaufes einzusehen. Die nächsten Punkte wurden zum Theile vertagt, theils rasch vorgenommen. Da man die Hoffnung hegte, die exulirenden Prediger, die jetzt in Petanitza weilten, wieder ins Land ziehen zu sehen, gab man ihnen gern eine Unterstützung, um die sie ansuchten. Am längsten wurde über die Verhaftung Gabelkofer's verhandelt. Diese That hatte Alle tief ergriffen. Man darf hier an das Vorgehen erinnern, das einstens Karl II. auch gegen einen Landschaftssecretär, gegen Caspar Hirsch, eingeschlagen hatte.[2] Man durfte gewärtigen, dass sich sämmtliche Mitglieder der Landschaft für ihre verletzten Rechte ebenso warm einsetzen würden als damals — die katholischen nicht ausgeschlossen. So war es auch; ja man wird bemerken, dass der Fall Gabelkofer ein besseres

---

[1] Alles nach den Landtagsprotokollen, in die diese Dinge eingetragen wurden, wenngleich es kein Landtag war, auf dem sie zur Verhandlung kamen. Es war nur ein grösserer Ausschuss, der vom Landtage die Vollmacht hatte, in dringenden Fällen, wenn der Landtag nicht versammelt war, sich zur Berathung einzufinden.

[2] Sieh hierüber meine Geschichte der Reformation und Gegenreformation, S. 417—431.

Ende hatte als jener mit Hirsch. Indem nun der Landeshauptmann auf die Verhaftung Gabelkofer's zu sprechen kam,
schilderte er den ganzen Vorgang in drastischer Weise: der
Erzherzog habe ihn — den Landeshauptmann — ‚gen Hof erfordert: es wär' schon eingespant. Ihre Durchlaucht begehrten stark, den Gabelkofer zu erfordern'. Hätte der Landeshauptmann den Erzherzog ‚nit so entferbt' gesehen, hätte er
ohne Bedenken nach dem Secretär geschickt. So aber entschuldigte er sich;[1] worauf der Erzherzog einen Kammerdiener
herbeirief und seinerseits um Gabelkofer schickte. Der Kammerdiener meldete dem Secretär, der Landeshauptmann verlange,
dass er nach Hof komme. Auf das hin stellte sich Gabelkofer
ein und wurde nun sofort durch zwei Trabanten aufs Schloss
geführt. Der Erzherzog rief dabei aus: ‚Wan Er lauter
sanftmueth brauchet, wurde man in letztlich aus dem
land jagen.' Gleichwohl entschuldigte sich der Erzherzog, ‚er
habe nicht befohlen, ihn ins Türkengewölb zu legen'. ‚In
examine,' fuhr der Landeshauptmann fort, ‚werde Gabelkofer,
wie er hoffe, aufrecht erfunden.' Später, nach der Rückkehr
des Erzherzogs, habe dieser gemeldet, Gabelkofer sei nicht als
Landschaftssecretär, sondern als Adelsperson citirt worden.
‚Das sei nun ein Process, der das ganze Land angehe und
nicht etwa blos eine Privatsache betreffe. Die Landschaft sei
nicht versammelt, und der gute Mann sitze hinter Schloss und
Riegel. Man könne vorläufig nichts Anderes thun, als wegen
seiner Verhaftung Klage zu erheben und ‚sich mit Leib und
Gut auf seine Freistellung gegen Alles zu erbieten, dessen er

---

[1] Da in den Landschaftsprotokollen meistens nur die Schlagworte citirt
werden, so ist es an manchen Stellen möglich, dass sie auch anders gedeutet werden können, wenn z. B. ein Pronomen auf eine oder die
andere Person bezogen werden kann. Ich füge daher die Stelle aus
den Verordnetenprotokollen der grösseren Vorsicht wegen wörtlich an:
‚Puncto secretari Gablkover bericht er, dass ine I. D. gehn hof erfordert,
wär schon eingespant. I. D. begerten stark den Gablkover zu erfordern und do (schreibt der Protokollist) herr landeshauptmann I. F. D.
nit so entferbt gesehen, het er ohn bedenken nach im geschickt,
aber sich entschuldigt. Auf welchen fall I. D. ein camerdiener geruefft,
denselben umb in geschickt. Der saget, herr landeshaubtman begeret
seiner gehn hof; uber welches er compariert; hernach ine stracks durch
zwei trabanten auf's schloss. I. D. meldet, wan er lauter sanfftmueth
brauchet, wurd man in letztlich aus dem land jagen.'

beschuldigt werde. Dabei müsse man auch Kandelberger's gedenken'. Auch seine Sache sei eine solche, die das ganze
Land betreffe: ‚Der ehrliche Mann kommt des Landes wegen
ins Spiel.¹ Sollte er unter der Tortur erliegen, so würden seine
Aussagen auch gegen die Landschaft und den Landeshauptmann resentirt werden. Daraus folge, dass man seinetwegen
an den Erzherzog und den Kaiser schreiben müsse. Man
müsse Protest dagegen einlegen, dass (von den Mitgliedern der
Landschaft) Niemand bei der Tortur gewesen sei. Könne in
Zukunft noch ein Steirer in Ehren bei den Zusammenkünften
sitzen?' Eine Beschwerdeschrift sei abzufassen und dort zu
sagen, ‚weil man die Feder schier nicht passieren lasse, falle
es den Verordneten schwer, bei solchen Processen noch länger
in Dienst zu bleiben. Man werde bitten, dass man um Gottes-
willen die Landschaft endlich einmal anhöre'.

Nach dem Landeshauptmanne ergriff der Landesver-
weser das Wort: Die Sache mit Gabelkofer sei ein ‚geschwinder Process'. Bald wird es Mehrere ebenso treffen. Von
einem Verbrechen Kandelberger's oder Gabelkofer's, meint
Wilhelm von Gera, wisse man kein Wort. Es sei geradezu
erbärmlich, in solcher Weise zu prozediren. Was mit Gabelkofer vorgegangen, sei für die ganze Landschaft in hohem
Grade präjudicirlich. Wo bleiben die alten Handlungen? Viel
schärfer äussert sich Ernreich von Saurau: Das werde
bald jedem Landmanne zugefügt werden. Die Unterscheidung
‚Landschaftssecretär' und ‚adelige Person' sei ‚eitle Cavillierung'.
Das Examen geschieht aus Misstrauen gegen die Lande. Von
ihren eigenen Rechtsgelehrten sind viele damit gar
nicht einverstanden. Kandelberger komme gar nicht dazu,
sich zu rechtfertigen. Die Examinatoren seien Kläger und
Richter zugleich. Mit hohen Beschwerden und Fulminiren ist
jetzt nichts gethan. Man könnte für Gabelkofer eine Caution
stellen: In Criminalibus gelte sie ja wohl nicht, aber man weiss,
dass man es mit ihm nicht zu einer Criminalsache bringen kann.

Georg von Stubenberg fürchtet, das Streben der Regierung gebe dahin, das Land um alle seine Privilegien, die
Landleute um Hab und Gut zu bringen. ‚Was sie heut' ge-

---

¹ ‚Kandelberger habe nur dem betrübten Status zu helfen gesucht, das sei
seine ganze Sünd'.' L.-P.

winnen, ist ihnen morgen zu wenig.' Hans Sigmund Wagen: Eine Beschwerde biete der anderen die Hand. Noch seien nicht einmal die Generalien bezüglich der geistlichen Lehen mit den Landen verglichen. Seyfried von Rindtschaidt meint: Man lese in der Kärntner Chronik, dass in König Ottokars Zeit Einer Namens Seyfried von Mährenberg vom Könige wegen eines Denuncianten um das Seinige gebracht wurde. So könnte es heute auch in Steier ‚fürlaufen‘. Sigmund von Saurau ist der Ansicht, durch solche Processe wolle man die Landleute vom Dienen abschrecken: ‚Werden sich dann wohl Pfaffen finden.‘ Wie habe man sich einstens, ruft der alte Amman aus, des Kalenders wegen, oder wenn es sich um die Verletzung des Postgeheimnisses handelte, der Sache angenommen, wie sei man in der Angelegenheit des Secretärs Hirsch, dessen Schuld doch ‚wissend‘ gewesen, dreingegangen. Und doch lassen sich alle diese Fälle mit dem jetzigen nicht vergleichen.[1] Vom Anfang an habe man in der Sache nichts Anderes gesucht, als wie man die Landstände zur Ungeduld bringe und einen Aufstand hervorrufe. Da könnte man ja gleich an die Güter heran. Unter der Tortur ‚möcht‘ Einer seinen eigenen Vater verleugnen‘.

Dass wohl nicht allein Amman die Ueberzeugung hegte, man beabsichtige einen Aufstand hervorzurufen, um dann gründlich aufzuräumen, ist ziemlich sicher; denn noch gab es viele Mitglieder des Herrenstandes, die sich die Worte des Nuntius Malaspina eingeprägt hatten: ‚Ja ein Aufstand. Wollte Gott, damit könnten wir unsere Schulden zahlen.‘[2] Gleichwohl muss gesagt werden, dass derartige Befürchtungen wenigstens für den Augenblick unbegründet waren. Da standen schon die auswärtigen Verhältnisse im Wege. Amman war der letzte Sprecher. Dann wurde über die einzelnen Punkte ein Beschluss gefasst. Bezüglich Gabelkofer's und Kandelberger's lautete er: ‚Puncto Gablkofer's mit einer glimpflichen Schrift sich an I. F. D. zu wenden, damit er gegen eine Caution der Landschaft freigelassen werde. Des Kandlberger auch zu ge-

---

[1] Ueber die erwähnten Streitigkeiten siehe meine Geschichte der Reformation und Gegenreformation in Innerösterreich, S. 417, 441.

[2] Ebenda, S. 527.

denken'. Die Berathung und Beschlussfassung hatte vier Tage,
vom 13. bis 16. October, in Anspruch genommen.[1]

Am 15. October gaben die Verordneten den Ständen von
Kärnten und Krain Meldung von dem Geschehenen:[2] nicht
blos, dass der Erzherzog durch drei seiner Regimentsräthe
,die der Landschaft frei eigenthümlich zugehörige Stiftskirche
mit Gewalt habe aufbrechen und eröffnen lassen, es sei auch
der der Landschaft verpflichtete Diener Herr Adam Gabelkofer
vor etlichen Tagen durch einen f. Kammerdiener gen Hof erfordert' und ,unvermeldet ainicher ursach' ins schwere Türken-
gefängniss im Hauptschloss geworfen worden. Wiewohl man
sofort eine Beschwerde sowohl mündlich als schriftlich bei Hof
angebracht habe, ,so will doch das alles im Wenigsten nicht
angesehen werden'.

Der Tag für eine Berathung von Ausschüssen aller drei
Länder, für dessen Abhaltung Graz ersehen war, wurde nun
der Infection wegen abgesagt und Klagenfurt hiefür in Vorschlag gebracht. Ein Abgesandter der Landschaft, Hans
Schweighofer, wurde nach Klagenfurt und Laibach entsendet,
um dort die Sache durchzuführen.[3] Der Bitte der Landschaft
wegen der Freilassung Kandelberger's und Gabelkofer's gegenüber verhielt sich der Erzherzog ablehnend.[4] Am 20., beziehungsweise 25. October liefen die Condolenzen Kärntens und
Krains über diese Vorgänge ein. Für eine gemeinsame Berathung wurde Klagenfurt ausersehen und als Tag der 15. November bestimmt.[5] Die Verordneten von Steiermark liessen
indess die Sache auch in der Zwischenzeit nicht liegen. Sie
fassten am 5. November den Beschluss, für Gabelkofer neuerlich eine Bittschrift einzureichen.[6] Von dem Schicksale der
Gefangenen erfährt man aus den vorliegenden Protokollen
nichts. Ein Brief Kepler's vom 12. November an Mästlinus
wirft ein helles Licht auf die kritische Lage der Protestanten
in Steiermark. Ueber die beiden Gefangenen findet sich

---

[1] V.-Prot.

[2] Conc. L.-Archiv, Chron.-R.

[3] Schreiben vom 17. October 1599. Conc. L.-Archiv, Chron.-R.

[4] Schreiben der Verordneten an Wolf von Saurau vom 17. October 1599:
,Was uns erst heute des Kandelberger's und Gablkofer's von hof zu beschaid erfolgt, das hat der herr hiebei zu sechen . . .'

[5] Reg. [6] V.-Prot.

folgende Bemerkung: Der ständische Agent, der in Prag
weilte (Kandelberger), wurde vor einem halben Jahre in
Fesseln nach Graz gebracht und vor einem Monate der Tortur
unterworfen.[1] Ebenso wird der Secretär der steirischen Stände
(Gabelkofer) gefangen gehalten. Es geht die Rede, es sei über
die Ersetzung des Fürsten durch einen anderen berathen
worden (Ferunt deliberatum de alio principe), daher sei für
den Agenten die Todesstrafe bestimmt. Man sprach auch davon, dass dem l. Secretär die Tortur nicht erspart geblieben
sei. Eine Andeutung über den Process findet sich wieder in
dem Schreiben der Erzherzogin Maria vom 14. November:
‚Was sich weiter mit dem Dano (einem Zeugen gegen Kandelberger) und der Forca seither zugetragen, erwarte ich mit
Verlangen; und weil die Aussagen so unbeständig, lasse ich
mir auch nicht misfallen, dass der Bericht an den Kaiser bis
zu mehrerer Gewissheit eingestellt werde.' Daraus ist wohl ersichtlich, dass die Untersuchung wider Kandelberger bisher
nichts ergab, was für die Anklage sprach.

Die folgenden Monate vergingen, ohne dass in der Angelegenheit der beiden Gefangenen ein weiterer Schritt gethan
wurde. Dagegen nahm sich der Landtag, der im Jänner 1600
tagte, ihrer auf das Lebhafteste an. Nach althergebrachter
Sitte wurden vor der Eröffnung alle die politischen und kirchlichen Beschwerdepunkte zusammengestellt, die seit der letzten
Tagung eingetreten waren. Da klagte man, ‚dass mit E. E. L.
etlich iar hero bestelltem diener und gewestem agenten am
kaiserlichen hoff zue Prag Hans Georgen Khandelberger einem
jederzeit in ehren wolerkennten aufrichtigen gelehrten
pidersmann ein hievor in diesen landen nie erhörter ganz
schmerzlicher process fürgenommen; welcher noch vor sieben
ganzen monaten zu Prag bey nachtlicher weil gfanglich eingezogen und in eisen verschmitter alheer auf E. F. D. haubtschloss Graz gefiert, nach langwieriger gefangnus volgends zu
unterschidlichen malen guetlich, vil mehr aber mit
der schrecklichen tortur, auch feuer und prand auf's
greülich- erbarmlichist gemartert wurde'. Hätte man ihn zu

---

[1] Hierüber findet sich bei Kepler die Bemerkung (VIII, 8. 712): ‚In literis
d. d. 13. Oct. Zehentmaierus refert, Kandelbergerum virum egregium et
politicum in equuleo fuisse immanissime enectum et secretarium Gabel-
koferum exquisito torturae genere excruciatum.

seinem ordentlichen Rechte kommen lassen, so würde er ,die
beste Auskunft zu geben wissen'. Noch lebhafter lauten die
Klagen über das Verfahren mit Gabelkofer, ,dessen Treue,
Ehrbarkeit und Aufrichtigkeit zur Genüge bekannt sei', und der
seit seiner Gefangennahme mehrmals unter Androhung der
Tortur scharf examinirt wurde. In den Dienern der Landschaft wolle man diese selbst treffen, was man aus dem Wortlaute der von dem Erzherzoge über die Religionsbeschwerden
herabgelangten Hauptresolution entnehmen müsse,[1] wo gesagt
werde, ,dass sich die dem Erzherzoge verpflichteten Vasallen,
Landleute, Räthe und Diener unbescheiden, ärgerlich, verstindet,
vergriffen, vom rechten Weg der Sitten abgewichen, den gemeinen
einfältigen Mann im Land zum Ungehorsam und zur Verachtung der l. f. Obrigkeit angereizt' u. s. w. ,Ja, es hätten diese
fremden im Lande umherziehenden italienischen Examinatoren
und Commissäre, die zur Inquirirung und Torquirung der beiden
Gefangenen bestimmt wurden und bei denen sich auch ein in
die steirische Landsmannschaft erst aufgenommener Mann Namens Ludwig Camill Suardo befand, das Gerücht in alle Welt
ausgestreut, dass die Landschaft man weiss nicht was für einen
Verrath gegen den Landesfürsten angesponnen habe.' Solche
Unwahrheiten müssen in Erwägung der Unschuld des Herren-
und Ritterstandes diesem tief zu Gemüth gehen. Der Erzherzog werde zu erwägen haben, ob und inwieweit das in
Gefahr stehende Grenzwesen derartige Unzukömmlichkeiten zu
entgelten habe. Der Bericht geht dann auf die übrigen gewaltsamen Vorgänge gegen den protestantischen Herren- und
Ritterstand näher ein und führt aus, dass es unter diesen Umständen einem Verordneten geradezu unmöglich gemacht werde.
sein Amt zu bekleiden, denn fast alle Landsassen, namentlich
die an der Grenze, werfen ihren Groll auf sie.[2]

Dem Erzherzoge kamen diese Dinge im höchsten Grade
ungelegen. Er forderte den Landtag auf, sich unter Beiseite-
setzung aller unnützen Disputate in die l. f. Proposition einzulassen. Die Antwort darauf[3] enthielt die obenangeführten Be-

---

[1] Sie ist gedruckt Hurter, Geschichte Ferdinands II., IV. S. 496—522, trägt
das Datum des letzten Aprils 1599, wurde den Ständen aber erst am
25 Juli herabgegeben.
[2] Siehe unten Beilage Nr. 11.
[3] .... Jänner 14.

schwerdepunkte und bat um Abhilfe gegen derlei auf das Treiben missgünstiger Widersacher und Delatoren vorgenommenen Processe. Es waren ja nicht die einzigen Klagen, welche sie in diesen Tagen an den Hof gelangen liessen. Am 19. Jänner baten sie den Erzherzog, mit der Zerstörung der Kirche und des Friedhofes zu Scharfenau ‚bis zu der zu erhoffenden Vergleichung' innezuhalten.[1] Man sieht, in welchen falschen Hoffnungen sich dieser Herrenstand noch wiegte. An demselben Tage überreichten sie eine ausführliche Beschwerdeschrift über die jüngst erflossene ungünstige Erledigung ihrer Religionsbeschwerden und die gewaltsam vorgenommene Reformation in Eisenerz, Aussee, Schladming, Gröbming, Rottenmann u. s. w. ein.[2] Dass der Erzherzog aber nicht geneigt war, in kirchlichen Dingen der Landschaft irgendwie entgegenzukommen, konnte man daraus entnehmen, dass die gewaltsame Durchführung der Gegenreformation ihren ungehinderten Fortgang hatte. Am 20. Jänner erfolgte die Gegenreformation in Windisch-Feistritz, Cilli und Gonobitz,[3] am folgenden Tage wurden Grazer Bürger, die sich geweigert hatten, den katholischen Eid zu leisten, in ihrem Begehren, ‚ihre Läden wieder eröffnen zu dürfen‘, mit dem Bemerken abgewiesen, ‚weil es ihnen sowol als mit andern burgern, welche den neuen aydtschwur 'zu laisten sich verwaigern, allerdings einen gleichen verstand hat'.[4] Gleichwohl scheint es, als sei die Lage Kandelberger's — Gabelkofer wurde endlich frei — in diesen Tagen eine bessere geworden. Man hatte durch ein reiches Geldgeschenk die Gunst des Burggrafen des Grazer Schlosses für ihn zu gewinnen gewusst.[5] Bis nach Baiern hinein machten sich Einflüsse zu seinen Gunsten geltend. Am 24. Jänner übersandten nämlich die Verordneten ein Schreiben an den bairischen Rath und Oberkuchelmeister Karl Kulmer mit der Bitte,

---

[1] Conc. L.-Archiv, Chron.-R.

[2] Conc. und Cop. L.-Archiv, Landtagsacten und Landtagshandlungen. Sötzinger, I, S. 586b—591.

[3] Rosolenz, Fol. 41a.

[4] L.-Archiv, Chron.-R.

[5] Die Verordneten weisen den Landeseinnehmer an, dem Burggrafen Scarlichio für die bei der Verhaftung und langwierigen Gefangenschaft Gabelkofer's und Kandelberger's erzeigte Cortesia und gute Willfahrung 100 Ducaten, seinen Leuten 30 Thaler auszuzahlen. Siehe unten Beilage Nr. 12.

dass er auch seine Fürbitte wegen Befreiung Kandelberga's bei dem ‚herzoglichen Fräulein in Baiern als zukünftiger Landsfürstin einwenden solle'.[1] Die allgemeine politische Lage schien übrigens nicht ungünstig, damit den dringendsten Beschwerde der Landstände A. C. Abhilfe gethan werde.

Man sieht die Noth der Zeit aus einzelnen Punkten der langathmigen Resolution herausleuchten, die am 24. Jänner 1600 an die Landschaft herabgegeben wurde. In allen Punkten, die nicht gerade das kirchliche Gebiet berühren, wie in den militärischen und den damit zusammenhängenden finanziellen und steuerpolitischen Dingen kommt der Erzherzog der Landschaft bereitwillig entgegen. Es wird sogar offen gestanden, dass ein Theil der politischen Beschwerden gerechtfertigt sei, und zugegeben, dass eine Abordnung von Landleuten sich zu den gefangenen Kandelberger verfüge, um eine Aufklärung über einen Schuldposten entgegenzunehmen. Ja sogar das Odium dieser Verhaftung wird von dem Erzherzoge abgewälzt und dem Kaiser zugeschoben. Sie sei ‚auf die gefundenen Verdächtigkeiten hin' von Rudolf II. angeordnet worden, und ‚die Schuld seines unglücklichen Zustandes habe sich Kandelberger selbst zuzuschreiben'. Gabelkofer sei gegen Bürgschaft schon auf freiem Fusse. Die Citirung landschaftlicher Officiere und Diener dürfe man nicht so unwillig aufnehmen; sei der Landesfürst doch befugt, auch Herren und Landleute selbst zu citiren. Dabei wird die Annahme, als ob ein Verdacht der Untreue auf Land und Leute falle, aufs Schärfste zurückgewiesen und den Herren und Landleuten ein glänzendes Zeugniss über ihre in allen Zeiten und allen Lagen bewiesene unentwegte Treue ausgestellt, das umsomehr ins Gewicht fällt, je öfter und nachdrücklicher vor und nach diesen Tagen in jesuitischen Kreisen die Verdächtigung des steirischen Herren- und Ritterstandes betrieben wird; der Erzherzog, heisst es da, wisse nichts Anderes, als dass diese Landschaft gegen seine Vorfahren seit unvordenklichen Jahren her in bester Treue und Aufrichtigkeit verharre, er halte die Mitglieder der Landschaft sammt und sonders für solche Biedersleute, denen man keinerlei ‚Infidelität oder Diffidenz', wohl aber nur Gutes und Liebes zutrauen dürfe. In dieser Treue würden sie auch in Zukunft sich stets be-

---

[1] Registratur.

währen und sich ,durch keinerlei Zustand davon abwendig machen'. Diese Hoffnung des Erzherzogs hat sich an dem innerösterreichischen Herrenstande bekanntlich bis aufs Wort erfüllt. Der Erzherzog geht in seinen Behauptungen noch weiter: Die Verletzung des Briefgeheimnisses bedeute gar kein Misstrauen gegen die Landschaft, sondern sei nur ein Mittel, damit ,etlicher Privatpersonen bereits gespürte untreue Anschläge besser an den Tag kämen und künftiger Verrath vermieden werde'. [1] Er spricht den Grundsatz aus — an den er sich freilich nicht hält — dass ein Landesfürst gut thue, bei der Besetzung der Aemter sich zunächst an Eingeborene zu halten. Mit grosser Deutlichkeit lässt er durchblicken, dass er die steirischen Herren und Landleute gern befördern werde, ,wenn sie sich auf solche tugendliche und ritterliche Sachen begeben, die sie zu dergleichen Würden tauglich machen', d. h. wenn sie katholisch werden. Wider die Anwürfe brutalen Vorgehens der Religionsreformationscommissäre im oberen Ennsthale nimmt er diese in Schutz: ,Wem aus den Landleuten ist verborgen, dass I. D. dazu gezwungen wurde? Der ungehorsame Trotz, vielfacher Despect und Rebellion bei diesen groben bethörten Leuten habe dermassen überhandgenommen, dass die l. f. Autorität und Reputation in Gefahr stand, ja ein allgemeiner landschädlicher Auflauf befürchtet wurde.' Dem habe man begegnen müssen, und dies sei mit glimpflichen Mitteln geschehen, wo aber diese nicht halfen, sondern diese Leute ,in ihrer unsinnigen Halsstarrigkeit verharrten, mussten schärfere angewendet werden, und es sei nur billig, dass der Erzherzog dies nicht an seinen eigenen Kammergefällen zu entgelten habe'. Sogar der ,Eingriff ins Landhaus' wird als etwas Unverfängliches hingestellt, ,solcher Actus werde dem Lande an seinen Freiheiten nicht präjudicierlich sein', ,dem Buchführer aber auf sein Anhalten gebürlicher Bescheid gegeben werden'. Was die landschaftliche Druckerei betreffe, seien nur die Verfügungen der allgemeinen Mandate in Anwendung gekommen, deren Inhalt keiner besonderen Auslegung bedürfe und von dem die hiesige Druckerei nicht exempt sei. [2]

---

[1] Doch wieder ein Hinweis auf Kandelberger. Siehe unten Beilage Nr. 13.

[2] L.-Archiv, Landtagsacten, L.-H., tom. XLVI, 97—105; siehe unten Beilage Nr. 13.

Die Landschaft antwortete hierauf an
dankt für das bewiesene Entgegenkommen,
Klagen wegen der bei der Post und gegen
Gabelkofer geschehenen Uebergriffe vor.[1] D
gestreuten Reden nach handelte es sich g
beiden Personen. ,Durch die Torquierung K
die Examinierung Gabelkofer's sollten haupt
same Landschaft und derselben getreue I
werden,' was diese nicht auf sich sitzen la
so erfreulicher sei ihr nunmehr das vom
stellte glänzende Zeugniss ihrer unentwegten
erwarten, der Erzherzog werde auch in Z
Gegner sich von dieser Ueberzeugung nicht
Allerdings sei die Citation von Officieren d
sich keine Neuerung: sie dürfe aber nicht i
schehen. Man habe gegen eine verbale C
sehr viel aber gegen diese reale einzuwen
auf das blosse Angeben ihrer Missgönner
gleich nach ,geschehener Aufforderung zu
causa, unverhört und unüberwunden, ins G
oder aus dem Burgfrieden gewiesen, ja selb
geschafft werden'. Am 5. Februar wurden
schaft Veit Pelsshofer und Karl Viechter auf
dem Regimentsrathe Dr. Angelo Costedi ,
Zulassung zum verhafteten Kandelberger' an
ihm ,wegen des ihm anvertrauten Proviantsch
einzuziehen'.[2] Diese fand in den nächsten
16. Februar richten nämlich die Verordnet
Anbringen an den Erzherzog, ,weilen Kand
gehaltene Besprechung wegen des ihm an
zahlmeisterischen Proviantscheines so viel I
dass er denselben nebst den anderen Sachen
und er hierorts in Verwahrung liegen soll,
Examinationscommissäre anzuweisen, die H
ordnen'.[3] Das mochte wohl geschehen. I
wurde damit selbst noch nicht erledigt. Wäh
genosse Hans Adam Gabelkofer längst wied

---

[1] Conc. und Cop. L.-Archiv, L.-H. Siehe unten Bei
[2] Registratur.   [3] Ebenda.

Landschaft stand und seit der Ausschaffung des landschaftlichen
Secretärs Fischer mehr als vordem beschäftigt war, lag Kandelberger immer noch in Banden. Am 8. December 1600 gaben die
im Landtage versammelten Herren und Landleute eine neuerliche Bittschrift an den Erzherzog ein.[1] Sie erinnern daran,
dass sie bereits im verflossenen Landtage eine solche einge-
reicht, ja schon am 16. October 1599 um die Entlassung
Kandelberger's gebeten hätten. Man möge doch nicht die
Excesse des Agenten, falls solche vorgekommen seien, von
denen man aber nicht das Mindeste wisse, bedenken, sondern
seiner in die 17 Monate währenden Gefangenschaft eingedenk
sein, dass er Hab und Gut verloren, seine gute Bestallung eingebüsst, ja des edelsten Kleinods, das ein Mensch besitzen
könne, seines guten Namens verlustig gegangen. Wenn er
irgendwelche Privatexcesse begangen haben sollte, so seien
diese durch seine schmerzliche und ‚fast übermenschliche
Tortur, Marter, Folter, Pein und Brand mehr als genugsam
gebüsst‘. Man möge schliesslich auch die früheren Verdienste
Kandelberger's erwägen, die Dienste, die er dem Erzherzoge
selbst, seiner Mutter und dem Erzherzoge Maximilian, jener
‚in gehaltenen emsigen Correspondenzen‘, diesem ‚mit Beförderung des Proviantwesens im Petrinischen Feldzug‘ geleistet.
So könne er bei seinen ausgezeichneten Qualitäten auch fürderhin noch gute Dienste leisten. Schliesslich werden auch noch
die Verdienste seines ganzen ‚adeligen‘ Geschlechtes, namentlich die seines Oheims um Erzherzog Karl II., dessen lang-
jähriger Kammerrath und Diener er gewesen, stark herausge-
strichen; seine Brüder und die übrigen Verwandten und
Verschwägerten hätten sich sowohl inner- als ausserhalb des
Landes stets wohl verhalten, noch gegenwärtig stehe seiner
Mutter Bruder Kulmayer (Kulmer) am bairischen Hofe in
sonderer Gunst und sei dort seit etlichen Jahren ‚Küchenmeister‘. Der Erzherzog möge die demüthigen Fürbitten seiner
ganzen ‚ehelichen Freundschaft‘, wie sie der Landtag bei-
schliesse, gnädig betrachten und ‚den armen gefangenen Krüppel
noch während des Landtags an deme herzunahenden freudenreichen Weihnachtsfeste dieses zu Ende gehenden Jubeljahres‘
begnadigen.

---

[1] Siehe Beilage Nr. 15.

Auch diese im demüthigsten Tone abgefasste Bittschrift, an
der der gesammte Landtag, die katholischen Mitglieder eingeschlossen, Antheil hatten, blieb vorläufig ohne Erfolg. Schon
wenige Wochen später, am 22. Jänner 1601, sandte die Landschaft eine neuerliche ‚Anmahnung wegen Liberierung Hans
Georg Kandelberger's' an den Hof,[1] und erneuerte dann am
24. Mai ihre Bitte um eine gnädige ‚Resolution auf die im Landtage für den Gefangenen eingebrachte Intercession'.[2] Auch an
die Braut Erzherzog Ferdinands war in der Angelegenheit
Kandelberger's ein Intercessionsschreiben gerichtet worden,
aber wie alle früheren erfolglos geblieben.[3] Wie es scheint,
erhielten die Verordneten und die gesammten Landtagsmit-
glieder auf ihre letzten Bittschriften nicht einmal eine Antwort.[4]
Gleichwohl liessen sie nicht ab, eine Intercession nach der
anderen an den Hof zu senden. So bat die gesammte Landschaft am 23. März 1602 ‚die alte Frauen, Wittiben, Maria
Erzherzogin von Österreich', sich bei ihrem Sohne um Erledigung Kandelberger's zu verwenden.[5] Auch diese Verwendung hatte zunächst noch keinen Erfolg, denn noch am 3. April
1602 schreiben die Verordneten an Erzherzogin Maria, ‚sie
wolle bei ihrem geliebtesten Herrn Sohn Ferdinand für Hans
Georg Kandelberger wegen seiner langwierigen Gefängnus die
Erledigung sollicitieren und intercedieren'. Damit schliessen die
Nachrichten, die wir über diesen Mann besitzen. Es scheint,
dass er bald nach dem genannten Datum die langersehnte
Freiheit erhalten hat; es wäre sonst sicherlich noch das eine
und andere Intercessionsschreiben an den Hof gegangen; die
landschaftliche Registratur aber, die sehr sorgfältig geführt
wurde, weist hierüber nichts aus. — Peinlich hat einst die
Meinung ausgesprochen, dass die Freilassung Kandelberger's
und die Schenkung des einstigen protestantischen Stiftsgebäudes
seitens der Landschaft an die verwitwete Erzherzogin, die das

---

[1] Registratur.   [2] Ebenda.
[3] Siehe Peinlich, Die Egkennperger Stifft zu Graz im 15. und 16. Jahrhundert, S. 60: ‚weil,' heisst es dort, wofür ich in den Acten aber keinen
Beleg gefunden habe, ‚derselbe die abverlangte Verantwortung auf die
Anklage wegen Hochverrathes noch nicht zu Stande gebracht hatte.'
[4] Sonst müsste sich in den Registraturbüchern der Landschaft irgend ein
Vermerk finden, was aber nicht der Fall ist.
[5] Reg.

Gebäude zu einem Kloster für die Clarissinnen umgestaltete,
mit einander in einem engen Zusammenhange stehen. Die
Landschaft habe durch diesen Act des Entgegenkommens auf
die Erzherzogin einwirken wollen, dass die lang ersehnte
Freilassung Kandelberger's endlich erfolge.[1] Die Sache ist
möglich, aber man muss doch betonen, dass sich in der
Schenkungsurkunde nicht der mindeste Anhaltspunkt für diese
Behauptung findet. Ist Kandelberger schliesslich entlassen
worden, weil sich für seinen angeblichen Hochverrath trotz
Ketten und Folter kein Beweis erbringen liess? man darf es
annehmen. Wie hätte sich Rosolenz irgend etwas, was einer
Schuld des Angeklagten gleichsah, entgehen lassen, ohne dies
in seiner Weise gegen den Herren- und Ritterstand und die
ganze protestantische Beamtenschaft des Landes auszunützen?
Es hat Stimmen gegeben, wie die v. Kalchberg's, die gemeint
haben,[2] Kandelberger habe seine Verbrechen durch Enthauptung
gebüsst. Daran ist kein wahres Wort. Denn, abgesehen davon,
dass die Landschaft, die den Angeklagten stets für unschuldig
hielt, in offenem Landtage laut Beschwerde erhoben hätte, wovon sich aber keine Spur findet, finden wir ihn im Jänner des
Jahres 1604 auf freiem Fusse. In den Ausgabenbüchern des
Landes findet sich unter dem 28. Jänner d. J. eine Zahlung an
ihn gebucht: ‚Herr Hans Georgen Kandelberger 3135 fl.‘ Hält
man diese Thatsache zu der, dass nach dem oben erwähnten
Intercessionsschreiben vom 3. April 1602 kein weiteres mehr
abging, während die Landschaft zuvor in dieser Richtung unermüdlich thätig war, so lässt sich wohl kein anderer Schluss
ziehen als der oben angegebene. Gleichwohl erscheint es immer
räthselhaft, dass seiner fürderhin in den Acten der Landschaft
mit Ausnahme jener einen Stelle nicht mehr gedacht wird.

---

[1] Peinlich, Die Egkennperger Stifft, S. 60, Note. Die Schenkungsurkunde
in Peinlich's Geschichte der evangelischen Stiftsschule, S. 31. Siehe
auch Schuster, Martin Brenner, S. 595. Wenn Schuster meint, dass der
bezügliche Landtagsbeschluss gefasst wurde, weil, wie es scheint,
grösstentheils Katholische anwesend waren, so ist bei F. M. Meyer, Geschichte der Steiermark, S. 254, die Behauptung: ‚der katholische
Theil der Stände fasste den Beschluss, dies Gebäude im Namen
E. E. Landschaft an die Erzherzogin zu schenken‘. Weder für das Eine,
noch für das Andere liegt ein Beweis vor.

[2] Der Gratzer Schlossberg, Graz 1856, S. 37. Siehe dagegen schon Ro-
bitsch, Geschichte des Protestantismus in der Steiermark, S. 194.

Man kann das nur so deuten, dass er nach den traurigen Erfahrungen, die er hatte machen müssen, sich aus dem öffentlichen Leben, dem sich Gabelkofer nach seiner Freilassung
immerhin noch gewidmet hatte, ganz zurückzog. Die Freiheit,
die er erlangte — und dies trotz der den protestantischen
Ständen so wenig günstigen Stimmungen bei Hof — muss als
ein weiteres Zeichen angesehen werden, dass sich für seine
Schuld keine Beweise ergaben.

BEILAGEN.

1.

*Die Verordneten von Steiermark an die von Kärnten: theilen ihnen mit,
dass sie vor wenigen Tagen ihren Secretär Hans Adam Gabelkofer an
den kaiserlichen Hof nach Prag gesandt haben, um dort beim Kaiser
um eine Intercession in diesem betrüblichen Religionszustande anzu-
langen, und fragen, ob sie dies nicht auch thun wollen. Sie möchten in
diesem Falle die Bittschrift durch diesen eigenen Boten senden; man
werde sie an Gabelkofer befördern. Graz, 1598 November 10.*

(Conc. Steiermärk. L.-Archiv, Chron.-R.)

2.

*Die Verordneten von Kärnten an die von Steiermark: bestätigen den
Empfang des vorigen, durch einen eigenen Boten übersandten Schreibens,
dass sie ,in Geheim' ihren Secretär nach Prag abfertigen. Sie hätten es
gern gesehen, wenn man sie früher benachrichtigt hätte, denn wenn man
bei Sr. M^t. mit einem Bittgesuch erst so lange ,hintnach' komme, würde
es I. M^t. ein besonderes ,Nachgedenken' verursachen. Sie fürchten, es
werden alle drei Länder bald in die Lage kommen, ihre Beschwerden
bei I. M^t. anzubringen. Graz, 1598 November 16.*

(Orig. Steiermärk. L.-Archiv, Chron.-R.)

3.

Die Verordneten von Kärnten an die von Steiermark: Gutachten wegen einer Zusammenkunft von Abgesandten aller drei Länder, die nicht in Graz, sondern an einem anderen Orte erfolgen möge. Theilen mit, weshalb sie Dr. Schleipner nicht aufnehmen können. Klagenfurt, 1599 October 12.

(Orig. Steiermärk. L.-Archiv, Chron.-R.)

. . . halten die von den herrn . . . angedeute zusamenkunft zwar auch irestails für ain sondere hohe notturfft . . . dieweil inen aber dise tag glaubwürdig fürkumen, dass nit allain mit Hans Geörgen Khandlberger ain ganz scharfer process fürgenomen, sondern auch nach E. E. Steyrischen L. secretarien Hans Adamen Gablkhofer gegriffen, derselb gefengnusst und alberait ubl tractirt, daneben aber auch noch anderen mehr wolgenanter landschaft offizieren nachgestellt worden sein solle, so haben sy die herrn und landleut . . . solliche . . . zusammenkunft in Grätz anzustellen . . . umb so vil mer sondere hohe bedenken, seitemalen auch I. F. D. in dero resolution denen Khärnern und Crainern ir jüngste dahinkunft gegen Grätz (als I. F. D. aigenthumblichen statt) und aldorten gehaltner conventicl zum höchsten ungnedigist verweisen und aufs künftig inhibirn, sondern hielten dieselb etwo an ainem andern gelegnen, I. D. nit aigenthumblichen angehörigen ort anzustellen für so ganz rathsamb, als sy dessen ehiste vertreuliche benennung von den herrn erwarten und sodann auch etlich qualificierte herrn und landleuth darzue fürnemen und zu verglichner zeit dahin absenden wellen.

Als wol wir auch nit unterlassen, angedeute f. resolution . . . etlichen unsern theologis und rechtsgelerten zu notwendiger ponderir- und gebürlicher fundierter beantwortung und ablainung . . . zuezustellen.

Belangent . . . Dr. Schleipner, wollten wir . . . gern willfaren, es fallen aber sowol bey uns als denen andern herrn und landleuten dise ainhellige . . . bedenken für, dass wan dergleichen sonderlich aber die aus I. D. landen geschaffnen prediger (wie es von denen in Crain begert worden) alher genomen wurden, man I. F. D. auch dieses hieig ev. christliche ministerium . . . umb so vil merers anzufechten ursach geben, auch besorgenlich dieselben alher genommnen praedicanten mit ebenmässiger scherff von dannen widerumb ausgeschaffen werden möchten . . .

342

4.

Die Verordneten von Kärnten an den Erbuntermarschall von Steiermark Wolf Freiherrn von Saurau: Da viele durch Boten abgesandte Schreiben diesen durch die Grazer Guardia und andere Personen abgenommen werden, senden sie obiges Schreiben an ihn mit der Bitte, es den „Mitverwandten" zukommen zu lassen. Klagenfurt, 1599 October 12.

(Orig. Steiermärk. L.-Archiv, Chron.-R.)

Den einen Theil des obigen Schreibens erledigen die Steirer durch eine Zuschrift an die von Kärnten und Krain: Da der „Sterbeläufe" in Graz wegen die Zusammenkunft dort nicht möglich sei, halten sie Klagenfurt für geeignet, ersuchen um die Benennung eines Tages; man werde fünf bis sechs Herren hinsenden. Mittheilung des brutalen Vorgehens gegen die Grazer Stiftskirche und gegen Gabelkofer. Graz, 1599 October 15 (Conc. ebenda).

5.

Geheimrath Wolfgang Jöchlinger an Ferdinand II.: Erstattet Bericht über das Verhör mit Kandelberger und Gabelkofer. Graz, 1599 October 6.

(H.- H.- u. St.-A. Steiermark. Fasc. 24.)

Durchleuchtigister . . . Derselben schreiben vom 5. dits hab . . . sammt dem einschluss . . . empfangen. Darauf auch straggs nach . . . secretari Harrer geschickt und ime bevolchen, dass er E. D. schreiben . . . ir . . . selbst frau mutter dem herrn secretari Westernacher einschlissen solle, welches er unzweifenlich volzogen und E. D. . . . selbst referirt wirt. Die herrn commissarii haben nachten sowoll den Khandlberger als Gabelkhover gütig weier besprach. Der obige widerrueft die tumistern puncten seiner peindlichen aussag, sonderlichen den einzigen, E. F. D. zu fachen oder zu tötten, als auch derselben frau mueter und die junge herrschaft zu fachen; also auch dass das durch den herrn obristen gesuechte fremde regiment und die gränitzer zu disem zu brauchen. Er sagt, er habs aus übriger peinigung bekhent . . . Gabelkhover soll zimbliche glaubwürdige aussag gethan haben, wie die commissarii angezaigt. Heut haben die commissarii den schuldner . . . zunauff bringen, den Khandlberger binden und lie tortu . . . ich nicht in willen ine zu torquiren. Was nun sein an . . . weiter thuende aussagen mit sich bringen, werden sie . . .

E. F. D. strags erindern. Der schriften wegen werden sie beede auch vleissig befragt werden, wie ichs inen commissarien von E. F. D. wegen bevolhen, und wirt nirgent ainiger vleiss gespart.

Gestern sein die herrn verordneten zu mir khomen, bittent inen anzuzaigen, ob I. D. den Gablkhofer seiner oder E. E. L. verprechen willen einziehen lassen. Da habe ich inen zu beschaid geben, sie sollen ir notturfft bei E. D. anbringen und so vill mir bewüsst, wär er nur seiner verprechen willen einzogen worden. Umb das heutig examen hab ich noch kein wissen, denn die commissarii den ganzen tag oben im gschloss sein. Ir verrichtung kombt hinnach. Der secretari Harrer khombt zu E. F. D. mit einer autiende hinab. Die habe ich mit h. stathalter beratschlagt; die werden E. F. D. von ime Harrer gn. anhören.

Die zwai stattthör sein spört und werden allenthalben vleissig wacht in der statt und gschloss gehalten, diss macht allenthalben grosse forcht und vill nachdenkens.

Herr l. haubtmann ist heut auch bei mir gewöst und hat mir ein ausfürliche apologiam seiner unschuld entteckt, die E. F. D. zu derselben glücklichen herkonfft ich geh. referiern will. Sonst stehen alle sachen alhie in gueten terminis und wünsche E. F. D. von Gott dem allmechtigen lange glükhselige regierung, uberwindung irer feinde und alles, was iro leib und sell nutzlich und angenemb ist. Beinebens derselben mich zu genaden underth. bevelhent. Grätz, den 6. tag Octobris anno 99.

E. F. D.

underthenigister diener

W. Jöchlinger.

(Orig., Siegel aufgedrückt.)

6.

Die Verordneten von Steiermark an die von Kärnten und Krain: Die gemeinsame Zusammenkunft könne der Infection wegen in Graz nicht stattfinden. Es empfehle sich Klagenfurt. Bitte, den Tag festzusetzen. Mittheilung der Gewaltthat gegen die Stiftskirche in Graz, den Secretär Gabelkofer und die evangelischen Leute in Obersteier. Graz, 1599 October 15.

(Conc. Steiermärk. L.-Archiv, Chron.-R.)

Wir haben gleichwol den herrn vom 6. . . . . Septembris bei aignem potten sovil fr. angedeut, dieweil auf I. F. D. . . . in dem btrueblichen religionswesen ervolgte haubtresolution, wie sie genennt will werden,

diser getreuen Steyr-, Kärner- und Crainerischen evangelischen land-
stende höchst unvermeidliche notturfft in alweg erfordere, zu haubtsach-
licher beantwortung derselben ein gesambte reife und wolerwogene
beratschlagung mit allerehistem fürzunemen, welche die negst alhie
besamblet geweste Steyrische herrn und landleuth under die schierist an-
gehunde Steyrische landts- und hofrechten, so auf Montag nach Martini
iren lauff haben sollen, anzustellen und damals von den herrn aus
Kärnten wie auch den Herrn aus Crain etlich fürneme herrn und
landleut alher zu erscheinen für thuelich und rathsamb erachtet, daher wir auch nicht zweifeln, die herrn ires thails durch deren theologos und juristen auf dato in sachen ein guete fürarbeit thuen und
ire wolgegründte behelf zusamen und aufs papier werden haben
bringen lassen, nun aber sichs laider mit denen sterbsleuffen alhie
in Steir an vilen unterschidlichen orten je mer und mer so gfärlich
thuet erzaigen, dass umb desselben willen berüerte Steirische rechten
und die landshauptmannischen verhören under jetziger der Steirischen herrn und landleut alhieigen starken versamblung bis nach
Trium Regum negstvolgenden 1600 iars haben müessen verschoben
werden und jedoch die lengere differierung obangedeuter höchst notwendiger zusamenkunft und resolutionsberatschlagung wolgedachten dieser
lande treuen ev. ständen auch sovil tausent interessierten christlichen
seelen und glaubensgenossen zu höchster verderblicher seelengefahr geraichet, also und zu müglichister maturierung derselben haben obwol-
ermelte jetzt hiewesende Steirische herrn und landleuth nicht aus dem
weg zu sein befunden, weil bei den herrn zu Clagenfurth wegen der
sterbsleüf bis dato gottlob noch gueter luft, dass sy ihnen verhoffentlich
bemelte ... berathschlagung daselbst anzustellen, auch iresthails selbs
ein anzal Kärnerische herrn und landleuth darzuezuziehen von E. E. L.
wegen nicht werden entgegen sein lassen; auf welchen fall ebenmässig
von hie aus fünf oder sechs Steirische herrn und landleuth ohne ferrern
langen aufzug hinein abzufertigen und was damalen in sachen zu betrachten und zu beantworten für unumbgenglich befunden, solches mit
bstendigem grund und ausfüerung zusamengetragen werden, auf dass
man hernach zu negstkunftigen Steirischen landtag damit gefasst sein.
auch die herrn aus Kärnten und Crain, wie heuer beschehen, ire gesandten widerum alherschicken und solche haubtsachliche beantwortung
gesambter I. F. D. geh. zu überraichen glegenheit suechen mügen. Zu
disem ende nun wir von den alhieigen Steirischen herrn und landleuten
wegen zu den herrn zaiger dits Hansen Schweighofer mit sonderm fleiss
wolmainlich abzufertigen nicht haben underlassen sollen, fr. und nach-

barlich gesinnent, sy wellen sich hierüber fr. erclären, auf welchen un-
verlengten fürderlichen tag inen dise obangezogne höchst notwendige
zusamenkunft olda zu Clagenfurt gelegen und solches nicht allain stracks
zuruck durch eignen potten sondern auch den herrn verordenten in Crain
bei disem unserm abgefertigten officier, dem wir seinen weg dahin in
Crain zu nemen bevelch geben, unbeschwert erindern, sodan es unsers-
thails mit unverzüglicher hinabfertigung der deputierten Steirischen herrn
und landleuth nicht solle erwinden. Hiebei wir sonsten die herrn mit
sonderer betrüebnus unberichtet nicht sollen lassen, die werden es auch
aus den einschlüssen mitleidig vernehmen, dass sich ein hochbeschwar-
licher unfall nach dem andern bei uns alhie erreget, seitemal I. F. D.
nicht allein vor zweien tagen durch drei derselben n. ö. regimentsrath
E. E. L. frei aigenthumblich zugehörige alhieige stifftkirchen mit gwalt
aufbrechen und eröffnen lassen, sondern es ist auch derselben diener
und verpflichter secretari herr Adam Gablkhover vor etlichen tagen
durch ein f. camerdiener gen hof erfordert und unvermeldet ainicher ursach von denen herrn auf dem alhieigen f. haubtschloss anfangs in
schwere türkengefängnus geworfen worden und obwol die anwesende
herrn und landleuth von E. E. L. wegen in aim und andern die notturfft
ausfüerlich und stark genueg schrifft- und mündlich bei I. F. D. angebracht, so will doch solches alles im wenigisten nicht angesehen werden.
Also ziehen auch von underen des lands vierteln etlich hundert I. D.
underthanen im Eisenärzt, alda die armen leuth umb ire seligmachende
ev. religionsbekantnus willen aufs feindlichist und heftigist zu tribuliern
Daraus besorgenlich gar bald landverderblicher unrath, aufstand des gemain mans und alles übel möchte ervolgen. Gott welle sich . . . Grätz,
den 15. October 99.

Verordente.

In simili an die . . . in Crain mutatis mutandis.

7.

*Die Verordneten von Steiermark an die von Kärnten: Antwort auf deren
Schreiben, betreffend die Zusammenkunft von Deputirten aller drei
Länder und die Berufung Dr. Schleipner's. Gras, 1599 October 17.*

(Conc. Steiermärk. L.-Archiv, Chron.-R.)

Was uns die herrn . . . den 12. d. . . . zugeschriben . . . haben
wir vernumen. Nachdem wir aber auf der in mehr betrüebten und

wichtigen sachen jetzt hie wesenden Steirischen herrn und landleuth ge-
messnen verordnung den herrn noch vom vorgestrigen dato in angeregter
höchst wichtigisten materi ir der Steirischen herrn und landleuth und
unser wolmainlich geschöpftes intent mit mehrerm schriftlich angefüegt
und auch destwegen gemeiner landschaft diener Hansen Schweigkhover
mit sonderm fleiss zu den herrn nach Clagenfurth abgefertigt, als werden
sie aus solchem der herrn schreiben und sein Schweighofer's mündlicher
relation die notturfft zum benüegen haben zu vernemen. Bitten allein
die herrn freundlich, sie wellen uns in sachen den durch sy bestimbten
tag unverzüglich ehist zu wissen machen, darnach sy die von den Steirischen ditsorts deputierten herrn und landleuth zu richten und hinein zu
befürdern wissen.

Im ubrigen den Dr. Schleupner betreffend ist solcher aus disem
lande, weil er sein tag nie darin gewest, auch niemalen daraus relegirt
worden, daher es bei den herrn auf vernemung der sachen eigentlichen
beschaffenheit unsers verhoffens destweniger bedenken haben wirdet ...
Wolten wir inen neben communicierung, was wir des Kandelbergers und
Gabelkofers halb erst heut pro resolutione empfangen, fr. anfüegen ...
Grätz, den 17. October 1599.

8.

*Die Verordneten an Wolf Freiherrn von Saurau: sich triftiger Dinge
wegen unverzüglich zu seiner Verordnetenstelle zu verfügen. Graz, 1599
October 17.*

(Conc. Steiermärk. L.-Archiv, Chron.-R.)

Post scriptum: Was uns erst heut wegen des Kandelbergers und
Gablkovers von hof zu bescheid ervolgt, das hat der herr hiebei zu sehen,
als wol wirs auch den verordneten in Kärnten eingeschlossen haben.

9.

*Die Verordneten von Kärnten an die von Steiermark: Haben mit Be-
trübniss von dem unerhörten Process gegen die evangelische Stiftskirche
in Graz, gegen den Secretär Hans Adam Gabelkofer und den Agenten
Hans Georg Kandelberger vernommen. Zur Zusammenkunft ist Klagenfurt wohl geeignet, doch könne sie vor dem 15. November nicht stattfinden. Klagenfurt, 1599 October 20.*

(Orig. Steiermärk. L.-Archiv, Chron.-R.)

... Haben mit ganz mitleidenlicher betrüebnus vernomen, was be-
schwärlicher hievor gewisslich unerhörter process sich abermallen vor
wenig tagen mit ... E. E. L. aigenthumblich angehörigen in der stat
Grätz gelegenen stifftkirchen durch iren unversehens durch einen camerdiener gen hof citierten und volgends unbewust der ursachen gefänglich
eingezogenen secretario Hans Adamen Gabelkhofer und dann dem nun
ain guete zeit an dem fürstlichen haubtschloss Grätz in gefängknus ligenden auch iro der Steyrischen landschaft diener und in Prag gehabten
agenten Hans Georgen Khandlberger ereignet und wie ganz eufrig sich
zwar die herrn neben denen anwesenden herrn und landleuten der sachen
angenomen aber über alles geh. flehen und bitten noch bishero nichts erlangt
... Wie nun ... in albeg zu verhoffen, des obgemelten gefangnen secre-
tarij Gabelkhofers und übel tractierten Kandlbergers unschuld werde inen
zu irer eheisten erledig- und freistellung erspriessen, also sollen wir den
herrn ... anzudeuten nit unterlassen, dass in umbstendiger erwegung
... die ... zusammenkunft ... alher in die stat Clagenfurt anzustellen
so wenig zuwider sein solle, als wir dieselb zwar unsers thails gern müg-
lichist befürdern wolten, demnach aber die ... f. resolution erst nach
jüngster der Khärnerischen herrn und landleuth alhieigen anwesenheit
etlichen wolerfarnen zu deren eifrigen erwegung und gebürlich wolfun-
dirter ablainung ... zugestelt worden, auch das ... landrecht nun ...
am montag nach Omnium Sanctorum sein anfang erraichen wird ... so
kan dannenhero sollich zusammenkunft vor dem 15. ... Novembris nit
wol fürgenommen werden ...[1]

10.

*Die Verordneten von Steiermark an die von Kärnten: ,Antwort wegen
der zuvor in Kärnten berathschlagten Reputationsschrift in Religionssachen' (und dass deshalb die Nothwendigkeit erfordere, zum Zwecke
weiterer Berathschlagung während des steirischen Landtages Gesandte
hieher abzuschicken. ,Item wegen Erstattung der ihnen dargeliehenen
Kandlbergerischen 200 Thaler'). Graz, 1600 Jänner 9.*

(Conc. Steiermärk. L.-Archiv, Chron.-R.)

Und nachdem den herrn noch vor disem 200 taller, so Hanss
Georgen Khandlberger von inen zu verehren bewilligt, sein der-

---

[1] Wird von den Verordneten von Steiermark am 21. October beantwortet.
Der Tag der Zusammenkunft wird auf den 15. November festgesetzt.

gleichen durch die unlangst zu Clagenfurth geweste Steyrischen commissari so munt- als schrifftlich wegen der widerbezalung sein *(sic)* solli-
citirt worden, als ersuechen die herrn in namen diser E. E. L. wir hiemit
abermallen freundlich, sy wollen auf die eheste widererstattung unfailbar
bedacht sein.

11.

Aus dem am 10. Jänner 1600 dem Landtage erstatteten Berichte der
steirischen Verordneten über die politischen und kirchlichen Beschwerden,
vornehmlich über die Behandlung Kandelberger's und Gabelkofer's.

(Steiermärk. L.-Archiv, Landtagsacten und Landtagshandlungen, Cod. 46,
Fol. 31ᵇ ff.)

Die neuerlichen beschwärungen aber, so E. E. L. dises vergangne
iar hero zuegefüegt worden, sein thails laider dermassen betrüeblich beschaffen, dass do zu vorverschinen zeiten und iaren sy, E. E. L., etwo in
gemain und landleuth in particulari zuwider alt herkomen, guet gwohn-
hait und landshandvest am guet und dgl. gravirt worden, es jetzo darbey
nicht thuet verbleiben, sondern iro haben derselben und unsers gemainen
gliebten vatterlands unbilliche widerwertige durch allerhand gschwinde
gfährliche process an irem in zeitlichen dingen alleredlisten schatz als
des von undenklich und vil hundert iaren treuerworbnen und wolhergebrachten löblichen Steyrischen gueten namens ehr und leimunds ein
solche ganz unverschuldte maculam fursetzlich anzuhengen sich under-
wunden, dass es nunmehr nicht nur land- sondern durch die geschribnen
avisen fast weltkundig worden, besorgentlich wol auch, wie oft in andern
fällen ungüetlich beschicht, unlang gar in druck divulgirt werden mechte,
was nemlich E. E. L. fur allerlay unerbar unpidermannische practic und
untreu wider I. F. D. . . . zu unterdruck- und verstossung desselben mit vergessner beiseitsstellung ihrer pflicht, treu und erbhuldigung gefährlicher weis molirt haben solte, daher dan und weil auf sy
dergleichen unbillicher verdacht geworffen, seind bald nach fertigem landtag bey allen posten die schreiben intercipirt und aller ansechlich ge-
treuist erfundener mitglider brief und sendschreiben, wo die auf der post
oder bey andern potten angetroffen und zu I. F. D. gehaimem rath und
hofvicecanzler getragen und alda eröffnet, darauf auch bald hernach, weil
aus denselben allen dergleichen untreue gewiss nimmermehr zu spüren,
mit irem E. E. L. etlich jar hero besteltem diener und gewesten agenten
am kaiserlichen hoff zue Prag **Hans Georgen Khandelberger,** einem

jederzeit in ehren wolerkennten aufrichtigen gelerten pidersmann ein
bievor in diesen landen nie erhörter ganz schmerzlicher und gefährlicher
process fürgenumen, welcher noch vor 7 ganzen monaten zu Prag bey
nachtlicher weil gfanglich eingezogen und in eisen verschmitter alher auf
E. F. D. haubtschloss Grätz gefiert, nach langwieriger gefangnus volgends
zu underschidlichen malen güetlich, vil mehr aber mit der schrecklichen tortur, auch feur und prand aufs greülich- erbarmlichist gemarttert, worauf er aber examinirt worden, davon
wurde er, wan es zu ordenlichen gebürlichen process, den gemainen
rechten gemäss kommen solle, die beste auskunft zu geben wissen. Also
und zu noch mehrerm E. E. L. unableschlichem spott ist auch derselben
verpflichter diener und geschworner landsecretari Hans Adam Gablkover,
welcher E. E. L. in gemain und den herrn und landleuthen insonders
von seiner treu, erbar- und aufrichtigkait zum benüegen bekant, ainsmals
und noch vor ainem viertel jar unversehens durch ainen camerdiener
gehn hof erfordert und als er seines gueten gwissens halb unbedenklich
erschinen, stracks unverhört auf gemelts hieigs f. haubtschloss in ein
bschwärliche gfangnus gelegt und seithero zu mehrmalen mit starker bedroung gleichmässiger tortur scharf examinirt worden, und ob nun
gleichwol wir verordenten, wie auch die verschinen iars zu etlich malen
besamblet geweste herrn und landleuth bei I. F. D. ditsorts gehorsambist
einkomben und dessen im namen E. algemeinen L. wie billich zum
hochsten erclagt und umb auskunfft, warumen doch mit solchen E. E. L.
erlichen officiern und verpflichtem secretair so beschwer- und schmerzlich procedirt werde, in underthenigkeit gebetten, uns aber auch hierauf
ainicher gwerlicher bschaid nit erthailt noch ursach ires verbrechens
angezaigt worden, inmassen solches aus denen hinc inde abgangnen
schrifften und decretis hiebey sub litera I., do es die notturfft erforderte,
mehrers zu vernemen wäre, so erscheint jedoch, dass durch jetzt gemelten process nicht fürnemlich dise E. E. L. gefangne diener sondern
haubtsächlich sy E. E. L. und die getreuen herrn und landleuth selbst
ganz gfährlicher weis gemaint und gesuecht werden, seitemal dasselb
neben andern sonderlich aus I. F. D. an die herrn und landleuth in
disen drei landen A. C. ervolgten religionsresolution mehr als überflüssig
zu spueren, darinen sich nachfolgunde starke anzug lauter befindt, wie
sich nemblich dieselben als I. F. D. mit aid und pflicht multipliciter ver-
pundene vasaln, landleuth, räth und diener unbeschaiden, ergerlich ver-
sündet, vergriffen, vom rechten weg der sitten abgewichen, item den
gemainen, ainfeltigen man im land zum ungehorsam und verachtung der
l. f. obrigkait angeraizt, die grenitzen von irem fürnemen gegen den erb-

feind abgehalten, die Venediger zu irem uralten (
Österreich tragenden hass, neid und feindthatlich|
land und leuth zu verursachen und dergleichen, ja
weniger mit iren ohne scheuch offentlich divulgirten t
diejenige thails frembde Italienische commissarier
welche bisher zu inquirir- und torquirung ernentt
des secretari Gabelkovers deputirt gewesen, under
Steirischer neu angenommener landmann Ludwig Ca
fürsetzlich verursacht und so weit spargirt, dass
fama daraus worden, wie dise E. E. L. zumal ders
ritterschaft wider mehr höchsternente F. D. waiss n
treue und gefährlicher prodition ires aignen vaterl
und allerlay atrocissima laesae maiestatis crimina so
zu dessen inquirir- und torquirung derselben dien(
zogen und mit inen auf dato solchergestalt procedir|
nun solchs alles E. E. L. in erwegung derselben i
und herzen gehn und neben andern hieraus folger
dasselb nun auch das gemaine land- und hoch peri(
muess entgelten, das hat E. E. L. . . . zu erweger
verordente haben solchs fürgeloffnen process el
schlagen befunden, dass E. E. L. . . . credit in- un
sehr gefallen, dass . . . das geringest geltlehen n
bringen . . . [1]

Also wirt auch ferrer mit andern E. E. L. . .
zuwider offenbarer landsfreiheiten . . . und zu . .
. . . verglichnen instanzen . . . von hof ab executio
inmassen nicht allein etliche derselben auf etwo blo(
wertigen bald für disen bald für ainen anderen f. g
canzleiregistratori Carln Viechter und dem canzleiv
Neffen dis verschine jar begegnet, citiert werden,
gemainer L. geschworner schrannenadvocat M. Uh
monaten, damalen I. F. D. im Eisenärzt sich beft
statthalter erfordert und unverhört auch unangeza|
gfängliche verhafftung ain guete zeit genumen wor(
zu berichten, was sie im fertigen landtag wegen
haubtmans und bstelten buechdruckers Hansen Sch|
schrifften bey I. F. D. geh. angebracht, bey welch

---

[1] Folgen weitere Ausführungen der Folgen des Ni|
    verhältnisse für die Landesvertheidigung.

damals haben lassen verbleiben, und als wir zu noch mehrerm überfluss den herrn hofvicecanzler hierumen mündlich ersuecht, hat er uns selbs lauter angezaigt, wie es sein, des Schmids halber seinen gueten weg haben solle, aber dessen ungeachtet ist er seithero mit grossem ernst von hinnen geschafft und aller I. D. erblande auf ewig verwisen worden, dessen dann laider nicht weniger auch andere E. E. L. getreue officier und diener . . . zu befahren und zu besorgen haben . . .[1]

Nach gwaltthätiger aufprech- und entziehung E. E. L. alhieiger uber 32 iar aigenthumblich possedirten stifftkirchen (dabei sich obermelter . . . Suardo unlandsmannischer weis missbrauchen lassen),[2] auch des provosens eingrif in derselben stifftcollegium ist iro gemainer landschaft zu merklichem präjudicio und verschimpfung an dero . . . landhaus zuwider der . . . in handen habenden freiheiten diser spot, gwalt und beschwärung zugefüegt worden, dass . . . der alhieige bürgermeister und stattrichter sambt der statt guardi und vier Jesuitern unversehens eingefallen und nicht allain in die darin vil lange iar gweste buechläden ohn alles vorgehundes verpot und ungewarnt eingriffen, was sie von ev. büechern alda gefunden, dieselben sambt vilen andern weltlichen philosophischen und historischen büechern hinweg genommen, auf etlichen wägen zu den Jesuitern hinaufgefiert sondern auch beede thör darinnen im landhaus mit bewehrter wacht und uberzognen hanen an den roren dermassen besetzt und verstanden, dass sie solchen halben nachmittag fast niemands ein- noch ausgelassen; und ob wir uns nun dessen im namen gemainer landschaft bey I. F. D. zum höchsten beschwärt, ist uns doch diser bschaid ervolgt, dass sy zwar solchen eingrif ins landhaus und wegnehmung der buecher verordent, aber E. E. L. an irer . . . freiheit nichts präiudicirt sein solle . . .

Etlichen . . . herrn und landleuten sein dises verwichne iar hero zu vilmalen ire mobilia, auch zu bewehrtmachung des 10. und 5. mans und irer aignen heuser auf dem land von den cramern und aus E. E. L. zeughaus in der statt alhie erkaufte arma und rüstung bei den stattthören mit gwalt aufgehalten worden und als sie sich dessen erclaget,

---

[1] Klagen über den in Folge dessen einreissenden Mangel an tauglichen Officieren, über die gegen den Vorschlag der Landschaft erfolgte Besetzung der Oberhauptmannsstelle zu Kreus, über die vom Landesfürsten begehrte Absetzung des Profosen Bithner, über die Ausweisung von Bürgern, deren Verhaftung, das gewaltthätige Vorgehen der Religionsreformationscommissäre im Ennsthale, die brutalen Gewaltthaten in Strechau, die Eingriffe in die Stiftskirche (siehe oben) etc.

[2] Die eingeklammerten Worte ausgestrichen.

presente, qual li Ill^{mi} Sⁱ dil paese et V. S. mi fano, qual mi à conzeso di
acetarllo, ancor che io non abia servitto V. S. di tal favor, mi riservo a
bocha ringratiar il Illmo capitanio et li Ill^{mi} Sⁱ et V. S. di core mi ofero et
ricomando.

D. V. S. molto . . .

Carlo Scarlichio.

13.

Die Erledigung der politischen Beschwerden der steiermärkischen Land-
schaft: Anerkennung der Berechtigung eines Theiles ihrer Beschwerden
und ihrer unentwegten Treue. Nur Einzelne hätten sich vergangen wie
Kandelberger; Gabelkofer sei auf freien Fuss gesetzt. Die Besetzung
der Officiersstellen sei keine Neuerung. Das Vorgehen der Religions-
reformationscommissäre im Ennsthale sei zu Erhaltung der landes-
fürstlichen Autorität nothwendig gewesen. Der Actus im Landhause
und gegen die Druckereien bedeute keinen Eingriff in die Landesfrei-
heiten etc. Graz, 1600 Jänner 24.

(Cop. Steiermärk. L.-Archiv, Landtagsacten 1600.)

Mit was beschwärungen . . . dise E. E. L. . . . unlangst einkomben, haben I. F. D. . . . vernomben. Und wie sie nun dieselben mit
gnaden . . . abgehört . . . also müessen sie auch anfänglich der warheit
zu steuer . . . bekennen, sy, die getreue l. habe zu sollichem anbringen
. . . guetes thails nit unbefuegte ursachen, darumben sy dann auch
I. F. D. gn. wilfährige erscheinung umb so vil mehr im werk spüern
sollen: die dann unter andern dies E. E. L. mit nichten gonnen, dass sy
in den angedeuten schuldenlast gerunnen und sich mit den fürgeloffnen
anticipationen so hoch vertiefen müssen. Aber solche und andere ungelegenhaiten . . . sein fürnemlich den betrüebten leüffen . . . zuezu-
schreiben. Nach wellicher verstreichung sich auch der lengst gewünschten refocillierung und erquickung zu getrösten . . .

Und ist fürs e r s t e ja ein hochbeschwärliche sach . . . dass von
den alten und neuen reichshilfsgeföllen gar nichts einkomben . . .

Die F. D. wissen sich . . . wol zu erindern, wie noch vor disem des
k. kriegszallmaisters Hans Geörgen K a n d e l b e r g e r um 11.641 fl. 10 kr.
lautunden scheins willen ein begern an sy gelangt und daruber ain commission zu besprechung sein des Kandlberger's verordent worden, dahero
nun I. F. D. gänzlich dafür gehalten, die darüber zu beden thailen aus-
gangne verordnungen hetten alberait dazumal ir billiche volziehung er-

langt. Weil es aber mit I. F. D. nicht gering
dato nit geschehen, haben I. F. D. dero n.-ö. re
gelo Costedi vom neuen auferlegt, alsbald sich
verordneten commissarien anmelden . . . dass er
lasse . . .

Ob ja wol I. F. D. ungern daran komben, d
herein gelieferten gelt, den reichshilfsgeföllen I
dritten thail davon nemben lassen, so ist doch wi
pur, lauterer noth als nämlich auf das desolierte
trinia . . . angewendet worden, dann weil weder
landschaften zu derselben erhaltung nichts contrib
auch ihren öftern protestationen gemäss anderwä
gewist, haben sy zugleich kain anderes mitl das n
zu trösten und weiter zu erhalten für die hau
welches nun E. E. L. versehentlich so hoch nit
noth kainem gesatz unterworffen, sondern ob de
werden, dass ihnen dise her dann genombne entlehr
nägst einkommenden reichshülfsgefällen würklich
solle. Dass die mitleidenden stätt und märkt . . . s
an iren fertigen anschlag entrichtet haben und r
erlegung so saumbig erscheinen und an den dre
jaren so ainen grossen ausstand hinterstöllig se
I. F. D. nit wenig, seitemall sy in einbringung
restanten ainen sollichen modum und linderur
pflegen, dardurch die stött und märkt zu sollich
kain ursach haben sollen . . . Damit aber . . . di
der gebür . . . gehalten werden, haben I. F. D. an
und camer . . . verordnung ausgehen lassen . . .

Ain gleichmässige verordnung soll auch auf
keüffer, auf widerkauf und I. D. aigenthumblichen l
erlegung irer hinderstelligen ausstände ausgehen .

I. F. D. wöllen der hofcamer auferlegen, e
hinfüro (in den anticipationen der bewilligten
mehrerm reservat fürzugehen.

In dem punct der entsprungenen Wallachen
für sy zu etlich malen dargebne profiantierung w
erstattung wöllen I. F. D. . . . E. E. L. antwort er

Mit sondern gnaden vermerken . . . I. F. D.
ungeacht solcher . . . beschwärungen mit der land
willigung vortschreiten . . .

Und sovil in specie Otten von Herberstorff ... mit seinem brueder Andreen ... rechtshandl betrifft ... weil die verhoffte erörterung bis dato nit volgen wollen, gedenken I. F. D. die schleinige ... beförderung wirklich zu verorden ...

I. F. D. wissen sich von zeit an ires gedenkens kaines andern zu erindern, haben es auch niemals anderst vernomben und befunden, dann dass diese E. E. L. in Steyr sowoll gegen I. F. D. als iren ... vorfordern von undenklichen iaren hero in beständiger treu und aufrichtigkeit jederzeit verharrt, halten auch die mitglider derselben sament und sonders für solliche pidersleuth, dass sy inen anders nichts als alles liebs und guets, noch immerfort und durchaus kain infidelität ... zuetrauen, sein auch diser gentzlichen hoffnung, sy werden sich auch hinfüro nicht minder in diser hochrüemblichen treu unaufhörlich erfinden und sich von kainerlay zuestand davon abwendig machen lassen ...

Dass aber auf ein zeit die clagte intercipierung und öffnung der brief und sendschreiben von I. D. verordnet worden, ist mit nichten zu dem ende, dass in E. E. L. ein mistrauen gesetzt oder sy aines ungleichen bezigen werden solle, sondern ... destwillen beschechen, damit etlicher privat- und particularpersonen alberait gespuerte untreue anschlög besser an den tag komben und konftiger unrath verhüetet werden möchte, also dass E. E. L. iro diss so hoch nit zu herzen gehen lassen noch gedenken solle, dass sy dardurch an mehr orteh iren bis dato erhaltnen gueten credit in die schanz gesetzt hete, dann weill solches sy nit angehet, ... hat sie auch dessen gar nit zu entgelten sondern ist ditsorts allenthalben für entschuldigt zu halten.

Alsvil aber ermeltes Kandelbergers einziehung belangt, inmassen dieselb zu Prag auf die gefundne verdächtigkeiten von I. K. M. selbst verordent worden, also hat auch dero gn. bevelch mit weiterer procedierung alhie volzogen werden sollen, und hat Kandelberger sonst niemandts andern die schuld dises seines unglücklichen zuestands zuezumessen. Darbey sich dann I. F. D. gn. erbotten haben wöllen, ime wider recht und die billigkait nichts widerfahren, sondern auf sein defension gebürlichermassen erkennen zu lassen; dessen nun zu erwarten, wie dann der eventus des handels beschaffenhait mehrern dilucidiern wirdet.

Und weil E. E. L. secretari Hans Adam Gablhofer auf ir der ganzen landschaft embsiges anlangen und in gehorsam angebottne widerstellung seiner verhaftung berait erlassen und auf freyen fuess gestellt worden, ist seiner umb so vil weniger derzeit weitere meldung zu

thun: aber ainmal ist nit in abred zu stellen, dass **m**
Kandelbergerischen verdächtigkaiten nit wenig **thail**
also zu seiner person vorhaltung genuegsambe **ursach**

Die citierung E. E. L. und diener in I. D. **nam**
so hoch beschwarliche neuerung anzuziehen, dann
landleuth selbst zu erfordern befuegt ... **warumber**
ain mehrer freyhait und vortl ditsfals haben? Es **ligt**
dass E. E. L. und dero herrn verordenten gemelte **ire**
in officio und dahin halten, sich gegen dem herrn
seinen gebotten trutziger weiss nit aufzulainen ...
kainer sollicher fürforderung ... welches sich aber **in**
puechdrucker mit nichten befunden ...

Kaines andern sein I. F. D. jemals gesinnet **p**
ire getreue landleuth vor allen andern frembden zu **l**
und ämbtern zu befürdern ... wann sy, die **las**
anderst selbst darzue qualificiert und dersel'
machen werden ... Darumben es dann an **su**
hierin erwinden wirdet, dass sich jetzt **ers**
landleute auf solche ritter- und tugenliche
die sy zu digniteten habilitiern ... Und I. **m**
widerholung dises propositi und des jetzigen burggr
schloss kainen gedanken mehr gemacht, umb dass **sol**
mit gnuegsamber ausfüerung ablaint und I. D. darunt
ad oculum demonstriert worden; darbei es dann auch **l**
lassen und dise antung desto unnotwendiger zu halten,
haubtman, als deme die haubtvestung principaliter **v**
scher landtman, der ohne das ainen burggrafen **c**
vorwissen I. D. seines gefallens gegen seiner verantv
befuegt.

Und ob sich gleichwoll I. F. D. mit der ...
haubtmannschafft Creuz aines ungewöhnlichen **mo**
möchten, so getrösten sich doch I. F. D. gegen E. E.
sy werde wider Felixen von Schrottenpach **fr**
ainen landman und mitglied kein bedenken haben, **so**
zu des lands und gemeinen wesens angenemben **s**
verhalten. Und zu diser promotion haben ine **seine**
befürdert, dessen sich dann auch andere seinesglei**c**
gelegenheiten zu vergwissen. Im übrigen aber **wöll**
ditsfalls beschechnen ... anmeldens konftiger zeit **u**
weitere befuegte clagen zu verhüeten bedacht sein.

I. F. D. ist zwar nit lieb sonder vil mehr allerdings zuwider gewest, die bewüste commission im nägst verschinen herbst nach dem Ennsthal abzufertigen: aber weme aus den getreuen landleuten ist verporgen, dass I. D. gleichsamb darzue genötigt und bezwungen worden? Dann der ungehorsambe trutz, vilfeltige despect und rebellion bey denen groben betörten leuthen dermassen überhand nemben, dass I. D. l. f. reputation, autoritet und würdigkait nit mit geringer besorgung aines algemainen landschädlichen auflaufs nunmehr gänzlich periclitieren wöllen. Ist nun ainem und dem andern zu handhabung der gerechtigkait und erhaltung des schuldigen gehorsambs was beschwärliches begegnet (wiewol sich I. F. D. kainer so grossen particular bedrangnus zu berichten wissen), haben sy es nur selbst überflüssig verursacht und inen die ganzliche schuld in deme zuezumessen, dass sy weder den güetlichen vordem gebrauchten mitln, noch denen zu mehrmallen an sy ausgangnen warnungen nit stattgeben, sondern in irer unsinnigen halsstarrigkait verharren wöllen, also dass sy irer verbrechen und dern thailhaftigmachung billicherweis nur selbst und I. D. aus iren camersgeföllen gar nit zu entgelten haben sollen. Und E. E. L. wölle für gewiss halten, dass I. D. in einbringung der angedeuten anschlög alle gebürliche moderation gebrauchen zu lassen gedenken.

Von denen aus dem hiegen landthaus genumbnen püechern wöllen I. F. D. kain weitere ausfüerliche meldung thuen, sondern über dasjenige, so sy in diser materi vormals beantwortt, allain diss widerholen, dieweilen sy sich alberait lauter dahin erclärt, sollicher actus solle E. E. L. an iren habenden und wolhergebrachten freyhaiten gänzlich unnachthaillig und unpraejudicierlich sein, inmassen sy es dann nochmallen clärlich mit gnaden widerholen, dass demnach sy, E. getreue L., destwillen (I. D. zuversichtlichem versehen nach) nunmehr zufriden sein, sich darunter guetwillig acquietiern und zu ruhe begeben werden.

Dem puechfüerer aber soll auf sein anhalten gebürlicher beschaid gegeben und ime zumall auf die befundene unverschuldung nichts unbilliches zuegefüegt werden.

Demnach I. F. D. rath, camrer, bestöllter obrister und stattguardjhaubtman alhie Christoph Paradeyser alberait hieher wider ankomben, wirdet er dem empfangnen bevelch nach, den bewüsten Rindschaidtschen mit der stattguardj vor dem thor fürgeloffnen rumorhandl der gebür nach wol zu rechtfertigen und die erkennte verprecher zu straffen wissen . . .

Höchstermelter F. D. von wegen der buechdruckereyen im landthaus ausgegangne generall sein aines so lautern inhalts, dass sy

kainer auslegung bedürfen, und obgleich woll vom
druckerey kain sonder meldung beschicht, so ist doch
nichten eximiert, wie sich dann I. F. D. kaines and
dass sy ain absonderliche inhibition noch am 21. 1
schinen 99. iars vermüg beiliegunder abschrifft an di
abgehen lassen, mit diser andeutung, es möge I. D. b
Widmanstötter die fürfallende steuer- und ande
woll und geschwind drucken. Und so nun I. F. D. so
motiven sy zu ermölter einstellung bewögendt mitl
nochmallen nit zu improbieren wissen, so sein sy
versehens, wolermelte E. E. L. werde sich hierin kai
gebrauchen . . .

Umb die durch Jonasen von Wilfersdo
schwärung die vorhaltung seines unterthans aus Hu
haben I. D. gar kain wissen; darumben wöllen sy
gründlichen bericht einziehen und darüber was si
ordnen . . .

Der letzte . . . punct kombt I. F. D. darumben
sy von kainen bestölten oder im lauf haltenden soldat
es von den abgedankten, gartierenden schödlichen k
hafftes fürgeben und weil dann zu verschonung des
kommernus aussteunden mans ernst- und würkliche
stellung der disfalls im land grassierenden unordnu
nemben von nötten, so lassen I. D. disen articl notw
rathschlagen und soll volgundts die notturfft aintw
oder privatmandat unverzüglich ausgefertigt werden.

Und so vil . . .[1]

Decretum per S

24. Ja

P. C

14.

Antwort der Landschaft auf die Erledigung der poli
durch Erzherzog Ferdinand II. vom 24. Jänner. Gr

(Conc. und Cop. L.-Archiv, L.-H.)

[1] Zum Schlusse die Hoffnung, die Landschaft werde
zufrieden und versichert sein, ‚I. D. werde noch
lendung in ainem und dem andern . . . begierig

Dank für das Eingehen in die finanziellen Beschwerden und das
Versprechen ihrer Abhilfe. Klagen über die Nichtbezahlung der Aussen-
stände in Städten und Märkten etc. Ursachen hievon. Erneuertes Eingehen in die Eingriffe bei der Post, gegen Kandelberger und Gabelkofer.
Motivirung der früheren Klage über den Anwurf der Untreue. Neuerliche Klage wegen des Citirens der Herren und Landleute und der Beförderung von Ausländern, wegen der Vorgänge im Ennsthale. Ueber
die letztgenannten Punkte wird Folgendes bemerkt:

Dass auch sonderlich E. E. L. . . . . erwogen, was E. F. D. zu gn.
entschuldigung der . . . intercipier- und erofnung der brief und sendschreiben, auch einziehung, gefengnus, examinierung und torquierung
E. E. L. bestelten dieners . . . Hans Georgen Khandelbergers, wie
auch . . . Gablkovers . . . dardurch E. E. L. in gemain bei aus- und
inländischen in nicht geringen verdacht und beschuldigte untreu, so sy
gegen iren herrn und landfürsten moliert haben solle, geraten, geh. einwenden, kann E. E. L. geh. nicht unterlassen, E. F. D. in unterthenig-
keit sovil zu entdecken, dass sy zu dero in vorigen iren und derselben
verordenten, auch der Steyrischen herrn und landleut oftern anbringen
beschechnen . . . beschwerden wider all iren willen gedrungen, alle-
weilen communis fama und die avisen hin und wider wais nicht was für
hochbeschwarliche reden spargirt, dass mit torquierung gedachts Kandelbergers, auch des secretari Gabelkovers examinierung nicht sie als
officier fürnemblich sondern haubtsächlich E. E. L. und derselben getreue mitglieder gesuecht, welches E. E. L. je billich umb dero unschult
willen ob iro nicht erligen lassen künnen. Dass aber anjetzo E. F. D.
E. E. L. in gemain und deren getreue mitglider samet und sonders mit
solchem erfreulichen testimonio irer bis dahero in allen notfällen mit
geh. begierden erzaigten treu und beständigkeit . . . begabet und sie für
solche aufrichtige pidersleut erkennet, welchen sie nochmalen anderst
nichts dan alles liebs und guets und durchaus kein diffidenz oder die geringste infidelitet, wie die gn. verba formalia lauten, nicht allein nicht
zuemessen, dass auch die angedeute der brief intercipierung nicht zu
dem ende beschechen, dass in E. E. L. ainiches misstrauen gesetzt oder
sy etwas ungleichs bezigen worden sein solle, dessen thuet sich E. E. L.
geh. fleiss bedanken in undterthenigkeit verhoffent, E. F. D sich von
dero . . . intention durch ainiche widerwertige . . . einbildung . . . nicht
abwenden lassen wellen . . . [1]

---

[1] Folgen Versicherungen unverbrüchlicher Treue. Da durch die Processe
der landschaftliche Credit ins Mitleiden gezogen ist, möge I. D.

Dass ... E. D. die citierung E. E. L. officier
neuerung halten ... stelt E. E. L. in kein vernainen
in disem frembd und betrüblich fürkumbt, indem si
stark contra verbalem sondern allein realem citatio
diener, wann sie durch ire missgonstige hinterruckli
geben, auf beschechnes erfordern ... erscheinen,
verhört, unüberwunden de facto gefangnusst, etliche
purkfriden oder wol ganzen landt geschafft werden ..

Aus was ursachen alsdann E. F. D. die Enstall
mit solcher anzal soldaten auszufertigen bewegt, ist
tilieren und befindet sich E. E. L. fürnemblich in den
... das E. F. D. .... sich vernemen lassen, wie sie
commissions uncosten nur ein gebürliche moderati
lassen gedenken, so doch E. E. L. aller exactionen s
von den verderbten underthanen (nichts) einzubrin
auch die heurige bewilligung zu leisten unmöglich f
indem das ausgeschickte reformationskriegsvolk von
mit gwalt, bedroung der häuser und städlabbrennung,
beredung vil herauszupressen sich hochstrafmässig
massen ... alsbald etliche unterthanen ohne ainicl
erindern oder ersuechen durch gerichts- und andere d
ausbleibenden mit dem prant gedroet, volgents sei
knecht bei nächtlicher weil in etliche häuser eingefa
handen aufgebrochen, zerhackt, zerrissen, geplündert,
umb hochs gelt prantgeschätzt und nichts desto wei
genen gelt, vieh und traid alles hinweggenommen und
selben armen unterthanen aignen zug hinwegzuführei

Also haben nach der herrn commissarien verra
marktrichter zu Schladming und Gröbming [2] den ar
landleut underthanen ... eine hohe anlag, welche die
Türkensteuern übertreffen, wider l. freiheit angesc
feindthätigen bedroungen abgefordert, denen, so si

---

bedacht sein, dass der Landschaft ‚Ehren' n
werden.

[1] Bitte, auch hierin die Sachen beim alten Herkor
lassen. Gegen die Ernennung Schrattenbach's zur l
Creus habe man nichts. Aber die Nichtbeachtung
schaft gemachten Vorschläge sei für die Landschaft
Vorgeschlagenen schmählich.

[2] Ausgestrichen: ‚welche schlechte Leut seien'.

obrigkaiten referiert spöttlich geantwort, dass sy bei denen, so sich
selbst nicht schutzen können, ja weilen E. E. L. freiheit schon
aufgehebt, kain rath noch hülf suechen können ...[1] Ueber das hat
E. F. D. landtspfleger zu Wolkenstain Georg Mayr mit hilff der zu Aussee
ligenden soldaten bei nächtlicher weil nachermals etliche unterthanen in
iren heisern überfallen, neben den burgern von Gröbming gebunden in
gefangnuss wegfüeren lassen, darbei dann sonderlich die knecht grossen
fräß und muetwillen getriben, die arme leit umb gelt benetigt, waib, kind
und mägd, weilen etliche bauern aus schrocken entwichen, mit ungebür
angesprengt, darunter einer armen kindbetterin nit verschont ...
Gleichfalls in abwexlung der guardi zu Aussee haben die knecht am hin-
auf- und herabraisen wo es inen gefallen mit gwalt einkhert, ganze nacht
tranken, nichts bezalt und an etlichen orten die dörfer umb gelt geschätzt, welches alles, do es ungestraft verbleiben und den armen unterthanen die empfangnen schäden der billichkait nach nicht widerkehrt
und erstat werden solle, daraus bald andere confusion erfolgen wurde ...

15.

,*E. E. L. Intercession an I. F. D. wegen des Kandelbergers anno 1600.*'
(*December 8.*)

(Conc. Steiermärk. L.-Archiv, Chron.-R.)

Zu den werken der gott höchst wollgefälligen barmherzigkeit werden alle christglaubige durch die zeugnussen der hl. schrifft und mit
sonderlichem fürgestelltem exempl des barmherzigen himlischen vatters,
ja zumal auch die unglaubigen durch die natur und sanftmüetigkait des
menschlichen geblüets[a] wie gegen ieden also bevorab gegen den nächsten
menschen vermahnet und bewegt, auch in den historien darumben billichen zu ewiger ihrer gedächtnus und andern gleichmessigen nachfolg
hochgerühmet und geprisen. Und da sie einer oder mehr aus den laidigen unvermügen dergleichen hohe werk andern würklich zu erweisen

---

[1] Folgt die Bitte um eine Schadlosverschreibung wegen der Eingriffe in
das Landhaus, dass diese nämlich den Landesfreiheiten nichts Präjudi-
cirliches bereiten sollen, dann Klagen über die brutalen Gewaltthaten
des Kriegsvolkes zu Aussee und die gartierenden Knechte zu Judenburg,
die bei ihren Gewaltthaten sich auf Specialbefehle des Erzherzogs
berufen.

[a] Noch einige nicht ganz deutliche Worte darüber: ,ein natürliche sym-
patia und compatientia'.

verhindert und abgehalten werden, so seindt diese
von christlicher lieb und natur wegen doch bei denen
von dem allmächtigen dahin begnadten mit interce
sich freundlichen und mitleydent zu erzaigen iure
verbunden. Weliches commiserationis et aequitatis
divinae et humane nichtis derogiert sondern für
mentum, medicamentum et condimentum billichen gel

    Also seindt anfangs die herrn verordenten, fel
versammblet gewesten herrn und landleut und E.
nägstverwichen wie auch an jetzo gegenwärtigen la
condolentiae proprio quam ad impetrationem parti
neorum vil mehrers verursacht und bewegt worden,
vorigen und hiemit geh. widerholten intercession i
deploranda causa E. E. L. an kais. hoff in reich
starkhen (sic) prophiantrest und andern parteien
agentens Hans G. Kh(andelberger) zu behölligen, d
ander weg E. F. D. gleichwoll zum liebsten underth
sinnet und beflissen, alles diemüetigisten fleiss bitter
vorigen unterschidlichen fürschreiben mit f. gnaden
numben, auch darüber gn. vertröstung und sonderlic
tober nägst verschines 99. iahrs gethon: also wöll
auch diese gegenwärtige geh. fürschrifft nicht mit gel
beherzigen sondern laut derselben angezogen vatte
dieser betrüebten sachen ein lang geh. in höchster
erwünschtes endt zu jetziger verhoffentlicher hierzu
von gott geschickter rechter zeit gn. machen und
sein des armen Kandelbergers villeicht fürgelofne
umb sein verbrechen kein aygentliches und gründtli
sondern vill mehr sein so langwierige in die 17[1]
betrüebliche und höchst beschwärte straff und buess
und distrahierung seiner paarschafft und mobilien,
guetgehabten bestall- und besoldung und zeitlichen
cliener- und schwächung seines auf erden besten k
namens und laimundts und gentzlichen unwiderbring
andern edelsten gehabten schatzes seines jungen le

---

[1] Die 17 Monate würden allerdings dazuführen, die
tober statt auf December zu setzen, da die Verha
im Juni 1599 erfolgte; aber das Datum ergibt sich
registratur, wo diese Intercession zum 8. December a
zum October nichts vermerkt ist.

wellichen allen bayden der höchst schmerzlichen und fast ubermensch-
lichen tortur, marter, folter, pein und prandt, geschweigent er seine be-
gangne privatexcess mit sollichen nimmermehr privat sondern mehrers
publickhen demonstrationen verhoffentlich genuegsamen gebüest haben
solle und werden mit überaus l. f. christlichen angebornen sanft österreichischen vatters augen, ohren und herzen gn. ponderirn, ruminiern
und ihm daruber mit gn. freystellung begnaden und hierinnen abermallen
nicht allein jetztberüerter sein des Khandlbergers ausgestandtner guets-
und gemuets, lebs- und leibsstraffen und buessen gn. consideriren und zu
gemüet führen sondern zugleich seiner E. F. D. derselben villgeliebsten
frau muetter unserer gn. frauen in gehaltnen embsigen correspondenzen,
I. F. D. erzherzog Maximilian zu Österreich mit befürderung des pro-
phiantwesens im Petrinischen feldzug und in ander weg und dem ganzen
löbl. haus Österreich und der werten christenheyt treugemainten auch
wollersprossnen geh. dienste und nicht weniger ins künftig dergleichen
und mehrere servitia (so ihme E. F. D. mit gn. erfreulicher freystellung
und der barmherzige himmlische vatter mit laydentlicher leibsgesundheit
begnadet), darzu er dann wegen seines sonderlichen erkandten talents
als khunst, vernunft, geschicklichkeyt, erfahrenheyt, beredthait, sprachen
und andern stattlichen qualiteten tauglichen (sic), gn. bedenken, wir
dann darumben auch vermüg der kais. altgeschribnen rechten secundum
l. ad bestias, ff. de poenis mit dergleichen personen, so der menschlichen societet mit ihren künsten und diensten mehrers nützlich sein
können, als sie mit ihren verbrechen schedlich gewest, billich woll zu
dispensieren. Und neben seinen aygnen qualiteten wolle S. F. D. sich
auch seines ganzen adelichen geschlechts und befreundten wolverhalten
gn. erindern, alsdann seines vattern bruedern N. E. F. D. in gott ruhenden geliebsten herrn herrn vatters christmildister loblicher gedächtnuss
vill iahr lang gethreuer und gehorsamister cammerrath und diener gewesen, seine gebrüeder und beiderseits eheliche befreundte inner und
ausser landts sich woll verhalten, seiner muetter brueder Culmayer noch
an dem f. Payrischen hoff in sondern gnaden und etliche iahr daselbst
khuchelmaister ist, wie dann seine ganze eheliche freundtschaft in bey-
gelegtem ihren düemüetigisten suppliciern neben E. F. D. allezeit getreuer landschaft für ihn intercediert:

also wölle E. F. D. neben jetzt gedachter intercession auch dieses
E. allgemainen geh. L. flehentliches fürbitten gn. ansehen und erhoren
und sy E. E. L. neben dem armen gefangenen khrüppel dem Khandelberger in noch wehrenden landtag zu denen freudenreichen herzuen-
nachenten hohen fest der weihnachten dises zu endt lauffenden saeculi

oder genannten iubeliahrs, dergleichen in 100 iahren nimmermehr und
von ietzt lebenden woll gar zu wenigen zu erleben und in E. F. D. ersten
iahr deroselben erfreueten ehelichen standt auch gn. erfreuen und ein
l. f. angenaturtes sanft österr. christliches vätterliches ia göttliches anfangs angezognes und hoch gerüembtes und im jetzigen schluess wider-
holt gebetnes werk der barmherzigkeyt mildiglich erzaigen. Solliches...
(Ohne Datierung.)

Am äusseren Umschlage: E. E. L. Intercession an I. F. D. wegen
des Khandelbergers anno 1600.

Nachtrag.

I.

Im Cod. 43 des Linzer Landesarchivs findet sich ein
gleichzeitiger Bericht über die Zerstörung von protestantischen
Kirchen etc. in Innerösterreich (Forschungen zur deutschen
Geschichte XX, S. 543—545). Dort werden am Schlusse auch
Gabelkofer und Kandelberger erwähnt (fol. 307ᵃᵇ):

Der Gablchoffer ist wider ledig und in seinem vorigen dienst bei
der landtschafft.

Der Kandelberger ist in der tortur dermassen verderbt, dass er
auf den füessen keine sollen mehr hat, auch sonst an leib so zermartert
worden, dass sich I. F. D. an jetzo selber uber in erbarmt und last in
durch die hofbalbierer und medicos haillen. Es kombt aber für, dass er,
wann er heil worden, nichts desto weniger für recht gestelt, uber das
urthail begnadet, aus dem landt verwisen und entgegen diejenigen, darauff er bekhent (Don. [sic]) und darauff sterben wurd, vil ubler als er
gepeiniget und gar zum todt verurtheilt werden sollen ...

Dieser nachträgliche Fund bestätigt in der Hauptsache die
Ergebnisse der obigen Studie und verdient die grösste Beach-
tung. Zum Schlusse möchte noch eine Mittheilung an dieser
Stelle Platz finden, die auch in diesen Zusammenhang gehört.
Die Landesverordneten übergaben, wie man den obigen Acten
(S. 352) entnimmt, dem Burghauptmanne von Graz ein Ge-

schenk, weil er die Gefangenen in humaner Weise behandelte. Wie mir Herr Regierungsrath v. Zahn mittheilte, findet sich in den hiesigen Acten ein Stück (es konnte im Augenblicke nicht aufgefunden werden), in welchem Erzherzog Ferdinand II. auf die Bitte des Burggrafen, das Geschenk der Landschaft annehmen zu dürfen, nicht blos eingeht, sondern als Motiv die humane Behandlung anführt und den Umstand, dass das Geschenk nicht vor, sondern nach der Untersuchung gegeben werde.

II.

Zu der obigen im Linzer Cod. enthaltenen Nachricht gehört noch das folgende Decret Rudolfs II., das nun die Kandelbergerfrage zu einem gewissen Abschlusse bringt:

Kaiser Rudolf II. an Erzherzog Matthias: ,Da Erzherzog Ferdinand II. den lange verhafteten Kandelberger auf seine Urfehde und die seinetwegen geschehene Intercession hin begnadigt, doch aus allen seinen Landen abgeschafft hat, so werde er gemahnt, dass in Böhmen und dessen Nebenländern nicht blos Kandelberger, sondern auch die anderen der Religion wegen aus Steiermark Abgeschafften nicht zugelassen werden. Prag, 1602 November 2.'

(Cop., Cod. Linz 43, fol. 243ᵇ.)

Dazu am Umschlage auf der einen Hälfte: ,22. November 1602. Copia. Des k. schreibens an die F. D. erzherzogen Mäthiasen zu Osterreich: Der n.-ö. regierung, die wirdt auf dises der R. K. M. schreiben sowol in disen landt als in Österreich ob der Enns bey der landtshaubtmannschafft die notturfft zu verordnen wissen. Ex consilio deputatorum 12. Nov. 1603' (sic). Auf der anderen Hälfte: ,Fiat, wie I. R. K. M. und F. D. . . . bevelchen, und dise resolution dem h. landtmarschalckh und absonderlich herrn bischoffen und thuembcapitl; also auch die universitet alhier, herrn anwald der landtshaubtmanschafft ob der Ennss und gleichfalls die von Wien wie gebreuchlich zu erindern. 2. Novembris 1602.'

STUDIEN

ZU DEN

UNGARISCHEN GESCHICHTSQUELLEN.

IX, X, XI UND XII.

VON

PROF DR· RAIMUND FRIEDRICH KAINDL
IN CZERNOWITZ.

IX.

Die Gesta Hungarorum des Anonymus. Ihr Verhältniss zu den Gesta Hungarorum vetera. Andere von ihnen benützte Quellen. Die Zeit ihres Entstehens. Ihr Werth.

In den zwei letzten Studien haben wir durch die kritische Zergliederung der verschiedenen bekannten ungarischen Chroniken die ‚Gesta Hungarorum vetera‘ als älteste Grundlage derselben erkannt und diese alte Quelle näher kennen gelernt. Unsere nächste Aufgabe ist es nun, über die Ableitungen dieser ältesten Gesta zu handeln. Diese sind: die Gesta Hungarorum des Anonymus, die Gesta Hungarorum Keza’s, endlich die Nationalchronik oder Ofener Minoritenchronik in deren verschiedenen Redactionen. Jeder dieser drei Quellen ist im vorliegenden Hefte eine Studie gewidmet. Schliesslich werden wir auch einige kleinere ungarische Geschichtsaufzeichnungen, welche in Keza’s Ungarngeschichte und in die Nationalchronik Aufnahme fanden, und die bei der Zergliederung der Chroniken in Studie VII zumeist schon genannt wurden, zu behandeln haben.

Wir wenden uns nun zunächst den Gesta Hungarorum des Anonymus zu.

1. Das Verhältniss der Gesta des Anonymus zu seiner Hauptquelle, den Gesta vetera. Umfang seines Werkes.

In den Studien VII und VIII ist zur Genüge bewiesen worden, dass die Gesta Hungarorum des anonymen Notars mit der Hunengeschichte, wie sie sich bei Keza und in der Nationalchronik findet, nichts gemein haben, dass dagegen alle eben genannten drei Quellen bezüglich des älteren Theiles der Ungarngeschichte auf den Gesta vetera beruhen.

Ueber die Hunen enthält das Werk des Anonymus überhaupt nichts; er erzählt nur wenige Zeilen über Attila, während seine Erzählung über die Geschicke der Ungarn überaus breit angelegt ist. Das Fehlen ausführlicher Nachrichten über die Hunen ist, wie ebenfalls in den zwei vorangegangenen Studien zur Genüge dargelegt wurde, aus dem Umstande zu erklären, dass in seiner Vorlage noch nichts von der Hunengeschichte stand, die wir bei Keza und in der Nationalchronik finden. Hätte ihm seine Quelle eine solche geboten, so würde sie der Notar gewiss ebenso ausgenützt und vielleicht noch erweitert haben, wie er mit der Ungarngeschichte verfuhr. Indess kommt beim Anonymus der Ausdruck Hune überhaupt nicht vor; über Attila weiss er aber nur Folgendes zu erzählen: Nachdem er Skythien beschrieben und bemerkt hat, dass Magog, der Sohn Japhets, der erste König dieses Landes war und nach ihm die Magyaren ihren Namen führen, fährt er fort (S. 3): ‚A cuius etiam progenie regis (Magog) descendit nominatissimus atque potentissimus rex Athila, qui a. dom. inc. CCCCLI° de terra Scithica descendens cum valida manu in terram Pannonie venit et fugatis Romanis regnum obtinuit. Et regalem sibi locum constituit iuxta Danubium supra calidas aquas et omnia antiqua opera, que ibi invenit, renovari precepit et in circuito muro fortissimo edificavit, que per linguam Hungaricam dicitur nunc Buduvar et a Teothonicis Ecilburgum vocatur. Quid plura? Iter hystorie teneamus. Longo autem post tempore de progenie eiusdem regis Magog descendit Ugek, pater Almi ducis, a quo reges et duces Hungarie originem duxerunt.‘ — Das ist Alles, was er über Attila weiss. Er ist ihm also eigentlich ein Magyaren- oder Ungarnkönig. Deshalb betont er in der Folge wiederholt, dass die Ungarn Pannonien als Erben Attilas in Besitz nahmen (S. 10, 15, 19, 20 f.).[1]

Dass der Bericht über Buduvar an dieser Stelle ein Einschub in den Text der Gesta ist, beweisen zur Genüge die am Schlusse des obigen Citates stehenden Worte: ‚Quid plura? Iter hystorie teneamus‘, mit denen der Anonymus zum Text seiner Vorlage zurückkehrt, die nach der Beschreibung Skythiens

---

[1] Vgl. besonders S. 15: Licet proavus meus potentissimus rex Athila habuerit terram, que iacet inter Danubium et Thysciam ... S. 19: ... petens ab eo, quod de iusticia atthavi sui Attyle regis sibi concederet terram a fluvio Zomus ...

und der Erwähnung Magogs als Stammvater der Magyaren, sowie wohl nur einer ganz kurzen Erwähnung Attilas als ersten Ungarnkönig und Eroberer von Pannonien sofort auf Ugek u. s. w. überging (Studie VIII, S. 223, 239 f. und 243 f.). Dass die Erzählung der ersten Eroberung Pannoniens durch die Ungarn unter Attila nicht einer wohldurchdachten Darstellung entnommen ist, geht z. B. auch noch aus dem Umstande hervor, dass der Anonymus nirgends mit einem Worte erwähnt, wie denn die Ungarn Attilas, mit denen er offenbar Pannonien erobert hatte, wieder nach dem Osten kamen, um von dort zurückkehrend die zweite (eigentliche) Eroberung des Landes vorzunehmen. Das wissen Keza und die Nationalchronik bereits ganz glatt zu erzählen. Allenfalls ist der Anonymus mit der Etzelsage, wie sie im Nibelungenliede fixirt ist, vertraut. Darauf weist das ‚Ecilburgum‘ im obigen Citate, ebenso S. 42 ‚Eclburgu‘ und ‚Elciburgu‘ (S. 40 civitas Atthile regis). Von Buda, dem Bruder Attilas, weiss der Anonymus nichts, und so findet sich bei ihm auch nicht jene Erklärung des Namens Buduvar, die Keza und die Nationalchronik bieten.[1] Schliesslich mag nur noch auf einen Umstand hingewiesen werden, welcher bezeugt, dass dem Anonymus nicht die bereits in Keza's Hunengeschichte fixirte Ueberlieferung vorlag. Nach diesem Berichterstatter hat sich bekanntlich Chaba, der Sohn Attilas, mit einer Chorasmierin vermählt; aus dieser Ehe stammten Edemen und Ed, von denen der Erstere[2] der Ahne des nachmaligen Geschlechtes Aba war (§ 15), während der Letztere in Skythien zurückblieb. Nach dem Berichte des Anonymus sind dagegen Ed und Edumen kumanische Fürsten, mit denen sich Almus auf dem Marsche nach Pannonien verbunden hatte (§ 10). Beide kommen nach Pannonien und ‚ex quorum etiam progenie longo post tempore rex Samuel descendit, qui pro sua pietate Oba vocabatur‘ (§ 32). Solche Widersprüche zeigen zur Genüge, dass die Quelle unserer Chronisten die schwankende Ueberlieferung ist.[3]

---

[1] Vgl. Keza S. 64: Fecerat (Buda) enim Sicambriam suo nomino appellari ... Vgl. Chronicon Bud., S. 24, wo die ganze Stelle viel deutlicher stilisirt ist.

[2] So ist offenbar die Nachricht auszulegen, da ausdrücklich gemeldet wird, dass Ed in Skythien zurückblieb.

[3] Was Marczali in ‚Ungarns Geschichtsquellen‘ S. 91 f. darüber ausführt, ist von ziemlich zweifelhaftem Werthe. Wenn er glaubt, dass der

Die Ungarngeschichte des Anonymus be
in den Studien VII und VIII ausführlich gezei
den Gesta Hungarorum vetera; insbesondere sin
genannten Studie die Zusammenstellungen der
S. 236 ff. und S. 256 ff. zu vergleichen. Diese
schon die Grundlage der Beschreibung Skythiens
entnahm er die Mittheilungen über den Ursprung
und ihrer Fürsten, über Magog, Attila, Ugek un
über Almus; sie bilden auch die Grundlage für s
von dem Auszuge der Ungarn aus Skythien und
Schicksalen bis auf Geisa. Ins Einzelne brauche
Stelle nicht auf die aus den Gesta geschöpfte
des Anonymus einzugehen, weil diese sich aus de
Stellenverzeichnissen und den daran geknüpfte
zur Genüge ergeben. Auf seine Vorlage weist
an zwei Stellen hin. An der Spitze des § 7 les
die Worte: ,Anno dominice incarnationis DCCCL
in annalibus continetur cronicis septem
sone, qui Hetumoger vocantur, egressi sunt d
versus occidentem.' Da diese Zeitangabe mit ge
kungen sich auch in den anderen Ableitungen
Keza und in der Nationalchronik) findet,[1] so
nehmen, dass sie bereits in den Gesta stand m
mus also unter den annalibus cronicis neben Regi
auch die Gesta verstanden hat. Im § 42 finden
Anonymus Folgendes: ,Sed quidam dicunt eos (H
usque ad Constantinopolim et portam auream
Botondium cum dolabro suo incidisse. Sed ego,
codice historiographorum inveni, nisi ex fal
corum audivi, ideo ad presens opus scribere
Unter den Geschichtsbüchern, auf welche Anon
weist, sind natürlich auch die Gesta vetera zu
der dem Anonymus vorliegenden Redaction ders
die Heldenthat des Botond noch nicht enthalten

Anonymus ,wohl wissen musste, dass das Haus Aba rei
so irrt er. Weder die Nachricht Keza's, noch jene des A
dafür zu sprechen. Wenn aber die spätere Nation
hauptet, so ist dies eben späterer Zusatz. Man vergleiche
[1] Vgl. Studie VIII, S. 247.
[2] Vgl. Studie VIII, S. 272.

Es ist bereits erwähnt worden, dass die uns vorliegende Darstellung des anonymen Notars nur bis Geisa, dem Vater Stephans des Heiligen, reicht. Aus diesem Umstande schloss Rademacher,[1] dass der Notar ,vielleicht Mangel an Quellen litt, nachdem Regino versiegt war' und ,die ihm bekannte einheimische Chronik vielleicht nur bis zur Bekehrung der Ungarn reichte'. Andererseits ist Marczali[2] der Ansicht, dass uns des Anonymus Werk nicht vollständig erhalten sei. Dieser stützt seine Anschauung auf die Bemerkung, dass der Notar ein ,Ereigniss aus der Zeit der Könige' erwähnt und hinzusetzt: ,wie wir sehen werden'. Da nun ,die 57 uns erhaltenen Capitel nicht einmal bis Geisa, den Vater Stephans des Heiligen reichen', so müsste das Werk unvollständig überliefert sein. Dass aus der Bemerkung: ,wie wir sehen werden' noch nicht folgt, dass der Notar auch wirklich die Geschichte seit Stephan geschrieben habe, bemerkt Rademacher ganz richtig. Aus dieser und ähnlichen Stellen, denn es gibt deren mehrere,[3] kann billiger Weise nur gefolgert werden, dass der Autor die Absicht hatte, auch das 11. Jahrhundert zu behandeln, nicht aber, dass er auch wirklich dieses Vorhaben ausgeführt hat. Wir haben überhaupt kein Mittel zur Verfügung, das in entscheidender Weise die Lösung dieser Frage ermöglichen würde, denn auch eine zweite Frage, welche mit dieser zusammenhängt, kann füglich nicht als entschieden betrachtet werden. Es ist dies nämlich die Streitfrage, ob der einzige uns erhaltene Codex das Autograph des Verfassers sei. Würden die jüngst wieder von Florianus[4] dafür geltend gemachten Gründe entscheidend sein, so wäre die Frage gelöst: der Anonymus hätte thatsächlich nur die Erzählung bis auf Geisa fortgeführt. So aber bleibt die Frage zunächst unentschieden. Denn auch die oben mitgetheilten Gründe Rademacher's, die ihn zur Annahme bewegen, das Werk des Anonymus wäre wegen Quellenmangels nicht weiter gediehen, sind ganz hinfällig. Wir wissen nämlich, dass die von ihm benützten und ausgeschriebenen Gesta Hungarorum vetera ganz gewiss bis zum Ende des 11. Jahr-

---

[1] Zur Kritik ungarischer Geschichtsquellen (Forschungen zur deutschen Geschichte XXV), S. 391.

[2] Ungarns Geschichtsquellen, S. 86 und 94.

[3] Vgl. weiter unten im Text.

[4] Fontes II, 391 f.

hunderts reichten. Aber vielleicht lag ihm ein
Exemplar derselben vor? Auch das ist nicht de
Jene Verweise: ,wie wir im Folgenden sehen wer
mit vorgreifenden Bemerkungen ergeben allen:
Schluss, dass der Anonymus die Geschichte
Zeit schrieb, wohl aber beweisen sie, dass ihr
eine Quelle vorlag. Und diese Quelle waren,
gleiche lehren, die Gesta vetera. Hiefür werden
nur eine Stelle anführen können, auf die Mar
sondern mehrere. Abgesehen von den einzelnen a
hundert bezüglichen Nachrichten, die sich du
die Nationalchronik nicht als Bestandtheil der
nachweisen lassen,[1] können wir folgende Mit
Anonymus zur Geschichte Stephans und seiner
11. Jahrhundert ganz unzweifelhaft auf die
zurückführen. So wird am Ende des § 15]
König Andreas der Sohn des calvus Ladislaus
Frau die Tochter eines ruthenischen Fürsten w
auf die Feldzüge des deutschen Kaisers hinge
dieser unternahm, um Peter zu rächen: ,ut
dicetur'. Dies Alles steht in Uebereinstimmung m
chronik (Budense, S. 102 und 108 ff.) und zun
Keza, S. 84, rührt also aus der gemeinsamen Qu
vetera, her und ist ein Beweis, dass diese dem A
für das 11. Jahrhundert vorlagen. An zwei a:
(§ 24 und 27) wird über das Schicksal des Für:
Siebenbürgen und seiner zwei Söhne in ganz äl
berichtet wie kurz bei Keza (S. 77) und ausfü
Chronik (Budense, S. 65). Man vergleiche insb

Anonymus.	Chr. Bu
§ 24. Nam terram ultrasilva-	S. 65. Beatus
nam posteritas Tuhutum usque	cepit Gyulam du
ad tempus s. regis Stephani	et duobus filiis

---

[1] Hieher gehört die Nachricht am Ende des § 11, dass
Stephans des Heiligen von Sunad getödtet worden ist
im Text S. 379 f.). Ferner die Nachrichten über Köni
§ 32, über welche ebenfalls unten im Text S. 377 zu vergl
die Mittheilungen § 57 über die grausame Hinrichten
zur Zeit Stephans.

habuerunt et diucius habuissent, si minor Gyla cum duobus filiis suis Bivia et Bucna christiani esse voluissent, ut in sequentibus dicetur. § 27 ... Zumbor vero genuit minorem Geulam, patrem Bue et Bucne; tempore cuius s. rex Stephanus subiugavit sibi terram ultrasilvanam et ipsum Geulam vinctum in Hungariam duxit et per omnes dies vite sue carceratum tenuit, eo quod in fide esset vanus et noluit esse christianus et multa contraria faciebat s. regi Stephano, quamvis fuit ex cognatione matris sue.

gariam transmisit. Hoc autem ideo fecit, quia sepissime fuit ammonitus a beato rege Stephano, nec ad fidem Christi conversus est, nec ab inferenda Hungaris iniuria conquievit.

Schliesslich verweisen wir noch auf eine Stelle des Anonymus, die ganz unzweifelhaft auf den Gesta beruht und hier mit der Geschichte des 11. Jahrhunderts verbunden gewesen sein dürfte. Es ist dies nämlich die Beschreibung Siebenbürgens, welche beim Anonymus allenfalls schon mit den Eroberungen beim Einzuge in Pannonien verbunden erscheint, nach dem Ausweise der Nationalchronik aber in die Zeit Stephans gehört. Man vergleiche:

Anonymus.	Chr. Budense.
§ 27. Quod terra illa irrigatur optimis fluviis ... Et quod in arenis eorum aurum colligerent et aurum terre illius optimum esset.	S. 65. Erdeel, quod irrigatur plurimis fluviis, in quorem arenis aurum colligitur, et aurum terre illius optimum est.

Weniger Gewicht ist darauf zu legen, dass beim Anonymus (§ 43) das Gebirge Peturgoz genannt wird, das bei Keza (§ 36) und in der Nationalchronik (Budense, S. 181) in der Geschichte Kolomans genannt erscheint; die Erwähnung geschieht bei verschiedenen Gelegenheiten und muss nicht durch die gemeinsame Quelle veranlasst worden sein.

Fassen wir das Ergebniss unserer Untersu
sammen, so werden wir sagen dürfen: Die aufgeste
stellen legen es klar genug dar, dass die Quell
sich auch noch über das 11. Jahrhundert erstreck
von den Gesta vetera auch vorausgesetzt werde
in die Mitte des Jahrhunderts (Andreas!) finden m
liche Beziehungen zwischen der Darstellung des A:
dieser älteren Chronik; und wenigstens eine Ande
handen, dass ihm auch noch die Erzählung da
Koloman vorlag. Aus dem Mitgetheilten folgt abe
dass der anonyme Notar auch die Geschichte l
der Könige des 11. Jahrhunderts geschrieben
gegen wird man die Bemerkungen ,ut in sequen
(§ 15, § 24) u. dgl. durchaus nicht als blosse Fl
fassen müssen,[1] da der Anonymus doch ganz woh
gehabt haben kann, auch die fernere Geschichte .
und es vielleicht auch gethan hat.

Bezüglich des Verhältnisses des Anonymus zu
quelle, den Gesta Hungarorum vetera, ist noch
bemerken: In einzelnen Fällen hat der Anonymus ı
lichen Text der Gesta bewahrt. Dies kommt zu
Unbeholfenheit und dem Mangel an chronologi
zum Ausdrucke. Wenn ferner der Anonymus F
pascua Romanorum bezeichnet (§ 9) und sich d
druck auch bei Richard ,De facto Ungariae ma,
findet,[2] nicht aber bei Keza und in der Nation
kann dies in Anbetracht der gemeinsamen Quel
genannten Ableitungen der Gesta vetera nur d
werden, dass der Anonymus hier eine ursprüngli
der Gesta bewahrt hat. Ebenso ist die Nachri
Ungarn bereits unter Almus Pannonien einnahmer
beim Anonymus findet, ursprünglicher als die bei
der Nationalchronik enthaltene, dass dies erst
geschah (Studie VIII, S. 249 f. und 304 ff.). Auch
dass dem Anonymus Nachrichten fehlen, welche !
in der Nationalchronik enthalten sind, könnte ?
gedeutet werden, dass Anonymus hierin ursprüngli

---

[1] Vgl. Cassel, Magyarische Alterthümer, S. 45 f.
[2] Endlicher, Monumenta Arpadiana, S. 248.

leicht wird dies so zu erklären sein, dass dem Anonymus überhaupt eine ursprünglichere Redaction der Gesta vorlag als Keza und der Nationalchronik. Man vergleiche hiezu die Bemerkungen in Studie VIII, S. 302. Andererseits könnten auch einzelne Nachrichten, welche Anonymus mehr hat als Keza und die Chronik, ebenfalls aus einer ursprünglichen Redaction der Gesta herrühren, so z. B. der Name Samuel für Aba (§ 32). Vielleicht ist auch auf diese Art eine Beziehung, die sich zwischen der Darstellung des Anonymus und der polnisch-ungarischen Chronik findet, zu erklären, wozu noch zu bemerken ist, dass bekanntlich diese Chronik, oder eigentlich ihre Quelle, zu den Gesta vetera in gewissen Beziehungen stand.[1] Die eben erwähnten Beziehungen bestehen in Folgendem: In der ungarisch-polnischen Chronik wird Gran und castrum salis (d. i. Saros an den Toplaquellen) als Grenze gegen Polen genannt.[2] Nun wird auch beim Anonymus (§ 17) von der Eroberung des Landes usque ad fluvium Souyou et usque ad castrum salis gesprochen, und nach § 18 ist auch dort die Grenze gegen Polen zu suchen. Ferner ist aber auch der Granfluss vom Anonymus als Grenze gegen Polen aufgefasst, wenn er (§ 34) von dem Beschlusse der Heerführer erzählt, dass sie hier ‚facerent in confinio regni munitiones fortes tam de lapidibus quam etiam de lignis, ut ne aliquando Boemy vel Polony possent intrare causa furti et rapine in regnum eorum‘. Wir erinnern noch daran, dass auch zwischen Alberich und der ungarisch-polnischen Chronik sich gewisse engere Beziehungen aufweisen lassen, die auch nur dadurch erklärt werden können, dass die von Alberich benützte Redaction der Gesta vetera hierin der ihr mit der ungarisch-polnischen Chronik gemeinsamen Quelle nahestand.[3]

Wenn aber auch der Anonymus in gewissen Fällen den ursprünglichen Text der Gesta vetera bewahrt hat, so ist damit durchaus nicht gesagt, dass er überhaupt Aenderungen desselben, Interpolationen u. dgl. unterlassen habe. Er hat vielmehr die Darstellung der alten Gesta vielfach verändert und erweitert, wie dies aus dem folgenden Abschnitte zu ersehen ist.

---

[1] Vgl. Studie VI, S. 525 ff. und 529; VII, S. 443; VIII, S. 302 f.
[2] Vgl. Studie III, S. 617 f.
[3] Vgl. Studie VI, S. 526 und VIII, S. 302 f.

2. Andere Quellen des Anonymus und wie er a
Hauptquelle (die Gesta vetera) erwei

Unser Anonymus oder — wie er sich sel
leitung seines Werkes bezeichnet — ‚P. dictu
quondam memorie gloriosissimi Bele regis Hun;
war, wie schon seine Titel zu bezeichnen sc
seine Zeit wohlgebildeter Mann. Davon zeigt
merkung von seinem Schulbesuche und seine
über die Beschäftigung mit den Schriftstellern,
trojanischen Krieg geschrieben haben.[1] Auch be
drücklich, dass er ‚secundum tradiciones diver;
graphorum' seine Ungarngeschichte schreibe.
merkungen richtig, und welcher Quellen hat er
Gesta vetera bedient?

Thatsächlich lässt sich nachweisen, dass
Notar mehrere Quellen vorlagen, und dass er e
mässig grosse Belesenheit besass; doch hat mar
her der Ehre zu viel erwiesen und ihm auch
manches mittelalterlichen Schriftstellers zugesch
wohl gar nicht vor sich gehabt hatte. Andere
freilich auch manches Interessante in dieser B
sehen.

So muss vor allem betont werden, dass
Gesta Hungarorum vetera noch eine andere
Quelle benützt hat.

Wer die Darstellung des Anonymus mi
ungarischen Chroniken vergleicht, wird leicht :
über die Geschichte Ostungarns viel mehr zu l
Man vergleiche insbesondere die Capitel 11, 2
Wir kennen nur noch eine Quelle, welche sich
hältnisse ebenfalls unterrichtet zeigt, nämlich d;
hardi. Zwischen der Darstellung des Anony
der Vita sind nun ganz unverkennbare Beziehui
Zunächst mag darauf hingewiesen werden, dass

---

[1] Im Prolog: ‚Dum olim in scolari studio simul esse;
troiana, quam ego cum summo amore complexus ex lib
ceterorumque auctorum, sicut a magistris meis au;
volumen proprio stilo compilaveram, pari volunta;
(Fontes II, S. 1).

ebenso wie die Vita besonders den griechischen Einfluss in Ostungarn vor Stephan I. betont. So lässt z. B. Anonymus (§ 14) den ‚dux Salanus‘ folgendermassen zu Arpad und seinen Ungarn sprechen: ‚... mandavit eis, ut mala facta sua emendarent et fluvium Budrug nullo modo transire auderent, ut ne ipse veniens cum adiutorio Grecorum et Bulgarorum ...‘; hiezu ist auch noch § 38—42 zu vergleichen. Ebenso legt der Notar (§ 20) dem Fürsten Menumorut, als dessen Gebiet das Land zwischen Maros und Samos genannt wird (§ 11), folgende Aeusserung in den Mund: ‚... terram hanc .. tamen modo per gratiam domini mei imperatoris Constantinopolitani nemo potest auferre de manibus meis.‘ Mit dieser Anschauung, die sich sonst nirgends in den ungarischen Quellen findet, stimmt ganz der Bericht der Vita s. Gerhardi überein, wo es über Achtum, den Beherrscher des südöstlichen Ungarn, heisst:[1] ‚... accepit autem potestatem a Grecis‘.[2] Hierzu kommt nun aber der Umstand, dass über Achtum, den wir eben genannt haben, ebenfalls nur der Anonymus und die Vita s. Gerhardi etwas zu berichten wissen; keine andere ungarische Quelle erzählt etwas über denselben. Was aber in den beiden genannten Quellen über ihn mitgetheilt ist, stimmt fast völlig überein. Man vergleiche:

Anonymus § 11.	Vita s. Gerhardi § 10.
Terram vero que est a fluvio Morus usque ad castrum Ursia (= Orsova) preocuppavisset quidam dux nomine Glad, de Bundyn castro egressus....	S. 215. Serviebat namque eidem viro (Achtum) terra a fluvio Keres usque ad partes Transilvanas et usque in Budin et Zeren (d. i. Zewrin oder Severin unterhalb Orsova). — S. 214. Achtum .. in civitate Budin fuerat baptizatus.
Ex cuius progenie Ohtum fuit natus, quem postea longo post tempore sancti regis Stephani Sunad filius Dobuca nepos regis in castro suo iuxta	S. 217. Achtum vero interfectus est in loco prelii ab exercitu Chanadini. S. 214 et usurpabat sibi (Achtum) potestatem super sales regis descen-

[1] Monumenta Arpadiana, S. 215.
[2] Dass diese Nachrichten historisch begründet sind, ist kaum zweifelhaft. Man vergleiche darüber meine ‚Beiträge zur älteren ungarischen Geschichte‘ (Wien 1893), S. 1 ff.

Morosium interfecit, eo quod predicto regi rebellis fuit in omnibus. Cui etiam predictus rex pro bono servitio suo uxorem et castrum Ohtum cum omnibus apendiciis suis condonavit. Sic enim mos est bonorum dominorum suos fideles remunerare; quod castrum nunc Sunad nuncupatur. Quid ultra? ...

dentes in M
Chanadinus
Achtum) de
rege sublima
tuit principe
domus Achtu
ab hac die
bitur Morise

Chanadina,
cum meum i
vincia Char
usque generis

Aus den vorstehenden Parallelstellen ist die Erzählung in allen Hauptpunkten übereinst vergessen werden darf, dass die Mittheilunge § 11 nur vorgreifende Bemerkungen sind, da nicht in die Zeit Stephans reicht, wo wir allenf breiter und dann auch wohl zu jener in de licher gefunden hätten. Auch das ‚Quid ultr der Anonymus seine Mittheilungen schliesst, Einschub an dieser Stelle. Wir dürfen also dass dem Anonymus entweder die V oder doch eine dieser nahe Quelle vor! nochmals betont werden, dass sich sonst : Achtum in keiner anderen Chronik finden. sonst keine Berührungspunkte zwischen dei Anonymus und der Vita s. Gerhardi sich fin klärlich: die Erzählung des Notars reicht nic bei deren Schilderung er seine Quelle hätte können.

Von sonstigen einheimischen Quellen h sonst nachweisbar nur noch die mündliche benützt. Dass er diese wohl kannte, verräth So lässt er sich im Prolog, wie folgt, verne nobilissima gens Hungarie primordia sue ge

---

[1] Schon dies weist den Gedanken zurück, als ob auch die Quelle für die Vita s. Gerhardi gewesen diesbezüglich Studie VIII, S. 233 ff.

queque facta sua ex falsis fabulis rusticorum vel a garrulo
cantu ioculatorum quasi sompniando audiret, valde indecorum
et satis indecens esset.' Und an einer anderen Stelle (§ 42)
lesen wir: ,Quorum etiam bella et fortia queque facta sua
(siehe das vorige Citat!) si scriptis presentis pagine non vultis,
credite garrulis cantibus ioculatorum, qui fortia facta et bella
Hungarorum usque in hodiernum diem oblivioni non tradunt.
Sed quidam dicunt eos ivisse usque ad Constantinopolim et
portam auream Constantinopolis Botondium cum dolabro suo
incidisse. Sed ego, quia in nullo codice hystoriographorum inveni, nisi ex falsis fabulis rusticorum audivi, ideo ad presens
opus scribere non proposui.' Aus den vorstehenden Stellen [1]
geht zur Genüge hervor, dass zur Zeit des Anonymus die
Ueberlieferung reichlich floss, und dass er dieselbe zum guten
Theile kannte. Wenn er nun aber mit dünkelhaftem Gelehrten-
stolz von den Volksgesängen und -Sagen wenig zu halten scheint
und z. B. die Fabel von Botond zurückweist, die andere Chronisten doch wieder aufnahmen, [2] so ist dies noch durchaus kein Beweis, dass er die Tradition überhaupt ganz ausseracht liess. So hat
er ganz gewiss die schöne Sage vom Kaufe Pannoniens durch die
Ungarn aus der Ueberlieferung aufgenommen (§ 14), aus welcher
sie auch der spätere Nationalchronist kannte. [3] Kaum ist es
zweifelhaft, dass auch vieles Andere, was er in der Eroberungsgeschichte erzählt, aus der Ueberlieferung herrührt. [4] Vieles
hievon wird aber freilich nicht echte Volkssage sein, sondern
zum guten Theile etymologische Erfindung. Die Entscheidung
wird zumeist wohl schwer fallen. Aus einzelnen der Etymologien geht hervor, dass der Anonymus des Slavischen mächtig
war. [5] Am Schlusse der Eroberungsgeschichte verschwinden

---

[1] Man vergleiche auch noch § 25: Ut dicunt nostri ioculatores: omnes
loca sibi acquirebant et nomen bonum accipiebant.

[2] Vgl. Studie VIII, S. 267 und 272.

[3] Studie VIII, S. 255.

[4] Man vergleiche z. B. § 11: ... dux Morout, cuius nepos dictus est a b
Hungaris Menumorout, eo quod plures habebat amicas; und die gegen
die Ueberlieferung von Morot gerichtete Polemik bei Keza, § 16
und 18. (Tradunt quidam quod Hungari Morot...; usque hodie fabulose
Morot ipsum fuisse asseverant.)

[5] Hierher gehört die Erklärung von Muncas = labor (§ 12), fluvius Ketel
= Ketelpotaca (§ 15), Surungrad = nigrum castrum (§ 40). Allenfalls sind
einzelne der slavischen Worte magyarisches Spracheigenthum geworden.

diese auf Ortskenntniss u. dgl. beruhenden
Notars; für die Zeit der Raubzüge muss er
seiner Vorlage, den Gesta, und Regino begn

Nun wenden wir uns der Erforschu
Quellen zu, welche der Notar benützt hat.

Zur Erweiterung der Beschreibung Skytl
ihm die Gesta vetera darboten, hat er zun
benützt, auf die in neuerer Zeit F. Rühl
Derselbe hat zunächst im Jahre 1880 in den
classische Philologie', Bd. 26 (= 121), S. 549 {
Laurentianus 66, 40, saec. X und dem cod
E, III, 14 zwei auf Cassiodor beruhende Au
gothischen Urgeschichte veröffentlicht un
1883 in den Forschungen zur deutschen G
S. 601 ff. darauf hingewiesen, dass diese od
ihnen engverwandte Vorlage vom Anonymus
rung des § 1 benützt wurde. Diese Quell
der Notar (§ 1) unter den ‚hystoriographi, qui
scripserunt' und einige Zeilen weiter unter ‚q
graphi' verstanden haben. Dieser Nachweis
dankenswerth und der Hauptsache nach au
wird man bezweifeln und wohl auch bestre
alle Stellen, die Bühl auf die gothische Urg
führen will, auch wirklich aus derselben h
bei seinen Ausführungen an ein Doppeltes
den Vergleich des Anonymus mit den and
Quellen, und 2. an den Umstand, dass gev
sich in vielen mittelalterlichen Schriftstellern
Form wiederholen, dass es sehr schwer ist, c
kunft und Abhängigkeit nachzuweisen. So i
Bestimmung der Lage Skythiens nicht aus L
und Bamb., Z. 121—123 geflossen, sondern
Gesta vetera, weil Anonymus hier mit Keza
chronik ‚versus orientem' und ‚aquilonali' ha
Laur. noch im Bamb. sich findet.[1] Ebenι
merkung des Anonymus: ‚ubi ultra modum
veniuntur zobolini, ita quod non solum nol
vestiuntur inde, verum etiam bubulci et sul

---

[1] Vgl. Studie VIII, S. 236 ff.

sua decorant vestimenta in terra illa' nicht auf Laur., Z. 139
und Bamb., Z. 127 zurückgehen, weil diese Stelle nichts mehr
Gemeinsames haben als die Mittheilung, dass den Skythen
Pelzwerk als Bekleidungsmaterial diente, was sich doch schon
in Regino findet (pellibus tantum ferinis ac murinis induuntur),
der sowohl den Gesta vetera als auch direct dem Anonymus
zugänglich war.[1] Die folgenden Mittheilungen über das Vorkommen von Edelmetallen und Edelsteinen, sowie über Gog et
Magog könnten wohl auf die Auszüge zurückgehen, doch ist
einerseits die Bemerkung, dass die Flüsse Fundstätten dieser
Kostbarkeiten seien, bereits in den Gesta vetera vorhanden[2]
und andererseits haben schon gewiss diese Gesta Magog-Mogor
als Stammvater der Magyaren gekannt.[3] Die Bemerkung über
die Unbesiegbarkeit der Skythen findet sich schon bei Regino und stand in den Gesta vetera.[4] Den Auszügen entnommen sind die Bemerkungen, dass die Skythen ‚antiquiores
populi' sind, und vielleicht auch, dass Magog der Sohn Japhets
war, denn in den anderen ungarischen Quellen wird eine etwas
andere Genealogie geltend gemacht.[5] Was nun bei Anonymus
folgt (et gens illa a Magog — originem duxerunt sicut in sequentibus dicetur), ist theils aus den Gesta vetera entnommen, theils

---

[1] Vgl. darüber weiter unten. — Zum Beweise unserer obigen Bemerkung,
wie schwer es oft sei, die wirren Abhängigkeitsverhältnisse der mittelalterlichen Quellen zu enträthseln, dient auch ein Vergleich der eben
in Rede stehenden Stelle. Wir setzen zu diesem Zwecke neben die
oben citirte Stelle aus Anonymus die entsprechenden aus Regino, Laur.
und Bamb.:

Regino a. 889:	Laur., Z. 139:	Bamb., Z. 127:
Lanae his usus ac ves-tium ignotus, et quam-quam continuis frigori-bus afficiantur, pellibus tantum ferinis ac mu-rinis induuntur.	vestem laneficie ig-noti, sed pellis ferarum morenarum ad vesti-menta utendo.	vestiti erant de pellibus ferarum.

Darnach steht Laur. dem Regino am nächsten, trotzdem keine
directen Beziehungen zwischen ihnen aufzuweisen sind.

[2] Vgl. unten S. 387 f.
[3] Vgl. Studie VIII, S. 242.
[4] Ebenda, S. 238 f.
[5] Ebenda, S. 242.

interpolirt (siehe oben S. 370 f.). Nun folgt ein
schub aus den Auszügen, der wieder mit der I
Skythen als ,antiquiores populi' beginnt, sowie i
lichen Hinweise auf seine Quelle (de quibus hyst
gesta Romanorum scripserunt). So geht es in
weiter. Im Einzelnen das bunte Gewirr diese
aufzulösen, hat wohl keinen Zweck. Es genügt,
zu haben, dass der Notar für seine erweitert
Skythiens wohl eine den Auszügen nahestehend
nutzte, dass er aber durchaus nicht alle Nachric
auch in den Auszügen finden, diesen entnommen
Vieles von diesen verwandten Nachrichten steh
Regino und stand also auch in den auf diese
Gesta vetera; diese Quellen lagen aber dem A

Längst ist es bekannt, dass der Notar d
Geschichte des Dares Phrygius benützt hat,
selbst im Prolog nennt. Das Nähere darüber I
in den Forschungen zur deutschen Geschichte, I

Ebenso ist wohl die Benützung von ,Alex
liber de preliis' durch den Anonymus sicherg
ist Marczali, a. a. O. S. 627—630 und Rühl in den
Bd. 23, S. 607 zu vergleichen.[2]

Die Benützung des Guido de Columpna i
haft. Die von Marczali, a. a. O. S. 631 f. angefi
die eine ,freiere Benützung des Guido'schen Wer
sollen, sind allgemein verbreitete Phrasen, die m
so in einem anderen Schriftsteller finden würde
etwas mehr Beachtung verdienende Stelle wäre je
der Anonymus die Notiz genommen hätte, da
Skythiens Kleinodien führen. Diese besticht auch
einen Augenblick daran zu glauben, dass Guido
eine Quelle des Notars wäre. Er hat, ebenso

---

[1] Ein anderer Irrthum Rühl's besteht darin, dass er g
der Notar gemeinsam mit Regino habe, müsse diesem
sein. Auch das ist irrig: viele dieser Nachrichten ka
die Gesta dem Anonymus zu.

[2] Irgend eine Redaction des Alexanderromans war auo
der ungarisch-polnischen Chronik bekannt. S. 507 der
Pol. Hist. I heisst es nämlich, dass Stephan sich eri
Alexandri regis, qui dixerat: stare pro patria, patrie
invigilare decet'.

nicht gewusst, dass der Anonymus diese Nachricht aus seiner Hauptquelle, den Gesta vetera, entnahm, aus welcher sie auch in die spätere Nationalchronik floss.
Man vergleiche:

Anonymus.	Chr. Budense.	Guido.
§ 1, S. 2. Nam ibi bundat aurum et ar- ntum et inveniuntur fluminibus terre il- s preciosi lapides et nme.		ditissimus au et gemmis, que in fl mine Tigri et Eufra crebrius inveniuntu
§ 1, S. 3. Aurum et rentum et gemmas bebant sicut lapides, ia in fluminibus eius- m terre invenieban- '.		
§ 25. Et quod in are- eorum (fluviorum) rum colligerent, et rum terre illius opti- im esset.	S. 65. Erdeel, quod irri- gatur plurimis fluviis, in quorum arenis aurum col- ligitur, et aurum terre illius optimum est.	

Wir bemerken zu den vorstehenden Parallelstellen, dass der Notar die Zusammenstellung aurum—argentum—gemmas aus den Auszügen übernahm;[1] aus den Gesta brauchte er also nur den Gedanken an die Flüsse als Fundort entnommen zu haben. Er konnte dies übrigens als Ungar auch aus eigener Erfahrung gewusst oder sonst woher geschöpft haben, ohne gerade den Guido zu kennen.[2] Dazu kommt nun aber Rühl's Nachweis, dass Guido sein Werk erst 1288 vollendete, der

[1] Laur., Z. 140: aurum et argentum nimis sicut lapidis ibidem invenitur et multa alia gemmarum diversitas. — Bamb., Z. 127: aurum et argentum et gemmas sicut lapides habebant. Vgl. Studie VIII, S. 240, Anm. 4.

[2] So finden wir z. B. auch bei Isidor die Nachricht (Originum lib. XVI, cap. XI, § 4): Mittunt eam (sc. galactitem, d. i. einen weissen Edelstein) Nilus et Achelous amnes. — Plinius, Nat. Hist., lib. IV, §. 115: Tagus auriferis harenis celebratur; lib. XXXIII, §. 66: Aurum invenitur tribus modis: fluminum ramentis, ut in Tago Hispaniae, Pado Italiae, Hebro Thraciae. . . .

Anonymus aber doch wohl schon früher seine Gesta geschrieben hat. Also werden wir wohl doch dem von Rühl (S. 606) ausgesprochenen Zweifel über die Benützung Guidos durch den Notar beistimmen.

Die von Marczali, a. a. O. S. 626 f. behauptete verderbliche Beeinflussung des Notars durch die Etymologien des Isider wird von Rühl, a. a. O. S. 603 wohl mit Recht geleugnet. Was der Notar nach Marczali aus Isidors Darstellung entnommen haben soll (Magog), steht eben schon in den Auszügen (siehe oben!). So wird man wenigstens an eine directe Ausnützung nicht denken müssen.

Dasselbe gilt von der von Marczali, a. a. O. S. 625 geltend gemachten Benützung des Justinus. Alle Stellen, welche der Notar angeblich aus diesem geschöpft hat, finden sich in ähnlicherer Form in den Auszügen. Man vergleiche:

Anonymus.	Auszüge.	Justinus.
§ 1, S. 2. Scithici enim sunt antiquiores populi. — Ebenso S. 3.	Laur. Z. 134. Exiti antiquioris populus. — Bamb., Z. 121. Scithe antiquiores populi.	Scytharum gens quissima semperhel
§ 1, S. 4. ... Darium regem Persarum cum magna turpitudine Scithici fecerunt fugere et perdidit ibi Darius octoginta milia hominum et sic cum magno timore fugit in Persas.	Bamb., Z. 133. Daryum regem cum turpitudine fecerunt fugere predicti Scithe, et perdidit ibi Daryus centum milia hominum et sic cum timore fugit in Persas.	Darius ... as LXXX milibus h num trepidus re (steht hier also nu der Zahl dem N näher).
Ebenda: Gens enim Scithica dura erat ad sustinendum omnem laborem, et erant corpore magni Scithici et fortes in bello. Nam nichil habuissent in mundo, quid perdere timuissent pro illata	Bamb., Z. 139. Quia gens illa dura erat ad sustinendum omnem laborem, in bello fortis, corpore magna. Nichil habebant, quod perdere timerent; quando victoriam habebant, nihil de praeda volebant, nisi tan-	nihil parare, quod tere timeant, nihil tores praeter glo concupiscunt.

ü iniuria. Quando | tum laudem exinde |
im Scithici victo- | querebant.
im habebant ni-
il de preda vole-
nt .. sed tantum-
ide laudem exin-
querebant.

Wie wir sehen, wiederholt sich hier dasselbe, was wir bereits oben betont haben: Die ähnlichen Gedanken sind in diesen Dingen noch durchaus kein Beweis für directe Abhängigkeit der Quellen. Ganz offenbar hat auch hier der Anonymus nicht aus Justinus geschöpft, sondern aus der den Auszügen ganz nahestehenden Quelle.

Ebenso hinfällig ist die auf Grundlage einer einzigen Beobachtung behauptete Benützung des Geographen Solinus durch den Notar. Dieses Verhältniss steht durchaus nicht, wie Marczali, a. a. O. S. 625 behauptet, ‚ausser Frage‘. Es ist richtig, dass der Notar den Bluteid der Skythen wie Solinus beschreibt, aber es ist unrichtig, dass aus den ihnen blos gemeinsamen Worten ‚in unum vas‘ schon die directe Abhängigkeit gefolgert werden könnte. Der Notar könnte doch sehr wohl diese Kunde aus einer anderen Quelle haben, wie doch auch Solinus sie von irgendwo erhalten hat. Zum Vergleiche folgen noch hier die Stellen:

Anonymus.	Solinus.
§ 5. Tunc supra dicti viri pro Almo duce more paganismo fusis propriis sanguinibus in unum vas ratum fecerunt iuramentum.	Cap. 15. ... haustu mutui sanguinis in unum vas foedus sanciunt. ... (Scytharum) ne quidem foedera incruenta sunt, sauciant se, qui paciscuntur, exemptumque sanguinem, ubi permiscuere, degustant.

Bezüglich der Benützung Regino's muss betont werden, dass dieser einerseits mittelbar durch die Gesta Hungarorum vetera, andererseits nochmals unmittelbar vom Notar benützt wurde. Es genügt, auf Studie VII, S. 463 und 471 und vor Allem Studie VIII, S. 241, 268 f. und 273 zu verweisen, sowie

die Parallelstellen ebenda S. 236 ff. und 256 |
hier nochmals betont werden, dass nicht a
welche Anonymus bietet, und die sich b‹
der Nationalchronik nicht finden, direct erst
Regino entlehnt sein müssen. Man kann
dass er hierin entweder enger als Keza ι
sich an die Gesta anschloss, oder dass i
der Gesta vetera, welche Keza und der
benützte, bereits einige Nachrichten aus B‹
waren, die noch in der Redaction der Gesta, ·
vorlag, enthalten waren. Dies gilt aber gewi
den Stellen, welche Studie VIII, S. 273 namh
Vielleicht sind auch einige Züge in der Besch
direct aus Regino entnommen, worüber Studie
zu vergleichen ist.

3. Das Zeitalter des Anonymus. Der Werth
geschichte.

In den vorangegangenen Studien habe
die Ansicht ausgesprochen, dass der anonym
genosse Keza's war, also etwa um 1275 se
habe. An dieser Ansicht glauben wir mit
die neuere Untersuchung von Florianus fest
Auf andere, insbesondere die ältere Literatι
nöthig, hier näher einzugehen; man vergle
Mittheilungen bei Marczali, Geschichtsquellen
Der Verfasser unserer Chronik nennt s
fang seines Werkes ‚P. dictus magister ac q
morie gloriosissimi Bele regis Hungari‹
entsteht nun die Frage, welchem König Bela ·
dient hat. Dass der erste (1061—1063) und zw
König dieses Namens nicht in Betracht komr
haft. Man vergleiche übrigens darüber, was I
Fontes II, S. 261—274 ausführt. Es bleibt s
(1173—1196) und Bela IV. (1235—1270) üb.
entscheidet sich Florianus, für Letzteren Ma:
Florianus führt zunächst Alles an, wai
sicht dagegen spricht, dass der Notar im 1
13. Jahrhunderts geschrieben haben könnte

bis 284). Seine Ausführungen scheinen durchaus unstichhältig zu sein. Wir wollen sie, um dies nachzuweisen, näher prüfen.

Zunächst macht Florianus geltend, dass die Cumanen zur Zeit Belas IV. schon langes Kopf- und Barthaar trugen, Anonymus spricht dagegen von rasirten Köpfen der Cumanen, also könne er nicht dieser Zeit angehören. — Dieser Beweis ist unhaltbar. Ohne· dass wir auf die Kopftracht der Cumanen des 13. Jahrhunderts näher eingehen,[1] können wir nämlich gegen die Beweisführung Florian's Folgendes einwenden: An der betreffenden Stelle (§ 8) ‚Tonsa capita Cumanorum Almi ducis milites mactabant, tanquam crudas cucurbitas‘, spricht der Notar nicht von den Cumanen seiner Zeit, sondern von jenen, mit denen angeblich Almus gekämpft hat. Hatten nun, wie dies auch Florianus anzunehmen scheint, noch die Cumanen des 12. Jahrhunderts rasirte Köpfe, so durfte der Notar mit Recht deren Vorfahren diese Eigenschaft zuschreiben. Nichts berechtigt uns ferner zur Annahme, dass ihm aus seinen Quellen nicht bekannt war, dass die alten Cumanen ihren Kopf rasirt haben, und er nothwendigerweise sie so schildern musste, wie sie etwa zu seiner Zeit umhergingen. Dazu kommt nun aber, dass auch die um 1300 entstandene Nationalchronik nach Ausweis ihrer Ableitungen von rasirten Köpfen der Cumanen spricht. Im Chron. Bud., S. 129 heisst es nämlich von den Cumanen, gegen welche Ladislaus (der Heilige) kämpfte: ‚Capita quippe Cumanorum noviter rasa, tanquam cucurbitas, ad maturitatem nondum bene perductas, gladiorum ictibus discidunt.‘ Mit Recht vermuthet Marczali, Geschichtsquellen, S. 93, dass beiden Stellen irgend eine alte ungarische Redensart zu Grunde liegt. Ein Beweis lässt sich also aus dieser Stelle durchaus nicht ziehen.

An zweiter Stelle macht Florianus den Umstand geltend, dass der Notar gern vorgreifende Bemerkungen mache; da er nun keine auf die Zeit Belas IV., insbesondere auf den Tatareneinfall bezügliche biete, so müsse er früher sein Werk vollendet haben. — Dagegen muss bemerkt werden, dass der Anonymus wohl einige vorgreifende Bemerkungen macht (vgl. oben S. 373 ff.); daraus folgt aber durchaus nicht, dass er für gewisse Perioden und Ereignisse solche Bemerkungen gemacht haben müsse. Unbillig ist es, zu fordern, dass er in seiner nur bis auf den

---

[1] Vgl. übrigens Cassel, Magyarische Alterthümer, S. 172 f.

Herzog Geisa geführten Darstellung auch schon
hundert berücksichtigt haben solle. Würde d
verfahren Florians seine Richtigkeit haben, dan
Anonymus dem 11. Jahrhundert angehören, den
vorgreifenden Bemerkungen hat keine auf das 1?
Bezug. Man vergleiche oben S. 373 ff.

Seinen dritten Beweis holt Florianus aus
merkung des Notars (§ 57): ,Dux vero Zulta pos
militum suorum fixit metas Hungariae, ex pai
usque ad portam Wacil et usque ad terram Rac
Notiz — sagt Florianus — kann nur bis zur ?
gegolten haben; ,post captam enim' — fährt er :
tinis pridie idus Aprilis 1204 Constantinopolim, (
Latinis esse desierunt'. Diese Beweisführung —
Umstände gehen wir nicht ein — ist von der A
dass der Anonymus in jeder Beziehung die Zu
Zeit in die Vergangenheit übertragen habe. Nur
eine sehr unrichtige Anschauung. So wie er au
Vorlage über die Grenze bei Gran und Saros (vg)
Kunde erhalten hatte, so kann auch seine obi;
gleichviel ob sie richtig oder unrichtig ist, dies
anderen Quelle entsprungen sein. Die Berechtig
Angabe dieser Grenze das Zeitalter des Anonymu
zu wollen, ist ebenso verfehlt, als wenn man :
anderen Grenzangaben, z. B. der oben erwähnten
diesen Schluss ziehen wollte.

Ferner macht Florianus Folgendes geltend
erzählt Manches über die Familie Bors. Diese is
ausgestorben. Es ist nicht anzunehmen, dass de
Mittheilungen aufgenommen hätte, wenn er erst n
sterben der Familie geschrieben haben würde. -
zu antworten, dass der Notar dann überhaupt ni
sehr wenig geschrieben hätte, wenn er von der ih
nus zugeschriebenen Gesinnung erfüllt gewesen '
die Ereignisse, die mit der Geschichte einer
Familie zusammenhängen, wird der Historiker
einige Jahrzehnte nach deren Aussterben mit
richten. Wir fügen hinzu, dass im Berichte d
durchaus keine Andeutung vorhanden sei, als ob
genossen schriebe.

Fünftens macht Florianus auf folgende Stelle des Anonymus (§ 28) aufmerksam: ‚(Tosu et Zobolsu duces) in portu
Drugma fluvium Thyscie transnavigantes; ubi etiam per gratiam
Arpad ducis cuidam Cumano militi nomine Huhot magnam
terram acquisiverunt, quam posteritas eius usque nunc habuerunt.‘ Er verweist nun darauf, dass dieses Gebiet mit Uhot,
Ohat und Hahothmunustura zusammenfalle; da nun 1219 und
1248 ein abbas de Uhot erscheine, sei jenes Gebiet bereits
geistlich gewesen, und der Notar hätte nicht jene Bemerkung
‚usque nunc haberunt‘ gebrauchen können, wenn er Belas IV.
Notar gewesen wäre. — Aber auch dieser Beweis hat eine Reihe
von Schwächen. Zunächst finden wir Hahothmunustura gegen
das Ende des Jahrhunderts, wie dies Florianus selbst anführt,
wieder in dem Besitze von Laien; dies beweist eine Urkunde
von 1299. Die Vollständigkeit der obigen Ausführungen hätte
erfordert, dass 1. nachgewiesen werde, ob nicht die in der Urkunde von 1299 genannten Privatbesitzer etwa aus der Familie
des Huhot entstammten oder wenigstens dies vorgaben; und
2. wäre es möglich, dass die Besitzer seit 1248 mehrmals
wechselten und das Gut zur Zeit, da der Anonymus schrieb,
sich in dem Besitze der Nachkommen des Huhot befunden
hätte. Dazu kommt aber, dass wir absolut nicht wissen, ob
jene dem Huhot verliehenen Ländereien sich völlig mit der
Besitzung des Huhothmünsters deckten. Schliesslich ist der
Ausdruck des Notars ‚usque nunc haberunt‘ sehr auffällig.

Ferner macht Florianus darauf aufmerksam, dass die vom
Notar (§ 50) als fons Sabarie bezeichnete Quelle beim Martins-
berg in einigen Urkunden des 13. Jahrhunderts nicht unter
dieser Bezeichnung, sondern als Pannosa oder Pounsa erscheint.
— Gegen diesen Beweis muss eingewendet werden, dass das
ganze 13. Jahrhundert hindurch die Oertlichkeit, wo das Martins-
kloster lag, Sabaria genannt wird,[1] somit die berühmte Quelle
dortselbst von jedermann und jederzeit als Fons Sabarie bezeichnet werden konnte. Diese Bezeichnung wird durch die
von Florianus geltend gemachte durchaus nicht ausgeschlossen,
da beide Benennungen nebeneinander gebraucht werden konnten.

---

[1] Die Belege findet man im ‚Index alphabeticus codicis dipl. Arpadiani
continuati per Gustavum Wenzel. . . .‘ von F. Kovács (Budapest 1889),
S. 590 f.

Sodann will Florianus aus dem Umstande, dass beim Notar (§ 1) sich über Ofen die Bemerkung ,dicitur nunc Buduva' findet, den Schluss ziehen, er müsse vor Bela IV. geschrieben haben. Nachdem nämlich 1255 dieser König die neue Burg in Pest erbaut hatte, hätte man sich gewöhnt, Ofen als Vetus Buda zu bezeichnen. — Indessen darf man wohl mit Bestimmtheit annehmen, dass der Name Buduvar nicht so rasch verschwand, als dass er etwa 1275 nicht noch im Gebrauche war. Bei Keza wird an der entsprechenden Stelle allenfalls nur Oubuda (Altbuda) genannt (S. 64): ,Fecerat enim (Buda) Sicambriam suo nomine appellari ... Huni vero .. usque hodie eandem vocant Oubudam sicut prius.' Die Nationalchronik (Budense, S. 24) schiebt an dieser Stelle der von ihr ausgeschriebenen Hunengeschichte Keza's neben der neuen wieder auch die alte Namensform ein, sie war also dem Chronisten offenbar noch geläufig: ,Nam Sicambriam suo nomine fecerat nominari Buda Vara ... ut eadem civitas non Buda Vara, sed urbs Atile vocaretur ... Hungari vero .. adhuc eam Ó Budam usque hodie vocant et appellant.' Schliesslich müsste noch in Betracht gezogen werden, dass die Bemerkung ,nunc dicitur' leicht durch die Vorlage (die Gesta) beeinflusst sein könnte. Vergleiche Studie VIII, S. 244.

Nachdem Florianus die verschiedenen Umstände aufgeführt hat, welche nach seiner Meinung dagegen sprechen, dass der Notar um 1275 sein Werk verfasst haben könnte, vergleicht er (S. 284—291) dessen Werk mit demjenigen Keza's und versucht so zu zeigen, dass zwischen beiden ein grosser Zeitabstand angenommen werden müsste. Wir wollen auch diese Ausführungen im Einzelnen prüfen.

Zunächst versucht Florianus aus dem Umstande Schlüsse zu ziehen, dass beim Anonymus für Siebenbürgen der Name ,terra ultrasilvana' (§ 27), bei Keza aber bereits die Bezeichnung ,septem castra' (S. 77, § 24) sich findet. Da nun aber in der Nationalchronik, die bekanntlich erst um 1300 entstand, sich dieselbe Bezeichnung findet wie beim Anonymus (Chronicon Posoniense,[1] § 34: ,tocius ultra silvam regni gubernacula'; Pictum, S. 140: ebenso; Budense, S. 65 und Dubnicense, S. 44:

---

[1] Ueber die Ursprünglichkeit dieser Redaction siehe Studie XI.

,tocius transilvani regni‘), so fällt die ganze Beweisführung in nichts susammen.

Dass aus den beim Anonymus und bei Keza vorhandenen verschiedenen Bezeichnungen für die Führer der Ungarn kein bindender Schluss gezogen werden könne, gibt Florianus selbst zu.

Dass in der Beschreibung Skythiens bei beiden Unterschiede vorhanden sind, ist sicher. Der wichtigste ist allenfalls der, dass der Anonymus in seiner Beschreibung noch keinen Gebrauch von den Forschungsergebnissen des 13. Jahrhunderts gemacht zu haben scheint. Es fehlen an dieser Stelle bei ihm einige geographische Namen, welche sich bei Keza und in der Chronik finden; er hat es hier vorgezogen, seine Darstellung aus anderen, älteren Quellen zu interpoliren (vgl. oben S. 382 f.). Dafür zeigt aber Anonymus in den Paragraphen, in welchen er über den Zug der Ungarn nach dem Westen berichtet, sich weit besser als seine Quelle und die anderen Ableitungen derselben (Keza und die Chronik) unterrichtet.[1] Man vergleiche seine Ausführungen (§ 7 ff.) mit den kurzen Bemerkungen Keza's S. (58 f. und) 71 und des Chronicon Budense, S. (14 und) 36. Vor Allem findet sich beim Anonymus auch nicht die confuse Zusammenwerfung des Don mit dem Etul (Wolga), die sich bei Keza (S. 56) und nach ihm in der Chronik (Chron. Budense, S. 10 und 11) findet. Es ist also durchaus kein Grund vorhanden, die Gesta des Notars unbedingt vor die Entdeckungen des 13. Jahrhunderts anzusetzen. Wir sehen davon ab, dass dem Notar nicht nothwendigerweise alle Ergebnisse dieser Entdeckungen bekannt geworden sein müssten.

Völlig verfehlt ist auch der Beweis, den Florianus aus dem Verhältnisse des Notars und Keza's zur Sage von Botond folgert. Dass diese Sage (vgl. Studie VIII, S. 272) in der dem Anonymus vorgelegenen geschriebenen Quelle nicht enthalten war, ist richtig. Unsicher ist die Annahme, dass in der Quelle Keza's sie fixirt gewesen sein müsste. Völlig verfehlt ist aber der Schluss, dass aus dem Umstande, weil dem Notar die Sage noch nicht aufgezeichnet vorgelegen wäre, Keza sie aber schon (angeblich) in einer Chronik gefunden hätte, ein zeitlicher Abstand zwischen beiden angenommen werden müsste. Es ist

---

[1] Vgl. hiesu auch Cassel, Magyarische Alterthümer, S. 171 f.

sehr leicht möglich, dass ihnen zu derselben
(nach unseren Ausführungen die Gesta vetera) :
Redactionen vorlag.

Ebenso können andere Unterschiede :
stellungen, welche Florianus im Schlussabs:
schnittes aufzählt, erklärt werden, ohne da:
Unterschiede annimmt (Abweichungen in dei
die ältesten Führer der Ungarn und über di
bindung der Cumanen mit den Magyaren).

Aus dem Vorstehenden ersehen wir, das
such Florians, aus dem Vergleiche der Nachi
nymus und bei Keza einen grösseren Zeita
beiden nachzuweisen, keine bindenden Ei
förderte. Es erübrigt uns noch, seine Bew
welche direct für die Zeit Belas III. spreche:
bis 300).

Er macht zunächst darauf aufmerksam,
den vom Anonymus berichteten Eidschwur
Führer der Ungarn (§ 5) und den Decreten
1222 und 1231 sich Aehnlichkeiten nachweis
lassen dies gelten. Wenn aber Florianus sich
neigt, dass die in diesen Vereinbarungen ausg
danken zunächst beim Notar und dann erst
fixirt worden seien, so scheint wohl gerade
richtiger zu sein.

Was Florianus mit dem Hinweise auf d
Regino beruhenden und den Gesta entnomme:
des Notars (§§ 50 und 51) über die Kämpfe :
und die sich daran knüpfende Bemerkung, '
das diesen entrissene Gebiet ‚usque in hodi:
sitzen, bezweckt, ist nicht abzusehen. Die d
rissenen Landstrecken besassen die Ungarn
13. Jahrhundert.

Florianus nimmt ferner fälschlich an, da:
mus (§ 9) vorhandene Bemerkung ‚Et jure terra
Romanorum esse dicebatur' die Quelle für an:
13. Jahrhunderts geworden ist, insbesondere fü
richt (Mon. Arp., S. 248). Indessen ist die ge
beider in den Gesta vetera zu suchen. Vergl:
S. 479 und VIII, S. 243. Die an obige Beme:

ironische Notiz des Notars ‚nam et modo romani pascuntur de bonis Hungarie‘ hat viel zu allgemeine Bedeutung, als dass man den Satz an eine bestimmte Zeit knüpfen könnte. Man wird daher auch der von Florianus geltend gemachten Beziehung auf die Zeit Belas III. und seiner Söhne nicht beistimmen können.

Beim Anonymus schenkt Arpad dem Fürsten Salanus Kameele (§ 14). Im Jahre 1189 beschenkt Bela III. den Kaiser Friedrich mit Kameelen. Daraus schliesst Florianus, der Notar müsse ein Zeitgenosse Belas III. gewesen sein. Dass dieser Beweis sehr hinfällig ist, braucht kaum hinzugefügt zu werden.

Von dem Bischof Turda sagt Anonymus durchaus nicht, dass er sein Zeitgenosse sei. Die Worte: ‚a eius progenie Turda episcopus descendit‘ (§ 19) dürfen durchaus nicht so aufgefasst werden, sonst könnte man den Anonymus auch zum Zeitgenossen Attilas machen. Man vergleiche § 1 der Gesta des Notars: ‚A cuius [Magog] etiam progenie regis descendit nominatissimus atque potentissimus rex Athila.‘ Ebenso heisst es beim Anonymus: ‚Longo autem post tempore de progenie eiusdem regis Magog descendit Ugek, pater Almi‘ (§ 1). Somit sind alle an die Erwähnung Turda's geknüpften Folgerungen Florians hinfällig.

Was schliesslich den Beweis aus gewissen alterthümlichen Sprachformen anlangt, so dürften diese wohl weniger für das Zeitalter des Anonymus als für dasjenige seiner Vorlage massgebend sein. Uebrigens kommen ähnliche Formen — wie Florianus selbst zeigt — auch in Urkunden bis in die Dreissigerjahre des 13. Jahrhunderts vor und könnten somit auch noch etwas später im Gebrauch gewesen sein.

Wie wir sehen, ist also Florianus durchaus nicht der Beweis gelungen, dass der Anonymus nicht dem ausgehenden 13. Jahrhundert angehören könne, sondern um die Wende des 12. und 13. Jahrhunderts angesetzt werden müsste. Es kann nun andererseits nicht geleugnet werden, dass auch manche Gründe, welche Marczali für das ausgehende 13. Jahrhundert als Zeitalter des Notars geltend macht, nicht gerade stichhältig sind. Aber man kann wohl den von ihm beigebrachten noch einige neue hinzufügen.

Unsere Gründe, welche dafür sprechen, dass der Anonymus Notar König Belas IV. und somit ein Zeitgenosse Kem's war, sind folgende:

1. Mit Rösler, Hunfalvy und Marczali stimmen wir zunächst darin überein, dass die Nachrichten des Anonymus über die zahlreiche walachische Bevölkerung Siebenbürgens zur Zeit der magyarischen Landnahme erst ein Rückschluss aus den Verhältnissen des 13. Jahrhunderts sein könnten.[1]

2. Mit Recht betont ferner Marczali (S. 96) den Umstand, dass beim Anonymus die Cumanen als treue Genossen und Hilfstruppen der Ungarn erscheinen (siehe auch oben S. 371). Da nun aber bis zum Einbruche der Mongolen das Verhältnis zwischen beiden Völkern stets ein feindliches war und erst seither sich änderte, so können jene Anschauungen des Anonymus nur der Zeit um 1275 angehören.

Zu diesen Gründen fügen wir, indem wir von anderen bei Marczali geltend gemachten hier absehen, noch folgende hinzu:

3. Es ist bekannt, wie gross der griechische Einfluss in Ungarn während des 12. Jahrhunderts war, und wieviele Niederlagen die Ungarn durch den kriegerischen Kaiser Manuel († 1180) erlitten. Demgegenüber spricht der Notar von den griechischen Kriegern überaus geringschätzend: „... qui assimilantur nostris feminis et sic timeamus multitudinem Grecorum, sicut multitudinem feminarum' (§ 59). So gering hätte doch der Notar Belas III. über die Griechen nicht geurtheilt.

4. Anonymus lässt die Krieger Arpads Turniere aufführen (§ 46: ‚cum clipeis et lanceis maximum tornamentum faciebant'). Da nun die Turniere erst im 12. Jahrhundert in Ungarn bekannt geworden sein konnten, so hätte dies der Notar Belas III. doch wohl wissen müssen, und dann hätte er kaum die Uebung derselben schon in die Zeiten Arpads verlegt.

5. Nach der Nationalchronik (Budense, S. 154) erscheinen zur Zeit des Thronkampfes zwischen Geisa und Salomon an der Westgrenze Ungarns (de Musun et Poson) Bessenen-Petschenegen unter ihrem Führer Zolta, die Geisa im Kampfe gegen Salomon unterstützen. Da in dieser Zeit das Reich der

---

[1] Vgl. meine Geschichte der Bukowina I (1. Aufl., 1888) und Beiträge zur älteren ungarischen Geschichte, S. 33 ff.

Petschenegen durch die Cumanen zerstört wurde und an der
österreichischen Grenze noch am Beginne des 13. Jahrhunderts
Petschenegen vorkommen, so ist es sehr wahrscheinlich, dass
es sich um eine Ansiedlung von Petschenegen handelt.[1] Allenfalls wusste man, solange diese Petschenegensiedlungen existirten,
wann sie entstanden seien, und insbesondere hätte dies der Notar
König Belas III. am Ende des 12. Jahrhunderts gewusst. Nun
setzt aber der Anonymus die Ansiedlung dieser Bissenen (ultra
lutum Musun) in die Zeit des Herzogs Zulta, indem er ganz
offenbar den Petschenegenfürsten Zolta mit dem Grossherrn dieses
Namens verwechselt. Man darf annehmen, dass dieser Irrthum
kaum dem Anonymus passirt wäre, wenn er zur Zeit Belas III.
gelebt hätte. In den Gesta vetera stand davon natürlich nichts;
deshalb hat Keza nichts darüber; Anonymus und die Nationalchronik bieten aber abweichende Nachrichten.

6. Aus dem Umstande, dass der Anonymus etwa gleichzeitig mit Keza entstand, würde sich auch die gegenseitige vollständige Unabhängigkeit der beiden Quellen von einander
leichter erklären. Ebenso ist auch der Umstand, dass der
Anonymus auch sonst keine besondere Verbreitung und Beachtung gefunden hat, leichter zu verstehen, wenn man annimmt, dass er ziemlich gleichzeitig mit der allenfalls an-
sprechenderen Chronik Keza's und nur kurz vor der alle
anderen Darstellungen schliesslich verdrängenden Nationalchronik entstanden sei.

Diese sind die Gründe, welche den Schreiber dieser Zeilen
veranlasst haben, den Notar für einen Zeitgenossen Keza's
zu halten und die Abfassung seines Werkes um 1275
anzusetzen. Daran wird man wohl auch festhalten müssen,
so lange nicht schlagendere Beweise als jene Florians dafür angeführt werden können, dass der Anonymus der Notar Belas III.
war. Unsere sonstige Beweisführung, besonders bezüglich der
Ausführungen des Verhältnisses zwischen den Gesta vetera und
dem Anonymus, könnte durch diesen Nachweis durchaus nicht
beeinflusst werden. Näheres über die Person des Anonymus
erforschen zu wollen, liegt ausser der nüchternen Möglichkeit.

---

[1] Vgl. Marczali, a. a. O. S. 93. — Dass diese Nachrichten der Chronik
wahrscheinlich auf den leider verlorenen ‚antiqui libri de gestis Ungarorum‘ beruhen, wurde schon Studie VIII, S. 299 betont.

Man vergleiche übrigens Marczali, a. a. O. S. 101 f. Die Vermuthung Rösler's, dass er aus dem östlichen Ungarn stamme,[1] hat Manches für sich: der Notar legt nämlich bezüglich Ostungarns besondere Kenntnisse an den Tag.

Schliesslich mögen noch einige Bemerkungen über den Werth der Gesta des Notars hier Platz finden. Der anonyme Notar ist nach Rösler[2] ,ebensowohl ein grosser Ignorant als ein grosser Fälscher gewesen'; und an einer anderen Stelle fasst er sein Urtheil dahin zusammen, ,dass von seinen 57 Capiteln keines eine werthvolle Nachricht liefert, dass seine Darstellung im Grossen wie im Kleinen unvereinbar ist mit den Nachrichten der gleichzeitigen Schriftsteller'.[3] Diesem Urtheil werden wir nicht beistimmen können, wenn wir auch andererseits der Ansicht Marczali's[4] beipflichten, dass die Gesammtdarstellung des Notars insbesondere für die Zeit der Eroberung Ungarns nicht als Quelle dienen kann. Nach dem, was oben über die Quellenkenntnisse des Notars ausgeführt wurde, können wir ihn mit Rücksicht auf die Verhältnisse seiner Zeit weder für so unwissend halten, wie Rösler ihn hinstellt, noch liegt ein Grund vor, ihn für einen wissentlichen Fälscher zu betrachten. Der Hauptwerth seines Werkes liegt einerseits in der Rolle, welche dasselbe bei den kritischen Untersuchungen über die Gesta vetera spielt, andererseits bietet dasselbe doch viele Nachrichten, welche bei kritischer Benützung als werthvoll bezeichnet werden müssen. Dahin sind vor Allem seine Mittheilungen über die ostungarischen Verhältnisse zu zählen, welche diejenigen in der Legende Gerhard's ergänzen, ferner die Mittheilungen familiengeschichtlichen Inhalts und jene über die damit zusammenhängenden Besitzverhältnisse.

4. Zusammenfassung der wichtigsten Ergebnisse.

Die Gesta Hungarorum des Anonymus enthalten im Gegensatze zum Werke Keza's und der Nationalchronik nur eine Geschichte der Ungarn; mit der ausführlichen Hunengeschichte, welche die eben genannten Darstellungen der Ungarngeschichte

---

[1] Rumänische Studien, S. 224.
[2] Ebenda, S. 185.
[3] A. a. O. S. 229.
[4] Geschichtsquellen, S. 102.

voranschicken, hat seine Erzählung nichts gemein. Er nennt
gar nicht die Hunen. Attila wird von ihm als einer der ersten
ungarischen Könige und als erster Eroberer Pannoniens genannt. Sonst weiss er nur über Buduvar-Ecilburgum etwas zu
sagen. Vergebens suchen wir bei ihm nach einer Aufklärung
darüber, wie es denn kam, dass die Magyaren, mit denen doch
schon Attila nach Pannonien gekommen war, später wieder aus
Osten dahinzogen. Die Erwähnung Attilas ist eben nur eine
gelegentliche, in die Beschreibung Skythiens, der Urheimat der
Magyaren, eingefügt: dort stand sie auch schon in den Gesta
vetera Ungarorum, der gemeinsamen Vorlage des Notars, Keza's
und der Nationalchronik für die ältere Ungarngeschichte. Aus
ihr hat der Notar die Hauptzüge der Beschreibung Skythiens,
des Ursprunges der Ungarn und ihrer Könige (Magog, Attila,
Ugek, Almus . . .) entnommen; nach dieser alten Quelle erzählt er sodann die Auswanderung der Magyaren aus der
Urheimat, den Zug nach dem Westen, die Eroberung Pannoniens und die folgenden Raubzüge bis auf die Herzoge Toxun
und Geisa. Aus der folgenden Darstellung der Gesta bringt
Anonymus nur einzelne vorgreifende Nachrichten. Wir wissen
nicht, ob er seine Erzählung überhaupt nur bis Geisa geführt
hat, oder ob sein Werk uns unvollständig überliefert vorliegt;
ist die einzige uns unbekannte Handschrift das Autograph des
Notars, dann wäre das Erstere anzunehmen. Seine Vorlage hat
aber, wie schon aus den ihr entnommenen vorgreifenden Bemerkungen zu schliessen ist, jedenfalls noch das 11. Jahrhundert
umfasst. Zur Ergänzung dieser Vorlage hat er ausser der ungarischen Ueberlieferung und seiner Localkenntniss auch noch
die Vita s. Gerhardi oder doch eine ihr nahestehende Quelle
benützt. Ausser diesen einheimischen Quellen lagen ihm vor:
irgend eine auf Cassiodor beruhende Darstellung der gothischen
Urgeschichte, die trojanische Geschichte des Dares Phrygius,
ferner Alexandri magni liber de preliis. Dagegen entbehrt die
Annahme, dass er auch die Werke Guidos de Columpna, Isidors,
Justinus' und Solinus' benützt habe, der Begründung. Die Benützung Reginos ist doppelt: zunächst mittelbar durch die
Gesta vetera, denen der deutsche Chronist schon Quelle war;
und nochmals unmittelbar direct durch den Notar. Der Anonymus war aller Wahrscheinlichkeit nach Notar Belas IV.; er
ist also ein älterer Zeitgenosse Keza's. Der Hauptwerth seines

Werkes liegt in der Rolle, welche dasselbe
Untersuchungen über die Gesta vetera spielt.
dasselbe mancherlei Nachrichten, welche bei k
von Werth sein könnten. Die Gesammtdars
kann dagegen nicht als Quelle dienen.

————

X.

Keza's Chronik. Seine Gesta Hunorum u Seine Redaction der Gesta Hungarorum anderen Bestandtheile seiner Ungarnges deutung seines Werkes.

Die ‚Gesta Hungarorum' des Magister
des ‚fidelis clericus' Ladislaus' des Kumanen
er sich in dem an diesen König selbst gerich
seines Werkes nennt, sind für uns schon d
Bedeutung, weil dieses Werk die erste unga
die ihre Entstehungszeit selbst genau angibt.

Aus den früheren Studien ist der Lese
ergebnissen unserer Untersuchungen über die
vertraut. In der vorliegenden sollen diese Au
sammenhange vorgetragen und vertieft werd

Wir werden also zunächst genauer nac
die Hunengeschichte behandelnde Theil (Ges
Werkes von Keza dessen Originalarbeit ist.
seiner Chronik boten ihm die Gesta vetera
In diesem Abschnitte soll auch Einiges über
für seine Hunengeschichte und ihren Werth

In einem weiteren Abschnitte soll sod
knüpfung dieser Hunengeschichte mit den G
vetera und anderen Quellen gehandelt werde
in diesem Theile sowohl die eigentliche Un
Keza's und deren Quellen behandeln, als
feststellen.

Schliesslich sollen die Ergebnisse kurz
und die Bedeutung des Gesammtwerk
terisiert werden.

1. Keza's Gesta Hunorum.

a) Die Gesta Hunorum sind Keza's originales Werk.

Bereits in der Studie VII, S. 456 ff. ist darauf verwiesen worden, dass zwischen der Hunen- und Ungarngeschichte, wie sie uns bei Keza und sodann in den Nationalchroniken entgegentreten, eine deutliche Naht bemerkbar ist, die sich nur aus dem Umstande erklären lässt, dass beide Theile nicht einem ursprünglich einheitlichen Werke angehörten.

Es ist zunächst darauf aufmerksam gemacht worden, dass die Einwanderung der Ungarn zweimal erzählt werde: einmal am Ende der Hunengeschichte und das andere Mal in den ersten Capiteln der Ungarngeschichte. Diese Bemerkung kann man sowohl bei Keza, als auch in den anderen Chroniken machen.

Es ist ferner darauf hingewiesen worden, dass nach den Gesta Hunorum mit den Ungarn Attilas Enkel Edemen wieder nach Pannonien kam. In der Ungarngeschichte, wo alle Führer aufgezählt werden, geschieht aber gerade dieses Mannes keine Erwähnung, trotzdem man doch mit Recht erwarten sollte, dass der Nachkomme des berühmten Attila nicht vergessen würde. Auch diese Bemerkung gilt sowohl von Keza als von den anderen Chroniken.

Einen anderen Widerspruch hat Keza beseitigt, in den Chroniken tritt er aber deutlich zu Tage. Keza lässt im §. 6 der Hunengeschichte dieses Volk im Jahre 700 (anno dom. septingentesimo) nach dem Westen aufbrechen. Da er nun die Einwanderung der Ungarn (unter Almus-Arpad) in ziemlicher Uebereinstimmung mit den Gesta Hungarorum ins Jahr 872 setzt, so konnte er im §. 15 seiner Hunengeschichte die oben citirte Mittheilung machen, dass ein Enkel Attilas bei der Einwanderung der Ungarn oder, wie er es auffasst, bei der Rückwanderung der Hunen betheiligt war. Dem widersprach nun aber die nach dem Ausweise des Anonymus und der Chroniken in den Gesta vetera vorhandene Angabe, dass Almus zwei oder gar drei und Arpad gar drei oder vier Generationen jünger als Edemen sei, da ersterer als Enkel oder Urenkel des Ed, Bruders Edemens, erscheint.[1] In Folge dessen liess Keza dieses

---

[1] Nach den Chroniken gilt folgende Abstammungsreihe: Attila-Chaba-Ed-Ugek-Eleud-Almus. Nach dem Anonymus würde Almus ein Sohn des Ugek sein.

ganze Capitel der Gesta vetera aus und ft
Weise die Genealogie Arpads nur bis auf Uger
weiteren Fortsetzung auf Ed-Chaba-Attila set
Turul'. Daraus ersehen wir deutlich, wie Ke:
norum und die Gesta Hungarorum in Eink
sucht. Ebenso klar bemerkt man dieses S
Chroniken. Dieselben haben die Einwanderun
4. Jahrhundert zurückgesetzt[1] und konnten d
der Gesta vetera, dass die Führer der Ei
Ungarn (Almus und Arpad) der fünften und
ration Attilas angehörten, aufnehmen. Hiebei
Verfasser der Grundchronik, dass er doch z
Berichte der Gesta Hunorum in Widerspruch
der bereits citirten Notiz derselben, dass schon
die Einwanderung der Ungarn mitmachte.

Aus den bisher geschilderten Umstände
hervor, dass die Gesta Hunorum und die G
ursprünglich selbstständige Werke waren, die
bunden wurden. Dazu kommt noch, dass zwi
geschichte und der Ungarngeschichte auch
schied sich geltend macht, dass jene auch äm
ein gelehrtes Werk uns entgegentritt.[2] In dm
hemium) kündet der Verfasser mit Wohlgefall
heit an: „. . . historias, quas diversis scartai
Franciam ac Germaniam sparse sunt et diffuse,
redigi procuravi, non imitatus Orosium . . .' ,
im §. 2 allerlei Quellen auf: „. . . diversas his
scripserunt, prout Josephus, Isidorus, Orosius
que quamplures, quorum nomina exprimere noi
so heisst es gleich im §. 3: ‚sicut refert Jose
Josephus'. §. 13 beruft er sich auf eine: ‚Cr
citirt aus ihr und verweist sodann auch au
welche eine andere Ansicht vertreten (‚quidm
nantur'). Durch diese Verweise kennzeichnet

---

[1] Chronicon Pos., §. 6 = Bud., S. 14 haben das Jahr
in Folge eines Versehens Muglen's in der Deutsche
in der Reimchronik, S. 7, 1028, indem offenbar
wurde ‚M'. — Pic., S. 107 = Mon., S. 215 = Dub.,
schöpft) = Thurocz, S. 56 steht ‚373'.

[2] Dies hat auch Marczali, Ungarns Geschichtsque

geschichte ausdrücklich als ein gelehrtes Werk im Sinne des
Mittelalters, was von den Gesta Hungarorum, die höchstens
auf die ungarischen Quellen verweisen, nicht gilt. Wir dürfen
daher annehmen, dass die Gesta Hunorum und die Gesta Hungarorum nicht nur ursprünglich getrennte Werke waren, sondern
dass sie auch nicht von demselben Verfasser herrühren. Dies
geht übrigens auch aus den Widersprüchen, die sie enthielten,
klar hervor.

Da wir uns mit den Gesta Hungarorum hier nicht weiter
zu befassen haben, da dies bereits an anderer Stelle geschah
(Studie VIII), so ist die Frage zu erörtern, wer der Verfasser
der Hunengeschichte sei. Als solchen nennt sich bekanntlich
in dem Prohemium ‚magister Simon de Keza‘. Ist nun aber
auch dieser Mann thatsächlich der Verfasser der Hunengeschichte? Marczali und alle Forscher,[1] welche Keza nur
als Epitomator betrachten, sind natürlich nicht dieser Ansicht.
Ihnen ist die Hunengeschichte Keza's ebenso wie seine Ungarngeschichte nur ein Auszug aus der Chronik, ‚nur dass hier —
wie Marczali bemerkt[2] — die Abkürzung nicht so bedeutend
ist‘. Dagegen waren andere Forscher bekanntlich der Ansicht,
dass nicht nur die Hunengeschichte, sondern auch die Ungarngeschichte Keza's Originalwerke seien,[3] und neuerdings hat
dies Heinemann[4] wenigstens für die Hunengeschichte wieder
behauptet. Er verweist darauf, dass die Hunengeschichte ein
Werk des 13. Jahrhunderts sei, weil in demselben der Einfluss des Nibelungenliedes in der Gestalt, welche es im Anfange des 13. Jahrhunderts empfing, unverkennbar sei. Ferner
verweist er darauf, dass der Prolog und die Einleitung zur
Hunengeschichte, wie sie bei Keza stehen, sich auch im Codex
Sambucus wiederfinden (dass die Einleitung sich auch im Chronicon Posoniense und in Muglen's deutscher Chronik findet, hat
er übersehen); dieser ‚gewichtige Umstand‘ spreche ausdrücklich dafür, dass die Hunengeschichte vom Verfasser der Chronik
nicht in den Gesta Hungarorum, sondern nur in Keza's Bearbeitung derselben vorgefunden worden wäre.

---

[1] Vgl. Studie VIII, S. 208.
[2] Ungarns Geschichtsquellen, S. 47.
[3] Vgl. Studie VIII, a. a. O.
[4] Neues Archiv XIII, S. 73.

Die Bemerkungen Heinemann's sind an sich richtig; aber sie beweisen noch durchaus nicht, was sie beweisen sollen. Dass das Werk dem 13. Jahrhunderte angehört, ist noch kein Beweis, dass es nicht vor Keza bestanden hat; und dass der Verfasser der Grundchronik dasselbe in dem Werke Keza's benützte, ist nicht dafür beweisend, dass dieser es verfasst habe. Wie Keza die Ungarngeschichte ausschrieb, von der wir genau wissen, dass sie vor ihm bestand, ohne dass er auch nur mit einem Worte bemerkt hätte, dass er diese seine Darstellung den Bemühungen eines Anderen verdanke, so hätte er auch eine bereits vorhandene Hunengeschichte benützen können. Und so hat denn thatsächlich Heinemann nicht die Ansicht Marczali's (S. 48) widerlegt, dass eigentlich Keza's Eigenthum nicht viel mehr als die Einleitung sei, und dass darin (S. 50) nur die haarsträubenden Etymologien Original seien. Dass im Mittelalter geistiges Eigenthum Gemeinbesitz im vollsten Umfange des Wortes war, ist allgemein bekannt. Und gerade die ungarischen Geschichtsquellen bieten mehr als einen Fall.[1] Hartwich schreibt ohne viele Umstände die Vita maior wörtlich ab; der Pester Schreiber fügt ohne weitere Bemerkung die Vita minor hinzu. Der Verfasser der ungarisch-polnischen Chronik plündert in umfassender Weise die Vita von Hartwich aus, ohne darauf hinzudeuten. Und Muglen leistet darin schon wahrlich Unanständiges. Selbst die von den Chroniken aus Keza entlehnte Einleitung behält der gute Mann bei und gibt doch das ganze Werk für sein Eigenthum aus: ‚Als dy alten maister — beginnt er seine Darstellung — und die beschreiber der hystorien vnd der ding, dy begangen seynt, beschriben haben, als Josephus vnd Ysidorus, Orosius vnd Valerius, also wil ich Heinrich von Muglen auch kurtzlich beschreiben dy hystorien der Hewnen, wie sy herkumen sind, in lob dem hertzogen Rudolffen dem virden von Osterreich...'

Damit wir es glaublich finden, dass Keza der Verfasser der Gesta Hunorum sei, muss zunächst nachgewiesen werden, dass vor ihm keine derartige geschichtliche Darstellung bestand. Prüfen wir zu diesem Zwecke die ungarischen Geschichtswerke, welche vor Keza geschrieben sind, so finden wir, dass nur in der sogenannten ungarisch-polnischen Chronik sich Einiges über

---

[1] Vgl. zum Folgenden meine Studien I, II, III und VI.

die Hunengeschichte findet. Was aber hier über diesen Gegenstand gesagt ist, beschränkt sich auf einige Ueberlieferungen
über Attila mit nur sehr spärlichen Anklängen an die spätere ungarische Chronik. Von einem engeren Zusammenhange zwischen
der hier wohl zum ersten Male in naiver Weise aufgezeichneten
Ueberlieferung und zwischen der Darstellung bei Keza und in
den nationalen Chroniken ist keine Spur vorhanden; vielmehr
finden wir zwischen beiden Erzählungen bedeutende Widersprüche, auf die bereits in Studie III, S. 614 hingewiesen wurde
und die daher dort nachgelesen werden mögen. Dazu kommt
noch, dass in der ungarisch-polnischen Chronik sich noch gar
keine Bekanntschaft mit der Etzelsage zeigt, wie sie um 1200
in Deutschland fixirt wurde, während die späteren ungarischen
Chronisten mit derselben völlig vertraut sind: nicht einmal der
Name der Hunen kommt in der ungarisch-polnischen Chronik
vor. Aus dem Gesagten darf man mit einiger Sicherheit schliessen,
dass um 1200, als die ungarisch-polnische Chronik verfasst wurde,
noch keine Hunengeschichte im Sinne derjenigen Keza's in Ungarn vorhanden war. Ist nun etwa zwischen diesem Zeitpunkte
und der Thätigkeit Keza's eine verfasst worden? Es ist immerhin
bemerkenswerth, dass der Mönch Alberich (um 1230), der für Ungarn ein besonderes Interesse zeigte und die Gesta vetera sich zu
verschaffen wusste, von einer ungarischen Darstellung der Hunengeschichte keine Spuren zeigt. Ausschlaggebend ist aber ein
anderer Umstand. Wir greifen nach der Chronik des Anonymus, der nach den Ergebnissen unserer Untersuchungen ein
Zeitgenosse Keza's war. Was finden wir da über die Hunen?
Er nennt noch dieselben gar nicht. In kaum zehn Zeilen,
welche der Beschreibung Skythiens eingefügt sind (§ 1), fertigt
er die Geschichte Attilas als eines der ersten Ungarnkönige
ab. Wohl hat er schon von der deutschen Etzelsage Kunde,
denn er bemerkt ausdrücklich, dass Buda von den Deutschen
Ecilburgum genannt werde; aber von einer ihm vorliegenden
ausführlicheren Geschichte der Hunen ist keine Spur vorhanden. Wäre aber eine solche schon in Ungarn bekannt gewesen, so würde sie ihm wohl nicht entgangen sein, weil er
nicht nur eine ziemlich ausgebreitete Literaturkenntniss hatte,
sondern insbesondere auch die über die Geschichte der Ungarn
bestehende Aufzeichnung kannte und diese wie sein Zeitgenosse
Keza benützte. Wir kommen somit zu dem Schlusse, dass vor

dem Anonymus und also auch vor seinem Ze
noch keine ausführliche Aufzeichnung über die
Und nun gewinnt allerdings die Annahme, das
eingeleiteten Gesta Hunorum auch sein original
überaus an Sicherheit.

Um nun noch völlige Gewissheit zu erha
der Verfasser der Hunengeschichte sei und aus
niken schöpften, nicht aber das verkehrte Verl
wollen wir die beiden Texte vergleichen und
suchen, welcher der ursprünglichere sei. Ergi
die Darstellung, wie wir sie bei Keza finde
Weise die Grundlage jener in den Chroniken
wir dann mit voller Gewissheit die Gesta Hun
Werk bezeichnen. Einige Fälle werden genüg
wünschten Nachweis zu erbringen.

Keza, §. 4, S. 57, hat die Nachricht, d
,avesque legerfalc que hungarice Kerechet appe
den seien. Da es bekannt ist, dass der Verf
Hunorum mehr als an einer Stelle deutsche Au
zieht (vgl. z. B. §. 10 die Erklärung des Nam
ferner §. 11 jene von Echulburg), so ist ka
dass Keza an der citirten Stelle ,Iegerfalc' ge
Alle anderen Chronikredactionen haben aber
verstanden und lesen ,Legisfalk' (Chronicon Po
S. 12 = Dub., S. 8 = Pic., S. 106).

Keza berichtet §. 10, S. 62: ,Egressus (E
bria primo Illiricos subiiciens, deinde Renum
transivit.' Es ist ganz unzweifelhaft, dass hier
gang des Rheins bei Constanz gedacht wird, un
auch nicht richtig, doch immerhin noch ein erk
Dagegen haben alle Chroniken sinnlos daraus
regnum' gemacht (Chronicon Pos., S. 12 =
Dub., S. 14 = Pic., S. 112).

Wie in diesen und ähnlichen Fällen da
Keza darauf hindeutet, dass sein Text der ursp
so deutet in anderen die deutlichere Fassung
Anordnung in den Chroniken, dass sie Keza's
dieser Beziehung umarbeiteten.

So heisst es z. B. bei Keza, §. 6, S. 58: ,
edictum contempsisset, pretendere non valens rat

tica per medium cultro huiusmodi detruncabat.' Diesem
schiefen Ausdrucke gegenüber ist der Satz in den Chroniken
‚cultro dividi per medium lex Scitica sanxiebat' sicher als Verbesserung aufzufassen (Chronicon Pos., S. 7 = Bud., S. 14 =
Dub., S. 9; Pic., S. 107 hat irrig ‚cultu divino').

Keza, §. 10, S. 62f. erzählt: ‚(Ethele) expugnavit (Argentinam) diruendo murum eius, ut cunctis adeuntibus via libera
haberetur, edictum faciens, ne vivente eo mutaretur. Propter
quod eadem civitas postmodum Strosburc non Argentina usque
hodie est vocata.' An Stelle dieser ganz unklaren Diction hat
die Chronik folgende: ‚Argentinam ... ipse Atila expugnavit,
diruendo murum eius in diversis locis, ut cunctis advenientibus
sine gravitate via libere preberetur, edicens firmissime, ne ipsius
murus ipso vivente muraretur, ut eadem civitas non Argentina
sed Strosburg vocaretur propter viarum pluralitatem, quas
in muro eius fecerat aperiri' (Chronicon Pos., S. 12 = Bud.,
S. 20 = Dub., S. 14 = Pic., S. 112). Es ist klar, dass Keza
diese klare Ausdrucksweise nicht vermieden hätte, wenn sie
ihm vorgelegen wäre.

Ebenso ist die Stelle über die Umnennung von ‚Sicambria'
in ‚Buda', wie sie uns in den Chroniken begegnet, eine offen-
kundige Verbesserung der betreffenden Nachrichten bei Keza.
Man vergleiche Keza, §. 11 (Fecerat enim [sc. Buda] urbem
Sicambriam suo nomine appellari. Et quamvis Hunis ...) mit
Chronicon Pos., §. 15, und Bud., S. 24 (Nam Sicambriam suo
nomine fecit nominari Wudawara. Et quamvis ...). Ebenda
Keza: ‚Teutonici ... eam Echulburc vocaverunt'; Chronicon
Pos. und Bud.: ‚Ezelburg eam vocant, id est urbs Atile.'

Man vergleiche auch Keza, §. 15: ‚Istud enim est prelium,
quod Huni prelium Crumhelt usque adhuc nominantes vocaverunt' mit Chronicon Pos., §. 20: ‚Istud est illud prelium, quod
Hungari ...' = Bud., S. 30. Ganz offenbar ist das ‚Hungari'
statt des in diesem Zusammenhange unpassenden ‚Huni' Verbesserung. Dazu kommt noch Folgendes: Keza erzählt zunächst von der Niederlage der Germanen, dann von derjenigen
der Hunen und lässt erst dann die obige Bemerkung ‚Istud
prelium ...' folgen mit dem Beisatze, dass damals so viel Ger-
manenblut vergossen wurde, dass man durch viele Tage das
Wasser aus der Donau nicht trinken konnte. Daran schliesst
sich aber sofort wieder die Bemerkung von der Flucht des

Chaba und des Restes der Hunen. In der Chr
schon im Chronicon Pos., §. 20) wird dagegen in pe
an die Nachricht von dem ersten Kampfe und
der Deutschen die Bemerkung über den Krimhi
Menge des vergossenen Germanenblutes gekni
die Erzählung über die Niederlage der Hunen i

Schliesslich verweisen wir nur noch auf
rissene Darstellung der Geschicke des Chaba I
gegenüber der deutlich zusammengefassten in
an den entsprechenden Stellen (Chronicon Pos.
S. 31 = Dub., S. 22 = Pic., S. 119).

Als Ergebniss unserer Betrachtungen er
Folgendes:

Die Gesta Hunorum sind ein originales
Vor ihm bestand keine umfassendere Aufzeic
Geschichte der Hunen. Noch der Anonymus,
Keza's, musste sich daher mit wenigen Zeilen
gnügen, ohne die Hunen zu nennen. Keza
welcher die ausführliche Hunengeschichte der U
voranschickte.

b) Die Quellen Keza's für seine Gesta .

Es wäre wohl eine interessante Arbeit, v
sagen Satz für Satz nachweisen könnte, woher
führungen in der Hunengeschichte schöpfte. I
aus sich ein Bild seiner Belesenheit in den
Quellen bilden können und in die Art sein
tieferen Einblick gewinnen. Indess hat diese
schon oben, S. 382, bemerkten Gründen kei
einen sicheren Erfolg. Die Nachrichten über d
verschiedenen mittelalterlichen Quellen bilden e
fach durchkreuzende Familie, dass die Entu
Stammbaumes oft geradezu unmöglich ist, in
wenigstens zweifelhaft bleibt. Wir werden uns
allgemeinere Nachweise seiner Quellen beschrä

Unzweifelhaft hat Keza für seine Hunenges
aus den Gesta Hungarorum vetera entnomm
benützte er für die Beschreibung Skythiens
geschichte der Hunen; nach derselben gibt er
ihres Auszuges aus der Urheimat an (S. 55—57.

vetera über die Anfänge der Magyaren erzählten, das überträgt
Keza in dieser Partie auf die Hunen. Man vergleiche darüber
die Ausführungen in der Studie VIII, S. 230 ff., 236 f. und 240 f.
Auch was er über den Zug der Hunen nach dem Westen erzählt (S. 58 f.), kommt dem aus den Gesta in die verschiedenen
Ableitungen derselben geflossenen Berichte über den Marsch
der Ungarn nach Pannonien gleich. Siehe Studie VIII, S. 241.
Endlich enthält der Schluss der Hunengeschichte Manches, was
bereits den Gesta angehört; es wird daher Einzelnes bei Keza
zweimal erzählt. Man vergleiche darüber oben, S. 401 und
Studie VII, S. 456 und 468 f.

Dem Fingerzeige, welchen uns Keza in den ersten zwei
Paragraphen seiner Hunengeschichte gibt,[1] folgend, möchten wir
zunächst zur Annahme geneigt sein, dass er Orosius benützte.
Aber was er da von Orosius erzählt, verräth sofort, dass er
seine Schriften nicht zur Hand hatte. Er behauptet nämlich
S. 52, dass Orosius ‚favore Ottonis cesaris, cui Hungari in diversis preliis confusiones plures intulerant multa in libellis suis
apocrypha confingens ex demonibus incubis Hungaros asseruit
generatos. Scripsit enim, quod Filimer, magni Adalrici regis
Gothorum filius, dum fines Scitie armis impeteret, mulieres
quedam nomine Baltrame nominantur, plures secum in exercitu
suo dicitur deduxisse. Que . . . de consortio exercitus eapropter
expulisse. Que quidem pervagantes per deserta littora paludis
Meotidis, tandem descenderunt . . . incubi demones ad ipsas
venientes, concubuisse cum ipsis iuxta dictum Orosium refe-
runtur'. Schon die Eingangsbemerkung zu dieser Stelle ‚favore
Ottonis cesaris' beweist, dass Keza die Schriften des Orosius
nicht kannte, er hätte ihn sonst nicht zu einem Zeitgenossen
Ottos I. gemacht. Vergebens würde man aber auch bei Orosius
etwas von der mitgetheilten Sage suchen. Der nächste Gedanke
ist nun, dass Keza in irgend einer anderen Quelle diese Geschichte
als aus Orosius geschöpft fand, oder dass er den in seiner Vorlage genannten Orosius irrthümlich mit der Sage in Verbindung
bringt. Von allen von uns eingesehenen Quellen bietet nur

---

[1] S. 52: „. . . non imitatus Orosium, qui favore Ottonis cesaris . . .' und
S. 53: ‚Multifarie multisque modis olim in veteri testamento et nunc sub
etate sexta seculi diversas historias diversi descripserunt, prout Josephus,
Isidorus, Orosius et Gotfridus, aliique quamplures, quorum nomina exprimere non est opus.'

Jordanis allein Aufklärung. Wir lesen bei ihm F
autem non longi temporis intervallo, ut refer
norum gens omni ferocitate atrocior exarsit i
hos, ut refert antiquitas, ita extitisse conperimi
Gothorum et Gadarici magni filius ... qui et
cum sua gente introisse superius a nobis dictu
populo suo quasdam magas mulieres, quas pat
liurunas is ipse cognominat, easque habens sua
sui proturbat longeque ab exercitu suo fugata
coegit errare. Quas spiritus inmundi per he
dum vidissent et eorum complexibus in coitu m
hoc ferocissimum ediderunt, quae fuit primu
minutum, tetrum . . .' Aus der Bemerkung
sius'[2] liesse sich leicht Keza's Irrthum erkl

---

[1] Jordanis, Getica, §. 24, Mon. Germ. hist. Auct. anti
— In den anderen Chroniken fehlt, so weit wir seb
des Orosius. Man vergleiche Hist. misc. (Landulf
Auct. antiquissimi II, S. 344: „... Ostrogothe id est
dicti. Ea tempestate gens Hunorum diu inaccessis
pentina rabie percita exarsit in Gothos eosque con
sedibus expulit. Nam hos, ut refert antiquitas ..
steht ‚Alirumnas‘, ferner folgt nach ‚coegit errare‘:
mines, quos nonnulli phaunos phicarios vocant, pe
dum vidissent ...‘ — Ottonis Chronicon, Mon
S. 203: ‚Non multo post Gothis iam inter se pacatis,
bilis, tanquam ex incubis et meretricibus, ut Jord
trahens, ducatu cervae de Maeotidis paludibus egressa
— Ekkehardi Chronicon, Mon. Germ. Script. '
Hist. misc. Insbesondere steht hier auch nichts von
die ‚Alirunas‘ genannt; auch finden wir den Satz: ‚C
quod silvestres homines, quos Faunos ficarios vocant
also weder Ekkehards Eigenthum, noch aus Jordani
Germ. Script. hervorzugeben scheint.) — Sigeber
Germ. Script. VI, S. 301. Die Stelle ist nach der Hist. mi
Gottfried von Viterbo: Pantheon, Mon. Germ. Scri
Ottos Chronik IV, §. 16): „... gens terribilis Hui
gens secundum scripta Jordanis ipsorum interpretis
et meretricibus est procreata, infra Meotidas palud
finiis Asie et Europe. Nec gens conducta ...‘
[2] Jordanis hat hier in der That die Darstellung des
aber nur für die Thatsache des Ueberfalles der Goti
Man vergleiche des Orosius Hist. Lib. VII, Cap. 33:
norum, diu inaccessis seclusa montibus, repentins

werden wir kaum annehmen, dass dem ungarischen Chronisten
Jordanis vorlag; vielmehr wird man annehmen müssen, dass
irgend eine von uns nicht aufgefundene Quelle, die auf Jordanis beruhte, jene Bemerkung aufgenommen hatte und sie
ihm bot.[1]

Ferner nennt Keza Josephus als seine Quelle. Aber
auch von diesem können wir nachweisen, dass er Keza nicht
vorlag und dieser ihn nur dem Namen nach kannte. S. 54 berichtet Keza über den Thurm Babel: ,Fecerunt enim in turri
memorata, sicut dicit Josephus, deorum templa ex auro pu-
rissimo, palatia lapidibus pretiosis fabricata, columpnas aureas …‘
In Josephus Antiqu. Jud. I, §. 4, wo über den Thurmbau und
die Sprachverwirrung gehandelt wird, ist absolut nichts Aehnliches vorhanden. Ebenso findet sich bei Josephus unseres
Wissens keine Stelle, auf die sich unmittelbar Keza's Bemerkung
(§. 2): ,Dum autem tribus iste, sicut refert Josephus, lingua
ebraica uterentur, dicto (deinde) primo anno …‘ beziehen
würde.

Unter den Schriftstellern, welche vor ihm Geschichts-
bücher schrieben, nennt Keza ferner den Isidorus; natürlich
ist der von Sevilla gemeint. Es entsteht nun die Frage, ob er
ihn direct benützt hat. Die Entscheidung derselben ist nicht
leicht: Isidors Etymologien sind für so viele Schriftsteller directe
oder indirecte Quelle gewesen, dass es schwer zu bestimmen
ist, ob einzelne mit ihm gemeinsame Nachrichten unmittelbar
seinem Werke entnommen sind oder durch Vermittlung eines
anderen. So bleibt auch unentschieden, ob Keza direct die
Arbeit des gelehrten Bischofs benutzt hatte. Anklänge finden
sich zur Genüge vor. So findet sich bei Isidor, lib. IX, cap. 2,
§. 27, die Nachricht: ,Magog (der erste der „filii Japhet"),
a quo arbitrantur Scythas et Gothos traxisse originem.‘[2] Diese

---

arsit in Gothos eosque sparsim conturbatos ab antiquis sedibus
expulit.‘

[1] Rademacher, Die ungarische Chronik als Quelle deutscher Geschichte
(Programm des Domgymnasiums zu Merseburg, Ostern 1887), meint zwar
S. 3, dass der ungarische Chronist Einzelnes ,namentlich dem Jordanes‘
entlehnte; aber gerade das ,metus orbis‘, auf das er hinweist, deutet mehr
auf Gottfried. Siehe weiter unten, S. 414.

[2] Vgl. übrigens auch lib. XIV, cap. 3, §. 31: ,Scythia sicut et Gothia a
Magog filio Japhet fertur cognominata …‘

weit verbreitete Ansicht fand sich nun schon in d

aus der Verbindung dieser Nachricht mit einer a

Isidor vorfindlichen, brachte vielleicht aber Ke

rische Etymologie ‚Thana' hinein (§. 2). Bei]

nämlich lib. XIII, cap. 21, §. 24: ‚Tanus fuit

primus, a quo Tanais fertur fluvius nuncupatus.‘

Skythen durch Magog von Japhet abstammen

auch ‚Thana ex semine Jafet oriundus' sein (K

sonders beachtenswerth ist folgende Stelle:

Isidor.	K
Lib. XIV, cap. 3, §. 12. Persida tendens ab ortu . . . In Persia primum orta est ars magica, ad quam Nemroth gygas post confusionem linguarum abiit, ibique . . .	§. 3. Menr post linguarum fusionem, terr troivit, que re tempore appell filios . . .

Andere gemeinsame Nachrichten, etwa ül

bau durch Nembroth (Isidor, lib. VII, cap. 6, §. ;

verwirrung und die hiedurch entstandenen 73

(ebenda, lib. IX, cap. 2, §. 2), das Wohnen der

Maeotis (ebenda, lib. IX, cap. 2, §. 66), die

‚Tanais' (Don), der ‚ex Riphaeis' fliesst (ebenda, li

§. 24), die Erwähnung von den Edelgesteinen

den dieselben bewachenden Raubvögeln (ebenda,

§. 32), alle diese Nachrichten, die sich auch be

finden, müssen nicht aus einer directen Benützu

den ungarischen Chronisten erklärt werden.

Schliesslich nennt Keza auch Gottfried

schreiber. Gemeint ist Gottfried von Viterbo

thatsächlich benützt zu haben scheint. Aus Go

nächst Keza seine Kenntniss von Josephus

Man vergleiche:

Gottfrid.	K
Speculum regum (Mon. Germ. Script. XXII) S. 30. . . . Egrediente patre veniunt tres ordine fratres: Josephus et Moyses	§. 2. Multifa dis olim in vet et nunc sub e diversas histor

referunt hec omnia late. S. 31f.
Musa virum prome Nembrot
de germine Noe ... Josephus
hunc iuvenem pingit ... Iste
primus Babel studuit compo-
nere turrem.

prout Josephus ... Dum
autem tribus iste, sicut refert
Josephus, lingua ebraica uterentur, dicto primo anno post
diluvium Menroth gygans ...
turrem construere cepit.

Aus Gottfried könnte auch Keza zu seiner Behauptung gelangt sein, dass Menroth der Stammvater und also auch erster
König der Hunen gewesen sei. In den Gesta vetera war dieser
noch nicht genannt;[1] hier erschien noch, wie auch beim Anonymus, Magog als Sohn Japhets. Magog als Stammvater der Magyaren hält auch Keza fest. Da er aber auch die Hunen in die
Geschichte einführt, so setzt er ihm einen (erdichteten) Bruder
Hunor als deren Stammvater zur Seite. Beide Brüder erscheinen aber bei ihm nicht mehr als Söhne Japhets, sondern
als Nachkommen Menroths. Eine Erklärung für diese Hinein-
zerrung dürfte folgende Stelle bei Gottfried geben: Memoria
Seculorum Mon. Germ. Script. XXII, S. 101: ,Quia reges omnes
tam Francos quam Italicos de proienie Sem, filii Noe et Jarari,
patris primi regis mundi nomine Nembrot descendisse superius
demonstravimus, oportet etiam omnes Romanos imperatores ab
eadem propagine descendere ...' Es ist doch sehr wahrscheinlich, dass die Behauptung Gottfrieds, dass alle anderen Könige
von Nembrot, dem ersten Könige der Welt, abstammen, Keza
bewog, auch die ungarischen auf ihn zurückzuführen.[2]

Aus Gottfried könnte ferner Keza zu seiner völligen Iden-
tificirung der Hunen und Ungarn gelangt sein. Man vergleiche
Memoria seculorum, a. a. O., S. 102: ,Ungarorum regna duo
esse legimus, unum antiquum aput Meotidas paludes in finibus
Asie et Europe, et alterum quasi novum ..., quam Pannoniam
nonnulli novam Ungariam vocant. Ungari etiam Huni sunt

---

[1] Vgl. Studie VIII, S. 242f.
[2] Diese Nachricht Gottfrieds beruht aber wohl wieder in ihrem ursprünglicheren Kerne auf der Anschauung, die sich bei Isidor, lib. VII, cap. 6,
§. 22, findet: ,Nembroth interpretatur tyrannus. Iste enim prior arri-
puit insuetam in populis tyrannidem.' — Vgl. auch z. B. Hieronymus
(ed. Vollarsius, Verona 1735, III, S. 320), wo sich dieselbe Behauptung
findet; doch wird hier Nemrod noch als Nachkomme Chams bezeichnet.
— Schliesslich Josephus, Antiqu. Jud. I, 4, 2, ebenso.

appellati. Sub quorum viribus Atili et Totila
gnantes multa regna in Italia et in Galiis desola

Auch erscheint bei Gottfried ebenso wie b
unter dem Namen ,Sicambria'. Man vergleiche Sp
a. a. O., S. 62: ,Urbs ornata viris nova dicta Si
multiplicata nimis Troiana potentia sevit . . . (Ms.
addit: ,in Ungaria Czkamber prope Budam'). [1]

Vor Allem scheint aber noch folgende Stel
nützung des Gottfried durch Keza bezeichnend

Keza, S. 60.	Gottfredi Pantheon, S. 188.	Jordanis Getica, S. 105 (= Hist. misc. S. 362).
Ipse autem seipsum Hunorum regem, metum orbis, flagellum Dei a subiectis suis fecit appellari. Erat enim . . . rex Ethela colore teter, oculis nigris et furiosis, pectore lato, elatus incessu, statura brevis, barbam prolixam . . .	Iste est Atila metus orbis, flagellum Dei, superbus incessu, oculos furiosus circumferens, amator belli, manu propria temperatus, consilio validus . . . forma brevis, pectore lato, minutis oculis, . . . rara barba . . . colore tetro . . .	Vir in concussione gentium natus i mundo, terrarum omnium metus, qui nescio qua . . . superbus incessu, huc atque illuc circumferens oculos . . . bellorum quidem amator, sed ipse manu temperans, consilii validissimus . . . forma brevis, lato pectore . . . minutis oculis, rarus barba, teter colore . . .

Zu den von Keza benützten schriftlichen (
auch die Cronica veterorum, der er §. 12

[1] Es ist hier wohl nicht nöthig, die Frankensage weit
folgen. Man vergleiche übrigens die Gesta Francorum
in Script. rer. Mer. II, S. 242: ,Ingressi (Troiani) Meoti
gantes pervenerunt intra terminos Pannoniarum iuxta
et coeperunt aedificare civitatem ob memoriale eorum
eam Sicambriam; habitaveruntque illic annis multis
gentem magnam.' — Fredegar (ebenda, S. 93): ,. .
(Troianorum) pars, que super litore Danubii remanserat
sunt Turchi.' — Gregor von Tours (ebenda, I, S. 77):
multi, eosdem de Pannonia fuisse degressos.' Weiter
Arbeit von O. Dippe, Die fränkischen Trojanersage
und ihr Einfluss auf die Poesie und die Geschichtsschr
alter. Programm des Matthias-Claudius-Gymnasiums

,Veneti siquidem sunt Troiani etc.' entnimmt; doch wissen wir
nicht, welche Quelle er meint.

Am Schlusse unserer Bemerkungen über die durch Keza
für seine Hunengeschichte benützten schriftlichen Quellen, die
übrigens durch die oben behandelten nicht erschöpft sind,[1]
mag noch die Bemerkung gemacht werden, dass Keza die
eine oder andere Quelle vielleicht einmal gelesen hatte, nicht
aber beim Niederschreiben seiner Chronik wieder benützte.
Daraus würde sich manche Eigenthümlichkeit der Darstellung
Keza's und zugleich auch die Schwierigkeit des Nachweises
seiner Quellen erklären.

Ferner hat Keza vor Allem noch die mündliche Ueberlieferung benützt. Aus ihr rührt her die offenbar von den Ungarn
auf die Hunen übertragene Nachricht von den 108 Geschlechtern
(§. 5 und 7) und von den bis auf die Zeiten Geisas geltenden
Rechtsbestimmungen (§. 6).[2] Mit der Nibelungensage und deren
in Ungarn bekannter Ueberlieferung hängen die zahlreichen
Erwähnungen Dietrichs zusammen (§. 7 und 8). Bemerkenswerth ist in §. 8 die Bemerkung: ,Pro qua enim invasione
Ditricus acerbatus in campum Tawarnucweg exivit cum Hunis
committens prelium cum suorum et Macrini maximo interitu
ac periculo, fertur tamen Hunos in hoc loco potenter devicisse.'
Hierher gehört auch die etymologische Sage über Cuweazoa in
der zweiten Hälfte dieses Paragraphen. Ebenso gehören einzelne Züge in der Charakteristik Ethelas ebenso wie diese
Namensform der Ueberlieferung an; was über Etzels Banner
(§. 9) gesagt wird, ist aus der ungarischen Ueberlieferung auf die
Hunen übertragen.[3] Der Ueberlieferung ist ferner entnommen

---

[1] Aus diesen Quellen rührt auch die Erzählung von der Hirschkuh (§. 3),
die Sage von der Eroberung Aquilejas (§. 12), die Schilderung der
Schlacht auf den catalaunischen Gefilden, insbesondere die Sage vom
Anschwellen des Baches durch das Blut der Erschlagenen, die Ge-
schichte von der Begegnung Attilas mit Papst Leo (§. 13) und vom
Tode Attilas (§. 14).

[2] Aehnliches berichtet ebenfalls auf Grundlage der mündlichen Ueberlieferung die ungarisch-polnische Chronik S. 495 (Mon. Pol. hist. I),
worauf schon Studie III, S. 614, Anm. 3, verwiesen wurde.

[3] ,Banerium quoque regis Ethele, quod in proprio scuto gestare consue-
verat, similitudinem avis habebat, que hungarice Turul dicitur, in
capite cum corona. Istud enim banerium Huni usque tempora ducis
Oeiche, dum se regerent pro communi, in exercitu secum semper gesta-

die Sage über die Umnennung von Etzelburg in B‹
und die Nachricht über die Späherketten Atti
Schliesslich gehört der Sage auch das Meiste von
der zwei letzten Paragraphen (15 und 16) an: so
die Erzählung über den Krimhildkampf („Istud
lium, quod Huni [Hungari] prelium Crumhelt ‹
nominantes vocaverunt‘); ferner die Mittheilungen
sprung der Szekler (Zaculi) und ihre Sage über ‹
vulgus adhuc loquitur in communi ...‘); desgleic
Ursprung der generatio Aba. Schliesslich vergleic
‚Tradunt quidam, quod Hungari Morot ...‘, v
§. 18: „... usque hodie fabulose Morot ipsur
verant.‘[1] Bei dieser Gelegenheit muss aber die
zurückgewiesen werden, als ob die Hunensage u
nationales Eigenthum der Ungarn gewesen wäre, ‹
Flegler[2] mit ungarischen Historikern anzunehmen
An einen directen Uebergang der Ueberlieferu
Hunen an die Ungarn‘ kann nicht gedacht werde
stoss zur ungarischen Gestaltung der Hunensage 1
deutsche Etzelsage geboten haben. Aus der Na
berts von Hersfeld[3] über das Schwert Attilas, da‹
Händen der Ungarn befand, und das die Mutte
Salomon dem Herzoge Otto von Baiern geschenk
allenfalls schon hervor, dass im 11. Jahrhunder
Hunensage in Ungarn Eingang gefunden hatte. .
erscheint dieselbe schon in der ungarisch-polnisc
Keza hat sie mittelst gelehrter Forschung möglich‹
versucht.[4] So mag sich die Sage dann auch un‹

---

vere.‘ — Keza nennt bekanntlich das Geschlecht der
haupt ‚genus Turul‘ (§. 19: ‚Uger de genere Turul‘)
vergleichen die Sage über die Geburt Almus', die dur
verkündet wird (Anonymus, §. 3; Chronicon Budense, 8

[1] Die Sage von Morot hat auch Anonymus, §. 11; sie ‹
Ungarn allgemein verbreitet. Keza führt den historische
und versucht seine Darstellung mit der Ueberlieferung

[2] A. Flegler, Beiträge zur Würdigung der ungarisch
schreibung. Historische Zeitschrift XVII (1867), S. 323‹

[3] Mon. Germ. Script. V, S. 185, anno 1071.

[4] Vgl. auch Rademacher, Die ungarische Chronik als ‹
Geschichte, S. 4: ‚Was also in der ungarischen Chro‹

weiter verbreitet haben, wie dies ungarische Gelehrte nachzuweisen suchen.

c) Bemerkungen über den Werth der Gesta Hunorum und über ihren Verfasser.

Aus dem eben Ausgeführten ergibt sich leicht der Schluss,
dass die Hunengeschichte als historische Quelle werthlos ist.
Nur das Wenige, was etwa aus der Ueberlieferung herrührt,
kann eben als ungarische Tradition einige Beachtung verdienen.

Ueber die Person und das Zeitalter des Verfassers wissen
wir nur so viel, als er in seinem ‚Prohemium‘ selbst sagt. Er
bezeichnet sich als ‚magister‘ und nennt sich ‚fidelis clericus‘
des Königs Ladislaus des Kumanen (1272—1290). Ebenso
geht aus den einleitenden Paragraphen seines Werkes zur Genüge hervor, dass er ein für seine Zeit gelehrter Mann war
(vgl. oben, S. 402 und 408 ff.). Damit stimmt der Umstand überein, auf den schon Marczali verwies,[1] dass Keza vielleicht
italienische Bildung genossen hatte. Vor Allem muss aber noch
betont werden, dass er offenbar auch mit der deutschen Sprache
vertraut war. Dies beweist nicht nur seine Vertrautheit mit der
deutschen Nibelungensage,[2] sondern auch folgende Umstände:
S. 57 spricht er von ‚legerfalc‘, was offenbar aus ‚Jägerfalk‘
verderbt ist; S. 61 spricht er von ‚maristalla‘; S. 62f. wird der
Name von ‚Strassburg‘ aus ‚via‘ erklärt; vor Allem heisst es
aber S. 55: „... gygas Menroth uxores alias sine Enee perhibetur
habuisse, ex quibus absque Hunor et Mogor plures filios et
filias generavit: hy sui filii et eorum posteritas ... parum dif-
ferunt in loquela, sicut Saxones et Thuringi.‘ Letztere Bemerkung deutet eine wohl nur durch nähere Kenntniss des
Deutschen gewonnene Erkenntniss an. Dazu kommt noch, dass
Keza sich offenbar selbst mit localen deutschen Ueberlieferungen
vertraut zeigt; so z. B. erzählt er in §. 11 von der Hofhaltung
Etzels in Eisenach, was uns wieder auf Thüringen führt. Auch

---

berichtet wird, ist der deutschen Heldensage entnommen oder anderen
Schriften entlehnt.‘
[1] Geschichtsquellen, S. 49.
[2] Auf die deutschen Elemente verweist auch Rademacher, Die ungarische
Chronik als Quelle deutscher Geschichte, S. 16. Hiebei wirft er aber
Alles, was überhaupt sich hievon in der Chronik findet, zusammen, ohne
zwischen deren einzelnen Theilen zu scheiden.

mag daran erinnert werden, dass Keza — wie schon in Studie VIII, S. 274, bewiesen wurde — mit deutschen Quellen vertraut war. Trotzdem werden wir ihn nicht für einen Deutschen halten können. Man vergleiche übrigens seine Bemerkung in §. 15: ‚In quo quidem prelio tantus sanguis Germanicus et effusus, quod si Teutonici ob dedecus non celarent . . .‘ Er spricht von den Deutschen also ganz offenbar wie von Fremden. Betont muss aber werden, dass bei ihm die Gehässigkeit gegen diese Nation noch nicht so hervortritt, wie dies in der National-chronik der Fall ist.[1] Als besonders auffallend muss noch der Umstand betont werden, dass der geistliche Standpunkt des Verfassers nirgends scharf hervortritt. Es ist dies überhaupt in den ungarischen Chroniken der Fall: der nationale Standpunkt überwog bereits damals alles Andere.

2. Keza's eigentliche Ungarngeschichte.

An die von ihm verfasste Hunengeschichte knüpfte Keza auch eine Darstellung der eigentlichen Ungarngeschichte. Als Verbindungsglied schrieb er den kleinen §. 17: ‚Digestis ergo Hunorum natalibus, preliis felicibus et sinistris . . . presenti opusculo apponere dignum duxi.‘

Es ist uns nun aus den vorhergehenden Studien bekannt, dass Keza für diesen Theil seiner Chronik vorzüglich der Gesta Hungarorum vetera sich bediente. Dieselben boten ihm fast ausschliesslich das Material für seine Darstellung von den Anfängen der Ungarn bis auf Koloman. In diesem Theile hat er nur verhältnissmässig Weniges hinzugefügt, was ihm wahrscheinlich aus irgend einer anderen (wahrscheinlich deutschen) Quelle bekannt geworden ist (siehe unten im Texte). Auch auf sonstige Abweichungen von seiner Vorlage ist bereits in Studie VIII hingewiesen worden. Man vergleiche daselbst besonders die Ausführungen S. 236—302. Ebenso ist daselbst, S. 226 ff., nachgewiesen worden, dass die Annahme unrichtig sei, Keza hätte seine Vorlage beträchtlich gekürzt. Es ist vielmehr gezeigt worden, dass dieselbe im Grossen und Ganzen im ursprünglichen Umfange von Keza bewahrt wurde; nicht

---

[1] Man vergleiche Chronicon Budense, S. 77: ‚Postquam autem Petrus est factus rex . . . teutonico furore seviens . . . cum Teutonicis, belluina feritate rugientibus . . .‘

Keza hat die Gesta vetera gekürzt, sondern der Verfasser der nationalen Grundchronik hat sie verbessert und erweitert. Der Hauptwerth dieses Theiles der Darstellung Keza's liegt also darin, dass er uns die alte Ungarngeschichte in getreuerer Form bewahrt hat als die anderen Ableitungen. Unrichtig ist es aber, dass er in diesem Theile die Quelle für die anderen Chroniken gewesen ist. Der Verfasser der Nationalchronik oder der Ofener Minoritenchronik hatte gewiss die eigentlichen Gesta vetera vor sich und hat deren Redaction bei Keza nur nebenher benützt. Dass auch diese Redaction ihm vorlag, ist unzweifelhaft, weil er doch Keza's Werk überhaupt vor sich hatte und aus demselben die Hunengeschichte entnahm. Man vergleiche Studie VIII, S. 273 f.

Für diesen Theil der Darstellung hat Keza — wie soeben bemerkt worden ist — auch eine unbekannte, wahrscheinlich deutsche Quelle benützt, aus welcher er einige Nachrichten für die Zeit der Raubzüge entnahm, die allen anderen Chronikredactionen fehlen.[1] Man vergleiche darüber Studie VIII, S. 274, und die betreffenden Ausweise im Parallelstellenverzeichnisse daselbst, S. 261 ff. Dieser Quelle entstammen also vorzüglich zwei Nachrichten über Rheinübergänge bei Mainz und Constanz, eines Ueberganges über die

---

[1] Was Rademacher in den Forschungen XXV, S. 386 f. über die selbstständigen Nachrichten Keza's bietet, leidet 1. an dem Umstande, dass er zwischen Hunen- und Ungarngeschichte nicht auseinanderhält, und 2. dass er von den Nationalchroniken nur das Pictum zum Vergleiche herbeizog. Ueber das Unstatthafte des ersten Vorganges ist hier nicht nöthig, weiter zu sprechen. Aus dem zweiten Umstande ergab sich seine irrige Anschauung, als ob nur Keza vom Thurmbau zu Babel erzählte, während hierüber auch das Chronicon Pos., §. 2; Bud., S. 3 f. u. s. w. berichten. Ebenso kommt Scevam nicht nur bei Keza, §. 10, sondern auch im Chronicon Pos., §. 12; Bud., S. 19 u. s. w. vor. Der Fluss Racus erscheint ausser bei Keza, §. 16, noch beim Anonymus, S. 39. Ebenso falsch ist Rademacher's Bemerkung, dass nur bei Keza, §. 21, der Lech genannt wird; das Pic., S. 135, hat hier eben einen Schreibfehler; Bud., S. 56, hat ‚Lili‘, ebenso Dub., S. 39. In diesen Fällen handelt es sich also durchaus nicht um selbstständige Nachrichten Keza's; sie entstammen vielmehr schon seiner Vorlage, den Gesta, vetera und sind nur im Pic. ausgelassen worden. Nebenbei sei bemerkt, dass einige Notizen über selbstständige Nachrichten Keza's sich auch bei Marczali, Geschichtsquellen, S. 48, und bei Huber, Mittheilungen des Institutes für österreichische Geschichtsforschung IV, S. 132, finden.

Donau bei Ulm, dann genauere Nachrichten über verschiedene Grausamkeiten der Ungarn gegenüber deutschen Kriegsgefangenen.

Einzelnes hat Keza wohl auch aus der mündlichen Ueberlieferung geschöpft. So die Sage vom Horne des Lel, vielleicht auch jene über die Heldenthat des Botond vor Constantinopel, die Sage vom Mons Barsunus, die ungarische Erklärung des Klosternamens Sceug-Zard, endlich seine breite Erzählung über Sophie. Man vergleiche dazu Studie VIII, S. 271, 272, 291, 294, und zum letsterwähnten Punkte Stelle VII, S. 499.

Die Fortsetzung der Darstellung von Koloman bis Stephan V. rührt, wie in Studie VII, S. 481 ff. nachgewiesen wurde, von Keza her. Er hat, so gut es gieng, die Lücke von Koloman bis auf seinen gefeierten König Ladislaus zu überbrücken gesucht. Hiebei wird er vielleicht aus irgend einem dürren Königsverzeichnisse die Regierungsdauer für Bela II., Stephan III., Ladislaus II. und Stephan IV. entnommen haben.

Die Darstellung der Geschichte Ladislaus IV. des Kumanen ist zeitgenössisch. Freilich ist diese Erzählung nur ein trauriger Beweis, wie auch Aufzeichnungen von Zeitgenossen werthlos sein können.

Wir gelangen nun zur Besprechung des ersten Appendix, ‚De nobilibus advenis‘. Die erste Frage, welche sich uns aufdrängt, ist die, ob dieses Verzeichniss der adeligen Einwanderer von der Zeit des Herzogs Geisa bis auf Bela IV. Keza's Originalwerk, sei oder ob ihm dafür schon eine Vorlage zur Hand war. Leider lässt sich diese Frage nicht mit Sicherheit lösen. In der Nationalchronik befindet sich dieses Verzeichniss bereits in den Context der Chronik aufgenommen, und zwar gleich nach der Erzählung über die Einwanderung der Ungarn nach Pannonien. Dass die Verlegung an diese Stelle gegenüber Keza bereits eine zweite Stufe in der Entwicklung bedeute, ist unzweifelhaft. Es entspricht dies auch ganz dem Umstande, dass Keza's Darstellung die ursprünglichere ist.[1] Zwischen beiden Verzeichnissen findet sich neben

---

[1] Dass übrigens die Stellung des Appendix am Schlusse der Chronik die ursprüngliche ist, beweist auch die Bemerkung Keza's im c. 4 seiner

vielem Gemeinsamen auch manches Abweichende. Wenn Marcsali in den Geschichtsquellen, S. 49, sagt, dass die Uebereinstimmung zwischen beiden Darstellungen ‚nie wörtlich‘ sei, so ist das falsch. Man vergleiche:

Keza.	Chr. Budense.
§. 52. Postea Wolfer cum Hederico fratre suo introivit . . . cum XL militibus phaleratis. Huic datur mons Kiscen per descensum, in quo castrum fieri facit ligneum . . .	S. 47 f. Post hec . . . Volphgerus cum fratre suo Hederico . . . cum trecentis dextrariis faleratis introivit, cui dux Geycha montem Kiscen pro descensu eterno contulisse comprobatur, ubi castrum ligneum edificavit.
§. 50. . . . qui . . . sanctum regem Stephanum in flumine Goron Teutonico more gladio militari accinxerunt.	S. 48. . . . qui sanctum regem Stephanum in flumine Garany gladio Teutonico more accinxerunt.
§. 61. Comitum vero Simonis et fratris eius Michaelis generatio, qui Mertinsdorfarii nominantur, . . .	S. 53. Simonis enim et fratris eius Michaelis generatio Mortundorf nominantur . . .
§. 64. Intraverunt quoque temporibus tam ducis Geiche quam aliorum regum Boemi, Poloni . . .	S. 53. Intraverunt autem in Hungariam tam tempore regis Geyche, sancti regis Stephani, quam diebus regum aliorum Bohemi, Poloni . . .

Wörtliche Beziehungen sind also zwischen beiden Berichten vorhanden. Ebenso decken sich dieselben inhaltlich zum grössten Theile. Keza zählt nur drei Geschlechter auf (§. 55, 60 und 63), welche in der Chronik nicht erscheinen, während diese wieder über Deodatus (Chronicon Bud., S. 47) und Kyqinus und Rynaldus (S. 50) berichtet, die bei Keza nicht genannt werden. Ausserdem hat freilich bei den einzelnen Berichten bald Keza, bald die Chronik ein kleines Mehr oder Weniger an Nachrichten oder auch abweichende Angaben; auch muss noch constatirt werden, dass die Reihenfolge der

Gesta: ‚Quorum ergo advenarum generatio in fine huius libri apponetur seratim.‘

einzelnen Geschlechter abweicht, ohne dass
würde, was zu dieser ·geänderten Folge Veran
haben könnte: denn weder die eine noch die an
stellung ist etwa nach irgend einem Gesichtspun
geordnet. Alle diese Beobachtungen genügen
die Entscheidung, ob die Chronik nur auf K
ob beiden eine dritte, ältere Quelle vorlag. Fü
könnte wohl Folgendes geltend gemacht werd
Annahme einer älteren Aufzeichnung, die de
Keza vorlag, könnten sich leichter die ve
weichungen erklären lassen, insbesondere die
Grund geänderte Reihenfolge, die überdies
wenn nicht schlechter, so doch nicht besser a
2. ist es leicht denkbar, dass irgend eine
matrikel o. dgl. vorhanden war; andererseits
zweifelhaft, ob Keza etwa alle mitgetheilten
den einzelnen Geschlechtern durch mündlich
erhalten hätte; 3. endlich spricht dafür folgen
Im Texte seiner Ungarngeschichte, wo Keza
den heil. Stephan erzählt, zeigt er keine Bekan
Stephanslegende; er begnügt sich da mit gan:
theilungen seiner Vorlage (der Gesta); man kö
neigt sein, anzunehmen, dass ihm die Steph
gänglich war; nun zeigt der Eingang zum A
ganz unzweifelhafte Verwandtschaft mit der g
des heil. Stephans. Man vergleiche:

Keza.	Le
§. 48. . . . quia manus gesta-bat sanguine humano madatas, nec erat idoneus ad fidem con-vertere . . .	§. 3. Non ti quod meditari lutas humano

Ebenso beruht das, was über den heil. A
das Herbeiziehen der Fremden durch Geisa

---

[1] Hiezu sei noch bemerkt, dass schon eine der urspr
redactionen, das Chronicon Pos. (vgl. Studie XI),
thümlichkeiten der Nationalchronik zeigt, wie wi
Bud. finden.

leitung des Appendix findet, auf der Legende. Da also Keza nach Ausweis der Erzählung über Geisa und Stephan in der Ungarngeschichte die Legende des heil. Stephans nicht benützte, andererseits diese in dem Appendix benützt erscheint, so würde das darauf hindeuten, dass letzterer in seiner ursprünglichen Gestalt nicht von Keza herrührt. Bestärkt wird man in dieser Auffassung noch durch den Umstand, dass in der Einleitung zum Appendix, wie sie uns bei Keza bewahrt ist, trotz der Verwandtschaft derselben mit der Legende, doch wieder sich Widersprüche mit dieser ergeben. Nach der Legende, §. 3, ist Geisa schon vor der Ankunft Adalberts sammt seiner Familie zum Christenthume übergetreten und getauft worden (‚credidit ipse cum familiaribus suis et baptisatus est‘); in der Einleitung zum Appendix lesen wir dagegen: ‚licet ipse et domusque eius per sanctum Adalbertum baptismi gratiam accepisset‘. Dieser Widerspruch erklärt sich wohl leichter bei der Annahme, dass Keza bereits eine auf der Legende beruhende kurze Darstellung vorlag; wäre ihm die klare und völlig deutliche Darstellung der Legende selbst bekannt gewesen, so hätte er diesen Irrthum nicht begangen. Die Chronik hat diese Einleitung in sehr gekürzter und umgearbeiteter Gestalt wiedergegeben, so dass sich wenig aus dem Vergleiche ergibt. Sichere Schlüsse würden nur dann möglich sein, wenn uns der Appendix noch wenigstens in einer dritten Ueberlieferung erhalten wäre.

Noch weniger lässt sich über den zweiten Appendix ‚De Udwornicis‘ ausführen. Diese Aufzeichnungen finden sich in den anderen Chroniken nicht. Wir können daher an dieser Stelle über sie hinweggehen.

3. Die Bedeutung der Chronik Keza's.

In diesem Schlussabschnitte wollen wir zunächst in Kürze die Ergebnisse unserer vorangehenden Untersuchung zusammenfassen und sodann die Bedeutung des Gesammtwerkes Keza's mit wenigen Worten charakterisiren.

Keza's Hunengeschichte ist dessen originales Werk. Er hat für seine Darstellung ausser der ungarischen Ueberlieferung, indem manches den Ungarn Geltende auf die Hunen übertragen wurde, auch die Gesta Hungarorum vetera, ferner wahrscheinlich die Werke Gottfrieds von Viterbo und vielleicht auch Isidors

Etymologien, dann auch eine uns näher nicht
nica veterorum' benützt; dagegen nennt er O
sephus, ohne dass er deren Werke gekannt hat.
ihrer gelehrten Grundlage doch ziemlich we
geschichte — denn nur das der Ueberlieferung
beansprucht einigen Werth — knüpfte er sodann
garorum vetera an, welche bis auf Koloman die G
eigentlichen Ungarngeschichte bilden. Er hat d
ziemlich getreu erhalten; Einzelnes mag er imn
und ausgelassen haben, wie er auch andererseits,
aus einer deutschen Quelle und auch aus der
für die Zeit der Raubzüge einige Zusätze mach
man führte er die Darstellung wohl unter B
dürren Königsregisters bis auf seine Zeit fort. 1
der Geschichte des Königs Ladislaus IV. (1272-
genössisch. Für den ersten Appendix seines W
für das Verzeichniss der von Herzog Geisa b
eingewanderten Fremden dürfte Keza eine älte
nützt haben. Ueber den zweiten Appendix, der
nisterialen in Ungarn handelt, lässt sich zunä
stimmtes sagen.

Keza hat in seiner Chronik die erste Gesa
der ungarischen Geschichte geboten, und zwar
der Hunengeschichte, die nach der seit dem 11
immer mehr in Ungarn zur Geltung kommenden /
ersteren gehörte. Der Versuch, etwas Aehnlic
war zwar schon etwa 80 Jahre früher in der
nischen Chronik gemacht worden, doch konn
wohl in seiner ursprünglichen Gestalt missglückt
Studie III und VI) nicht befriedigen. Keza h
Werk für die folgende ungarische Geschichte
Weg geebnet. Die um 1300 entstandene Ofe
chronik, die Grundlage der verschiedenen R
Nationalchronik, beruht zum grossen Theile a
die Hunengeschichte anlangt, ist Keza überhaupt
folgende ungarische Geschichtsschreibung massgeb
Dieselbe hat fortan nur auf den weiteren Ausbar
setzung der Ungarngeschichte Gewicht gelegt.

XI.

Die nationale Grundchronik oder Ofener Minoriten-chronik. Ihre verschiedenen Ableitungen und deren Verhältniss zur Grundchronik und zu einander.

Als die letzte ungarische Quelle, in der die Gesta Hungarorum vetera Verwendung fanden, ist die nationale Chronik zu behandeln. Wir wollen zunächst kurz die Ergebnisse der Studien VII und VIII über die Entstehung und die Quellen der nationalen Grundchronik oder Ofener Minoritenchronik wiederholen, sodann die verschiedenen Redactionen und ihr gegenseitiges Verhältniss betrachten.

1. Die Entstehung der nationalen Grundchronik oder Ofener Minoritenchronik. Ihre Quellen; Ort und Zeit ihres Entstehens.

Die nationale Grundchronik ist, wie uns aus Studie VII und den folgenden Studien bekannt ist, aus der Verbindung der Hunengeschichte von Keza mit den Gesta Hungarorum vetera entstanden. Da dem Verfasser der Grundchronik natürlich Keza's Geschichtswerk in seinem ganzen Umfange vorlag, so hat er aus demselben auch den Uebergang von der Hunengeschichte zur Ungarngeschichte übernommen (,Digestis ergo ... dignum duxi') und hat auch seine Darstellung der Ungarngeschichte eingesehen. Vor Allem hat er ferner das bei Keza als 1. Appendix mitgetheilte Verzeichniss ,De nobilibus advenis' in den Context der alten Gesta eingeschoben, wobei er vielleicht auch eine ältere Redaction desselben zur Hand hatte, aus der vordem auch Keza geschöpft haben würde. In Studie VIII ist ferner ausführlich dargethan worden, wie der Verfasser der Grundchronik die Gesta vetera aus den Annales Altahenses, die ihm jedoch nur bis 1046 vorlagen,[1] und den ungarischen Legenden (Stephan, Emerich, Gerhard, Ladislaus) ergänzte. Für die Zeit des 12. und 13. Jahrhunderts, von Koloman bis auf Stephan IV., wurde Keza's dürre Aufzeichnung aus irgend einer genauen chronologischen Zusammenstellung

---

[1] Nicht aber eine Theilquelle der Annalen. Vgl. Studie VIII, S. 212, Anm. 1.

der Krönungs- und Todesdaten der Könige [1] ergänzt und durch einige Nachrichten erweitert. Seit **Ladislaus IV.** beginnt die selbstständige Aufzeichnung; schon die Darstellung der Geschichte dieses Königs weicht von derjenigen bei Keza ab. Aus der Darstellung der Chronik über diesen Herrscher und die folgenden ist ganz offenbar zu erkennen, dass wir hier bereits zeitgenössische Berichte vor uns haben. Damit soll nicht etwa gesagt sein, dass die uns vorliegende Darstellung der Chroniken bereits für das Ende des 13. Jahrhunderts etwa gleichzeitig oder auch nur bald nach den Ereignissen aufgezeichnet wurde. Dies ist wohl erst seit dem Anfange des 14. Jahrhunderts der Fall, seit welchem Zeitpunkte die Berichte recht ausführlich werden und bald auch Jahr für Jahr die wichtigsten Ereignisse verzeichnen. Wohl aber waren Denjenigen, welche diese Aufzeichnung am Anfange des 14. Jahrhunderts veranlassten, die wichtigsten Ereignisse der letzten Jahrzehnte noch wohl bekannt, so dass dieselben im Allgemeinen richtig erzählt werden, wenn auch manche Irrthümer und Lücken vorhanden sind. Da in diesen Aufzeichnungen das Minoritenkloster in Ofen besonders berücksichtigt wird, ferner die Chronik sich besonders betreffs der in Ofen und Pest stattgefundenen Ereignisse wohl unterrichtet erweist, endlich auch zum Jahre 1325 die Gründung des Minoritenklosters in Lippa an der Maros in allen Redactionen ausführlich erwähnt wird, so ist die von Marczali vertretene Ansicht zu billigen, dass diese (aber nur diese) Aufzeichnungen im Minoritenkloster zu Ofen stattfanden. Hier ist aber auch offenbar die Grundredaction der nationalen Chronik entstanden, die man deshalb auch ,Ofener Minoritenchronik' nennen könnte. Die Aufzeichnung der Grundchronik begann nach den vorstehenden Bemerkungen etwa 1300 und wurde sodann bis 1342 fortgesetzt.

Auf der so entstandenen nationalen Grundchronik oder Ofener Minoritenchronik beruhen alle anderen Redactionen. Unsere Aufgabe ist es nun, zu untersuchen, in welchem Verhältnisse dieselben zu der hypothetischen Grundchronik und zu einander stehen.

----

[1] Diese beginnen mit der Angabe des Todesdatums Ladislaus' I. Siehe Studie XII.

2. Die verschiedenen Redactionen der nationalen Chronik, ihr Verhältniss zur Grundchronik und zu einander.

Bisher sind uns folgende 13 Redactionen der ungarischen Nationalchronik bekannt: Chronicon Acephalum; Chronicon Budense; Chronicon Dubnicense; Chronicon Monacense; Muglen's Chronik; Chronicon Pictum, Vindobonense oder Marci; Chronicon Posoniense; Lateinische Reimchronik; Chronicon Sambuci; Thurocz' Chronik; Chronicon Varadiense; Chronicon Vaticanum; endlich Chronicon Zagrabiense. Näheres über die letzten Publicationen dieser Geschichtsquellen findet man in der Einleitung zur Studie VII. Die noch ungedruckten Chroniken Acephalum und Sambuci habe ich in der Handschrift benutzt.

In welchem Verhältnisse stehen diese Chroniken zur Grundchronik und zu einander?

Unser leitender Grundsatz, der aus der Entstehung der Grundchronik sich von selbst ergibt, ist folgender: Jene Redaction, welche in der Hunengeschichte Keza am nächsten steht, und deren Ungarngeschichte der Darstellung bei Keza und beim Anonymus, also auch der gemeinsamen Quelle aller (den Gesta vetera) am meisten gleicht, ist die ursprünglichste.

a) Chronicon Posoniense.

Ein sorgfältiger Vergleich ergibt nun, dass das Chronicon Posoniense, trotzdem es sonst alle charakteristischen Merkmale der Chroniken trägt, also nicht etwa eine selbstständige Ableitung aus Keza ist, sondern thatsächlich schon auf der aus der Verbindung von Keza's Hunengeschichte mit den erweiterten Gesta Hungarorum entstandenen Grundchronik floss, den beiden Theilen Keza's vielfach näher steht als die anderen nationalen Chroniken.

Zunächst stellen wir eine Reihe von Parallelstellen zusammen, welche den Beweis erbringen, dass das Chronicon Posoniense thatsächlich zu den anonymen nationalen Chroniken gehört. Wir vergleichen Keza, das Chronicon Pos., ferner das Chronicon Bud.:

Keza.	Chr. Posoniense.	Chr. Bu
§. 2. Porro cum per cladem diluvii preter Noe et tres filios eius deleta esset omnis caro . . .	§. 2. Porro cum per cladem diluvii preter Noe et tres, qui erant filios (!) eius, ac uxores eorum deleta esset omnis caro . . .	S. 3. Porr cladem dilu Noe et tres ac uxores leta esset o . . .
§. 3. . . . sine maribus in tabernaculis permanentes uxores ac pueros filiorum Belar casu repererunt . . .	§. 4. . . . sine maribus in tabernaculis permanentes uxores et pueros filiorum Wereta, cum festum tube colerent et choreas ducerent ad sonitum simphonie, casu repererunt . . .	S. 9. . . . bus in dese tabernaculis tes uxores filiorum Ber festum tu rent et ch cerent ad simphonie perierunt ..
§. 5. Sciticum enim regnum comprehensione una cingitur, sed in regna tria dividitur . . .	§. 5. Scitia enim comprehensione una cingitur, sed in tria regna dividitur.	S. 10. S comprehen cingitur, sed gna dividitu
§. 6. Igitur in etate sexta seculi multiplicati Huni in Scitia habitando ut arena anno domini septingentesimo in unum congregati . . .	§. 6. In sexta igitur etate mundi vel seculi multiplicati Huni in Scitia habitando ut arena anno domini CCCXXVIII congregati in unum . . .	S. 14. In tur etate se plicati sunt Scitia ut a est in litore no Domini simo octa gati in unu
§. 6. Quicunque ergo edictum contempsisset, pretendere non valens rationem, lex Scitica per medium cultro huiusmodi detruncabat, . . .	§. 6. Quicunque ergo edictum contempsisset, non valens pretendere racionem, cultro dividi per medium lex Scitica sanciebat . . .	S. 14 gen Chronicon l
§. 9. Ipse autem scipsum Hunorum regem, metum orbis, flagellum	§. 10. . . . vocarique se faciens Hungarorum regem, metum orbis, flagel-	S. 17f. quidem sui forma scri

ei a subiectis suis fe-
appellari.

§. 12. Pannonie, Pam-
lie, Macedonie, Dal-
atie et Frigie civita-
s . . .

§. 13. . . . petentes,
exiret de finibus
ombardorum, propter
uod ei et censum per-
solverent et gentem
arent, quam vellet.

§. 14. . . . quam qui-
dem adamasse in tan-
um perhibetur, quod
xcessit modum in ha-
endo. Eadem enim
octe, cum ipsam car-
aliter cognovisset, plus
xcesserat more solito
potando . . .

§. 15 nicht vorhan-
en (zwischen ,nationes
cognatos' und ,Qui
um Scithiam introis-
et.

§. 19. Ex istis ergo
apitaneis Arpad, filius
lmi, filii Elad, filii
Jger de genere Tu-
ul . . .

§. 18. DCCCLXXII
t. ab inc. J. Ch. Huni

---

lum Dei, Attila Dei gra-
tia filius Wendeguz, nepos
magni Nemproth, nutritus
in Engadi . . .

§. 17. Pannonie, Pam-
tilie, Frigie, Macedonie et
Dalmatie civitates . . .

§. 18. . . . petens eum
ex parte Romanorum, ut
acciperet census et ser-
vicia, quamdiu viveret
ipse Attila.

§. 19. Quam in tantum
adamasse perhibetur, ut
modum excesserat, sicuti
ei moris erat, in potando.
Factoque fine coitus puelle
usuque consumato de na-
ribus eius sanguis egre-
diens etc. etc.

§. 20. Manserat (Chaba)
namque in Grecia apud
Honorium duodecim an-
nis, sed rediit in Scitiam
propter disturmiam (!) uno
anno. Hic autem in Sci-
tiam adiendo uxorem de
Scitia non accepit . . .

§. 24. Porro Eleud fi-
lius Ugek ex filia Ewid-
bilia in Mogor genuit fi-
lium, qui nominatur Almus
ab eventu . . .

§. 25. Anno octingen-
tesimo octuagesimo octavo

Atila Dei gratia
Bendekuz, qui es
tritus in Engaddi
pos magni Nemrot
S. 24 genau wi
Chronicon Pos.

S. 27 desgleich

S. 28 ebenso.

S. 31. . . . man
namque Chaba in
cia cum Honorio
tredecim; sed rec
Scitiam anno uno
pter viarum discri
et difficultatem
giorum. Hie aute
Scitia . . .

S. 35. Porro E
filius Ugek, ex fili
nodbilia in Mogo
nuit filium, qui
natur Almus ab
tu . . .

S. 36. . . . ann
tingentesimo oct

sive Hungari denuo in-
gressi in Pannoniam
transierant per Regna
Bessorum, Alborum
Comanorum et civita-
tem Kyo et deinde in
fluvio Hung vocato, ubi
castrum fundavere, re-
sederunt . . .

§. 24. . . . duce Cup-
pan interfecto, Jula
avunculo suo cum uxo-
re et duobus filiis de
septem castris . . .

§. 24. . . . de ipsius
thesauro beatae virgi-
nis ecclesiam de Alba
ditare non omisit, quam
fundasse perhibe-
tur.

§. 27. Tunc in Che-
nad omnes in unum
convenerunt, consilio-
que habito communiter
pro filiis Zar Ladislai
transmittunt, unde ad
regnum remearent . . .
Tunc tres fratres . . .

§. 28 und 30 Thron-
erhebung Andreas ohne
Jahreszahl.

---

ab. inc. J. Ch. Hungari ingressi sunt Pannoniam et
devenerunt in Herdewel,
ibique septem castra ter-
restia preparaverunt.

§. 34. Post hoc beatus
Stephanus bellum gessit
anno Dom. MII contra
Gulam avunculum suum,
qui tunc tocius ultra silvam regni gubernacula
possidebat.

§. 35. Ex hac itaque
gaza sanctus Stephanus
Albensem basilicam quam
ipse fundaverat, pluri-
mum ditavit.

§. 39. Tunc nobiles Hun-
gari in Canad convenerunt
consilioque tocius Hunga-
rie nuncium miserunt in
Rusciam ad Andream et
Leventham, filios calvi
Ladislai . . . dicentes, quod
totalis Hungaria eos fideliter expectaret . . .

§. 40. Porro dux An-
dreas anno MXLVII co-
ronatus est.

---

simo octavo
Ch. vulgarit
sive Huni,
Hungari den
sunt Panno
scilicet in E

S. 65. Po
Stephanus .
gessit contr
culum suu
Gyula, qui
poris tocius 1
regni guberi
sidebat. A
D. millesin
do . . . cepit (

S. 66. Ex
gaza multipl
rex Stepha
mum locupl
bensem e
quam ipse
rat . . .

S. 91. Tu
Hungarie, v
la gentis su
nad in unu
runt, consilic
totius Hun
cios miseru
nes in Rusc
dream et
dicentes . .

S. 101.
Andreas . .
est a. Dom
timo.

Diese Stellen mögen, um unser Verzeichniss nicht allzusehr anschwellen zu lassen, genügen. Sowohl in den Gesta Hunorum als in den Gesta Hungarorum zeigt also das Chronicon Pos. bereits alle Merkmale der nationalen Chroniken.[1] Nun wollen wir aber die Stellen zusammentragen, aus denen es hervorgeht, dass dieses Chronicon dem bei Keza überlieferten Texte der Hunen- und Ungarngeschichte näher steht als die anderen Redactionen:

Keza.	Chr. Posoniense.	Chr. Budense.
§. 2. Multifarie mul-lisque modis olim in veteri testamento et nunc sub etate sexta seculi diversas historias diversi descripseunt, prout Josephus u. s. w.	§. 1. Multipharie multisque modis olim in veteri testamento et nunc in etate sexta seculi diversas diversi historias descripserunt, prout Josephus u. s. w.[2]	Fehlt.
§. 3. ... quam (Meoidam) undique pontus preter vadum unum parvissimum girovallat, luminibus penitus carens, erbis, lignis, volatilibus, piscibus et besiis copiatur.	§. 4. ... quam undique preter vadum unum pontus girovallat; fluviis carens, herbis, silvis, piscibus, volucribus et bestiis copiatur.	S. 9. Quam undiq preter vadum pont giro vallat; fluviis ci rentibus, herbis, vis, piscibus, voluc bus et bestiis copiat:
§. 4. Habet etiam de occidente vicinos Bessos et Comanos aljos.	§. 5. ... cui de occidente vicini sunt Bessi et Cumani albi.	S. 11. Cui de oriei vicini sunt Bessi et mani albi.
§. 11. Erant enim soli Huni preter exteras nationes CCC milia XXX milia et	§. 13. Erant enim soli Huni adversus Mirmamaniam destinati LXV milia, secundum quosdam	S. 22. Erant en soli, qui adversus Mi mammonam destina sexaginta quinq

---

[1] Aus den letzten Citaten geht, soweit dies bei dieser stark gekürzten Redaction möglich ist, auch hervor, dass ihre Vorlage bereits auch die Legenden ausgeschrieben und die Annales Altahenses wiederbenützt hatte. Man vergleiche darüber die Studie VIII.

[2] Zu dieser Stelle vergleiche man auch die Bemerkungen unten, S. 449.

XXXII Huni. Ex his etiam Hunis plures . . .

§. 12. Quidam autem Venetos de Sabaria fuisse opinantur. Sabaria vero habitata fuerat Longobardis . . .

§. 13. . . . inter colloquia contigit, Ethelam sursum aspicere, superque caput suum in aëre hominem pendere . . .

§. 15. Propter quod e Scitia uxorem non accepit, sed traduxit de gente Corosmina.

Fehlt bei Keza; dafür ist beim Anonymus wiederholt die Rede (§. 1, 5, 7 ff.) von den „septem principales persone, qui Hetumoger dicti sunt‘ (Hetumoger = 7 Ungarn).

§. 24 fehlt diese Nachricht; doch ist „Sicambria‘, das im Chronicon Pos. vorkommt, der ältere, ursprünglichere Name, wie er bei Keza erscheint.

§. 31. Ipse (Andreas) . . . in Tyhon monaste-

libros CCCXXX milia in Hunis excepta extranea nacione. Ex hys . . .

§. 17. Veneti quidem non accipiunt originem de Sabaria, ut quidam opinantur; nam Sabariam Latini Longobardi inhabitant.

§. 18. Nam cum idem rex oculos superius elevasset vidit super caput suum pendere quemdam hominem . . .

§. 20. Hic autem in Scitiam adiendo, uxorem de Scitia non accepit, sed traduxit de Corosmenia.

§. 29. Qui quidem . . . het mogoriek sunt vocati (wobei Florianus IV, S. 26, Anm., zeigt, dass „het mogoriek‘ im älteren Magyarischen die richtige Form sei = „septem Hungari‘).

§. 35. Et etiam de thesauro dicti Kan fundavit (St. Stephanus) ecclesiam in honore apostolorum Petri et Pauli in Sicambria.

§. 40. . . . et sepultus in Tyhon iuxta lacum Wa-

millia, excepta natione.

S. 26. Vene dem non accipi ginem de Sabar de Troia civita matissima, nam rie Latini, Lor di videlicet, in bant.

S. 28. . . . vi pra caput.

S. 31. Hic au Scitia, dum ven rem ex ea non sed de Corosme duxit.

S. 45. Qui ⟨ . . . Het Magiar ⟨ sunt vocati (hi⟨ in den anderen tionen — vgl. nus IV, S. 26, — schon verde⟨

S. 67. Deinde⟨ rex venit in civ que Vetus Bud⟨ tur . . . statim . thesauro predict . . . cepit in me vitatis edificare ⟨ cenobium.

S. 115. Sepul⟨ autem in mon⟨

struxit in Tyhon, iux
lacum Balatun.

Die Anzahl dieser Parallelstellen liesse sich vielleicht noch
um die eine oder andere vermehren; doch werden die angeführten genügen, um die oben ausgesprochene Ansicht zu
rechtfertigen, dass das Chronicon Pos. dem Grundstocke der
Chroniken näher stehe als alle anderen Redactionen. Die
Beibringung der Parallelstellen ist schwierig, weil das Chronicon Pos. uns nur im Auszuge vorliegt. Für die von uns
angenommene Reihenfolge der Redactionen spricht übrigens
auch z. B. noch folgender Vergleich: Keza, §. 2, sagt, dass
der babylonische Thurm ,ab uno angulo ad alium . . . passuum
longitudinis milia XV' hatte; das Chronicon Pos., §. 2, spricht
von ,mille quindecim', das Chronicon Bud., S. 4, hat daraus
,mille et quindecim' gemacht: es ist klar, dass diese Lescarten
nur in der von uns angegebenen Reihenfolge sich aus einander
entwickeln konnten. Es sei nun noch bemerkt, dass mitunter
auch eine der anderen Chronikredactionen wie das Chronicon
Pos. mit Keza näher übereinstimmt; doch wird man in keinem
Falle eine so enge Verwandtschaft finden, oder die betreffende
Redaction ist durch vorhandene Erweiterungen u. dgl. bereits
als eine spätere gekennzeichnet. Wenn aber sich z. B. im Chronicon Pic., ferner im Chronicon Dub. einzelne grössere Stellen
finden, welche mit Keza übereinstimmen, so ist dies auf eine
Wiederbenützung Keza's neben einer älteren Chronikredaction
zu erklären, wie dies bei den genannten Chroniken unten
näher ausgeführt werden wird. Schliesslich haben wir noch
zu erwähnen, dass das Chronicon Pos. bereits mit der Notiz
über die Niederlage Karl Roberts in der Walachei im Jahre
1330 schliesst, während alle anderen Redactionen wenigstens
einige Jahre später abbrechen; hiebei sei noch bemerkt, dass
wohl noch die Notiz zum Jahre 1328 über den Brand der
Marienkirche in Stuhlweissenburg sich eng an den Wortlaut der
anderen Redactionen hält, nicht aber mehr der eben genannte
Bericht über die Niederlage. Wenn nun aber auch die Chronik
nur ein Auszug ist, so deuten doch die Worte, mit welchen sie
schliesst, ,(Explicit) Cronica regni Hungarie', dass sie ihre

ganze Vorlage excerpirte und uns vollständig erhalten ist. Auch
daraus geht also hervor, dass diese Chronik dem Grundstocke
der nationalen Chroniken näher steht als andere Redactionen.

Mit diesem Grundstocke ist aber das Chronicon Pos.
nicht identisch; denn einerseits ist es eben nur ein Auszug,
und andererseits bietet es bereits auch eigenthümliche Nachrichten, welche den anderen Redactionen durchaus fremd sind.
Hierher gehören vor Allem die Ausführungen über die ‚Zest
Lazar‘ im §. 29; die Aufzählung der verschiedenen Adelsgeschlechter in demselben Paragraphe am Ende, die der Herausgeber Florianus ganz unrichtig an dieser Stelle im Texte
ausliess, weil sie angeblich bereits im §. 24 genannt worden
waren; ferner die Nachricht über den bei Mohi gefallenen Erzbischof Ugrinus (§. 47); in demselben Paragraphe auch die
Sätze ‚Tartari—Weginarum‘ und ‚In qua ecclesia—requiescit‘;
schliesslich auch noch einige andere Stellen in den folgenden
Paragraphen, welche Florianus durch besonderen Druck gekennzeichnet hat.

Fassen wir die Ergebnisse unserer Untersuchung über das
Chronicon Pos. zusammen, so werden wir sagen können, dass
dasselbe der Grundchronik sehr nahe steht und aus derselben
offenbar etwa im Jahre 1328/29 ausgezogen wurde. Letztere
Annahme würde es erklären, warum im Chronicon Pos., wie
bereits oben ausgeführt wurde, die Notiz zum Jahre 1328 über
den Brand der Stuhlweissenburger Kirche überaus eng sich an
den Wortlaut der anderen Redactionen anschliesst, dagegen
von der in diesen folgenden Geschichte über das Verbrechen
des Felicianus im Jahre 1330 keine Rede mehr ist und die
kurze Bemerkung über die walachische Niederlage des Königs
in demselben Jahre mit den Berichten der anderen Chroniken
keine nähere Verwandtschaft aufweist. Das Chronicon Pos.
wird in vielen Fällen für den Inhalt und die Gestalt der Grundchronik massgebend sein. Leider ist es aber nur ein Auszug,
und daher musste auch in den vorstehenden Untersuchungen
nicht dieses, sondern in der Regel das Chronicon Bud. citirt
werden. Doch muss ausdrücklich hervorgehoben werden, dass
hiebei stets die gehörige Vorsicht angewendet werden muss,
weil die genannte Chronik mitunter doch wieder von dem gemeinsamen Kerne der Chroniken (der Grundchronik) abweicht.
Vgl. die Ausführungen, S. 455 ff.

Als Schema der bisherigen Ausführungen ergibt sich:

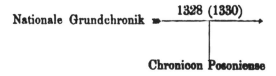

Nationale Grundchronik ⟶ 1328 (1330)

Chronicon Posoniense

b) Chronicon Zagrabiense und Chronicon Varadiense.

Wahrscheinlich noch früher als das Chronicon Posoniense ist aus der Grundchronik ein anderer Auszug geflossen, auf dem die **Agramer** (Chronicon Zagrabiense) und die **Grosswardeiner Chronik** (Chronicon Varadiense) beruhen. Diese Chroniken sind, da sie uns nur in Gestalt dürftiger Auszüge entgegentreten und nur einige selbstständige Nachrichten bringen, ihrem Inhalte nach ziemlich werthlos. Nur ein Umstand macht uns dieselben merkwürdig: ihre Vorlage ist offenbar aus der Grundchronik geflossen, bevor noch in derselben die Nachricht über die Königskrönung Karl Roberts eingezeichnet war. Dies ergibt sich aus folgendem Umstande:

Es ist zunächst unzweifelhaft, dass beide Chroniken auf eine gemeinsame Vorlage zurückgehen. Wenn wir nämlich beide Chroniken, die **Florianus** sehr bequem neben einander im III. Bande seiner Fontes abdrucken liess, mit einander vergleichen, so finden wir, dass sie fast denselben Wortlaut aufweisen, und zwar auch an denjenigen Stellen, die mit der Grundchronik nicht übereinstimmen. Dies könnte nun auch so erklärt werden, dass etwa die eine aus der anderen floss. Dem steht aber folgender Umstand entgegen. Die ältere von den beiden Chroniken ist unstreitig die Agramer. Dieselbe ist uns nämlich (vgl. Florianus, a. a. O., S. 262) im ‚Liber statutorum‘ des Agramer Capitels erhalten, das im Jahre 1334 begonnen und bis zum Jahre 1354 fortgesetzt worden war. In der Chronik selbst finden wir im letzten Capitel die Bemerkung (S. 261): ‚(Karolus) vitam finivit relictis filiis tribus: . . . Stephano Dalmatiae, Slavoniae et Croatiae duce, qui nunc in ipso suo ducatu existit, scilicet anno domini **MCCCLIV**.‘ Somit ist die Niederschrift der Chronik vor diesem Jahre gesichert. Die Grosswardeiner Chronik befindet sich dagegen im ‚Liber statutorum‘ des Grosswardeiner Capitels, welches erst nach dem

Jahre 1374 niedergeschrieben worden ist (vgl. **Florianus, a. a. O.,** S. 263). Auch lautet die der oben über Stephan citirten Nachricht entsprechende Stelle folgendermassen: ‚Qui **Stephanus** obiit in vigilia beati Laurentii anno millesimo **trecentesimo** quinquagesimo quarto, de exercitu moto contra **Rascianos.'** Es ist also klar, dass diese Chronik jünger ist als die **Agramer.** Wenn also eine von ihnen die Quelle der anderen wäre, so müsste die Grosswardeiner aus der Agramer geflossen sein. Das kann aber nicht stattgefunden haben, weil die Grosswardeiner der Grundchronik mitunter näher steht und manche aus derselben geschöpfte Nachricht besitzt, welche in der Agramer fehlt, wie man dies z. B. aus der unten stehenden Parallelstelle ersehen kann. Da nun aber beide einander sehr verwandt sind, so folgt daraus, dass beiden bereits ein Auszug aus der Grundchronik, den wir ‚W' nennen wollen, zu Grunde liegt, wie wir dies bereits oben bemerkt haben. Diesen hat die Grosswardeiner Chronik vollständiger, die Agramer gekürzt wiedergegeben.

Dieser Auszug ist jedenfalls vor 1354 angefertigt worden, weil schon die auf ihm beruhende Agramer Chronik in diesem Jahre beendet wird. Nun constatiren wir beim näheren Vergleiche unserer Chroniken mit der Nationalchronik Folgendes: In den Ausführungen derselben über Andreas III. und über die in die Geschichte desselben eingeflochtene Abstammung Karl Roberts finden wir zwischen der Agramer, Grosswardeiner und den anderen Chroniken noch unverkennbare Verwandtschaft. Man vergleiche:

Agramer Chr.	Grosswardeiner Chr.	Chr. Budense.
Fehlt.	§. 23. Hic (Andreas III.) ... tandem anno domini millesimo trecentesimo primo in die sancti Felicis in Pincis moritur et in castro Budensi apud fratres minores sepelitur.	S. 218. Interim a domini millessimo centessimo primo ir sto sancti Felicis Pincis idem rex dreas in castro Bud requievit in domin sepultus est in eccl sancti Johannis E' geliste apud fratres nores.

§. 23. Supradictus ... tem rex Stephanus, ... us Belae, habuit filias ...s; ex quibus una vo- batur Maria, quae ...t tradita in consor- ...n magno Carolo regi ...ilie etc.	§. 24. Supra dictus autem Stephanus rex, quartus filius Belae quarti, habuit filias tres; ex qui- bus una vocabatur Maria, quae fuit tradita in con- sortem Carolo claudo, filio Caroli magni regis Sici- liae, ...	S. 216. Rex Stepha nus Quintus, filius Bel quarti regis Hungarie inter alias filias habui unam nomine Mari vocatam, qui Karol Claudo, filio Karoli magni . . . tradider in uxorem ...

Bisher (1301) ist also ganz offenbar die Vorlage der Agramer und Grosswardeiner Chronik aus der Nationalchronik geflossen. Dagegen findet man zwischen den folgenden Aus- führungen über Karl und Ludwig keine nähere Berührung mit der Nationalchronik. Aber noch mehr: sowohl in der Agramer als in der Grosswardeiner Chronik findet sich folgende Be- merkung: „(Carolus) fuit coronatus anno domini MCCC et re- gnavit annis XLII‘ (!). Diese Stelle gehört also bereits der Vor- lage an, und da sie den in der Nationalchronik überlieferten Nachrichten völlig widerspricht, wo die Königskrönung Karls ausdrücklich zum Jahre 1310 geschildert wird,[1] so ist es ganz offenbar, dass der unseren Chroniken zu Grunde liegende Aus- zug (W) aus der Nationalchronik floss, bevor wohl noch diese und die folgenden Nachrichten in derselben aufgezeichnet wurden. Bemerkt sei noch, dass unsere Chroniken an keiner Stelle sich zur Grundchronik in ihrer ursprünglichen Gestalt im Widerspruche befinden. Ueberall liegt ihnen oder richtiger ihrer Vorlage die ursprüngliche Gestalt der Nationalchronik ohne alle Erweiterungen zu Grunde. Neu hinzugekommen sind einige Bemerkungen localen Charakters.

Am Schlusse möge noch auf den Umstand hingewiesen werden, dass unsere Chroniken von der Hunengeschichte nichts enthalten und auch auf diese gar nicht hinweisen. Es könnte dies dahin gedeutet werden, dass die Vorlage dieser Chroniken nicht aus der bereits mit der Hunengeschichte verknüpften Nationalchronik floss, sondern ihr vielmehr blos die erwei-

---

[1] Vgl. Chr. Dub., S. 116, und Pic., S. 234; wenn im Bud., S. 232, ‚a. d. millesimo tricentesimo‘ steht, so ist dies gegenüber den im Vorhergehen- den angeführten Zahlen nur Schreib- oder Druckfehler.

terten Gesta Hungarorum vorlagen. Doch würde dieser Schluss wohl gewagt sein, da für die Zwecke der localen klösterlichen Aufzeichnung es dem Anfertiger des ersten Auszuges genügen mochte, mit dem Einzuge der Ungarn zu beginnen. Seine Darstellung hebt er mit den Worten an (S. 250): ‚Et quoniam supra describitur obitus beatissimi regis Ladislai, visum fuit etiam ducum a tempore ingressionis eorum in Pannoniam et omnium regum Hungarie tam nomina quam tempora regiminum describere.‘ Bemerkenswerth sind auch die folgenden Bemerkungen: ‚Relatio enim Hungarorum in scriptis ab olim redacta, inter cetera complura habetur, quod . . .‘

Hiemit ergibt sich folgendes Verhältniss:

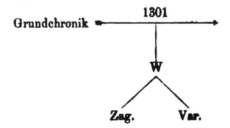

$$\text{Grundchronik} \xrightarrow{\quad 1301 \quad}$$

Zag.   Var.

c) Die Redactionen Muglen (deutsche Prosachronik und lateinische Reimchronik), Sambucus, Acephalus, Pictum und Monacense.

Hat sich die Vorlage der Agramer und Grosswardeiner Chroniken früher als das Chronicon Posoniense von der Grundchronik abgezweigt, so ist andererseits etwas später als dieses eine Handschrift entstanden, welche einerseits die Grundlage der Redactionen Muglen, Sambucus, Acephalus, Pictum und Monacense ist, und der andererseits der Codex Vaticanus sehr nahe steht. Indem wir die Betrachtung der letzteren Redaction dem nächsten Abschnitte überweisen, haben wir hier zunächst über die erstgenannten Redactionen zu handeln.

Die Redactionen Muglen, Sambucus, Acephalus, Pictum und Monacense bilden wie das Zagrabiense und Varasdiense eine besondere Gruppe der Chroniken, deren äusseres Merkmal zunächst darin besteht, dass der gemeinsame Theil derselben über das Chronicon Posoniense hinaus reicht und noch den italienischen Zug Karl Roberts umfasst. Als letzte Gruppe der Chroniken werden wir — um dies gleich hier zu erwähnen

— das Budense und Dubnicense kennen lernen, deren gemeinsame Grundlage über jenen Zug Karl Roberts fortgesetzt erscheint. Jede dieser Gruppen hat ihre Eigenthümlichkeiten,
die einerseits ihre enge Zusammengehörigkeit beweisen, andererseits aber sie von der Grundchronik unterscheiden. In diesem
Abschnitte ist es zunächst unsere Aufgabe, die Eigenthümlichkeiten der Gruppe des Pictum festzustellen und hierauf das
Verhältniss der verschiedenen Glieder dieser Gruppe zu einander zu bestimmen.

Vor Allem erweist sich das Chronicon Pictum durch
die Fülle von Nachrichten,[1] welche es über den Inhalt der
anderen nächst verwandten Redactionen hinaus bietet, als das
Endglied dieser Entwicklungsreihe. Besprochen wurden bereits
an einer früheren Stelle (Studie VII) die umfassenden Erweiterungen von Ladislaus' I. Ende angefangen (S. 200) bis auf
Geisa II. (S. 220); viele derselben hat der Schreiber dieser Redaction aus der von uns an der eben angeführten Stelle nach-
gewiesenen Quelle entnommen, von deren erweiterter Gestalt
auch Muglen selbstständig Gebrauch machte;[2] eine andere hat
das Chronicon Pictum bereits aus seiner Vorlage übernommen,
weshalb es dieselbe auch mit dem Acephalum gemein hat (vgl.
unten S. 444 f.). Eine grosse Anzahl von Nachrichten des Pictums
in dieser Partie sind aber allen anderen Redactionen fremd
mit Ausnahme des Chronicon Monacense, welches ein Auszug
aus dem Pictum ist, wie weiter unten gezeigt werden wird.
Ebenso weist das Pictum auch in dem vorhergehenden Theile
(S. 160—200) eine Fülle von Nachrichten auf, welche zumeist
nur noch in dem eben erwähnten Monacense vorkommen; eine
ist jedoch auch im Acephalum vorhanden, was sich aus der
gemeinsamen Vorlage erklärt (siehe unten S. 442 ff.). In diese
interpolirten Theile des Pictums (vgl. Studie V, S. 508 f.) fällt
auch die Benützung der Annales Albenses, deren Spuren sich
allein in dieser Redaction mit Bestimmtheit nachweisen lassen.
Auch weist das Pictum am Anfange der Hunengeschichte eine
Reihe eigenthümlicher Stellen auf, die nur noch vom Dubnicense benützt wurden (vgl. unten S. 459 f.). Zu den Eigenthüm-

---

[1] Diese verzeichnet auch Florianus in den Fontes III als Lesearten zum
Chronicon Dubnicense.

[2] Vgl. die folgende Studie.

lichkeiten des Pictums gehört auch, dass es da
der Hunengeschichte direct aus Keza ergänzt
S. 120f., und Keza, S. 70f., bezüglich der Stelle
Chaba adiens in Scithiam . . .', und ,Tradunt quid
nando novus erat') ferner Keza auch an anderen
(man vergleiche Pictum, Cap. XXV: ,Post hec i
Keza, §. 56, gegenüber Posoniense, §. 31: ,Gen
Ratoldi . . .' und ebenso Budense, S. 51; ferner Pictu
,eapropter quod exercitum . . .' mit Keza, §. 61,
dense, S. 53 [Posoniense fehlt]; vgl. ferner Pictum
fridus autem Austrie marchio . . .' mit Keza, §.
Austrie marchio . . .' gegenüber Budense, S. 81, u
Redactionen, denen diese Notiz fehlt; ebenso
,Dicunt alii quod Bela duce . . .' mit Keza, S
consensu fratris sue Bele . . .' [allen anderen feh
schliesslich Pictum, S. 168: ,Hic enim Bela erat
Keza, §. 32: ,Hic enim calvus erat . . .' gegenül
§. 40, Budense, S. 121 u. s. w., wo davon nich
Schlusse der Hunengeschichte setzt das Pictum
in allen Chroniken über die Regierungszeit Atti
Nachricht ,Regnavit autem Atyla—annis' den Sa
autem applicuerunt fluvio Tyscie, et de Tyscia
anno. A proelio Kezumaur usque regnum Atil
unus'. An jene Notiz knüpft er aber die Nacl
est autem etc.' über Attilas Sterbejahr und die (
Traume des Kaisers Marcian (Attilas zerbroche
der Nacht, da der Hunenkönig starb. — Dies a
Kürze aufgezählt die charakteristischen Merkma
insoferne wir sie hier zu beachten haben. Da ei
Nachrichten in den anderen Redactionen nicht
liegt es auf der Hand, dass sie eigenthümlich
selben seien. Uebrigens kann man die Arbeit d
oft genug deutlich erkennen. Schon der ebe
Schluss der Hunengeschichte zeigt die unverkenn
der Interpolation. Im Cap. 61 hat der Interpolato
,Milites vero Salomonis' (vgl. Budense, S. 159) a
längere Stelle eingeschoben und setzt dann w
Worten ,Milites vero eiusdem Salomonis' den
Wortlaut fort. Dergleichen könnte man noch
indess ist dies wohl überflüssig, da nach alle

Niemand bezweifeln kann, dass das Pictum nur als Fortentwicklung der ursprünglichen Chroniken, nicht aber diese als
Rückentwicklung jenes aufgefasst werden können. Erwähnt sei
nur noch, dass hiefür auch der Umstand beweisend ist, dass
keine der im Pictum vorhandenen, aus den Annales Albenses
geschöpften Nachrichten sich in einer der anderen Redactionen
nachweisen lässt. Natürlich ist es unmöglich, dass diese, als
Auszüge gedacht, mit Absicht oder durch Zufall alle diese im
Pictum verstreut vorkommenden Stellen vermieden hätten.

Ein Auszug aus dem Chronicon Pictum ist das Chronicon
Monacense. Dasselbe hat keine selbstständige Bedeutung. Dem
excerpirenden Schreiber stand wohl auch keine andere Redaction zur Verfügung, denn er schliesst mit einer Notiz über den
walachischen Feldzug Karls von Anjou, in dessen Schilderung
bekanntlich das Pictum abbricht. Um zu beweisen, dass dem
Monacense thatsächlich das Pictum mit allen seinen Erweiterungen zu Grunde liegt, mögen eine Anzahl von Parallelstellen angeführt werden.

Mon. §. 1: ,anno ab inc. dom. CCC-o LXXIII-o tempore
Valentis imperatoris et Celestini primi papae Huni multiplicati in
Scitia'. Pic. S. 107 ebenso. — Dagegen Pos. §. 6: ,In sexta
igitur etate mundi vel seculi multiplicati Huni in Scitia . . .
anno dom. CCCXXVIII.' Bud. S. 14 ebenso.

Mon. §. 4: ,Atyla dei gracia filius Bendekus, nepos magni
Magor, nutritus in Engadin.' Pic. S. 110 ebenso. — Dagegen
Pos. §. 10: ,Athila Dei gratia filius Wendeguz, nepos magni
Nemproth nutritus in Engadi.' Bud. S. 18 ebenso.

Mon. §. 11: ,(Atyla) mortuus post Hunorum ingressum
anno LXXII, ab incarnacione dom. CCCCXLV tempore imperatoris Marciani et Gelasy papae primi.' Pic. S. 121 ebenso.
— Pos. §. 22 fehlt diese Zeitangabe. Bud. S. 33 ebenso.

Mon. §. 12: ,Ingrediuntur ergo Huni Pannoniam secundo
de anno dom. VICLXXVII (677), a morte Atyle CIV-o, tempore Constantini imperatoris tercy et Zacharie pape.' Pic.
S. 122 ebenso. — Dagegen Pos. §. 25: ,Anno octingentesimo
octuagesimo octavo . . . ingressi sunt Pannoniam . . .' Bud.
S. 36 ebenso.

Mon. §. 31: ,Post hoc misit bellatores in Carinthiam, qui
plures nacti a Godfrido marchione Austrie prope Petoviam sunt
superati.' Pic. S. 148 ebenso (aus Keza §. 26; vgl. Studie VIII,

S. 281 f.). — Pos. ist hier überhaupt sehr gekürzt. Bud. S. 81 wird von Gottfried nichts erwähnt.

Mon. §. 38 = Pic. S. 160 über den Taucher Zothmund, wovon in allen anderen Redactionen keine Spur ist.

Mon. §. 40: ‚Andreas rex confectus senio Salomonem filium suum V annorum in regem fecit inungi.‘ Pic. S. 163 ebenso (aus den Annales Ungarici; vgl. Studie V, S. 508). — Dagegen haben die anderen Chroniken die genaue Altersbestimmung nicht.

Mon. §. 42: ‚Nocte sequenti ecclesia, palacia omnia cum edificys ... Pic. S. 169: ‚Nocte autem secuta etc.‘ — Dagegen hat Bud. S. 124 nur: ‚In eodem autem anno ducibus ibidem existentibus ecclesia horribiliter est combusta.‘

Mon. §. 46: ‚Interim vero Ladislaus pro Salomone deum exorabat, ut ad legem Christi converteretur.‘ Pic. S. 194 ebenso. — Dagegen Pos. §. 43 und Bud. S. 165 haben nichts davon.

Derartige Parallelstellen könnten wir noch in grosser Zahl anführen. Es sei nur noch hervorgehoben, dass das Monacense auch die weitläufigen Erweiterungen von Koloman angefangen mit dem Pictum gemein hat. Kurzum wir sehen diese Chronik in jeder Beziehung völlig abhängig von dem Chronicon Pictum mit allen seinen Erweiterungen.

Dem Pictum und Monacense am nächsten steht die Redaction im Codex Acephalus. Da derselbe erst in dem Abschnitte, der über den Krieg Stephans des Heiligen gegen Gyula handelt (1002), mit den Worten ‚regnum illud Hungarie Erdelv‘ beginnt, so bietet er nur beschränktes Vergleichsmaterial. Am wichtigsten erscheinen für die Verwandtschaft beider Redactionen zwei in beiden vorkommende, zum Theile einander überaus nahestehende Berichte, welche den anderen Redactionen fehlen. Hieher gehört zunächst der ausführliche Bericht über die Verfeindung des Königs Andreas mit seinem Bruder Bela wegen der Krönung Salomons. Wir bringen diese und eine andere Stelle zum Abdrucke, weil sie auch von Florianus gar nicht oder nur unvollkommen mitgetheilt werden:

Codex Acephalus.	Chronicon Pictum.
Bl. 10b. *Quia plerumque carnalis amor et consanguinitatis affectio impedire solent equi-*	S. 163 f. *Quia vero carnalis amor et sanguineitatis affectio solet impedire veritatem, vult*

tatem, ideo filialis amor in Andrea rege vicit iusticiam. Nam filium suum Salomonem adhuc puerulum anno imperii sui duodecimo confectus senio in regem fecit inungi. Cumque in consecracione eius caneretur: Esto dominus fratrum tuorum, et hoc per interpretem Beele duci inotuisset, quod Salomon infantulus sibi dominus constitueretur graviter est indignatus. Tradunt quidam quod Beela duce et filiis eius Geysa et Ladizlao cunctisque op(t)imatibus regni consencientibus Salomon consecratus fuit in regem; sed postmodum seminatoribus discordie instigantibus ortum est inter eos odium. Suggerebant namque regi Andree non posse regnare filium suum Salomonem nisi fratre suo Beela duce extincto. Dicto vero Beela persuadebant, quod tempus opportunum esset ei regnum acquirere ... wie im Chronicon Pic. mit ganz geringfügigen Abweichungen; so hat Aceph. das richtige ,non causa cupiditatis sed pro pace regni' an Stelle des unsinnigen ,perditione regni'. Der Schluss der Interpolation lautet: Sinistris itaque suggestionibus malorum hominum rex Andreas et dux Beela discordaverunt. Dux autem Beela

amor filialis in Andrea rege iusticiam, et rupto federe sue promissionis, quod in regibus esse non deberet, u. s. w. mit allerlei Erweiterungen des allen Chroniken gemeinsamen Textes ...

indignatus est. Dicunt alii quod Bela duce et filiis eius Geycha scilicet et Ladizlao cunctisque regni optimatibus consencientibus Salomon unctus esset in regem. Postmodum seminatoribus discordie instigantibus odium ortum est inter eos. Sussurratores enim, quales nostris temporibus complacent, precipue suggerebant regi u. s. w.

Tandem sinistris suggestionibus malorum hominum rex et dux discordaverunt. Dux autem erat sicut sagacissimus, precavens sibi...

cum esset sagacissimi consilii
precavens sibi ...

Zu der vorstehenden Parallelstelle ist noch zu bemerken, dass das in der Stelle aus dem Acephalus *cursiv Gedrückte* noch völlig mit dem Wortlaute der ursprünglicheren Redactionen (vgl. Bud. S. 114; Dub. S. 69; Sam. Bl. 28a; im Pos. §. 40 ist diese Darstellung ganz ausgelassen; Mug. Cap. 39) übereinstimmt; das Pictum ist bereits davon abgewichen und hat den Text auch hier selbstständig erweitert. Die fast wörtlich übereinstimmende grosse Erweiterung im Acephalus und Pictum, welche oben in gesperrtem Drucke erscheint, entnahmen dagegen beide bereits ihrer Vorlage.

Bl. 22b. Anno igitur domini MCX ... potentiores proceres Stephanum filium Colomani in locum patris sui subrogaverunt; erat autem adhuc inpubes. Anno autem X nono regni sui intravit Dalmatiam et a Dalmatenis honorifice est receptus. Inde revertens missis exercitibus devastavit Poloniam. Interea imperatrix Constantipolitana filia regis sancti Ladislai nuncciavit regi Stephano, imperator Maurinas maritus eius improperasset regi Stephano dicens: regem Hungarie esse hominem suum, quod et eam sibi tradentem (!) imperator castigasset. Quod cum audisset rex pro magna iniuria reputavit et collecto exercitu impetu spiritus sui invasit partes Grecie Brudinsium atque Scarbi-	S. 207. Potentiores regni Stephanum Colomani filium in regem coronaverunt; erat enim adhuc inpubes, sed spiritus eius in manibus eius. Anno autem nono regni sui intravit Dalmatiam et a Dalmatensibus honorifice est susceptus. Inde reversus missis exercitibus suis fines polonicos devastavit ... S. 210. Interea imperatrix Constantinopolitana filia regis Ladislai nomine Pyrisk nuncciavit regi Stephano dicens, regem Hungarie esse hominem suum, quem etiam contradicentem imperator castigavit.[1]

Cum autem hoc audisset rex, pro magna reputavit iniuria et collecto exercitu in impetu spiritus sui invasit partes Grecie[2] atque alias ei |

[1] Die Stelle ist offenbar verderbt. Der Sinn ergibt sich aus dem Wortlaute des Aceph.

[2] Hier fielen offenbar die im Aceph. genannten Städte aus.

cium (!) nec non etiam Nijs aliasque civitates Grecorum igne et gladio vastaverunt, et cecidit timor eius super omnes provincias illas, que imperio constantipolitano subdite fuerant: timebant enim omnes regem Stephanum tanquam ictum fulminis. Unde etiam infantes vagientes in comminacione nominis regis Stephani conquiescere conpellebantur; cum rex ille dicebatur a parentibus illis infantibus, qui vagiebant: ,ecce rex Stephanus venit' statim conquiescebant, pre timore etiam eius murmurare non audebant. *Regnavit autem annis XVIII mensibus quinque; migravit autem ad Dominum anno Domini MCXXXI. Cuius corpus Waradini quiescit.*

vitates Grecie igne et gladio devastavit, et cecidit timor super omnes civitates provincie illius.

Timebantque omnes reges Stephanum regem tanquam ictum fulminis, unde infantes vagientes comminatione nominis regis Stephani quiescere compellabantur. Habebat rex secum septingentos milites Francos . . .

S. 212. Sed cum esset in articulo mortis monachalem habitum, relicto regno, suscepit, anno regni sui Xo VIIIo et sepultus est Varadini.

Die letzteren Bemerkungen des Acephalus stimmen völlig mit den ursprünglicheren Redactionen überein (Bud. S. 183, Dub. §. 115, Pos. §. 45), während das Pictum an den mit . . . bezeichneten Stellen noch seitenlange Interpolationen aufweist und anders schliesst. Einen Theil seiner Erweiterungen hat es aus der mit Muglen gemeinsamen Quelle entnommen. Vgl. Studie VII und XII.

Ausser diesen dem Pictum und Acephalus gemeinsamen Nachrichten sind noch zahlreiche ihnen eigenthümliche Lesarten in Betracht zu ziehen. Viele derselben theilt, wie gleich hier bemerkt werden mag, auch der Codex Sambuci und zum Theile auch Muglen. Z. B.:

Pic. Cap. 37: ,Erdeelw'; Aceph. Bl. 1a: ,Erdelv'; Sam. Bl. 17b: ,Erdeelu'. — Dagegen Dub. S. 44 und Bud. S. 65: ,Erdeel'; Pos. S. 29: ,Erdewel'.

Pic. S. 192: ‚in currentibus'; Aceph. Bl.
Bl. 37b: ‚incurrentibus'. — Dagegen Dub. S
S. 159: ‚intercurrentibus'. [Pos. S. 32 stark geb

Pic. S. 232: ‚Hoc factum est castrum B
dicto Peturmano regente.' Aceph. Bl. 28a eben
dense, Peturmano). Sam. Bl. 44b: ‚Hoc factum
dense quodam dicto Petromano regente.' — Dage(
‚Hoc factum est in castro Budensi quodam dic(
gente Budensem civitatem'; ebenso Bud. S. 225.
und Mug. Cap. 66 kürzen hier willkürlich sehr

Pic. S. 114: ‚Erdelw'; Aceph. Bl. 28b:
Bl. 45a: ‚Herdelu'. — Dagegen Dub. S. 114: ,
Bud. S. 227. Pos. §. 53 S. 42: ‚in Transsilvani(
aber oben S. 29: ‚Erdewel' und §. 25: ‚Herdew(
‚Erdel'.

Pic. S. 233 und Aceph. Bl. 28b: ‚Martu
Bl. 45b: ‚Mortunherman'; Mug. S. 88: ‚merte(
— Dagegen Dub. S. 115: ‚Marcum Herman
S. 231. [Pos. §. 53 S. 42 übergeht dies.]

Pic. Cap. 99 und Aceph. Bl. 30b lässt a
fratrum minorum' die Worte ‚Et positum . . .
welche die anderen aufweisen (Sam. Bl. 46b,]
Bud. 240). [Pos. S. 44 und Mug. S. 90 fehlt in
kürlichen Kürzung.]

Pic. S. 241, Aceph. Bl. 32a und Sam. Bl. (
‚in insulam marinam' die Worte ‚per crucifero(
den anderen Redactionen fehlen (Dub. S. 122 u
[Pos. reicht nicht mehr hierher; Mug. S. 91]
Satz aus.]

Pic. S. 242, Aceph. Bl. 32b und Sam. Bl. (
den Worten ‚Bazarad woyvode Vlachorum ad i(
zu: ‚Thome woyvode Transilvani et', welche de(
(Dub. S. 123, Bud. S. 246). [Mug. S. 92 läss
Satz aus.]

Pic. S. 243 und Aceph. Bl. 33a haben sta(
rioris comminationis' (Sam. Bl. 48b, Dub. S. 1(
die Worte ‚verbum superbie et comminacionis'(
spricht Mug. S. 93: ‚redt hoffertiglich'.

Pic. S. 243, Aceph. Bl. 33b und Sam. B(
ganze Stelle ‚Quorum quidem . . . flebilis es(

Bud. S. 249) aus. Ebenso ist von dieser Stelle bei Mug. S. 93 nichts vorhanden.

Pic. S. 244: ‚Rex autem cum tali eventu venit in Vysse- grad‘; 'Aceph. Bl. 34a: ‚Rex autem cum tali eventu venit in Vysagrad‘; Sam. Bl. 49b: ‚Rex autem cum tali eventu venit in Wisegrad‘; Mug. S. 94: ‚In der weyss kom der kunig aus der Wolochey gen Weyssenburg(!).‘ — Dagegen Dub. S. 126: ‚Rex autem cum tali eventu venit ad Themesvar, et sine mora venit deinde ad Vysegrad‘; ebenso Bud. S. 250.

In denjenigen Theilen, für die das Chronicon Pictum schon fehlt oder das Acephalum noch nicht begonnen hat, lässt sich wenigstens die Verwandtschaft zwischen den beiden anderen Codices nachweisen. So kann man noch zwischen dem Codex Acephalus und Sambuci, nachdem das Pictum uns schon im Stiche gelassen hat, noch mehrere enge Beziehungen aufweisen, wiewohl auch die in diesen Handschriften vorhandenen Fort- setzungen nur noch 1—2 Seiten umfassen:

Aceph. Bl. 34a: ‚inpressius‘; Sam. Bl. 49a: ‚impresius‘. — Dagegen Dub. S. 126 und Bud. S. 250: ‚uberius‘.

Aceph. Bl. 34a und Sam. Bl. 49a: ‚corripit‘. — Dagegen Dub. S. 126 und Bud. S. 250: ‚corrigit‘.

Aceph. Bl. 34a und Sam. Bl. 49b: ‚ad petitionem regni Sicilie coronaret in regem‘. Mug. Cap. 72: ‚von pete des volkes . . .‘ — Dagegen Dub. S. 127: ‚ad instanciam et peticionem in- clitissimi regis Roberti, regis Sicilie, regnique eiusdem coronaret in regem‘; ebenso Bud. S. 251 und Vat. (vgl. Florianus III, S. 127, Anm. 2, und Lucius, Inscriptiones, S. 91).

Aceph. Bl. 34a: ‚Lombardus‘; Sam. Bl. 49b: ‚Lumbar- dus‘. — Dagegen Dub. S. 127 und Bud. S. 251: ‚Longobar- dus . . .‘.

Aceph. Bl. 34a und Sam. Bl. 49b: ‚puer succederet me- moratus in regnum‘. — Dagegen Dub. S. 127 und Bud. S. 252: ‚puer in regnum succederet memoratus‘.

Aceph. Bl. 34a und Sam. Bl. 50a: ‚de culmine regie maie- statis dum viveret‘. — Dagegen Dub. S. 127 und Bud. S. 252: ‚de culmine dum viveret regie maiestatis‘.

Andererseits kann man enge Beziehungen zwischen dem Pictum und Sambucus in den Anfangspartien nachweisen, welche der Codex Acephalus noch nicht enthält: So hat z. B.:

Pic. S. 107: ‚Welle filius Chele‘, und Sam. Bl. 3b: ‚velle‘.
— Dagegen die anderen Pos. §. 6, Dub. §. 5, Bud. S. 14: ‚Bele‘
und Mug. S. 5: ‚bela‘.

Pic. S. 116: ‚Realth‘, Sam. Bl. 7b: ‚realt‘, Mug. S. 14: ‚realder‘. — Dagegen Pos. S. 17: ‚Bealt‘, Dub. S. 18: ‚Bealth‘ (Bud.
S. 26 hat der Herausgeber Podhraczky verbessert: ‚Realth‘;
nach seiner Bemerkung S. 378 stand aber im alten Drucke
‚Bealt‘).

Pic. S. 123: ‚Erdelw‘, Sam. Bl. 10b: ‚Erdelu‘, Mug. S. 19:
‚Erdeleb‘. — Dagegen Pos. §. 25: ‚Herdewel‘, Dub. S. 27: ‚Erdeel‘, ebenso Bud. S. 37.

Pic. S. 123 und Sam. Bl. 10b: ‚Simburg‘. — Dagegen Dub.
§. 27: ‚Sibenburg‘, Bud. S. 37: ‚Siebenburg‘, Mug. S. 19: ‚siben
purgen‘. Pos. §. 25 kürzt.

Vor Allem ist aber noch eine wichtige Parallelstelle zu
beachten: Wie das Pic. S. 121, so weist auch Sam. Bl. 10a im
Schlusscapitel der Hunengeschichte den Satz ‚Huni autem egi-
cuerunt fluvio Tiscie et de Tiscia egressi quinto anno. A proelio Zecesummaur usque regnum Atylle effluxit (annus) una.
Regnavit autem Atylla‘ u. s. w. Dieselbe Stelle hat auch Mug.
Cap. 10: ‚Donoch tzugen die Hewnen vntz an dy Teyssa. Der
kunig Etzel reichte und was kunig‘ u. s. w. Aceph. hat leider
noch nicht diese Partien, aber es ist ganz offenbar, dass er
diese Stelle auch hatte.

Fassen wir nun die Ergebnisse aus den Parallelstellen zusammen, so ergibt sich:

Am nächsten steht dem Pictum der Codex Acephalus,
weil er mit demselben die oben S. 442 ff. bezeichneten grösseren
Stellen, die den anderen Redactionen fehlen, gemein hat, und
weil sich beide Codices in den Lesarten zumeist viel näher stehen
als allen anderen. Hierzu müssen wir nun aber hinzufügen,
dass der Codex Acephalus vieles Eigenthümliche hat. So z. B.:

Aceph. Bl. 3a, b: ‚rex autem faustu superbie inflatus ac
furore maliciam, quam in corde gerebat et in animo, cum toto
veneno effudit in patulo ita dicens . . .‘ — Dagegen Pic. S. 146
= Sam. Bl. 20a = Dub. S. 51 = Bud. S. 77: ‚Rex autem faustu
superbie inflatus pestiferum preconcepti veneni fetorem in pre-
patulum effudit dicens.

Aceph. Bl. 30a folgt nach ‚terre gremio commendatur‘ ein
Capitel ‚De archiepiscopo Chanadino‘ (vgl. Florianus II, S. 293 f.),

das sich bei allen anderen nicht findet (Pic. S. 238, Sam. Bl. 47 a, Dub. S. 120 und Bud. S. 211).

Aceph. Bl. 32 a folgen nach ‚perciperet portionem‘ folgende Worte: ‚Unde versus: Vir nimis insanus qui regem Felicianus perdere temptavit, quem rex furens trucidavit‘, welche sonst fehlen (Pic. S. 241 = Sam. Bl. 47 b = Dub. S. 122 = Bud. S. 213).

Aceph. Bl. 34 b hat endlich auch über Karls Tod und die Nachfolge Ludwigs einen selbstständigen Schluss: ‚. . . prepropere obedivit. Porro sepedictus rex‘ u. s. w. (vgl. Florianus II, S. 245).

Aus diesen Eigenthümlichkeiten des Codex Acephalus ergibt sich, dass er nicht etwa die Vorlage des weiterentwickelten Pictums sein könne, sondern, dass beide aus einer gemeinsamen Redaction schöpften, die im Schema S. 452 und 463 mit ‚Z‘ bezeichnet wird.

Sehr nahe verwandt dem Acephalus und Pictum ist ferner der Codex Sambucus; man vergleiche darüber besonders die oben S. 448 citirte Stelle ‚Huni autem aplicuerunt . . .‘. Doch weist derselbe noch nicht die grösseren, S. 442 ff. angeführten Stellen auf, welche Aceph. und Pic. gemein haben. Es ist also klar, dass er vom Grundstocke sich ablöste, bevor noch jene Stellen in demselben interpolirt wurden. Dieser Codex steht also der Ungarngeschichte in der ursprünglichen Gestalt näher als Aceph. und Pic.; daher weist er auch noch die Keza entnommene und noch im Pos. ebenfalls enthaltene Einleitung zur Hunengeschichte ‚Multifarie—pronior erat‘ auf, während dies dem Pic. fehlt. Dass der Cod. Sam. gegenüber dem Pos. auch das ‚Prohemium‘ aus Keza hat, ist natürlich nicht dahin zu erklären, dass er ursprünglicher als das Chron. Pos. sei; es lässt sich vielmehr leicht dadurch erklären, dass das Chron. Pos. als Auszug das ohnehin nicht mehr passende, an König Ladislaus gerichtete Vorwort ausliess, wie dies auch eben andere Redactionen gethan haben. Der selbstständige Schluss des Sam. Bl. 50 a: ‚. . . prepropere obedivit. Anno domini millesimo trecentesimo . . .‘ (vgl. Florianus III, S. 127, Anm. 11) deutet darauf, dass diese Redaction nicht etwa die directe Quelle des Aceph. und des Pic. ist.

Den drei genannten Redactionen steht endlich, wie wir sahen, auch Muglen's deutsche Prosachronik nahe; man vergleiche die oben S. 446 ff. citirten Stellen: ‚Martcin und Herman' = ‚Martunherman, Mortunherman' (Pic., Aceph. und Sam.); ‚redt hoffertiglich' = ‚verbum superbie' (Pic. und Aceph.); das Fehlen der Uebersetzung der Stelle ‚Quorum quidem ... flebilis est', welche auch Pic., Aceph. und Sam. auslassen; ‚Realder' = ‚Realth, realt' (Pic. und Sam.); ferner die Mittheilung ‚Donoch tzugen die Hewnen vntz an dy teysse' = ‚Huni autem aplicuerunt ...' (Pic. und Sam.). Alle anderen Erweiterungen fehlen ihm aber wie dem Cod. Sam. Wie dieser, so weist er auch die Einleitung in die Hunengeschichte auf, freilich umgearbeitet. Das ‚Proemium' hat er nicht. Dass Mug. aber eine der Grundchronik näher stehende Redaction benützte als der Cod. Sam., geht z. B. aus einer Nachricht hervor, die er mit dem Pos. und Dub. (das Bud. hat hier gegenüber dem Dub. die gemeinsame Vorlage gekürzt) gemein hat, während sie dem Sam. Bl. 46b, Aceph. Bl. 30a, Pic. Cap. 97 und Mon. §. 68 fehlen. Es ist dies die Notiz zum Jahre 1318: ‚Eodem anno rex habuit filiam de concubina sua, quam acceperat de magna insula Donubii, quem appellavit Colomannum,' welche sich vorfindet: Pos. §. 55, Dub. S. 119 und Mug. S. 90: ‚In demselben iar het der kunig einen sun pey seiner ammen und nante den Coloman und macht in pischoff tzu Rab.' Der letztere Theil der Nachricht zählt bereits zu den Mug. allein eigenthümlichen Stellen. Zu letzteren gehören z. B. auch die Mittheilungen am Ende des 44. Capitels,[1] ferner die Bemerkungen am Schlusse des 46.[2] und 47.;[3] dann eine Mittheilung

---

[1] ‚Derselbe kunig Lasla kom an die stete ... kayser von kriechen.'

[2] ‚Doselbs hat er viel tzeichen getan, als uns die munch sagen.' Letztere Bemerkung deutet auf eine mündliche Quelle, wie schon Engel in Kovachich's Sammlung kleiner noch ungedruckter Stücke, S. XXXII annahm. Die der citirten Stelle vorangehende Erzählung über Salomon als Bettelmönch und seine Beschenkung durch Ladislaus findet sich aber nicht nur bei Keza S. 87, sondern auch im Chr. Dub. S. 96, wo sie deutlich als Interpolation zu erkennen ist (vgl. die Bemerkungen Florians III, S. 96 über den Zustand der Handschrift). Wie es scheint, haben alle drei diese Nachrichten unabhängig von einander aus der Ueberlieferung übernommen.

[3] ‚... wan er (Ladislaus) ein gemaynes gut was aller der wereld.' Ueber die vorangehenden Nachrichten vom Böhmenzuge dieses Königs, seiner Krankheit u. s. w. vgl. Studie VII, S. 489, Anm. 2. Die Ausführung dortselbst wird dadurch bestätigt, dass Aceph. Bl. 22a, Sam. Bl. 39a und Vat. (nach dem Ausweise von Lucius' Inscriptiones Dalmaticae, S. 88)

über die Mordthat des Bankban Cap. 60[1] und über jene des
Felicianus Cap. 70;[2] schliesslich auch die bestimmte Mittheilung
Cap. 72, dass Herzog Andreas, der Sohn Karl Roberts, sich
mit Johanna von Sicilien vermählt habe.[3] Ueber die Entlehnungen Muglen's aus jener Quelle des 11. Jahrhunderts,
welche auch dem Pictum vorlag (siehe oben S. 439), wird in
der folgenden Studie gehandelt.

Die Verwandtschaft zwischen den genannten Redactionen
äussert sich schliesslich noch auch in dem Umstande, dass sie
an derselben Stelle schliessen. Das Pic. bricht mitten in einem
Satze der Schilderung des walachischen Feldzuges Karls von
Anjou ab: es ist unvollendet geblieben. Das Mon. schliesst
ebenfalls mit diesem Feldzuge, weil es aus dem Pic. floss.
Sam., Aceph. und Mug. gehen noch in den Schilderungen des
Zuges Karls nach Italien auf eine gemeinsame Quelle zurück
(bis zu den Worten ‚prepropere obedivit‘). Mug. bietet weiter
überhaupt nichts; Sam. Bl. 50a und Aceph. Bl. 34b haben noch
Mittheilungen über den Tod Karls und die Thronbesteigung
Ludwigs; aber sie sind in diesen Nachrichten von einander
unabhängig (siehe oben S. 449). Daraus liegt der Schluss nahe,
dass die Chronikredaction, welche der Gruppe zu Grunde liegt,
bis zu dem erwähnten italienischen Zuge (inclusive) reichte,
wozu noch die weiter unten folgenden Bemerkungen über den
Cod. Vat. zu vergleichen sind.

An dieser Stelle müssen wir noch Einiges über die lateinische Reimchronik mittheilen. Diese für die Geschichte
werthlose Quelle ist, wie Roethe in der Zeitschrift für
deutsches Alterthum XXX, S. 345ff. überzeugend nachgewiesen hat, ein Werk Muglen's. Zu den von ihm beigebrachten

---

nichts von diesen der Ladislauslegende entstammenden Nachrichten
haben. Vgl. Studie VIII, S. 300.

[1] ‚. . . do slug er die kunigin tzu tode und nam ir belan und coloman
von den arm und sprach: meinen erbherren tun ich nicht.‘

[2] ‚(Felician) was weyses rates und der kunig het yn lieb. Derselb viltsian,
do der kunigin pruder . . . mit der kunigin willen‘; und: ‚darnach hies
die kunigin . . . an das virde glid.‘

[3] Von sonstigen Interpolationen Muglen's in die Chronik sei noch auf die
aus Hartwich's Stephanslegende entnommene Erzählung über die Gesandtschaft um die Krone (Cap. 18) hingewiesen. Ueber die oben behandelten Interpolationen Muglen's hat schon Engel a. o. a. O. gehandelt; doch sind ihm mancherlei Fehler unterlaufen.

Beweisen mag hier noch ein schlagender hinzugefügt werden. Nach dem Chron. Pos. §. 6 und dem Chron. Bud. S. 14 erfolgte der Aufbruch der Hunen aus Skythien anno CCCXXVIII; nach dem Chron. Pic. CCCLXXVIII. In Muglen's deutscher Chronik lesen wir dagegen im Cap. 2: ‚Nach Christus gepurt tausend iar und acht und tzwaintzig iar do wart der Hewnen soviel in tzittia ...' Und ebenso finden wir in der lateinischen Reimchronik S. 7: ‚Anno Christi millesimo octavoque vicesimo catervas Huni convocant ...' Daraus wird es völlig klar, dass beide Werke demselben Verfasser zuzuschreiben sind. Uebrigens ist es auch offenbar, dass Muglen seine Angabe aus der ursprünglichen Jahreszahl, wie sie bei Pos. und Bud. steht (CCCXXVIII), bekam, indem er die vielleicht undeutlich geschriebenen ‚CCC' als ‚M' las. Auch darin steht er also wie sonst der ursprünglichen Form der Chronik näher als das Pic., und zwar gilt dies sowohl bezüglich der deutschen, als auch der lateinischen Chronik. Auch sei noch bemerkt, dass Helm in jüngster Zeit die Abfassung der lateinischen Chronik in die Jahre 1352/53 verlegt (Paul und Braune, Beiträge zur Geschichte der deutschen Sprache und Literatur XXI, S. 243). Unrichtig ist seine Bemerkung, dass die Verwandtschaft dieser Chronik mit derjenigen vom Jahre 1358 (dem Pictum) daraus zu erklären sei, dass jene dieser vorlag. Ebenso falsch die Behauptung, dass das Pic. ‚die directe Vorlage zu Heinrichs deutscher Ungarnchronik' sei, und daher ist auch der Schluss, die deutsche Chronik müsse nach 1358 angefertigt worden sein, falsch. Helm weiss nichts von der älteren gemeinsamen Vorlage der Chroniken. Dass Muglen das Pic. nicht schrieb, geht aus den von Roethe und mir constatirten Abweichungen klar hervor. Dieser Gedanke hat also durchaus nicht so viel an sich, wie Helm anzunehmen geneigt ist.

Aus unseren Bemerkungen ergibt sich somit für die nähere Anordnung der Gruppe folgendes Schema:

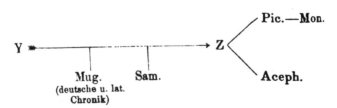

Unter ‚Y‘ ist eine Redaction verstanden, die vor Allem bereits im letzten Capitel der Hunengeschichte die Sätze ‚Huni autem applicuerunt fluuio Tiscie‘ etc. enthielt, welche das gemeinsame Merkmal aller Redactionen dieser Gruppe ist (beim Aceph. kann der Passus nicht nachgewiesen werden, weil dessen Anfang fehlt; doch muss dieser Codex ihn auch gehabt haben). Diese Redaction schloss, wie oben bemerkt wurde, mit der Schilderung des italienischen Zuges Karls (bis ‚. . . prepropere obedivit‘). Ueber ihr Verhältniss zur Grundchronik werden wir im Zusammenhange mit den folgenden Ausführungen über den Codex Vaticanus handeln. ‚Z‘ ist jene Redaction, die bereits vor Allem die dem Aceph. und Pic. gemeinsamen grösseren Nachrichten enthielt.

d) Codex Vaticanus.

Der Codex Vaticanus steht, wie bereits S. 438 angedeutet wurde, der Grundlage der Gruppe des Pictum sehr nahe. Er schliesst nämlich wie alle Redactionen dieser Gruppe mit der Schilderung des Zuges Karls nach Italien (bis zu den Worten ‚prepropere obedivit‘. Vgl. Florianus III, S. 127, und Lucius, Inscriptiones, S. 91). Dieser Umstand weist zweifellos darauf hin, dass er der Gruppe des Pictum nahe steht. Andererseits entbehrt aber die Redaction der vaticanischen Handschrift alle weiteren Eigenthümlichkeiten jener Gruppe. Hieraus allein ergibt sich schon, dass er der Grundchronik näher steht. Nun könnte man annehmen, er sei die Quelle, aus welcher die von uns in den vorhergehenden Ausführungen mit ‚Y‘ bezeichnete Redaction (die Grundlage der Gruppe des Pictum) floss. Dies kann nun aber schon aus dem Grunde nicht der Fall sein, weil z. B. das Chr. Vat. in der Geschichte Salomons (vgl. Florianus III, S. 88, Anm. 1) den Satz ‚ob quam causam victus in proelio ob timorem ducum, ibi se recepit‘ nicht enthält, während derselbe sowohl in der Gruppe des Bud. (S. 150) und Dub. (S. 88), als in jener des Pic. (S. 186), Aceph. Bl. 19a und Sam. Bl. 35b vorhanden ist. Es kann somit nur folgendes Verhältniss stattfinden: Das Chr. Vat. und ‚Y‘ gehen auf dieselbe bis zum Zuge Karls nach Italien reichende Abzweigung der Grundchronik zurück. Nennen wir dieselbe ‚X‘ so ergibt sich:

Während nun ‚Y‘ bereits Erweiterungen aufweist und die folgenden Redactionen dieser Gruppe immer weitere Interpolationen erfuhren, hat der Cod. Vat. die Form der bis zum Zuge Karls nach Italien fortgeführten Grundchronik bis auf unbedeutende Aenderungen (vgl. oben) gewahrt. Im Ganzen und Grossen konnten zwischen dem Vat. und der bis zum oft erwähnten Zuge Karls fortgeführten Grundchronik ‚X‘ nur geringe Unterschiede vorhanden sein. Deshalb steht das Vat. auch vielfach den noch zu behandelnden Gruppen des Bud. und Dub. nahe, welche auf der directen Fortentwicklung der Grundchronik über jenen Zug hinaus beruhen. Man vergleiche z. B. folgende Fälle: Das Chr. Pos. berichtet §. 49 Folgendes: ‚rex a. d. MCCXC feria secunda ante festum Beate Margarete prope castrum Chyrusug ab ipsis Cumanis, videlicet Arbuz Turtel ac aliis, quibus ipse adheserat, miserabiliter est interemptus. Nicolaum fratrem Aydua dictum iidem lethabiliter vulneraverunt.‘ Vergleichen wir nun die anderen Chroniken, so finden wir, dass das Chr. Vat. (Lucius, Inscriptiones, S. 90), das Bud. (S. 210) und Dub. (S. 108) diesen Bericht besonders im zweiten Theile umgearbeitet und erweitert haben. Die betreffenden Stellen stimmen fast wörtlich überein; bemerkenswerth ist, dass der Cod. Vat. die dem Pos. näher stehende Namensform Ayduce aufweist, während in Bud. und Dub. die Form Edue erscheint. Dagegen hat Mug. S. 84, Sam. Bl. 42 b, Aceph. Bl. 26 a, Pic. S. 227 und Mon. §. 61 die Stelle in überaus gekürzter Form, was klar darauf hindeutet, dass sie einer seitwärts liegenden Gruppe angehören. Der Bericht lautet nämlich bei den genannten Chronisten folgendermassen: Mug. Cap. 63: ‚Darnach kurtzlich wart der kunig erslagen pey der purg Zerezech genant, von den heyden. In desselben kunig Lasla zeiten . . .‘; Sam. Bl. 42 b: ‚post in brevi tempore rex anno domini MCCXC feria secunda proxima ante festum sancte Margarete virginis prope castrum Cyriszeg ab ipsis Cumanis, quibus adheserat, est miserabiliter interfectus. Tempore enim buius regis . . .'; Aceph. 26a ebenso (nur ,beate Margarete'); Pic. Cap. 87: ,Post hec in brevi ipse rex a. d. MCCXC-o feria secunda proxima ante festum s. Margarethe virginis et martyris prope castrum Kereszeg ab ipsis Cumanis; quibus adheserat, est miserabiliter interfectus. Tempore...'; Mon. §. 61: ,Post hoc est miserabiliter a Cumanis interfectus rex ille. Eius enim tempore . . .' Aehnlich ist folgender Fall: Dub. S. 127 und Bud. S. 251, ferner (nach dem Zeugnisse von Florianus III, S. 127, Anm. 2) auch Vat. weisen folgende Stelle auf: ,. . . ut filium suum per voluntatem summi pontificis, domini scilicet Joannis XXII., et ad instanciam et peticionem inclitissimi regis Roberti, regis Sicilie, regnique eiusdem coronaret in regem.' Dagegen heisst es bei Sam. Bl. 49b und Aceph. Bl. 34a: ,et ad petitionem regni Sicilie coronaret in regem.' Bei Mug. Cap. 72: ,von pete des volkes . . .'. Die Redactionen Pic. und Mon. haben die Stelle nicht mehr.

e) Chronicon Budense und Dubnicense. Die Chronik des Thurocz.

Wir gelangen schliesslich zur Betrachtung der Gruppe des Chronicon Budense und Dubnicense. Zunächst lässt sich überzeugend nachweisen, dass Bud. und Dub. an einer grossen Anzahl von Stellen einander näher stehen als einer der anderen Chroniken.

Bud. S. 23: ,omnes contra se restantes, quos ibi reperit'; Dub. S. 11 ebenso. — Dagegen Pos. §. 14: ,omnes, quos ibi reperit'; Pic. S. 113 ebenso; Sam. Bl. 6b wie Pos.; Thurocz S. 68 frei bearbeitet; Aceph., Zag. und Var. beginnen erst später; Mug. S. 12: ,sie allzumal'; Reimchr. S. 12 nicht vergleichbar; Mon. §. 6: ,omnes, quos ibi reperit'.

Bud. S. 26: ,Veneti quidem non accipiunt originem de Sabaria, sed de Troia civitate opimatissima, nam Sabarie' etc.; Dub. §. 16 ebenso. — Dagegen Pos. §. 17: ,Veneti quidem non accipiunt originem de Sabaria, ut quidam opinantur, nam Sabariam . . .': Pic. S. 116 (auch Keza S. 66) und Sam. Bl. 7b ebenso. Auch Thurocz S. 73 nennt Troja nicht. Aceph., Var. und Zag. beginnen erst später. Mug. Cap. 8, Reimchr. S. 13, Mon. §. 7 liessen die Stelle aus.

Bud. S. 27f.: ‚et dum Atila promissa censum et verba imperialis maiestatis audivisset Romanorum . . .‘; Dub. §. 17 ebenso. — Dagegen Pos. S. 18: ‚Et dum promissa et verba audisset Romanorum . . .‘; Pic. S. 117 und Sam. Bl. 8a, b ebenso; Thurocz S. 75 frei bearbeitet; Aceph., Zag. und Var. beginnen erst später. Mug. Cap. 8 S. 15 sagt nur: ‚umb ein ewigen tzins‘. Reimchr. S. 13: ‚. . . se . . . offerunt censuales‘. Mon. §. 8 spricht nur von: ‚censum Romanorum‘.

Bud. S. 31: ‚Hic autem in Scitia dum venit, uxorem ex ea non duxit, sed de Corosmenia traduxit . . .‘; Dub. §. 18 ebenso. — Dagegen Pos. S. 20: ‚Hic autem in Scitiam adiendo uxorem de Scitia non accepit, sed traduxit de Corosmenia‘; Pic. S. 119: ‚Hic autem in Scitiam paternam scilicet sedem adiendo, uxorem de Scitia non accepit, sed traduxit de Corosmenia‘; Sam. Bl. 9b: ‚Hic autem in Scithiam paternam sedem adiendo uxorem de Scithia non accepit, traduxit de Corosmenia.‘ Thurocz S. 77 frei bearbeitet, doch: ‚Adita igitur Scythis‘. Aceph., Zag. und Var. beginnen erst später. Mug. übersetzt frei. Reimchr. S. 16 und Mon. §. 9/10 lassen aus.

Bud. S. 45: ‚omnia, que habuerunt, amisserunt‘; Dub. §. 38 ebenso. — Dagegen Pos. §. 29: ‚ut omnia, que habebant, amisserunt‘; Pic. S. 128 und Sam. Bl. 12b ebenso; Thurocz S. 85: ‚Nam omnia, que habebant, amiserunt.‘ Aceph. beginnt erst später. Zag. und Var. kürzen hier überaus. Mug. Cap. 13 und Reimchr. S. 20f. lassen sich nicht vergleichen. Mon. §. 16 lässt aus.

Bud. S. 65: ‚tocius Transilvani regni‘; Dub. §. 62 ebenso. — Dagegen Pos. §. 34: ‚tocius ultra silvam regni . . .‘; Pic. Cap. 37, Sam. Bl. 17b und Thurocz S. 95 ebenso. Aceph. beginnt erst einige Zeilen später mit den Worten: ‚regnum illud Hungarice Erdelv, quod . . .‘; Zag. und Var. fehlt; Mug. S. 35: ‚in sibenpurgen‘; Reimchr. S. 37: ‚in terra Transilvania‘; Mon. §. 25: ‚partium transilvanarum‘.

Bud. S. 82: ‚Unde beatus Gerardus canonica severitate‘; Dub. §. 54 ebenso. — Dagegen Pos. §. 38: ‚Gerardus episcopus Canadensis canonica severitate‘; Pic. S. 149 ebenso (auch Kesa S. 81); Sam. Bl. 21b: ‚unde beatus Gherardus Chanadiensis episcopus canonica severitate‘; Aceph. Bl. 4b: ‚unde beatus Gerardus Chanadiensis episcopus canonica severitate‘; Thurocz S. 102 ebenso. Zag. §. 5 und Var. §. 5 fehlt; Mug. S. 43:

‚pischoff von schanaden, der hiess Gerhart'; Reimchr. S. 38 fehlt;
Mon. §. 32 ausgelassen.

Bud. S. 178: ‚Post ipsum autem regnavit Colomannus, filius
regis Geyse. Ipse enim Belam, filium Almus ducis . . . exce-
cavit'; Dub. §. 114 ebenso. — Dagegen Pos. §. 44: ‚Post ipsum
regnavit Colomanus, filius Geycha regis, in cuius temporibus mala sunt multa perpetrata. Ipse enim Welam filium'
u. s. w.; Pic. S. 200: ‚Colomanus itaque filius regis Geyse de
Polonia festinanter rediit et coronatus est et duci Almus ducatum plenarie concessit. In cuius etiam temporibus multa
mala sunt perpetrata, ut inferius patebit . . .'; Thurocz S. 135
= Pic.; Sam. Bl. 39a: ‚Post ipsum regnavit Colomanus filius
regis Geyse, in cuius temporibus multa mala sunt propterea (!).
Ipse enim Belam . . .'; Vat. (Lucius, Inscriptiones, S. 88, und
Florianus III, S. 97, Anm. 5) ebenso, doch ‚perpetrata'; Aceph.
Bl. 22a wie Sam., nur dass zwischen ‚regis Geyse' und ‚in
cuius temporibus' die Sätze ‚Iste Colomanus episcopus fuit' bis
‚persolvebat' eingeschoben erscheinen; auch hat Aceph. das
richtige ‚perpetrata'. Zag. §. 11 und Var. §. 11 fehlt. Mug.
Cap. 48: ‚Nach sant lasla dem kunig wart zu kunig koloman,
kunig geysan sun, derselb waz ungestalt an der person und
waz gar lystig. In dez zeiten wart begangen vil possheit.'
Reimchr. reicht nicht mehr in diese Partie. Mon. §. 48 wie
Pic., doch liess es die Worte ‚In cuius—perpetrata' weg.

Bud. §. 197: ‚Cuius corpus Varadini ad pedes sancti
Ladizlai requiescit'; Dub. §. 122 ebenso, knüpft aber daran
auch noch die aus Pic. (vgl. unten) entnommenen Worte:
‚Cuius corpus in monasterio de Egrus feliciter requiescit'. —
Dagegen Pos. §. 46 nur: ‚Cuius corpus in monasterio abbatum de
Egres iuxta fluvium Moros requiescit'; Pic. S. 223: ‚Cuius corpus
in monasterio Egrus feliciter requiescit'; Sam. Bl. 41a: ‚Cuius
corpus in monasterio de Egrus feliciter requiescit'; Aceph. Bl. 24b
wie Sam. (‚de Egrus'); Thurocz S. 149 ebenso; Zag. §. 19 und Var.
§. 19: ‚Cuius corpus in monasterio suo Egres requiescit'; Mug.
S. 82: ‚der kunig andreas ligt begraben zu weyssenburg (?!) im
munster'; Mon. §. 58: ‚sepelitur in monasterio Egrus'.

Bud. S. 199: ‚Bela rex iuxta fluvium Sayo prelians';
Dub. §. 124 ebenso. — Dagegen Pos. §. 36: ‚Wela rex iuxta
fluuium Seo . . . prelians'; Pic. S. 224 ebenso; Sam. Bl. 41b:
‚iuxta flumen Seo'; Aceph. Bl. 24b und Thurocz S. 150 ebenso;

Zag. §. 20 und Var. §. 20 fehlt; Mug. Cap. 61: „pey der ṣṣf;
Mon. §. 59 fehlt.

Bud. S. 249: „Quorum quidem miserabilem eventum iǔ
venes et senes, domine cum ancillis in castro Themes-Vīz,
quod idem rex fundasse perhibetur, deplanxerunt; et conṣṣ
bata est illo die et hora felix Pannonia. Proch dolor propiṣṣ
illis amaritudinem, cuius memoria flebilis est'; Dub. S. 1☷
ebenso. — Dagegen (Pos. fehlt bereits) Pic. S. 243 fehlt ☷ṣ
Stelle, ebenso bei Thurocz S. 164, bei Sam. Bl. 49a und Acṣṣ
Bl. 33b. Zag. §. 24, Var. §. 24 und Mug. S. 93 fehlt.

Aus den vorstehenden Stellen, die leicht vermehrt werde☷
könnten, ergibt sich zur Genüge, dass die Chroniken Budaṣṣ
und Dubnicense eine Gruppe bilden. In welchem · näheṣ☷
Verhältnisse stehen sie nun einerseits zur Grundchronik ☷☷
andererseits zu einander?

Was zunächst die erste Frage anbelangt, so ist bereiṣ ☷
der Studie VII geltend gemacht worden, dass die diesen Chṣ☷
niken gemeinsamen Nachrichten vom Zuge Karls nach Italṣ☷
bis zu seinem Tode (1342) auf zeitgenössischer Fortsetzung ☷☷
Grundchronik beruhen. Weiter als bis zum eben genann☷☷
Zeitpunkte ist die Grundchronik überhaupt nicht fortgesetzṣ
worden. Aus dieser so fortgesetzten und abgeschlossenen Grundchronik schöpfte nun zunächst das Budense und führte ☷☷
Darstellung durch Anschluss der Geschichte Ludwigs I. von Jṣ-
hann von Kikkulew und einiger Notizen über die folgenden Herṣ-
scher bis auf Matthias. Das Dubnicense erscheint aber deutlich aṣ
eine Fortbildung des Budense, und zwar wegen der Fortsetzṣṣ
der Geschichte Matthias', wegen der in Studie VII besprocheneṣ
Einschiebung der Darstellung des Franziskaners Johann aṣṣ
der Zeit Ludwigs I. und endlich wegen der weiter unten ṣṣ
erörternden Verquickung mit dem Chronicon Pictum. Doch iṣ☷
hervorzuheben, dass das Dubnicense auf dem im Jahre 1473
in Ofen von Andreas Hess hergestellten (von Podhracky 18☷☷
ebenda erneuerten) Drucke nicht beruhen kann. Es genügṣ
z. B. darauf aufmerksam zu machen, dass Bud. S. 241 weder
die Nachricht über Karls natürlichen Sohn Coloman, noch jene
über den Tod des Palatins Matthäus bringt, welche beide daṣ
Dub. S. 119 aufweist, und die nach dem Ausweise von Poṣ.
§. 55 (enthält beide), Mug. S. 90 (beide), Pic. Cap. 97 (diṣ
letztere), Thurocz Cap. 91 (die letztere), Sam. Bl. 46b (diṣ

letztere), Aceph. Bl. 30a (die letztere,[1]) Mon. §. 68 (die letztere) sicher in der Grundchronik standen.[2] Andererseits kann das Dub. aus dem Bud. auch deshalb nicht geflossen sein, weil es nicht die offenbar erst von Hess eingesetzten und daher nur dem Budense eigenen Capitelüberschriften mit chronologischen Angaben u. dgl. aufweist. Wir müssen daher annehmen, dass der Verfasser des Dub. die Handschrift (L), welche Hess vorlag, oder eine ihr sehr nahe stehende benützte. Wir dürfen daher etwa folgendes Verhältniss annehmen:

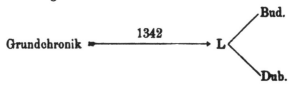

Es erübrigt noch, Einiges über die Redaction Dub., ferner über das Verhältniss Thurocz' zu unserer Gruppe hinzuzufügen.

Aus den vorangegangenen Bemerkungen ist es ganz zweifellos, dass die Dubniczer Chronik nicht zur Gruppe Pic. gehört; Vieles, was ebenfalls dafür spricht, werden wir noch weiter unten kennen lernen. Wenn somit das Chr. Dub. dennoch Manches mit dem Pic. gemein hat, so ist dies daraus zu erklären, dass für diese gegen das Ende des 15. Jahrhunderts geschriebene Redaction neben der auch im Bud. erhaltenen noch diejenige des Pic. verwendet wurde. Aus letzterer hat der Schreiber allerlei geschöpft, das ihm genug wichtig erschien, in seinem Codex mitgetheilt zu werden. So hat er die Vorrede ‚Anno domini millesimo‘ etc. übernommen, trotzdem die in derselben enthaltene Notiz, ‚ista Cronica‘ sei 1358 zu schreiben begonnen worden, wenig für den Zeitpunkt seiner Arbeit passt. Ebenso hat er die Einleitung ‚Per me reges‘ dem Pic. entlehnt. Derselbe Einfluss zeigt sich in den Anfangscapiteln (man vergleiche z. B. den Wortlaut von §. 1, ferner die Zeitbestimmung am Anfange des §. 5, ebenso den Anfang von §. 7 mit den betreffenden Stellen Pic. S. 102, 107 und 110).

---

[1] Bemerkenswerth ist, dass Aceph. ‚comes de Trinchinio‘ zusetzt, was dem ‚von Trents‘ bei Mug. entspricht.

[2] Vat. hat wahrscheinlich auch beide Stellen; doch kann ich dies nicht mit Sicherheit constatiren, weil mir dieser Codex nicht vorliegt.

30*

Dann aber zeigt sich die entschiedene Verwandtschaft mit Bud.
(vgl. die Zusammenstellung oben S. 455 ff.). Erst am Ende der
Hunengeschichte ist wieder das Pic. mehr zu Rathe gezogen.
Hier erkennt man auch an der Form des Gebotenen die Verschmelzung zweier Vorlagen. Nachdem Dub. nämlich überein-
stimmend mit dem Bud. berichtet hat (§. 24): ‚Regnavit autem
Atila annis XLIIII, ducatum tenuit annis quinque; vixit autem
centum et viginti quinque annis‘, setzt es hinzu: ‚Quot annis
Atila regnavit atque vixit, hic prenotatur‘, und sodann folgt
die aus dem Pic. herrührende Stelle: ‚Tradunt quidem, quod
Hungari . . . Huni autem applicuerunt . . . Mortuus est autem
Atila post . . . qui tunc Constantinopolim morabatur.‘ Nach
dem allen Chroniken gemeinsamen, von Keza herrührenden
Uebergange vom ersten Theile zum zweiten (‚Digestis igitur
duci‘) entnimmt es wieder die Zeitbestimmung (‚Anno ab inc. . . .
hoc modo‘) dem Pic., worauf sich wieder ein interessanter Fall
der compilirenden Thätigkeit des Schreibers des Chr. Dub.
zeigt. Seine Vorlage enthielt nach Ausweis von Pos. §. 24 und
Bud. S. 35 die Nachricht, Almus sei in Mogor geboren worden.
Im Pic. S. 122 fand er die Mittheilung, dass dies ‚in Scytia‘ geschehen sei. Und nun schreibt er: ‚Eleud . . . in Scitia Mogor
genuit filium.‘ Fortan zeigt sich aber wieder der völlig vor-
wiegende Einfluss der mit dem Bud. gemeinsamen Vorlage (vgl.
schon die Zeitbestimmung am Anfange von §. 26). Zwar hat
der Schreiber noch z. B. S. 103 neben die Nachricht, dass Andreas ‚Varadini ad pedes s. Ladizlai requiescit‘ aus dem Pic.
(S. 223) die Notiz ‚Cuius corpus in monasterio de Egrus feliciter requiescit‘ gesetzt, aber von allen dem Pic. eigenthümlichen Erweiterungen, über die wir gehandelt haben, enthält
das Dub. nichts. — Ueber die sonstigen Erweiterungen und die
Fortsetzung des Dub. sind die Bemerkungen oben S. 458 zu
vergleichen, ferner Studie VII, S. 505.

Betreffs des Verhältnisses der Chronik des Thurocz
zu unseren Chroniken ist Folgendes zu bemerken: Wie wir
aus den oben angeführten Parallelstellen ersehen, weist diese
in allen verglichenen Stellen nicht die Eigenthümlichkeiten
des Bud. und Dub. auf. Ein weiterer Vergleich lehrt, dass
Thurocz die Redaction des Pic. ausschrieb, da er die demselben
eigenthümlichen Stellen aufweist. Diese übrigens bereits allgemein bekannte Thatsache näher durch Belegstellen zu erörtern,

würde wohl überflüssig sein. Interessant ist aber der Umstand, dass Thurocz offenbar die auch uns allein bekannte Wiener Handschrift dieser Redaction vorlag. Nur so weit nämlich diese reicht, steht Thurocz den Redactionen des Bud. und Dub. fern; aus diesem Theile sind auch alle obigen Citate geschöpft. Von den letzten Sätzen der Wiener Handschrift des Pic. angefangen, begegnen wir dagegen in Thurocz alle dem Bud. und Dub. eigenthümlichen Lesarten, so dass sich Thurocz hierin also auch von den der Gruppe des Pic. angehörigen und noch einige Nachrichten über dieses hinaus bietenden Cod. Sam. und Aceph. entfernt. Daraus folgt ganz klar, dass Thurocz keine andere als die uns bekannte Wiener Handschrift des Pic. benützt hat, denn eine zweite hätte doch den Text nicht ebenso mitten in der Erzählung abgebrochen wie die gemalte Wiener Handschrift; ein fortgesetzter Text der Redaction des Pic. hätte aber wie die früheren Theile mit den verwandten Redactionen des Sam. und Aceph. übereinstimmen müssen. Wir lassen hier die betreffenden Quellenstellen folgen:

Pic. 8. 244 f.	Aceph. Bl. 34 a. = Sam. Bl. 49 b.	Thurocz 8. 164 f.	Bud. 8. 250 f. = Du 8. 126 f.
Rex autem cum [i eventu venit .n Vyssegrad. rro cum Hungari tissima et durissi- la prelia ubique missent, istud ta- m eis accidit, ne pter victoriarum quenciam super- rent, vel certe post perbiam preceden- n corriperentur ut umilitatem disce- rent et docerent	Rex autem cum tali eventu venit in Vysagrad. Por- ro cum Hungari fortissima et durissima prelia ubique gessis- sent, istud eisdem ac- cidit, ne propter vic- toriarum frequen- ciam superbirent vel certe post superbiam precedentem corri- perentur, ut humili- tatem discerent et docerent,	Rex autem cum tali eventu venit ad Temesvar, et sine mora venit deinde ad Wysse- grad. Porro cum Ungari fortissima et durissima proelia ubique gessissent, istud eisdem accidit, ne propter victoriam frequentem superbi- rent, vel certe post superbiam preceden- tem corriperentur, ut humilitatem disce- rent et docerent, quatenus divine di- lectionis gratiam per paternae correctionis flagella uberius mererentur, quia illos	Rex autem cu tali eventu ven ad Temes-Var e sine mora ven deinde ad Vis grad. Porro cu Hungari fortissim et durissima preli ubique gessissent, istud eis accidit n propter victoriam frequentem superb rent, vel certe po superbiam preceder tem corriperentur, humilitatem disce rent et docerent, quatenus divine di lectionis gratiam pe paterne correction flagella uberius mererentur, quia i los
atenus (hier bricht s Pic. mitten in r Zeile ab).	quatenus divine dilectionis gratiam per paterne correccionis flagella inpressius mere- rentur, quia		

corri- pit deus pater quos diligit ... Anno do- mini **MCCCXXXIII** egressus est rex de Vysagrad cum An- drea filio suo puero sex annorum in men- se Iulii et perrexit cum bona comitiva militum per Zagra- biam ultra mare, ut filium suum per vo- luntatem summi pontificis domini sci- licet Iohannis **XXII** et ad petitionem regni Sicilie co- ronaret in regem. In cuius regis ...	corrigit deus pater, quos diligit ... An- no domini millesimo trecentesimo tricesi- mo tertio egressus est rex de Wyssegrad cum Andrea filio suo, puero sex annorum in mense Iulii et perrexit cum bona comitiva militum per Zagrabiam ultra mare ut filium suum per voluntatem sum- mi pontificis, domini scilicet Johannis vi- cesimi secundi, et ad instantiam et pe- titionem incly- tissimi Roberti, regis Siciliae, re- gni eiusdem coro- naret in regem. In cuius regis ...	corrigit Pater, quos ... Anno millesimo mo tricesimo egressus est Visegrad cum filio suo pue annorum in Iulii et perre bona comitiva tum per ultra mare suum per vo summi pontifici, mini scilicet Ioha nis (X)XXII et a instantiam et pe titionem inclitis simi regis Robe ti regis Sicilien gnique eiusde coronaret in r gem. In cuius re ...

Wie wir sehen, wendet sich da, wo das ihm vorliegende
Pic. ihn zu verlassen beginnt, Thurocz der Redaction des Bud.
zu. Noch wenige Zeilen früher weist er — man vergleiche die
letzte Parallelstelle oben S. 458 — die kürzere Fassung des
Pic. und der ihm verwandten Redactionen auf. Die Be-
nützung des Bud. oder richtiger der ihm zu Grunde liegen-
den handschriftlichen Redaction reicht bei Thurocz bis zum
Tode des Königs Karl Robert (1342), worauf er dann die
Schrift des Johannes von Kikkulew über Ludwig anschliesst.
Man vergleiche darüber die Studie VII, S. 505 f.

3. Zusammenfassung der Ergebnisse. Verfasser und Werth der Chronik.

Die Ergebnisse unserer Betrachtung lassen sich somit
folgendermassen zusammenfassen. Die Zahlen bedeuten das
Jahr, bis zu welchem beiläufig die Grundchronik fortgeschritten
war, als die betreffende Redaction sich ablöste:

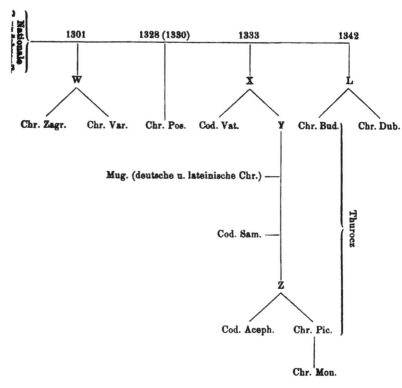

Aus unseren Ausführungen ging auch hervor, dass die Grundchronik bereits am Anfange des 14. Jahrhunderts bestand und sodann bis 1342 gleichzeitig fortgeführt wurde. Das Nähere über ihr Entstehen und über die Eigenart der einzelnen Redactionen wolle man auf den vorangehenden Seiten nachlesen. Es sei noch hier bemerkt, dass die früheste Erwähnung der ungarischen Chroniken in der um das Jahr 1320 vollendeten Schrift ‚Vita et miracula s. Kyngae‘ sich findet.[1] Hier lesen wir nämlich: ‚Legitur in cronicis Ungarorum, quod Andreas accepta uxore . . .‘, worauf oft wörtlich Sätze aus unserer Chronik über die Geschichte Andreas’ II. und Belas IV. citirt werden. Später heisst es nochmals ‚prout tradunt dicte chronice‘. Allenfalls werden in diese Mittheilungen allerlei Notizen

---

[1] Vgl. Kętrzyński in Mon. Pol. hist. IV, S. 678f. und 683f. Kętrzyński war so gütig, mich besonders darauf aufmerksam zu machen.

eingeflochten, die in keiner der Chronikredactionen stehen, so z. B. der Zusatz bei Belas Todesdatum ‚sexto Calendarum Octobris‘; ferner die näheren Mittheilungen über die Abstammung Marias, der Gemahlin Belas IV.; endlich die ausführlichen Nachrichten über die Kinder Belas IV., von denen sonst das Chr. Dub.[1] nur die zwei Söhne Bela und Stephan nennt. Trotz der zum Theile abweichenden Nachrichten und trotz des Plus an Mittheilungen, die sich sonst in den ungarischen Chroniken nicht finden und hier zum Theile ausdrücklich als aus diesen stammend bezeichnet werden, wird man übrigens nicht annehmen müssen, dass dem Verfasser des Heiligenlebens eine besondere Redaction der Chronik vorgelegen habe. Es ist ja bekannt, dass mittelalterliche Schriftsteller zwischen dem, was sie der citirten Quelle wirklich entnahmen, und eigenen Zusätzen nicht genau scheiden.[2] So hat auch unser Legendenschreiber die Nachricht von der Gemahlin Belas IV. ‚Maria filia imperatoris Graecorum‘ aus der Chronik entnommen, und darauf bezieht sich die Bemerkung ‚prout tradunt dicte Cronice‘; dass aber dieser ‚imperator vero ipse de stirpe Neronis cesaris, imperatrix autem de genealogia sancte Catharine virginis et martiris eximie‘ waren, sind seine eigenen Zusätze. Ebenso könnte es sich in den anderen Fällen verhalten.

Aus unseren Ausführungen geht auch hervor, dass man von einem ‚Verfasser‘ der Chronik nicht sprechen kann. Schon die Grundchronik ist aus verschiedenen Bestandtheilen zusammengesetzt. Man kann daher auch nicht, wie dies noch Rademacher that, auf die Frage eingehen, ob der Verfasser der ungarischen Chronik ein Deutscher wäre.[3] Völlig verfehlt ist es aber, mit Rademacher aus allen Theilen der Chronik unterschiedslos die deutschen Elemente zusammenlesen zu wollen. Man muss wohl zunächst Alles absondern, was schon

---

[1] S. 104: ‚et genuerat duos filios, scilicet Stephanum et Belam, qui bonus appellatur.‘ Kętrzyński hat nur das Pic. zum Vergleiche herbeigezogen.

[2] Man vergleiche z. B. die Bemerkung der ungarischen Chronik (Bud. S. 61): ‚Anno Dom. inc. DCCCLX nono, quemadmodum in Legenda s. Stephani regis scriptum est, genuit Stephanum . . .‘, während in keiner der Stephanslegenden das Geburtsjahr genannt ist. Vgl. Studie VIII, S. 275.

[3] Die ungarische Chronik als Quelle deutscher Geschichte (Programm des Domgymnasiums zu Merseburg 1887), S. 16.

in Keza's Hunengeschichte steht (vgl. Studie X). Anderes rührt schon wahrscheinlich aus den Gesta vetera her. Dahin müssen wir vor Allem die etymologisirende Nachricht zählen, dass ein Schlachtort, auf welchem die Deutschen arge Verluste erlitten hätten, ‚eorum lingua usque hodie Flovum paiur (verlorene Baiern) est vocatus et Weznemut nostra lingua‘, denn dieselbe findet sich fast gleichlautend wie bei Keza §. 26 (S. 82), so auch in der Chronik (Bud. S. 85). Aber auch nach der Ausscheidung der Keza allein angehörenden Stellen und ebenso der etwa den Gesta vetera entnommenen bleiben noch allerdings Kennzeichen, dass der oder die Compilatoren der Nationalchronik des Deutschen kundig waren. So setzt z. B. erst der Schreiber der Grundchronik zu Keza's Nachricht über ‚Echulburc‘ (§. 11 S. 64) hinzu ‚id est urbs Atilae‘ (Chr. Pos. §. 15 und Chr. Bud. S. 24). Auch die präcisere Erklärung des Namens Strassburgs in der Chronik (Pos. §. 12 S. 12 und Bud. S. 20: ‚propter viarum pluralitatem‘) gegenüber Keza S. 63 gehört hierher. Ebenso Chr. Bud. S. 49, Pic. S. 131 (Pos. S. 28 fehlt): ‚Poth fuit apellatus, quia internuncius erat‘ gegenüber Keza §. 53, wo von dieser Erklärung des Namens nichts steht. Ferner Chr. Bud. S. 37, Pic. S. 123 (Pos. §. 25 fehlt): „. . . terreis castris septem preparatis . . . qua propter Teutonici partem illam ab illo die Siebenburg, id est: septem castra vocaverunt‘, gegenüber Keza §. 18. Auch auf Chr. Bud. S. 87 = Pic. S. 151: ‚Albam venit, que teutonice Weyzenburg dicitur‘ könnte verwiesen werden, doch könnte dieser Zusatz auch von einem des Deutschen Unkundigen aus der entsprechenden Stelle der Annales Althahenses anno 1044 (‚Wizenburg veniunt‘) herübergenommen sein. Keza hat §. 27 hievon noch nichts.

Schliesslich ergibt sich auch aus den vorhergehenden Ausführungen, dass der Werth der Chronik in ihren verschiedenen Theilen auch verschieden ist. Man wird sie also weder ganz verwerfen, noch ihr überall folgen dürfen; sowohl in der einen als in der anderen Richtung ist man bisher häufig über die richtige Grenze gegangen.[1] Man wird sich also stets fragen müssen, welcher Redaction und welcher Partie derselben gehört die Nachricht an. Dabei darf man nicht vergessen, dass

---

[1] Manche bemerkenswerthe Notiz bringt Rademacher, Die ungarische Chronik als Quelle deutscher Geschichte.

z. B. einzelne Theile selbst in den erweite
hohem Werthe sind, wie z. B. die Interpol
und Mug. für das 12. Jahrhundert gemein

XII.

Kleinere ungarische Geschichtsquelle
Chroniken verwendet wu

Schon in Studie VII ist bei der allgel
der ungarischen Chroniken darauf hinge
dieselben für die Ungarngeschichte nel
und den bekannten ungarischen Legende
kleinere einheimische Geschichtsquellen
Spuren sich eben nur in diesen Chronikel
den folgenden Studien ist bei verschiede
diese Geschichtsaufzeichnungen wieder hin
der vorliegenden Studie soll nun über die
hange in aller Kürze gehandelt werden.

Studie VII, S. 481—486, ist gezeigt
für seine magere Darstellung von Kolom
Zeitpunkte, da ihn die Gesta vetera im St
seinen zeitgenössischen König Lad
knappes Königsverzeichniss benützt h
wenigstens für Bela II., Stephan III., Ladisla
auch die Regierungsdauer. Stephan II. un
den bei Keza gar nicht genannt, und zwar k
S. 482, gezeigt wurde, nicht die Schuld a
fehlern liegen. Jedenfalls war die Quelle
Dass derartige Königsverzeichnisse auch s
handen waren, ist bekannt. Man erinner
das 1210 niedergeschriebene (Studie V, S.

Ein ausführliches Verzeichniss
Sterbejahre der Könige lag dem Ve
chronik vor. Aus demselben schöpfte e
genaue Angabe des Todesdatums Ladii
S. 171: ‚Migravit autem ad dominum a. d.
quinto, quarto Kal. Augusti, feria prima‘)

das erste dieser Art in der Chronik ist. Ebenso gehören demselben die weiteren ähnlichen Daten für die folgenden Könige an bis ins 13. Jahrhundert.

An dritter Stelle nennen wir jene Quelle, welche die verschiedenen Redactionen der Nationalchronik, also auch schon die Grundredaction, als ‚antiqui libri de gestis Hungarorum‘ citiren. An einer von uns bereits in Studie VIII, S. 284, als Interpolation in den Text der Gesta vetera erkannten Stelle in der Geschichte des ersten Heidenaufstandes sagt der Chronist (Chr. Bud. S. 93) nämlich unter Anderem: ‚Est autem scriptum in antiquis libris de gestis Hungarorum, quod omnino prohibitum erat Christianis, uxorem ducere de consanguineis Vata et Janus . . .‘ Diese Nachricht finden wir in keiner der uns sonst bekannten ungarischen Quellen; dass sie nicht den Gesta vetera entstammt, ist augenscheinlich; deshalb hat Keza auch nichts davon. Nun wird aber auch an einer späteren Stelle der gerade in diesen Partien gegenüber Keza und also auch den Gesta vetera an Erweiterungen so reichen Nationalchronik (Bud. S. 125) über ein Ereigniss berichtet, das mit jenem Heidenführer Vata zusammenhängt. Es wird nämlich behauptet, dass Salomon und sein Bruder David deshalb keine Kinder hatten, ‚quia quando Andreas primo in Hungariam reversus est cum Leventhe fratre suo propter hoc, quod ipse regnum posset obtinere, permisit Vatham prophanum et alios pessimos multorum sanctorum sanguinem fundere‘. Der Gedanke liegt sehr nahe, dass die letztcitirte Nachricht aus derselben Quelle herrührt, aus welcher auch die erste über Vata und Janus herstammte, also aus den ‚Antiqui libri‘. Dann ist es aber auch ebenso folgerichtig, wenn wir annehmen, dass auch zahlreiche der anderen Erweiterungen der Nationalchronik gegenüber Keza und den Gesta vetera aus den Antiqui libri herrühren. Hiezu kommt noch, dass viele dieser Interpolationen das Gemeinsame aufweisen, dass sie Ereignisse behandeln, welche Bela I. und seine Nachkommen betreffen, dass sie ferner diesen geneigt sich zeigen, dagegen Andreas und seiner Familie feindlich gesinnt sind. Im Einzelnen den Bestand der Antiqui libri de Gestis Hungarorum festzustellen, ist schwer; sie sind uns eben nur in einer Ableitung erhalten. Vermuthlich aus dieser verlorenen Geschichtsquelle herrührende Nachrichten sind in Studie VIII, S. 283, 284, 292, 294 und 299 namhaft gemacht worden. Die Berichte dieser Quelle scheinen zum grossen Theile verlässlich gewesen zu sein. Zieht man auch noch in Betracht, dass diese Quelle von dem Verfasser der National chronik ausdrücklich als „alt" (antiqui libri) bezeichnet wird, was von anderen citirten Quellen nicht hervorgehoben so wird man wohl mit Recht annehmen, dass dieses verlorene Geschichtswerk um 1100 entstanden ist.

An vierter Stelle ist jene Geschichtsquelle des 12. Jahrhunderts anzuführen, welche Mug. und Pic. selbst ständig und von einander unabhängig ausgeschrieben haben, wie in Studie VII, S. 488ff. ausführlich gezeigt worden ist Nähere Anführungen über diese alte und werthvolle Quelle werden durch die überaus schlechte Ausgabe der Chronik Muglen's bei Kovachich sehr erschwert. Um einen Einblick in die Nachrichten dieser Quelle zu ermöglichen, mögen im Folgenden jene Notizen aus Muglen's Darstellung und dem Chr. Pic. zusammengestellt werden, welche diesen zwei Redactionen oder nur Mug. allein eigen sind und also aus der sonst verlorenen Quelle stammen.

Muglen.	Pictum.	Anmerkung
Cap. 48: derselb (Koloman) waz ungestalt an der person und waz gar lystig.	S. 200: Erat namque habitu corporis contemptibilis, sed astuus et docilis.	Diese und folgende Stellen sind bei Mug. im Pic. ... schiedener ... und in ... gesetzter ... folge einge ... ben: ein ... für die hier ... setzende Inter lation (vgl. ... die VII, S. ...
Ebenda: Wan der heilig kunig Lasla het geschickt, daz Almus, Kolomans pruder, solt nach ym kunig werden, wann er west wol, daz er nutz wer dem reych. Do entwaich Almus und liess yn (sc. Koloman) kunig werden, wan er der eldest was.	Ebenda: Beatus autem Ladizlaus sic ordinavit, ut post ipsum Almus regnaret, qui sincera simplicitate ductus honoravit fratrem suum Colomanum, preferendo sibi coronam regni, tanquam cui iure primogeniture videbatur competere.	
Ebenda: Der kunig Coloman het mit seiner ersten hawssfrawen tzwen sun: Lasla und Stephanum.	S. 203: Rex autem de prima uxore sua genuit Ladizlaum et Stephanum anno	Zu dieser ... le sind die ... führungen ... VII, S. ... vergleichen.
Nach Christus gepurt taussent iar und in dem ein und	domini MCI ... Anno domini M-o C-o VI-o reversus	

tisten iar do kam Al-
es kunigs pruder, zu
mig, wann er vor ym
n waz. Do het der
willen, yn zu vahen.
m andernmal do floh

Do wart er aber ver-
nit dem kunig. Dar-
lz der kunig Coloman
sheit waz, also liess
pruder Almum vahen
ines pruder sun Be-
ld liess ym die augen
hen, daz er der ku-
en ere nicht wirdig
Daz rach die hym-
ewalt swerlich, wan
nig viel in ein siech-
rnach und starb und
graben zu waradein.

49: Der Inhalt dieses
littes rührt ganz aus
elle des 12. Jahrhun-
her. Mug. entnahm
ben: die Erhebung
as II. zum Könige;

rakterzeichnung des-
,derselb kunig waz
ohen bertzen.'
siegreichen Kämpfe
en und Griechen, die
der Nachbarn vor
streithaften Könige,
lle sagenhaften Züge.

est dux Almus de Patavia,
qui propter regis timorem

illuc fugierat . . . S. 204:
Rex autem iratus voluit capere eum . . . Dux autem
. . . fugit iterum ad Patavos
. . . S. 205: Post hoc rex re-
duxit ducem Almum ad pa-
cem. Confirmata autem pace,

tandem rex cepit ducem et
filium eius Belam infantulum
et obcecavit eos . . . Post

hec autem rex cepit egro-
tare graviter . . . (S. 207:
Cuius corpus Albe quiescit.)

Das Pic. S. 207 erzählt
diese im Anschlusse an die
Erweiterungen, die sich in
der ihm und dem Aceph.
vorliegenden Redaction der
Nationalchronik finden.
Ebenda: Sed spiritus eius
in manibus eius.

erzählt diese (S. 207 und
210) in Uebereinstimmung
mit Aceph. breit und mit
anekdotenhaften Zügen.

Das Chr. Pic.
hat die Darstel-
lung überaus er-
weitert. Die an-
deren Chroniken
haben nichts da-
von.

Wie das Pic.
nennen auch die
anderen Redac-
tionen Alba als
Grabstätte.

Vgl. die Paral-
lelstellen oben,
S. 444.

Diesen Cha-
rakterzug betont
das Aceph. nicht.

Vgl. die Paral-
lelstellen oben,
S. 444.

In den tzeiten tet der keyser von kriechen den ungern grossen schaden (gewalt) und slug ir vil zu tode.

Vorliebe des Königs für ‚die heyden und die tatter'. Die Niederlage derselben durch die Griechen, die gewiss in der Quelle stand, ist mit jener der Ungarn zu einer gemacht, daher die Verwirrung bei Mug., welche nur durch die Hinzuziehung des Pic. gelöst werden kann. Krankheit des Königs. Bedrängung der Heiden (Kumanen) durch die Ungarn. Drohungen des Königs, seine Schützlinge zu rächen. Sein Tod.

Cap. 50: Derselb kunig Bela(yd) vermayd alle possheit und naiget sich zu redlicher sache tzu allen stunden. Und seit er got liep het in seinem hertzen, so gab ym got gelucke in allen dingen und satzt sein sun auf den stul seines vaters. Derselb kunig Bela slug Belinum, den kunig von Polan, umb mit allem seinem heer. In des kuniges zeiten waz ungerlant in fried und in gnad.

S. 210 f. erzählt diese Niederlage sehr ausführlich.

S. 212: Rex autem Stephanus diligebat Kunos tunc temporis plus quam deceret. Quorum dux nomine Tatar, qui a cede imperatoris cum paucis ad regem fugerat u. s. w. wie Mug.

Fehlt. Da Pic. S. 216 über den König auch Ungünstiges zu berichten weiss, so hat er wohl diese Nachrichten nicht aufgenommen.

Pic. S. 214f. erzählt diese Kämpfe sehr ausführlich (vgl. Studie VII, S. 497).

S. 216: Postquam autem regnum confirmatum esset in manu regis Bele ...

Aceph
von und
genden
mehr.

Man
che hiess
die VII,
Der T...
Pic. ist
gemein...
besser.
Quelle
noch nic...
Tataren
das ‚Tat...
Mug. e...
irrig aus
tar'.

Mug. e...
nochma
Schlusse
pitels l...
Bemerk
über de...
‚derselb
was ga...
und st...
reicht ay
...' D
spricht
dieser S...
der Natic
nik (Bud
Stehen...
fuit pi...
Pic. ha...
Beme...
nicht.
Mitgeth...
gibt sich
interpo...
Thätigke

		len's; 2. d ne Chronik aus dem Pic.
Cap. 51: Der Inhalt dieses pitels ist wieder ganz der elle des 12. Jahrhunderts knommen: Thronbesteigung und Lobsisung des Königs Gei- II.	Pic. S. 216.	
Kampf mit Heinrich II. a Oesterreich.	S. 217f. erweitert und verderbt (vgl. dazu Studie VII, S. 497f.; ferner ‚Beleban‘ statt ‚Boleslau‘ [Polislau]).	
Zug der Kreuzfahrer rch Ungarn. Bericht über zwei Züge ch Galizien.	S. 218f. erweitert. S. 220 doch weniger klar als bei Mug.	Hier schl die dem Pic. gelegene k Redaction. Studie VI 493f.
Cap. 52: Ausführliche childerung der Kämpfe isas II. mit den Griechen.	Diese Nachrichten ebenso wie alle folgenden hat Pic. nicht mehr.	Von hiei ginnt die gesetzte R tion, die vorlag.
In des kuniges tzeiten waz gerland in grossen frid.	Fehlt.	
Cap. 53, 54 und 55 ausführliche und werthvolle hilderung der folgenden ronstreitigkeiten bis zum de Stephans III. (1172 er 1173).	Fehlt.	Hiezu sin Correcturen die VII, S. Anm. 1, zu achten.

Mit den Nachrichten über die Züge nach Galizien hat unsere Quelle in der kürzeren Gestalt geschlossen; Muglen lag bereits die bis 1172/73 erweiterte Redaction vor, worüber Studie VII, S. 493f. zu vergleichen ist. Nachdem diese Quelle versiegt ist, bietet Muglen weiter nur wieder den gemeinen Text der Nationalchronik. Entstanden dürfte unsere Quelle bereits um 1175 sein, worüber Studie VII, S. 494ff.

zu vergleichen ist. Schliesslich sei bemerkt, dass unsere Quelle wohl eine zusammenhängende Geschichte von Kolman bis Stephan III. bot. Da die Daten über Thronbesteigung, Regierungszeit, Beerdigungsorte in ihr und der Nationalchronik sonst wenig abwichen, so ist in dieser Beziehung eine Scheidung zwischen den beiden Vorlagen Muglen's und des Pictum schwierig.

Ausser den vier bereits genannten Quellen sind an ungarischen Schriftwerken, welche in die Chronik oder einzelne Redactionen derselben Aufnahme fanden, noch zu nennen: das Werk Johanns von Kikkulew, des geheimen Notars König Ludwigs, in welchem er die Geschichte dieses Königs beschreibt, und das für diesen Zeitraum vom Chronicon Budense, Dubnicense und von Thurocz ausgeschrieben wurde. Ferner die Aufzeichnung des Franziskaners Johannes zur Geschichte Ludwigs in den Jahren 1345—1355, welche das Chronicon Dubnicense in den Context der eben genannten Darstellung von Kikkulew eingeschoben hat. Endlich hat noch Thurocz bei seiner von Ludwigs Tod an selbstständig bis Matthias fortgeführten Chronik einige Quellen benützt, die er auch näher bezeichnet. Auf diese bekannten und verhältnissmässig recht klaren Dinge braucht hier nicht eingegangen zu werden.

KLESL'S BRIEFE

AN

K. RUDOLFS II. OBERSTHOFMEISTER

ADAM FREIHERRN VON DIETRICHSTEIN

(1583—1589).

EIN BEITRAG ZUR GESCHICHTE KLESL'S UND DER GEGENREFORMATION
IN NIEDERÖSTERREICH.

VON

DR. VICTOR BIBL.

Einleitung.

Die Actenbestände des Münchner allgemeinen Reichs-
archives (Oesterreichische Religions- und Correspondenzacten,
Tom. VII, XI, XII Orig.) und des Wiener Haus-, Hof- und Staatsarchives (Oesterreichische Acten, N.-Oe. Fasc. 8 Orig.) ermöglichen es uns, die Anfänge der katholischen Gegenreformation
in Niederösterreich grösstentheils aus dem Munde des gewaltigen
Führers derselben, Melchior Klesl, selbst zu vernehmen, indem
dort aus der Zeit von 1580—1589 zwei Correspondenzen von
ihm erhalten sind: die eine mit dem Herzog von Baiern
Wilhelm V. dem Frommen, von 1580—1582,[1] und die andere
— von der hier die Rede sein soll — mit dem glaubenseifrigen
Obersthofmeister Kaiser Rudolfs II., Adam Freiherrn von Dietrichstein,[2] von 1583—1589; durch sie, in Verbindung mit den
gleichzeitigen, an den bairischen Hof gerichteten Berichten des
Wiener Professors und Reichshofrathes Dr. Georg Eder, erhalten
wir nämlich wichtige Aufschlüsse über die religiös-politischen
Vorgänge in diesem Lande und das allmähliche siegreiche Vordringen der katholischen Restauration. Als Klesl im Spät-
herbste 1583 die Correspondenz mit Dietrichstein begann, mit

---

[1] Vgl. meine Arbeit: Klesls Briefe an Herzog Wilhelm V. von Baiern
(1580—1582). Ein Beitrag zur Geschichte der Gegenreformation in
Niederösterreich unter Kaiser Rudolf II., Mittheilungen des Instituts für
österreichische Geschichtsforschung XXI, 1900 (im Erscheinen begriffen).
Ueber Klesl vgl. den Artikel von Ritter in der Allgemeinen deutschen
Biographie XVI, 1882, S. 167 f. (s. dort weitere Literatur).
[2] Vgl. über ihn († 1590) den Aufsatz von Zeissberg in der Allgemeinen
deutschen Biographie V, 1877, S. 197; Stieve, Briefe des Reichshofrathes
Dr. G. Eder etc., Mittheilungen des Instituts für österreichische Geschichts-
forschung VI, 1885, S. 441; Hansen, Nuntiaturberichte aus Deutschland
III, Abth. II, S. 171.

dem er wohl bei der längeren Anwesenheit des kaiserlichen
Hofes in Wien (December 1581 bis October 1583) bekannt
und vertraut geworden war — er nennt sich auch dessen
Caplan — hatte er trotz der kurzen Zeit seiner Wirksamkeit
als Dompropst in Wien (seit 4. September 1579) und General-
vicar des Bischofs von Passau für Niederösterreich (seit 2. Februar
1580) bereits die Bewunderung der katholischen Welt und die
Aufmerksamkeit des Hofes auf sich gelenkt. Das Wundermittel,
durch das er seine bisherigen glänzenden Erfolge errang, bestand darin, dass er, von dem reformatorischen Zeitgeiste beseelt, bevor er den Kampf mit dem in Oesterreich weit vor-
gedrungenen und dem Katholicismus weniger an Zahl, als an
Macht und geistigem Ansehen überlegenen Gegner aufnahm
und zur Offensive schritt, die Schäden seiner Kirche an der
Wurzel erfasste und zunächst mit rastlosem Eifer für einen
tüchtigen Clerus sorgte, um so wenigstens dem weiteren Ab-
falle von ihr zu begegnen und ihre sittliche Kraft zu heben.
Wenn es auch bei dem Antritte seines verantwortungsvollen
Amtes unter den ihm unterstehenden 900 Geistlichen etwas
mehr als bloss fünf gut katholische, wie er ihre Zahl angibt,
gewesen sein dürften, so war immerhin der Zustand der Seelsorge, besonders auf dem Lande, ein trostloser. Vor allem
waren es die Prälaten selbst, welche sich sehr wenig um ihren
geistlichen Stand kümmerten und mit einer staunenswerten
Indolenz ruhig dem Verfalle ihrer Kirche zusahen. Auf sie
war er auch nicht günstig zu sprechen. ‚Interim nehmen ihnen
die Prälaten' — äusserte er sich einmal — ‚Tag und Nacht
gute Mädl, desgleichen thun auch die unreformierten Priester,
so sich in allerlei Leichtfertigkeit Tag und Nacht legen . . .,
also wann Gott nicht Ursach hätte zu zürnen, so geben ihm
doch wir Geistliche selbst genugsam Ursachen. Noch will man
dergleichen gottlose Priester erst fragen, ob man zu ihrer Reformation ein Seminarium soll aufrichten oder nicht.' Dieses
Priesterseminar, das er bei dem grossen Mangel an Seelsorgern
überhaupt — gar nicht zu reden von sittlich tadellosen und
wissenschaftlich gebildeten — als dringende Nothwendigkeit
erkannte, bereitet ihm viele Sorgen. Seit dem Jahre 1580
bemüht er sich unausgesetzt, seinen Bischof und den kaiserlichen Hof für diesen Plan zu gewinnen; mehrmals erschien
auch von dieser Seite die Verwirklichung ganz nahegerückt,

doch immer wieder wurde sie hinausgeschoben, und erst im Jahre 1595 kam ein bischöflich passauisches Alumnat zustande. Ueberhaupt werden ihm bei seinen auf die Hebung der katholischen Kirche abzielenden Bestrebungen von Seite der Katholiken selbst fast ebensoviele Schwierigkeiten bereitet wie von Seite der Protestanten; bald sind es die ‚geistlosen Räthe‘, wie er den Klosterrath bezeichnet, mit dem er beständig in Conflict lebt, bald exemte Stifter und Orden, die sich über seine Eingriffe in ihre Jurisdiction beschweren. Erst im Jahre 1584 gewinnt er freie Hand, als er durch den päpstlichen Nuntius in Prag Vollmacht zur Visitation der gesammten Welt- und Ordensgeistlichkeit (mit alleiniger Ausnahme der Bischöfe) erhielt.

Inzwischen hatte er auch bereits nach den landesfürstlichen Städten und Märkten, welche durchgehends protestantisch gesinnt waren, seine ‚katholischen Netze‘ ausgeworfen. Im Juli 1582 war er an der Spitze einer landesfürstlichen Commission in Stein erschienen, hatte dort einen katholischen Pfarrer eingesetzt und trotz des Widerstandes der Bürgerschaft von der Spitalskirche und der Kirche auf dem Berge Besitz genommen. Damals dachte er auch schon an die Rückgewinnung der benachbarten ‚Ketzergrube‘ Krems, die er nun im Frühjahre 1584 wirklich in Angriff nahm (vgl. Nr. VIII). Das Mittel, das Klesl hier anscheinend zum erstenmale anwandte, war äusserst wirksam. Bevor sich die Commission hinausbegab, wurden einige der angesehensten Bürger von dort unter irgendeinem Vorwande nach Wien citiert und mittlerweile festgehalten; kam es nun dort zu Gewaltthätigkeiten, konnte man der Menge drohen, dass es ihre Mitbürger entgelten müssten. Freilich war mit der Einsetzung eines katholischen Pfarrers in Krems und Stein und der Vertreibung der dortigen Prädicanten die Macht des Protestantismus in diesen Städten noch nicht gebrochen; noch im Jahre 1588, als schon fast alle Städte dieses Landes dem alten Glauben wiedergewonnen waren, und Klesl über seinen dorthin unternommenen Siegeszug berichten konnte, musste er neben St. Pölten, Ybbs und Baden auch diese beiden Städte ausnehmen. Hier sollte durch ein anderes Mittel allmählich Wandel geschaffen werden. Schon in dem zu Ende des Jahres 1577 von der Regierung festgesetzten, von Baiern stark beeinflussten Restaurationsprogramm war die Katholisierung der magistratischen Aemter gefordert worden. Da die Regierung die

Bestätigung der gewählten Bürgermeister, Richter und Stadt-
räthe verweigern konnte, so war es natürlich, dass man darauf
Rücksicht nahm und nur solche Bürger wählte, welche ihr voraussichtlich genehm waren. In Wien, wo bereits Ende 1577 ein katholischer Bürgermeister eingesetzt worden war, hatte man damit
schon gute Resultate erzielt, wie es das Verhalten der Wiener Abgeordneten auf den Landtagen 1579 und 1580 beweist, von denen
sich nur ein kleiner Theil denen der Landstädte angeschlossen
hatte. Ende December 1583 (Nr. II) konnte Klesl Dietrichstein die Mittheilung machen, dass die Rathswahlen ‚gen Hof'
— bisher entschied darüber die niederösterreichische Regierung,
die aber, weil in ihr grösstentheils Protestanten sassen, sehr
nachsichtig war — gezogen werden, und mit ihm fleissig Correspondenz geführt werde, ‚damit diese befördert werden, so der
Regierung am tauglichsten sein'. Für das erste musste man
sich in Ermanglung von Katholiken — ‚denn die sein noch
wenig zu finden' — damit begnügen, dass es wenigstens ‚friedliebende Leute' wären (Nr. III). Freilich, solange die Städte
bei der Aufnahme zu Bürgern freie Hand hatten, konnte sie,
wie Klesl einmal darüber Klage führt, einem Katholiken einfach verweigert, und die Katholisierung dadurch, besonders
wenn dazu die bereits im Besitze des Bürgerrechtes befindlichen Katholiken durch allerlei Umtriebe zur Auswanderung
genöthigt wurden, erfolgreich durchkreuzt werden.

Ende 1585 erfolgte hier eine entscheidende Wendung:
mit Decret vom 22. December ergieng an sämmtliche Städte
Niederösterreichs die Aufforderung, nur denjenigen das Bürgerrecht zu verleihen, welche sich eidlich verpflichteten, sich den
Anordnungen des Kaisers sowohl in Religions- als in weltlichen
Dingen fügen zu wollen. Die Magistrate wurden ferner angewiesen, ‚quatemberlich' ihre neuen Bürger bekanntzugeben und
auch die gewählten Mitglieder des äusseren Rathes namhaft
zu machen, wodurch man, wie Klesl freudig berichtet, in der
Lage war, die Katholiken ‚lustig und sine strepitu' zu befördern
(Nr. XIX). Wenn in dem vorhin erwähnten Decret vom 22. De-
cember der Bürgerschaft auch strenge untersagt wurde, den
Gottesdienst ‚ausser ihrer ordentlichen Pfarre' zu suchen, und
den Ungehorsamen zuerst ein Verweis, dann vierzehn Tage
Gefängnis ‚bei Wasser und Brot' und endlich ‚Zustiftung und
Räumung des Landes innerhalb sechs Wochen' in Aussicht

gestellt wurde, so war dies ein Schlag, der dem Protestantismus an den Lebensnerv gieng, umsomehr, als Klesl auch für die Ausführung dieses Befehles sorgte. Die Restauration der Magistrate macht jetzt reissende Fortschritte. Im Jänner 1587 konnte Klesl Dietrichstein melden, dass es seines Wissens ausser Krems, Stein und Ybbs keine Stadt gebe, die nicht ihren katholischen Richter hätte, und einen Monat später (Februar 7), dass die Stadtschreiber, die bisher immer die Bürgerschaft verführt hätten, nunmehr überall, Ybbs allein ausgenommen, katholisch wären. In diesem Jahre beginnt er die Rückkatholisierung der Städte in grossem Stile zu betreiben und ist fast überall vom Erfolge begleitet.

Erscheint Klesl bei allen diesen einschneidenden Massregeln gegen die Landstädte als geistiger Urheber und treibendes Element, so war er es nicht minder bei dem Vorgehen des Hofes gegenüber der Hauptstadt Wien. Man darf ihm glauben, wenn er auch sonst gerne prahlt, was er am 23. April 1584 an Dietrichstein schreibt: ‚I. Dᵗ müssen mit mir auch ein übriges thun, da ich fast alle Wochen komm und klopf an.‘ Trotzdem man hier in der Residenzstadt mit erhöhtem Nachdruck an die Zurückdrängung des Protestantismus gegangen war, und in den Hauptkirchen eine Reihe von trefflichen Predigern wirkte, leistete er doch ungemein zähen Widerstand. Wiederholt werden die Schulen und Buchläden durch eigene Commissäre visitiert, die Universität sowie die Bürgerschaft strenge angewiesen, weder in noch ausserhalb der Stadt den evangelischen Gottesdienst zu besuchen, die Fuhrleute verhalten, niemand zur Predigt hinauszuführen, die Hebammen verpflichtet, kein Kind zu Prädicanten zur Taufe zu tragen, die Uebertreter mit hohen Geldstrafen belegt, in Inzersdorf und Vösendorf, wo die beiden Adeligen Geyer und Hofkirchen einen evangelischen Gottesdienst unterhielten, eigene Spione aufgestellt: doch der Auslauf dorthin will nicht aufhören; immer wieder, wenn er schon nachzulassen scheint, tritt er neuerdings, womöglich noch stärker, auf. Durch ihn aber, sowie durch die in den Stadthäusern der Adeligen aufgehaltenen Prediger erhielt der Protestantismus stets neue Nahrung.

Solange man es mit der Bürgerschaft allein zu thun hatte, machte man besonders nach dem Jahre 1585 kurzen Process; wollte man aber dem Auslauf gründlich beikommen, musste

man auch die evangelischen Prediger zur Rechenschaft zieh
Hier kam man nun den beiden Adelsständen, welche sich so
des vierten Standes nicht sehr warm annahmen, in das Geh
die man aber, wie Klesl bitter bemerkte, nicht ,offendier
durfte, weil sie sonst einen Aufstand erregt oder zum mindes
auf den Landtagen Opposition gemacht hätten. Wenn
ihnen auch im Jahre 1578 den Landhausgottesdienst in W
entzogen und alle ihre Bitten um Restituierung desselben
harrlich abgeschlagen hatte, wobei man sich aber auf
Wortlaut der Religionsconcession, welche die Städte von
Religionsfreiheit ausschloss, berufen konnte, scheute man s
doch, ihnen diese nun auch auf dem Lande einzuschränk
und sie dadurch noch mehr in Harnisch zu bringen. D
obzwar der Hof nach dem Jahre 1580 bei dem damaligen St
der Dinge die Gefahr einer gewaltsamen Erhebung der A
ligen für beseitigt halten konnte und er infolge des auf Ja
hinaus gesicherten Waffenstillstandes mit den Türken auf i
Opferwilligkeit nicht so stark angewiesen zu sein schien,
man doch bei der vollständigen Erschöpfung der kaiserlic
Cassen fortwährend gezwungen, ihre Geldbewilligungen s
Schutze der Grenzen u. dgl. in Anspruch zu nehmen.

Aus diesem Grunde wollte man also bei Hofe nicht ge
an ihrer Concession rütteln, obwohl sie bereits in vielen Punk
überschritten war. Den Restaurationsbestrebungen setzte
ein gewaltiges Hindernis entgegen und war daher allen ei
gesinnten Katholiken ein Dorn im Auge. Die Landleute
klagte Klesl — nöthigen auch jene Unterthanen, welche
katholischen Pfarren gehörten, zum Besuche ihres evangelisch
Gottesdienstes, so dass der Pfarrer allein bleibe, verhetzen
dazu, ihm den Zehent zu verweigern, und diesen dafür s
Prädicanten zu geben. Will der Priester klagen, ist er sei
Lebens nicht sicher und zieht es vor, sie ganz im Stiche
lassen. Die auf ihrem Grunde liegenden Filialkirchen s
Beneficien ziehen sie ein, bauen neben den Pfarrkirchen ,Sy
gogen' und errichten neue Friedhöfe. Das alles muss d
die ,schändliche' Concession decken. Strengt man einen Proc
an, muss man nicht zwei oder drei, sondern viele Jahre
eine Entscheidung warten; ,interim sterben wir, die Sacl
werden verlegt und männiglich unlustig'. ,Legt man ein
Theil was auf, so zeigt derselb auf zehn andere, die eben

thun, und ist nit möglich, dass der schöne Waizen unter diesem
so grossen Unkraut soll aufgehen.' Die Katholiken selbst tragen
leider dazu bei, wenn z. B. der Kaiser an Protestanten Güter
verpfände, ohne sich die Pfarrlehen vorzubehalten.

Da die Entscheidung in derlei Rechtsstreitigkeiten die
niederösterreichische Regierung und oft wohl auch die Kammer,
welche noch mehr als jene in protestantischen Händen lag,
innehatten, erschien der Erfolg freilich sehr fraglich. Klesl
liess sich aber auch hier nicht abschrecken, die Rechte seines
Bisthums zu verfechten, und machte den Landleuten, wie ihre
Beschwerdeschriften und die Processacten aus dieser Zeit
zeigen, gehörig zu schaffen. Um weiters ihre Prädicanten zu
zwingen, sich fremder Seelsorge zu enthalten, hatte er, wie er
Dietrichstein am 2. Jänner 1587 meldet, ein vorzügliches Mittel
in Bereitschaft: Man citiere sie zu Hofe und verlange von ihnen
die Ausstellung eines darauf bezüglichen Reverses. Stellen sie
ihn aus, gut; verweigern sie ihn, dann steht ihnen das Land
offen. In der That wurden in diesem und den folgenden Jahren,
nachdem Klesl schon früher aus eigener Macht Vorladungen
ergehen liess, gegen welche ,Anmassung' sich auch die Stände
energisch verwahrten, mehrere Prediger, namentlich die von
Inzersdorf und Vösendorf, zu welchen die Wiener ausliefen,
vor die Hofkanzlei beschieden und ihnen ein Revers vorgelegt,
worin sie sich verpflichten mussten, alle nicht zu ihrer Pfarre
gehörigen Personen abzuweisen. Als sie sich dann weigerten,
diesen auszustellen, wurde ihnen befohlen, binnen sechs Wochen
und drei Tagen die Erbländer zu verlassen. Wie empfindlich
dieser Schlag die zwei Stände traf, beweist die Thatsache, dass
sie in dem kurzen Zeitraume von 1588—1590 nicht weniger
als fünf Gesandtschaften an den kaiserlichen Hof nach Prag
abfertigten, um die Abstellung dieser harten Massregel zu erwirken. Um diese Zeit trägt sich Klesl, wie ein aus dieser
Zeit von ihm herrührendes Gutachten bezeugt, bereits mit dem
Gedanken, einen Schritt weiter zu gehen und ein kräftiges
Mittel zu finden, um die verderbliche Concession selbst aufzuheben. So festen Boden fühlt er nach zehnjähriger Reform-
arbeit unter sich, dass er auch dieses wagen konnte.

Unausgesetzt sucht er die ,rostigen Eisen' hervor, um sie
bei Hof wiederum ,polieren' zu lassen, und sorgt nicht nur für
die Strafedicte, sondern auch für deren stricte Handhabung; denn

‚statuiere man kein Exempel, so sein die Verweisungen so gemein, dass man gleich darüber lacht und für eine Hofgewohnheit hält‘. ‚Ich sehe,‘ ruft er im Jahre 1587 befriedigt an, ‚dass im ganzen Lande Furcht ist; lasset man nur einmal nach, so haben wir's verloren.‘ Nicht auf einmal, mit roher Gewalt, sondern nach und nach, mit sanftem, aber ununterbrochen anhaltendem Nachdrucke, ‚fortiter und suaviter‘, wie sein Wahlspruch lautete, hatte .er alles das erreicht, ‚daran‘, wie Eder bewundernd anerkennt, ‚jedermann verzweifelt gehabt‘.

Mit seinem glühenden Eifer für die Wiederherstellung des alten Glanzes seiner Kirche verband Klesl auch einen mächtigen persönlichen Ehrgeiz — der ihr freilich mittelbar wieder zugute kam —, und so nimmt er Dietrichsteins Einfluss nicht nur zu ihren, sondern auch zu seinen Gunsten oft in Anspruch. An Gunstbezeigungen des Hofes hatte es ihm bis zu dem Zeitpunkte, da er diese Correspondenz begann, wahrhaftig nicht gefehlt. Er führt sich, kann man sagen, mit kaiserlichen Empfehlungen in die Geschichte ein und erhält in jungen Jahren das ehrenvolle Doppelamt eines Dompropstes und Universitätskanzlers. Während des Aufenthaltes des Kaisers in Wien versieht er provisorisch das Hofpredigeramt; doch als man ihm bei dessen Abreise (Herbst 1583) die wirkliche Hofprädicatur antrug, in welcher Eigenschaft er aber nach Prag hätte mitreisen müssen, schlug er sie aus, trotzdem damit die Würde eines Bischofs von Wiener-Neustadt verbunden gewesen wäre. In seinen an die Geheimen Räthe Trautson und Rumpf gerichteten Schreiben führt er eine Reihe von Gründen ins Treffen: es fehle ihm an Geschicklichkeit und körperlicher Eignung, ausserdem sei er mit anderen und nicht geringeren Aemtern betraut worden, die er jetzt nicht ohne weiteres im Stiche lassen dürfe, und in welchen er der katholischen Kirche grösseren Nutzen schaffen könne. Wenn man (wie z. B. P. Méštan[1]) diese Entschuldigung als schönen Beweis ansieht, ‚wie sehr Klesl daran gelegen war, dass er durch die Hofprädicatur nicht seinem begonnenen Werke der Reformation vor der Zeit entzogen werde‘, so mag das dahingestellt sein. Gewiss mögen ja diese Rücksichten bei seinem Entschlusse mitgespielt haben; aber wenn

---

[1] Regesten zur Geschichte des Cardinals M. Klesl; Kopallik, Regesten zur Geschichte der Erzdiöcese Wien II, 1894, S. 236.

er durchaus im Lande bleiben wollte und auch im Jahre 1584 in einem Schreiben an Dietrichstein Wien als den wichtigsten Platz für sein Wirken bezeichnet, warum hatte er sich dann, wie wir dies aus Eders Correspondenz ganz genau wissen,[1] ein Jahr später, im Jahre 1585, nach dem Tode des Bischofs Martin Gerstmann von Breslau ganz ernstlich um diese einflussreiche Stelle, womit auch die Landeshauptmannschaft von Schlesien verbunden war, beworben?

Allerdings könnte man hier einwenden, dass ihm nach dem unliebsamen Zwischenfalle vom Jahre 1584, auf den wir gleich zu sprechen kommen werden, der Boden unter den Füssen brannte und er die nächste Gelegenheit ergriff, um seiner unangenehmen Position ein Ende zu bereiten. Aber auch zwei Jahre darauf, 1587, wo die Verhältnisse für ihn durchaus nicht günstiger lagen, lehnte er eine neuerliche Berufung als Hofprediger nach Prag ab, und zwar wieder mit der Begründung, er könne in diesem Lande nicht ,so viele 1000 Seelen negligieren', weil er in dieser unverändert schwierigen Lage keinen nur halbwegs tauglichen Nachfolger zur Hand habe. Wenn er also diese Stelle mehrmals ausschlug, hatte er wohl andere Gründe, die nicht weit zu suchen und sehr begreiflich sind. Abgesehen davon, dass er in einem zum grossen Theil fremdsprachigen Lande als Prediger einen weit geringeren Wirkungskreis gefunden hätte als unter seinen Landsleuten, hatte die Stelle finanziell wenig Verlockendes an sich. Die Einkünfte des völlig verschuldeten Bisthums Wiener-Neustadt waren sehr gering, die Besoldung als Hofprediger hätte wohl kaum annähernd so viel ausgemacht wie sein Gehalt als Dompropst, der nach Klesls Angabe allerdings nur 292 fl. betrug, und als Official des Bischofs von Passau, von dem er — nach Eders Angabe[2] — im Jahre 1585 800 Thaler bekam; und selbst wenn sie gut dotiert gewesen wäre, würde es noch sehr fraglich gewesen sein, ob er bei dem damaligen traurigen Stande der kaiserlichen Finanzen — Eder wusste davon zu erzählen — auch wirklich alles ausgezahlt bekommen hätte. Wenn er auch, wie er Dietrichstein gegenüber mit Beziehung auf die Wiener Stel-

---

[1] Eder an Herzog Wilhelm von Baiern, 1585 Juni 1, Juli 19 (München. Reichsarchiv, Oesterr. Religionsacten XII, fol. 217, 219).

[2] Eder an Herzog Wilhelm 1585 Juli 19 (ebendaselbst fol. 219).

nur bemerkt, ,weder nach Ansehen noch Einkommen' sah, s
wollte er sich doch ,priesterlich unterhalten und der Kirch
nütze können, daher er wenig Lust verspürt haben ma
seinen ihm finanziell nicht genügenden Posten in Wien m
einem noch schlechteren in Prag zu vertauschen. Er mochí
sich überdies mit der Aussicht trösten, dass er, einmal in de
Gunst des Kaisers, mit Hilfe seiner einflussreichen Gönner auc
in Wien eine seinen · Ehrgeiz befriedigende Anerkennung e
langen würde.

Gleich in seinem zweiten Briefe vom 13. December 158
wendet er sich deshalb an Dietrichstein mit der Bitte, er mög
seiner gedenken und mit Trautson dahin wirken, dass de
Kaiser ihn als Dompropst ,bei Gelegenheit mit Gnaden' be
denken wolle. Es geschehe nur zu dem Zwecke, versiche
er, um dem bösen Gerede einiger Leute ein Ende zu mache
als sei er bei Hofe in Ungnade gefallen und ihm deshalb di
Hofkanzel, die er eine Zeitlang versehen hatte, wieder entzoge
worden. Im nächsten Jahre (Nr. VIII) schlägt er Dietrichstei
die Verleihung des Rathstitels vor und bewirbt sich auch u
die Propstei Ardagger (Nr. IX). Da trat im selben Jahre, wäl
rend er gerade auf einer Commission in Passau weilte, ein E
eignis dazwischen, das ihn empfindlich traf und bald alle sein
Pläne vereitelt hätte. Wir folgen hier bei der Erzählung des
selben dem Berichte eines unparteiischen Zeugen, des Dr. Eder.

Der Pfarrer von St. Michael, Johann Harborty, der nebe
Klesl und den Jesuiten den grössten Zulauf hatte, sich auc
der Gunst des Erzherzogs Matthias erfreute, war für das durcl
Gruters Tod erledigte Bisthum Wiener-Neustadt vorgeschlage
worden. Als auf kaiserliche Anordnung über ihn Erkund
gungen eingezogen wurden, kamen mehr als dreissig Artike
zutage, die ihm ,Unzucht, Ehebruch und Sodomiterei' zur La
legten, darunter auch zwei, welche Klesl stark compromittierte
Das Ganze beruhte auf der Aussage eines Knaben, der si
übrigens später widerrief. Nun hätte man guten Grund gehab
diesen Fall nicht an die grosse Glocke zu hängen, aber de
Wiener Bischof, mit der Untersuchung betraut, fuhr mit alle
Schärfe drein, liess Harborty verhaften und unterzog ihn einer

---

[1] Eder an Herzog Wilhelm 1584 Sept. 7 (München, Reichsarchiv, Öster
Religionsacten XII, fol. 178).

scharfen Verhör, bis er auch ‚adulterium und fornicationem‘ eingestand. Klesl aber, der auf die Kunde von der gegen ihn ausgegossenen Verdächtigung sofort nach Wien geeilt war, wurde vom Bischof, trotzdem ihm keine Jurisdiction über jenen zustand, vom Predigen suspendiert. Es gab einen Riesenscandal, die Protestanten bemächtigten sich dieses Vorfalles in ihrer Predigt, und die Folge davon soll gewesen ‚sein, dass gegen 3000 Personen mehr ausliefen als früher. Eder gibt dem Herzog auch eine Erklärung dafür, warum der Bischof mit solcher rücksichtslosen Strenge gegen den Pfarrer, der allerdings schuldig war, und gegen Klesl, den er für unschuldig hält, verfuhr. Es sei hier, meint er, unzweifelhaft Eifersucht im Spiele, besonders gegen Klesl, zu dessen Predigt in der Stephanskirche ein weit grösserer Andrang herrschte. Dieser bestand nun auf eine strenge Untersuchung und erhielt hierauf vom Erzherzog Ernst, der die Sache nicht noch mehr an die Oeffentlichkeit bringen wollte, die schmeichelhafte Versicherung, dass man gar keinen Grund dazu fände. Mit diesem Decret wussten Klesls Biographen nichts Rechtes anzufangen. Nach Hammer-Purgstall,[1] der es zuerst publiciert hat, war ihm ‚die zu harte Behandlung‘ des eingesperrten Pfarrers zur Last gelegt und er nun durch Erzherzog Ernst gerechtfertigt worden; bei Méštan[2] heisst es kurz, ‚in seiner Streitsache mit dem Pfarrer zu St. Michael‘ habe er ein Zeugnis seiner Unschuld erhalten.

Doch ungeachtet der ihm durch den Erzherzog zutheil gewordenen Genugthuung hatte sein Ansehen einen gewaltigen Stoss erlitten. ‚Aber der Has liegt halt im Pfeffer,‘ schreibt Eder Herzog Wilhelm, ‚und ist schwarz worden, einer glaubts, der andere nit, und hält man soviel nit mehr von ihm als zuvor.‘[3] Um seine gesunkene Autorität wieder zu heben, betreibt jetzt Klesl mit Eifer die Verleihung des Rathstitels, den er auch am 16. Februar 1585 erhielt. Sein Verhältnis zum Bischof wird trotz der Vermittlungsversuche des Erzherzogs und vorübergehender Vergleiche stets gespannter, und Klesl leidet schwer unter dem Drucke dieses Zerwürfnisses. Wieder wendet er sich an Dietrichstein und beschwört ihn, diesem für die

---

[1] Khlesl's Leben I, 1847, S. 49.

[2] Kopallik, a. a. O. S. 237.

[3] 1585 Jänner 23 (München, Reichsarchiv, Oesterr. Religionsacten XII, fol. 202).

Dauer unleidlichen Verhältnisse ein Ende zu machen. D
Kaiser möge ihm wieder ein Zeichen seiner Gunst zuwend
und dem Bischof zu erkennen geben, dass er sein Vorgeh
gegen ihn nicht billige, dann werde er gleich gemässigter u
treten. Nach vielen Verzögerungen, die er den Intriguen sein
Rivalen zumisst, erhielt er endlich das Decret vom 25. Ap
1588, worin er zum Hofprediger ernannt wurde, jedoch in d
Weise, dass er in Oesterreich und in seiner bisherigen Stellu
verbleiben solle. Dem Bischof wurde zugleich aufgetragen, i
in seinem Predigtamte nicht zu behindern. Klesl hatte jet
Ruhe; mit Genugthuung berichtet er Dietrichstein seine daru
erfolgte Aussöhnung mit dem Bischof, die seine frühere B
hauptung rechtfertige: ‚dass, so bald I. M¹ öffentlich etwas w
den demonstrieren, so sei es alles richtig'. Im selben Jahre u
hielt er auch die Administration des Bisthums von Wiene
Neustadt, allerdings — wie es scheint — gegen seinen Wille
denn es befand sich in einem vollständig verwahrlosten Z
stande, der ihm viel Mühe und Geld kostete. So hatte Kle
mit geschickter Ausnützung seiner Freunde am kaiserlichen Hof
jene Stelle erlangt, die ihm schon vor fünf Jahren angebote
worden war, ohne aber das Feld seiner ihn ganz ausfüllende
Missionsthätigkeit in der eigenen Heimat verlassen zu haben, u
konnte nun, unterstützt von dem Ansehen und der Würde eine
Bischofs und Hofpredigers, mit doppelter Kraft an die Volle
dung seines begonnenen Restaurationswerkes schreiten.

Bei der Herausgabe dieser Briefe, welche durchwegs eige
bändig von Klesl geschrieben sind, behielt ich mit Rücksic
auf dessen bedeutende Persönlichkeit die Schreibweise unver
ändert bei.

I.

Wolgeborner gnediger herr. E. G. sein mein gehorsam schuldig
und willig dienst zuvor. Gnediger herr, mier will nicht zweiflen, E. G.
werden nun alberait zu Prag glückhlich und woll mitt sambt den irigen
sein ankhumen. Der allmechtige Gott wolle dieselb lang seiner heilligen
khirchen zum besten erhalten, amen.

Auf E. G. beghern vnd meiner obligation nach, hab ich nicht sollen
undterlassen, mitt disem meinem ainfeltigen schreyben E. G. gehorsam
zu besuchen, weill ich wais, das E. G. irer gegen mier gnedigen naigung
nach meine schreyben woll werden leiden mügen. So haben wier alhie
nichtes den den sterben,[1] wellicher sych in und ausser der statt aus unn-
ordnung der stattobrigkhait mehr und mehr einreist, innsonnderhait im
landt hin und wider, da die pfarrer so woll alls scheflein sterben, und ist
ein solliches schreiben und seuffzen nach den pfarherrn, das mier mein
herz wee thueth. Ich khan yhe ainmal mitt leuthen nicht aufkhumen,
müessen die armen leuth on peucht und communion sterben. Noch bleibt
das seminarium alls ein sachen, daran dem ganzen religion wesen gelegen,
verhündtert, das ich khainen weg nicht mehr wais, wie dasselb möcht
angerichtet werden. Hab sorg alls lang man die praelaten werde fragen
wie doctor Hillinger[2] rath, so lang wierdt dises heillige werckh aufgehalten werden. Meinen thaill hab ich bey der sachen gethan,[3] ich lass es

---

[1] Im Vorjahre (October 16) wusste der Bischof Johann Kaspar von Wien
bereits von der in Böhmen und Sachsen auftretenden Pest su berichten,
die ihre Vorboten nach Oesterreich su senden scheine (Kopallik, a. a. O.
II, S. 158). In diesem Jahre, aus dem auch das erste amtliche Pest-
gutachten herrührt, war sie auch wirklich in Oesterreich ausgebrochen.

[2] Dr. Christof Hillinger, Protonotar des apost. Stuhles, gewesener Official
des Bischofs von Passau in Niederösterreich, Klosterrath. Wiedemann,
Geschichte der Reformation und Gegenreformation im Lande unter der
Enns II, 1880, S. 197; Kopallik, a. a. O. II, 1894, S. 160.

[3] Klesl hatte sich schon im Jahre 1580 um die Errichtung eines Seminars
in Wien bemüht; vgl. Bibl, Briefe M. Klesl's an Herzog Wilhelm V. von
Baiern etc.

nun mehr anndere, so daran schuldig, verantworten. Die grävin von
Schmidau[1] hatt ein neuhe khirchen aufgepaut, darinnen sy predigen
lasset, die ist auf mein starkh anhalten hergefordert ghen Wien, wierdt
so lang von I. D[t] verarrestiert, bis sy die khirchen widerum abgebrochen
und 2000 Ducaten verwirgten pehnfall erlegt hatt.

Herr Palphi[2] hatt bey dem nuncio apostolico[3] den 17. und 18. octobris angehalten, er soll mier auferlegen, das ich sein herrschafft Piberspurg[4] reformieren möcht, welliches herr nuncius mier den 18. zu thun
bevehle(n). Bin allso den 19. vortgeraist und den 20. zu Piberspurg
ankhumen, die lutherischen predigkhandten, deren 3 gewesen, für mich
erfordert, aus Gottes wortt mitt beistandt Gott des h. Geistes iren irthum
zu erkhennen geben, aus wellichen die 2 ghar herum getretten, der tritt
aber ein bedacht genumen hatt. Den 22. hab ich die prophanierten khirchen reconciliert, die underthanen alle auf den 28. durch verordnung
herrn Palphi zur predig beruffen lassen, in wellicher ich einen auszug
unnserer ganzen h. religion gmacht und gschlossen, das sollliches alles
ire aigne predigkhandten, welliche zugegen gwesen, bestehen müessen
und bstandten haben, auch khunfftig vor innen bestehen werden. Hernach sein predigkhandten und underthanen ins schloss noch vor dem essen
berueffen worden, da hatt innen herr Palphi vorgehalten sein mainung
und sich auf mein predig referiert. Allso sey sein will, das mans glauben
und hallten soll, wie dan ire aigne predigkhandten solliches selbst bestehen müessen nicht aus forcht, sonnder der warhait zum besten. Darauf ich sy alle trei von artickhl zu artickhl sonnderlich das sy das sacrament nicht khünnen geben, examiniert. Da haben sy alles ordine
bstandten. Auf dis hab ich die gmain und alle underthanen deren etlich
hundert so vill mier müglich zum catholischen glauben vermahnet. Darauf
sy alle zugleich herrn Palphi und seiner gmahel angelobt, bey diser khirchen zu bleiwen und sterben, wie sy dan mitt empfahung des hochwier-

---

[1] Anna Maria, Witwe des Grafen Heinrich von Hardegg, Besitzerin der
Herrschaft Schmida (Bes. Korneuburg). Sie hatte trotz des kaiserlichen
Befehles vom 4. März 1582 bei ihrem Schlosse in Wolfpassing in der
Nähe der Pfarrkirche ein protestantisches Bethaus errichten lassen; vgl.
Topographie von Niederösterreich IV, S. 143.

[2] Es ist ohne Zweifel Niklas (II.) Freih. v. Palffy († 1600), einer der be-
rühmtesten Helden seiner Zeit, Obergespan des Pressburger Comitats
und Commandant der Festung Komorn; er erhielt von den ungarischen
Ständen die Herrschaft Bibersburg zum Geschenk. Wissgrill, Fortsetzung
in der heraldisch-genealogischen Zeitschrift ‚Adler‘ III, 1873, S. 122.

[3] Johann Franz Bonomi, Bischof von Vercelli.

[4] Im Pressburger Comitate.

digen sacraments von den catholischen priestern solliches auf khunfftige weinachten wollen beweisen. Dessen sich herr Palphi und wier alle erfreihet, Gott füer sein wolthatt danckh gesagt und die pfarherrn so catholisch innen füergesteldt und eingesetzt. Wier haben den predigkhandten khaum mügen gnueg schutz halten, so sein die underthanen über sy erbittert gwesen. Was aber herr Palphi füer ein ordnung in religione hatt publiciern lassen, haben E. G. hienebens zu empfahen.

Das schreyb E. G. ich, das sy sich auch mitt uns allen woltten erfreihen, Gott danckh sagen und bey irem herrn sohn dahin arbaiten, damit doch Sanct Georgen,[1] wo ich meine freundt hab, auch einmall möcht reformiert werden. Ist doch Pösing lutherisch und niemant sagt darwider, warum woltte nicht herr Maximilian auch das seinige thun, seinem Gott zu ehrn und gehorsam die wahr und rechte religion pflanzen und predigen lassen. Hab mich woll bey S. Georgen angemeldt, I. G. aber sein nicht daselb; wer sonnst nicht hinweckh gezogen, man hette mich meiner bitt müessen gewehren. Will noch glauben, E. G. werden nicht feiren, damit das arm völkhlein aus disem irthum khumen möchte.

Die religion alhie last sich Gott lob woll an, Sanct Stephan khirchen wierdt zimblich voll und khumen die leuth wegen des sterbens fein zur bekherung. Will an mier nichts erwinden lassen, leib und leben bey meinen landtsleuthen zuesezen, doch danebens mich haltten, damit ich mich nicht selbst one ursach in gfarr seze. I. D^t ruhen ietzunt mitt dem auslauff ghen Inzerstorff[2] wegen des lesens und damitt es nicht so gschwündt auf I. M^t verruckhen geschehe, hoff aber baldt, es soll ein anders ansehen alhie zuwegen bringen. Es ist schon ein grössere forcht verhandten und ist meniglich ruhig und still, erwarttent des ausgangs.

Im landt khan ich der zeit nichts thun propter infectionem, allso hab E. G. ich daher nichts zu schreyben. Leb ich aber und bin gsundt, das ein wenig die pestis aufhöret, so will ich gnueg materi machen, E. G. zu schreyben.

Mit dem alten besessnen böhmischen weib ist herr bischoff starckh publice in der arbait, hatt aber noch nichts merckhlichs aus-

---

[1] Dieser Ort und das folgende Pösing, beide im Pressburger Comitate gelegen, waren Maximilian von Dietrichstein durch seine Heirat mit Helene Krussitsch de Lupoglavia zugefallen. Wissgrill, a. a. O. II, S. 243 f.

[2] Inzersdorf am Wienerberg, dem Adam Geyer von Osterburg gehörig. Es war nach der im Jahre 1578 erfolgten Aufhebung des Landhausgottesdienstes in Wien der Zufluchtsort der protestantischen Stadtbevölkerung geworden; vgl. Topographie von Niederösterreich IV, S. 465.

gerichtet.[1] Est res nova, die ich nicht verstehe, will aber nicht unterlassen, was nambhafftiges geschehen wierdt, dessen E. G. in specie zu berichten.

In dem überigen allem thue E. G. ich mich gehorsamblich bevelhen, bitt dieselb die wollen mein gnediger herr sein und bleiwen, wie ich mich dan auf E. G. nach Gott vill und maistes verlassen, sy werden allenthalben was etwan bey I. M[t] und derselben gehaimen räth wegen meiner gwissens resolution halben, so ich der hoffcanzl[2] wegen thun hab sollen, wider mich sich erzaigen wollt, abwehren, weill ich mich noch heutt zu tag annderst nicht hette resolviern khünnen, und sag meinem Gott danckh, der mir hatt heraus geholffen. Unser lieber herr und Gott verleihe E. G. und den irigen zeitliche und ewige wolfart. Amen. Datum Wien, den 6. novembris a. 83.

E. G. gehorsamer caplan

Melchior Khlesl m. p.
praepositus Viennensis.

II.

Wien, 1583 December 13.

Wolgeborner gnediger herr. E. G. sein mein gehorsam schuldig und willige dienst zuvor. Gnediger herr, E. G. den 6. tag von Prag den alten calender nach datiert ausgangen ghar ausfüerlich an mich schreyben hab ich den 28. unserem reformierten calender nach empfangen, bedanckh mich der gnedigen correspondents gehorsamblich, bitt auch dieselb ebenermassen, E. G. woltten in disen iren schweren und vilfaltigen occupationibus wider ir gelegenhait nicht thun, wan ich nuer will, das E. G. meine schreyben haben empfangen.

Und hatt sich gnediger herr der zeitt bey uns neuhes nichts zuetragen, allain werden die rathswahln[3] ghen Hoff genumen und mit vleiss woll guette correspondents gehalten, damitt dise befüerdert werden, so der religion zum tauglichisten sein.

Der predigkhandten sein in der statt vill, brauchen ir exercitium wissentlich und unwissentlich, aber es bleibt wie mans hatt verlassen, so woll auch der auslauff ghen Inzerstorff.[4] So ghen mier alle religion-

---

[1] Sie war zum Bischof von einem Herrn v. Rosenberg aus Böhmen geschickt worden. Eder an Herzog Wilhelm von Baiern, Wien 1583, October 30 (München, Reichsarchiv, Oesterr. Religionssachen XIII).

[2] S. oben S. 482.

[3] In den landesfürstlichen Städten und Märkten.

[4] Vgl. S. 489, Anm. 2.

sachen, so ich bey I. M⁴ schon zu ansehentlicher resolution gebracht, widerum zuruckh, und mues ietzunt disputiern, welliches ich zuvor nicht bin gwehnt gwesen. Wier werden schwerlich halben thaill vermügen ietzunt, alls wier zu zeitten des redlichen eifferigen und catholischen man herrn Gutten[1] gethan haben, so wier doch Gott lob ietzunt zwainzig mall mehr ursach alls zuvor, ja die sachen alle in unnseren handten haben. Das schreyb E. G. ich in vertrauen; kundte ich in specie sicher schreyben, woltte ich gwislich E. G. die sachen bösser endteckhen. Was das seminarium betreffent,[2] ist dasselb mehr zuruckh geschlagen worden, alls ich mein lebelang gehofft. Ich will ghar ghern weichen und nicht importuniern, aber khain tag ist aus dem himel, da nicht etliche sehlen iämmerlich sterben und ewig verderben, die alle leichtlich erhalten wurden. Interim nemen innen die praelaten tag und nacht guette müedl, desgleichen auch thun die unreformierten priester, so sich in allerlai leichtferdtigkhait tag und nacht legen, ir guett und gelt allso in sündt und laster zuebringen, allso wan Gott nicht ursach hette zu zürnen, so geben im doch darzue wier geistliche selbst ghnuegsame ursachen. Noch will man dergleichen gottlose priester erst fragen, ob man zu irer reformation ein seminarium soll aufrichten oder nicht, ob sy darzue woltten contribuiern und dergleichen. Aus wellichem E. G. selbst hochvernünfftig schliessen khünnen, ob das nicht sey ein rath, das seminarium ganz und ghar zu verhündtern; dan wie sy bisher nahet ein halb jar schon berichten sollen, allso werdens sy es noch zehen und mehr jar aufzühen, interim vill hundtert tausent sehlen zu grundt und poden ghen. Und do sy schon berichten, werden sy denselben allso stellen, das aus dem seminario wenig wierdt werden. Zu disem endt last sich brauchen herr Gerger[3] mitt seiner camer wider mich ausfüerlich, die clöster weren sonst bschwert, man soll dem Passauerischen official neuhes nichts einraumen etc. und füret fast alle die argumenta, welliche ain rath mitt namen Cristopherus Hillinger doctor[4] in seinem guettbedunckhen, welliches ghen hoff contra semina-

---

[1] Helfreich Guet. Er war im Jahre 1584 Geheimer Rath geworden (Eder an Herzog Wilhelm, 1584 December 31; München, Reichsarchiv, Oesterr. Religionsacten XII, fol. 189) und starb im nächsten Jahre, von der katholischen Partei stark betrauert (Eder an denselben, 1585 Juli 19; ebenda, fol. 219).

[2] Vgl. S. 489, Anm. 2.

[3] Helmhard Freih. v. Jörger zu Tollet, Erblandhofmeister in Oesterreich ob der Enns, Präsident der niederösterreichischen Hofkammer. Starzer, Beiträge zur Geschichte der niederösterreichischen Statthalterei, 1897, S. 425.

[4] Vgl. S. 487, Anm. 2.

rium übergeben hatt. Allso helffen lutherische und :
einander und was ich ein ganze wochen pau, werffe
nider; dan mein authoritet ist gegen innen schlec
dunckhen gering, die sachen an ir selbst bey innen
lich. Khan allso alhie mitt meinem seminario nichte
und verloren, Gott im himel welle es erbarmen. I
einen guetten weg gebracht, auch nicht anderst verh
einen guetten ausgang gewingen, aber wie es in rat
haltt bey dem guettbedunckhen der praelaten, wellic
ghern in hac re thun sollen, verbliwen. Und ist, gn
nuer ein ainiger modus iuvandi hoc seminarium ve
von hoff aus etliche ansehentliche commissaries vero
tudine potestatis, das dieselben die prelaten erforde
die pfarrer I. M[t] lehen mitt in alsbaldt tractierten, ir
legten und alles das handleten, was zu fortpflanzun
nuzlich und füerderlich wer. Darzue gehören verste
gwissenhäfftige leuth, so nicht privatum commodum,
ecclesiae suchen, alls da ainer ist: reverendissimus
herr Fugger,[2] herr von Ötth canzler,[3] herr doctor I
müller.[5] Die khundten de loco, praeceptoribus, susten
I. M[t] mitt guettbedunckhen ausfüerlich berichten.
was ich herrn Trautsamb[6] I. M[t] gehaimen rath in d
hab zuegeschriben. Verhoff wan E. G. Gott des herrn
sein, daran mier nicht zweiflet, wier wöllen noch p

---

[1] Der Bischof Johann Kaspar Neuböck.

[2] Victor August, Freih. zu Kirchberg und Weissenho
berg am Wagram, zuletzt Präsident des Klosterrat
daillen auf berühmte und ausgezeichnete Männer
Kaiserstaates, 1858, II, S. 87; Wiedemann, a. a. O. I
liche Beiträge zu den Consistorialcurrenden der I
1578, S. 106 f.

[3] Dr. Sigmund v. Oedt, Professor der Rechte an der
Kanzler der niederösterreichischen Regierung. Sta

[4] Dr. Georg Eder, Reichshofrath, Professor der Rechte
versität. Aschbach, Geschichte der Wiener Universit
Stieve, Briefe des Reichshofrathes Dr. G. Eder in I
stituts für österreichische Geschichtsforschung VI, 1

[5] Dr. Johann Hegenmüller, Hofrath. Wissgrill, a. a. O

[6] Es ist offenbar Johann (II.) Freih. v. Trautson († 1
Sixt; vgl. Krones in der Allgemeinen deutschen B
1894, S. 519; Turba, Venet. Dep. III, 1895, S. 34.

seminarium haltten und dadurch das reich Gottes täglich mehren, zu
wellichem sein göttliche allmächt wöll gnadt und segen geben.

Mein person, gnediger herr, belangendt, bin ich ein zeitt woll übl
auf gwesen, und will mier das officialat yhe lenger yhe weniger daugen,
wegen der grossen mhüe und arbait, die ich schon in das 4. jar gehabt,
und sovill dabey nicht ausgericht, alls ich verhofft hette, wiewoll ich in
meinem ambt allain von den geistlichen räthen bin verhindtert worden,
also das ich ghar nicht gedacht bin dem von Passau in die leng zu
dienen, sonnder ime ein anndere person, umb wellliche ich täglich trachte,
abzurichten, welliccher das wesen möchte continuiern. Bin sonnsten füer
mein person noch der zeitt ghar nicht entschlossen auf aller ansuchung
mich von Wien annderstwohin zu begeben. Allain wöllen E. G. auch zu
gmüett füren, das ich alls ein thumbprobst ainmall alhie nicht mehr ein-
khumens hab alls 292 f, so doch die schlechtisten pfarrer auf dem landt
mehrers haben, so khan ich mich in warhait mitt allen meinen leuthen
mitt 1200 f nicht aushalten, das ich aber alles von dem von Passau hab,
darumen ich dise jurisdiction administrier. Nun frag ich weder nach ansehen, noch einkhumen, allain das ich mich priesterlich undterhalten und
der khirchen ruhig dienen khünnet. Deswegen ich auch hochermeltem
herrn Trautsam [1] geschriben, das I. G. bey I. M⁴ meiner nuer so weitt
woltten gedenckhen, das, wan es die gelegenhait gebe, I. M⁴ mich alls
einen thumbprobsten mitt gnaden woltten bedenckhen. Sonnsten was
meine labores belangdt, die ich zu hoff gehabt,[2] begher ich weitters nichts;
allain weill mier täglich von allerlai geistlichen und weltlichen personen
füergeworffen wierdt, I. M⁴ hetten mich mitt ungnaden von der hoffcanzl
abgeschafft etc., wellichs dan unnseren widersachern wider mich gmüett
und herz machet, das doch I. M⁴ nur irer gnedigisten affection nach mier
sovill zeugnus geben, das sy mein gnedigister khayser und herr weren.
Dan ich ainmal nicht wüst, warum I. M⁴ mier dise gnadt soltten waigern,
in bedenckhung ich (ohne rhum zu melden) in I. M⁴ landt alhie mein
eusserist vermügen und iugent daran gestreckht und bis in mein grueben
zu arbaiten nicht aufhören will. Das ich aber mich ghen Prag nicht hab
begeben khünnen, der sein gar vill ursach, und reuhet mich nichts, was
ich gethan, dan mein Gott wais es das es mitt seinem heilligen willen
geschehen ist, dem ich die zeitt meines lebens vill mehr in simplicitate
dan eusserlichen pomp begher zu dienen. Weill dan ich zu E. G. mein

---

[1] Vgl. S. 492, Anm. 6.

[2] Klesl hatte während der Anwesenheit des Kaisers in Wien eine Zeitlang
bei Hof gepredigt; vgl. S. 482.

billiche zuoflucht hab, E. G. auch mier vor irem verraisen allerlai gnedige und vätterliche vertröstung gethan, welliche ich in zeitt meines lebens nicht wier verdienen khünnen, allso bitt E. G. ich gehorsamblich, sy wolten auch in diser sachen mein gnediger herr sein und nuer so weitt die sachen helffen dirigiern, damit ich von I. M⁴ dennoch die gnadt hette, das meine feundt vill mehr der religion feundt sehen und spüren möchten, das sy weitt irreten und allso zu schandten müesten werden. Geltt und guett begher ich nicht, allso auch khain beneficium, allein zu I. M⁴ gnedigisten guetten gelegenhait nuer sovill wie E. G. oben verstandten. Jedoch begher ich auch dise gnadt nicht, wan I. M⁴ dieselben dahin wolten richten, das ich auf ein neuhes soltte verobligiert sein und mich zu Prag brauchen lassen, will mich auch diser gnadt ghern begeben, soll die clausula daran gehengt werden, sonder das was ich begher, geschiecht allain derer wegen, so mier mitt allerlai nachreden zuewöllen. Und das hab E. G. ich alls meinem gn. herrn und summo patrono wöllen zueschreyben, verhoffentlich E. G. werden dise mein ainfalt zum bösten verstehen und aufnemen, mein gnediger herr in disem und andern sein und bleiwen. Ich will Gott dem allmechtigen (dem ich E. G. bevehlen thue) in meinem gepett anrüffen und bitten, das er wölle der belohner sein. Datum Wien in die S. Lucie dem reformierten calendario nach a. 83.

E. G. gehorsamer capplan

Melchior Khlesl m. p.

III.

Wien, 1583 December 14.

Wolgeborner gnediger herr. Ich bin an gestern bey der F. D⁴ gewesen und etlicher religionssachen audientiam gehabt, auch das geredt, was ich pro conscientia zu reden schuldig gwesen. Und weill auch alhiehige religionssachen zu handlen füerfallen, haben sy die F. D⁴ ghar ansehentlich und catholisch auf ein neuhes erclärt.[1] Erstlich dem herrn bischoven zu Wien, mier und dem burgermaister aufferlegen lassen, die buechläden fleissiger zu visitiern, die sectischen büecher zu unnseren handten zu nemen, die buechtruckher alle zugleich erfordern, zwen aus denselben bestellen, den aidt von innen aufnemen, die anndern aber alle abschaffen, damit man desto bösser auf dieselben möchte achtung bestellen, derer buechstäben form und dergleichen sollen wier beschauen, auch on vorgehende unnserer approbation nichts truckhen lassen. Allso

---

[1] Vgl. Raupach, Evang. Oesterreich, S. 168 f.

sollen wier auch ghen Vesendorff[1] und Inzerstorff[2] bey den predigen leuth bestellen, welliche die burger khennen, dise anzaigen, damit sy der notturfft nach möchten gestrafft werden. Zum anndern hatt die universitet gleichesfals ein starckhes decretum empfangen, das sy auf ire membra, so zu den sectischen predigen ghen, guette achtung bstellen sollen, dieselben voriger verordnung empfündlich straffen. Allso sollen sy die schuelhalter Golttberg[3] und Sanct Michael[4] füer sich erfordern, denselben aufferlegen, das sy ir anzall schuellerpueben halten, denen gwisse gsang zu singen füerschreyben, die catholisch sein, und undter predig niemants singen lassen. Wo sy aber anndere über die zall woltten einschleichen, sollen die pueben selbst und sy nach denselben greiffen und irem vermügen voll tractiern oder den stattrichter zu hilff nemen. Zum tritten ist denen von Wien ir unfleis, wellichen sy bisher gebraucht, zum eusseristen verwisen worden und bey schwerer I. M[t] und F. D[t] straff und ungnadt aufferlegt, das sy hinvorthan I. M[t] und F. D[t] bevehlen mehrers respectieren und denselben allen nachleben sollen, den auslauff straffen, die fuerleuth alle zugleich füer sy erfordern, ins glüb nemen und do ainer darüber betretten, abschaffen, desgleichen auch die hevamen, so die khünder zu sectischen predigkhandten tragen, ebenermassen ausschaffen, den burgern solliche I. M[t] gnedigiste verordnung von haus zu haus lassen ansagen, innen bey derselben ungnadt betroen, das sy sich der sectischen predigen und haimblichen predigkhandten woltten enthalten, die übertreter hernach zum exempl allso straffen, damit I. D[t] nicht ursach hab selbst einsehen zu tun. Allso wierdt innen bevohlen die predigkhandten, senderlichen Hannsen, so bey S. Ulrich sich aufhaltet, in und ausser der statt, wo sy dise betretten khünnen, einzuzühen, wie dan der leuttenambt gleichsfals bevelich empfangen, innen mit seinen khnechten guetten beistandt zu tbun, I. D[t] hernach berichten, damitt sy die sterckhere verordnung möchten füernemen. Zum 4. wierdt den commissariis die schuellordnung[5] auf ein neuhes ernstlich bevolhen, das die schuellmaister und

---

[1] Vösendorf, unweit von Wien. Die Herrschaft gehörte dem Präsidenten des Hofkriegsrathes Wilhelm von Hofkirchen; vgl. Wiedemann, a. a. O. III, S. 578 f.

[2] Vgl. oben S. 489, Anm. 2.

[3] Es war ein nach dem Beneficiaten Hans Goldberger benanntes Studentenconvict auf dem alten Fleischmarkte (errichtet 1469). Schimmer, Häuserchronik, 1849, S. 185.

[4] Bei der Pfarre St. Michael in der Habsburgergasse.

[5] Es ist die im Jahre 1579 auf Erzherzog Ernsts Befehl publicierte Schulordnung; vgl. Raupach, Cont. I, S. 318.

schuellhalterin catholisch und alles was catholisch in irn schuellen ab
füren sollen, bey straff der abschaffung, wer darwider thuett. Zum
weill herr von Heussenstain[1] und herr Jūlius[2] ire khünder durch praß
khandten offentlich alhie haben dauffen lassen, wierdt innen sölich
verwisen und mitt I. M.t resolution betroet. Allso hatt sich Prassicans[3]
doctor und camerrath ein rädlfürer undter den secten, so ein thurn
schödlicher man ist, und spöttlich offt von der khay. M.t und anndern ca
tholischen redet, undterstandten, gleichesfals cum solennitate sein khind
ainen sectischen predigkhandten alhie in der statt tauffen zu lassen, den
wierdt gleichesfals dises verwisen und mitt I. M.t troet, da hoffen sich
catholische, weill diser unserer khirchen doch ghar ein böser man ist,
man werde an im ein exemplum statuiern und seines dienst entsetzen,
darzue E. G. ghar woll helffen khünnen, wie ich sy umb die lieb, welliche
sy zue khirchen und unnserer h. religion tragen, will gebetten haben.
Ich wist nicht, wie man der zeit Gott ein wollgefelliger werckh ertzaigen
khünnet, alls eben dises. Dergleichen hatt sich der neu und von der
lutherischen practicierter camerprocurator[4] undterstandten sein khind
in meiner nachtpärschafft auch lassen tauffen, mitt welliches exempl
gleichesfals dergleichen exemplum möcht statuiert werden. Dem Prassi
cano ist Gerger[5] und andere seines gleichen von herzen feundt, es will
auch niemants, wie diser in rath khumen ist, wie ich woll von I. M.t g
haimen räthen verstandten hab. Allso ist der camerprocurator im letzign
landtag auf der post befüerdert worden; wer ghar schlechter schadt, ver
dens wenig innen, wan sy schon bäde sollen entsetzt werden. Dan sta
tuiert man khain exemplum, so sein die verweisungen so gmain, das es
gleich darüber lacht und füer ein hoffgwohnhait haltet, welliches I. M.
dennoch zum schein thun, damitt sy ir wesen nicht billichen. Allso wer
den E. G. füer sich selbst bey I. M.t und dan durch den alten herrn
Trautsam Gott zu ehrn und der religion zur füerderung den sachen wol
zu thun wissen.

Zum 6. hatt man auch den märckhten Petterstorff, Mödling un
Gumplskhirchen iren auslauf ghen Vesendorff und Inzerstorff zum höch

---

[1] Hans v. Heussenstein zu Stahremberg, Kämmerer. Wissgrill, a. a. O. IV
   S. 232.
[2] Wohl Julius v. Salm.
[3] Dr. Johann Ambrosius Brassicanus, Neffe des berühmten Bingster
   Joh. Alexander B., Professor der Rechte, Hofkammerrath. Wissgr
   a. a. O. I, S. 373.
[4] Dr. Wolfgang Schwanser.
[5] Siehe oben S. 491, Anm. 3.

sten verwisen, innen auch bevolhen, sy bey der pfarrkhirchen fünden zu lassen, auch die schuelordnung, wie dieselb alhie zu Wien gehalten,[1] gleicheafals bey innen auf I. D⁴ bevelich anrichten, wie dan eben dieselb I. M⁴ stätt und märckhten in Osterreich zu halten suegeschickht und anbevohlen wierdt.

Zum 7. wierdt auch der neu calender stätt und märckhten auf ein neubes überschickht und sich desselben zu halten ernstlich bevohlen, wie dan alle andere calender den buechfürern genumen und aufbehalten werden.

Zum 8. so ist die grävin von Schmida,[2] so ein neuhe lutherische khirchen gebaut, alhie her gleicheafals auf mein so starckh anhalten und beghern von I. D⁴ erfordet worden, die wierdt alhie so lang verarrestiert, bis sy dise khirchen widerum niderbricht und zu ainem haus oder stadl macht.

Zum 8. (!) procediert man noch mitt den stattwahln wie zuvor,[3] wierdt mitt mier guette correspondents gehalten, damitt in stött und märckhten die befüerdert werden, so der catholischen khirchen wo nicht ghar zuegethon (dan der zeit wenig dergleichen zu fünden), doch aufs wenigist fridtliebende leuth sain.

Das hab gnediger herr ich E. G. khurzlich wöllen zueschreyben, wie man nun ob disem allen baltten und was daraus entstehen wierdt, bericht E. G. ich, leb ich und bin gsundt, wills Gott hinach. Hab aber guette hoffnung alle sachen sollen zu ainem guetten endt khumen, zu wellichem endt der allmechtig Gott (in dessen schuz E. G. ich zusambt den irigen gehorsamblich bevehlen thue) helffen wölle, amen. Datum Wien, den 15. decembris a. 83.

E. G. gehorsamer caplan

Melchior Khlesl m. p.
Thumbprobst zu Wien.

Aines, gnediger herr, hab ich vergessen, das herr Unverzagt[4] hier-innen das beste thueth, werden wier in verlieren, wie er darnach tracht, so ist dem religionwesen bey uns zimblich geholffen, schreyb es E. G. zur avisa, wan seines urlaub nemen etwas füerkhem.

---

[1] Vgl. oben S. 495, Anm. 5. [2] Vgl. oben S. 488, Anm. 1.
[3] Vgl. oben S. 490, Anm. 3.
[4] Wolf v. Unverzagt, Freiherr von Ebenfurth und Retz, Hofsecretär. Vgl. Kopallik, a. a. O. II, S. 248 f.; Stieve, Die Verhandlungen über die Nachfolge Kaiser Rudolfs II., Abhandlungen der bairischen Akademie der Wissenschaften, III. Cl., XV, S. 187.

498

IV.

Wien, 1584 Jänner 1.

Wolgeborner gnediger herr. E. G. sein neben wünschung eines freydenreichens glückhseligen neuhen jars und erbittung von Gott dem herrn alles was derselben zu sehl und leib nuzlich ist, meine gehorsame schuldige dienst zuvor, gnediger herr. Was E. G. ich neublich von der alhieigen reformation des seminari und dan meiner sachen selbst geschriben,[1] das werden E. G. hoffentlich bisher empfangen haben. Was dan den ersten punct belangdt,[2] haben herr bischoff, probst bey St. Dorothea, burgermaister und ich die puechfürer, puechtruckher, brief- und kharttenmaller, khupferstecher füer uns erfordert, innen iren muettwillen und ungehorsamb bisher gedriben zum höchsten verwisen und bey verlierung irer ehr und guett aufferlegt, das sy nichts sectisch truckhen, ins landt füren, mallen oder in khupfer stechen wöllen, und das uns angeloben, welliches alle partheien gethan, die zwen puechtruckher aber die haben wier in leiblichen aidt gehumen. Ist also nuer iezunt vonnöten, das wier darauf guett achtung bstellen, damit sy irer verhaissung nachkhumen.

Die universitet hatt vermüg ires decrets den doctorem Reichl, so sein khindt tauffen lassen ainen sectischen predigkhandten, um 30 f gestrafft.

Allso sein vorgestern 4 burger in den thurm gworffen worden und hatt der auslauff ganz und gar abgenumen, das neuhlich nuer ein ainiger burger draussen gwesen ist. Gott verleihe I. D[t] langes leben und erhalte sy in disem aiffer.

In den stätten und märckhten fahren I. D[t] fortiter et suaviter mitt den ratspersonen fortt, lassen an mich derer wahl gnedigist in vertrauen khumen, so hab ich meine register über die stätt und märckht, allso das ich ein ganzes jar wissen khan, wer beucht oder nicht beucht, catholisch oder nicht catholisch ist, allso das wier schon Closterneuburg, Khorneuburg, Tulln, Paden, Pertolstorff, Langenleus, Mödling, Gumplskhirchen, Zwetl in unnseren handten haben. Stehen noch aus: Khrembs, Stain, St. Pölden, Ybbs. Sonst wais ich wenig, was ich mitt den anndern in religione füernimb, die legen sy alle zum gehorsamb, das allain aus dem ainigen mitl geschieht.

Wils Gott, nach diser h. zeitt will ich mich an die von Khrembs sezen und ire predigkhandten heben, daselb auch die catholisch religion, wo dieselb gfallen, widerum einfüren. Zu Ybbs hatt mier Gott gholffen,

_____

[1] Vgl. Nr. II.   [2] Vgl. Nr. III.

das der pfarherr gstorben, so mues ich iezunt ainen catholischen ein-
sezen. Ist allso gnediger herr der schnitt gros, allain sein ghar khaine
arbaiter verhandten. Ich soll allenthalben leuth haben, khan aber mitt
grosser mhûe khaum fûer den herrn Rumpfen[1] bekhumen. Und wierdt
das seminar nicht in khûrz befûerdert, so verlieren wier die sachen, die
wier halb gwungen fest in handten haben. Das wissen E. G. selbst woll,
die werden hoffentlich bey der sachen das irige thun.

Der leuttenambt alhie ist seinem ambt übl nachkhumen, dan alls
ainer in meiner gassen ein sectischer predigkhant ain frau versehen, ir
brott und wein geben, ich in mitt seiner wacht erfordert, der F. D[t] so
ernstlicher bevelich erindert, hatt er weder angreiffen, verwachten, noch
im haus suchen wöllen; bin allso selbst mitt meinen dienern gangen,
den predigkhandten über das dach ausgeiagt, das er in ein anders haus
gfallen, hernach mich zu der sterbenten person verfûegt, die sachen
mitt ir so weitt gehandlet, das sy gebeucht, catholisch und sub una communiciert, darzue auch extremam unctionem genumen, lebt noch und
wierdt umb sy augenscheinlich bösser. Gott sey allain ehr und danckh
gesagt.

In der Neustatt hatt man woll allerlai reformationes wie alhie
wöllen fûernemen, aber seitt des frumen herrn bischoffs tott[2] lauffen die
maisten burger aus, die geistlichen rauffen und schlagen einander, fûren
ghar ein ergerlich leben, allso die landtleuth nemen die pfarrn, der weltliche administrator, so von dem verstorbnen herrn bischoff des diennst
entsezt worden, ist guetter gsell und schlagt selbst die priester aus dem
bischoffshoff. Wie khan dan dises in die leng bestehen! Das schreyb
ich gnediger herr derhalben, weill dise täg sich bey mier etliche angemeldt und den handl erzellt haben. Dan sonnsten wissen E. G. mein
gmûett in diser sachen ghar woll, wessen ich mich resolviert hab, allain
wûnschet ich das dennoch dasselb bisthumb mehrer correspondents mitt
uns hette und fein gleich einzühet, auf das die ehr Gottes befûerdert und
der heillig catholisch glaub ausgebraittet wurde. Es sein vill bischoff,
welliche zu irem bisthumen auch administrationes haben cum dispensa-
tione S. Pontificis, warumb khundte nicht unnser herr bischoff alls ein
frumer aiffriger herr auch das bisthumb Neustatt administriern, so wurde
bäden bisthumen vill ersparet und der religion woll gedienet. Ich woltte
das meinige alhie und auf dem landt meinem eusseristen vermûgen nach

---

[1] Wolfgang Sigmund Rumpf zum Wûlross, Oberstkâmmerer und Geheimrath Kaiser Rudolfs II. Vgl. über ihn Stieve in der Allgemeinen deutschen Biographie XXIX, 1889, S. 668 f.

[2] Lambert Gruter, Hofprediger, gest. 3. August 1582.

thun, nuer damit etwas geschehe, bis das I. M¹ auf ein anndere persan gedacht were.

Das schreyb E. G. ich aus guettem ainfeltigen herzen, alls ainer der von herzen wünschet, damit doch der h. glaub seinen schleinigen forttgang bekhume. E G. werden im wissen nachsugedenckhen.

Denen von Prugg an der Leitta wierdt ein starckher filz geschriben, das sy die weinachten nicht mit uns haltten, auch sonnsten in religions ghar verweislich sein. Wierdt dem alten herrn von Harrach¹ bevohlen, denen von Prugg iren ungehorsam zum höchsten zu verweisen.

Meiner sachen werden E. G. zu irer guetten gelegenhait wissen ingedenckh zu sein, in sonderhait weill sich das gschrai nicht allain alhie will mehrn, sonnder ich wier auch von Prag aus avisiert, das man mitt mier nicht soll zufrieden sein. Ich hab Gott und E. G., die wissen, was ich meinem vermügen nach, weill ich zu hoff predigt, hab gethan, auch warumb ich ainmall mich anderst nicht hab resolviern khünnen, und sag Gott noch danckh diser resolution halben. Bitt E. G. die wollen mein gnediger herr und patronus sein und bleiwen. Wan ich das hab, wie ich dan hoff und glaub, so wier ich mitt desto ringern gmüett meine labores alhie verrichten. Sehen E. G. bei I. M¹ meiner person halben etwas zuwider, so bitt E. G. ich die wollen von meinetwegen ir bey I. M¹ khain ungelegenhait machen; dan was ich begher, das ist nuer ein schein, das ich mitt I. M¹ gn. sey erlassen worden, welliches man auch andern leuthen gibt. Was das einkhumen meiner probstei belangdt, das wierdt Gott, dem E. G. ich bevehlen thue, woll schickhen. Datum Wien in die circumcisionis domini a. 84.

E. G. gehorsamer caplan

Melchior Khlesl m. p.

Gleich gestern ist der von Molart² ex Hispania khumen.

V.

Wien, 1584 Jänner 13.

Wolgeborner gnediger herr. E. G. sein neben wünschung eines freydenreichen neuhen jars mein gehorsamb schuldig dienst zuvor. Gnediger herr, E. G. von Prag aus am tag Joannis datiert schreyben hab ich

---

¹ Leonhard Freih. v. Harrach der Aeltere, Oberster Erbstallmaister von Oesterreich und Geheimrath unter Kaiser Maximilian II. und Rudolf II. Moritz: Die Wahl Kaiser Rudolfs II. etc., 1891, S. 76; Stieve, Briefe zur Reichshofrathes Dr. G. Eder etc., S. 141.

² Es wird vielleicht Peter Freih. v. Mollart, Geheimrath, gemeint sein.

den 10. januari empfangen und hetten E. G. deren entschuldigung gegen meiner person ghar nicht bedüerfft, weill ich woll wais, wie E. G. occupiert und in nöttigern sachen, daran uns allen gelegen, zu schreyben haben; mier ist gnueg, wan ich durch meinen vettern nuer wier bericht, das E. G. meine schreyben empfangen haben. Sy schreyben zu irer ghar guetten gelegenhait. Das aber E. G. meinetwegen, damit E. G. meinen an I. M⁴ underthenigisten beghern antworten khundten, desto lenger die antwort aufgeschoben haben, khan ich mich in warhait diser gnedigen affection gegen meiner person nicht gnuegsamb bedanckhen und wais weitters nichts dan Gott füer E. G. und die irigen täglich zu bitten, das er der reich belohner sein wöll. Was aber E. G. mitt mier werden schaffen, sein E. G. von mier vergwist, das ich alles mitt guettem gmüett meiner mügligkhait nach die zeitt meines lebens gehorsamblich thun will. Und darff weitters meiner sachen halben E. G. nicht bitten, weill sy sich so gnedig und vätterlich derselben vor ir selbst mehr alls ich beghern düerffen annemen, thue allain mich E. G. zu dero gnedigen affection gegen mier gehorsamblich bevehlen.

In unsern sachen alhie wais E. G. ich wenig zu schreyben, allain das man halt die landleuth ghar nicht offendiern will. Die grävin von Schmida[1] ist auf I. M⁴ resolution alhieher erfordert worden, weill sy ein neube khirchen gepaut hatt, der mainung sy soll nicht hinweckh, dise sinagog sey dan abbrochen. Aber man hatt sy lassen zühen, nimbt ir entschuldigung, haltt neube commissiones et consultationes. Ist es ir erlaubt, so werden wier in ainem jar mehr sectische dan geweihte khirchen im landt haben und das ist der modus, ir böse und der h. khirchen schedliche concession zu dilatiern, uns aber undterzutruckhen, zu wellichem werckh die helffen, welliche E. G. ich in meinem ersten schreyben hab nambhafft gemacht Ich wör mich sovill ich khan, sag I. D⁴ deusch wie ich soll, befündt dieselb auch woll genaigt, aber wan ich halt khaine anndere resolutiones wier haben dan dise, so mues ich halt das wesen lassen ghen wie es ghehet, quia non sum sufficiens wider I. D⁴ oder derselben gehaime räth zu streitten.

Herr Unverzagt[2] thueth in warhait bey diser sachen das böste, aber er ist nicht allezeit verhandten und sihet das sein aiffer im khunfftig mehr schaden dan nuzen wurde. Bisher hab E. G. ich nichts von der predig bey landtmarschalch[3] und Hoffkhirchens[4] gschriben, weill ich

---

[1] Vgl. oben S. 497, Anm. 2.   [2] Vgl. oben S. 497, Anm. 4.

[3] Hans Wilhelm Freih. v. Rogendorf.

[4] Wilhelm Freih. v. Hofkirchen, Hofkriegsrathspräsident. Wissgrill, a. a. O. IV, S. 357.

nicht bin gwiss gwesen, nun aber ietzunt bin ich desto gwisser und gar zu gwiss, dan auch die handtwerger auf der gassen einander laden zum wortt. Was nun daraus wierdt werden, bringt die zeitt. Ich sihe aber woll, wo es hafft, I. D^t haben guetten aiffer, daran zweifelt niemants.

Sonsten in der statt khan E. G. ich bey meiner warhait sagen, das die khirchen anfahen lär zu werden, seitt so viller winckhlprediger, und ist das volckh nimmer so vertreulich alls zuvor, sonnder alles angezündtet, wierdt das feur nicht baldt geleschet, so wierdt nichts guetts daraus werden. Allso sein dise ganze wochen in der zetl von den hevamen nicht mehr dan 15 khünder einkhumen; raitten E. G. wie vill man nicht getaufft hatt in ainer so grossen statt. Aber die catholischen haben nicht mehr dan 15 getaufft.

Heutt umb 6 uhr morgens ist herr probst zu Closterneuburg[1] in Gott entschlaffen, dem Gott gnadt. Herrn Preiner[2] oratorem zu Constan. hatt man den 9. jan. bey den schotten alhie begraben, ich hab im die leichpredig gethan.

Die Tonaw ist alhie so gros, das khain schiflein durch die schlagpruckhen nicht khan fahren, und halben (!) alhie lautter regenwetter; allso auch die Wien ist so angeloffen, das sy ghar an die staine pruckhen raicht.

Ich schickhe E. G. hienebens ein khlaines briefl an herrn nuncium apostolicum, allain derhalben damit es desto gwisser ime herrn nuncio zuekhume; bitt E. G. die wollten ime es unbeschwert zuestellen lassen. Danebens thue E. G. hiemit ich dem allmechtigen Gott bevehlen. Datum Wien, den 13. jan. a. 83 (!).[3]

E. G. gehorsamer

M. Khlesl m. p.
praepositus.

VI.

Wien, 1584 Februar 9.

Wolgeborner gnediger herr. E. G. sein mein gehorsam schuldig und willig dienst zuvor. Gnediger herr, E. G. schreyben den 27. jan. zu

---

[1] Caspar Christiani (1578—1584). Topographie von Niederösterreich V, S. 230 (dort der 15. Jänner als Todestag angegeben).

[2] Friedrich Freih. v. Bräuner, Gesandter zu Constantinopel, starb auch dort am 10. August 1583. Wissgrill, a. a. O. I, S. 381.

[3] Klesl hat, wie aus dem Inhalte des Briefes und namentlich aus den zwei Todesnachrichten hervorgeht, irrthümlich noch das alte Jahr geschrieben.

Prag datiert hab ich den 5. febr. alhie empfangen. Und wie vorhin offt gemeldt, so ist es ainmall ghar zuvill das E. G. ir sovill aufladen mitt schreyben; ich bin woll zufriden, wan ich nuer wais, das E. G. meine schreyben empfangen haben. Was ich aber E. G. auf dise so gnedige und im werckh erzaigte erbieten antworten soll, wais ich mehr nicht, dan das ich ohne das E. G. obligatissimus bleiwe, weill ich leb, und Gott geb mier die gnadt, welliche mich auch zu dem danckhparen werckh bringe, damit ich was fleissiger in meinem ambt und gepett für E. G. sey alls bisher beschehen. Es hatt mier woll herr Trauttsamb[1] gestern auch geschriben, das er das testimonium, so von I. M[t] durch E. G. ich beghert, nicht füer ein notturfft haltet, und will mich zu annemung der hoffcanzl verrers persuadiern. Weill aber ich in ista simplicitate Gott und seiner khirchen zu dienen ainmall entschlossen bin, so bedanckh ich mich gegen E. G. der bemühung halben gehorsamblich, will gleich mitt gedult tragen, was mier von etlichen unbillich nachgeredt wierdt, und es Gott bevehlen, dan wie E. G. wissen, hab ich nicht allain mitt wolbedachten ursachen dise von I. M[t] mier aufgedragne condition abgeschlagen, sondern do mier soll was mehrers und ansehenlichers darzue geraicht worden sein, hette ich es gwissens halben damallns nicht thun khünnen, vill weniger ietzunt, wie es mich dan bis daher nicht gereuhet, wierdt mich auch hoffentlich hinvorthan auch nicht reuhen, weill ich nicht des ansehens, sonder wegen der nott der khirchen und nuz derselben bin geistlich worden. Bitt allain E. G. wöllen mich den irigen sein lassen.

Das albieige wesen last sich Gott lob woll an, ist still und laufft niemants aus, dan man strafft ghar häfftig, derer sachen fleissiger vermahner ist herr Unverzagt,[2] den Gott lang wölle erhalten, das er I. D[t] disen beistandt laiste, hab aber sorg, er werde uns ausschiessen, so ist wärlich niemants, der sich der sachen anneme.

Dem burger, wellicher sich in religione so übl verhalten und nicht gehorsamen wollen,[3] ist der termin auf 6 wochen lang erlengert worden, interea mues er zuestifften und aus I. M[t] erblender zühen, das macht ainen grossen schreckhen und schafft mehr frucht alls vill predigen, wan mans nuer zu zeitten bey hoff verstehen wolltt und braucht das argument öffter.

Die khirchen bey Sanct Stephan wierdt voll, die leuth bleiwen fleissig bis zum endt, allso ist es bey den herrn jesuitern, St. Michael, predi-

---

[1] Vgl. oben S. 492, Anm. 6.
[2] Vgl. oben S. 497, Anm. 4.
[3] Vgl. Nr. IV.

gern gleichesfals, zu hoff hatt pater Scherer [1] zimblich. Bin zu Gott der
ganz tröstlichen hoffnung, er werde uns dise fasten einen reichen schnidt
geben in dem Wienerischen weingartten, wie dan aine vom adl Arn-
bergerin [2] genandt etliche predigen bey mier besuecht, hernach mitt mier
gehandlet, zu unserm heilligen glauben getretten ist.

Deswegen landtmarschalch iren herrn erfordert, und ime das er
solliches seinem weib gestattet, zum eusseristen verwissen. Aber er selbst
der guett herr ist auch in via conversionis, darzue Gott sein gnadt verleihen wölle. Der sein vill, gnediger herr, die wier nicht wissen, welliche
täglich von Gott erleucht werden.

Die sachen des seminarii, der visitation und gansen reformation
in Osterreich ist von I. D[t] mier zu berathschlagen aufgetragen und bevohlen worden, damit I. D[t] hernach ausfüerlich I. M[t] möchten zueschreyben und derselben gnedigisten resolution darüber erwartten. Diser
sachen ursacher ist der alt harr von Harrach,[3] der dreibt täglich und
hatt mitt mier ausfüerlich davon conversiert. Do nun E. G. nicht sonder
bedenckhen, khundte nicht schaden, das E. G. ime herrn von Harrach
gratulierten in ainem clainen briefl, das er diser ansehentlichen sachen
ursacher sey, welliches villeicht dem herrn von Harrach mehr guett
und herzen zur sachen machen wurde. Hab auch khain bedenckhen, das
E. G. meiner meldung thun, das ich der ursacher sey, so E. G. das zuegeschriben. Mügen sy allso E. G. gwisslichen darauf verlassen, das ich
an mier nichts will lassen erwündten, damit ich nicht ursacher sey an
soviller sehlen verderben, und so baldt ich wier ferdtig werden, will E. G.
ich dasselb guettbedunckhen überschickhen. Aus wellichem allen E. G.
abnemen khünnen, mitt was gwissen ich möcht von hinnen raisen, und
der hoffcanzl abwartten, sonderlich bey der vorhabenden visitation, daran
viller tausent sehlen seligkhait gelegen. Oportet me Deo magis obedire
quam hominibus. Wöllen es die menschen nicht erkhennen, so wais es
Gott, der bezalt reichlich. Ich hette sonnsten woll alls E. G. wissen ansehentliche vocationes gehabt, do ich mich aus Osterreich hette begeben
wöllen, die mier noch heutt zu tag bevorstundten, aber wan ich ainem
herrn dienen woltt, wer ich meinem landtsfürsten mehr dan allen andern

---

[1] Georg Scherer, Jesuit, Hofprediger Erzherzog Ernsts. Allgemeine deutsche Biographie XXXI, 1890, S. 102 f.

[2] Es ist ohne Zweifel Florentina, die Gattin des Ludwig Ohrenberger, des
letzten seines Stammes, gemeint. Wissgrill, Cont. Heraldisch-genealogische
Zeitschrift ,Adler' III, S. 102.

[3] Vgl. oben S. 500, Anm. 1.

zu dienen verobligiert, mein dienen soll sein Gott und seiner khirchen wo es am nottwendtigisten ist.

Der pfarrer von Nickhlspurg ist in die 14 tag alhie gwesen priester halben, derer khainer verhandten, hab 21 pfarrn zu ersezen, da khain ainiger mensch ist, wellichen ich khundte brauchen, wer sonnsten E. G. freilich sehr verobligiert, das macht der teufl, wellicher das seminarium 4 ganzer jar verhündtert hatt und noch täglich zu verhündteren nicht aufhöret.

Ich wais iezunt nichts sonders neuhes mehr zu schreyben, dan das das landt voll mitt bösen leuth wierdt, allso das schier khain mensch sicher auf der strassen wandlen khan; man richtet woll vill, aber hilfft nichts, ja in der statt selbst ist es unsicher. Gott in dessen schuz E. G. ich gehorsamblich thue bevelhen, sey mitt uns allen und wendte das übl gnediglich ab. Datum Wien, den 9. febr. a. 84.

E. G. gehorsamer

M. Khlesl.

Wais E. G. auf den faschung nichts zu schickhen, allain dise khartten zum spilln; deren etliche exemplar der hoff buechfürer bey der burgg alhie ins landt füeren wöllen, die im aber fein genumen worden vom herrn bischoven zu Passau an der mautt. Mitt dem besessnen weib[1] fahrt man nuer fortt, er blaset iezunt im padt liechter aus, wier hoffen täglich erledigung.

VII.

Wien, 1584 April 22.

Wolgeborner gnediger herr. E. G. sein mein gehorsamb schuldig und willig dienst zuvor. Gnediger herr, E. G. schreyben hab ich empfangen, daraus denselben gnedigen gmüett und gegen meiner person affection verstandten. Was ich nicht khan bezallen, das wierdt der allmechtig Gott wellichen ich darum bitten will reichlich thun. Er wais allain das ich mitt disem und anderm khain zeitliche ehr suche, sonnder allain damit ich seine feundt confundiern und seiner khirchen mitt mehrern nuz dienen khünne, will allso ghar ghern mitt gedult erwartten, wessen sich I. M⁴ resolviern werden. Herr Unverzagt[2] hatt zum ersten mall mich an dise sachen bracht. Ist es nun nuzlich, so wierdt es woll geschehen, so es aber schedlich ist, wierdt es Gott wohl verhündtern.

---

[1] Vgl. oben S. 490, Anm. 1.
[2] Vgl. oben S. 497, Anm. 4.

E. G. caplan ist bey mier alhie gewesen, mier die grosse schau burdt, das er allain alle beucht höret, die dörffer versihet, herr geben aber allain die censl, anzaigt. Ich vermainet war man im noch ein 50 paargeltt gob, er soll damit zufriden sein, derhalben hab ich mitt in nicht schliessen wöllen, den rath geben, waill pater Michael gleich zu der handt, so soll er desselben zuekhunfft erwartten, das er mir in verhaissen hatt. E. G. mügen mier gwislich glauben, das ich in 27 pfarrn so zu ersezen nicht einen ainigen priester haben khan. Gott erbarmbs im himel, das so wenig leuth vorhandten sein, alles mues man die priester iezunt überzallen. Sy sein wie sy wöllen, wan sy aber cath lisch und priester sein; man khan dennoch khaine bekhumen. Werde E. G. allso der sachen woll zu thun wissen.

Was fuer leuth dise h. fasten communiciert haben, schicke E. G. ich hiemit; sub utraque haben wier ante annum bey S. Stephan gehal 600. Gott lob, es will alles bösser werden. Es communiciern noch sa täglich die leuth, wie dan heutt auch leuth bey unnser khirchen communiciert haben. Es ist bey S. Stephan selzam, was bey den herrn jesui tern täglich geschiecht.

Auf den 1. mai, wills Gott, zühe ich ghen Khremhs, die predig khandten daselb zu heben. Unser herr verleihe uns gnadt, das es zu seiner ehr, fridlich und woll forttghehe, wie mier dan ghar nicht zweifl Was sich aber in particulari bey diser handlung verlauffen wierdt, schreyb E. G. ich hernach, hab woll sorg, die sachen werden wunderbärlich abghen.

Der alt herr von Harrach [1] thuett sonnst bey der religion alhie das böste, wier haben auch undter den räthen zu im unnser maiste zueflucht. Ich fuer mein person hör nicht auf I. G. zu importuniern, weill ich allain procuratur sein mues und khainen gesellen hab. I. D[t] müessen mitt mier auch ein überiges thun, dan ich fast alle wochen khum und khlopf an, weill ich aber sihe, das I. D[t] khainen verdrus haben, sonnder mitt lieb und freiden alles ghern aufnemen, thue ich es desto lieber und was schon khaines wär, wollte ich doch mitt göttlicher hilff das zu thun nicht undterlassen was ich ratione conscientiae meae thun soll und müeste.

Die infection will alhie und auf dem landt täglich zuenemen; unser herr stehe uns gnediglich bey.

Doctor Hillinger [2] ist den 17. diz in Gott verschiden und dem von Ötth [3] canzlern in die 2000 f verlassen. Allso ist die frau Hornbergeria

---

[1] Vgl. oben S. 500, Anm. 1.   [2] Vgl. oben S. 492, Anm. 3.

[3] Vgl. oben S. 487, Anm. 2.

herrn canzlers tochter gestern mitt ainem sohn erfreihet worden. Und sovill hab E. G. ich auf derselben ghar gnedig schreyben gehorsamblich beantworten soll (!). Gott, in dessen gnedigen schutz E. G. ich bevehlen thue, wölle dieselb mit sambt den irigen langes leben sezen und benedeiung verleihen, mich zu derer gnaden ganz düemüetig bevehlen. Datum Wien, den 22. aprilis a. 84.

E. G. gehorsamer caplan

. M. Khlesl m. p.

Beilage.[1]

Numerus communicantium a. 1584 Viennae Austriae pro tempore paschali.

Apud S. Stephanos . . . . . sub	una	2450	
	utraque	100	
Apud D. Michaelem . . . . . sub	una	226	
	utraque	258	
Apud Scotos . . . . sub	una	30	
	utraque	6	
Apud Societatis Jesu Patres confessi sunt . .		3541	
communicarunt		3200	
In Xenodochio civili . . . . . sub una		582[2]	
Apud S. Dorotheam . . . . . . „ „		32	
Apud Augustinianos . . . . . „ „		1	
Apud Praedicatores . . . . . . „ „		50	
Apud Franciscanos . . . . . . „ „		245	
In Xenodochio Imperatoris . . . „ „		90	
Apud Minoritas . . . . „ „		60	
Summa communicantium . .		7830	
sub una . . .		6966	
sub utraque . .		864	

VIII.

Wien, 1584 Mai 30.

Wolgeborner gnediger herr. E. G. sein mein gehorsam schuldig und willig dienst zuvor. Gnediger herr, E. G. den 6. tag may zu Prag

---

[1] Eine Zusammenstellung der Communicanten vom Jahre 1581 bis 1584 nach den bischöflichen Protokollen befindet sich im Cod. 100 des Wiener Haus-, Hof- und Staatsarchivs, Bd. XIII, fol. 119.

[2] 528; Cod. 100.

ausgangen schreyben hab ich den 14. dix empfangen,
digen und vätterlichen willen mier zu sonderm trost
darauf alsbaldt geantwort, do nicht die schwere und g
rische reformation, an wellicher ich nun lange zeitt g
wer. Dan den 7. may bin ich nach Khrembs verra
schreyben oben zu Khrembs empfangen, den 25. bin
khumen, etwas schwach worden, allso das ich den me
das ist, gnediger herr, meines stillschweigen ursach,
ursach will ich dis mein schreyben anfangen.

Ich hab bey der F. D[t] angehalten, man soll 3
rath[1] zu Khrembs ghen Wien erfordern, dieselben arr
wier alle sachen zu Khrembs verrichtet haben. Sei
den 4. may zu Wien ankhumen, darauf ich den 7.
Siglstorff[2] und herr doctor Englmair[3] waren fürstl
Den 9. may ist der rath erfordert und mitt im ad lon[g]
den, sy sollten die predigkhandten abschaffen, das
legen, alles frembten exercitii sich enthalten etc. Un[c]
langem starckhen zuesprechen erbotten zu gehorsam
predigkhandten, schuelmaister und alles bey scheine[t]
statt geschafft. Die haben woll difficultiert, aber lezl
Interim sein in die 400 man mitt spüessen, wehrn un
pfarhoff gangen, gstossen, gschlagen ins thor, gescho
und ghar zum lerman gesteldt, niemants anderst da
ghert. Weill ich aber damalln noch nicht geessen,
derweil gehabt zu innen zu khumen; so baldt aber
aus dem pfarhoff gelassen, hatt sich der tumult geleg
wier, sy solltan uns die zwo khirchen, so sy inne[n]
schlüssl einantworten; das wolt ghar nicht ghen. Al[l]
ascenssionis um 3 uhr morgens auf dem wasser ghen
der commissari relation verraisen, umb neuhe bevelic[h]
ich baldt und scharff gnueg erlangdt. Bin allso de[r]
zu Khrembs ankhumen und den 13. tag hernach abe

---

[1] Es sind dies die zwei Rathsherren Georg Straub, W
und der Stadtschreiber Hans Knoser. Niederöste[r]
archiv, B. III. 26; Kerschbaumer, Geschichte der
S. 277.

[2] Albert Freih. v. Sigendorf, Comthur des Deutschen [
Wiener-Neustadt. Starzer, a. a. O., S. 428.

[3] Dr. Stefan Engelmayr, Professor der Rechte an der
niederösterreichischer Regierungsrath. Starzer, a. a.

allain mitt den schlüssl zuegebracht, bis sy auch dieselben erlegt haben
cum illa protestatione, sy hetten gsandte zu I. D⁴ abgferdtigt, man solle
nuer sovill gedult haben bis morgen umb 7 uhr, da verhofften sy entlicher resolution, wellichen termin wier innen zuegelassen. Abents zwischen 8 und 9 erhebt sich ghar ein sehr gferrlicher tumult mitt vill
blossen wehrn, stainen, prügln, spiessen etc. widerum an das thor und
begherten abermalln meiner; ich hab aber auch, weill es schon zeitt
gwesen ist schlaffen zu ghen, damalln nit khumen khünnen. Wellichen
lerman hernach der burgermaister gestildt hatt. Morgens frue, welliches
war der 14., sein sy der rath noch wilder gwesen, allso das ich abermalls
denselben tag auf Wien verraisen und bey I. D⁴ das sy bey verlierung
irer stattfreihaiten gehorsam laisten sollen, ainen bevelich ausbringen
müessen und bin mitt demselben den 17. may abents ankhumen. Den
18. haben wier sy abermalln erfordert, aber in proposito halsstärrich
gfundten, darauf umb 9 uhr ainen catholischen pfarrer zu Khrembs eingesezt magna cum solennitate. Die commissari sein hinweckh gezogen,
ich bin die pfingsten zu Stain bliwen, hab den gottsdienst daselb verrichtet und die khirchen zimblich voll gehabt. Gott lob, alle sachen sein
still. Innen ist 6 wochen termin geben worden, was sy haben wider
mich einzubringen, das sy dasselb füerderlich thun. Interim werden dise
gesellen allhie aufgehalten. Und das ist ghar khurzlich die summa des
ganzen handl; dan was sich in meiner predig zu Stain zuegetragen,
das will ich von mier selbst nicht schreyben. Dem wesen ist nicht zu
helffen, ain catholischer anwalt sey dan im rath. Darauf sein E. G., bitt
ich umb Gottes willen, auch gedacht, wan sy mitt dem alten herrn Trautsam[1] reden, und helffen uns in diser ansehentlichen sachen so vill sy
khünnen. Herr vicecanzler,[2] E. G. in gehorsamen vertrauen zu melden,
soll, wie ich von innen selbst bericht, guett khrembserisch sein, aber
Gott wierdt alle sachen zu ainem guetten endt hoffentlich wenden. Khain
catholischer mensch ist verhandten; es last auch der rath khainen einkhumen, der stattschreyber ist gifftig, laufft zu landtmarschalch[3] und
Gerger[4] umb rath alhie, wie er selbst bekhennet. Lassen wier die gelegenhait aus der handt und sezen khainen catholischen anwalt, so ist
alles umbsonst. Gelegenhait ist verhandten, dan bey verlierung irer privi-

[1] Vgl. oben S. 492, Anm. 6.
[2] Dr. Rudolf Viehäuser, seit 23. April 1577; vgl. Kretschmayr, Das deutsche Reichsvicekansleramt, Archiv für österr. Geschichte LXXXIV, 1898,
S. 421 f.
[3] Vgl. oben S. 501, Anm. 3.
[4] Vgl. oben S. 491, Anm. 3.

legien ist innen das aufferlegt worden, dem sy nuer ain viertl gezeigt
haben. Das hab E. G. alls ainem aifferer der catholischen religion ich
wöllen in gehorsam communiciern, hoffentlich sy werden solliche mein
ainfalt mit gnaden annemen und helffen.

Was meine aigen sachen betreffent, da thue E. G. ich ia mehr den
zuvill mhüe und arbait auf; wie soll ich aber woll annderst thun; weil
ich sonnst niemants hab, der sich umb mich wirckhlich anneme, dadurch
ich ein wenig E. G. verschonen möcht. Der alt herr Trautsamb ist gar
zu überladen, herr Rumpf[1] nicht wollauff, mitt herrn vicecanzler bin ich
nicht bekhandt, allso ia tragen E. G. die burdt allain, und wen sy mich
verlassen, so bin ich schon geschlagen. Ich bitt aber, E. G. wöllen (wie
sy sich dan erbieten) mein gnediger herr sein und bleiwen.

Das bisthum Neustatt betreffent bleiwe ich der mainung unverändert, wessen ich mich ainmal resolviert, das ich es neben der hoffcanzl
nicht annemen khundte. Allso auch do mier das bisthum, so an im ruig
und guett ist, wurde on die hoffcanzl eingeantwort, doch das ich bischof
sein soll und daselb bleiwen, khundte ich es mitt guettem gwissen der
zeit nicht thun. Der schnitt durch Osterreich ist gros, der arbaiter
schier niemants, alle sachen lassen sich woll an, nuer das man fortfüer
und arbaiter in schnidt sendte; warum wollte ich dan in hac juventa
mea iugum domini flühen und mich in ain statt geben, daneben ein ganzes
landt verlassen, darvor Gott mich ewiglich behüetten wölle. Muss ich
aber yhe in ainer statt arbaiten, warum nicht vill mehr alhie in der statt
Wien (nach wellicher die andern sich müessen richten) dan anderstwo.
Hette ich dem reichthum wollen nachtrachten, so wer ich alhie und in
disen landen nicht; mein begheren ist nichts anderst, das wais Gott im
himel, dan die verfüerten sehlen, so Christus so theur erkhaufft, zum
rechten weg der warhait zu bringen; was es mich auch khostet, das gib
ich schuldig. Allain wollte ich mich ghern allso versehen, damit ich nach
gethaner arbait möcht ruhen und merckhen, das dennoch ich vor andern
alls I. M[t] underthan bedacht wurde. Weill es aber dise mainung hat,
das der khunfftig bischoff in der Neustatt hoffprediger sein soll, und das
I. M[t] genzlich gedacht, das bisthumb auf dise weis zu ersezen, mach ich
mier weitters khainen ainigen gedanckhen mehr. Und den gedanckhen,
so ich mier zuvor gmacht, hab ich aus dem fundament geschöpft, das
I. M[t] mier die administration dises bisthumbs möchten aus sonnderer gnedigsten affection gegen meiner person vertrauen, damit ich nach meiner
mhüe und arbait möchte cum honore in patria mea ruhen. Nun aber

---

[1] Vgl. oben S. 499, Anm. 1.

fallet diser mein gedanckhen ganz billich und wais ainmal khain anndere gelegenhait diser zeitt im ganzen landt nicht, alls eben dise so mier ainer ob der Enns füerschlagt, wie E. G. aus disem seinem an mich gethanen schreyben abnemen khünnen. Die probstei Zwetl und pfare Ögenburg sein von I. D' mier woll gnedigist antragen worden, aber ich will mich mitt khainem benefitio beladen, so curam animarum hatt. Diser aber ist noch im leben, aber ain khündt; gfiell mier die gelegenhait nicht, so khundte ich es allezeit endern; werden allso E. G. der sachen zu thun wissen. Was den rathstitl belangdt, da hab ich doch ghar nichts, das ich von hoff bracht hette, so tragt mier diser nichts in die khuchl, allain bewaist dennoch, das I. M' mier nicht ungnedig, macht mier in allen religionshandlungen mehren respect und forttgang, wan es nun on sonnderliche arbait khündt geschehen und nützlich wer, so thun E. G. nach irem gfallen. Es hatt der weichbischoff zu Bamberg niemalln dient und dennoch den rathstitl gehabt. Glaub I. M' wurden villeicht mitt meiner person weniger difficultiern, doch stelle E. G. ich alles haimb. Den herrn Fugger[1] betreffent, der ist schwachait halben woll etwas zu lang aus, ich khan aber in disem meinem officio mitt bösserem gwissen doppelt mehr der khirchen dienen alls herr Fugger in dem seinigen, dan das seinige ist nuer wierttschafft, mein officium ist geistlich und ein apostolisch officium. Hoffe dem haus Osterreich nichts zu vergeben oder übl zu handlen. Der geistlich rath ist so übl bsteldt, das ich nicht wais was er nuzet; ich las aber verstendtigere iudiciern und davon discuriern. Ich hab mein rais ghen Passau und Münichen noch 3 wochen wegen der von Khrembs verschoben, will von E. G. in ainer und der andern sachen ain guetten bschaidt erwartten. Thue dieselb zusambt den irigen Gott, mich aber zu dero gnaden gehorsamblich bevehlen. Datum Wien den 30. may a. 84.

E. G. gehorsamer caplan

Melchior Khlesl m. p.
Thumbprobst zu Wien.

IX.

Wien, 1584 Juni 23.

Wolgeborner gnediger herr. E. G. sein mein gehorsam schuldig und willig dienst zuvor, gnediger herr, und hab E. G. schreyben den 18. junii empfangen. Bedanckh mich gehorsamblich, das E. G. sich umb meiner sachen so woll und embsig annemen, ich khan und wais es nicht

---

[1] Vgl. oben S. 492, Anm. 2.

zu verdienen. Gott wolle der belohner sein. E. G. sollen es sehen, das ich mit Gottes hilff alles, darzue E. G. mier helffen, allso will anlegen, daran E. G. ein gnedig und sonnderlich wollgefallen haben werden. Ich hab auf der welt in meiner vocation annderst nichts alls mich selbst zur arbait, damit die h. religion iren forttgang haben möchte, aufzuopfern, welliches ich gethan, mitt göttlichen beistandt bis zum endt bleiwen will. Weill aber die crefften in grosser arbait weichen und nuer weniger werden, so wollte ich auch ghern hernach, wan die ruhig arbait anghehet, mein ergözligkhait und undterhaltung haben, wie E. G. zuvor von mier ausfüerlich haben verstandten. Wan ich nun die probstei Ardarckher[1] dahin bschaffen befündt, das es sich thun last (wie ich es dan ghern will versichern) so bin ich desto mehr verobligiert mein lebelang, und begher es ghar nicht füer die thumbpropstey (wiewoll es ein hohe notturfft), weill es nicht sein khan, wan nuer mier pro tempore geholffen wurde.

Das seminarium[2] haben I. D[t] schon. Bitt E. G., wan es hinein khumbt, sy wollen irem vermügen nach helffen schüeben und befüerdern. Und thue E. G. in den segen Gottes mich zu derselben gnaden gehorsamblich bevehlen. Datum Wien, den 23. junii a. 84.

E. G. gehorsamer caplan

M. Khlesl m. p.

X.

Wien, 1584 August 17.

Wolgeborner, gnediger Herr, E. G. sein mein gehorsam schuldig und willig dienst zuvor. Gnediger herr, ich bin nun Gott lob, den 11. dis zu Wien alhie glückhlich und gsundt ankhumen und ob ich woll vill ansehentliche sachen zu verrichten gehabt, so der religion zum besten gwesen wären, hab ich mich wegen des grossen gschrai, so von mier lose leuth ausgebracht, alls wer ich zu Passau gfangen etc., müessen alher begeben und hab gestern widerum zu predigen angefangen. Die ursach dises gschrai ist der pfarrer von S. Michael,[3] wellicher ain haimbliches leichtferdtiges und unpriesterliches leben soll gefüert haben und darumen vom herrn bischoff von Wien eingezogen worden sein, wie es dan war ist. Ich aber weill ich mitt im gmainschafft gehabt, sollen eben der sein etc. Mier ist dise schmach ein solliche mortification alls ich

[1] Collegiatstift Ardagger in Niederösterreich.
[2] Vgl. oben S. 487, Anm. 3.
[3] Johann Habortius; vgl. oben S. 484 f.

mein lebelang nicht empfundten; dan nicht allain ich, sonnder vil anndere ansehentliche leuth haben gmainschafft mitt im gehabt, leib und sehl vertraut, werden darumen unnerbars nicht bezüchtiget, allain ghehet es alles über mich. Nun hab ich dises dings die zeitt meines priesterlichen ambts noch woll mehr ausgestandten, aber es khumbt so weitt und so starckh, das ich es etwas nähners empfündte alls anndere perturbationes, weill dadurch vill armer sehlen verhündtert werden, bei wellichen allen ich mich meiner unschuldt nicht entschuldtigen khan, und klag es Gott und E. G. von herzen, das ich dise 5 jar in meinem vatterlant, bei welli- chem ich, one rhum zu melden, sterckh, crefft, ehr, leib und leben der religion halben zuegesezt, mehrers nichts alls solliche schmach auch thaills bey meinen glaubensgnossen soll verdient haben. Ich bin mein lebelang dem laster feundt gwesen, und wierdt khain ehrliebender man mich etwas unzüchtiges mitt warhait nicht zeihen khünnen, darumen ich dan zu erhaltung meiner ehrn und guetten namens hergeraist und mitt leib und guett stehe, wer mich etwas leichtferdtiges wierdt bezeihen khünnen. Wierdt sich aber mitt warhait etwas befündten, so bitt E. G. ich umb Gottes willen, das sy ghar nicht wollen deckhen, sonder die sachen dahin befüerdern helffen, damit an mier ein offentlich exemplum statuiert werde, daran sich anndere priester zu stossen. Wo aber nicht, so werden E. G. in voriger gnadt forttfahrn und hoffentlich mich bey meniglich entschuldigen, weill E. G., ob Gott wöll, nicht verstehen lassen, wie ich mich dan mitt der hilff Gottes bisher beflissen hab, das ich denen, so mich commendiert, mitt meinem leben und thun bin gratus gwesen. Das schreyb E. G. ich derhalben, damit sy mich do auch das gmain gschrai hinein khem bey ir mitt der warhait möchten entschuldiget haben, mier auch die gnadt thun und bey anndern, do es die rede geb, gleichesfals zu entschuldtigen.

Mitt dem rathstitl, gnediger herr, ob derselb woll villen sectischen, so unverschambt ausgeben ich sey von I. M^t deswegen ghen Prag citiert worden, die meuller stopfet, wer ich der mainung, das derselb so lang aufgehalten wurde, bis diser pfarrer wurde sententiert, und mein un- schuldt erkhendt. Wie ich dan gedacht bin durch hilff E. G., das I. D^t erzherzog Ernst mich selbst darumen füernemen und hören. Soll ich iezunt was beghern, so wurde ich das gschrai grösser und den handl erger machen. Das schreyb E. G. in dem gehorsamen vertrauen zue, in wellichem ich leben und sterben will. Umb des pfarrers sachen wais ich nit, allain ist es sovill, das es in der statt und ganzen landt ain grosses gschrai gibt, will niemants seine khünder schier bey S. Michael tauffen lassen, die khirchen bsuechen, und werden vill ehrlich matronen verdacht,

die ir lebelang gwislichen unnerbarkhait sein feundt gwesen, schadet
unser heilligen religion nicht ein wenig, die khezer iubiliern, die schwach-
glaubigen fallen ab, die im weg gwesen zur bekherung, weichen zuruckh,
die andern werden ye lenger yhe halsstärriger, sonnderlich aber sein die
in schwerer betrüebnus, wellich im ire sünden vertraut haben. Der processus ist villeicht dem pfarrer an seiner sehlen nuz, dan die stadt
mues gestrafft werden, hergegen ist es vill hundterten ja unserer ganzen
religion schadt, werdens gwislich in vill jarn nicht ausleeschen, sollen
annders (wie man sagt) seine peccata ghen hoff füer die seculares khumen,
welliche, ob sy woll catholisch, dennoch allerlai zu betrachten ist (I). Er
ligt schwerlich gfangen und billich niemants ist, der sich seiner annimbt,
weill niemants recht wais, was er gethan, und last in zu khainer verantwortung khumen. Trag hefftig sorg, er werde sich hernach an andern örttern hefftig bekhlagen, das er aus scherff der gfenckhnus bekhennen hab müessen, das er sein lebelang nicht gedacht, hernach von
unnserer alten religion in dem zorn und bitterkhait ghar abweichen, sein
sehlen sambt villen tausent in agrundt der höllen füeren. Sed nolo ponere
os in coelum. Ich schreybe es E. G. in vertrauen aus dem christlichen
gmainen mitleiden, so ich mitt der khirchen und religion trag. Gott
wolle geben, das dise sachen on mehrere und grössere ergernus alls bisher beschehen hinausghebe, und thue E. G. hiemit seiner göttlichen
gnaden bevehlen. Datum Wien, den 17. augusti a. 84.

E. G. gehorsamer caplan

M. Khlesl m. p.

XI.

Wien, 1584 September 7.

Wolgeborner, gnediger herr. E. G. sein mein gehorsamb und schuldige dienst iederzeit zuvor. Gnediger herr, E. G. mitt aigner handt ausfüerlich und den 27 augusti datiert schreyben hab ich den 2. septembris
empfangen und mues doch bekhennen, das an E. G. ich nicht allain ainen
gnedigen herrn, sonder ainen vattern hab, weill E. G. so ghar apert und
treulich mitt mier handlen. Mügen mier E. G. in der warhait glauben,
das ich zum eusseristen betrüebt gwesen, allain derhalben das etwan der
argwohn werde beleiwen und ich zu khainer verantwortung gezogen
werden. Alls ich aber E. G. tröstlich schreyben gelesen, khan ich anderst nicht dan die warhait bekhennen, das mich solliches widerum auf-
gemundert und ein freihers gmüeth gmacht hatt. E. G. werden mier
sollich empfündligkhait hoffentlich allso versteehen, das ich thaills grosse

ursach gehabt, thaills aber derwegen weill ich auch ein mensch bin und menschliche passiones empfündte. Ich will mich mitt Gottes hilff in lehr und leben hinvorthan, wie bisher meiner mügligkhait nach allso verhalten, das E. G. in irem gnedigen vertrauen nicht allain sollen confirmiert werden, sonndern von tag zu tag darinnen zuenemen. Gegen I. D^t will ich mich nichts desto weniger entschuldtigen und die person, so auf mich soll etwas geredt und bekhendt haben, mier nambhafft zu machen underthenigist beghern, damit man erstlich mein unschuldt offentlich sehe, hernach auch khünne in erfahrung bringen den authorem, von wellichem sollich üble auflagen iren ursprung genumen, und denselben anndern zum exempl straffen. Es möchte sonnsten ein iedlicher böser bueb ainem ehrlichen man seines gfallens sein ehr abschneiden und darüber von bösen affectionierten leuthen gelobt und defendiert werden, wie in disem handl, alls E. G. khunfftig in erfahrung werden khumen, vill geschehen. Meines thaills bedanckh ich mich gehorsamblich gegen E. G. umb das gnedig vertrauen, so E. G. zu mier tragen; ich hab nichts welliches ich E. G. füer solliche wolthatt geben khundte, bin sonnsten mein lebelang in meinem gebett E. G. und den irigen verobligiert und bleiw es hinvorthan die zeit meines lebens. Es schaffen aber E. G. auch einmal was mitt mier, so werden sy erfahren, ob ich der wolthatt vergessen oder nicht. Ich wais aber woll, das E. G. von mier mehres nichts begehrn alls das ich derselben von mier gfasten gnedigen opinion ein gnüegen thue, dessen ich mich dan befleissen und füer E. G. wie bisher Gott den allmechtigen bitten will. Was dan meine sachen belangdt, die sein zu meiner ehr recht und woll aufgehalten worden, dan wan sy iezunt khumen, so ist es loco resolutionis, das I. M^t mitt mier gnedigst woll zufriden sein, allain trag ich sorg etliche möchten alhie sich be(fleissen) mich zu verhündern; aber dem allen werden E. G. woll füerzukhumen wissen.

Der auslauff alhie ist starckh und erstrecket sich über 2000 person. Ich hab woll zu predigen angf(angen), aber baldt ich von Zell[1] khumen, ist herr bischoff persuadiert worden, alls sollte ich wider in geprediget haben und hatt mier das predigen eingesteldt. Es wissen aber E. G. woll wie I. M^t noch vor 3 jarn die canzl bei S. Stephan zu versehen mier gnädigist bevohlen haben, wellichem bevelich ich meiner mügligkhait bisher nachgelebt, aber so offt haltt herr bischoff übl affectioniert, so hatt er mitten in meiner materia angefangen zu predigen und das volckh widerum verdriben. Das schreyb E. G. ich derhalben, wan etwas füerkhem das ich nicht prediget, damit sy mich wüsten füer entschuldtiget

---

[1] Wallfahrtsort Klein-Mariazell.

zu halten. Bin auch weitters zu predigen nicht gedacht, ich
von I. M⁺ die zeitt sontag und feurtäg wan ich predigen soll, s
ainmal des ewigen plagens und vexierens los. Allso hatt khai
nandus auch ein ordnung gmacht mitt dem pontificieren. Da
bischoff seine festa, wie auch der thumbprobst seine absonnderli
die er der herr bischoff gleichwoll wan es im gfellig mier auch
nimbt. Nun hatt es mitt herrn bischofen und thumbprobst alhi
nung, das der thumbprobst summo pontifici immediate undterw
darum der herr reverendissimus mitt im nichts zu bevelhen. Das
ursach zu erhaltung meiner privilegien, und das er mich so hartt
hinvorthan das zu thun was mier alls ainem thumbprobsten ge
hab 5 jar mich hefftig dubdet (!) und dissimuliert, ich sihe ab
die sachen nuer böser gmacht hab. Das schreyb E. G. ich in
gehorsam bittent, sy woltten dem herrn bischoffen davon
sinuiern, ich predig im landt ausser der statt in pace und sein
mitt mier zufriden.

Was den pfarherr bey S. Michael betrifft,[1] der hatt wede
torem noch advocatum, ligt noch und ist gfangen, bisher zu a
antwortung nicht gelassen worden, so khan ich nicht wissen, o
oder unrecht gschiecht. Das wais ich aber woll, dass der pueb
wider den pfarrer allen gelaugnet, darum der pfarrer quoad il
delictum coram consistorio per sententiam publice 4ᵃ die dec
absolviert worden, was aber adulterium et fornicationem, die
soll bekhendt haben, betrifft, hatt man in ad omnum in pane
in carcere zu bleiwen condemniert. Ich trag aber noch sorg,
khunfftig sich des proces halben sehr bekblagen alls hette er b
moessen, so im doch niemants ausser des knabens, so was ü
gesehen, fuergesteldt ist worden, allain was er selbst bekhenn
hatt er starckh betrogen, Gott verzeihe ime es, und in eine
schimpf gesezt. Was er nun gethan, so ist doch gwis, das er vill
ist, er ein sollicher, darumen in Gott dan billich züchtiget.

Auf der Zellerischen khirchfartt sein in die 10000 und
personen gwesen, und haben den maisten thaill communiciert.
dessen schuz E. G. ich bevelhen thue, mehr den catholischer
täglich, amen.

Datum Wien den 7. septembris a. 84.

E. G. gehorsamer caplan

M. Khles

[1] Vgl. Nr. X.

Gleich disen augenblickh khumbt mier podtschafft vom herrn bischoff, der last mich bitten widerum auf khunfftigen sontag über acht tag zu predigen. Mich möcht das arme volckh erbarmen, das ich ein übriges thätt, aber dennoch wier ich umb gwishait anhalten, weil mier der spott, dem volckh aber der grosse schaden offt geschehen ist, und er herr bischoff schier khain andern modum zur rach hatt alls disen. Ich pfleg aber in alweg E. G. rath, darum ich gehorsamblich bitten thue.

XII.

Stein, 1584 September 17.

Wolgeborner gnediger herr. E. G. sein mein gehorsam schuldig und willige dienst zuvor. Gnediger herr, was E. G. ich verschinen tagen meiner sachen halben geschriben, werden E. G. alberait empfangen haben. Bitt E. G. gehorsamblich, sy wollen meiner so groben empfündligkhait halben mitt mier ein mittleiden haben. Dan ich khum erst auf die spuer woher dises ist practiciert worden, und thuett mier desto weher, weill es meine nächsten und glaubensgnossen selbst gethan, welliche doch umb mein leben und lehr inwendig und auswendig wissen. Gott sey es aber alles bevohlen, weill ich dennoch sihe, das ich ex altera parte consolationem von denen empfahe, so dergleichen laster von mier nicht glauben.

Den 11. septembris hab bey I. F. D^t ich audientiam gehabt und meine sachen füerbracht, wie das werden E. G. aus hiebeigelegter meiner supplication vernemen. Gott lob, das auch I. D^t dergleichen unbilliche auflagen von mier, wie sy mier gesagt, nicht glauben khünnen, jedoch wollen sy mich zu meiner entschuldigung zuelassen. Es haben woll etliche dises I. D^t mier gethanes zuesagen wöllen verhündtern; weill aber der alt herr von Harrach[1] mein gnediger herr, den ich zuvor um Gottes willen gebetten, man woltte mich zu meiner verantwortung khumen lassen, starckh angehalten, ist es bey der F. D^t zuesagung verbliwen. Unnd erwartte also täglich iezunt wan mier dieselb von hoff aus werde überschickhet werden. Unndterdessen khan E. G. ich unverhalten nicht lassen, das mein gnediger fürst und herr der von Passau mitt dem aus Bairn auf ein neuhes in ainen grossen handl geratten,[2] wellicher khunfftig undter uns catholischen nicht wenig ergernus möchte anrichten, allso das weitters iezunt nicht dan die arma zu baiden seitten erfordert werden, wie es sich dan auf den schlag sehen lasset. Weill aber ich in meinem obensein bey

---

[1] Vgl. oben S. 500, Anm. 1.

[2] Es sind hier wohl die langwierigen Streitigkeiten wegen des Salzhandels gemeint; vgl. Buchinger, Geschichte des Fürstenthums Passau (1816), S. 329 f.

dem aus Bairn die sachen auf ein commission und zusamenkhunft bäderseitts räth gerichtet, dieselb auch auf khunfftigen 1. octobris irn forttgang nemen soll, haben mein gnediger fürst und herr der von Passau mich darzue bey aller lieb, so ich zu I. F. G. hab, erfordert, zugleich aus der canzlei alls durch seinen canzler mier lassen zueschreyben und mitt aigner handt selbst zuegeschriben. Es sein aber die sachen an ir selbst allso schwer, dass ich mich vill zu gering befündte, der sachen zu underwindten; sy sein auch so gferrlich, das sy sine laesione unius partis nicht woll khünnen abghen.

So ist die gferrligkhait der residenz zu Wien und in Austria so gros, das sy buespredigen und derer so sy sezen sollen, woll bedürfftig, sonnderlich zu Wien wierdt der auslauff so gros, das ich bona conscientia mitt dem herrn bischofen von Wien wie er mich auch bisher tractiert in ista differentia, was das predigen belangdt, nicht stehen, sonnder allenthalben nachgeben und gestern zu predigen anfahen wöllen, doch alles, damit ich mitler zeit khundte von hoff aus ein decision haben, auf das allerlai ergernus und schaden khunfftig verhüettet wurde. Es sterben auch die pfarrer im landt, wan ich nicht verhandten, so ist khain ordnung oder doch wenig. So hab ich allerlai religionshandlungen zu hoff anbringe gmacht, daran der religion nicht wenig gelegen, die ebenfals mein gegenwierdt haben wöllen, ausser diser sachen, welliche mein ehr und guetten namen anghehen, die ich durchaus tanquam persona publica nicht khan ligen lassen. Dise und andere bedenckhen haben mich bewegt, das ich mich nicht resolviern wöllen, sonnder meine schreyben, so von I. F. G. mier von Passau aus sein zuegeschickht worden, sambt disen meinen bedenckhen der F. D. erzherzog Ernsten durch den Jonasen I. D. camerdienern lassen zuekhumen, mitt undertheniger bitt, das sy mier an meinen gnedigen fürsten und herrn woltten ein schreyben erthailen, das sy mich wegen gehörter ursachen aus dem landt der zeitt nicht lassen khändten. Nachdem aber I. D. die schreyben gelesen, meine ursachen erwogen, haben sy sich gnedigist dahin resolviert, das sy den von Passau nicht wollen offendiern und in der wichtigen sachen lassen, mier allso fortzuzühen gnedigist erlaubt, wie ich dan gestarn den 16. dis alher ghen Stain ankhumen bin. Ich khan aber E. G. nicht verhalten, das ich unangesehen diser erlaubnus wegen viller bedenckhen in conscientia mea beschwert bin, sonderlich weill die sachen weltlich ist, gleichwoll ergernus auf sich tragt, das ich tempore tam periculoso soll so vill armer schäfl in Osterreich villeicht auf ein lange zeitt verlassen, bevor aber weill auch pater Georgius Scherer[1]

---

[1] Vgl. oben S. 504, Anm. 1.

I. D^t hoffprediger in Tyroll zu zühen erlaubnus bekhumen hatt und heutt, wie er mir gsagt, von Wien hinweck zühet. Wollte allso ghern das ich vom khayserlichen hoff aus durch ein starckh schreyben zum haimbzug vermahnet wurde, sachen halben, die I. M^t zu Wien mitt mier zu handlen gnedigist verordnet hetten, welliche meiner gegenwierdt alsbaldt durchaus erforderten, und khundten khaineswegs aufgehoben werden. Es wollten auch I. M^t weder von mier noch anndern ainige entschuldigung nicht annemen etc. Und hetten I. M^t hierinnen ghar recht, weill das seminarium und die visitation pur lautter auf mier allain iezunt beruhet, daran dem ganzen landt gelegen. Das aber dürfft nicht gemeldt werden.

Ich hette es dem alten herrn Trauttsam[1] ghern geschriben und E. G. verschonet, hab allain mich besorget, der alte herr möchte es annderst verstehen. Bitte aber E. G. gehorsamblich, so sy meine bedenckhen füer erheblich halten, sy wollten dergleichen schreyben auf Münichen zue zum allerehisten lassen von der khayserlichen canzlei mier zueferdtigen, damit ich nicht zu ainem bleiblichen commissario der ganzen sachen bis zum endt beyzuwohnen von bäden fürsten der religion zum höchsten schaden fürgenumen werde. Dan ich gwislichen in 3 monaten nicht woll wurde abkhumen mügen. E. G. khundten es mit herrn Trautsam meinem gnedigen herrn woll dahin dirigiern und khäm villen armen sehlen zu nuz und ewiger wolfartt. So es aber nicht sein khan, so erwartte ich doch wessen ich mich verhalten soll E. G. antwort.

Neuhes ist zu Wien nichts, allain das der pfarrer den 15. dises seinen sentenz empfangen auch von hoff, das es I. D^t bey des herrn bischoffen von Wien seinem sentenz gnedigist verbleiwen lassen. Ist allso wegen seiner gferrlichen und schweren khranckhait der gfenckhnus auf 6 wochen erlassen worden und wierdt in seinem pfarrhoff curiert. Gott geb im erkhandtnus seiner sünden und grosse gedult.

Des auslauffs halben hatt man von haus zu haus widerum eingesagt, und weill die von Wien in bestraffung der ungehorsamen was nachlässig gwesen, aigne commissarien verordnet, so die straff hinvorthan sollen füernemen. Ich hab von Prag meiner sachen halben noch nichts empfangen, ist daran nichts versaumbt, vielleicht hab ich das glückh in Bairlant, das ich mein khundtschafft, wie ich mich zu hoff verhalten, bekhume. Thue hiemit E. G. zusambt den irigen göttlichen gnaden bevehlen. Datum Stain, den 17. septembris a° 84.

E. G. gehorsamer caplan

M. Khlesl m. p.

---

[1] Vgl. oben S. 492, Anm. 6.

Wan E. G. aines neuen decani halben zu Wien wurde was für khumen, ainer Martinus Englhardt den ain capitl erwöllt, khan i gwissens halben nicht undterlassen E. G. in gehorsamen vertrauen z erindern, das derselbe aines pfaffen sohns, ain eheweib soll an im habe ungelert ist und zum regiern ghar nit tauglich.[1] Sonsten ist im cap mitt namen ainer Jacobus Schwendter[2] Viennensis juris utriusque doctu professor auf der universitet und so in etlichen commissionen ist gebrauc worden. Der hatt gelegenhait iezunt zum hohen stifft Passau zu trachte den haltte ich füer tauglich und er wurde sich gwislich brauchen lasse Bitt E. G. die wollen zu füerfallenter gelegenhait der thumbkirchen : nuz darauf gedacht sein, doch meiner unvermeldt.

XIII.

Passau, 1584 September 26.

Wolgeborner, gnediger herr. E. G. sein mein gehorsam schuld und willig diennst zuvor. Gnediger, E. G. ausfüerlich schreyben de 12. septembris zu Prag datiert hab ich den 26. dis empfangen. Kha E. G. gwislichen nicht schreyben, wie hoch auch dises ir schreyben mic getröst und erfreyt, dan wan ich alle meine dienst, so E. G. ich mei lebelang erzaigt, erwege, entgegen aber E. G. wolthatten, wier ich billic mein lebelang derselben schuldner bleiwen sollen, wie ich mich dan alle zeit dafüer erkhendt hab und bis an mein endt erkhenne. Ich hab wo aus grossen argumenten an E. G. lieb und gnedigen affection niemal zweiflen khünnen, bin aber in diser meiner gegenwierdigen grossen not noch mehr confirmiert worden, Gott im himel wölle es E. G. tausentfeldi bezallen.

Was dan I. Dt belangdt, werden E. G. mein schrifftlich anbringe schon empfangen haben; glaub ich werde wider derselben vätterliche rath nicht gethan haben, weill ich mehr mein unschuldt zu probiern ge- dacht, dan mich gegen ainigen menschen zu rechen. Den herrn bischofe zu Wien betreffent wollt Gott, E. G. sollten von andern ansehentliche personen wissen, wie er mich nun ganzer 5 jar nacheinander von de stund an, da er gesehen, das das gmain völckhl ein lieb zu mier bekhume. tractiert hatt, so wurden sy mit mier nicht allain ein mittleiden tragen,

---

[1] Dürfte trotzdem Domdechaut geworden sein, weil er in einem Decrete des päpstlichen Nuntius vom 15. Jänner 1590 als solcher genannt wird. Kopallik, a. a. O. II, S. 152.

[2] Dr. Jakob Schwendtner, Professor der Rechte an der Wiener Universität, Klosterrath (1586—1592). Wiedemann, a. a. O. II, S. 533.

sonnder sich villeicht verwundern, wie ich es bisher hab ausstehen khünnen und nicht vill mehr zu erledigung diser meiner bschwernus die von I. M^t mier angebottne mitl angenumen hab. Aber ich wollt unghern E. G. betrüeben, sonnder bin willig, wan E. G. mier noch mehrers sollten bevehlen, dan dises alles mitteinander meiner mügligkhait nach zu thun. Und hilfft mier Gott haimb, so sollen E. G. innen werden, das ich derselben willen alsbaldt will ins werckh setzen, predigen so lang ich khan und mag, damit das arm völckhlein diser unnserer privatdifferents nicht entgelte.

Wie ich dan eben deswegen E. G. zuegeschriben, damit ich von diser Bairischen tractation durch die kays. M^t widerum zu den armen Wienerischen schäfflein abgefordert wurde. Wie es nun E. G. füer guett ansihet, allso wöllen es E. G. deren wollgefallen dahin richten. Aber ich füer mein person will auf der weltt mehrers nichts beghern, dan das ich nach E. G. willen und wolgefallen mich möchte verhalten und das alles von irentwegen ghern thun, was sy mier werden bevelhen. Das überig mitt dem herrn bischoff will ich auch zu seiner zeitt anbringen, dan weder im noch mier vill weniger dem armen völckhlein gedient ist, das wier allso das predigen wechsln und deucht mich in warhait ein wunderbärliche raach sein, das man sich an dem armen man rechet der nichts verschuldt hatt.

Den pfarherr betreffent bey S. Michael,[1] soll fornicationem et adulterium bekhendt haben. Was die fornicatores in iure canonico füer ein straff, wie das concilium Trident. zu procediern füerschreybt, das alles werden E. G. bösser alls ich wissen. De adulteris haben wier dergleichen, doch das die circumstantiae woll betracht werden. Dem ist allso fornicatores et adulteros iudicabit Dominus; wie vill mehr sein wier verobligiert, und thue man mitt dem pfarrer was man wöll: si volumus considerare ipsum peccatum und wie schwerlich er Gott offendiert, hatt er es alles doppelt verschuldet. Allain weill vill seines gleichen und laider ghar zu vill, bin ich allezeit der mainung gwesen, man soll procediern mitt im, das man auch gegen andern dergleichen füernemen khan und gleiches recht halltten, damit khain affection nicht khünne vermuettet werden. So wissen E. G. hochverstendig woll sententiam sanctorum patrum in hac materia, das Gott über vill verhenget das sy fallen, ut habeant maiorem occasionem poenitendi, und tragen mitt anndern sündern grössers mittleiden, sein auch hinvorthan bey innen selbst nicht zu ermessen, wie wier dan in sacris literis et historiis herrliche exempl derer so von der

---

[1] Vgl. Nr. XI.

bues zu gnaden angenumen und füertreffliche leuth nachmalln worden
sein. Ich khundte auch aus meiner jurisdiction ainen auspundt guetter
leuth geben, die von mier irer fleischlichen mishandlungen halben starckh
gezichtiget worden, iezunt grossen frucht in der khirchen schaffen. Sonnsten ist mier khain mensch auf der weltt so unrecht gwesen alls diser
pfarrer. Er hatt mich in verdacht meiner ehr, umb mein gsundt und
schier thaills leben gebracht. Mier ist aber entgegen umb sein arme
sehlen laidt, item das er mitt vill schönen gnaden von Gott begabt ist
die er an anndern orten der khirchen zum besten anlegen khünnet, und
lezlich, das woll auch mitt anndern sündern ist gnadt geschehen, jedoch
wier ich füer in nimmermehr bitten, ob woll vil ansehentliche catholische
personen an mier gewesen. Wie er im gebett hatt, allso schlaff und lig
er. Weill ich aber mitt E. G. frey handle und Sy in mein person alle
macht haben, so lass ich mich von herzen ghern dieselbe weisen, wo ich
unrecht hab, und wais, E. G. werden mier dises mein gehorsambs vertrauen
zum besten vermerckhen.

Meine sachen die stehen alle an E. G.; wie sie dieselben machen,
allso ist es alles guett. Allain hab ich billich scrupulum, das E. G. gwis
sich meiner mehr annemen alls ires leiblichen befreundten ainen. Ich khan
doch nicht zallen, allain Gott bitt ich die zeit meines lebens, das er der
belohner will sein. Morgen früe zühe ich auf Münichen. Khumen I. M^t
schreyben an mich nicht, so wais Gott wan ich widerum zu haus khum.
Ich hoff aber I. M^t werden mier haimb helffen. Thue E. G. in den schutz
Gottes, mich aber zu derselben gnaden gehorsamblich bevehlen. Datum
Passau, den 26. sept. a. 84.

E. G. gehorsamer caplan

M. Khlesl m. p.

XIV.

Wien, 1584 October 31.

Wolgeborner, gnediger herr. E. G. sein mein gehorsam schuldig
diennst zuvor. Gnediger herr, E. G. den 29. septembris von Prag aus an
mich datiert schreyben hab ich zu Stain alls ich abents spatt von Passau
herab daselb bin ankhumen, woll den 16. octobris empfangen, daraus
E. G. ganz vätterlich gmüeth wie allezeit verstandten. Und wer mier auf
der weltt lieber nichts gewesen, dan das ich hette zu Wien mügen bleiben,
wie E. G. aus meinem an sy von Stain aus gethanem schreyben[1] und

---

[1] Vgl. Nr. XII.

begbern leichtlich haben abnemen khünnen. Ich bin aber von meinem
herrn dermassen so starckh auf alle lieb, so zu I. F. G. ich trag, mitt aigner
handt vermahnet worden, das ich ehrenthalben den sachen woll nicht
anderst hab thun mügen, wie es dan I. D⁺ selbst darfüer haben gehalten.
Ich bin aber Gott lob zu Wien gsundt und frisch ankhumen, hab auch
mitt Gottes hilff eben die sachen allso helffen neben andern richten, daran
bäde Ire F. G. hoffentlich woll zufriden sein werden. Der ganze streitt[1]
ist auf ein compromissum bschlossen, zum obmann hatt bäden fürsten
gfallen herr bischoff zu Augspurg. Allso hab E. G. ich auch der mhüe
überhebt des begherten von I. M⁺ an mich bevelich, dan wie E. G. vermelden alle sachen langsam vorttgben, wie ich dan heutt zu tag den er-
langten von I. M⁺ rathstitl nicht empfangen hab, wellichen herr Erstenberger[2] E. G. zu gehorsamen gfallen langst hette ferdtigen khünnen und
solliches I. D⁺ erindern, wie ich dan noch iezunt hoff, weill die bewilligung auf E. G. soonderliche commendation von I. M⁺ gnedigist beschehen,
er werde es auch nicht difficultieren, so wier ich gleich in disem meinem
handl etwas restituiert. Was aber meinen handl betrifft,[3] da sein mier
die artickhl den 28. octobris zuekhumen. Wie aber dieselben wie man
sagt auf den schrauffen gesteldt, das khain mensch so es ausgesagt, bey
dem namen, dan allain ein pueb genandt wierdt, khan E. G. davon ich nicht
gnuegsam schreyben. Summa, was ich in dem will anfahen, das mues
zur ergernus geraichen. Do es aber wider mein person in meinem abwesen gangen, so ist es alles evangelium gwesen, wier allso gepunden
und gspert, greiffe ichs da an, offendo principem, will ich dem andern zue,
so ghehet es über den herrn bischoff. Was ich thue, will bedenckhlich
sein. Wollte sonnsten disen pueben haben lassen ergreiffen und einzühen,
in und anndere personen auf ein neuhes examiniern lassen und noch
anndere vill personen füerstellen wöllen, wer der author so den khnaben
suborniert wöllen wissen, oder do er es von sich selbst gethan (wie ich
nit glaub) die gebürlich straff beghert, damit anndere böse pueben ein
exemplum nemen, khainer ehrlichen person ir ehr abzuschneiden. Was aber
dises alles füer ein erweiterung geben, die villeicht one ergernus nit hett
abghen mügen, haben E. G. verstendig woll zu erwegen, wan sy betrachten, wohin lezlich (wie man sagt) die schaitten hetten springen khünnen.

---

[1] Vgl. oben S. 517, Anm. 2.
[2] Dr. Andreas Erstenberger, Reichshofrathssecretär, Verfasser des Tractats
   de Autonomia. Moritz, a. a. O., S. 239 f.; Stieve, Briefe und Acten zur
   Geschichte des dreissigjährigen Krieges IV, 1878, S. 159 f.
[3] Vgl. Nr. XIII.

Ich hab aber hierinnen mehr dem eltern herrn von Harrach,[1] den ir
deshalben gefragt und in vertrauen mier hierinnen zu helffen gebetta
alls mier selbst und meiner affection volgen wöllen. Weil der bueb e
khindt und mier spöttlich wer, mitt ainem sollichen dergleichen gepra
anzuheben, solle ich mich in genere entschuldigen, welliches ich zu glückl
licher ankhunfft widerum ghen Wien I. D' Erzherzog Ernsten gleich all
übergeben will. Wie hoch mich aber das inwendig schmerzet, das ir
nicht gleiches recht haben soll, wais allain Gott im himel, der mein u
schuldt erkhennet; dem sey alle raach bevohlen. Haben E. G. ein b
denckhen, so bitt ich dieselb ganz gehorsamblich, sy wollen miers lassa
zuekhumen und mein gnediger herr wie allezeit sein und bleiwen. Neuh
wais ich nichts, dan die Osterreicher werden selbst ganze hauffen neuh
zeittung mittbringen. So bin ich nicht ghar zu lang hie, was aber i
abwesen I. D' verlauffen wierdt, will E. G. ich allezeit fleissig berichte
und E. G. in den schutz Gottes, mich aber zu derselben gnaden geho
samblich bevehlen. Datum Wien, den 31. octobris a. 84.

E. G. gehorsamer caplan

M. Khlesl m. p.

XV.

Wien, 1584 December 4.

Wolgeborner, gnediger herr. E. G. sein mein gehorsam schuldi
und willig dienst zuvor. Gnediger herr, das E. G. ich ein zeitt hero z
geschriben, ist die ursach, weill ich gewist, das E. G. in ihrem hohe
ambt sehr werden wegen I. D' und annderer fürsten occupiert sein. Weil
aber I. D' iezunt am haimbraisen sein, hab ich nicht wöllen undterlassa
bei E. G. mich mitt disem khlainen brieß gehorsam anzumelden. Und is
bey uns alhie neuhes nichts alls dises, so E. G. ich zuvor geschriben, u
sy one zweifl werden von den Wienern guette relation empfangen haben
das der auslauff laider ghen Inzerstorff nuer täglich grösser wierdt und schie
khain straff, wie auch dieselb namen haben möchte, helffen will. Allso is
der ander Geier[2] willens, zu Herrnals ein neuhe predig anzustellen, wie e
dan khurz verschinen wochen schon angriffen und versuecht hatt. Es las
auch mein khundtschafft, das er allain auf ainen predigkhandten warter
so möchte es hernach alhie noch übler zueghen. Was die sectischen pro
digkhandten belangdt, derer sein ein ganzer hauffen in den vorstätten alhie

[1] Vgl. oben S. 500, Anm. 1.
[2] Wilhelm Geyer. Topographie von Niederösterreich IV, S. 191.

so in die statt khumen, dauffen, trösten und sacramentiern die leuth. Niemants ist so darauf achtung gibt, und wan man es schon wais, so will niemants, wie man sagt, den fuchsen peissen. Ain thaill schiebt es auf den leittenambt, der will mitt seinen khnechten niemants angreiffen; diser auf die von Wien, die haben kkaine quardiam, et ita patitur religio. Was I. D' belangdt, nihil desideratur, ist alles stattlich und zum ansehentlichisten verordnet, aber niemants ist, so darauf halttet. Man soll die schuelen visitiern, die buechläden, die hevamen sub iuramento examiniern, wo sy die khünder hintragen zur tauff, die puechtrucker visitiern, die schädlichen psalmen und lieder in der statt abstellen; sed nihil horum fit. Das medium dadurch das volckh bisher thaills ist erhalten worden, nämblich durch fleissige bestellung der canzl, bey S. Michael ist khain pfarrer, bey den Dominicanern khain prediger, darzue das volckh ein naigung; bey Sanct Stephan ist mier das predigen vom herrn bischoven so weitt eingesteldt, das ich mehr nicht predigen soll, alls wan es im gfellig; daher iezunt der herr bischoff baldt aus den herrn jesuitern baldt ain octornarius prediget und wierdt das volckh dermassen irre, das sy nit wissen, wo sy hinghen sollen, wie sy dan herrn burgermaister, alls er etliche ires auslauffs halben zu redt gesteldt, eben auf den schlag geantwort haben, und herr burgermaister solliches herrn Beckhen [1] berichtet, wie er mier angezaigt. Was mein person, gnediger herr, belangdt, so wais unser herr im himel, das ich alle mier annerbottne dignitates allain derhalben ausgeschlagen hab, damit ich meinem vatterlant woll dienen möcht. Mier werden aber alle meine dienst iezunt füer ein hoffart und das ich mier bey dem gmainen man soll einen namen machen, vom herrn bischoven alhie ausgelegt und verstandten, wie er herr bischoff mier dan superioribus diebus, alls ich zu predigen beghert, durch ainen meiner leuth mitt mehrerm zu entpotten hatt. Nun perturbiert mich dises nicht so ghar sehr, ob ichs woll empfündte, weill der herr bischoff von der zeitt an er gesehen, das das volckh zu ime wenig und mier mehr naigung tragt, allso auch ich unwierdiger von I. M' ein zeitt bin gebraucht worden, allezeit mitt mier übl gestandten ist. Allain erbarmbt mich des volckhs, welliches ich müessig und sy mich wie einen frembten sehen herumzühen, und khlage es E. G. treulich, dan ich gwis wais, das sy mitt mier ein rechtes mitleiden haben und mier es gwislich nicht gunnen. Darumen mier auch desto ringer wierdt, wan ich es nuer khlagen darff. Bey anndern mues ich schweigen wegen der ergernus; bey E. G. hab ich weniger bedenckhen,

---

[1] Hieronymus Beck, Geheimrath. Wissgrill I, S. 329; Stieve, Briefe des Reichshofrathes Dr. G. Eder etc., S. 444.

dan E. G. khennen mich innen und aussen. Contra episcopum will mier nit gebüern zu reden; wan man aber wissen soll, wie ich nun 5 jar bis tractiert worden, möchten sich vielleicht vill dessen verwundern, wie ich so lang hette tragen khünnen. Ich wills aber dem bevehlen, wellicher unser aller herr ist, der wierdt es zu seiner zeitt woll disponiern. Bitt allain E. G. do man meiner zu redt wurde, warum ich nicht predige, sy woltten mich allso gnedig füer sich selbst entschuldtiget haben und auch bey anndern, wo es die gelegenhait gab, mein gnediger herr sein und mich entschuldigen, auch alles das was E. G. von mier in diser und annderen sachen zu thun beghern, liberrime mitt mier schaffen, will gwislich E. G. und allen, so meine ursachen nicht füer erheblich halten, ghern gehorsamen.

Was aber belangdt die religion auf dem landt, da ghehet es in warhait auch übl zue, bey unns catholischen sein ergerliche und böse haushalter, an wellichen weder straff noch ichtes anders hilfft. Die maisten schlaffen und sein in ainen dieffen schlaff gefallen, davon sy nit wöllen aufgemundtert werden. Anndere sein nicht verhandten, und niemants gibt dessen achtung. De seminario[1] videtur altum esse silentium, und wierdt auf ein neuhes ghar auf das weitt mör zu ainer lengern berathschlagung gezogen. Die statt und märckht bleiwen sectisch den mehrern thaills, haben und haltten ire predighhandten. Khlagt man, so will man innen unser khlag allezeit zu irer verautwortung zueschickhen. Wer wollt seines lebens sicher sein in die leng und do sy ainen gleich umbrächten, bliwen sy nichts desto weniger halsstärrig, daher auch wier lezlich was anzubringen hohe bedencklhen haben. Die mandata principis sein auch bey den stätten so gering worden, das sy wenig darauf geben, sonnder selbst regiern, khaine catholische burger aufnemen und do sy auf ainen einen argwohn haben, so lang an im peissen, bis er selbst mues hinweckh zühen. Allso ghehet niemants in die pfarrkhirchen, halten starckh auf einander, molestierr die priester und haltten sy so hartt, das sy auf den pfarrn nicht wöllen bleiwen. Und sein sonnderlich Stain und Khrembs, S. Pöldten do der richter neuhlich ainen priester in ain (salvo honore zu melden) in ' gaisstall durch dem schergen legen lassen, und do I. D' ime und andern bevohlen bey der catholischen religion zu halten, so baldt er nuer haimbkhumen, hatt er die burgerschafft gfordert und ein neuhes juramentum das sy bey der Augspurger'schen confession sterben und bleiwen wöllen. aufgenumen. Allso ist Ipps, Neustadt und der marckh Mödling. Die landtleuth wo die pfarrn uns catholischen, die undtterthanen aber innen

_____
[1] Vgl. oben S. 512, Anm. 2.

zuegehören, halten sy in iren schlössern predigkhandten und nötten ire underthanen hineinzughen. So bleibt der pfarrer allain in der khirchen. Item sy verhezen die underthanen, das sy innen den zehent nit geben, sonder dem predigkhandten im schlos. Will der priester khlagen, so ist er des lebens nicht sicher; khlagt er nicht, so khan er sich nicht erhalten. So lassen sy die pfarrn ligen und zühen hinweckh. Allso wo filiala sein, so zu den catholischen pfarrn gehören und ligen bey iren underthanen, die zühen sy ein. Item wo allain beneficia gestifft, thun sy dergleichen und setzen predigkhandten darein; da müessen die underthanen gleichesfals hinghen, die pfarrer aber ire gerechtigkhaidten verlieren. Item sy pauen von grundt auf zu den catholischen pfarrkhirchen neue synagogen. Was ire underthanen sein, die müessen alle darein ghen und die catholische khirchen, darein sy gepfart, meiden. Allso haben sy neuhe freudthöff in ainer grossen anzall, alles zur schmellerung der catholischen khirchen aufgerichtet. Das alles mues die concession deckhen. Und do man sy bekhlagt wie ich meinem gwissen nach gethan und thue, so mues man nit zwai oder trei jar, sonder etlich haben, ehe man ainige resolution bekhumen mag. Ist dieselb wider sy, so haben sy widerum etliche jar; interim sterben wier, die sachen werden verlegt und meniglich darob unlustig. Das schreyb E. G. ich khürzlich, aber hoffentlich mitt ainem sollichen grundt, das ich nichts schreyb, welliches E. G. I. M[t] nit selbst lesen und ich in specie probiern khündte. Allso werden E. G. selbst schliessen khunnen, wie die sectischen per indirectum unser liebes vatterlant ganz und ghar werden infiriern und undter sich bringen, das es niemants wierdt acht nemen, allain dise, wellliche dergleichen sachen täglich tractiern, aufmerckhen und behalten. Wie ich mier dan gänzlich füergenumen, das zu annotiern, durch was lüst der böse geist dises unnser vatterlant in glaubenssachen undter sich zu bringen befleist. Und wierdt in substantia gwis nichts anderst sein alls E. G. ich iezunt angedeutt hab, damit man nach meinem tott dennoch fünde, das ich nicht ghar in disem landt das brott umbsonnsten geessen hab.

Was meine sachen betreffent,[1] stehen gnediger herr dieselben allso: weill der pueb alle sachen, so er wider mich ausgesagt, seiner ansehentlichen freundtschafft, welliche in auf mein beghern in meinem beisein examiniert, laugnet, und andere authores, von wellichen er das zu sagen angelernt worden sein sollt, so begher ich zu gwisser erkhundigung der warhait von I. D[t] commissarien, wellichen den pueben auf ein neuhes güettig und wo die nit wollt hafften mitt der scharff examiniern sollen.

---

[1] Vgl. Nr. XIV.

Was sy nun in der aussag wierdt befünden, darnach will ich mein schrifften stöllen. Und werden E. G. aus diser ainigen action hoffentlich sehen, wie man mitt mier in meinem abwesen umbgangen ist und wie ghern man mich in disen schändlichen dingen, davor mich Gott mein lebelang behüetten wölle, ergriffen hette. Aber sy werden zu schandten werden, das sy all ir argumentum auf aines unbestendtigen und leichtferdtigen probens, wellicher heutt wider mich, morgen wider andere und sy selbst redet, gestelt und gesezt haben. Das aber alles bleibt E. G. alls meinem gnedigen herrn hernach zum endt diser sachen unverborgen.

Das E. G. sich meiner wegen der probstei Ardackher[1] so vätterlich und treulich angenumen haben, dessen thue ich mich gehorsamblich bedanckhen, und wais ghar woll, das E. G. an irem fleis gwislichen nichts haben erwinden lassen. Wie mich aber I. M[t] ausgeschlossen und ain weltliche person so umb die khirchen das geringist noch nit verdient füergezogen haben,[2] wais ich nicht, mues es gleich Gott bevehlen, weill I. M[t] mitt mier und uns allen zu schaffen haben. Ob es mier aber inwendig nicht soll wee thun, mügen E. G. alls ein hochverstendiger abnemen, wan sy betrachten, das ich bey der religion gsundt, iugenth, wolfartt und (one rhum zu melden) mein leben zuegesezt hab. Mein einkhumen wissen E. G., herr Trauttsam[3] und meniglich. Nun mues ich mich weill es geschehen nuer willig darein geben, und wer zufriden, wan ich nur wiste, das es nicht aus ainer ungnadt oder dises meines handls geschehen wer. Zur ungnadt hab ich mitt wissen nit ursach geben, in meinem handl bin ich noch niemalln gehört worden, mich aber der purgation angebotten und deswegen ghen Wien khumen, wie ich dan alberait im werckh bin. Befündt es sich allso wie man mich undüchtig bezügen, da gib I. M[t] ich mich zu straffen khain ordnung. Sie schaffen mich zum landt aus oder lassen mier anndern zum exempl meine recht thun. Wo aber nit, so woltte ich dennoch gehorsamist gebetten haben, I. M[t] die erzaigten mier alls irem unwierdigem underthan, das sy mein allergnedigister herr wären, damit ich ainmall den bösen zungen ire meuller möchte stopfen, und meniglich so von mier schreyben und reden zu schandten machen. Der rathstitl ist mir woll bewilliget, aber davon nichts zuekhumen. Fallet etwas füer, weill es yhe mit diser probstei verlorn, so bitt E. G. ich gehorsamb-

---

[1] Vgl. oben S. 512, Anm. 1.
[2] Nach Oswald Grütler's Tode folgte im Jahre 1585 Andreas Birk, Magister der freien Künste und Erzieher der Prinzen des Erzherzogs Maximilian; Friess, Geschichte des einstigen Collegiatstiftes Ardagger, Archiv für österreichische Geschichte XLVI, 1871, S. 419.
[3] Vgl. oben S. 492, Anm. 6.

lich, sy wollen in disem und andern noch wie zuvor allezeitt mein gnediger herr sein; will mich in meiner vocation vermütls gottlicher gnaden allso verhalten, daran E. G. hoffentlich sollen zufriden sein.

Der wegen seiner leichtferdtikhaiten bey S. Michael entsezte pfarrer[1] ist den 1. decembris umb essenzeitt wie ein böswicht entrunnen, ein schreyben zusambt ainem neuhen schlüssl mitt wellichem er sich ledig gemacht auf dem tisch undter im verlassen. Das schreyben lauttet an herrn bischoff, der inhalt aber desselben ist mier unbewüst. Wo er hin sey, varia dicuntur, aber ich bin der mainung, er werde auf Sachsen in sein patriam gezogen sein, und daselb villeicht an sehl und leib verderben. Die frau Unverzagtin[2] ist den 4. tag decembris umb 2 uhr nach mittem tag verschiden, derer Gott wöll gnedig sein. Der sterben ist bey uns etwas leidlichers, gleichwoll die zeitten zimblich verrenderlich, grosse khelten und jähliche wärm, stinckhete und grosse warme windt, feucht und dergleichen. Gott in dessen schuz E. G. ich bevehlen thue, wöll sich unserer.aller erbarmen, amen. Datum Wien, den 6. decembris a. 84.

E. G. gehorsamer caplan

Melchior Khlesl m. p.
Praepositus Viennensis.

XVI.

Wien, 1585 Jänner 10.

Hoch und wolgeborner, gnediger herr. E. G. wünsche ich von Gott dem allmechtigen ein freidenreiches neuhes jar, das sy dises ganze jar mitt sambt allen den irigen in sancta pace et benedictione Dei leben, die khirchen befüerden und in allen iren sachen guetten forttgang haben khünnen. Meiner gehorsamen affection nach woltte ich ghern vill wünschen, sy ist aber weitt grösser alls ich mitt wortten expliciern und schreyben khan; sy werden vill mehr das guett gmüett, dan mehrere ausfüerung ansehen. Euer Gnaden schreyben, den 24. decembris des 84. jar zu Prag datiert, hab ich den 3. januarii dis 85. jar mitt freiden empfangen und den inhalt magna mea consolatione verstandten. Wais in warhait nicht, gnediger herr, wie ich gnuegsam mich möcht bedanckhen, dan wan niemants ist, der mitt mier ein mittleiden tragt, so khumen E. G. allezeit und wöllen mich on trost nicht lassen. Ob ich woll etwas E. G. bevelich und gnädigen willen gethan, ist doch solliches ratione

---

[1] Vgl. Nr. XIII.
[2] Gattin des Hofsecretärs Wolf von Unverzagt.

officii mei geschehen und von E. G. langst doppelt verdienet worde
Was sy nur iezunt thun, das ist alles gnadt, die ich nimmer bezall
khan, Gott aber der reichist vergeltte es E. G. auch reichlich. Wie mi
meine nächste freundt in meinem abwesen haben angriffen,[1] wissen E.
mehr dan zu woll, aber wie Gott den unschuldigen nicht last zuschand
werden, allso haben die F. D. sich gnedigist auf mein eingebrachte wi
hafftige entschuldigung Gott lob resolviert, wie E. G. aus hiebeigelegi
I. D^t resolution gnedig zu sehen haben. Unnd wiewoll mier auf der we
lieber nichts wär gwesen, dan das ich die commission den pueben
examiniern, hette erlangen khünnen, wie dan derselb alberait in mein
beisein von der freundtschafft über die wider mich eingebrachte articl
examiniert worden ist, die authores wer in angelernet haben sollt, dur
was scharffe und linde er bewegt worden, so hab ich doch zu vermeidu
schwerer ergernus dan auch I. D^t zu sondern gehorsamen, ehrn und al
derer authoritet, so hierdurch hetten mügen offendiert werden, schwind
und fallen lassen. Gott ist der recht richter, der wierdt zu seiner ze
alles erthailen, dem will ich alle raach haimbgesteldt haben und gwisli
hierinnen E. G. treulich und gehorsamblich vollgen. Do aber E. G. au
mein entschuldigungschrifft beghern, will ich dieselb ghern schickhe
    Was nun den herrn bischoven allhie zu Wien belangdt,[2] da gla
ich woll, er werde sein sachen durch seinen guetten freundt ainen allen
halben zu Prag ghar guett und recht gmacht haben, weill er gewist, qu
altera pars non sit praesens. Aber E. G. khennen mich Gott lob allso d
ich mier nicht fürchte, wer auch was bey E. G. gsagt haben möcht; d
das wissen E. G., wie schimpflich ich nun 5 ganzer jar vom herrn bisch
ven alhie bin tractiert worden und wie ich allezeit ad evitandum sca
dalum hab an mich gehalten und alle sachen dissimuliert, aber dan
nuer sovill erhalten, das wolgemelter herr bischoff allerlai imperia in me
person gsuecht, von der canzl wan und so offt es im gfallen gestosse
dadurch das arme völckhlein ist verwirret und geergert worden. Und d
dreiht er iezunt mitt mier schon etliche monath, allso das ich zu verhü
tung allerlai verdachts bey dem gmainem volckh zu der heilligen zeit m
erlaubnus der F. D. aus der statt in ainem marckh Khirchperg[3] genan
zu herrn Fugger[4] hab zühen und daselb predigen müessen, Gott k
nicht one frucht. Wider den herrn bischoff gebüert mier tanquam i
feriori nicht zu schreyben, es werden aber es E. G. hoffentlich von annde

---

[1] Vgl. Nr. X.
[2] Vgl. Nr. XV.
[3] Kirchberg am Wagram.
[4] Vgl. oben S. 492, Anm. 2.

erfarn, wie mitt mier umbgangen und gehandlet wierdt. Ich referier mich
auf I. D' selbst, alten[1] und jungen herrn von Harrach,[2] auch anndere
I. D' räth, wie ich mich leiden mues. Res est plana et manifesta, das
nicht allain ich, sonnder alle anndere, seitt herr Unverzagt[3] von Prag
khumen, von herrn bischoven khain guett wortt haben. Aber alles hind-
angesezt, haben E. G. bei mier nicht zu bitten, sonnder mitt mier zu
schaffen, unnd verhais derselben hiemitt, das ich mich gegen dem herrn
bischoff allso freundlich und christlich will erzaigen, wie ich dan istis
argumentis bisher suam benevolentiam aller mügligkhait nach gesuecht
und doch nicht erhalten khünnen, das herr bischoff billich soll on khlag
und E. G. mitt mier woll zufriden sein, allain das mein privilegiis dadurch
nichts entzogen und alle mein arbait vergebens geacht werde. Hab nuer
sorg, ich werde villeicht so wenig alls bisher richten, dan wo der herr
bischoff wais, das er innerhalb 3 monatt so perfectus in omnibus rebus
worden, das er auch khünnet geistlicher praesident und noch mehrers
werden, wierdt er gwislich khainem menschen weichen; will an mier,
gnediger herr, nichts manglen lassen, damit ad minimum ich E. G. beghern ein gnüegen thue.

Den auslauff stellet man der mügligkhait nach fortiter et suaviter
ab. Gott geb auch, das die canzl alhie allso besezt sein, wie villeicht
annderer ortten von Wien ghen Prag gschriben wierdt. Pater Joannes[4]
hatt sein guettes audithorium et cum fructu, die anndern sein allso besezt, das der gmain' man etwas mehrers begheert. Mehr will ich nit
schreyben dan ich bin diser sachen interessiert. Das seminarium[5] will
ich wider dreiben, es möcht sich aber an dem stossen, das wier nicht alle
aines sinnes sein; dan wie mier der Unverzagt neublich gsagt, so wölle
sich herr bischoff neben meiner nicht brauchen lassen. Das stelle ich
Gott haimb, tröste mich dessen, das herr bischoff khain andere ursach
alls istam opinionem hatt, ime werde es alles recht gehaissen. Will mich
aber dennoch accomodiern und sovill müglich nit lassen feundt sein.
Was den rathstitl gnediger herr belangdt, ob derselb woll von I. M' mier
ist bewilliget worden und zu rettung meiner unschuldt hoc tempore mier

[1] Vgl. oben S. 500, Anm. 1.

[2] Leonhardt (V.) von Harrach; vgl. Wissgrill, IV, S. 154.

[3] Vgl. oben S. 497, Anm. 4.

[4] Es ist der Jesuitenpater und Hofprediger Erzherzog Karls, Johannes
Reinel, gemeint. Eder an Herzog Wilhelm, Wien, 19. März 1585 (München, Reichsarchiv, Oesterr. Religions- und Correspondenzacten XII,
fol. 212).

[5] Vgl. oben S. 526, Anm. 1.

sehr dienstlich sein möchte, trag ich doch sorg, ich werde denselben schwerlich bekhumen khünnen; dan ich (!) die vermuettung man werd mich nicht allerdings woll comendiert haben. Ich will aber an E. G. ghu nicht zweiflen, unangesehen was andere übl comendiern, werden sy mie in zum neuhen jar schickhen, wan es annderst sein khan und nicht ander bedenckhen eingfallen.

Die buechläden hebt man an zu visitiern, bin der hoffnung, da sachen sollen algemach in meliorem statum nach dem landtag gebrach werden. Anndere sachen auf dem landt stehen woll was gferrlich un bedüerffen grosser aufmerckhung, wie E. G. ich zuvor auch ad longum g schriben; will an meiner person, wo ich nuer helffen wier khünnen, nicht manglen lassen. Gott verleihe mier und allen, so helffen mügen, seu göttlichen segen darzue, das sy es alles willig und allain zu seiner eu thun. Und thue E. G. Gott dem allmechtigen, mich aber zu derselben gnaden gehorsamblich bevehlen. Datum Wien den 10. januarii a. 85.

E. G. gehorsamer caplan

Melchior Khlesl m. p.

XVII.

Wien, 1585 März 4.

Hoch und wolgeborner gnediger herr. E. G. sein mein gehorsamb schuldig und willige dienst zuvor. Gnediger herr, E. G. den 9. febr. zu Prag datiert schreyben hab ich den 18. desselben monats empfangen. Hett alsbaldt darauf geantwort, so haben mich die tractation mitt dem prälaten-standt, ersezung der pfarr Raabs,[1] mitt wellichen ich immerzue occupier gwesen, daran verhündtert; bitt derhalben E. G. umb verzeihung. Da nebens soll ich mich woll bedanckhen, das E. G. in meiner aignen sachen so starckh alls wan sy ir aigen wer occupiert sein; weill aber die gnade so hoch das ich nuer lenger und mehr schuldig wier, mues ich nuer Got bitten, das er alls der reichiste dise grosse schuldt mitt seinen gnade zallen wölle. Es ist nicht weniger, das mier an disem ratstitl der zeit vill gelegen, dan dadurch wier ich in vilweg restituiert und mache die n schandten, welliche vermainen, das I. M[t] mitt mier nit zufriden ode das ich diser losen des gwesten pfarrers sachen[2] interessiert sey. Weil

---

[1] Der Pfarrer Jakob Strigl wurde seiner Stelle seines ärgerlichen Lebens wandels wegen enthoben und Anton Stromair am 22. Februar von Kle dort installiert. Geschichtliche Beilagen zu den Consistorial-Currende der Diöcese St. Pölten I (1878), S. 288 f.

[2] Vgl. Nr. XV.

es aber nunmehr, wie der alt herr Trautsam[1] mier schreybt, zu dem
khumen, das es allain an der ferdtigung gelegen, khan E. G. in gehorsamen hohem vertrauen ich nit pergen, das ich von Prag aus dessen bin
avisiert worden, alls sollte herr canzler[2] gleichwoll die ferdtigung aber
doch in comuni forma, weill khain supplication verhandten, bevohlen
haben. Bitt demnach, E. G. wollen bey dem herrn vicecanzler das böste
thun, wie ich im dan selbst geschriben, meiner zu gedenckhen; dan mier
ist ein mehrere ehr und gnadt, das I. M⁺ proprio motu mier was bewilligen, alls wan ich hette suppliciert. Ich mach mier ghar khainen zweifl,
do herr vicecanzler wierdt wissen, das E. G. mier solliche gnadt gunnen
und ghern befüerdert sehen, er werde den stilum in meliori forma bevehlen, damit ich mich dessen trösten und erfreihen khünnet. Woltte es
ghern um E. G. verdienen, fündte mich aber wie vorgemelt zu wenig,
weill ich one das E. G. gehorsamer caplan bleiwe weill ich leb.

Mitt herrn bischoffen[3] von Wien hab ich mich ganz und ghar verglichen, und bin mitt I. Hochw. woll zufrieden, wie ich dan dieselb alweg
billich geehrt hab, was mier auch füer ungelegenhaiten zuegestandten.
Wais auch nicht anderst I. Hochwierden werden mitt mier ganz woll zufriden sein, in bedenckhung ich mitt den predigen (darumen nicht ein
khlainer stritt sein wöllen) bin gewichen und las den herrn bischoven in
propria ecclesia billich seinen cathedram. Hette mich dessen niemallns
auch undterfangen, do ich nicht ordentlich auf I. D⁺ bevelich mitt woler-
meltes herrn bischoven vorwissen, damit dem auslauff möcht gwehrt werden, dasselb thun müessen. Sonnsten bin ich alls ein thumbprobst zu Wien
zu dem predigambt ja nit verbunden, darum die thumbprobstei was ring,
und. ein iedlicher thumbprobst so anderst ein wenig seinen standt halten
will, anndere gelegenhaiten suechen mues, wie ich selbst mitt herrn
bischoven von Passau gethan hab. Gott wölle uns in disem verstandt
erhalten und den bösen leuthen, so allain an aller unainigkhait schuldig,
steuren und gnediglich wehren, amen.

Mitt den praelaten stehe ich noch in der tractation, das ich alle ire
pfarrer, so aines gottlosen lebens sein, unverhündtert irer privilegien
straffen und visitiern khünne, damit allso im landt undter den geistlichen
ein feine forcht und gleichait möchte angesteldt werden. Khan aber auf
dato noch nichts richten, allain hab ich etliche gefangen, so sy mitt mier
einlassen wöllen. Verhoff dis werckh soltte unnserer heilligen religion
sehr nuzlich sein.

---

[1] Vgl. oben S. 492, Anm. 6.
[2] Ist natürlich der Vicekanzler Viehäuser. Vgl. oben S. 509, Anm. 2.
[3] Vgl. Nr. XV.

Allso hab ich den ansehentlichen pfarrer zu Raabs seiner pfarr.
umb das er aines gottlosen lebens gwesen, entsezt und der ganzen Pa-
sauerischen diocoes verwisen, dieselb aber mitt ainem catholischen exem-
plarischen priester mitt vorwissen der F. D^t meines gnedigisten herrn
ersezet.[1] Will nicht feiern, auch die anndern, wan nuer leuth verhandten
anzugreiffen und innen ein mehrere sorg machen.

Das seminarium[2] stehet in bonis terminis; verhoffe wier solle
dise täg zur sachen greiffen, darzue ich auf I. D^t bevelich allerlai prae-
pariert hab. Gott verleihe disem ansehentlichen werckh dermalln aine
feinen forttgang.

Auf khunfftige wochen, wills Gott, soll ich den marckh Hörnnburg[3]
auf gnediges ersuchen herzog Wilhälmb aus Bairn[4] meines gnedigen
fürsten und herrn (weill diser marckh dem Abbten von Farnbach[5] u
Bairn ligendt zuegehörig) und dan auch auf sonndere I. D^t erzherzog Ernsten gnedigiste verordnung in die catholische disciplin nemen,[6] und wo
dan nicht will, mitt guetten und bösen wortten, ja auch mitt der zuestif-
tung, wo es nott, straffen etc., welliches ich mitt göttlichem beistandt ins
werckh zu richten gedacht bin. Thue E. G. hernach meiner verrichtung
relation. Sonnsten pfleg ich ann sontägen in den nächsten dörffern und
märckhten bey Wien und dan auch auf den raisen in den stätten zu predigen, sihe den maisten thaill zum catholischen glauben woll genaigt,
allain sein nicht arbaiter verhandten, wie dan alhie in der statt selbst zu
sehen, da noch heutiges tags khain pfarrer bey S. Michael khan gefunden
werden, do es doch hoc sacro tempore die eusserist nott wär. Alhie ist
der auslauff zimblich starckh, hoff aber, er solle nach dem landtag abnemen. In der statt alhie lassen sich vill predigkhandten sehen, welliche
in winckhln zimblich schaden thun, wie vor wenig tagen ainer gestorben
Hoff, man werde dem wirtt so in aufgehalten seinen lohn geben. Die landtleuth sein mitt gwalt heillig worden zu diser fasnacht und wöllen ires
glauben schier herausnöttigen, glaub sy werden nicht aufhören, bis sy
die schedliche concession, welliche vill hundterttausent sehlen schon verfüert, auch verloren haben; das geb Gott, amen.

---

[1] Vgl. oben S. 532, Anm. 1.

[2] Vgl. oben S. 531, Anm. 5.

[3] Markt Herzogenburg in Niederösterreich.

[4] Wilhelm V. der Fromme. Vgl. Riezler, Geschichte Baierns IV (1899).
S. 625 f.

[5] Benedictinerabtei Formbach, welche hier vom Ende des 12. Jahrhunderts
bis zur Aufhebung derselben im Jahre 1804 die Grundherrschaft besass

[6] Klesl war auch am 7. und 28. d. M. in Herzogenburg Hammer-Pur-
stall, Khlesl's Leben I, Urkunde Nr. 44.

Die von Khrembs und Stain haltten in iren heusern in die 6 predigkhandten auf, lassen mich khlagen und I. D' schaffen, sy thun was sy
wöllen. Das ist die andatia derer vermainten evangelischen. Heutt hab
I. D' ich übergeben dise landtleuth, so noch den neuhen calender nicht
haltten, darundter herr landtmarschalch[1] und Helmat Gerger[2] die ersten
sein. Summa die flaccianer nemen in disem landt dermassen überhandt,
das E. G. nit glauben khünnen. Dise nennen I. M' mitt namen ainen
tyrannen auf der canzl und vill mehr; hab sorg, wierdt man nicht baldt
wehren, die sachen werden sy so weitt einreissen, das man nimmer wierdt
weren khünnen. Und so vill hab E. G. ich in religionssachen iezunt occu-
piern und mein herz lären wöllen. Thue E. G. zusambt allen den irigen
in den schuz Gottes bevehlen. Datum Wien, den 4. martii a. 85.

E. G. gehorsamer caplan

Melchior Khlesl m. p.

XVIII.

Wien, 1585 Mai 23.

Hoch und wolgeborner, gnediger herr. E. G. sein mein gehorsam
schuldig und willig dienst zuvor, gnediger herr. Das E. G. meinem vettern
so gnedig erlaubt, mier auch wie bisher alle gnaden anbeutt, bedanckh
ich mich gehorsamblich, und hab es bisher im werckh allso erfahrn, das
ich wie offt gemeldt bis in mein grueben ein schuldner bleiw. Ich hab
gnediger herr an E. G. affection niemalln zweiflet, und das ich vitulum
cum titulo nicht hab empfangen, daran haben E. G. khain schuldt, dan
es gwislich an irem gnedigen willen und starckher bemühung nit ge-
manglet. Gott wierdt es zu seiner zeit mier zum haill wie bisher alles
disponiern, allain wöllen E. G. zu fuerfallenter gelegenhait, damit ich
meiner bschwernus etwas möcht enthebt werden, meiner in irem memorial nit vergessen. Will mich gwislich der kbirchen mitt beistandt
göttlicher gnaden allso arbaitsam erzaigen, das E. G. ir commendation
und befüerderung nicht gereuhen soll.

Die religionssachen stehen bey uns in der statt alhie zimblich woll,
wan nuer die nachgesezte obrigkhait etwas embsigers sein woltt. Auf dem
landt aber will es nicht recht forttgbehen; wir werden haltt von der
schändlichen concession allenthalben verhündtert, und khan der auslauff
nirgents gewehrt werden. Legt man ainem thaill was auf, so zaigt der-

---

[1] Rogendorf.
[2] Vgl. oben S. 491, Anm. 3.

selb auf zehen ander die eben das thun, und ist nit möglich, das der
schöne waizen undter disem so grossen unkhrautt soll aufghehen. So
geben wir thaills ursach, dan laider iezunt, wo I. M¹ pfandtschilling ver-
khauffen, so geben sy die pfarrn und armen sehlen mitteinander hin,
deren exempl ich etlich erzellen woltt, gnueg sey die ainig herrschafft
Grienau, so Helmät Gerger¹ ist geben worden, wellicher den catholischen
priester alsbaldt veriagt und ainen sectischen eingesezt hatt, darumen
sich alle underthanen gegen dem von Passau ganz erbärmblich und ausfüerlich bschwert. Aber da ghehet aines nach dem andern nobis dor-
mientibus laider hinweckh, und weill ich dis E. G. in gehorsamen vertrauen zueschreyb, bitt E. G. ich umb Gottes willen, sy wollen ad partem
I. M¹ avisiern. In warhait ist es ein schwere und wichtige gwissens-
sachen, wan die sehlen am iüngsten tag werden rach schreyhen; daran
ainmall khain mensch schuldig ist alls die obrigkhait, darum in denen
sachen grosses nachfragens bedüerfftig. Die congregationes rurales per
Austriam inferiorem hab ich angesteldt, und bin willens den 4. junii die
erste zu Rez, alda ich 146 priester hinbeschriben, halten. Gott wölle
sein gedeien geben. Was alda verricht, bleibt E. G. unverborgen. Das
seminarium,² sine quo nihil fiet, bleibt schon in die 3ᵗ wochen bey herrn
bischoffen von Wien, wellicher seiner schwachait halben die commissarien
nicht khan zusamenbringen. Glaub der böse feundt werde es noch ein
etliche jar verhündtern, und Gott uns zur straff verhengen. Ich will aber
zu sollicitiern nicht aufhören; Gott, in dessen schuz E. G. ich bevilich,
wölle sein benedeiung darzue verleihen. Datum Wien, den 23. mai a. 85.

E. G. gehorsamer caplan

Melchior Khlesl m. p.

XIX.

Wien, 1587 Jänner 2.

Hoch und wolgeborner gnediger herr. E. G. sein neben wünschung
aines freydenraichen neuhen jars mein gehorsam schuldig und willig
dienst zuvor. Gnädiger herr, E. G. antwortschreyben hab ich mitt freyden empfangen und bedanckh mich des ganz gnädigen erbietens, will es
umb E. G. und derselben zugethanen in meinem armen gebett gegen Gott
meiner mügligkhait verdienen. Was aber das ortt und die statt, welliche
vom hussitischen zum pickhardischen glauben gfallen und derselben

---

¹ Vgl. oben S. 491, Anm. 3.
² Vgl. oben S. 354, Anm. 2.

namen belangdt, hab E. G. ich geschriben und ist mier laidt, das ich aus der behmischen landtagsproposition, die ich mitt allem fleis angehört, mehr nicht gelernet hab, dan das man mein behmische schrifft nicht lösen khan. Das ortt haist Schäslau, do der Schiscka, so Behaimb verhört, begraben ligt.[1] Das ist allererst, wie in meinem vorigen schreyben angedeutet wierdt, neuhlich abgefallen, und haben sy I. M.t gwislichen annderst nichts alls annderer stätt volg und was alsdan füer inconvenientia aus derselben bluetdierstigen sect der pickharditen herfleust, zu getrösten; dem allen nun werden E. G. füerzukhumen wissen, weill sy auch bey denen in Märhern ein landtman sein.

Der pfarrer zu Nickholspurg ist bey mier gwesen und umb befüerderung angehalten. Ich hab im aber von E. G. wegen so grob abgedanckht, das gwislich E. G. weder schrifft: noch mündlich villeicht nit gethan. Der arm man erkhennet sein grobhait ghar woll und wierdt mitt schaden wizig. Ich hab gesehen, das der guett man in seinem sün ghar zu gelert und bey sich selbst verständig ist; ist haltt ein Tyroler, denen man, sonnderlich weill er die bewüsten jar noch nicht erraicht hatt, etwas passiern möcht. Es hatt herr doctor Eder[2] mier seinethalben zuegeschriben und mitt mier auch selbst geredt. Bäde befünden wier das er gros unrecht ist und woll aines schärffern proces verdient hett. Weill aber E. G. gmüett, lieb, naigung und sanfftmuett nicht allain so sy gegen den priestern sonnder allen anndern füeren, meniglich bekhandt, und weder diser noch vill höhere alls diser pfarrer ist, an irem guetten namen und aiffer, welichen sy in siglung und forttpflansung der catholischen khirchen haben, nichts schädliches oder verclienerliches thun khan, auch nicht thun wierdt, hieltten wier füer rathsamb, E. G. möchten ime aus sonndern gnaden und damit er nicht in khlainmüetigkhait khumb, allain dessen khundtschafft erthailen, worinnen er sich erbär und woll verhaltten hatt. Damit wurden sy ime glüende kholl auf sein haubt samblen, das bös mitt guettem vergeltten, die gerechtigkhait mitt der gnaden mildern, ime sein böses maull (welliches gleichwoll E. G. nichts schaden khan) stopfen und annderen priestern ain herz machen, das sy desto lieber E. G. dienen wurden. Das hab ich aus der erbarmnus und mitleiden, so ich mitt disem gfallnen priester trag, E. G. gehorsamblich wöllen zueschreyben, die werden es hoffentlich mitt gnaden von mier aufnemen.

---

[1] Das Grabmal des Hussitenfeldherrn Johann Ziska von Trocnow († 1424), das sich in der Peter- und Paulskirche zu Časlau befand, wurde 1623 auf kaiserlichen Befehl abgebrochen.
[2] Vgl. oben S. 492, Anm. 4.

Alhie ist der landtag Gott lob g
hatt die khayserliche resolution[1] unns
Saull zu poden geschlagen, und do sy ū
herz gefast, so khumbt der tott und
und aurigam ires ganzen wesens hinwec
Weill dan zu erhaltung der catholisch
ist, dan das die predigkhandten, so
ferdtigung allerlai revers gehalten wer
I. M[t] ine aus dem landt schaffen, die
haltten, mitt gleicher münz bezallen,
Diser sachen haben wier ainen anfan
gelegtem revers copi abzunemen. Un
die sachen alle tag bösser fortt, wie
sechs predigkhandten auf khunfftige
welliche das revers aintweders ferdtigen
Darauf haben sy nun I. M[t] gnädigis
diser predigkhandt reversiert. Jezunt
im landt vor der handt, die wöllen I.
die personen, welliche sy in aussern rath
mitt irem nämen zu wissen beghern, da
catholischen lustig und sine strepitu b
woll schwär an, aber sy geben sich will
der mitl alls der gehorsam vor der hand
Stain und Ipps khain statt oder marckh
welliche nicht iren catholischen stattrich
und Stain, S. Pölden, Zwetl, Waidthov
Closterneuburg, Prugg, Langenleus, Pe
alle ire catholische marckh- und stattsc
achtens zur religionsreformation nicht ei
auch nun hinvorthan khain underthan
aidt, das er der khais. M[t] in religionssa
nemen die catholischen auf, die annd
catholischen noch 900 und etlich und f
der gegenthail aber nuer 165. Hetten
den predigkhanten allenthalben angst
das faist von den pfarrn nemen, das übe

---

[1] Es ist ohne Zweifel die kaiserliche R
1586 gemeint, welche den Ständen
Niederösterreichisches Landesarchiv,
[2] Christian Thalhammer, Landschaftsse

schaittl geben, das sy sich khaum erhalten khünnen, daher die maisten grobe, ainfeltige, ungelante und schlechte leuth sein, die ire herrn die ganze wochen zu allerhandt arbait gebrauchen. Summa, ich sihe haltt, wo nuer I. M⁺ das religionwesen angreiffen, so gibt Gott wider aller menschlichen vernunfft gnadt und sterckh, entgegen yhe mehr man dem gegenthail nachsihet und respectiert, desto vermessner und sterckher werden sy tag und nacht. Daher ich mier khainen zweifl mach, das die K. M⁺ noch mitt iren augen werden sehen, welliches herr ehn und vatter[1] unmüglich geachtet haben. Allain will es vonnötten sein, das wier auf dis werckh guette und unverdrossne achtung geben, dan der sy in engl des lichts verwandlet, ghehet umb die zeitt des schlafs herum und suechet wen er müge verschlingen. Es ist in warhait alles reiff und grosse zeitt zum schnidt, wan man nuer raum machet und schnidter per seminarium verordnet. Zu fürchten ist niemants, dan die feundt fürchten sy, cum habeant malam causam und Gott innen die forcht schickhet; sollen wier uns auch fürchten, so wurden sy forttfahren und uns verwundten, vill auch zu tott schlagen. Das schreyb E. G. ich derhalben zue, weill es die warhait selbst ist, E. G. sich mit uns zu freihen ursach haben, Gott danckh sagen, loben und preisen, qui haec omnia fecit, lezlich damit E. G. allenthalben wo sy nuer erschrockhne leuth hören inflammiern khünnen, dise heillige sachen befüerdern helffen, ut in proposito sancto persistamus, weder auf rechte noch linckhe seitten weichen, sed per medium svaviter forttfaren. Alhie zu Wien laider will es abnemen, nicht allain in khirchen allenthalben, sonnder das man wider hizige und sectische personen so woll in innern alls aussern rath befüerdert, welliches den catholischen schlechte hoffnung, den sectischen aber freidt, vermessenhait und in irem irthum zu verharren grossen trost machet. Woher aber dis khumbt, da wais ich ghar nichts, weill ich mich alhie in geistlichen sachen aus villen ursachen, die E. G. ich thails alhie vermeldt hab, nicht einmische. Ich will aber zu Gott hoffen, es werde auch hie bösser werden. Ich bin iezunt ein zeitt wegen der rathswahl, so im landt geschehen, alhie; so baldt aber dieselben füerüber werden sein (welliches vor lichtmes nicht wierdt geschehen), so wil ich mich in Gottes namen widerum auf das landt begeben. Bisher bin ich nirgents hingeraiset, allain hatt die frau Khuenin[2] etlich und sechtzig flaccianische böse halsstärrige verschmizte paurn gehabt, die sich catholisch gesteldt, inwendig aber mehr als ich verhoffen khünnen

---

[1] Kaiser Ferdinand I. und Maximilian II.

[2] Wird wohl Maria Magdalena Khuen, die Witwe des 1581 verstorbenen Freiherrn Rudolf Khuen-Belasy sein. Vgl. Wissgrill V, S. 111.

inficiert gwesen, welliche aber alle innerhalb 8 tagen durch Gottes gnad
zum catholischen glauben sein bekherdt, absolviert und comuniciert wor
den. Jezunt haben I. D^t etliche burger von Pruckh füer mich geschafft.
Was Gott mitt innen wierdt wirckhen, schreyb E. G. zu irem trost icl
hernach. Gott in dessen schuz ich E. G. und die irige bevehlen thue
verleihe allenthalben sein gnadt und segen, amen. Datum Wien, dei
2. jan. a. 87.

E. G. gehorsamer caplan

M. Khlesl m. p.

XX.

Wien, 1587 Februar 7.

Hoch und wolgeborner herr. E. G. sein mein gehorsam schuldiş
und willig diennst zuvor. Gnädiger herr, das E. G. den pfarrer zu Nickhls
purg herrn doctoris Ederi[2] auch meiner intercession geniessen lassen
dessen thue ich mich gegen E. G. gehorsamblich bedanckhen, der tröst
lichen hofnung und zuversicht, das es E. G. nit wierdt reuhen, dan menig
lich bewüst wer E. G. sein, und wierdt diser schlechte man E. G. so weniş
schaden khünnen, das er noch in sein gwissen ghen und von herzen wa
er aus grober ainfalt begangen laidt tragen wierdt. Mier gebüert gnädi
ger herr nicht zu urthailen, aber mier will danebens derer leuth, so sich
von der weltt ganz und ghar begeben, intention, process und wesen yhe
lenger yhe weniger gfallen, dan eben auf disen schlag hatt Pater Scherer[1]
neuhlich die Hausseckische bekherung, wie sich daselb die paurn zum
glauben begeben, in truck verferdtiget.[4] Gott geb, das es guetter mai
nung geschehe, aber ich fündte es gwislich nit allso. Patri Michaeli[5]
ist zu Regenspurg vom capitl das predigen im thumb eingesteldt worden,
und khumbt nach ostern ghen Khrembs, so er doch auf $^1/_3$ jar ghen
Regenspurg ist deputiert worden. Allso wurde er ein bösen hoffprediger

---

[1] Erzherzogliches Decret vom 26. December 1586. Pröll, Die Gegenrefor
mation in der landesfürstlichen Stadt Bruck a. d. L., 1897, S. 71.

[2] Vgl. oben S. 492, Anm. 4.

[3] Vgl. oben S. 504, Anm. 1.

[4] Ursachen der Bekehrung der Herrschafft Ober und Nider Hausseck im
hochlöbl. Erzherzogthumb Oesterreich u. d. E. so vom Lutherthumb dar
innen sie hievor uber 26 Jar leider gesteckt, widerumb zum uralten
alleinseligmachenden catholischen Glauben die nechst verschinen Fasten
und Osterzeit dises jetzt schwebenden 1586. Jars Gott lob gebracht wor
den. Gepredigt durch G. Scherer . . . Ingolstadt 1586. 4°.

[5] Es ist wohl P. Michael Alvarez gemeint, der kaiserlicher Beichtvater
war. Wiedemann I, S. 245.

abgeben, sonnderlich auf dem reichstag. Meinem gedunckhen sein das
die bösten leuth, si in vocatione sua permanserint; so baldt sy aber wöllen
regieren, so thuett es nit allezeit guett. Das schreyb E. G. ich in vertrauen, bin sonsten der irige und derselb stirb ich.

Die religionssachen wöllen alhie nit zum bösten forttghen, dan die
maisten hochzeiten werden zu Vesendorff[1] copuliert, so schleichen die
predigkhandten ghar in die statt. Burgermaister last alles ghen, was
auch I. D' bevehlen. Es will auch woll an fleissiger sollicitatur, ernst
und unverdrossenen aiffer vill erwündten, wellicher gleichesfals von villen
beghert wierdt und hoffentlich hoch nuzen möcht. Mier aber will nicht
gebüren in frembte jurisdiction zu greiffen.

Der rath zu Ybbs, Stain, S. Pöldten und etliche burger von
Khrembs sein auf mein anhalten alher erfordert worden, damit sy berichten, wessen sy in religionssachen hinvorthan resolviert, damit sy von
irem irthumb abstehen und zum catholischen glauben möchten persuadiert
werden. Wie es nun Gott schickht, sein E. G. fuer gwis, das ich es in
truckh nicht las ausghen; sy wären gwislichen sonsten die ersten, wan
ichs aus irem bevelich nicht thun soll, die miers fuer ein hoffart verstund-
ten und aufraiteten. Ich woltt dennoch Gott lob sonst etliche khünnen
in truckh geben, wan es Gott nit durch mich armen sünder gethan hett.

Was E. G. von den stattschreybern andeuten, ist die warhait selbst,
das sy das landt verfüert haben, daher wier Gott lob alle stattschreyber
so sectisch aus den stätten gehebt, stehet allain an dem stattschreyber
von Ypps, der soll gwislicher zu I. D' ankhunfft auch den sackh haben.

So ist khain statt ausser Khrembs, Stain und Ypps, darinnen nicht
ein katholischer richter wär. Die predigkhandten herrn Job Hartmans
von Trautmanstorff, des von Prag, herrn Helmät Gergers, Weiskhirchers,
Senfftenberg und herrn Tonrädls sein zu ferdtigung des revers erfordert;
thun sy es nicht, so stehet innen das landt offen. Sein noch achte im
register, die will ich zu seiner zeitt, wan die anndern abgeferdtigt sein,
auch anbringen.

Denen stätt und märckhten ist vor 2 jarn auferlegt worden, das
sy quatemerlich, wie sy die religionssachen bey innen anlassen, wen sy zu
burger annemen, die F. D' berichten sollen, welliches sy aber bisher nicht
gethan, dessen ich mich neuhlich bey I. D' underthänigist bschwärt und
beghert hab, innen iren ungehorsamb mitt ernst zu verweisen und dahin-
zuhalten, das sy dem vorigen auflagen entlich woll nachkhumen. Welliches
I. D' begherter massen gnedigist bewilliget und die ausferdtigung allso ins

---

[1] Vgl. oben S. 495, Anm. 1.

werckh zu richten gnedigist bevohlen. Ich sihe, das im ganzen la[r]
forcht ist. Lasset man nuer ainmal nach, so haben wiers verloren; fa[r]
man aber fortt in Gottes namen, so ist causa Dei erhalten und sc[h]
alles zum schnidt beraitet. War ist es, das es zu zeitten verdrus gibt, a[l]
alle ding sein leicht, wan man gedenckht, das Gottes ehr interessiert, [c]
nach disem das ewig leben geben wierdt. Weill dan E. G. iezunt m
I. D[t] zu reden guette gelegenhait, werden sy hoffentlich derselben ai[f]
gehorsamist rhüemen und zur bständtigkhait vermahnen. Das alles wie[r]
der religion zum bösten khumen. Allso data occasione bitt E. G. ich
woltten I. D[t] mich zum besten commendiern, das I. D[t] sehen, das der
herr von Diettrickhstain mein gnädiger herr und patronus sey.

In meiner sachen[1] und wie es mier ghehet, will E. G. ich dis[n]
nit behelligen, sonder die offension abbeissen lassen, hernach aber [v]
zu E. G. ich umb getreuhen rath flüehen, auf das ich mein gelegenh
allso anstellen khundt, damit ich der khirchen Gottes bösser und fridlich[e]
vorstehen möcht. Damit thue E. G. ich in den schuz Gottes, mich a[l]
zu derselben gnaden gehorsamblich bevehlen. Wien, den 7. febr. a. [?]

E. G. gehorsamer caplan

M. Khlesl m. p.

XXI.

Wien, 1587 April 1

Hoch und wohlgeborner gnädiger herr. E. G. sein mein gehors[am]
schuldig und willige diennst zuvor. Gnädiger herr, E. G. hab ich vor [e]
zeitt in meiner aignen sachen zuegeschriben, und weill ich so hohes [g]
horsambliches vertrauen in dieselben seze, gebette(n) mier darin[n]
zurathen und zu helffen. Darauf ich aber bis daher khain antwort [?]
khumen; bin aber tröstlicher hoffnung Eur G. werden es alberait e
pfangen haben und sy vill mehr wichtige geschäfft, die heillige zeitt [u]
das sy mitt irem herrn sohn gnuegsam zu thun, alls etwas annde
davon abgehalten haben. Undterdessen khumbt mier von herrn P[?]
Sixten Trautsam,[2] Röm. khays. M[t] rath und hoffmarschalch etc. nun sc[h]
zum anndernmal schreyben, darinnen I. G. mier abermaln die hoffca
füerschlagen und antragen, zu wellicher ich mich mehrmaln untaugl
erkhennet hab und noch allso befündte, welliches E. G. ich in gehorsa[m]

---

[1] Vgl. XVII.
[2] Paul Sixt Freiherr von Trautson, Sohn des Geheimrathes Johann (l
    Geheimrath, Obersthofmarschall, Reichshofrathspräsident. Vgl. Allgeme
    deutsche Biographie XXXVIII, 1894, S. 522 f.

vertrauen communiciern wöllen, ohne zweifl dieselben werden schon langst deswegen ein wissenschafft gehabt haben; weill sy mier aber davon niemaln was geschriben, hab ich es gleich selbst wagen sollen. Bis daher ist Trautsam von mier dises puncts halben nicht beantwort worden, weill ich allezeit verhofft, E. G. antwortschreyben wurden mier zuekhumen, damit ich mich mitt mehrerm fundament hette erkhlären khünnen. Es wissen aber E. G. wessen ich mich tandem aliquando nach so vill erlidtnem schmerzen gedacht und allain an dem stehe, wie ich etwan bey I. M¹ die sachen zum füeglichisten, damit mier weder ungnadt noch auch ainige üble vermuetung daraus entsprunge, angreiffen möcht. Das wär mier das liebste meiner sehlen und gwissen auch das allerböste. Dan solte ich I. M¹ hoff continue beiwohnen; haben E. G. leichtlich abzunemen, das ich vill tausent sehlen negligieret, in bedenckhung ich so wenig alls zuvor ainigen successorem bekhumen khan. Leichtlich fündte ich ainen officialem, aber der das geistlich und die religion bey den stätt und märckhten im landt tractieret, das ist schwärer alls ich selbst vermaint hab. So sein die sachen iezunt weitt gferrlicher alls im anfang, weill Gott lob der allerhöchste täglich sein gnadt sichtiglich gibt, daher sich der böse feundt desto mehr bearbeitet, dis zu verhündtern. Ich wais, das I. G. der herr Trautsamb solliches mier zu ehrn und zum bösten vermainen, damit ich allso mit lieb vom herrn bischoffen ledig und bey meinem landtsfürsten sein, auch dem vatterlant desto reichlicher dienen khünne, wie mier dan nit zweiflet, herr bischoff wurde mich in ainer anndern khirchen, die im selbst darzue gfellig wär, hernach ghern predigen lassen und zufriden sein, weill I. M¹ mitt dem sich offentlich erkhlärten, das sy mitt mier gnädigist woll zufriden wären. Wie aber E. G. zum allerbösten wissen, was es füer difficultates zu bäden thailen hatt, und wie ich wegen des vatterlants schuldig bisher meine aigne sachen ghern beiseits gesezt; aber ich woltt haltt ghern niemants offendiern; sonnder mich gegen meinem landtsfürsten alle die zeit maines lebens underthänigist danckhpär erzaigen, danebens auch mein gwissen allso dirigiern, damit ich vor Gottes angsicht bstehen khundte. Weill dan zu E. G. ich die zeit meines lebens mein gehorsam vertrauen seze, allso bitt ich dieselb zum höchsten, sy wollten mier mitt rath und hilff gnädig beistehen. Dessen wierdt der allmächtige hoffentlich reichlicher belohner sein, und ich thue E. G. mich zu dero gnaden gehorsamblich bevehlen. Datum Wien, 1. aprilis a. 87.

E. G. gehorsamer caplan

M. Khlesl m. p.

Bitt E. G. die wollen mein gehorsam vertrauen bey ir behalten. den herrn Trautsam hab ich mehr nit alls nuer umb lengern bedacht geschriben, weill E. G. ich gebetten, die sachen bey I. M. dahin zu disponiern helffen, damit ich harnach guetten bschaidt erlangen khunde. Bey I. D⁴ will ich es auch aabringen, so hab mitt dem alten herrn von Harrach[1] ich alberait bey I. D⁴ mich zu comendiern auch schon gehandlt und gebetten.

XXII.

Wien, 1587 April 25.

Hoch und wolgeborner, gnädiger herr. E. G. sein mein gehorsam schuldig und willige diennst zuvor. Gnädiger herr, derselben an mich ganz gnädig und vätterlich ausfüerlich schreyben hab ich zu Mölckh empfangen und wie E. G. ich ohne das alle die täg meines lebens verobligirt bleiw, allso erkhenne ich miech alle tag mehr schuldig, in erwegung E. G. ainmal mitt iren leiblichen söhnen mehrers und annderst nichts als wie sy mitt mier thun handlen khundten. Gott wöll es alles bezallen, dan ich darzue vill zu wenig bin. Was aber die sachen selbst anlangdt, hab E. G. ich hievor geschriben, auf was weis ich ghern die K. M⁴ praeoccupiert sähe, derentwegen ich mich so woll zu I. D⁴ alls dem herrn von Harrach[2] gehorsamist eingesteldt und um erlangung meines intents gebetten hab. Sollen aber I. M⁴ deswegen offendiert werden oder ichtes anderst auf mich vermuetten, wär es mier vill bösser, das ich niemaln daran gedacht, dan I. M⁴ mitt ainem unzeitigen beghern importuniert hett. Der hoffstand, wie E. G. zum bösten wissen, hab ich mier vorzustehen niemalln getraut, wie auch noch nicht; neben und bey derselben sein allerlai bedenckhen allmaln eingfallen, füernemblich aber das ich nit, in dem ich rhue und gelegenhait suchet, mier die höchste unrhue und meiner sehlen ungelegenhait schaffet, in dem vill tausent armer sehlen villeicht wären zu grundt gangen, welliche alle die gnadt Gottes erhalten und aufgenummen hat, dem allain ehr und lob sey in ewigkhait. Nun es aber laider umb main person ein solliche gelegenhait bekhumen, dass ich one grosse gfarr meiner sehlen und bschwernus meines gwissens ainmal lenger weder bleiwen noch mich allso schimpflich und unaufherrlich bey so grosser meiner arbait und mhüeseligkhait so ich nun in das achte jar hab tractiern lassen khan, mier auch khunfftig mein ehr und wolstandt darauf beruhet, wolte ich von dem allmächtigen wünschen, I. M⁴ wären bonis mediis dahin zu

---

[1] Vgl. oben S. 500, Anm. 1.

[2] Ebendaselbst.

vermügen, damit ich, weill ich noch in gnaden, mitt fridt und rhue zu meiner pfarr und canonicat gnädigist gelassen wurde. Dan Gott im himel wais es, das dise mein resolution mier von ganzem meinem herzen ghehet, ist auch billich das der weniger dem maisten weiche. Soll ich aber füer I. M^t mitt dergleichen beghern khumen, dieselb offendiern oder zu ungleichem gedenckhen und ungnädigister affection bringen, ist mier vill bösser ich schweig und bitte Gott, das er mier andere mitl zu salvierung dises meines gwissens eingeben wöll. Soll ich aber im landt diser meiner vocation und grossen arbait bleiwen, so ist es mier ainmal, do es auch mein leben khosten soll, allso zu thun nit müglich. E. G. bekhenne ich schuldig, das ia ein guetter schnidt ist, aber wie diser herr bischoff Urbanus[1] töttlich ist, allso möchte sich auch unnser alhieiges regiment verändern und villeicht den forttgang nicht wie iezunt haben, ich aber mitt doppelter ruetten gestrichen werden. Dem allen nun ich billich nachdenckhe, inn sonderhait das vill sachen auf des herrn von Passau seitten richtig, welliche bey I. M^t disputierlich et e diverso sein, die gleichwol bis daher meiner mügligkhait nach in der mitten gehandlet und den fridt erhalten hab. Aber weill nicht alle zeiten gleich wie auch die sachen undterschiden sein, woltte ich derselben zeitt nicht ghern erwartten. So khan ich in isto gradu et hac occasione neben dem herrn bischoven hie ghar nicht bestehen, wiewoll ich mich aller ergernus enthalte und auf seine schimpfliche tractationen gegen niemants was füernimb, sonnder khlag es Gott und denen, so mier helffen khünnen, will auch noch nichts thun, sonnder den herrn bischoven ehrn und wie billich seinem ambt fridlich abwartten lassen. Woltte Gott er der herr bischov wär in gleichem auch gegen mier gesinnet. War ist es, wie E. G. schreyben und ich mitt derselben wünschet, das ich bäden, I. M. und dem ganzen landt dienen khundte, so trag ich khainen zweifl alle sachen wurden sich bösser halltten und baldt mitt der gnadt Gottes zu rhue khumen. Wie es aber sein khundte, davon khan ich, weill es mier unmüglich füerkhumbt, nicht discurriern, trag allain sorg, do wier bäde allso stättes beieinander bliwen, es möchte in die leng die gedult brechen, weill ich khain engl sonnder auch ein mensch bin. Der hoffcanzl hab ich mich sonnsten bey mier aus nott, do ich das erste ghar nicht erlangen khundte, so vill resolviert, das ich khainer handlung, do ich annderst nit ghar bschwärt wier, weill die condition iezunt nicht wie zuvor ist, zuwider sein will, mit meiner schrifftlichen resolution aber so lang innen hallten, bis E. G. mir widerum rathen, oder die F. D^t alher ghen Wien khumen, dan ich befündt, das es

---

[1] Von Passau.

E. G. gans gnädig und vätterlich mitt mier mainen, deren ich mich z
gnaden gehorsamblich thue bevehlen. Datum Wien, den 25. aprilis a. 87.

E. G. gehórsamer caplan

M. Khlesl m. p.

XXIII.

Hoch- und wolgeborner, gnädiger herr. E. G. sein mein gehorsam
schuldig und willig diennst zuvor. Gnädiger herr, ich bin den 16. juni
um 9 uhr in der nacht alher khumen und den haubtman also abend
nicht importuniern, sonder allain E. G. brief schickhen wöllen. Ob man
der guett ehrlich man woll schon in seiner rhue gelegen, ist er nit allain
aufgstandten, sonnder auch zu mier khumen, sich dermassen von E. G.
wegen höflich und woll erzaigt, das er mich umb zwölffe in der nacht mit
sambt dem von E. G. mier vertrauten iungen Khuen in das schloss geführt
und dasselb über nacht beherbergt. Interim khunabt I. D¹ curier, ersucht
mich zuruckh, der tractiert mich mitt reutten dermassen, das ich mich
weder rüeren noch pflegen hab khännen. Allso haben I. D¹ mich bis und
2 gestern aufgehalten, da ich khain viertlstundt bin müessig gwest,
die ich allain mich gegen derselben E. G. zu bedanckhen angelegt hätt.
Bitt allso gehorsamblich um verzeihung. Nicht weniger hatt herr haubtman wie ein getreuer hausvatter in meinem abwesen an den meinen gethan. Gott bezalle es E. G. tausendfeltig, dan ich bin mitt so vill bene-
fitiis von E. G. überhaufft, das ichs weder gnuegsamb verdanckhen noch
verdienen khan. Ich will iezunt fortt, damitt I. D¹ bevelich von mier
ein gehorsamist gnüegen geschehe. Weill aber der brief nit sicher ghabt,
schreyb E. G. ich hernach, wils Gott, derselb wölle ir das padt segnen
und seiner khirchen haill ad multos annos woll anschlagen lassen.
amen. Thue E. G. mich gehorsamblich bevehlen. Datum Nikhlspurg, den
18. junii a. 87.

E. G. gehorsamer caplan

M. Khlesl m. p.

Das höchste hab ich vergessen, der caplan ist der und ainer an-
sehentlichern pfarr wierdig. E. G. trauen mier darum und nemen in auf
mich an. Ich will dem officialn zu Olmüz davon sagen. E. G. mögen
frölich befüerdern.

XXIV.

Hoch und wolgeborner gnädiger herr, E. G. sein mein gehorsamb schuldig und willig diennst zuvor. Gnädiger herr, ich bin den 23. junii zur Neiss in der Schlesien glückhlich ankhumen, von dem herrn bischoven auch wegen der alten khundschafft ansehentlich und stattlich empfangen worden, vill mehr aber hernach, do I. F. G. befundten, warum ich hinein gezogen und aus was bevelich solliches geschehen sey. Eben disen tag ist auch der Scotus khumen, wellicher mitt treien guttschi ghar stattlich in Poln verraiset. Zu der Neiss bin ich gebliwen a vigilia Petri et Pauli bis auf den 27. junii sag ich a vigilia S. Joannis Baptistae, die maiste zeit aber ghar übl aufgewesen, ja dermassen erschlagen, das ich nit ghen mügen, sonder mich meine diener haben weisen müessen, ist aber Gott lob was bössers worden. Herr bischoff hatt an mier starckh das ich nach Preslau verraisen sollt angehalten. Aber weill ich nit von mier selbst I. F. G. haimbzusuechen, sonder aus bevelich I. Dt khumen, bin ich den 27. junii widerum verraiset, und heutt alhie zu Znämb ankhumen. Euer G. khünnen nit glauben was füer ein lutherischer weg ist, den ich mein lebelang nie geraiset bin; wan ich umb 3 frue auf bin und fahr bis auf sechse abents ausser des mittagmals, khan ich mitt 4 rossen den ganzen tag über 4 maill nicht fahren, ich aber muess den maisten weg zu fuess ghen, das ist ein khirchfartt ohne verdiennst, dan ich zu zeitten inpatiens bin. Von Znämb soll ich auf I. Dt bevelich hinauf ghen Passau verraisen, da möchte ich nun ein zeitt nicht ghen Wien khumen, mier allso E. G. beraubt wider all mein verhoffen und fallet mier alle freudt in prunnen, auch aller trost, den ich in meinen aignen sachen bey E. G. gesuecht hette, der ghehet mitt der ungelegenhait hinweckh, welliches ich Gott kblag und bevilich, der wierdt es zu seiner zeit umb mich bösser schickhen, ich aber bitte E. G. die wollen meiner nit vergessen, und wie ich einmal aus diser sachen khämb, mier auch möchte gehollfen werden, gnädig gedenckhen; ich will mich gegen E. G. mitt meinem armen gebett und der ganzen religion allso danckhpär erzaigen, das E. G. irer mhüe nicht reuhen sollt. Hienebens, gnädiger herr, schick E. G. ich ainen form des abschidts, wellicher dem Ingolstätterischen licentiaten möchte gegeben werden, alles zu E. G. verbösserung, dan ich in im wirttshaus auf der rais gesteldt, damit sy dises mans dermaln ains los wurden. Der haubtman zu Nickhlspurg hatt mier von ainem buech, so er herr Christoph von der pfarr vorhalten sollt, anzaigt, wär ich der mainung, E. G. möchten den abschidt, bis er die restitution gethan, zuruckh halltten. Den stifftbrieff betreffent mues mitt E. G. ich zuvor noch reden, alsdan will

ich mein ainfalt ghern verfassen. Jezunt wais i
E. G. ich in den schuz Gottes, mich aber zu
Datum Znämb, den 1. juli a. 87.

E. G. gehorsamer caplan

XXV.
Wi

Hoch und wolgeborner gnädiger herr, E.
schuldig und willig diennst zuvor. Gnädiger herr,
mich den 29. augusti zu Prag datiert hab ich d
gen und wie ich allezeit E. G. füer meinen gnädig
gehalten, allso hab ich in in disem negotio erfahrn
brauchten aiffers ganz gehorsamblich, Gott den a
bittent, das er E. G. dises und anders reichlich w
aber danebens nit bergen, das sy I. M^t hievor gleich
jar gnädigist resolviert, das man nämblich den herr
vernemen soll. Weill aber die F. D^t gsehen, w
zwischen dem herrn bischoven und mier füer ei
neuhe erweiterung geben wurde, das auch derer v
und langhergebrachter gebrauch darundter verwa
denckhen gezogen und der K. M^t darüber nochma
achten gehorsamist überschickht, auf welliches i
alls iezunt die erste ervolgt. Wan es nun der K. M^t
so bin ich schuldig, derselben zu gehorsamen, o
posteriora peiora prioribus sein werden, nit alla
bischoven in mein person zu invehiern grosse urs
dern das auch mier ehrn halben anderst nicht wi
die verantwortung, dadurch aber dem wösen wede
thaill ain gnüegen gethan wierdt. Der herr bis
seiner mainung alls hette ich in bei I. M^t haim
spensus, das ich nit wais, wessen die K. M^t ge
schlossen. Die statt leidet hernach den grösten a
I. D^t erzherzog Maximilian rüsten sich sta
dan füer die Polackhen der Saurer behausung
lassen; vill wöllen alhie wenig davon halten au
tractation, aber ich hoff, Gott werde disem hau

---

[1] Ueber die Candidatur des Erzherzogs Maximil
Báthory's Tod (12. December 1586) erledigten Th
Geschichte Oesterreichs IV, 1892, S. 371 f.

E. G. mehr, weill mier mitt unnserem fändlein auf Zell raisen, khumen dise guette zeittungen, von wellicher rais, weill ich dabey gwesen, ich nichts schreyben will, hoff aber, sy sey nit übl abgangen. Ist zu Zell ein feine andacht gesehen worden, stehet bey I. G. der frauen, ob sy schier auf sein will, so khumen wier gleich über ein jar hinein. Alhie und im landt ist der religion zum bösten bisher nichts füergenummen, dan die Poläckhen solliches alles verhindtert; ich suech aber iezunt die alten rostigen eissen herfüer, die ich zu hoff widerum will poliern lassen. Gott, in dessen schuz E. G. ich bevehlen thue, verleihe zu allem guetten sein gnadt und segen, amen. Die brieff ghen Passau will ich morgen schickhen und sollen E. G. sich zu mier annderst nicht versehen, dan das ich derselben wo ich bin gehorsamer caplan und diener bleiwe, weill ich leb. Datum Wien, den 5. september a. 87.

E. G. gehorsamer caplan

M. Khlesl m. p.

Wan ich, gnädiger herr, nuer füer gwis bin, das I. Mᵗ mitt mier nit übl zufriden, das übrig ist noch alles zu dulden.

XXVI.

Wien, 1587 September 24.

Hoch und wolgeborner, gnädiger herr, E. G. sein mein gehorsam schuldig und willig diennst zuvor. Gnädiger herr, derselben gnädig und vätterlich schreyben hab ich empfangen, was ich antworten soll, wais ich nit; Gott wölle es E. G. alles bezallen. Die sachen hab ich bey I. Dᵗ sollicitiert und um Gottes willen gebetten, dieselb wolten mier doch von disem unerträglichen last helffen und weill sich I. Mᵗ herrn bischoven zum bösten nun schon zum andermaln resolviert, I. Dᵗ sollen I. Hochw. darüber vernemen, so bäte ich gehorsamist, man woltte doch I. Mᵗ resolution nachkhumen. Das herr bischoff werde invehiern, an meinen ehrn mich angreiffen, ungleich berichten, erst ghar nimmermehr zu versüenen sein, darfüer hallten, alls sollt ich in haimblich bekhlagen, I. Mᵗ wider in verhezen etc., das er noch höher werde steigen, alls woltten I. Mᵗ in nicht offendiern, daraus mich bösser truckhen, seine schriftsteller wol gebrauchen etc., das alles wüste ich das es I. Dᵗ bedenckhen macheten, darum sy herrn bischoff I. Mᵗ allergnedigiste resolution zu publiciern bedenckhen hetten. Weill es aber bey hoff alberait dahin gericht, I. Mᵗ resolviert, herr bischoff von den seinigen dessen schon erindert worden ist, so sollen I. Dᵗ mier zu gnaden dem wesen seinen lauff lassen, mich aber unverhört nit urthailen, weill dieselb herrn bischoffs procediern in propria persona selbst erfahrn, entgegen mitt meiner person ein gnedigist mitleiden tragen hetten. Aber ich khan I. D[t] mitt bitten und betten dahin nicht vermügen, das sy unnsere accusationes et defensiones woltten anhören, weill dieselb ohne sonndere grosse ergernus nicht geschehen khünnen und alda zu decidiern sich nit gebüerten. I. D[t] haben mitt herrn hoffmarschalch[1] geredt, wellicher I. D[t] zuegesagt bey I. M[t] die sachen zu ainem guetten weg zu richten. Ich hab auch mitt I. G. daraus gehandlet uud guette affection gespüert. Aber ich stehe halt an, und Gott im himel wais es, das mier unrecht bschiecht, dan ich bin in disem landt gebliwen allain aus lieb zu meinem vatterlant, allso hab ich in diser statt khainer anndern ursach geprediget, niemants, das wais er der höchst zum bösten, zu neidt oder leidt oder aber mier allain zum rhum, das will ich mit allen meinen zuehörern bezeugen. Er der herr bischoff wierdt mier selbst müessen beifallen, das, so lang ich bey unser frauen gepredigt und er bey S. Stephan nit predigen wöllen, dieselb an mich beghert, so offt dasselb geschehen, hab ich die privatpredig eingsteldt und füer den herrn bischoff in der thumbkhirchen geprediget. Noch ist er nit zufriden gwesen, sonder ich soltt das predigen ghar einstellen und allain predigen, wan er woll gegen mier affectioniert ist. Annderst ist man zu Prag bericht, ich wöll ime zu truz predigen, allso ich hett zugleich mitt im angfangen zu ainer stundt; gschiecht mier unrecht, dan ich allezeit ein halbe stundt später angehebt, die andern prediger alle aber, deren siben sein, heben zu gleich mitt herrn bischov an; aber niemants hindtert in alls nuer ich. Das lezte so herr Unverzagt[2] gschriben ist: ich soll licentiam vom herrn bischoff beghern. Das hab ich flexis genibus more debito, baldt ich thumbprobst worden, gethan, darauf er mier potestatem concionandi geben per universam civitatem, der hab ich mich allezeit braucht und hatt dieselb herr bischoff canonice von mier nicht aufgehebt, vill weniger legitimas rationes darzue gehabt, ich wär dan haereticus gwesen. Das sein alle behelff, die herr bischoff durch die seinigen allso spargiern lasset, welliche ich E. G. derhalben schreyb, das sy mich zu irer gelegenhait bey denen, so übl informiert, entschuldigen khünnen.

Weill aber tota quaestio an dem stehet, was ich alhie zu thun, ob es I. M[t] willen sey, das ich bey aller meiner arbait vom herrn bischoffen so schimpflich müesse tractiert werden, sonnsten auch nit wierdig sein auf ainige canzl ordinarie zu tretten, und weill ich alberait gedacht khainem menschen ergernus zu geben, so haben I. M[t] desto mehr ursach

---

[1] Paul Sixt Freiherr von Trautson. Vgl. oben S. 542, Anm. 2.
[2] Vgl. oben S. 497, Anm. 4.

der sachen ir (!) abzuhelffen, damit ich in conscientia mea entschuldiget
sey und mein talentum, welliches ich nahet 3 jar in diser statt wegen
des losen neidts vergraben müeessen, aufs wenigist annderer orttan mitt
mehrerm frucht anlegen khundte. Die sachen wierdt auf die ankhunfft
herrn Rumpfens [1] verschoben, weliche wan sy gschiecht Gott wais; darzue
werden I. G. mitt iren sachen aufgehalten und sy nicht ghern mit frembt-
ten beladen, allso will ich gleich noch dis monats mich gedulden.

Der Salzburgerisch doctor ist gewichen und hatt das buech bey
mier gelassen, das will ich mitt nächster gelegenhait ghen Nickhlspurg
schickhen.

Der marckh Gumpelskhirchen hatt sich Gott lob ausser ainer person
allain auch geben und werden zum zaichen den 4. october alle beuchten
und comuniciern; Gott erhalte sy, amen. Jezunt soll ich forttraisen,
aber dise handlung macht mich alls ainen menschen von herzen verdrossen, das mein billiche und schuldige mhüe so ghar nit soll in re
iustissima bedacht werden. Ich hab sonsten willens auf den 3. oder
4. october nach Passau zu verraisen, im lösen verricht man alhie wenig,
soll ich aber zu Prag in meiner aignen sachen etwas verrichten, wurde
mich khaine khosten theuren, aber so E. G. sich bemühen, vill weniger
wurde ich erhalten khünnen. Thue E. G. in den schuz Gottes, mich aber
zu dero gnaden gehorsamblich bevehlen. Datum Wien, den 24. september a. 87.

E. G. gehorsamer caplan

M. Khlesl m. p.

XXVII.

Wien, 1587 September 30.

Hoch und wolgeborner gnädiger herr. E. G. sein mein gehorsam
und willig diennst zuvor. Gnädiger herr, was die F. D[t] mit herrn Pauln
Sixten Trautson [1] R. K. M. rath und hoffmarschalch geredt, das bleibt mier
auch auf embsiges anhalten verborgen, ausser dessen was ich vermueten
khan, das I. D[t] ghern alle ergernus und erweitterung, welliche zu mehrer
verbitterung ursach geben möchten, flühen woltten, dan I. D[t] sehen, das
man zu Prag bey der canzlei meine sachen mitt fleiss verlegt und alles
dises, so die F. D. meiner person non in hoc sed toto negotio religionis et
reformationis huius provinciae, was ich bey der sachen gethan, das I. M[t]
mier gnedigist affectioniert machen khünnen, mitt der warhait geschriben,
das alles ist niemaln füerkhumen; aus wellichen E. G. leichtlich abnemen
khünnen, was es bey hoff hilfft, wan ainer die canzlei auf seiner seitten hatt,

---

[1] Vgl. oben S. 499, Anm. 1.

... ander thaill empfind. ...
... E. ... und anndere meine gnä...
... marxhait wol erinnert werden ...
... der ... der warhait gläubt, ...
... lassen ... in, das ich nicht ...
... ... beleiwen soll. Solche ...
... ... ner, das der herr B ... alle sach...
... ... aus und alsbaldit hier ...
... ... recopiern lasset; ...
... ...shumbt, den khan ...
... ... ich in hac permotion...
... ... schaden gerathen möchte ...
... ... schwär möchte erhalten werden ...
... ... das ich in disem land, ...
... ... das die K. M. ...
... ... I. M. diener, in I. M. ...
... ... kombt, möchte nochmalln ...
... ... stuenen und weltlichen ...
... ... damit auch nichts benumen ...
... ... ich ien namen ...
... ... der unen alls den ...
... ... dises land erbarmen ...
... ... ian bey der ...
... ... das ich erwarten, ...
... ... zuvor lerist aber ...
... ... aussteilen, mein ...
... ... machtigen Gott mich ...
... ... undeglich.

... sauerung des marckhs ...
... verstanden haben.[2] 4. ...
... beucht und communi... lessen ...
... geb I. M. langes leben ...
... ... ien stätten und märckhten ...
... ... ankhunfft für ien ...
... ... vexation entlediget werde. ...
... ... 4 bey den stätten verrichten ...
... ... ich thue und arbeit das ge...

[1] Pau...
[2] Vgl.

alles zum verdrus. Gott, in dessen schuz E. G. ich bevehlen thue, wierdt
mier zu seiner zeitt auch helffen, der wais das ich mich umb des vatterlants haill selbst zuruckh gsteldt hab. Datum Wien den 30. septemb.
a. 87.

E. G. gehorsamer caplan

M. Khlesl m. p.

XXVIII.

Wien, 1587 November 5.

Hoch und wolgeborner gnädiger herr. E. G. sein mein gehorsam
schuldig und willig dienst zuvor. Gnädiger herr, E. G. ganz tröstlich und
vätterlich schreyben ist mier, alls ich von Salzburg haimbkhumen, über-
antwort worden, und do ich verhofft, alle meine sachen sollen an ein ortt
sein, fündte ich dieselben eben im alten standt, nämblich das I. D[t] dem
herrn Pauln Sixten Trautsam[1] gleichwol durch ein schreyben seither den
15. october datiert angmahnt, aber bis daher von wolgedachtem herrn
khain antwort empfangen; mier haben I. G. zwaimal geschriben von
meinen sachen ut supra et semper. Da khünnen E. G. abnemen, wie ich
steckh, und mag mitt meinem gwissen bezeugen, darauf ich sterben woltt,
das an disem aufzug, erweiterung, ergernus und vexation khain mensch
alls die secretarien (E. G. in vertrauen zu melden) daran schuldig. Dan
soltten I. M[t] ad partem wie es in religionssachen alhie ein gstaldt, die
canzln in der statt bsteldt, der auslauf füer ein gelegenhait, der herr
bischoff so woll in der khirchen alls sonsten (!) hause inquisition einzühen, wurde man sehen, ob nicht die pur lautter affection und neidt mehr
alls die warhait mitluffe, und mich deucht, es khünnet ghar woll sein.
Wan aber die bemelten herrn iren diensten und schreyberei abwartteten,
disen und ihenen nit incitierten, fein die warhait berichteten, so wurden
dergleichen sachen in ewigkhait so weitt nit khumen sein, dan I. D[t] erzherzog Ernsten, mein gnädigister herr starckh inquiriert und befundten,
das mier vor Gott unrecht geschiecht, ich auch gnuegsame ursach hab mich
zu bschwären. Sy haben selbst in persona mit herrn B.[2] gehandlet und
befundten, mitt was grossem affect und ungestüemb er mitt mier procediert, daher sy bewegt worden dise wortt zu melden: I. M[t] sein bisher
mitt des thumbprobsten verrichtung zufriden gwesen, und werden in
von eurentwegen nit lassen undtertruckhen, ir werdet in neben euch
müessen leiden, er thuett sonsten das seinige, ir hettet dan seines wandls

---

[1] Vgl. oben S. 542, Anm. 2.
[2] Der Bischof.

lehr sonderliche bedenckhen. So baldt der her
I. Dᵗ meiner erbarmen und annemen, hatt er
verdiene. Ich hab auf E. G. schreyben erst ges
I. Dᵗ angehalten, so überlauff ich mitt zetlen
von Harrach[1] täglich, ich khan aber I. Dᵗ zu kl
bringen dan: warum ich den bischoff nit will fr
geschriben, das auch I. Mᵗ alls khayser und lar
es ir gefaldt, das thun khünnen, was ire vor
denen khirchen alhie und im ganzen landt, das e
erfordert etc. Weill I. Mᵗ sich noch nit resolvier
und Rumpfen[3] lassen schreyben, I. Mᵗ bey dem c
geschriben. So khan ich mich nicht resolviern,
nach nit gfallen. Die erlassung eurer person
daran ir nicht solt gedenckhen, dan sy mitt m
wierdt. Das ist allso mein abschidt. Ich will an
nichts thun. Mier rath aber der alt herr von Hɛ
ein 14 tag oder 3 wochen gedult haben; geschic
so soll ich selbst nach Prag und meine sachen n
zu dem endt werden I. Dᵗ mich mitt ainem gue
Ich wier iezunt von I. Dᵗ ghen Zwetl, Weytrau, ʼ
Häderstorff, Khorneuburg geschickht, die h. c
forttzupflanzen, woltte ich gleich von Weittra aı
nemen, ich verhoff aber, das es nit werde bedüe
rath hierinnen billich volgen, allain ist mier
meinen händlen behellige, die sonst vill zu tɬ
burgerischer rath hatt ein grobe sau aufgehabt
und er selbst seiner wiz nach erzellet hatt, da
ainen marckh wolt reformiern, haben in die pau
nichts zu essen geben, biss er sich mitt seinei
lebelang an dasselb ort nit zu khumen. Hoc e
fecit dominus licentiatus noster. Zu Salzburg,
wenig, sein maull ist gross, darum ich im redl
sonderlich weill herzog Wilhälmb[4] in Bairn auɛ
chem er ein guettes gehör hatt, bin ich mitt
gwesen und den licentiatum woll mitt seinen ɛ

---

[1] Vgl. oben S. 500, Anm. 1.
[2] Vgl. oben S. 492, Anm. 6.
[3] Vgl. oben S. 499, Anm. 1.
[4] Vgl. oben S. 534, Anm. 4.

weill ich vermerckhen khünnen, das er sein böses maull zu weitt aufgethan. I. F. G. haben aber mier zuegeben, das er ein geist, und desswegen leichtlich abnemen khünnen, wie er affectioniert. Das hab ich data occasione gegen dem herrn erzbischoven (bey dem ich Gott lob in ainem guetten credit bin) so woll dem von Passau et publice in mensa, do I. Mᵗ derselben räth und officier gedacht worden, das meine der warhait nach zu thun nit undterlassen, dan E. G. und derselben erben, diener und caplan bleiw ich weill ich leb. Wie es zuegangen, was ich davon halt, das ist der federn nit ghar zu trauen. Herr erzbischov¹ ist iung, frisch und kriechsmännisch, danebens verstendig, gelert, voll der sprachen, in historien woll erfahrn, resolutissimus, in religione aifferig et tanta authoritate quod timeant illum omnes, gegen khunfftiger reformation bonae voluntatis, dem haus Österreich über die massen affectioniert, von wellichem er vill geredt und mit mier tractiert hatt, desselben gsundt und wolfartt über der tafl mitt starckhen gläsern in beisein bäder gebrüeder der herzogen aus Bairn vilmaln gedacht etc. Ist was stattlich und brächtig an seinem hoff, mit trabanten, rittmaistern, khnechten, welliche er mit dem spill auf die wacht abents und morgens füeren lasset, das die statt darob erzittert, seine pauckhen und 9 trumeter, sein stattliche capeln, sovill sich zum anfang thun lasset, magistrum caeremoniarum alles römisch, und wais nicht, was disem herrn zu ainem fürsten manglet alls die geburtt, sonsten ainer rechten manslenge, schön von angesicht und in allen seinen gebertten adelich und füerstlich, I. f. G. haben sonsten woll ein schissige natur, und bey dem baldt ausgedient; sed haec sufficiant. Ich hab nit undterlassen guett österreichisch zu sein, wie es mein vatterlant mitt sich bringt. Ich bin sonst ein schöne jungfrau daselb gwesen, umb wellliche etliche gebuelt haben, aber mein Gott wöll mich behüetten, das ich meinem landtsfüersten soll so untreu und undanckhpär sein, das ich ohne sein vorwissen und erlaubnus etwas thun woltt. Sy werden aber ainer und der ander thaill mitt I. Mᵗ selbst tractiern lassen, dahin ich mich remittiert; stehet bey I. Mᵗ mier gnädigist zu erlauben oder nicht. Gott geb mier einmal fridt und das ich E. G. bösser khünne brauchen alls auf die weis inportuniern. Thue E. G. in den schuz Gottes, mich zu dero gnaden gehorsamblich bevehlen, neben undterthäniger bitt, E. G. woltten iren gmaheln meiner gnädigen frauen sambt bäden E. G. söhnen, herrn Maximilian und Francisco meinen gnädigen herrn mein gruess und armes gebett offeriern und mich innen bevehlen. Datum Wien den 5. novemb. aᵒ 87.   E. G. gehorsamer caplan

M. Khlesl m. p.

¹ Wolf Dieterich v. Raitenau (1587—1617).

36*

Was erzherzog Ferdinandt auf Salzburg
zuegeschriben, haben E. G. hiebey zu empfahen.

XXIX.

Wi

Hoch und wolgeborner gnädiger herr, E.
schuldig dienst zuvor. Gnädiger herr, ich hab
erst gestern E. G. tochter ableiben verstandten
von herzen ein mitleiden. Weill ich aber daneben
lieb Gottes empfündten, dieselb auch allen ande
füersezen, nicht allain sich selbst, sonnder alles
vertrauen, allso will mier ghar nit zweiflen, E.
willigem herzen dise haimbsuechung von dem al
numen und seinem heilligen namen in ewigkha
bedenckhung diss, was zeitlich verlorn, in ewigkh
zůer und herrligkhait umbgeben wierdt gfundt
person belangdt, will ich füer E. G. treulich bitt
schlecht, dass derselb wölle E. G. beistehen
geist geben.

Mitt meinen sachen will E. G. ich yezunt n
laidt beladen, sonnder derselben billich verschone
hait in die handt lauffet, so bitt ich meiner gnäd
ich in pristinum honorem widerum restituiert w
Rumpfen[1] alls ainem gehaimben rath, wie von d
gist erindert worden bin, alle sachen de novo zueg
bewüsten personen den andern thaill schon starc
sorg, sy möchten yezunt noch sterckher arbaite
werden uns allen dermaln ains wöllen abhelffe
ainer sollichen demonstration geschehen khan,
das bey I. M[t] ich noch in khayserlichen gnaden
sonsten gnädigist vermeldet, das sy yezunt ir endt
dem wesen allein so woll gegen dem herrn bisch
volckh alls dem ganzen landt, wo etwan ein bö
möchte abgeholffen werden, herrn Rumpfen I. M
gehaimen rath haben zuegeschriben, dabey sy es
was es nun ist, das bevil ich Gott, ich hoff ab
mein bissher gehabte arbait, üble belohnung, mei
des ganzen landts haill und nuz, damit ich endl

---

[1] Vgl. oben S. 499, Anm. 1.

khāmb. Ich fürchte woll (E. G. in grosser gehaimb zu melden), weill auch mitt herrn hoffmarschalch[1] ist gehandlet worden, das herr Rumpf mein gnädiger herr möchte ein bedenckhen nemen, oder doch der ander thaill empfündten, und ich lezlich entgeltten müessen. Wan ich aber zu hoff verstandten, das es allain derwegen geschehen sey, damit herr Rumpf alls ein gehaimber rath im rath und ad partem das negotium möchte befüerdern, und es allezeit bösser wo mehr aines herzen sein et unum finem haben alls do nuer ainer allain, dise sachen auch verners ohne sondern schaden der religion nit khan aufgeschoben werden. Es khünnen auch, gegen E. G. zu melden, vill dise officia et impedimenta bey I. G. herrn Rumpfen alls bey herrn Trautsan nit erzaigen (!). Wo E. G. gelegenhait haben alles böses wetter abzuwendten, bitt dieselb ich tanquam primum et praecipuum meum patronum, sy wöllen es zu thun nit undterlassen und bey I. Mᵗ auch das böste thun. Alhie ist ghar nichts neuhes, allain das I. Dᵗ an gestern nach Pressburg verraiset; Gott, in dessen schuz E. G. ich bevehlen thue, helffe derselben baldt berwider. Datum Wien den 10. novemb. a. 87.

E. G. gehorsamer caplan

M. Khlesl m. p.

XXX.

Zwettl, 1587 November 24.

Hoch und wolgeborner gnädiger herr, E. G. sein mein gehorsam schuldig und willig dienst zuvor. Gnädiger herr, E. G. schreyben den 16. november datiert hab ich alhie empfangen, Gott wais das E. G. ich mehr schuldig bleiw alls ich mein lebelang wier bezallen khünnen, dan ich sihe mitt was gnädiger affection mich E. G. tractiern, mag auch derselben bey meiner warbait bekhennen, das ich in villen meinen resolutionen zuruckh gangen und nicht procediern vill weniger meinem khopf volgen wöllen. Wie aber E. G. sehen, das auch die gedultigisten in die leng möchten ungedultig werden, wegen dess bschwärlichen langen aufzugs; ich khan gleichwol gedenckhen das I. Mᵗ vill mehr dan mitt mier zu thun haben, aber es ist nun schon das füertte jar, das ich continue in diser vexation lige, die I. Mᵗ in ainer viertlstundt erledigen khünnen. Weill aber iezunt auch I. Mᵗ gehaimber rath und obrister camerer etc. herr Rumpf[2] mein gnädiger herr von I. Dᵗ meine sachen empfangen, bitt E. G. ich gehorsamblich, sy wollen daselb auch mein patronus sein und dahin

---

[1] Paul Sixt Freih. v. Trautson. Vgl. oben S. 542, Anm 2.
[2] Vgl. oben S. 499, Anm. 1.

helffen dirigiern, damit es denen nicht in die ha
communiciern ehe I D^t was wissen. Mier zweifl(
schon hinein khumen, I. D^t auch mitt irem gue(
sich resolviert, diss alles zugleich wolermeltem
geschickht worden sein, I. D^t werden eben das
schriben, nämblich die avisa geschichen und d
haben, damitt I. M^t ad partem sufficienter der g(
horsamist erindert, und sy mitt gnaden resolvierr
I. G. der herr Rumpf in hoc negotio zueschreib
vornemen; desswegen stehe ich starckh an, ob i
richten oder wartten soll, damitt ich nicht etwan (
dieret, alls woltte ich bey so geschaffner vertröst(
person sezen, davor mich Gott behüette. Ich wol
das ich lenger soll aufgehalten werden, und wider
in die h. zeitt fallen; bitt demnach E. G. die woll(
wessen ich mich meiner raiss halben nach Pra
das ich es füerderlich angreiffen oder aber diff
hinein, so wier ich mein örttl gwisslich bsuechen
verdringen lassen. I. M^t haben sich schon vo:
zwischen uns resolviert, aber die resolution i(
habens I. D. aufsuechen lassen und Gott lob (
(wie ich bericht wier) iezunt auch hinein dem
schickht. Bekhum ich iezunt khaine, so hab icl
allain das ich noch ainen vorthaill überig hab.
der alt herr Trautsam[1] von mier woll informie
aber die leuth sub specie recti praeoccupiern d
zweiflen will, weill es alles nach irem willen w:

Was mein raiss ghen Inspruckh belangdt,
forderbrieffs abschrifften, ich hab mich aber ge
doch allso wan ich auf ein andere zeitt wier mu(
laubnus bekhumen, das ich mich zu I. D^t undert)
neben gehorsamister bitt, so der casus nicht s(
selben mier schrifftlich gnädigist zuekhumen l
mich darauf meinem ainfältigen verstandt nach (
darüber ich aber noch nichts empfangen. Was
langdt, khäme mich dieselb nit, allain das ich
disem ortt geborn und erzogen, sonnder auch d
ich allso umbsonsten die ganze zeitt soll gearba(

---

[1] Vgl. oben S. 492, Anm. 6.

bschwerung, mhūe, undtertruckhung und vexation lenger zu bleiwen, das
wär mier an sehl und leīb schadt. Ich hoff die K. M', die mich proprio
motu allergnädigist füergenumen und alle meine gelegenhaiten beiseits
sezen lassen, werden mier mehr gnadt nicht, dan nuer was I. M' selbst
füer recht und billich haltten, gnädigist erzaigen. An den von Passau
will ich schanzen füer mich selbst, und mier die sachen, weill ich I. F. G.
selbst affectioniert darzue befūndt, alls mein aigne und wo mūglich gwislichen mehr lassen bevohlen sein, darauf E. G. sich verlassen mūgen.

Ich bin alhie seitt des 15. november und hatt Gott lob die ganze
statt Zwetl verschinen sontag gebeucht und communiciert. Und weill ich
8 tag zuvor ein predig gethan, bey wellicher ein lutherischer predigkhandt
gwesen, hatt er eben am verschinen sontag publice in der khirchen zu
Zwetl abiuriert und mitt denen von Zwetl communiciert sub una; ist ein
schōner actus gwesen zu sehen. Eben dise die vorige wochen bin ich mitt
meinen mittcommissarien ghen Waidthofen an der Teya gezogen, in wellicher statt ein gelerter verschlagner lutheraner, ains predigkhandten son
stattschreyber ist, alda ich auch gepredigt, berūerten stattschreyber von
der gmain abgesondert, und mitt Gottes gnadt die ganze burgerschafft
erhalten, das sy auf khunfftigen freitag, welliches ist der 27., alle in
meinem beisein communiciern wōllen, dessen haben sy sich verschriben
mitt irem stattsigill verferdtiget. Den stattschreyber hab ich mitt mier
ghen Zwetl zuruckh gefūert, tāglich mitt ime gehandlet und Gott lob auch
erhalten. Ist ein wunder zu sehen, wo zu 3 jarn feundtschafften sein,
die werden da verglichen und niemants absolviert, er verobligier sich dan
an aidts statt sein lebelang catholisch zu bleiwen, darauf sy dan comuniciern. Die puncta der reverss will E. G. ich hinach schickhen. Auf khunfftigen sambstag zūhen wier ghen Weytra, daselb wōllen wier das catholisch nez auch auswerffen, Gott verleihe sein gōttliche gnadt darzue.
I. D' haben mier sonsten volmacht und unūberschribne an geistliche und
weltliches standts personen credentsschreyben geben, damit ich dieselb
zu beistāndten pro diversitate locorum erfordern khundt, weliches auch
allso gschiecht. Das E. G. ich gehorsamblich zueschreyben wōllen, und
bitt dieselb woltten mier einen gruess bey irem gmaheln und sōhnen verleihen. Thue E. G. Gott dem herrn, mich aber zu derselben gnaden gehorsamblich bevehlen. Datum Zwetl den 24. novemb. a. 87.

E. G. gehorsamer caplan

M. Khlesl m. p.

XXXI.

Hoch und wolgeborner gnädiger herr. E. G. sein mein gehors:
schuldig und willig dienst zuvor. Gnädiger herr, ich hab derselb
schreyben alhie empfangen, weill ich iezunt schon in die fuertte woch
nicht bey haus bin, sonndern zühe im landt wie ein landtfarer hern
was ich aber auf diser raiss mitt Gottes gnadt neben anndern gericl
werden E. G. von I. M^t gehaimben rath und obristen camerer dem her
Rumpfen,[1] wellichem ich hac occasione originaliter die reverss der st
bey aignem podten zuegeschickht, vernemen. Gott lob ist auch dise st
biss an zwo personen gewungen, heutt heb ich mitt den underthanen :
dem landt an, Gott verleihe auch sein gnadt darzue. Was ich wolerm:
tem herrn Rumpfen bey disem aignem podten zuegeschriben, hab E.
ich in gehorsamen vertrauen wöllen zueschickhen, dan ich niemants ghe
offendiern und mich mehrers verhündtern woltt, entgegen aber will m:
die zeitt zu lang werden, das ich zu diser h. zeitt mich zu Wien der gsta:
soll sehen lassen. Bitt E. G. sy wollen wie bissher mein gnädiger he
sein, mier helffen und wo es nott befüerdern, Gott wierdts E. G. bezalle
in dessen schuz ich dieselb, mich aber zu dero gnaden gehorsamblich b
vehlen thue. Datum Weytraa, den 3. decemb. a. 87.

E. G. gehorsamer caplan

M. Khlesl m. p.

Beilage.[2]

Extract auss ainem schreiben an herrn Rumpffen gethon

Was aber meino sachen belangt, stehe ich an, dan ich mich v
hertzen schäm, das ich dise heilige zeit, meniglich zu schandt und spo
soll in der statt herumb ziehen und nit wierdig sein ainige cantzel :
betretten. Hette ich gewüst genediger herr, das der herr bischoff :
sachen mit mir also treiben soll, het ich mir gahr lengst bessere rue
schaffen mügen. Vermainen E. G. das ich mich selbst bey I. M^t stell
soll, damit I. M^t genedigist sehen, das es mir ernst sey und ich m:
khünnet bekhlagen und verantwortten, so bitt E. G. ich gehorsambli:
sie lassen mich ihr mainung wissen. Beger ich doch weder den her
bischoff noch iemandts andern zue offendiern, vil weniger I. M^t ungeleg:
hait, allain das ich möchte mit I. M^t gnadt und allergenedigisten erla:
nus mir selbst ruehe schaffen. Es wissen I. D^t wol, wie hoch ich :

---

[1] Vgl. oben S. 499, Anm. 1.   [2] Nicht eigenhändig.

schwärdt wirt, und das sich der herr bischoff weniger patronen, mich aus
dem landt zuetreiben, behilfft; aber vileicht haben I. D¹ bedenckhen, ainem
oder dem andern abzuelegen, will ich doch als der weniger gern weichen,
dan also ist nicht müglich, das es in die leng guet thuet, dan zue dem
ich täglich beschwärt, friss ich mir selbst haimblich das leben ab, das ich
in meinem vatterlandt, dem ich zue lieb (ohne ruemb zue melden) vil
gueter gelegenhait verlassen, in disem spott bleiben soll. I. M¹ erzaigen
sich nur dass sie dergleichen nicht mügen leiden, wir werden uns hernach selbst baldt vergleichen, aber so lang er vermaint, das man meiner
nit achte, muess ich sein schlaug (!) sein. Das hab ich propter continuum
dolorem unvermeldt nit lassen sollen, und mues es denen khlagen, die
mier nach Gott allain helffen khünnen etc.

XXXII.

Hoch und wolgeborner gnädiger herr, E. G. sein mein gehorsam
schuldig und willig dienst zuvor. Gnädiger herr, derselben zwei schreyben
hab ich empfangen, bedanckh mich gehorsamblich der so gnädigen füersorg. Ich muess ainmal bekhennen, das E. G. mehr thun alls ich mein
lebelang wier verdienen khünnen. Es haben sich gleichwoll E. G. dises
schnidts billich zu freien, weill es das aufnemen unserer h. religion antrifft, aber umb sovill desto mehr das E. G. an disem auch ursacher gewesen sein, dan ich mag mitt meinem gwissen bezeugen, wären dieselben
und der alt herr von Harrach¹ nit, ich woltte mier dieser bschwär langst
abgeholffen haben, wie mier dan an der güette und barmbherzigkhait
Gottes auch an anndern örttern nit zweiflet, aufs wenigist wär mein
gwissen ringer und mein ehr so hoch niemalln angriffen worden; aber so
es der höchste allso haben will und ich aus disem khelich trinckhen soll,
so geschehe sein h. willen, hoffent er werde mich mitt seiner gnadt er-
retten und aus disem last erledigen, alles zu seiner zeitt. Villeicht will
mier Gott durch dise truebseligkhait ein annderen standt zaigen, do ich
ime bösser und meiner sehlen nuzlicher dienen khan, aber alles zu seinem
heilligen gfallen.

Was nun gnädiger herr die hoffcanzl belangdt, khumbt diss von
I. D¹ her wie ich verstandten guetter mainung, weill I. bischofliche Hochw.
mich ainmal so spöttlich tractiern, mitt allerlai zuentpieten und schmach-
worten, so woll auch eusserlichen demonstrationen, allso dem gmainen
man zu verstehen geben, alls sey ich von I. M¹ und meniglich verstossen,

---

¹ Vgl. oben S. 500, Anm. 1.

alls dan der Märxl (?), so bey I. M⁴ Maximiliano hochseeligister nus tischrath gwesen, von dem herrn bischoven; alda er tag u ist, spargiert, wie er auch zuvor mitt etlichen secretis, die ime herr bischoff und der Unverzagt[1] vertraut, gethan und mier sel zaigt, die ich hernach allso gschaffen befundten; damit man sehe, das I. M⁴ mitt mier gnädigist zufriden, und es nit allso, wie vermuett, haben I. D⁴ dergleichen demonstraxion füer die allerbest halten.

Zum andern, weill I. D⁴ wissen und gesehen, das jhe mehr I. F⁴ haben zu derselben gnaden gezogen, desto mehr hatt sich der herr mitt mier vertragen und es auf gleichem thaill gehalten, damit ich im solle dienen, aber do er nun ein ander concept und vermaint als sey abgeschnitten, ghehet er auch mitt mier einen andern weg truckhet mich biss undter die erden.

Zum tritten, damit er hinvorthan nit ursach hab, alls I. M⁴ lichem diener mier zuezusezen und schmächlich zu entbieten, billich den respectieret dessen dianer ich wär, dadurch dan allerlei nus wurde aufgehalten und verhüettet werden.

Zum viertten so khundte herr bischoff sich vill mitt wenigern bekhlagen oder auch düerffen, wan ich in der statt predigen soll, vill bösser mag entschuldiget werden, das mich I. M⁴ in ir aigne statt stelleten alls iren prediger, iren underthanen zu predigen und selben den h. glauben zu lernen.

Undter anndern ist auch lezlich dise, damitt ich bey dem landt in füergenummer reformation desto mehrer ansehen und in predigen forttgang und volg hette, dan bey dem gmainen man offt mehr das eusserlich alls alles annderst hilfft und füerdert.

Der F. D⁴ mainung aber ist nie gwesen, ja sy haben miers höchsten widerrathen, das ich aus dem landt zühen, das ganze lassen und mich an I. M⁴ hoff begeben soll, sonnder allain obangezogn surdis füerzukhumen, und wan I. M⁴ auf ainen reichs- oder landtag oder aber alhie wären, das ich alsdan derselben canzl vertretten Diss mitl hatt ime herr Paul Sixt Trautsam[2] nit allain füer das lassen gfallen, sonnder darfüer gehaltten, es werde ghar khain nott difficultet haben, ja I. M⁴ damit gnädigist woll zufriden sein. E. G. im gehorsamen vertrauen zumelden, so hab ich vom herrn Pauln khain wortt mehr, seitt die sachen I. G. dem herrn Rumpfen[3] sein

---

[1] Vgl. oben S. 497, Anm. 4.
[2] Vgl. oben S. 542, Anm. 2.   [3] Vgl. oben S. 499. mi. 2.

vohlen worden. Ich unschuldiger aber woltte es nit ghern entgeltten. Ist nun diss mitl nit guett, so hab ichs aufs wenigist nit erdacht, wais aber auch khain annders, alls das ich es Gott bevilich. Was in hac causa I. G. der herr Rumpf mier zueschreyben, das haben E. G. hiebey zu empfahen, bitt dieselb woltten es bey ir behaltten. Ich bin aber aus diser treier stätt reformation so müett, erschlagen und matt worden, das ich biss daher mich allain dahaimbt haltte und bleiw, und wais umb die resolution noch nichts, khan woll erachten, es werde weder nach I. D[t] rath noch meinem underthänigisten beghern, das ich nämblich einmal erlediget wurde, geschaffen sein. Und das hab E. G. ich gehorsamblich wöllen zur antwort zueschreyben und bitt dieselb wollen mich armen verlassnen und betrangten catholischen priester ir bevolhen sein. Gott, in dessen schuz E. G. ich bevehlen thue, wierdt der belohner sein. Allso wöllen E. G. mier zu gnaden irem gmahel und söhn meinen gehorsamen gruess vermelden und mein armes gebett offeriern. Datum Wien den 22. decemb. a. 87.

E. G. gehorsamer [1] caplan

M. Khlesl m. p.

Bitt E. G. die verzeihen mier mein underschreyben, wais Gott das ich nit wais was ich offt thue.

XXXIII.

Wien, 1587 December 31.

Hoch und wolgeborner gnädiger herr, E. G. sein mein gehorsam schuldig und willig dienst zuvor. Gnädiger herr, wie ich bissher mitt E. G. gstandten, das wissen sy selbst zum bössten, allso das ich verborgen undter meinem herzen nichts gehabt, welliches E. G. ich unangezaigt lassen hett, das dringt mich das ich auch dises schreyben thue und E. G. behellige. Eur G. tragen guett wissen, das I. D[t] alhie mitt herrn Pauln Sixten Trautsam [2] meiner person halben gehandlet, wellicher sich bey I. M[t] alle sachen zu tractiern erbotten, das sich aber nach seinem verraisen über I. D[t] anmahnen ganzer zwai monatt verzogen, darauf haben die F. D[t] herrn Rumpfen [3] I. M[t] gehaimben rath die ganze sachen, wie sy sich von anfang biss daher zwischen herrn bischoven und mier verloffen, auch wie dem ganzen handl und religionswesen abgeholffen und beförderet werden möchte, entlich resolviert und ir guettbedunckhen

---

[1] Hier standen ursprünglich andere Zeichen, die aber durchstrichen sind.
[2] Vgl. oben S. 542, Anm. 2.
[3] Vgl. oben S. 499, Anm. 1.

auekhumen lassen, wie ich dessen von I. D' alhie vor irem verraisen
bschaiden worden, darauf ich in Gottes namen forttgezogen und das w
an die handt gnumen hab. Interim khumbt dem Unverzagten[1] die r
lution, wais nit woher, zue. I. M' woltten mich bey dem religionsw
im landt erhalten und achteten darfüer, ich khünne alda mehr dan
hoff guetts schaffen. In diser khayserlichen resolution aber geschi
nicht mitt ainem wörttl herrn Rumpfens, sonnder nuer dess herrn Tr
sambs sollicitatur meldung, so doch I. G. der herr Rumpf totam cau
fundamentum causae und was I. D' mainung, schrifftlich hatt. Weill
nun dises von dem, so es vom herrn Unverzagt hatt, verstandten, hab
mich bey hoff angemeldt und die sachen ebenermassen allso gscha
befundten. I. D' khünnen sich selbst nit gnuegsam verwundern, wo
modus procedendi herkhumbt. Nun wais Gott, das ich unverdienter sac
undterlig, ich habs weder umb die statt, das landt, noch auch dem h
bischoven und die ime anhangen nit verdient. I. D' mainung ist nien
gwesen, das ich mich an hoff soll begeben, ich hab khainen gedanck
darauf gehabt, und wais, das ich mitt Gottes gnadt alda in a
wochen mehr dienen khan dan bey hoff in ainem monatt. Was aber I.
füer ein medium zu sein vermainen, das haben sy herrn Rumpfen a
fierlich, wie sy vermelden, zueschreyben lassen, wie E. G. ich nachm
im nächsten schreyben auch andeutung gethan hab und sy dasselb s
dubio alberait von wolermeltem herrn haben verstandten; was I. D'
schichen, das wan es in die canzlei khumen werde, so wisse es der h
bischoff gwiss, dasselb geschiecht iezunt. Und allso weill er sihet,
alle meine sachen, zu denen man mich alhie multis argumentis pers
diert, ich soll darein ghen, damit I. D' ein füerschlag thun möcht
zuruckh ghen, triumphiert er desto bösser, dan er ainen guetten st
darinnen hatt. Aus disem allem, so E. G. ich in gehorsamen vertra
zueschreyb, sehen sy, wie mitt mier wierdt gehandlet. Ich aber, w
I. G. der herr Rumpf auf I. D' schreyben noch nicht geantwort, will
mahnung thun und bitten, damit ich ainen endlichen bschaidt ha
möcht. Ich bitte aber E. G. umb Gottes willen, sy erlauben mier aus
sprengen, dan Gott wais das ich bissher E. G. und den alten herrn
Harrach[2] allain respectiert, ich woltt mier sonnsten langst abgeholt
haben. I. M' wissen mein ellendt nicht, und wie ich spöttlich in i
landt und bey diser meiner arbait tractiert wier; wo ich hinkhum will
mich mitt der warhait verthättigen khünnen, das ich umb derselben wi

---

[1] Vgl. oben S. 497, Anm. 4.
[2] Vgl. oben S. 500, Anm. 1.

von denen neidigen leuthen bin veriagt worden. E. G. sein dessen vergwist, wo ich sein wier, da will ich Gott und seiner khirchen dienen,
E. G. diener und caplan leben und sterben, nuer das ich derselben gnadt
durch dise mein gezwungne resolution nit offendier, dan der woltt ich
mich nicht begeben. Es hilfft doch I. Mᵗ nichts, das ich alhie geplagt und
gepeiniget wier, lass es alles über ainen hauffen ghen, dan ich wier übl
tractiert und bin khain engl, sonnder ein mensch, dem sein ehr auch lieb
ist und nicht ghern umbsonst woltt gearbait haben; soll ich mitt spott
bleiwen, so will ich in Gottes namen mitt spott abzühen, so höret derselb
auf, da lig ich tag und nacht darinnen, und mügen E. G. mier trauen, ich
will mitt brott und wasser verguettnemen, ehe ich mich lenger soll allso
tractiern lassen, bitt E. G. sy lassen dises schreyben passiern, weill mier
mein herz aufgebrochen ist, und ich lenger nicht haltten khünnen. Gott,
in dessen schuz ich E. G. bevehlen thue, helff mier, damitt ich seinem
willen in rechter gedult möchte mich gleichförmig machen, amen. Datum
Wien den lezten decemb. a. 87.

E. G. gehorsamer caplan

M. Khlesl m. p.

Was ich herrn obristen camerer in mea causa zueschreyb, haben
E. G. hiebey zu empfahen. E. G. resolviern sich nuer, ich will der resolution, die in infinitum möcht ghen, nit erwarten.

XXXIV.

Wien, 1588 Jänner 28.

Hoch und wolgeborner gnädiger herr. E. G. sein mein gehorsamb
schuldig und willige diennst zuvor. Gnädiger herr, E. G. so ghar gnädig
vätterlich und wolmainent schreyben hab ich empfangen, hette auch darauf
gleich und alsbaldt geantwort, do ich wissen khünnen, wo und wie meine
sachen geschaffen wären, weill ichs aber erst vor wenig tagen erindert,
so hab ich es bis daher verschüeben wöllen. Mier ist laidt, das E. G., alls
welliche ohne das hoch und vill occupiert, mitt diser meiner sachen ich
behelligen soll, es macht aber E. G. gegen mier so gnädigen affection und
mein so gehorsam vertrauen, lezlich das die betrüebten vilmal mehr alls
innen sonnsten woll anstehet thun, und bitt E. G. desswegen, wie offt
geschehen, gehorsamblich umb verzeihung. Bedanckh mich so hoch ich
khan dess so gnädigen trosts und zuesprechens düemüetiglich, Gott so
reich ist wölle es alles bezallen. Ich mues woll zusambt villen, so in
disem ofen der trüebseligkhait ligen bekhennen, das ich im zu zeitten
etwas zu vill thue, wan aber E. G. sollen wissen, wie ich in continua

vexatione sine restitutione meae famae et boni
persona bleiw, so wär nicht ein wunder, auch
darüber zu zeitten ungedultig werden, sonnde
selbst und was sy dennoch irem concept nach v
bösser füer die augen stellen, wie auch mit in
sy weder zu rechtlichem process, extraordinari
gelassen werden khünnen, sonnder gleich wie
spem et metum steckhen und beleiwen müesi
dingen, so alberait schon langst determiniert, de
den sein. Aber ich will dises alles auf E. G. an
beiseits sezen, mich auch so lang dulden, das l
resolution hoffentlich billichen werden, aus ursa
weltt will verlieren, alls mein gwissen lenger b
die ganze weltt gewung, mein sehl aber in gi
alls nuer ich daran schuldig sein. Cum chari
ich meinem vatterlant und der ganzen khirchen,
zu thun schuldig. Weill ich nun befündt, das e
mier nicht thun wurde, so werden E. G. mier de
do ich zu zeiten auf das mitl khumb, welliche
nach, und das sich alle meine feundt erfreien w
sein gedeucht, der sehlen aber nuz und nothwe:
abermaln an I. M⁴ (wie sy mich vorgestern gn
meiner sachen halben schreyben oder geschri
gehorsamer gedult auch diser sachen endt e
dem herrn Rumpfen¹ ich nuer dise gnadt er
selb ad partem I. M⁴ statum totius causae, v
(alls ich bericht wier) ghar ausfierlich endteckh
ten, so mag ich dulden der bischoff von Wien
sein das sy dabey sizen und votiern mügen, (
I. M⁴ sein, wie sy auch meine geringe dienst w
nuer von meines glaubens gnossen den geistli
verfolgt, traduciert und wunderbärlich umb m
villen gebracht worden, wie ghern sy auch me
selben summo studio gesuecht haben, so zweifle
in ainer viertlstundt cum honore aus diser ga
das nit geschiecht, was auch I. D⁴ werden schr
wierdt den alten gang gwingen, wie der process 1
gelernet hatt. Bitt demnach E. G. ganz gehorsa

---

¹ Vgl. oben S. 499, Anm. 1.

gnadt bey I. G. dem herrn Rumpfen, wellichem ich desswegen geschriben und gebetten hab, erhalten, dan allso wier ich aus allen meinen sachen vor der h. zeitt der fasten khumen mögen. Sonsten disputiert diser das, ein annder wierfft etwas anderst ein; so baldt I. M⁴ werden sagen, das geschehe, so ist uns geholffen. Das überig thue E. G. ich gehorsamblich bevehlen, dan dieselben, alls welliche diss negotium neben andern meinen gnädigen herrnen mier zu gnaden über sich genumen, werden im zu thun wissen, und Gott wölle E. G. sambt derselben zuegethanen gnädiglich vor allem übl behüeten, in guetter gsundthait und langem leben erhalten, amen. Datum Wien den 28. jan. a. 88.

E. G. gehorsamer caplan

M. Khlesl m. p.

XXXV.

Wien, 1588 Februar 11.

Hoch und wolgeborner gnediger herr. E. G. sein mein gehorsam schuldig und willig diennst zuvor. Gnediger herr, derselben schreyben hab ich gestern empfangen, thue gegen E. G. ich mich dessen gehorsamblich bedanckhen, gwisslichen bin ich diser gnaden nit wierdig, hab es noch khan es auch nit verdienen umb E. G. mein lebelang, weill sy sich meiner person nicht allain hoch annemen, sonndern mehrer thun nicht khündten; weill aber E. G. sehen, das dise mein bschwärnus billich, allso wöllen sy der gerechtigkhaidt favorisiern. So wierdt die gerechtigkhait, welliche Gott ist, dise mir erzaigte gnaden hoffentlich reichlich belohnen. Was E. G. wegen der widerwertigen gericht und denselben bösen leuthen füerkhumen sein, das ist in warhait mier zu gnaden ein hohe notturfft gwesen, dan eben was ich mich besorgt, möcht mier alberait widerfahrn sein. Aber es haist nit erbar mit mier gehandlet, das haben meine widersacher in allen meinen sachen bissher gespilt, dieselben auch aufs wenigist in die leng gebracht, wie sy jezunt dan ebensfals und nicht weniger thun werden. Weill aber meine sachen Gott lob alberait praeoccupiert und meine gnädige herrn sufficienter informiert sein, trag ich nunmehr bey diser gerechten handlung khainen zweifl, insonderhait weill der allmächtig Gott scheinbärlich ire hänndl, welliche sy bissher haimblich und verborgen getriben, durch die irigen selbst will offenwahren. Bitt E. G. die wollen meiner mitt gnaden gedenckhen, dan seitt I. D⁴ schreyben hineinkhumen ist, fället nicht, das die correspondenzen gross werden, wiewoll ich mier Gott lob weniger alls zuvor fürcht.

Danebens khan E. G. ich in sonndern vertrauen nit bergen, das man mier füer gwiss gesagt, E. G. sohn herr Sigmundt sol in khurz hinab

ins Niderlant verraisen. Unnd mügen mier E. G. diss woll glauben, &
ich es sine causa nit schreyb. Nun wais ich woll, das E. G. von diem
nichts bewůst, und bitt dieselb umb Gottes willen, sy wöllen disen bri
cassiern, damit niemants darüber khumb, aus ursach, die ich zu sein
zeitt melden will; das ich aber E. G. avisier, bewegen mich die vill ni
erzaigten gnaden darzue, und werden im dieselb zu thun wissen.

Neuhes ist alhie nichts, der landtag ghehet still ab, von der rei
gion wierdt nichts gehandlet. Was mier füer neuhe zeittung P. Micha
schreybt, will E. G., weill es geringe sachen, ich nit behelligen. Gott, i
dessen schuz E. G. ich bevehlen thue, erhalte dieselben bey gsundt u
langem leben, amen. Datum Wien, den 11. febr. a. 88.

E. G. gehorsamer caplan

M. Khlesl m. p.

XXXVI.

Wien, 1588 Märs 17.

Hoch und wolgeborner gnädiger herr, E. G. sein mein gehorsa
schuldig dienst zuvor. Gnädiger herr, derselben schreyben den 9. mart
datiert hab ich gestern abents empfangen und mitt sonndern freiden ve
standten, wie E. G. ir mein resolution lassen angelegen sein alls w
dieselb ir aigne person antreffen soll; Gott im himel wölle es E. G. all
bezallen. Aber nit allain das ich davon nichts wais, sonndern I. I
bschaiden mich abermaln auf Prag, das ist schier in infinitum; weill i
aber so lang gedult gehabt, so will ich es gleich am endt nit verliern
villeicht haben meine widersacher gleich die böste freudt allso. Hoff alla
I. Mt werden den dermaln ains auf den grundt khumen und dadurch i
entlicher und gnädigister resolution bewegt werden, es verdreuss da
nach wem es. wöll. Der Erstenberger[1] hatt sich gegen dem Cornel
allerlai böser reden vernemen lassen, alls sollen I. Dt nichts an me
vorwissen thun, der alt herr von Harrach[2] und Westernacher[3] wär
khetten daran ich hanget, es khundte nichts guetts daraus khumen. :
werde dan zereissen, Westernacher esse und trinckhe täglich bey mie
comunicier mier I. Mt gehaimb alle etc. Das sein böse unzeitige un
hantige reden, die will ich zu seiner zeitt sparen, weill ich mitt Corneli
in handlung stehe, das er miers bstehen soll. Wan ich woltt lerman an

---

[1] Vgl. oben S. 523, Anm. 2.

[2] Vgl. oben S. 500, Anm. 1.

[3] Sebastian Westernacher, kais. Hofsecretär, dem Erzherzog Ernst zu
getheilt.

richten, ich wüste woll wie man mitt mier gehandlet hett, aber es müeste
es doch die religion hernach entgelten, weill ich sihe, das die affectus
dem gwissen füerzühen, alles zu seiner zeitt. Wo nun mein khayserliche
resolution hinkhumen wierdt, wais Gott, ich glaub aber das solliche gesellen sub specie recti den spott daraus dreiben und weder I. M⁴ noch
derselben privilegien, khünfftiges übl und erschreckhliche erweiterung
nichts gedenckhen, modo illis satis fiat. Bitt E. G. die helffen wie bissher gnädiglich, damitt ich doch dise h. zeitt möchte ainen bschaidt haben.

Herr Sigmundt[1] ist gestern spatt zu mier khumen, dem hab E. G.
resolution ich gelösen, ist dermassen desperatus von mier geschaiden,
das ich nit wais was ich schreyben soltt, die loss lieb bringt sein verderben, hatt mier anzaigt, ehe er E. G. mit der heuratt belaidigen soll,
er wolt ehe sterben, es hett in aber die teuflisch lieb (dan allso sein die
reden) dermassen eingenumen, das im wee sey, wo er nuer hinkhäm.
Die schulden sein in die 6000 taller, fürcht sich allenthalben, summa er
wais nit wo aus oder ein. Ist heutt in Märhern mit herrn Septimo von
Liechtenstain. Was sich nun mitt dem von Schönkhirchen und im vor
der Wolfspruckhen zuetragen, wierdt der hoffmaister E. G. schreyben.
Der guett man der hoffmaister khumbt mitt wainenten augen und bitt
umb rath, was er thun soll, aber ich khan im nit helffen; Gott wierdt
hoffentlich das böste thun. Ich wollt meines thaills, er züge ein waill beiseits der herr Sigmundt, dan die schulden und lieb werden in in grosse
gferrligkhait bringen, aber da ist khain heller noch pfening, trag nuer
sorg, das ime nichts übls widerfahr, ich will gleichwoll mitt dem Patri
Michaeli Alvarez[2] reden, ob wier in möchten reduciern. Das geb Gott,
in dessen schuz ich E. G. bevehlen thue mitt gnaden. Datum Wien, den
17. martii a. 88.

E. G. gehorsamer caplan

M. Khlesl m. p.

XXXVII.

Wien, 1588 April 28.

Hoch und wolgeborner gnädiger herr, E. G. sein mein gehorsam
schuldig und willige dienst zuvor. Gnädiger herr, das E. G. sich so hoch
meiner angenumen, hab ich zuvor bedanckht und bleiw danckhpär und
schuldig ewiglich. Ich hab gleich in Gottes namen dominica palmarum
in unser frauen khirchen den passion angefangen, darauf mier der herr

---

[1] Von Dietrichstein. Vgl. Nr. XXXV.
[2] Vgl. oben S. 540, Anm. 5.

bischoff den montag hernach ein scharffe zetl g
nichts hindtern lassen, sonnder ime khurz unc
hait geantwort, wier wolten es müntlich undte
veneris sancto zusamen khumen, uns mitteinar
und allso brüederlich verglichen, das wier bäde
seine werckhzeug sollen nun hinvorthan wider ι
vergleichung hatt Gott allain gmacht, wie dan kh
ist, aus wellichem E. G. gesehen, was ich ir vc
das so baldt I. Mᵗ offentlich etwas werden dem
richtig.[1] Ich predige iezunt bey S. Stephan we
übl auf ist, sonnsten mitt seinem ghar guetten
an der gstetten,[2] und sein allso wie ain herz
Gott verleihe uns bstendtigkhait, wie ich an mie
erwindten lassen, sonnder alls der iünger accom
müglich ist. Wier nemen uns ietzunt auf ein
gleich an, hoff der allmächtig werde seinen seᶓ
reich durch uns erweittert werden müge, darzue
desswegen sy gwisslich von dem allmächtigen de
Ist nun der hoffpredicatur, das ich in das buec
was mehrers vonnötten, das alles stelle ich E. G
mich noch bekhenne, gehorsamblich haimb, di₍
machen zum bösten wie es sein mag, dan ich geh

Weitter khan E. G. ich nit verhalten,
sohn[3] alhie, wie mier alle seine leuth werden
mhüe und arbait gehabt, damit ich in zu ehr seine
schafft in officio erhalten khundte. Er ist arm, p
melancolisch und lasset sich allso an, das ich
böse schödliche und ganz bschwärliche melancoli
khumen, dan er weder isset noch schlaffet, ist
wunderbärlich, wierdt zimblich khindisch, und t
den auf die lezt sehl und leib schaden. Wie hoc
maln offendiert, wie er sich verhalten, was E. G
nussen haben, das wais ich thaills von E. G. se
ime dem herrn Sigmundten verstandten. Das
zeitten ungebüerliche reden schiessen lasset, er
frau gemahel, dadurch Gott so hoch offendiert, d

---

[1] Klesl war nämlich mittlerweile zu K. Rudolfs
den. Vgl. oben S. 486.
[2] Maria am Gestade.
[3] Sigmund. Vgl. Nr. XXXVI.

barmbherzigkhait verhoffen khan, er müesse dan die ganz zeitt seines
lebens die sachen allso anstellen, damit die ganz weltt erfahr, das im von
herzen laidt sey. Er bewaint und erkhennet seine sündt tag und nacht,
hab in ad confessionem gebracht und was mier müglich ist gwösen gethan. Gott wais, das E. G. reputation ich in alweg sueche und dieselb
biss in mein grueben ehren und mitt willen nicht offendiern will, aber,
gnädiger herr, die sachen ist in extremis und laider geschehen, aber doch
allso das mich gedeucht bösser ein khlainer dan ein unwiderbringlicher
schaden. Das herr Sigmundt sich soll aufhalten alhie, nunquam suadeo,
daher khumbt sein verderben, sonnder im wär nuz, er thätt ein jar oder
zwai buess und lernet die frembt und ellendt erkhennen, allain das dise
schulden thails und mit gelegenhait von jar zu jar möchten bezalt werden,
er bliw in officio, lernet die armuet, danebens wurde seinem namen und
ehr geholffen; doch damit auch er sähe, das sollichs cum difficultate zue-
gieng. Ich mains ainmal treuherzig, das wissen E. G., daher ich hoff, ich
werde dieselb nit offendiern, sonnder irre ich, mehr simplicitati meae und
obligationi gegen E. G. alls ainiger andern ursach zueschreyben. Ich
stehe an, wais nit wie ich in tractiern, das negotium suspendiern, oder
was ich im rathen soll, vellem conservare ipsius animam et honorem liben-
ter, do es müglich wär; aber erfahr ich, das es wider E. G. sein soll, von
diser sachen mehr zu schreyben, so verobliger ich mich dieselb nit mitt
ainem wortt weitter zu behelligen. Und thue E. G. in den schuz Gott dess
allmächtigen, mich aber zu dero bständtigen gnaden gehorsamblich bevehlen. Datum Wien den 28. aprilis a. 88.

E. G. gehorsamer caplan

M. Khlesl m. p.

XXXVIII.

Wien, 1588 October 4.

Hoch und wolgeborner gnädiger herr, E. G. sein mein gehorsamb
schuldig und willig diennst zuvor. Gnädiger herr, ich khan nit umbghen,
E. G. zu behelligen, weill ich derselben in der polnischen tumults berathschlagung, do sy gleich zum häfftigisten occupiert gwesen, ein schreyben
von meinem gnädigen fürsten und herrn sambt meinem zuegeschickht,
darauf aber khain antwort bekhumen hab. Ob nun dieselben schreyben
E. G. zuekhumen sein oder nicht, das ist mier unbewüst, bitt E. G. die
wollen mich zu irer ghar guetten gelegenhait berichten lassen.

Ich bin sonsten von meinen zwäen raissen von Passau widerkhumen,
auch daselb herrn bischoven frisch und gsundt verlassen, die controversiae

zwischen ainem capitl und I. F. G. sein Gott
I. F. G. iezunt bey guetter rhue, wiewoll es in '
düerfft hatt.

Herr Maximilian[1] hatt sich auf der Zeller
wie auch zu Paden sehr frölich und guetter di
laider nicht besuechen khünnen wegen der so
nun bey 2 monatten khaum zwen tag bin zu
aber E. G. nit verhalten, das ich von ime herrn
alls hab er willens widerum ghen Prag zu raisen
aufzuhalten, das werden E. G. von anndern meb
standten haben. Ich thue aber alles ghern, wa
mit er derselben khain ungelegenhait mache.

Neubes ist alhie nichts dan das bäde st
dise täg in meinem beiwesen ainhellig gebeuch
wöllen auch bey dem h. catholischen glauben le
leihe innen Gott, amen. Jezunt sein in dis
Khrembs, Stain, S. Pöldten, Ipps und Paden n
Ipps und Paden Gott lob woll disponiert fündt
Gottes dieselb baldt zu reduciern. Aber gleich
dem lösen zu raisen willens, da hangen I. D¹ mi
nämblich das ich das bisthumb Neustadt admini
ich der sachen nachgedacht, auch solliche bede
mier nit allain bschwerlich sonnder schier unmü
auf so gmesne der K. M¹ gnädigiste resolution,
gethan, sonnderlich auf die so starckhe mitt mi
horsamist mich so weitt erkhlärt, das ich der K.
thenigisten gehorsamisten ehrn auf versueche
cum illa protestatione, do ich mich untauglich w
mier zu ungnaden nit woltten vermerckhen, '
resignieret. So mier aber der allerhöchste auch
ordnet, will ich in mitt gehorsamb übernemen, '
der K. M¹ unterthänigist überantwortten und
abwartten, dan ich vill lieber in ista simplicit
gwissen zu beladen begher.

Noster Christopherus ist vonn I. F. D¹ de
stundt gleich alls dieselb in die khirchen zur m
ungnaden geschafft worden, allso wär im bösse
purg dan der geistlich rath zu Salzburg.

---

[1] Von Dietrichstein.

Pater Michael[1] schreybt mir offt von E. G. ganze brief und niuen hauffen von den brüedern, villeicht vermaint er, das ich dieselben schreyben alle E. G. zueschickhe und sy maistern wöll; aber weill ich wais und E. G. khenne, so woltt ich mitt dergleichen unzeitigen schreyben E. G. nit ghern behölligen. Was ich aber ime P. Michaeli von Cell aus geantwort, wierdt herr Maximilian, deme ich dasselb schreyben gelösen, zum bösten E. G. referiern khünnen. Sonnsten thuett sich Pater Michael E. G. gehorsamblich bevehlen.

Der auslauf allhie zu den sectischen predigen wierdt nit gemündtert, sonnder heuffet sich von tag zu tag; es deucht mich schier, wier wöllen verdrossen werden, aber Gott ist (!) alle ding müglich. Jezunt nit mehr dan das ich E. G. in den schuz dess allerhöchsten, mich aber zu dero gnaden ganz gehorsamblich bevehlen thue. Datum Wien den 4. octob. a. 88.

E. G. gehorsamer caplan

M. Khlesl m. p.

XXXIX.

Wien, 1588 October 25.

Hoch und wolgeborner gnädiger herr, E. G. sein mein gehorsam schuldig und willig diennst zuvor. Gnädiger herr, E. G. schreyben, dess datum den 11. octobris zu Prag ist, hab ich erst gestern abents do ich aus der Neustatt khumen empfangen, und bedarf, gnädiger herr, khainer entschuldigung, weill ich wais, das E. G. mier, wan sy schon nit antworten, nichts desto weniger mitt bständigen gnaden wol gwögen verbleiwen. Mier ist allain umb das gwösen, das ich nit gewist, das E. G. meine schreyben zuekhumen sein; sonnsten wan es wider derselben gelegenhait nit ist, erfreyen und trösten mich E. G. schreyben von herzen. Unnserem herrn Maximiliano hab ich verschinen sambstag den bschaidt anzaigt, darauf er[2] sich dessen resolviert: weill er sihet, das er nicht verbunden, so wöll er die verenderung dess † (!) nicht mehr urgiern, sonnder in dem fall E. G. nit offendiern. Was aber das heuratten betrifft, khenne er sich selbst zum bösten, so hetten im E. G. zuegesagt der heuratt halben in in nicht zu dringen, darauf ich weitters nicht gangen, sonnder es zum anfang füer gnueg gehalten; werden E. G. darüber denen sachen woll zu thun wissen; ich bin und ghör in das haus; was E. G. schaffen, wissen sy woll, das ich derselben gehorsamer caplan leb und stirb.

---

[1] Alvares. Vgl. oben S. 540, Anm. 5.
[2] Wohl Sigmund. Vgl. Nr. XXXVI.

Wegen der rais ghen Prag ist zwischen u

dan der herr in Hungern geailt, hoff aber gwi

seinem rath nit ausschliessen, so wierdt er von

Den herrn von Passau betreffent, wais

derselb E. G. zuegschriben, ausser dessen das

verstehe, das aber so gwiss alls meinen namen,

ligkhaiten, ja die allergeringsten nit, verhandte

tentum allain dahin gstandten ist und noch, E.

alte vertrauligkhait zu bringen, damit wan übe

guetter frischer gedächtnus wären. Sonsten 1

Starnberg und Hoffman vor 20 jarn auf die wei

thaills verschwigne thaills aber strittige lehen

alle iezunt ruhig besizen, wie sy dan deren

Steireckh[1] herrn Wolfen Gerger[2] zuegehörig, so

aber herr Gerger nicht gständtig, die alle auf i

I. F. G. namen dasselb bstreitten wöllen, ann

(wie billich) I. F. G. den alten herrn von Harra

wegs offendiern wöllen. Allso khan ich mitt gu

schuldigen, das sy diser zeitt gwisslichen annd

haben, und glaub nit, das vill felligkhaiten sich

derst alls auf dise weiss zuegetragen. Ich will

miers verbietten, nit undterlassen dise alt vertr

erhalten, damit, wan über nacht ein gelegenha

gniessen khündten; ad hunc finem hab ich die

Unnsere Österreicher sein mitt irem

bschaidt[4] ghar in der still haimbkhumen, ich h

disputierlich in disen landen worden, ist khain

serer h. religion so nuzlicher bschaidt nit khor

herr geb allain die bstendige execution, dere

ordnung confundiert werden, damit alles woll

sollicitiern und anbringen soll es gwisslichen n

Alhie sein die wein übl geratten, und ge

leuth noch bey der pröss, do der most herabrinr

---

[1] In Oberösterreich.

[2] Bruder des bereits mehrfach erwähnten Helm

[3] Vgl. oben S. 500, Anm. 1.

[4] Es ist die kaiserliche Resolution vom 28. 8.
sandten der Stände Adam v. Puchheim und F
in Prag zugestellt, von den Ständen aber erst
wurde. Wiener Hofbibliothek Cod. 8314, fol.

den eimer; auf dem hungerischen, darinnen dess bisthumbs Neustatt alle weingartten fast ligen, haben es die meuss geessen, welliche dermassen überhandt nemen, das sy auch die neu saatt fressen und man iezunt ein neuhes anbaut, welliche mitt sollichem hauffen sich sambien, das etlich hundert in ainem grossen loch gfundten werden, die khumen auch schon herauf biss an die Schwechätt. Gott wölle uns allen gnädig sein, in dessen gnädigen schuz ich E. G. und alle die irige, mich aber zu derselben gnaden gehorsamblich bevehlen thue. Datum Wien, den 25. octob. a. 88.

E. G. gehorsamer caplan

M. Khlesl m. p.

Ich bitt E. G. die wöllen meiner bey I. M¹ zu guetter gelegenhait nit vergessen, derentwegen ich sy durch herrn Maximilianum ansprechen lassen.

XL.

Wien, 1588 November 26.

Hoch und wolgeborner gnädiger herr, E. G. sein mein gehorsam schuldig und willig diennst zuvor. Gnädiger herr, ich bin gleich iezunt nach ainer stundt willens mich auf den weg in die Neustatt zu machen, und daselb auf khunfftigen pfingstag wills Gott die reformation fuer die handt zu nemen. Es werden one zweifl von anndern E. G. erindert worden sein, in was gferrligkhait leibs und lebens ich iezunt bin, allenthalben lauren sy auf mich und ist das gschrai nie so gross gwesen, aber ich muess es Gott bevehlen und ime danckhen, der mier ire falsche listen und practickhen eröfnet. Was ich aber bey diser ganzen österreichischen reformation verdient, schickh derselben ich ein argumentum von unserem P. Michaeli[1] originaliter zue, wie ghar der mensch das regiment und dominiern nit lassen khan, welliches mier gleichwoll dise zeit auch von etlichen anndern aus irer societät geschehen ist, welliche iezunt nit allain ruhen, sonder die sachen in offentlichen truckh innen selbst zu spott, alls die das contrarium zuvor gesagt, vermelden. Welliches als ich alls von meinen praeceptoribus zu vermeidung mehrer ergernus bis daher mitt gedult ausgestandten, und vill mehr in effectu das contrarium beweissen wöllen, aber lieber Gott, das ich auch ainem yedlichen soll undterworffen sein, das will mier schier zu starckh werden. Hab allso niemants, dem ich es khlag alls E. G. und herrn Rumpfen,[2] meinen gnädigen herrnen;

---

[1] Jesuit Alvarez. Vgl. oben S. 540, Anm. 5.

[2] Vgl. oben S. 499, Anm. 1.

wo ich mein mundt will aufthun, da mus ich ergernus halben bill
schweigen, dan ich mehr guetts von diser societät empfangen hab, a
ich bezallen khan. Was ich aber disem jesuiter geantwortet, haben E.
hiebey auch zu vernemen, alles zu dem endt, weill ich allenthalben w
angriffen, das man mich nit etwan auch bey E. G. verunglimpfen wolt
wiewoll ich bey derselben versichert bin. Und bitt E. G. ganz geh<
samblich sy woltten mich data bona occasione bey herrn nuncio come
diern, das, wie zu zeitten man leuth fündt, wo dieser P. Michael an
khumen wär, ich dennoch darumen gehört wurde, wie woll ich nit hofl
will, das herr nuncius dergleichen sachen glauben sezen soltt; do er al
nichts soll wissen, wie ich aus I. G. schreyben nichts vermuetten kh<
so ist dennoch auf khunfftiges nit schädlich. Allso trag ich billich so<
es möchte I. G. mein gnädiger herr durch die mitl, welliche dergleich
leuth sehr im brauch haben, der herr Rumpf übl informiert werden;
bitt E. G. ich gehorsamblich, sy woltten dennoch ine, so etwas daran, me
antwort lesen lassen. Woltte Gott unsere sachen stundten allso, das wi
undter ainst alles recht machen khundten, aber es ist iezunt nit zei
wie dan iezunt in die 40 landtleuth wegen der khayserlichen resoluti<
und dess Praggerischen bschaidts[1] alhie in starckher berathschlagung u<
versamblung sein, sich auch mitt ernst umb ir sachen annemen. U<
ob woll nit zu zweiflen, die göttliche M^t werde es alles zum bösten we<
den, so mues man doch die mitl und den verstandt brauchen und nit a<
ding in lufft handlen. Herr Maximilian ist frisch auf, hatt ein wail na<
Prag postiern wöllen, desswegen das E. G. ime nichts geschriben, w<
ich hör, so stelle er es ein. Und thue E. G. hiemit sambt derselbe
gmahel in göttlichen schuz und bewahrung, mich aber zu dero gnade
gehorsamblich bevehlen. Datum Wien, den 26. novembris a. 88.

E. G. gehorsamer caplan

M. Khlesl m. p.

XLI.

Wien, 1589 Februar 18.

Hoch und wolgeborner gnädiger herr, E. G. sein mein gehorsam
schuldig unnd willig diennst zuvor. Gnädiger herr, ich hab mitt sonder
höchsten freyden derselben gsundthait verstandten, und will die sache
derhalben nit disputiern, weill der effectus, dem ewigen Gott sey danck
gesagt, ervolget, der wölle E. G. ad multos annos nach seinem willen e<

---

[1] Vgl. oben S. 574, Anm. 4.

halten. Ich bin meines leibs halben ghar übl auf und dermassen auf-
gearbait, alls wär ich vill jar alt, iezunt wier ich, alls ich zum sterckhisten
sein soll, über alle meine so starckhe entschuldigung von I. D^t ghen
Khrembs und Stain gnädigist dise fasten verordnet. Und ob ich woll die
grosse gferrligkhait leibs und lebens daselb wais, so thue ich es desto billicher, weill es mein beruef erfordert und ich es meinem vatterlant zu thun
schuldig bin, allain wier ich disen sturmb, welliche schon vill angeloffen,
leibsunvermügligkhait halben schwärlich khünnen ausstehen, iedoch trau
und bau ich auf den so mich sterckhet, und bitt E. G. die wollen sambt
irem gmahel meiner gnädigen frauen und herrn Maximiliano in irem gebett nuer mitt ainem ave Maria lassen bevohlen sein, dan ich mich ge-
tröste solliches werde mier ghar vill helffen. Pater Michael[1] hatt mier
widerum ghar ein böses briefl zuegeschriben, das ligt auf dem tisch, hoff
er soll entlich müett werden, darzue ime mein stilschweigen wierdt ursach geben.

In anndern sachen, gnädiger herr, fahren wier alhie zimblich fortt
und ghehet uns nichts alls die continuation ab, welliche das religionwösen
erfordert, dan so baldt man dem feundt rhue lasset, ist in sich zu sterckhen
gelegenhait geben, villeicht wierdt es einmal geändteret. Damit thue
E. G. ich mich gehorsamblich bevehlen, mitt bitt dieselb wöllen irem
gmahel und herrn sohn meinen gehorsamen gruess vermelden. Datum
Wien den 18. febr. a. 89.

E. G. gehorsamer caplan

M. Khlesl m. p.

XLII.

Wien, 1589 März 8.

Hoch und wolgeborner gnädiger herr, E. G. sein mein gehorsam
dienst zuvor. Gnädiger herr, derselben schreyben den 24. februarii datiert
hab ich den 4. martii, alls ich widerum von Passau khumen, empfangen
und bedanckh mich dess so gnedigen erbietens ganz gehorsamblich, wie
ich mich dan anderst niemaln versehen, im werckh auch erfahrn hab,
Gott geb, das ich es widerum verdienen khünne. Mein raiss ghen Khrembs[2]
ist auf so ernstlichen I. D^t bevelich woll forttgangen, was aber dieselb
füer ainen bluettigen ausgang schier genumen, werden E. G. zweifls on
von anndern berichts empfangen haben. Sovill allain ist es in summa

---

[1] Alvares. Vgl. oben S. 540, Anm. 5.
[2] Vgl. über die tumultuarischen Vorgänge in Krems Kerschbaumer, a. a. O.
    S. 27 f.

das ich miraculose nitt dem leben bin davon khumen, dan alls ich I. D^t schreyben dem rath zu Khrembs überantwortet, diser die gmain erfordert, haben die gmain auf dem rathaus alsbaldt zusamen geschworn, sich mit ainem aidt verbundten, leib und leben bei einander zu lassen, das rathaus gesperrt, in rath gedrungen, sy sollen innen die schlüssel zum zeughaus und thüernen geben, oder sy wollen handt anlegen, dessen sich der rath entschuldiget und sovill müglich abgewisen. Sy aber haben mich gesuecht, auf ein neuhes sich verobligiert, das sy mich zertretten, hernach auf-hengen, in stuckhen zerreissen etc., wie solliches die aussag eticher aus dem rath mitt sich bringet. Do nun bäde stätt Stain und Khrembs in ordine auf mich warttent und sich nit abtreiben lassen, sonder ir intentum in das werckh richten wöllen, bin ich in Gottes namen eben mitten durch sy in ainem zuegethanen wagen hinauskhumen, und mich zu Mautern in des von Passau statt salviert, hernach alher ghen Wien verraist und I. D^t solliches gehorsamist referiert, die es an L. F^t bey disem aignen curier gelangen lassen. Was nun auf diser handlung be-ruhet, khünnen E. G. leichtlich abnemen, das seitt diser mitt sich ein statt und marckht nach der andern vernemen lasset, und meniglich zu faustrecht greiffen will. Das hab E. G. ich khlagweiss zueschreyben wöllen, sonderlich weill dise sachen iezunt bey aignem curier umb der K. F^t gnä-digisten resolution nach Prag geschickht wierdt; damit E. G. dein commiss alls ein glidt der khirchen was sy nuer khünnen befüerdern helffen. Und thue derselben mich zu gnaden gehorsamblich bevehlent, mitt bitt, E. G. woltten iren gmahel mein gnädige frau und gehorsamen sohn herrn Maxi-milian von meinetwegen grüessen und irem andächtigen gebett bevehlen. Datum Wien den 8. febr. (!)[1] a. 89.

E. G. gehorsamer caplan

M. Khlesl m. p.

XLIII.

Wien, 1589 December 11.

Hoch und wolgeborner gnädiger herr, E. G. sein mein gehorsambe diennst zuvor. Gnädiger herr, derselben schreyben in die S. Andree datiert hab ich mitt freyden gestern abents empfangen, weill dasselb voll mitt trost und gnaden, hab ich desto mehr ursach mich erstlich pro domo dei

---

[1] Nachdem dieser Brief die Antwort auf Dietrichstein's Schreiben vom 24. Februar, das Klesl am 4. März erhalten hatte, wird es ohne Zweifel März heissen sollen.

wie ain maurn zu sezen mich auch davon dise wöllen desto weniger abhalten zu lassen, weill ich sihe, das mein herr sich allain stellet alls wan
er schlieff und doch in warhait allain das vertrauen und die zuflucht zu
ime suechet und ermundern will. Darumen ich billich auch mehrer herz in
disem streitt haben soll, weill ich täglich die gwaltige handt Gottes empfündte, und sihe, das E. G. mich zu disem khampff mitt trost und beistandt animiern. Sein allso dieselb von mier versichert, das ich, so lang ein
adem sich in meinem leib rüert und ich den athen empfündte, mitt Gottes
gnadt nit will aussezen, sonnder oportune et importune omnem lapidem
moviern, wie der feundt sein sterckh möchte mehr und mehr verlieren,
darzue helf uns unnser lieber herr.

Was den bewüsten vom adl anlangdt, werden E. G. wils Gott von
mier ein ganze historien vernemen und gleich wie ein offentlichen khampf,
den ich und der teufl umb dise sehlen gehabt, mit lust verstehen. Tandem veritas vicit, und hatt mier diser redliche vom adl den 1. decembris
in der Neustatt gebeucht, sein haeresin abiuriert und aus meinen handten
das h. sacrament sub una empfangen. Gott dem alle ehr sey wöll in
sterckhen, E. G. aber denselben mitt gnaden, weill er von allen wierdt
verracht werden, lassen bevohlen sein und noch (wie er mich häfftig gebetten) allain bey ir der frauen und herrn Maximilian bleiwen.

Das mier der magister, so bekhert worden, communiciert, dasselb
hab dem alten herrn von Harrach[1] ich zuegestelt und schickh E. G. hienebens ein exemplar. Dise leuth suechen bey calvinischen und flaccianern
wider I. M[t] hilff, glaub, wan der teufl selbst verhandten wär und soll nuer
wider I. M[t] innen helffen, sy wurden in ersuechen. Noch brangt man
mitt denen leuthen, und fündten mitt disem modo nuer mehr gnadt, so
lang biss sy I. M[t] allen gwalt gnumen haben, das wier ire knecht werden,
deren doch maistes thaills aintweders lautter betler oder doch durch hilff
derer herrn allso aufkhumen sein. Iezunt sehen I. D[t], das mein prophezei
wahr ist und die Sierningerischen paurn[2] nit allain widerumb in hard-
nisch sein, sonder lautter schreyben, do man innen ainen ainigen menschen mehr einzühen werde, wöllen sy alle clöster blindern welliche noch
überig. Allso geschiecht es, wo man unnser feundt guettbedunckhen
approbiert und nicht verdächtig hältt.

Was nun lezlich E. G. raiss belangdt, soll die von meinem mundt
khainem menschen communiciert werden, wie ich dan mit meiner raiss

---

[1] Vgl. oben S. 500, Anm. 1.
[2] Über den Aufruhr der Sierninger vgl. Pritz, Geschichte des Landes ob
der Enns II, 1847, S. 281 f.

so still procedier, das es biss daher khain mensch wais. Aber zu Prag
sein on E. G. wär mier wie ainem armen schäfl, das sein hierdten und
einem der sein khopf nit hett, darumen bringt mich khain mensch oe
E. G. hin, es wär mier ain tag lenger dan sonsten ein 14, sonderlich weil
ich wais, das bey E. G. ich dahaimbt bin und ins haus gehör, auch söllich
lieb und gnadt deren sie sich gegen mier unwierdigen nit allain in disem
E. G. und allen andern schreyben erkhlärt, sonnder offentlich im werckh
gegen mier demonstriert haben, darumb ich in ewigkhaidt E. G. und aller
derselben angehörigen aigner und verpflichter diener bleiw, derhalben
will ich mich auf dieselb zeitt gefast machen und undter dem schein als
woltte ich dieselb einmal haimbsuechen von hinnen ghen Nickhlspurg,
leb ich und bin gsundt, verraisen. Es haben mich I. Dt gnädigist ansprechen lassen, ich soll mich ante festum circumcisionis wegen der rathswahln so hinundwider geschehen und ich darauf berichten mues, von
hinnen nit begeben, welliches mier iezunt zu meiner grossen gelegenhait
geraichet. Bedanckh mich gegen E. G. ganz gehorsamblich, das sy mich
allso gnädig wöllen aufnemen, wi(er) mich allso verhalten das E. G. sollen
gnädig zufriden sein. Und bitt di(eselb) ganz gehorsamblich, sy wollen
ir die allergeringist ungelegenhait von meinetwegen nit machen, mich
füer den wie sy mich im herzen khennen halltten, dan ich mein ross und
wagen hab, und mier wierdt gnueg auch mehr alls zuvill sein, wan ich
nuer mitt E. G. gleiche tagraiss machen und E. G. von fernen mitt irem
hauffen sehen und auffwartten khan. Sonnsten wurden mier E. G. mitt
irer ungelegenhait, die sy von meinetwegen thätten, mehr ungnadt dan
gnadt erzaigen. Und thue E. G. mich gehorsamblich bevehlen mitt under-
thäniger danckhsagung, das I. G., die frau und herr Maximilian dennoch
meiner noch gedenckhen. Aber was ich thue in meinem armen gebett,
thue ich schuldig und ghar vil zu wenig, bitt E. G. die wollen mich I. G.
der frauen und herrn Maximilian neben erbiettung meines ellenden ge-
betts und gehorsamen dienst bevehlen. Wien den 11. decembris a. 89.

E. G. gehorsamber caplan

M. Khlesl m. p.

Lightning Source UK Ltd.
Milton Keynes UK
UKHW011027170119
335297UK00006BA/112/P